D1262619

CONTEMPORÁNEA

José Luis Sampedro nació en Barcelona en 1917. Catedrático de estructura económica desde 1955, fue senador por designación real en la primera legislatura tras la restauración de la democracia en España. Es miembro de la Real Academia Española. Ha publicado, entre otras, las novelas *El río que nos lleva*, adaptada al cine, *Congreso en Estocolmo*, *El caballo desnudo*, *Octubre, octubre* y *La sonrisa etrusca*. Como autor teatral ha estrenado *La paloma de cartón* (Premio Nacional de Teatro Calderón de la Barca) y *Un sitio para vivir*. En el año 2000 ha publicado *El amante lesbiano*. Es uno de los escritores españoles de mayor prestigio y popularidad.

Biblioteca

José Luis Sampedro

Octubre, octubre

DEBOLSILLO

Diseño de la portada: Alicia Sánchez
Fotografía de la portada: © Digital Bank

Segunda edición en este formato: diciembre, 2005

Printed in Spain – Impreso en España

ISBN: 84-9759-920-9 (vol. 175/2)
Depósito legal: B. 49.539 - 2005

Fotocomposición: Lozano Faisano, S. L. (L'Hospitalet)

Impreso en Novoprint, S. A.
Energia, 53. Sant Andreu de la Barca (Barcelona)

P 899209

A las diosas de Octubre

Entremos más adentro
en la espesura.

San Juan de la Cruz

1. EN EL PRINCIPIO EL RETORNO
Ciudades enterradas

OCTUBRE, OCTUBRE
En el principio el retorno

Lunes, 2 de octubre 1961

Luis

¿Om?... ¿Som?...

Si abro los ojos se borrará todo, huirá ese sueño, ¡y es revelador!, *¿shaman?*, *¿semám?*, tampoco era eso, ¡no dejar escapar mi arcano entrevisto!, asomó ya en otros sueños, se aparecía el mismo lugar pero nunca estalló en las palabras, en ellos quiero decirme algo de mí, del fondo de mi pasado, *¿simán, simún?...* ¡*Simón,* eso era! seguro, *Simón, es ...* ¿qué?, escrutar mi destino en ese abismo, ahora, ahora, antes de que madame Mercier toque el timbre y ahuyente la visión, ¡ah! «*es un perro*», ¡eso: «*Simón es un perro*»!, así clamaba la voz, ¿qué Simón?, ¡cuánto odio gritando la palabra «*perro*»!, ¿a quién odio así, quién me odia, a quién odia ese otro, el de mi fondo?, no es seguro *Simón*, pero no abrir los ojos, seguir adormilado, se escabulle, esa palabra clave de mi vida, ¿quién es un perro?, ¡que no se me escape: aferrarle por el caftán y...!, ¿por qué ha de vestir caftán?, ¿dónde ocurrió lo que fuese?, no abrir los ojos, no abrir los ojos...

Voz en el mismo sitio de otras veces, hoy más detallado aquel recinto, cámara funeraria y yo tendido, ¿en una pirámide?, la bóveda con la diosa del cielo, Nut como en el papiro de Tamienu, la voz brotando desde todas las piedras, clamando «¡Simón es un perro!», ese grito envenenado, ¿y qué hacía un ciprés en la caverna?, ¿de dónde un toque de sol en su cúspide?, y aquel rumor de agua, no era Simón pero soy yo quien odia con esa violencia, me estremezco al sentirlo, sabré quién es ese nombre, yo tendido y odiando, inerme en el sarcófago, me retiene su olor a sicomoro, ¿y ese frío vacío en mi entrepierna?, ¡necesito ese nombre!, ya sube otra oleada del abismo, ¡el grito!, ¡la verdad!: *¡Salomón es un perro*, así clamó la voz, *«Salomón es un perro»*... ¡ya es mío, mi secreto!, ¡estoy seguro!

Repetírmelo, retenerlo, en cuanto abra los ojos escribirlo, con la luz me rodeará la *rue Huyghens*, la portera, mi trabajo en la agencia, la rutina publicitaria, aferrar el secreto, ¿quién fue Salomón?, ¿a quién odio en mi abismo bajo la gran pirámide?, símbolo, disfraz de un enemigo, ¿acaso Max?, repetiré «Salomón» hasta que mi lengua disuelva esa máscara como una hostia, reventará el absceso, sabré a quién maté, «Salomón es un perro», inolvidable, la cámara con el ciprés, el agua corriendo bajo la oscura Nut, ya no se me escapa: «¡Salomón es un perro!», ya puede venir a despertarme madame Mercier.

Pero ¡si esto es Madrid! ¿estimuló eso el sueño, este retorno a mi origen?, ¿cómo no he olido apenas despierto este otro aire, incluso a ojos cerrados? mi prehistoria infantil, también una pera de la luz colgando sobre la cabecera, y la Purísima, nauseabundo cromo, entonces Corazón Santo Tú Reinarás, Cristo Rey, los mártires de Méjico, el padre Anacleto inculcando su ejemplo, ¡siniestros ejercicios espirituales!, salir a la calle cuanto antes, quizás esté aquí el secreto, he vuelto pero no yo, Luisito murió en el Sena, viscoso río envolviéndome, la caída y el líquido helado, el cuerpo retorcido por la corriente, los sentidos escapándose, Luisito acabado ya cuando se arrojó, destruido por Marga o más bien por Max, la ducha no está precisamente hirviendo, ¿un cuarto de siglo!, todo parece igual, baldosas blancas y negras, anoche no pude ver Madrid, el horario tardío del vuelo especial, pero la autopista muy moderna, qué golpe el corazón al ver la Cibeles, al fin, las Calatravas, el taxi se detuvo, cualquier pensión cerca de Sol, y el mágico sereno tantas veces echado de menos por esos mundos, su nombre nada menos que Teodomiro, del tiempo de los godos, sobre el portal un lamentable rótulo, grotesco, rojo y negro sobre el plástico iluminado, este mundo se me revela en sus signos, un texto en cuatro líneas, «HOSTAL/NUEVA ESPAÑA/COCA-COLA/refresca mejor», repelía y fascinaba, subiendo la escalera pedí a mis dioses que no tuvieran habitación, pero era mi destino, soñoliento viejo despertado por el sereno, «¿español y sin documento nacional de identidad?», «llevo muchos años viviendo fuera», «a ver el pasaporte; está bien», el destino me conducía hacia un cuarto interior, un presagio la puerta y su pasador de seguridad sin ajustar, otro la maleta con su cerradura resistiéndose pero ya no había escape, caí en la cama en un pozo, sueño instantáneo, envolviéndome pese a los burujos de lana en la almohada, uno justo en la carótida donde los comandos aprietan el pulgar para matar, mi cerebro se oscureció en seguida, ¿ignorarán aquí la gomaspuma, sustentación fisiológica, colchón de anuncio con bella durmiente?

¡Qué grito esa lanza de luz repentina!, dardo de sol clavándose en el ajedrez blanquinegro, acudo a él, le ofrezco mi costado, entibia mi sexo, el pijama, le doy mis manos, me crucifico en luz gozosamente, otro signo, resucitaré en mi tierra, mis restos sembrados en ella para renacer, oh Tammuz, rebrotaré del mundo subterráneo, del sueño, y la lanza de oro se ensancha y ensancha, espada, lámina, prisma ya dorando el cuarto, me reinstala en remotos septiembres, soles como racimos de ámbar y miel, se ensancha mi pecho, ya no tengo miedo, desafío a Marga, me pongo en la camisa sus gemelos, con qué sarcasmo los describió Max (¡y aún ignoraba yo que era su hermana!), «dos monedas antiguas que compran al esclavo, con su cadenita, para que vayas esposado», su sonrisa esotérica mirándome desde lo alto con su anacrónica raya al lado y su mechón sobre la frente, mientras hacía ostentación de sus gemelos de siempre, ámbar del Báltico, de su nativa Lituania, leyendas del elektron, lágrimas de Apolo desterrado del Olimpo, Max prefería la leyenda céltica del gigante Ogmios, arrastrando a los hombres con cadenas de ámbar, ah, Max, Max, ¿qué te ocurrió en tu eclipse aquellos años? ¿cómo reapareciste para ser mi enemigo?, para aplastarme, castrarme, pero fue Marga, tu hermana, ¿tu amante?, ¡qué importa ya! ahora a la calle, me resucita mi sol, me espera mi infancia, vibrando en azul y oro.

Sombrío muro gris frente al portal, sus arcos-túneles hacia patios secretos, más caverna que casa, Ministerio de Hacienda recordándome aquella visita a un señor importante, nos tragó la altísima puerta con cabeza de león en la clave del arco, nos perdimos por escaleras y pasillos, rozando legajos apilados contra la pared, tía Chelo tirando de mi manita dolorida, vigilados por ordenanzas mudos, hasta decírsenos que aquel funcionario no estaba, quizás no existía, ¿o no era tía Chelo?

O sí era tía Chelo quien luego me arrastró en dirección Sol, allí al lado, al locutorio de teléfonos en la misma acera, aquel palacete ha desaparecido, hoy aparcamiento lleno de coches, puerta de la cabina doblándose hacia adentro, difícilmente entramos los dos, en la oscuridad me apreté contra el flanco de aquella mujer, quien fuera, mi cara junto a una mano estrujando nerviosa un pañuelito, qué calor, de pronto aquella gota en mi oreja, miré a lo alto, pesadas lágrimas resbalándole, temblorosa su voz, no acertaba a colgar, me vi ante el fin del mundo, reventó mi llanto como un vómito de sangre, mis sollozos ahogándose contra su vientre, mis manecitas aferrando sus nalgas, ¿una trampa la complicada puerta plegable?, salimos al fin, cataclismo: las madres también lloran –¿era, pues, mi madre?–, sacrilegio, pecado nefando como decía el padre Anacleto, ¿qué significaría «nefando»?, y solo ante el fin del mundo porque ella me arrastraba de la mano, sin cogerme en brazos, y aún faltaba lo peor, su voz como un latigazo, «o te callas o te doy un bofetón», precisamente cuando yo hubiera querido defenderla con mi sangre, no, no podía ser mi madre, qué caos, qué desgarramiento, yo arrastrado hacia Sol, ¿de quién aquella carne elástica que abracé en la trampa?, me turba ese recuerdo, *Espumosos Herranz* y *Doña Mariquita* estaban enfrente, donde ahora ese Banco Zaragozano, refrescos exquisitos, qué chocolate con picatostes...

Sobrevive la Puerta del Sol, inmóvil cero de las carreteras y sin embargo vorágine, vórtice del latido nacional, todo a parar allí como a un tragadero, vengo con mi recuerdo inmutable, tan intacto en su ayer que no encaja en el ahora, allí los tintineantes tranvías como enormes cascabeles amarillos, borrados por estos autobuses humeantes, el quiosco central para bajar al Metro convertido en dos mediocres fuentes, me falla este retorno, destruye mis tesoros, hasta el anuncio de Domecq es otro anuncio de Domecq, y este fragor automóvil aniquila mi apacible recuerdo, pienso espantado que aquella dulce tarde, polvillo de oro y cielo violeta, aquel jueves con el globo más azul del mundo, aquel triunfo infantil no existió nunca, esto que contemplo es memoria y piedra, eternidad y sueño superpuestos, no hay una Puerta del Sol sino millones, cada cual la suya, incomunicables, y hasta la mía de ayer enemiga de la actual, ¡qué horror!, y hemos de sufrir el tiempo a pie firme, sus dentelladas a nuestras fibras, oírlas quebrarse como hojas en octubre, lágrimas en mis párpados, los del hombre en ocaso que soy yo, andando muerto por esta esquina del planeta, la de Alcalá con Sol, suicidándome de nuevo en el fracaso de mi recuerdo, salvado del Sena para morir aquí.

Mas no todo es fracaso, emergen concordancias, ese programa de música es un bálsamo, increíble supervivencia de lo más frágil, café *Universal* con aquella orquestina de cinco señoritas, ahí continúan, casi el mismo programa, *Molinos de viento*, la *Alborada gallega* de Veiga, quién se acuerda, *El Conde de Luxemburgo* (tanda de valses), qué ola de emoción y de esperanza, esa palabra «tanda» ya olvidada, sin embargo ahí figura, «a petición de numeroso público», de viejos supongo, señoras pensionistas, de un café con leche para toda la tarde, la que más un suizo, «permítame convidarla, Edeldmira, hoy me toca a mí», recobro del todo la moral junto a esa bombonería intacta *La Flor de Lis*, contemplo ya sin miedo la gran plaza, la torrecilla de Gobernación, su famosa bola dorada cayendo a las doce, éxtasis de paletos, y el *Bar Sol* allá enfrente, esquina a Carretas, bendito el dueño que le conservó el rótulo con letras «modernistas» del año treinta, cuando los primeros muebles de tubo de acero en las películas de la *Ufa*, también la librería de San Martín, pero falta el *Café de la Montaña*, el de *Levante*, falta no sé qué, aquel garbo simpático de capital y pueblo, ahora provinciana la plaza y pretenciosa, demasiado automóvil, como exceso de pulseras en nueva rica, falta todo y sobra prisa, ya no hay corros charlando, mentideros de arbitristas y ociosos acechando el paso de la hembra de trapío, las estudiantes del año treinta y cinco con su boina ladeada o con los sombreritos como tricornios venecianos.

¡Aquella densidad vital, aquel limo fecundo en las aceras y en los bares!, ¡cómo cuajaban las noches de verano!, galopaban por tejados y balcones los relámpagos de anuncios luminosos (*Tío Pepe, La Asturiana, Carlos Albo*), coronaban de fuego la plaza, océano recibiendo gente por los ríos de sus ocho bocacalles, despidiéndola por ellas como un gran corazón urbano, yo me atrevía a asomar por Arenal en mis primeras salidas solo, me adentraba en la vorágine intimidado, me confortaba en la esquina de *La Mallorquina* con el olor a ensaimada despedido por los respiraderos del sótano, en París me lo recordaba la esquina de Fauchon en la Magdalena, aún podía volver a casa por Mayor, pero decidía rodear la plaza, sus riberas, qué temor voluptuoso, cuánto misterio y maravilla, cuánto pregón, «la pelota mágica», «el ratón y el gato», «el lápiz que escribe mejor que la tinta con borrador y guardapunta», qué vendedores callejeros, los chinos con *colbatas* a peseta serían espías de Fu-Manchú, los gitanos vendían sortijas o estilográficas robadas, los periquitos verdiazules no echaban a volar porque les hacían tragar perdigones, como a la rana de Bret Harte en el Condado de Calaveras, ¿cómo se podía vivir vendiendo sólo gomas para los paraguas si no se veía usarlas a nadie?, «el cerdo triste», «don Genaro saludando», naipes trucados para juegos de mano, «el Don Nicanor tocando el tambor», me compré uno, embobado ante tanta maravilla había cerrado ya la noche, me volvía el miedo, llegaré a casa tarde, como los hombres perdidos que aborrecía tía Chelo, seré castigado, y ya era oscuro, cambiaban los pregones y las ofertas, de día vendían *El Tren Expreso* de Campoamor o los «últimos» chistes de Quevedo, de noche *El Tenorio picaresco* o, por sólo dos reales, nada menos que *Todos los secretos de la noche de bodas*, más de una vez tuve ya en la mano las dos moneditas de a real, dos «carabelas» de las destinadas a la hucha, sudorosos mis dedos dentro aún del bolsillo, pagaría, cogería el librito y echaría a correr, que vergüenza, con mi pantalón corto, a veces todavía orinaba levantándome la pernera, sin desabrocharme, hasta que me dijeron que eso no era de hombres, al fin nunca me decidí a comprar, la plaza entera me miraba, adivinaba mi deseo, mi febril vacilación detenido frente al vendedor de los terribles libritos, qué pecado, y yo huía, huía...

Me vuelve a retumbar aquel corazón, ¿dónde estaba mi ángel de la guarda?, en torno todo chispas, electricidad luciferina, yo la percibía como gato erizado, engendrada por el frote de pies sobre la acera, el de las ruedas sobre adoquines, las bocinas locas, luces en movimiento, los motores, palpables deseos, piropos al oído de la hembra, rubores, ramalazos de olor a carne con sudor o perfume, todo se me subía a la cabeza con aquel pozo, caldero de brujas bajo el oscuro cielo, inmenso tiovivo en la feria de la vida, girando, mareándome como vino fuerte, mi cuerpo cortaba al andar las invisibles serpentinas del deseo entre unos y otras, hubiera querido también engancharme, pero al fin me apartaba, embocaba por Arenal, como ahora, reprochándome mi cobardía, al día siguiente compraría los famosos secretos, seguía calle adelante hacia la plaza de Fermín Galán, pensando en el castigo si me ganaba por un minuto el octogonal reloj del comedor, había que nivelarlo de vez en cuando, oía por anticipado a la tía Chelo, «no permitiré que tú también te pierdas» (el «también» aludía a mi padre), antes de mandarme al rincón, penitencia purificadora bajo la lamparilla de la Inmaculada, «pide a la Virgen que te conserve siempre la pureza», siempre obsesionada por la pureza, qué sería eso, «mientras más tiempo lo ignores, mejor» me contestó cuando se lo pregunté, ahí mismo en la puerta de San Ginés saliendo de una novena, al menos sobrevive la iglesia, arrodillado en aquel rincón yo paladeaba mi castigo, «soy malo, perderé mi alma, merezco este dolor en mis rodillas», asombrándome al mismo tiempo de lo iguales que eran las florecillas en el empapelado a un palmo de mis ojos, las pintarían con calco, por cierto la pureza era una flor, lo decía mi devocionario, dónde tendría yo esa flor, todas las alusiones apuntaban a la entrepierna, la colita, quería yo y no quería estar seguro, pero no se veía tal flor, sólo el pensar «ahí» era ya pecado mortal...

Mortal fue ella, tía Chelo, el cuarenta y seis, en Cuenca, me lo escribió su amiga doña Ramona, «el último suspiro arrodillada en su balcón», un fallo cardíaco ante la procesión de Semana Santa, «murió como una santa», qué carcajadas las de Max Krevo, «tu piadosa tía reventó como un urogallo cazado en los montes Tatras: estallando de pasión», siempre Max desdeñoso desde su aristocrática ascendencia, grandes duques de Lituania, Lubart hermano de Algirdas el fundador, sangre de los Jaguelones, entonces debí volver a Madrid, estuve a punto cuando las esperanzas en el hundimiento de Franco al acabar la guerra mundial, pero la pobre tía Hélène se quedaría sola, sus tres hijos la dejaban, qué hubiera sido de ella sin mí, sola en su casa de viuda, mi segunda madre, cómo abandonarla, y la vida en Argel, el mar azul sobre las blancas azoteas, la Universidad, pero ella sobre todo, la única que me ha querido de verdad, no me arrepiento, aunque debí volver, acabar mi carrera y volver, me hubiera evitado esta última catástrofe...

¡Aquel ciego, ahora me asalta el recuerdo, en la esquina del teatro Eslava con su armónium, todas las mañanas, sus melenas, su frente de amplia entrada, su chalina, sus ojos blancos hacia lo alto, sus manos con mitones sobre las teclas amarillentas!, su fotografía en *Estampa*, qué revista por treinta céntimos, las historietas de Pipo y Pipa mejores que el Pinocho, luego leíamos *Crónica*, o mejor la veíamos, siempre traía dos desnudos, el dibujo de Ribas y la foto de arte de Manassé, a escondidas en el colegio, pero se me hace tarde, aún he de presentarme esta mañana en IDEA *Instituto de Estudios Avicológicos*, mi medio de vida ahora, providencial viaje de Martín Arango a París, qué hubiera hecho yo después de la catástrofe si no me ofrece este empleo, pero antes ver mi antigua casa, me urge aunque me resisto, siento miedo, cómo se hallará, quién la habitará ahora, ciego voy sin lazarillo...

¡Esa señora, otro signo, caminando ante mí, como si me guiara! tía Hélène rediviva, idénticos andares y figura, su encanto de otoño, su vestido listado en suaves colores, su estilo, me adelantaré a ver su cara, saber que no es un milagro, una aparición ¡lástima, se ha metido en *«La Hebe»*!, la famosa corsetería, quedo temblando, ¿es que la veo en todas partes?, Hélène, Helena, «resplandor solar», quedó encantada cuando le revelé ese significado de su nombre, en mi primer curso de griego... pero yo aquí parado ante el escaparate de prendas íntimas, y mi casa esperándome, el doctor Calasans en IDEA...

¿Y eso?, ¡qué chafarrinones en lo alto del Teatro Real!, esas mandolinas cruzadas con saxofones entre cintajos de barraca de feria, qué decoración, quién dirige esas obras, qué ministro de la «Nueva España» habrá aprobado esa birria, pero no detenerme, cruzar la plaza, embocar la calle Vergara arriba, ese es el camino, ¿por qué esta angustia?, ando como por las nubes...

Me derrumba en tierra ese chirriar siniestro, desgarradura del aire, puñalada cósmica, ese frenazo casi un accidente, la muerte rozando a la mujer que ni se entera, increíble, ni escucha los insultos del taxista, sigue andando, astral indiferencia, como si fuera invulnerable, quizás por eso su silueta me recuerda a Marga, y también el firme pisar de sus zapatos planos, esa seguridad, la pierna distendiendo a cada paso la falda recta, ¿y va en mi dirección!, sigo a ese traje sastre gris, a ese pelo estirado recogido en un moño, a esa guía sin rostro llevándome a mi barrio, el de Larra, el suicida social, absoluto, numen de estas calles, de este aire, ¿también inconsciente suicida la mujer ante el taxi?

La mujer se desvía de mi ruta a la plaza de Ramales, me da lo mismo, nada importa ya porque he llegado; sí, pero a la nada. A nada, murió mi vieja casa, sepultada bajo esa fachada nueva, de ladrillo agrio, asesino de mis tesoros, la bola de cristal verde al pie del pasamanos de la escalera, los peldaños de baldosín rojo con gastado borde de madera, la tupida tela metálica de la fresquera, la cortina en el pasillo aislando la cocina, el empapelado del comedor, el gran filtro de porcelana sobre su pedestal, la emocionante ventanita del sótano del portero para ver pasar tobillos y piernas... ¿La mató la guerra, la especulación? ¿la reventó una bomba o un sórdido interés?, qué importa, mi destino es la nada, hubo de ser precisamente ella, toda la plaza intacta, ya he muerto hasta en mis piedras, mis maderas, mis cristales.

Alguien invisible parte leña con hacha hacia las calles de Noblejas y Rebeque, sus golpes paletadas sobre ataúd, mi infancia enterrada, ¡un muro, una pared para mi espalda que mis rodillas ceden!, me dejo caer contra una fachada superviviente, dos lágrimas saltan, apenas oigo pasos, rodar coches... Aniquilado, sólo sobrevive mi garganta, donde rompe un sollozo por la muerte de todo.

Y ahora ¡la media soltándose: lo que faltaba! Me hará perder minutos en un portal. Los decisivos, seguro. Ese tirante del liguero nunca agarró bien. Llegaré demasiado tarde. El reino perdido por una herradura. El destino. Ya me ocurrió anteayer; debí preverlo. La catástrofe.

No vuelvo a esa mercería. Se lo dije a la dependienta: «¿No tiene de la otra clase? Ya sabe, con el botón de goma. Pero en rosa, no.»

También es que me las pongo demasiado tirantes. Pero las medias caídas, un asco. De beata.

La dependienta, ¡qué antipática! De esas guapas muy creídas y hablando por la nariz.

¿Por qué se les caerán tanto a las beatas? Sus tacones torcidos, además. Y la puntilla de la combinación asomando. Aquella Elvira. Pero todas el mismo estilo. En serie.

Muy creída esa guapa, no sé por qué. Vulgar. Negra por trabajar en tienda donde sólo entran mujeres. En una camisería se volvía loca. Su ilusión, un estanco; seguro. ¡Qué miraditas lanzaría! Con esos ojos de vaca, salientes... «¡Vaya ojos!», celebrarían ellos, los muy tontos. No, no vuelvo a esa tienda.

¡Si nos vestimos como imbéciles! Nos metemos las cosas por abajo y luego, claro hay que colgarlas desde arriba. Cuánto mejor los pantis, las medias hasta la cintura. Ni cintajos, ni portaligas.

Pero no le gustan. Prohibidos. No son femeninos. No piensa con lógica. Por eso me tiene siempre en vilo. Alerta, a ver por dónde salta. Como ahora: angustiada por llegar a casa.

En plena Gran Vía y ni un taxi. Para colmo, el cruce en

rojo, ¿cómo no? El universo contra mí, naturalmente. Y cuando verde, ¿ahí va!, una ambulancia cortando el paso. «Corro porque quiero, idiota. ¿A usted que le importa?»

Don Rafael porfiando. Debí dejarle que me trajera en su coche. «¿Se siente usted mal, niña? Lo que le *hase* falta es una copita.» Odiosa piedra de su anillo, ese falso rubí. «Bueno, bueno; no me mire usté así, como si me quisiera dar un latigaso. Dejemos hoy el coche; otro día será.» Convencido de que habrá otro día, de que al final caeré.

¡Qué empujón, qué bruto! Quisiera andar agitando un pañuelo con la mano, como los taxis que llevan a una parturienta. Más tranquilas van ellas que yo. Su único problema es soltar el paquete. Tan ufanas, además. Ya les daría yo mi angustia. Verían lo que importa cada segundo. Un día se me romperá el corazón en estas carreras. ¡Ojalá; así acabaría de una vez!

¡Qué hombre más odioso! Aquella única vez que me trajo parecía que esperaba por cortesía a cerrarme la puerta del *Volkswagen* y era para tratar de verme los muslos al sentarme. Y los rocecitos dentro; sus ojos en mis rodillas; casi nos estrellamos. Una y no más, Santo Tomás. Lo peor, su sonrisa de triunfo bajo el bigotito.

La media parece aguantar. Al haber cedido un poco, ya tira menos. Calor de pleno verano. O será mi sofoco. ¿Seguirá en casa? ¿Se habrá...? Si no es hoy, mañana. Cualquier día. ¿A qué engañarme? No me quiere. Un día llegaré tarde.

¿Me ha querido alguna vez? Antes, por lo menos, se dejaba querer; saboreaba los mimos. ¡Cómo me los agradecían sus ojos! Por algo se vendría a vivir conmigo. También por el gusto de conquistarme, claro. Un triunfo. Como los misioneros: convertirme. Despertarme una vocación tardía. No para el cielo; para la cama. Se ha empeñado y ¿por qué no? ¿Qué más me da? Cualquier cosa para conservar lo que tengo. Pero ¿lo tengo? Pues si no, razón de más.

«La diosa impasible», me llama don Rafael arrastrando las eses. Comiéndose las letras y aspirando: «*Uhté eh de mármo*, niña». Odioso pero ¡si me hubiese traído en el *Volkswagen*! Porque el mármol, ahora, gelatina. Manojo de nervios. Angustia al rojo vivo.

Quiere hacerme un favor: abrirme los ojos. Despabilarme. Y tiene razón. O, más bien, quería; ahora a ratos se aburre. Lo veo venir: Volveré a quedarme sola; se me abren las carnes. Para una vez que encuentro algo. Amor o lo que sea, da lo mismo. Intimidad con alguien, compromiso, emoción. Distinto del manual de urbanidad. Estoy decidida. Lo que se le antoje. Seré su alfombra, sus zapatos, su toalla de baño. Romperé mi cárcel vitalicia, la que me inhibe siempre.

La dependienta, ni piensa en tales cosas. «Anda, vamos» y allá va. No, me engaño; esto no es Londres. Ésa tendrá el problema de aquí; el qué dirán, el pecado, el cura que confiesa... Pero todo eso tiene fácil solución. Son trabas externas; no por dentro. Su problema es pescar a cualquiera: el primero que se deje llevar ante el cura.

Es lo que me pierde: querer ser sus zapatos, estar siempre a sus pies. Pero ¿si no conozco otra manera! «La diosa impasible»... ¡sí, sí! Una esclava y nada más. Y empalago, claro. Aburro. Debería empuñar yo el látigo, como Gerta. Sacar las uñas; seguro que la Ojos-de-Vaca se las saca al marido en cuanto los bendigan. Me limaron las garras de niña. «Es sencillo, mujer: tira y afloja», reía Gerta, «hoy de miel, mañana de hiel... y luego siempre de hiel. Les gusta». La miel, hasta que caigan, nada más. *The carrot and the stick, you know*. ¡Qué fácil el consejo! Sobre todo llamándose Gerta, Gertrudis, la «doncella con lanza» en viejo teutón; ella lo repetía. Presumía de nombre. Fácil pero ¿cómo se aplica? ¡Que me enseñen!

He de volver a ese escaparate. Hay cosas que le gustarían. Esquina a la Costanilla. Ese *baby-doll* amarillo pálido entre oro y marfil. Un «picardías», lo llaman. ¡Qué idiotez! Le encantan esas cosas; realzan mucho, dice. Habré de verlo sin prisa. ¡Qué gusto, la cuesta abajo! ¡Dios mío, ya están cerrando la papelería: no llego!

¿Por qué no me habrán enseñado lo más importante? ¿A qué llaman educar, si no preparan para vivir? Literatura, ciencias, urbanidad, tonterías. Latín y todo lo muerto. Lo vital, con decir que es feo, que no se hace, que es pecado, ya está. A hablar de otra cosa. Como si no lo hiciera nadie.

Ya han estrenado la película en el *Real Cinema*. «Iremos», dijo cuando vimos el anuncio. Claro; morbosa. Entre cruda y sentimental. «De las que arriman», para usar su frase. Y aquí cerca de casa; servida a domicilio.

En la vida, todo conspira para excitarnos; en los libros se simula creer en la moral. Estoy harta. Pero ya es tarde para sacar las uñas. No me lo iba a consentir; con eso le daría el pretexto para dejarme. ¡Que tristeza, tener que sujetar el amor! O el cariño, deseo, lo que sea. Si me abandona ¡qué va a ser de mí! No debí salir esta mañana pero ¡cómo faltar a la Academia a principio de curso!

Maldita relojería: es tardísimo. Con lo que le gusta su aperitivo sin prisas y comer pronto. Luego, echarse, con toda la tarde por delante. Sabe vivir. ¡Por fin, el último semáforo! ¿Y se pone a cambiar ahora? ¡Ni pensarlo! ¡Que se esperen los autos!

¿Qué pasa; se ha roto algo? El mundo, por lo visto. Bueno, no es para tanto; no me han atropellado. Ni siquiera se me ha soltado la media al saltar. ¡Qué alboroto! Que me insulte lo que quiera. Pues no haber frenado, hombre, ¿qué le importo yo? ¿Que vivo de milagro? ¡No diga tonterías! Vivir no es un milagro; es un error. Si me atropella, en paz. ¡Esquina de Vergara, todavía!

¿Será un presagio ese amago de accidente? ¿Debo irme preparando a lo peor? ¡Qué ahogo! Se enfadará y con razón. Esta cuesta, más empinada que nunca. No mire, señor Urbano, que no estoy para usted. Hoy no compro huevos, aunque sólo queda uno en casa; perdería minutos. Sí, buenos días. ¡Qué afán por retenerme!

¿Por qué mi corazón encadenado a Noblejas, 17? Un cordón umbilical elástico atrayendo hacia el estudio mis piernas, metidas en el nylon y los zapatos, matándose por correr, por llegar antes de que...

Hoy no, por Dios; hoy no. Que no me haya dejado. Hasta mañana, por lo menos: dame una oportunidad. Estoy loca. Vaya, Tere en el portal. Le preguntaré; saldré de dudas. ¿Para qué, para dar aquí el espectáculo? Nada de preguntarle. ¡Gracias a Dios; dice que llegó hace un momentito! Eso es que regresó hace mucho; Tere miente para calmarme. Lo sabe todo.

Estas escaleras me matan. Y la condenada llave. Está viva, se escurre por todo el bolso, juega al escondite con mis dedos. ¡Mira que si la he perdido y he de llamar! Le revienta levantarse para abrir; pondrá morros. Sería el completo. ¡Por fin!

Abro. La veo. Con mis propios ojos. Mi tormento, mi delirio. Gloria. Gloria Brunet de Lorca. Recostada. Odalisca; cuando lo pienso, aún lo comprendo menos todo. Tampoco ella a mí, pero se trata de vivir; no de comprender. Ella vive tumbada. ¡Qué bien le sienta! Todo resalta en su cuerpo hecho para yacer. De pie resulta menos. Al revés que yo: valgo poco acostada.

¡Si supieran en la Residencia, donde se excusaron tanto por meter a otra chica en mi cuarto! Una antigua alumna venía a leer su tesina, sólo estaría unos días... La esperé con recelo ¡cómo iba a suponer!... Invadió mi habitación desde el primer momento. Abrió la maleta y saltaron sus ropas como seres vivos.

¿Qué piensa, mientras me quito la chaqueta? Nunca sé lo que piensa; vivo en vilo. Me justifico: principio de curso, organizar mi clase, muchos preguntones al final... Me tiembla la voz como a una culpable. Le quita importancia, melosamente. Me asusta esa suavidad: el peor síntoma. ¿Proyecta ya dejarme? Con ese nudo en mi garganta, ¿cómo hablar frívolamente? Lo intento: «Te preparo una copita, mientras te vistes y salimos a comer.» Me interrumpe y me quedo de piedra, con la botella en la mano: No le apetece salir.

Cuando llegó, su maleta de prestidigitador; un aprendiz de brujo inundando de colores el cuarto. Una combinación azul se tendió en mi cama. Una blusa amarilla se instaló en la butaca. Los maquillajes llenaron la repisa. Sólo faltaban las palomas que siempre brotan de la chistera mágica. Las flores de papel. Yo, fascinada ante aquella exuberancia vital. Descubriendo por primera vez el abismo de mi soledad.

Apetecer: palabra clave para ella. Le apetece o no algo: ésa es su ética, su tabla de valores. Tiemblo: ahora haría de mí lo que quisiera. «¿No vas a comer?» Lo que quisiera; ¿por qué no darle gusto? ¿Hacemos por fin el amor como dos buenas lesbianas? ¡Aprovéchate, Gloria: éste es mi cuarto de hora! A lo mejor a mí también me gusta... Pero ¿qué oigo? ¿Que no se encuentra bien...? ¡Cierto, debí fijarme antes en sus ojeras! Mi obsesión me cegaba. Ahora comprendo. ¡Qué alivio!

A las demás les cayó antipática. Que si parecía

boba, que no tenía conversación... ¿Y para qué? Su fuerza consiste en ser, estar. Decía Luisa María que la tesina era una birria. Puede, pero al Tribunal se le caía la baba. ¿Cómo iba a comprenderlo Luisa María, que iba a misa con su novio formal de Navales, devocionario en mano cada uno?

Calculo sus fechas, ¡claro que es eso! Pregunto y me lo confirma cerrando y abriendo lánguidamente los ojos. Disimulo: si percibe mi júbilo me lo hará pagar después. Abandono ya la guardia; soy la feliz esclava. «Baja tú a comer a *Casa Eugenio*; yo me quedo.» ¡Por nada del mundo! Calentaré aquí algo; cuidarla es mi triunfo. Ya no me abandonará en tres días, le resultaría demasiado incómodo.

Aparecieron las palomas, y ¡qué palomas! Remacharon mis cadenas. Fue cuando, al regreso del comedor, bajamos las persianas contra el fuego de junio. La penumbra nos sumergió en una claridad submarina. Océano de intimidad. Se levantó la blusa y me volvió la espalda. Suplicó imperiosamente, con su tiránico mimo, inolvidable: «Ayúdame, ¿quieres?» Desabroché su sostén, tiró luego de una hombrera por la manga...

¡Tres días seguros, tres días! Y yo temiendo que ese hombre, el que hablaba ayer con Tere en el portal... ¿Qué preguntaba a Tere, por qué retrocedió tan de golpe para dejarme pasar? Como si me reconociera o supiera de mí. Y me miró –seguro– mientras yo me alejaba, pero no como todos... El miedo me hace ver visiones. No puedo seguir así.

...tiró luego de la otra hombrera y entonces pudo quitase el sostén sacándolo por el escote, conservando la blusa. Lo lanzó sobre la silla y cayó despacio, como un paracaídas de juguete. El gesto se me hizo tan chocante (¿y por qué?) que quise justificarla: «Hace calor, ¿verdad?» Desdeñó la excusa tranquilamente: «Me gusta sentirlas sueltas.» En femenino, porque ella dice siempre «las tetas». Todavía me choca oírla.

Mientras me pongo la bata comenta meliflua desde la cama: «Estás más delgada.» No suele inquietarse por mí; me conmuevo. ¿Será que no piensa dejarme? ¿Estaré preocupándome en vano? Acabaré neurótica. Y no estoy más delgada; es que no concibe los pechos menudos.

«Me gustan sueltas», proclamó con inocencia, y soy su esclava desde entonces. Las dos palomas de la chistera mágica. Vivas, independientes. Dos bestezuelas jóvenes, dos morritos juguetones. ¡Qué bien he llegado a conocerlas! *Hänsel y Gretel*, acabé llamándolas, porque eran diferentes. *Hänsel* más rebelde, más agresiva; siempre tenía que acomodarla con la mano, dentro de la copa del sostén. Y hasta en la forma, ligeramente más picuda, incluso cuando estaba tranquila. *Gretel*, la izquierda, una loma redonda, se instalaba sola en su nido, apaciblemente.

Para ella los pechos pequeños son imposibles, sin más, en una mujer. No puede representárselos ni aun teniéndolos ante los ojos. Siempre la sorprenden los míos. ¡Me ha herido tantas veces su mirada de asombro, incidiendo en cruel silencio sobre mi obsesión antigua! Ese «estás más delgada...». ¿Tendrá remordimientos? Soy tonta: Gloria es tan incapaz de remordimientos como una pantera.

Alzó los brazos y ambas se irguieron, levantando la blusa. Se tumbó en la cama y se fueron con ella, se recostaron sobre el cuerpo boca arriba, un poco a cada lado una y otra, como en la *Maja* de Goya. Santa Águeda mutilada se rindió ante aquel doble prodigio. Orbes, imanes, cumbres. Ella, Gran Hembra Reina; obrera yo, sin atributos, larva de termita.

¡Olvidé mi media casi suelta! Me meto en el baño a sujetármela y me siento grotesca. Ese ocultarme no puede ser pudor a estas alturas, sino un tabú remoto... Cuánto le cuesta al butano encenderse. Debe quedar poco; luego veré. ¿Dónde está el huevo? «Me apeteció una yema y, como tardabas, la tomé con jerez... Lo siento por ti. Dame cualquier cosa, no tengo hambre.» Su voz la delata: tiene un hambre canina. Saldré a buscar algo.

Aquella primera tarde dio media vuelta hacia mi lado. «Voy a dormir un poco», dijo. Se sentó en la cama, se quitó la blusa y quedó en combinación. Se tumbó nuevamente de lado, frente a mí. *Hänsel* pesando sobre *Gretel*. Tampoco eran rebosantes: lo justo para fascinarme. Me acosté con ella y simulé dormir también. Cuando percibí en su respiración el sueño, abrí los ojos y me puse a contemplarlas en la penumbra verdosa. Subían y bajaban levemente en la alfombrilla entre ambas camas y acerqué la cara. Sin tocarlas, me llegaba su olor, su tibieza, su aliento vital... Se me saltaron las lágrimas, mientras oprimía mi propio pecho.

Vuelvo a vestirme, feliz al servirla. Se saldrá así con la suya el señor Urbano; le daré conversación. De paso subiré lomo embuchado. Y melocotones: le encantan; seguro que por morderlos. ¡Cómo les hinca el diente, qué asunto para un Greuze! «La niña del melocotón.» Sus labios junto al terciopelo vegetal y, en un destello, el relámpago blanco de sus dientes... ¿Qué otra cosa podrá apetecerle? Delicia: jugar así a las comiditas.

Desde aquella tarde, esclava de sus dos palomas. A veces juegan de buen humor, ligeras; otras, pesan exigentes. En la Edad Media me declararían hechizada. Allí aún no me atrevía, pero en cuanto alquilamos el estudio, ¡qué días de adoración callada! Mis imágenes santas, mis iconos. Si algún día nos mudamos, acariciaré estas paredes como Greta Garbo el cuarto de la posada en *Cristina de Suecia*. También sin pechos. Greta, bajo su traje masculino.

Hasta el señor Urbano me resulta agradable. A él se le ha ocurrido añadir el quesito de importación espolvoreado de comino; a Gloria le encantará. Y ¡qué tibio el sol, qué alegría pone en la calle de otoño! ¡Esos chopos dorados en el talud de Bailén! Aún apetece ir a la piscina, pensando además en la carne de gallina al salir del agua. Ya digo «apetece», como ella. ¡Águeda, progresas!

La piscina azul, puntilleos de luz, móviles sombras verdes, colores sobre los cuerpos. Intimidad en la caseta cómplice; su olor húmedo y caliente. Allí me atreví al fin a rozarme con ella. Resultaba natural, hasta inocente. ¡Qué descubrimiento de placer, vestirnos juntas en tan poco espacio! Ejercicio de equilibrio, sosteniéndonos mutuamente, suave rebote desde la pared al otro cuerpo. Largas caricias no buscadas. Sus pechos elásticos: los tocaba mi brazo sin sentirme culpable. Mis tiranos, mi obsesión. ¡Qué nudo de felicidad en la garganta!

El portal: ¿Quién sería ese hombre? ¿Qué más da? Si no es él, será otro. U otra, mientras yo... Gloria no renuncia a su placer. Tampoco lo busca: lo coge. Sin esfuerzo, sin agresividad. Su absoluto poder es pasivo. No es rayo, sino selva y sus lianas. Medusa. *Dionaea*, la planta carnívora. Quiere sexo, pues habrá que dárselo. ¿O voy a estar toda la vida deteniéndome ante esa puerta? ¿por qué, en aras de qué? ¿Si ya sólo me faltaba hacerlo!

Repetir con coraje esa palabra: Sexo. Moldeo mis labios sobre ella. La oigo explotar, una vez y otra, partida por esa *X* que la corta y la multiplica, como en la división celular. Esa *X* estrangula el sonido: primero casi lo mata con una afilada *K*, para devolverle la vida dejándolo susurrar por la pendiente voluptuosa de la *S*. Repito, repito escalera arriba: SEK-SO.

Chillaron las ruedas y el mundo quedó en vilo.

¡Antes todo tan sereno! La plaza de Isabel II, un estanque de paz. Sólo aquella mujer cruzaba corriendo, sin mirar, cuando cayó la guillotina. Aullido de rata gigante, pavoroso frenazo rasgando el aire. Los neumáticos se crisparon sobre su doble huella caliente y negra, como raíles de muerte. El taxi logró parar justo ante la mujer apresurada, y la guadaña no acabó de caer. Pero su presencia congeló la vida, flores en la bola cristalina de un pisapapeles, petrificando transeúntes y cuerpos en ventanas como cuando se para una película: el lotero de la Escalinata, el mancebo de la botica dejando el toldo a medio bajar, la cerillera de *El Túnel*, el guardacoches tartamudo, el portero de *Baños Oriente*; el rapaz recién llegado de Becerreá para la taberna *El Pulpo*, el municipal de las multas, el florista de *El Jacinto de Oro*, la taquillera del *Real Cinema*, el mecánico del garaje *Carlos III*, la mecanógrafa de *Venus Films*, las dos señoras volviendo de San Ginés, el repartidor de *La Julita*, el encargado de la gasolinera, las estudiantillas de inglés en Berlitz, el camarero de *Siboney*, el jubilado pífano de Alabarderos, el cajista de la imprenta Solano, el fraile servita de San Nicolás, el pipero de la esquina de la Priora, y así hasta medio centenar, cuya identificación no podemos completar (sesenta y dos, según la observación nunca fallida de la portera del 12). Sin olvidar las palomas, haciéndose eco del espanto en aletazos de perla y plomo. Más los insectos camuflándose entre hojas, fingiéndose muertos, refugiándose en grietas y agujeros. Y el mundo vegetal –sensitivo como ha probado ya la ciencia– estremeciéndose ante aquella desgarradura del cosmos, aquel triple diamante dando un tajo divisorio al cristal continuo del mundo.

Sólo un indiferente al pasmo: el hombre aparecido en el banco donde un segundo antes no había nadie. ¿Se infiltró desde otro espacio aprovechando el corte de la película, la rotura del tiempo? ¿O acaso estaba ya antes, invisible? De todos modos, allí se le vio cuando el llanto de un niño rompió el encanto y se reanudó el torrente de la vida. Las gentes se movieron, comentaron, se encogieron de hombros o se santiguaron (el servita y las señoras de San Ginés). Blasfemó el taxista, insultando rabioso a la mujer que se alejaba, toda indiferente al rasponazo de su propia muerte. En su habitual velador del café *La Ópera*, don Pablo dejó la estilográfica sobre las cuartillas y miró su reloj de bolsillo. Eran exactamente las once y treinta y nueve minutos de la mañana –hora oficial– del dos de octubre; cuando el hemisferio norte empieza a enfriarse y van cayendo las hojas a pudrirse en los senderos. Aunque es también por San Miguel cuando se contratan los pastores para un nuevo año y cuando, tras la apoteosis báquica de la vendimia, las rejas de arar violan a la tierra para su fecundación por la semilla.

–Si no frena a tiempo, la mata –sentencia Rogelio, trayendo a don Pablo su habitual café con media tostada.

«Si no frena a tiempo –repiensa don Pablo–..., si el freno falla... si la mujer anda torpe... De eso depende la muerte o la vida. ¿Azar o determinación? ¿Es verdad que ni una mariposa muere sin ordenarlo así la Providencia o acaso se pierde Waterloo por un error de Grouchy? Pero el error puede ser visto como providencial. Entonces, ¿azar determinado, necesidad casual? Así ruedan los hombres y las estrellas.»

Como aquel fuego, por ejemplo: don Pablo está describiendo en su artículo para un semanario el que devoró media Plaza Mayor entre el 16 y el 26 de agosto de 1790. ¿Brotó de un candil mal apagado en el rincón de Mesón de Paños o –como se dijo entonces– lo provocó un envidioso de la fortuna acumulada por el pañero don Esteban de la Torre? El caso es que las llamas no se rindieron ni ante el Santísimo Sacramento, solemnemente expuesto ante ellas; lo que apoya la hipótesis de la venganza, al tratarse por fuerza de llamas infernalmente irrespetuosas.

Don Pablo ironiza a base de ese histórico detalle, para irritar a los censores y a la pía clientela del periódico, mientras se burla de sí mismo, pobre hombre reducido a tan pueril pataleta en el país dictatorial que le frustró su vida de profesor y de hombre político republicano. «Sólo me atrevo a esto. Somos cobardes ante el poder.» Evoca por contraste a Villamediana, mandando secretamente encender una humeante pajaza en el teatro del Buen Retiro cuando, en calderoniana nube de barroca maquinaria, su amada reina doña Isabel descendía de lo alto ante el rey y la corte. Alarma general, serenidad del conde, su pecho saltando con la cruz de Santiago para coger a la reina y ponerla a salvo, abrazándola contra su corazón en las mismas narices del real esposo, sus calzas verdes resistiendo la desaforada erección. ¡Qué fuego ella en su Don Juan, qué hoguera él en torno al cuerpo deseado, qué abrazo supremo en sacrílego escarnio al marido de derecho divino! Pasado el susto –quién sería el bromista– el gran Filipo, dueño de dos mundos, agradeciendo el riesgo a su vasallo, disimulando éste su excitada fisiología al doblarse en rendida reverencia, más aguanosos los ojos de la Sacra y Católica Majestad, pálido su rostro junto al arrebolado de la reina y el aún más encendido del enamorado conde... Pero ese fue otro incendio (se saldó, tiempo adelante, con alevosa puñalada) y don Pablo vuelve a su artículo sobre la Plaza Mayor.

Escribe con letra cada día más grande, a medida que lentísimamente van cuajando sus cataratas: la del ojo derecho estará operable para el verano. Pero al fin se extingue en sus cuartillas el incendio de la Plaza. Don Pablo pone el capuchón a la pluma, la guarda, paga, se levanta.

«¿Qué? ¿Ya echamos el cierre a la tienda?» «Eso es, Rogelio; hasta mañana.»

Desde la puerta, un mundo reducido a manchas coloreadas. Gris y marrón abajo, verdes horizontales y otros erguidos, un fondo de blanco y ocre, sospecha de azul en lo alto. Don Pablo interpreta: asfalto y tierra, evónimos y árboles, casas, cielo. Evita las ruidosas sombras fugitivas al cruzar la calzada hacia el jardín central. De poco le sirve ya ese invento de dos cristales montados en bicicleta. Gafas, dicen ahora; lentes, prefiere él; anteojos, los llamaba su padre. «Saulito, ¿has visto por ahí mis anteojos?» Más de medio siglo que nadie le llama Saulo, nombre heredado de aquel bisabuelo que murmuraban fue negrero. Nadie viviente sabe que así le bautizaron. ¡Saulito! La nostalgia inclina al llanto, pero hace tiempo que don Pablo no llora. Aunque no es imposible que haya maneras del llorar sin lágrimas.

De esa como niebla emerge el quiosco de periódicos. Centro del mundo de don Pablo, *Omphalos* de su Delfos, en el templo de Apolo. Modera el paso para saborear ese acercamiento y se sienta en el banco donde está aquel hombre. ¡Cómo ha cambiado ese quiosco a lo largo del tiempo! Hasta hace años aún era de estilo rústico, imitando una cabaña de troncos en un jardín romántico; ahora es «funcional». ¿Lo montaron el veintiuno o el veintidós? Un invierno, poco antes de la otra Dictadura. ¡Qué ufana Beatriz al estrenarlo, ofreciendo «su casa» a sus amigos! Antes vendía en la esquina de la Escalinata, sentada en un cajón, con los pies sobre una tabla, junto a la lata con ascuas, a modo de brasero. El mantoncillo liado a la cabeza fingía virginal su cara pícara o, acaso, pícara su cara virginal. Pese a las gordas medias negras, unos tobillos delicados: primera revelación, para Pablo, de la escondida finura que después gozó en Beatriz. Para conseguir la licencia municipal hubo de irse a la cama con aquel parroquiano concejal, lo que no le pareció caro ni desacostumbrado: era mujer baqueteada por la vida. Poco pudo disfrutar el quiosco, pero lo dejó como refugio y templete de su María que, en los últimos tiempos de la venta junto a la Escalinata, había aparecido –todavía lactante– metida en otro cajón a modo de cuna.

María. Irrumpe de pronto en la memoria de don Pablo el *Allegro* inicial del mozartiano quinteto en sol menor (Köchel 516). la misma tonalidad cuyo melancólico fatalismo reservó el músico para contadas ocasiones: el *«Ach, ich fuhl's»* de Pamina en *La Flauta Mágica*, por ejemplo, y dos sinfonías, la de juventud y la penúltima. ¡Ese quinteto, ese *Allegro*! En el compás treinta gime esa sexta invocante, luego desmayada; se repite después y, al no tener respuesta, clama en una novena aún más patética y vuelve a caer. Todo en cuatro compases, el *«Eli, Eli»* más penetrante de toda la música europea: «Señor, Señor, ¿por qué me has abandonado?»

Don Pablo se expresa silbando. Algunos transeúntes sonríen al pasar; don Pablo se ríe interiormente de los burlones. En cambio, cosa extraña, el compañero de banco escucha muy atento. Su perfil aguileño, su largo cuello de saliente nuez, recuerdan a don Pablo la silueta del General Queipo de Llano, aunque sin bigotes. ¿Por qué intranquiliza esa figura, sobre todo el huesudo vigor de sus manos? ¿Por qué resulta extraordinario el hecho de que saque un pañuelo rojo del bolsillo? Se diría un gesto convenido, una ceremonia de identificación. Don Pablo se siente incómodo, se levanta y se acerca al quiosco.

–Eso es de Mozart, ¿no? –sonríe María, siempre irradiando paz con su mirar transparente.

Don Pablo tarda un momento en asombrarse: esa muchacha, a la que conoce desde niña, le sorprende ahora cada día.

–¡Mozart, entero y verdadero! ¿Dónde lo has oído?

–En casa de la marquesa. En disco.

Ah, la marquesa. Uno de los pocos sombreritos que

hoy se ven; unos rizos blancos escapándose; ojos azules, cuerpo frágil; andar distinguido; manos que fueron muy bellas y donde las venas son aún vetas azules más que cordones abultados. Extraña amistad de María. Pero ¿por qué extraña? María es como Fray Luis: todo lo convierte en natural y sencillo, desde las fantasías a los milagros. A su lado hasta el extraño hombre del banco se hace consuetudinario, e incluso ese gato negro ronroneando junto a él, sin duda uno de los muchos que viven casi salvajes en la Plaza de Oriente, pero de una negrura deslumbrante. El hombre ha encendido una pipa que exhala un aroma dulzarrón y exótico, pero eso tampoco afecta a María que, a esta hora de parroquianos sin prisa –tan distinta de la matutina aspiración y espiración de trabajadores por la boca del Metro–, charla con el niño comprador de un *Capitán Trueno* y con la mujer en busca de revista con bodas principescas y escándalos de artistas, capaces de introducir algo apasionante en su doméstica desolación. Don Pablo entretanto saluda a doña Flora y admira una vez más sus andares; madura gracia, levísimo quiebro de los tobillos al taconear.

¡Si don Pablo supiera! Porque no solamente los tobillos: todo el cuerpo le tiembla a la mujer al recibir la mirada taladrante del fumador. ¿Sus corazonadas! Una angustia la oprime en ese instante, un miedo no sentido ante ningún hombre. Por eso devuelve el saludo a don Pablo, pero se aleja sin comprar su semanario habitual.

¡A buenas horas va a empezar a asustarse de un mirar de hombre! Porque miradas, las ha conocido todas, especialmente las devoradoras. Aun ahora, ya entrada en la cincuentena, doña Flora se siente alguna vez desnudada por el ojo del macho que sopesa sus senos, ciñe sus caderas, se enreda en los rizos del pubis, se insinúa como un dedo en el sexo antes de resbalar muslos abajo. Pero es que esta otra mirada calaba en el corazón o donde se encuentre nuestro abismo interior. Doña Flora se sintió identificada, clasificada, marcada a fuego. «Tonterías», se repite al alejarse; pero su mano, independiente y por su cuenta, hace la cuerna contra el mal de ojo.

–No sé de dónde saca doña Flora esas telas listadas tan bonitas –comenta María.

–Pero ¿a ti te preocupan las telas, niña?

Lo dice mirando la blusita camisera de siempre, imaginando tras el mostrador la falda consabida y los zapatitos, que al avanzar el otoño cambiará por zapatillas gruesas al llegar al quiosco.

–No me llame usted «niña», por favor. Y me gustan las telas, sí señor. Como a todas las mujeres.

–No te enfades. Llámame tú «viejo» y estamos en paz.

–Usted no es viejo. No diga bobadas.

Cierto: no es un viejo. Todavía es un hombre viejo: algo muy diferente. Pero, ¿cómo discutir con María? Su fragilidad es invulnerable. Desde aquel su cajón-cuna en la esquina de Escalinata ha atravesado la agitada historia de la plaza sin recibir la menor salpicadura. Ha superado el desastre final de su madre, la orfandad y la miseria, los alborotos y los tres cambios de régimen, el derribo de la estatua de Isabel II, la guerra civil con los obuses y el hambre, la reposición de la estatua, la carcoma del tiempo. En medio de las mutaciones, los clamores, las banderas izándose y cayendo, la revolución, la metralla, las modas, los clientes que no vuelven nunca más y los nuevos arribantes, María intacta, isla de serenidad, fina y poderosa, alma de ese quiosco centro del universo. Don Pablo está descubriendo esa fuerza. ¡Ahora, como si no debiese a María la salvación de su propia casa, defendida por la muchacha durante la Guerra Civil contra ocupantes militares y evacuados, mientras él estaba en Santander! Hay cegueras que no son de cataratas.

María sale del quiosco para conversar con don Pablo y lanza una mirada de simple curiosidad hacia el hombre sentado en el banco. ¡Ojalá no lo hubiera hecho, porque también ella, como antes doña Flora, se siente traspasada hasta el fondo! Los ojos del hombre, desollando su corazón, remueven dolorosamente la espina que ella decidió enterrar veinte años atrás, en 1939, cuando el retorno de don Pablo a su casa y los primeros meses siguientes sólo le trajeron a María la más espantosa frustración. Esa espina que María quiere ignorar, no vivir, pero que está ahí, amenazando siempre. Así ahora, contemplando con otros ojos a don Pablo: su gabán con cuello de terciopelo, las arrugas que entonces no tenía, los labios finos, imprecisamente dibujados. «Ése es mi verdugo y mi consuelo», piensa María mientras don Pablo sólo percibe serenidad en el rostro de la mujer. Sigue charlando todavía un rato, hasta que al fin se aleja hacia Ramales, pasando ante la puerta de su casa, en la calle de Vergara, distrito de Palacio.

Quartel de Palacio, como se decía en el siglo XVIII. Ese barrio sobre el solar del primer Madrid amurallado, sucesor del Magerit musulmán, entre la Puerta de la Vega al oeste y la de Guadalajara al este, la de Moros al sur y la de Balnadú al norte: justamente donde ahora está el quiosco. Don Pablo pasa junto a Feli, la ciega, vendedora de cupones en su esquina de la iglesia de Santiago, y continúa hacia la taberna *La Cruzada*, a reunirse con los habituales del aperitivo.

Feli, en ese momento, está encantada ante una verdadera voz de hombre, de las que casi nunca se le acercan. Joven, viril, tajante, con un fuerte acento andaluz que pone en la ceguera una blanca pared con geranios. ¿Por qué este mozo bravío, no muy alto –Feli lo nota al situar la voz–, viene a darle palique algunas veces desde hace un mes? La vieja lo ignora. Sólo sabe que esa nueva alegría se llama Paco. «Curro, en mi tierra, pero aquí no.»

–Mis parroquianos creen que me llamo Felisa. ¡Mira tú si les digo que mi nombre es Felicidad! ¡Para tumbarse de risa!

Y ríe, en efecto; no hay en todo el barrio humor más alegre. Después de todo -explica– no se puede quejar. No fue ciega siempre, ¡qué va!, y tuvo su hombre, un marido cabal. Luego se quedó sola, pero tiene salud...

En ese momento percibe algo en la voz del mozo. No puede ver la causa: por la esquina ha aparecido Jimena, que se ruboriza al reconocer a Paco y lamenta ir ahora cargada con algo tan tosco como una silla mal envuelta en periódicos. Iba a comprar cupones y no puede ya desviarse. Pregunta a Feli si interrumpe.

–¡Qué va! Es un buen amigo. Mira, la semana pasada me regaló un clavel. Yo me lo puse –ríe– ¿por qué no? Otros lo ven; yo lo huelo y lo disfruto.

Caerá bien un clavel –piensa Jimena– en ese limpio pelo blanco, sobre la cara simpática. Como si lo adivinase, Paco exclama:

–Estaba usted guapa, Feli.

Penetra en Jimena esa voz, hasta ahora sólo oída a distancia, cuando Paco hablaba con Tere o con Mateo en la calle. Voz para el canto y el reto, para dar órdenes y soltar verdades.

–¿Cuántos se lleva usted hoy, señorita?

Al salir Jimena a por la silla su madre quedaba en casa hablando misteriosamente a doña Flora. Seguramente para un préstamo, hasta que tengan un huésped, pues al fin ha consentido en ello don Ramiro. Y puesto que su madre está en apuros, Jimena quiere tentar la suerte.

–Una tira completa, Feli.

–Vaya, estás rica. Me quedan dos, ¿cuál quieres?

Difícil elección. ¡Desea tanto dar a su madre una buena sorpresa!

–La que acaba en cero –decreta la voz masculina.

Jimena duda, aunque desea obedecer. La ciega insiste:

–Llévatela. Seguro que este mozo tiene suerte.

–Hoy la tengo.

Jimena paga y se dispone a levantar su carga, pero el

hombre ya la ha cogido y echa a andar, pese a las negativas de Jimena.

–Llevar esto no le pertenece a una señorita como usté. Además –sonríe– vivo en su misma casa, en el almacén. Ayudo al Mateo. Usté ya lo sabe, ¿verdad?

–Sí –ha de confesar ante esos ojos–. Ya le había visto.

Pero no dice cómo ni cuántas veces, oculta tras los visillos de su balcón. Plantado en mitad de la calle, descargando mercancía desde las furgonetas al almacén por la puerta de atrás, partiendo cajones con un hacha para la señora Lorenza. Haciéndolo todo como no lo hace nadie, piensa Jimena.

Al llegar al portal de Noblejas 17, el mozo deja la silla en el suelo.

–Mejor no subo, ¿verdad? –Y el tono establece una complicidad–. Me llamo Paco.

–Sí, muchas gracias –le tiende la mano–. Yo soy Jimena.

–Lo sabía –muestra su mano manchada, en muda disculpa, pero Jimena mantiene tendida la suya y ambas se encuentran–. Hasta más ver.

Jimena corre escaleras arriba, sintiéndose seguida –la cintura, las nalgas, las piernas– por la mirada del hombre. Entra impetuosa en su casa, suelta la silla y, dejando a su madre con la palabra en la boca, corre a su cuarto a mirarse en el espejo. ¡Qué arrebatado su corazón! Pero sólo un rosa vivo en sus mejillas. Se indigna consigo misma: «¡Qué tonta! ¡Ya no soy una cría!» Y piensa una vez más en ponerse a trabajar –aunque se oponga su padre– para ser independiente, para... en fin, vivir. ¡Vivir! Su madre abre la puerta y corta los ensueños, pero la noticia vale la pena: a la tarde vendrá a ver el cuarto libre un recomendado de Guillermo. Si lo alquila saldrán de apuros.

En efecto, después de comer camina Luis hacia Noblejas 17, evocando su presentación en IDEA, donde obtuvo esa dirección, con la que quizá el destino le vuelve a instalar en su viejo barrio. Fue cosa de ese Guillermo, que le recibió en ausencia de Martín Arango, y que va a dirigir la revista. Tras cambiar unas primeras impresiones, en las que ya comenzaron a entenderse, Luis fue conducido a la secretaría del Director del Instituto. ¡Impecable oficina! Tablero de planning, gran fotografía de una maternal gallina blanca –«Nevita experimental. *Long Dodd, X-927*»–, muebles de calidad. Saludo a María Dolores, la secretaria que le anuncia por el interfono. Impecable también, tras una mesa cerrada por delante para ocultar las piernas a los que esperan en el sofá bajo. Al levantarse descubrió una anchura de caderas más sintomática de sedentarismo y de falta de uso que de fecundidad como en la *Long Dodd*. Al decir «el Doctor le espera» su voz delató además la platónica admiración por el jefe. (Ya había advertido Guillermo que a Calasans se le llama siempre «Doctor», casi con *k*, para recordar a todos que estudió en Alemania.)

Apariencia cuidada y correcta del *doktor*, rozando el amaneramiento en su cortesía superficial, mientras explicaba sus planes en cuanto a las traducciones que necesita la revista, al servicio siempre de la organización en equipo. «Sin equipo no se consigue nada, ni en ciencia ni en deporte.» Por cierto, al *doktor* le interesó saber si Luis había visto al Real Madrid en el extranjero. Manos gordezuelas de Calasans, con un solo anillo, en donde lucía un aguamarina, y la franjita recta del pañuelo asomando por el bolsillo superior de la americana. El *doktor* se excusó por no poder presentar a Verdero, ausente con una misión en la Dirección General de Ganadería (lo dijo tras comprobarlo en una libretita y exclamar: «el control es el secreto de la eficacia») y terminó ofreciéndose para todo. «Mi despacho está siempre abierto a nuestro equipo.»

Luis le contó luego a Lavilla cómo en París hubo de atender bien a Martín Arango, por encargo de la Agencia, que le consideraba una eminencia gris de IDEA.

Ante la sonrisa comprensiva de Guillermo, Luis le confió sus impresiones sobre aquel joven ejecutivo de gafas Truman y vestir atildado. Sorprendentemente no le había interesado como a todos el *strip-tease*, sino que prefirió el teatro moderno y el cine, aunque no quiso ver *Mourir à Madrid.* «Claro –comentó Guillermo Lavilla– temería que le viesen allí.» La verdad es que luego Martín Arango se reveló menos interesante: se informaba pero no se definía nunca. En todas las visitas a las que Luis le acompañó cantó el éxito del plan español de estabilización, a la vez que los planes de IDEA. Sus palabras favoritas eran «modernizar», «reactivar», «cambiar las estructuras». Fue el último día cuando ofreció a Luis el puesto de traductor en IDEA, que resultó siendo su salvación.

Guillermo luego explicó las fuentes de donde sacarían los artículos extranjeros indispensables para llenar mejor la revista y después entraron en temas personales. Fue entonces cuando recomendó una familia donde quieren un huésped único. «No piden mucho, y el sitio es tranquilo. La señora es lejana parienta mía –dijo–. Ella y su hija son buenísimas. El padre también, pero es de la Edad Media», ríe Guillermo mientras coge el teléfono para saber si el cuarto aún está libre. Es en Noblejas 17.

Y en Noblejas 17 llama Luis aquella misma tarde a la única puerta del primer piso. Le abre doña Emilia, y la primera impresión mutua es de simpatía. La habitación le gusta a Luis, con su claro balcón al poniente, entre el Palacio Real y la Almudena. Al rato, sólo falta tratar el problema de precio. Doña Emilia, tras algunos rodeos, propone una razonable cifra, aceptada por Luis en el acto.

¿Por qué retiene aún la señora a Luis? ¿Por qué mira con disimulo hacia una cerrada puerta? Luis, mientras piensa en cómo despedirse, comenta el extraño blasón inacabado, con cinco roelas de plata en campo de azur ocupando el cantón diestro, sin ninguna figura en el siniestro. En ese momento Luis cree oír pasos sigilosos en el corredor y, en seguida, se abre y cierra ruidosamente la puerta de entrada. A doña Emilia se le ilumina la cara: «Debe de ser mi marido.»

En efecto, es don Ramiro Gomes de Bozmediano (Gomes con «s», había advertido Guillermo a Luis; una manía del buen señor). Alto y desgarbado, viste con cuello duro algo rozado. Lleva larga la uña del meñique derecho, y en el anular un anillo de sello. El caballero estrecha a Luis la mano ceremoniosamente, y luego se pasa la suya por el cráneo para echar hacia atrás los ralos cabellos, entre canosos y amarillentos. En tono solemne se congratula del honor de alojar a Luis, que reprime una sonrisa. Pero la prosopopeya no es astuta ni falsa. Su énfasis es natural. Don Ramiro perora hasta que al fin consigue Luis salir en busca de su maleta, pues se instalará ya antes de cenar.

Como tiene tiempo, se acerca a esa Plaza de la Armería de sus juegos infantiles y las paradas de los alabarderos. Baja por la escalerilla, cruza Bailén y camina hasta la arquería sobre el Campo del Moro. Sólo se encuentra allí un señor con gabán de cuello de terciopelo, al que Luis cree haber visto en la mañana, durante su paseo. Sí, en el velador del café *La Ópera*. Una silueta de otros tiempos. Unidos por la soledad del lugar, ambos sonríen. Luis tiene ansias de comunicación.

–Le vi a usted escribiendo esta mañana.

—Voy siempre a ese café. Modestas crónicas, madrileñismos. Por cierto que momentos después...

–Sí, aquella mujer. Iba ciega. Por poco la mata el taxi. Inexplicablemente. ¿Usted la conoce?

–Vive en el barrio. La he visto por la Plaza de la Ópera más de una vez.

–Plaza de la Ópera –repite lentamente Luis–. ¿Se llama así ahora?

–¡Se ha llamado tantas cosas...! Fue arenal de la abadía, paseo de las Descalzas, Caños del Peral, Plaza de Isabel II, de Fermín Galán, de la Ópera y ahora otra vez Isabel II. Yo la llamo de la Ópera, como la estación del Metro. ¿Y usted?

–Yo la llamaba de Fermín Galán.

–¡No lo recuerde aquí ahora! –sonríe don Pablo significativamente, pensando que el recién llegado es de los suyos–. Entonces, ¿hace tiempo que vive fuera?

–Salí el 26 de diciembre de 1936. A los trece años.

–Evacuado, claro.

Luis asiente. Dos hombres se tantean en silencio, como insectos cruzando sus antenas. Ambos recuerdan por su lado aquella primera Navidad patética. En Madrid, para Luis; en Santander, para don Pablo, frente al mar que había ido a buscar en vacaciones con su madre, poco antes de la sublevación militar.

Indiferente a las nostalgias, sigue descendiendo a lo lejos el telón púrpura del ocaso. El aire no existe –tal es su transparencia– pero acaricia el rostro una invisible seda. Prolonga la piel hacia fuera, como para absorber a todo lo viviente en la unidad cósmica. Es como abrirse las venas, pero no para morir sino, al revés para revivir en la sangre oceánica del mundo. «Ven, dulce muerte», canta Bach en el violoncelo de Pablo Casals y en la memoria de don Pablo.

–Cómo ha cambiado esto –se duele la voz del recién llegado–. Cuando yo era niño había árboles junto al río y, hacia la sierra, colinas velazqueñas. Aguas abajo quedaban lavaderos; arriba, los merenderos de la Bombilla.

Don Pablo mira hacia los aplastantes bloques de las viviendas suburbanas, y distingue confusamente, por la carretera de Extremadura, el continuo tránsito de faros encendidos.

–Pero el ocaso –replica– no ha cambiado desde que hombres neolíticos tallaban aquí el sílex. Así lo vieron los moros desde la puerta de la Vega, los pajes del Alcázar, los mendigos desde el Pretil de Palacio... Perdone esta pedantería: costumbre de mis croniquillas.

Mientras dialogan el horizonte se vuelve todo sangre, bajo una nube de nácar con inexplicable filo verde. El campo exhala un vaho cárdeno, y el enorme coágulo solar se achata por su base al tocar la tierra, y va siendo absorbido por ella como una semilla. Al fin se extingue en un último suspiro de luz. El incendio del cielo va virando al violeta, para reclinarse poco a poco en el seno azul profundo de la noche.

–Se acabó –dice Luis con melancolía. Su nuevo amigo recoge el reto.

–Mañana resucita.

–Sí, el sol renace –admite Luis.

¡El sol! ¿Por qué no los hombres? Los árboles reviven su primavera: ¿y nosotros?

Dejémonos de sueños –se dice Luis–. Ese ocaso es mi ocaso.

PAPELES DE MIGUEL
(*Fragmentos de los cuadernos de Miguel, seleccionados y fechados por su amigo.*)

Ciudades enterradas

Principios de septiembre, 1975

En el hogar, brasas ennegreciéndose, con rojos espasmos. El cuarto en tinieblas, yo en angustia. ¡Noche de tribulación, emergencia de mis enterradas ciudades! No había encendido esta chimenea desde la quema de mi diario. ¡Y creí entonces haber conquistado al fin la serenidad!

En la congoja, mi instinto busca su refugio: la invisible mano de Nerissa en mi hombro. Otra vez sin saberme ni encontrarme. Volviendo a escribirme a mí mismo, tanteando mis adentros. Reflejarme en el papel. Si no, ¿cómo seguir?

Esta tarde aún eran serenidad mis horas, las instauradas por Lulio tras el Almendro en llamas. Paseo final por Rosales: ni siquiera el crepúsculo reblandecía mis mármoles. Aliento celeste, serranía violeta, pálidos oros. Septiembre: frutal belleza. Y yo lenta saeta: paso a paso, pero certera. Al Absoluto.

Ni siquiera mis recuerdos allí anclados desnivelaron mi equilibrio. Sereno volví a casa. ¿Casa? Levantada ya para la mudanza, más bien hostal de caravanas. Libros destinados a la Facultad, ropa enfardada para los del asilo, muebles ajenos ya, cuadros colgados, el reloj de pared en el suelo, helado su corazón. Todo compartió mi vida, pero todo ya sobrante. Hojas secas arrebatadas por las ráfagas de mi desnudamiento.

Palmadas en algún sitio de la noche. Frío por la ventana. La abrí al llegar. Entre estas ruinas domésticas creí aspirar a bocanadas la libertad del nómada. ¡Tan engañado estaba! Encendí la chimenea para aniquilar los últimos papeles del cuarto oscuro. Tenían derecho a morir dignamente: no merecían rodar por el Rastro. El «cuarto oscuro»: así lo llamó Miguelito siempre. Desde que me lo traje a Madrid y él dejó de ser Michel.

Papeles... ¿Y esos legajos? ¡Las novelas! ¡Había llegado a olvidarlas! ¡Increíble! Al pronto vi en ello una prueba de mi desasimiento. Bajo esa impresión acerqué los papeles al fuego, desaté el primero... ¡El pasado saltó como un tigre! ¿Qué pasado? ¿De quién? ¿No quedaron aventadas sus cenizas durante ocho meses de purificación?

Una vez abierta la carpeta, sueltas las páginas, inevitable ojearlas. Resbalan vivas. Sus tentáculos me apresaron con nombres reconocibles. Final de *Octubre, Octubre*, de Luis con Ágata. Final-continuación, final comienzo... El pasado en mis máscaras. ¿Máscaras? ¡Pero la máscara es el yo más verdadero; el yo elegido...! Bastaron pocas páginas para aterrarme ante mi abismo. Mi torre, erigida tan penosamente, desplomándose con silencioso estrépito. Las hojas secas amenazándome como fantasmas arremolinados; el aire nocturno oliendo a cripta profanada.

Aterrado. Acabar con todo eso. Las fauces de la hoguera reclamando el pasado, mi mano ofreciéndoles ya el legajo, pero algo dio un vuelco dentro de mí; el miedo se tornó curiosidad. ¿Morbosa? Ávida. Otro paquete abierto. *Oscuro resplandor*, la primera novela, dejada sin concluir por la muerte de Miguelito y mi amnesia después del accidente.

Oscuro resplandor, como estas últimas brasas. Dos cuerpos en espasmos ardientes, agonías jubilosas en el horno del lecho, pasión sin salida, Luis pendiendo de una cuerda, Ágata saliendo desnuda por la buhardilla, haciendo trampolín de un alero, de cabeza a la calle con su impecable estilo de saltadora... ¿Máscaras mías? ¿Será posible? ¡Ellos, ellos!

Olvidé el frío, el miedo, la saeta. Curiosidad frenética. *La espiral hacia dentro* me arrancó el llanto. Alivio doloroso, mi pecho sacudido de sollozos, deformada mi boca por gemidos. Ágata encarnando a Nerissa, Luis su *fedele d'amore*, Majmun de su Layla, hombre-luna de la hembra-sol. Sentí a Nerissa leyendo a mi lado aquella tercera novela: una larga carta a ella. Oí su voz de viola como cuando al teléfono («Miguel...») me reconocía en seguida. ¡Garras de la pena! Olí *L'heure bleue* vistiendo su piel. Reviví aquel último beso, su mejilla en mi hombro, su cintura entre mis manos. Vestido estampado en azul, con motivos persas. Lo último de mi último amor... ¡Y dicen ser el primero el que no se olvida! ¡Pero si en mí los dos fundidos; si Nerissa era Hannah reencarnada!

Cerco de hierro en mi pecho, arritmia en mi corazón, agotamiento de mis lágrimas; todo eso me apaciguó. Exhausto hasta para el dolor. Al fin comprendo: has de ser aniquilado para abrirte a la verdad. Morir para vivir; «hazte grano en el molino», enseña Rumí. Sabio me fui haciendo mientras el alba se infiltraba ya por la ventana.

¡Pobre hombre! ¿Creíste fácil dejar atrás las ruinas de sesenta y dos años? ¿Incluso aquella muerte y tu volcán y tu terremoto? No basta decir «dejo atrás todo»: «Todo» no resuelve nada; imposible desnudarse de un golpe. Hay que hacer inventario; disolver por asimilación. La vida sólo se comprende hacia atrás, escribió Kierkegaard. Recorro la casa desmantelada, miro de hito en hito a los fantasmas. Ya han vuelto a ser cosas. Contemplo lo que me llevaré: objetos de Miguelito y, sobre todo, su música. Mi ajuar indispensable –cabe en el viejo arcón– y los libros que ahora me nutren. Ibn-Arabí, Rumí, Attar, Sohrawardi y el que me los dio a conocer, Raimón Llull. Y las novelas, antes, con, después de Nerissa. Sajar, desbridar la herida cerrada en falso. Engañosamente limpia sobre el recuerdo grabado a fuego en cada hueso mío, sobre Nerissa mi habitante, nombre de todas mis calles interiores, perfume de todas mis moradas...

Los legajos, mis espejos. ¡Qué error, destruirlos! Al contrario, digerirlos, inyectarlos en mi sangre, eliminarlos después como toxinas. Imposible desnudarme sin conocer mis vestidos, sin sangrar con los alfileres agazapados en los pliegues. Por eso había olvidado esos legajos: porque es vital rememorarlos, revivirlos. Sólo así se comprende ese casi concluir cuatro novelas, sin publicar ninguna: porque estaban destinadas exclusivamente a mí. Como estas palabras de ahora: para desnudarme.

Ahondar en esos textos. Estoy acostumbrado. Siempre fui minero de mí mismo; no escultor ni navegante. Viviendo hacia lo oscuro, por galerías y pozos, con mi excavadora que vuelca en el papel montañas de sudor y de fatiga. Entre esa ganga aflora a veces una punta de estalactita, un sílex labrado, alguna rara pepita dorada. Surcar el aire con el pecho no me basta; preciso toparme con la sorda tierra, tantear en las ciegas galerías. Como en el verso de Rilke: «Madurar queremos nosotros / y eso es ser algo oscuro y esforzarse sin tregua».

Minero toda mi vida y, ahora, arqueólogo. Las novelas, mis mundos sepultados. Niveles I, II, III y IV, como en las escavaciones. Capiteles, cerámica, espadas de bronce, fíbulas, diademas. Cuatro ciudades superpuestas. Planeadas bajo dioses diferentes; asoladas por sucesivas catástrofes. Como las distintas culturas; disfraces colectivos, máscaras de los pueblos. Dejar atrás esta casa ya no es mi fin, sino mi principio. Me voy pero me llevo. A mis testigos, mis cadáveres vivos, mis ángeles de cada época. Laberintos como alcazabas del Atlas, con patinillos imprevistos, alcobas yuxtapuestas, ventanitas mínimas, niveles descabalados y, de pronto un surtidor como un milagro: ¿de dónde el agua, de dónde?

Me llevo esos esqueletos para combatirlos a brazo partido, para amarles a abrazo encendido hasta que se vuelvan polvo contra mí, conmigo, y al fin descansemos en la cima de lo Alto. Ya el día es de oro y de certeza.

Mañana vienen. En dos días casi no he salido, descifrando textos con mis técnicas de antropólogo. Sólo que ahora el «primitivo» soy yo mismo. *Oscuro resplandor*: una cama centro del mundo. ¡Pobre palabra –cama– para tal escenario, trono, campo de batalla! Tálamo y túmulo, altar y piedra del sacrificio. De tan ancha, con sus columnas renacimiento y su dosel, resultaba cúbica. Como la *Ka'aba*, pero de sangre y no negra, con el damasco que la cerraba. Jaula y alambique, templo y cárcel, crisol para Luis y Ágata. Homúnculos en redoma de nigromante, dando de sí el licor de la vida en la pira de sus propias llamas. Sorbiéndose, anudándose, interpenetrándose, eyaculándose. Esgrima de dioses y orgasmos, dádivas y mentiras, compartidas como buenos camaradas. ¿Odios? ¡Si yo entonces no odiaba todavía! ¿O sí, pero ignorándolo?

Paralelo a la lectura, tantos recuerdos ignorados.

¡Afloren los abismos; fuera todo! Lentos Ganges con cadáveres flotantes. Chispazos de relámpago. Sombríos fulgores de esmeralda. Pómulos de aquella Uled-Nail todavía niña, vendiéndose ya en el palmeral de Biskra, con sus altivos ojos de mujer. El abanico de tía Magdalena, moviéndose dulcemente sobre su pecho en la terraza de Aranjuez, contra la oscura fronda del magnolio gigante. Sorbete de fresa en el ramoniano Pombo, costumbre de mi padre los domingos... Y, sobre todo ello, aquel verano en Tánger, obstinado, tornando y retornando a mi memoria –¿el veintisiete, el veintiocho?– con nuestros castillos de arena delante de la caseta.

¡La caseta! De madera, respiraderos con listones entrecruzados, pintada de anchas rayas verticales azules y blancas... Dentro siempre caliente, oliendo a mar y a tabla soleada y a sudor, y a oxidados cubitos de juguete, y a caracoles cuyos cuerpos se pudrían y que los mayores tiraban fuera –«¡no metáis porquerías!»– y nosotros renovábamos. La caseta con sus misterios: nuestro propio cuerpo desnudo con la cosa que era pecado tocarse pero que se levantaba sola, el cuerpo de los mayores a veces entrevisto si cerraban mal la puerta y empujábamos, ¡qué grito las mujeres!

¡Aquel verano eterno y crítico, aquel choque! Leonorcita llevada a un sanatorio; ¡la pobre! No hablaba ni andaba, se agitaba a sacudidas en su silla, se orinaba encima, se le caía la baba. No volvió: «Tu hermanita está en el cielo»; esas cosas. Mamá llorando, pero ¡qué alivio! ¡Y qué vergüenza de ese alivio! me confesé. Aún años después, durante el embarazo de Monique, tuve miedo. Pero al contrario; Miguelito nació tan lleno de vida que atrajo el rayo.

Leyendo, recordando, vaciándome de mí, desangrándome de pasado como Séneca en el baño. Sangre: a borbotones en aquella cama roja de la Novela I. Derramándose de las venas amantes, camino del desastre inevitable.

Mientras yo escribía, el desastre se preparaba para mí, a mi espalda se iba alzando el hacha que me decapitó, me hundió en la amnesia. Miguelito cayendo en el avión... *Oscuro resplandor* se ocultó en mi olvido. Ceniza se tornaron sus palabras. «... Y los libros que dejo escritos son la ceniza», afirmaba de su vida el desesperado Pavese en sus últimas cartas a Pierina, antes de beberse su muerte aquel agosto del cincuenta, en el Hotel Roma, frente a la estación turinesa.

La Novela II no he podido seguirla sino a saltos. Falsa, de otro autor, *La hierba crece de noche*, el verso espléndido de *Enrique V*. Por supuesto, las tripas revueltas ante la injusticia eran mías. Pero ¡qué mediocre protesta contra la dictadura! ¿Qué pena Luis y Ágata, dejando su trágico lecho para unirse a los tolerados aspavientos contra el menguado dictador de aldea! La enterrada ciudad de Nivel II resulta cartón-piedra, como para filmar «exteriores del oeste» en Almería. No pude acabarla; me duró tan poco como mi propia excursión al «rebeldismo» universitario, con sus personajillos aspirando todos a cabeza de grupúsculo. ¡Y yo me reprochaba entonces mi incapacidad para integrarme en sus maniobras! ¡Qué ingenuidad! ¿Cómo podía interesar aquello?

Además, la vida me empujó a otros caminos. Me fue preparando –ahora lo descubro– con aquel crucero mediterráneo de Semana Santa. «Allá a mi frente Stambul.» ¿Qué o quién me inspiró aquel viaje decisivo? Es curioso; ¿por qué mi antropología había pasado siempre de largo ante el Islam? Sabía más de Bizancio, de su esplendor y su barbarie, de su teología y sus príncipes cegados por el emperador para yugular conspiraciones. No me esperaba el Stambul de los minaretes y de las mezquitas como montañas excavadas. Mi pasmo en la Suleimanyé me preparó. En la inmensa caverna alfombrada, entre la sensual caligrafía coránica, empecé a ser el amador de Nerissa aun antes de encontrarla. En Stambul era posible la reencarnación de Hannah en Nerissa; como también el eunuco inmolando su sexo por amor (otro Orígenes) y que por amor lloró el haberlo perdido, y decidió reconquistarlo en otra vida.

¡Cómo he releído esa Novela III, *La espiral hacia dentro*, morada de mi amor primero y último, Hannah y Nerissa, dos diosas distintas y una sola verdadera! Construí esa sepultada ciudad con mi sangre y mi carne, se desplomó cuando Nerissa me desterró de sí aquella tarde, por aquel teléfono. ¿Nació entonces el odio del eunuco contra Solimán? ¡Si me hubiese encontrado a Eduardo aquellos días! A ti nunca te odié, Nerissa; pero sí a tu tirano, con su odioso chantaje sobre ti, el de su enfermedad para necesitarte... ¿Sabes que os espié, para asegurarme de que su cara y su andar no eran de enfermo?

Ahora me explico la cuarta novela, *Octubre, Octubre*, para derramar mi odio y mi venganza. Ciudad construida con adobes de saliva y esperma, vigas de fémures y vértebras, cal de huesos, cordajes de tendones. Así la proyecté y ahora, al desenterrarla, mi sorpresa: ¿dónde puse la bilis y el veneno?

Mañana vienen; mañana dejo atrás mi viejo escenario. Ese pensamiento me llevo conmigo: no odié; me lo imaginé nada más. Y otro: me dejaste solo, pero no me abandonaste. Siempre, desde entonces, has estado conmigo... Sólo una explicación para algo tan extraño: ¿no será que aquél no era el camino, el nuestro? Adelantada del Árbol de Fuego, me acompañas todavía guiándome otra vez hacia Ti.

¡Mañana ya! La última frontera de mi vida, mi mudanza final. Voluptuosa tensión. Seguirán guiándome. Ahora no me asustan mis cuatro ciudades; las asumo. He preparado los legajos para llevármelos. También el baúl de Miguelito. ¡Cómo me hubiese alentado salvar toda su infancia en los juguetes, los libros escolares, los cuadernos pintarrajeados que hubimos de abandonar en Argel!

Por fortuna conservé sus primeras notas en papel pautado. Y la caja de lata, su primer instrumento musical. Sus deditos tamborileando en ella el ritmo de la lluvia sobre la chapa ondulada del tejadillo. Para un niño de tres años equivalía al famoso preludio chopiniano. ¡Hijo, hijo! El tajo dado por tu muerte a mi corazón forma mi cruz con la pérdida de Nerissa.

Con adoración he recogido de sobre la chimenea la fotografía «de Nerissa». La que me hice sin ella, por la misma fotógrafa ambulante, en el mismo rincón del Embankment donde, meses antes, nos habíamos retratado juntos. Nadie puede ver a Nerissa a mi lado, en esta cartulina. Pero está: «Nerissa, Nerissa, Nerissa», repito muchas veces. ¿A dónde me llevas ahora? ¿A dónde te llevo? La respuesta no es para mineros; no se encuentra con la excavadora y el esfuerzo. Pero ya voy siendo pescador; ya me vuelvo mera paciencia esperanzada, mientras sigo desnudándome, clamando con Quevedo:

> «Un nuevo corazón, un hombre nuevo
> ha menester, Señor, la ánima mía;
> ¡desnúdame de mí...!»

2. ¡BABILONIA, BABILONIA!
A la sombra de Magda

OCTUBRE, OCTUBRE
¡Babilonia, Babilonia!

Miércoles, 11 de octubre de 1961

Luis

El sabor de mi infancia, estaba aquí, recobrarlo, sin atreverme todavía, desde que me trajo don Pablo, a esta taberna modelo, *La Cruzada*, eterna en mi recuerdo, achicando a los cafés morunos y los *bistrots* y los *pubs* y las *trattorie* de toda mi historia, ¡el sabor de mi infancia!, miedo de que sin padre no sea el mismo, quizá desvanecido como mi casa, aquellas migas con tropezones y huevo frito, consagradas por unas palabras suyas, «plato de pastores, hijo», todo un mundo campestre y primitivo en aquel olor, en los colores del plato, amarillo de yema, envuelto en blanco sobre una parda tierra granujienta, no volví desde su muerte, retorné con don Pablo, tomábamos un vino a mediodía, él siempre su oporto, el grito en ese cartel de la pared, ahí me esperaba, «migas con tropezones, veinte pesetas», el sabor de mi infancia, pero sin atreverme, hoy la decisión, agotado por la oficina, el *doktor* obsesionado con parecer eficaz ante sus superiores, y dale con la productividad, multiplicando informes anodinos, armando estadísticas, exagerando nuestra labor con medias verdades, he acabado harto, necesario reponerme, fui capaz de un arranque, «me quedo a comer», sonrió el tabernero, «pues están las migas, don Luis, para chuparse los dedos», como si me hubiese adivinado, me metió en el cuartito a la derecha, con sus azulejos, y ahora en inquieta espera, asombrado de mi audacia, ¿recobraré el sabor de aquellos días?, por la ventana enrejada el caserón, antes Cuartel de Inválidos, allí sirvió el abuelo, en este mundo empezó todo, mi equivocada ruta, ¡ay si pudiese volver atrás y emprender otra!, la fácil de los demás, la que me cerraron entre todos, la maldita tía Chelo, si el reloj girase al revés, imposible y, sin embargo, ¿por qué no, si veo pasar a las mismas gentes?, con otro o el mismo nombre, me ha traído el destino a mis orígenes, ¡que mi portero actual conociese a mi familia!, todavía me asombro, pobre Ildefonso, baldado junto a su brasero, testigo vivo del barrio, viejo republicano, ¡qué hombre tan entero!, hasta don Ramiro le respeta, pese a sus ideas «nefandas», su mujer la Lorenza, pequeñita y vivaz, carne de pueblo inalterada por la ciudad, sin embargo tan afín a doña Emilia, manos de bordar y tocar el piano tan agrietadas como las de la portera, arañadas por la lejía y las faenas, cuántas mujeres así en España, envejecidas por la vida antes que por los años, llega el tabernero, «y un buen tinto de Noblejas, don Luis... ¡que le aproveche!», he cerrado los ojos, tiemblo, pero es aquel olor, reencarnado en este plato humeante, violencia de emociones verdaderas, ¡con qué reverencia empuño el tenedor!, como un celebrante el cáliz, alzaría el plato como una patena, ¡ofrendar a mis dioses el sabor de mi infancia!, qué duro reprimir este llanto.

Estaba escrito que sucedería hoy, empezó por la mañana, coincidir en el portal con don Ramiro, ocupado en arreglarse el embozo de la capa, raídas sus vueltas rojas, pero él tan ufano, esperando la admiración en mi rostro, «no hay prenda más garbosa para un caballero», pobre hombre viviendo a lo grande, a su edad y en busca de trabajo, pero pobre ¿por qué?, yo soy el derrotado, él no vive su fracaso, habita un mundo irreal, un Quijote burgués, admirado por su mujer, viéndose a sí mismo como espejo de caballeros, sin tacha y sin reproche, héroe hasta en su paro involuntario, portador de una cruz, y además ahora misionero, catequizarme a sus ideas, ha visto en mí «madera», siempre repite ese chiste con mi apellido, y el caso es que lo dice con cariño, estos días en sus glorias, he caído aquí en pleno santoral franquista, patriotería de discursos y pandereta, la Hispanidad, la Virgen del Pilar con música de los *Sitios de Zaragoza*, don Ramiro emocionado, y además el Descubrimiento, cristianizar un orbe, y el Santo de su Caudillo, y pronto Santa Teresa, vaya mesecito, a ver si me deja en paz con esas manías, pero si octubre es la revolución, si es portador de Scorpio con su dardo mortífero, eso pensaba yo, pero él seguía machacando, ahora comprendo su misión secreta, ignorada de él mismo, guiarme aquí para mi decisión, insinuó la idea de un cafetito, se hizo invitar pero con toda dignidad, caballerosamente, haciéndome un favor, saboreando la mezcla como si fuese moka, colocó en su vieja boquilla de ámbar un pitillo con el mismo ritual que un habano, todo lo transmuta, vive en su mundo como un gran señor, todas sus palabras son elevadas, «*La Cruzada*, amigo Madero, ¡qué símbolo!, España es perpetuo cruzado de la historia», si yo pudiera transmutar así mi vida entera, como volviendo a empezar, o al menos mi fracaso con Marga, me convertiría en el caballero que la respetó con un esfuerzo heroico, en el trovador pidiendo sólo *amour de loing*, pero yo no soy don Ramiro, no puedo disfrazar aquella catástrofe.

Tuve que correr luego hacia el metro para llegar a tiempo a la oficina, mientras él con su capa calle abajo, majestuosamente, pero ya había cumplido, me había recordado esto, sembrando la semilla que me haría volver a la salida, y atreverme, y recobrar el gusto de mi infancia, porque es el mismo, sí, como las gentes, esa Tere que vive también en casa, en el piso de encima, su tiendecita ahí al lado en Amnistía, tan en la realidad como su marido, luchando a brazo partido para levantar cabeza, pone el transistor a sus clientas para que acudan a la hora del serial, allí caí con don Ramiro el otro día, condescendió a «dialogar con el pueblo», «¿oíste el discurso de Franco en Burgos, Tere?», saltó la respuesta como una ardilla, sin mala intención, «¡ay, don Ramiro, esas cosas no son para los pobres!», don Ramiro imperturbable, claro, de nuevo hizo el milagro de la transubstanciación, se aplicó la respuesta a su favor, una prueba de que a la gente no le interesa la política, el pueblo es sano y desconfía de los partidos, quiere un jefe cristiano, paternal y fuerte, al timón del Estado sólo las minorías, inasequibles al desaliento, un jefe solitario como el águila caudal, derramando el bien desde la altura, ¿cómo van a pensar ni a decidir las masas?, he ahí el error liberal, el pueblo está para conservar las tradiciones, defenderlas con su sangre, «verá usted, Madero, le prestaré a Donoso Cortés, le convencerá», me exasperó, le dije algunas cosas sobre su águila caudal, pero es invulnerable, sonrió tolerante, «calumnias extrajeras sobre la Nueva España, conspiración judeo-masónica», me puso un ejemplo, el marqués de Corduente, su palacio en la calle de la Bola, don Hipólito José Manríquez de Ataide, malas lenguas le achacan especulaciones de solares, pura infamia, es un español de pro, labora en silencio por el pueblo, «me honra con su amistad, Madero, ¡si yo le contara sus buenas obras!, pero la caridad no se pregona», claro que me las contó, pero yo no le hacía caso, había aparecido ella por la esquina, la mujer de mi primer día, hubiera muerto sin aquel frenazo, Águeda, resulta que vive en mi casa, increíble, frente a la buhardilla interior de Tere, quién me lo iba a decir cuando casi presencié su atropello, al fin calló don Ramiro al verla, le dedicó un galante sombrerazo de noble hidalgo, con la misma dignidad que si su chambergo no estuviera grasiento.

Otro milagro, ella y yo en la misma casa, qué asombro al enterarme, y esa extraña amiga viviendo con ella, Gloria o Claudia, como sea, aparatosa, inexpresiva, grandes pechos, muy blanca, no le va nada a Águeda, a su tez entre ámbar y oliva, delicado cuello, andares decididos y absortos a la vez, doña Emilia aludiendo la otra noche a murmuraciones, don Ramiro defendió solemne el honor de una dama, según él dos mujeres de moral ejemplar, nunca van con hombres, siempre juntas, si acaso un reproche a Águeda, sus pantalones, impropios de una hembra, deberían prohibirse a la mujer como se prohibió el Carnaval, la confusión de sexos atentando al orden natural impuesto por Dios, en cambio esa Gloria tan femenina, tan rellena de formas, almíbar en la voz de don Ramiro, de ella debía aprender Águeda, y corregir sus andares masculinos, doña Emilia le dio la razón como siempre, se levantó y volvió con una tortilla, los primeros días yo no me cansaba de comerla, en eso sí que hay Pirineos, al norte la francesa con alguna patata entre el huevo batido, al sur nuestra muralla numantina, tía Hélène seguía siendo española, su tortilla encantaba a sus hijos, tan franceses, también al tío Augusto, aunque no fuera especialidad de su adorada Occitania, absurda idea de don Ramiro, no ve lo que es sino lo que está mandado, Águeda con pantalones es todo lo contrario de masculina, mucho más encantadora, más femenina, y qué campero este vino de Noblejas, me he pasado un poco del presupuesto, pero estoy celebrando la buena noticia, ya han llegado mis cosas de París, pronto me las traerán a casa, podré al fin instalarme con los restos del naufragio, Robinson en mi vieja isla.

¡Colmo de la delicia, día completo!, don Pablo Abarca entrando, se sienta conmigo, así me desahogo, comprende mi oficina mejor que yo, la obsesión organizadora del *doktor*, los estudios de tiempo, el memorándum sobre la circulación de documentos, cinco minutos para registrar una instancia, minuto y medio para llegar al negociado por medio del portero, media hora para su clasificación inicial y su remisión al departamento correspondiente, y así todo, han evaluado el minuto y medio del ordenanza en un coste de no sé cuántas pesetas mensuales, carcajadas de don Pablo, se sabe de memoria a esa gente, de qué grupo son, celebra sus ilusiones con lo que Guillermo llama *nuestra gallina experimental*, la vedette de la organización, le regocija el proyecto de patentar nuestro *bebedor standard de nivel constante*, tipificado, normalizado, luego resulta que su diseño impide a las gallinas alcanzar el agua, la única solución cruzarlas con cisnes para alargarles el cuello, pero don Pablo tiene razón, he de ser prudente con las bromas, son muy susceptibles, lo encajan todo cuando son más débiles, pero implacables si tienen la sartén por el mango, echan por la borda el amor al prójimo, es raro que me hayan contratado a mí conociendo mis ideas, por lo visto formo parte de la táctica, soy prueba viviente de tolerancia, de cualquier modo Martín Arango me lanzó un cable a tiempo, aunque él no lo supiera.

¿Y ése? No estaba cuando entré aquí, ¿dónde lo he visto antes?, alto, perfil de águila, ojos magnéticos, don Pablo pregunta discretamente, el tabernero le llama don Gil, Gil Gámez por lo visto, un dorador que vive en la Costanilla de Santiago, vegetariano, se trae yogur y le echa un poco de vino, «como un cura vertiendo en el cáliz», comenta risueño el tabernero, a veces le acompaña un gato negro, según don Pablo la Costanilla fue el foso de las atalayas árabes, domina la historia de Madrid, me muestra enfrente la casa de Núñez de Arce, es tan fanático de su ciudad como el tío Augusto del país de Oc, la patria del buen rey René, de los alegres trovadores, para disfrutar de la vida como él, en cambio para Max era lo contrario, el mundo de los cátaros, es decir, de los puros, prefirieron morir por su fe en la pira de Montsegur, entraron sonriendo en las llamas, y para Marga era otra cosa, Provenza significaba los estampados, la moda en el vestir y en la decoración rústica, lo que se vende bien y deja beneficios, pero el Languedoc de Max era místico, también judío, la Kabbala del *Sefer ha-bahir* y de *Isaac el Ciego*, heredada por los catalanes, Azriel de Gerona, precursores teosóficos con el *yesod*, el noveno *sefirot*, superimpuesto en el sexo humano, tantos Languedoc diferentes, todo es distinto según quien lo ve, descubrí con el tiempo que los trovadores fueron agitadores sociales, así en el aire hay poros para otros aires, en los muros rendijas para otros muros, en cada cuerpo habitan varios, en el mío aquel niño de este barrio, y el aspirante a «Guardián de la Luz», y qué sé yo cuántos Luises acumulados, qué sé yo si alguno insospechado todavía, gestándose en secreto, pero ya no es posible.

Quartel de Palacio

El aguzanieves planea sobre el Quartel de Palacio, vacilando entre los aleros urbanos y los chopos del talud junto a Bailén, en cuyos arbustos empiezan a endurecerse las bayas otoñales. Los ojitos de iris naranja siguen el vuelo de unas palomas y luego el de unas primillas que abandonan sus altos edificios de la Gran Vía para ir a invernar al sur. La sed decide al pájaro. Sabe de cierta fuente en un patio palaciego de la calle de San Bernardino y planea hacia el cristalino surtidor sobre la taza de mármol. Bebe, contemplado con deleite desde la galería por una anciana que ha visto muchas cosas, y luego vuela hacia su territorio, los árboles del jardín de Liria. Los aguzanieves se concentran en esos árboles y los de la Princesa, mientras sus congéneres las lavanderas blancas prefieren los castaños de Indias del paseo del Prado. Este aguzanieves pertenece a la variedad más delicada y conmovedora: se yergue con el estilo de una gran dama, pero salta con la gracia de una colegiala a las puertas de la vida.

Como Jimena, cuando cruza la plaza de Ramales. No le tocó la lotería de los ciegos, lo que refuerza su proyecto de trabajar; ya convencerá a su padre. Entre tanto el huésped alivia el problema. Un poco raro, pero buena persona. Atento con la madre, soporta a don Ramiro sus tabarras; no resulta un intruso.

Jimena siente un nervioso júbilo al ver a Paco en la esquina de Amnistía. Anuncia a la muchacha que les tocaron los cupones comprados a la ciega días atrás.

–¡Qué va! No salieron.

–Los suyos no, ya lo sé, pero... Bueno, cuando la dejé en su casa, me dio una *corazoná*. Me fui corriendo a la Feli y todavía tenía la otra tira. Se la compré y ¡quinientas pesetas! Ayer las cobré.

–¿Ve como sí tiene suerte?

(«Ya lo creo que la tengo; como que la chavala está en el bote –piensa Paco–. Y es una cosa fina, una jaquita princesa.»)

–Tenemos –corrige el mozo en voz alta. Y añade, ante el gesto de extrañeza–. ¡La tuvo usted en la mano! Si me lo quedo, dinero *robao*... –Y entonces suelta de golpe la frase tan repensada–. Oiga, lo repartimos, ¿quiere? No me haga de menos.

¡Tan sincero el acento! Jimena se conmueve, pero se niega. Paco insiste:

–Por lo menos, déjeme convidarla, vaya. A lo que quiera, donde quiera. Si le da reparo mi compañía, me lo dice.

–Reparo, ninguno. ¿Por qué?

–Está claro: yo soy un obrero y usté...

–¿Y yo una señorita? –le interrumpe, risueña–. ¡Pero si voy a trabajar!

–¿Usté?

Se le ha escapado a Jimena, pero ya es definitivo.

–No lo sabe nadie todavía. Es un secreto...

Y del secreto, de compartirlo, nace entre más palabras la aceptación del convite para hoy mismo, en esa cafetería de Milaneses, la *Golden Gate*. Allí la espera Paco por la tarde, con un jersey de cuello alto que extraña a Jimena, porque el día no está para eso, y que luego, entre risas, queda explicado: ¿cómo salir con ella sin la corbata, que no tiene, y cómo acertar a comprar una que no sea cateta? Luego el lío del nudo, con que... Así continúan de palique, toman chocolate con churros, Jimena rebosa de sensaciones nuevas, mientras piensa por costumbre en el coste de la merienda. Luego, una copita de anís, «lo mejor *pa* los churros; en mi tierra los llamamos *calentitos*», «¿de dónde eres?», «provincia de Sevilla, pero es otra tierra, soy de Doñana, lo más grande del mundo, sin despreciar nada».

Se separan a la salida. Paco, a beber unos vasos, excitado por la proximidad al cuerpo de la muchacha, y lo bien que va el asunto. Jimena, caminando sobre nubes. Vuelve a casa transformada, puede hablar con un amigo. Ya está segura, se pondrá a trabajar. Quiera o no su padre; ya no importa. «¿Se me notará algo?», piensa al cruzarse en el portal con don Pablo, que acostumbra a curiosear en los periódicos viejos comprados al peso por Ildefonso.

Esta vez don Pablo encuentra un antiguo reportaje en *La Esfera*, sobre la Beata María Ana de Jesús. Daría una buena crónica esa bienaventurada madrileña, hija del pellejero de la reina, Luis Navarro. Ingresó en la Merced, y su cuerpo incorrupto (eso siempre gusta) se conserva en el convento de don Juan de Alarcón, calle de la Puebla. Por cierto, ahí en Santiago hay una efigie del escultor San Martín, que representa a la Beata, según Mesonero Romanos, aunque para Peñasco y Cambronero sea Santa Teresa. Con lo mala que es la estatua, sonríe don Pablo, podría ser la Purísima.

La Feli no está en la esquina de la iglesia a Santa Clara, sino al otro lado, para aprovechar la tibieza del muro, tras ponerse el sol. Sus parroquianas aún no han salido de la novena a Santa Teresa, y don Pablo se detiene un momento. La ciega le pone siempre de buen humor. Ahora está encantada con un transistor de Canarias traído por un vecino suyo. «Chiquitito, pero canta como un jilguero. Usted que sabe tanto, don Pablo, ¿quién inventó esa cosa tan grande para nosotros?»

–Para ti todo es grande, Feli.

–Pues claro. ¿Es que no?

Viviendo así la vida, ¿cómo no ha de reír esa pobre, admirable ciega? Pablo, tan afectado por su vista declinante, quisiera aprender de Feli, pero no es capaz de tan radical humildad. Y también de María, perfección en la sencillez. Feli es la sabia conformidad del pueblo con la existencia. María es... ¿cómo definir a María? Pablo no encuentra palabras.

Hasta la cuesta abajo le lleva hacia el quiosco. Allí está esa otra mujer del tiempo de don Pablo, pero vivido con más garra: la admirada doña Flora. En un viejo *Mundo Gráfico* de Ildefonso apareció hace poco una fotografía de ella con trenzas postizas, de cuando cantaba *Noche triste* y se hacía llamar Flora Maipú. Don Pablo admira los rescoldos de su belleza, la dignidad con que se sostiene sola con recursos seguramente escasos, la majestad magnética de su porte claro y a la vez misterioso. Doña Flora agradece a don Pablo su cariñoso galanteo, su estilo de otra época, su delicada sensibilidad; pero también le compadece por malgastar la vida, dejándola pasar.

María dirige a ambos su mirar transparente, sabiendo sin necesidad de saber, segura en su fragilidad. Atiende a los clientes mientras participa en la conversación, ríe cuando doña Flora, ante uno de los fascículos de historia recién lanzados a la venta, recuerda cómo se conocieron ella y María, un día de bombardeo con obuses durante la guerra, prefiriendo ambas esconderse en el quiosco antes que refugiarse en el metro, donde los milicianos las obligarían a bajar si las veían.

–Me asombró –evoca Flora– verte tan serena siendo tan joven. ¿Cuántos años tenías entonces?

–Acababa de cumplir quince.

–Pues eso. Luego de conocerte, ya no me extrañó, pero en el primer momento... Que a mí no me importara ser muerta por un obús, se comprende, pero tú...

–¿Y por qué habíamos de morir?

«Así es María», piensa don Pablo.

Si viniese Dorotea a relevar a María en el quiosco, como otras tardes, podrían irse a tomar algo los tres juntos. Pero la portera de la calle del Reloj, 2, donde vive María, no acude hoy, y al cabo se aleja don Pablo con doña Flora, a la que ha ofrecido una copa antes de cenar. En *«Batay»*, un sótano en la misma plaza de la Ópera, con rincones oscuros para parejas y una sala abierta y agradable. Sirven excelentes Martinis, algo que sabe apreciar doña Flora: «Los lujos, o buenos o nada.»Como siempre, acaban hablando de sus tiempos. La *belle époque* madrileña. Pablo asegura que vio actuar a Flora en el *Ideal Rosales*. Ella ríe: ¡cómo se iba a acordar entre tantas! Pablo protesta, galante: ella era involvidable. Flora añade que, además, a él no le gustan los tangos; sólo la música clásica.

–También incluye tangos. En Schubert, por ejemplo, en el *Allegro* de la sonata póstuma en Do menor. O en Mozart, en el rondó en do mayor para violín y orquesta. Clarísimos compases de tango.

–Entonces, cuando quiera nos marcamos uno.

–Florita, debo confesarle algo: Bailo muy mal. No pasé de lo indispensable para sacar a una mujer en los *cabarets* de entonces... «ligar», como dicen ahora.

–Pues se ha perdido una de las mejores cosas de la vida, Pablo –en la penumbra, su voz se hace más grave–. Para entenderse un hombre y una mujer, para quedarse solos entre mucha gente, no ha habido más que dos danzas: el vals y el tango.

–Y el minué.

Flora se ríe, burlona.

–Eso era un desfile de parejas. Un ceremonial.

–Nos lo parece ahora, lejos de su momento. Dijo Wanda Landowska que en un minué cabe un mundo. Tengo uno tocado por ella, de una melancolía desoladora... Sólo cuarenta y cuatro compases; no tiene Trío. Una joya inquietante: al año siguiente murió Mozart...

Don Pablo calla. El minué le acongoja. ¿O sus propias palabras, o ese pensamiento súbito...? De golpe se le escapa:

–Usted que sabe tanto de eso, Flora, mucho más que yo, dígame: ¿es posible tener ansias de vivir tardías, inesperadas, violentas, en medio de la melancolía, de la rutina, quizá un año antes de la muerte?

La mujer oprime sobre la mesa la mano del hombre. Tiernamente pero sin ambigüedad: como una compañera.

–¿Tardías, por qué? Siempre se desea vivir, Pablo. Hasta cuando una dice que preferiría estar muerta. El gran error es la melancolía y la rutina. ¿Por qué piensa tales cosas?

Pablo comprende que ella tiene razón. El invierno prepara la primavera bajo las podridas hojas de octubre y los hielos de enero... Sólo que, ay, el barro humano no repite su ciclo como el de la tierra. Por eso Pablo, sin palabras, alza los hombros en un gesto frustrado.

En el rincón oscuro, una joven pareja suspende el besuqueo y mira irónicamente las dos viejas manos estrechadas. No comprenden nada. ¿Cómo van a comprender?

El día está de confesiones, porque en el comedor de su casa don Ramiro ofrece a Luis una explicación que éste no necesita, pero a la que se siente obligado aquél por cuestión de principio.

–Le ruego acepte mis disculpas. Ahora se usa «pedir disculpas» en vez de presentarlas, ¡estamos destrozando la lengua de nuestros mayores...! Pues bien, debo confesarle que en el primer momento me inquietó su pasado político.

Luis quiere asegurar que su pasado es cualquier cosa menos político, pero no tiene oportunidad.

–No, no me explique nada. Respeto de antemano su desacuerdo con los ideales de nuestra Cruzada, y hasta espero convertirle algún día. Entre tanto, una discrepancia leal no es óbice, cuando se mantiene noblemente. Tan pronto comprobé la nobleza de usted, ya nada me importó. Para ello le sometí a una pequeña prueba. Sí, debo confesarle que cuando aquella primera tarde habló usted aquí con mi esposa, yo estaba oculto tras esa puerta, aunque luego simulara llegar de la calle. La verdad, la buena fe de mi candorosa Emilia es fácil de sorprender, y con una hija en casa yo no podía albergar a cualquiera bajo nuestro techo.

–¿Y cómo vio que yo no era un cualquiera? –pregunta Luis divertido.

–Pude haberle visto por la cerradura, pero hubiera sido un acto lacayuno. Ahora bien, me fue dado oírle el detalle inequívoco, revelador de un caballero... ¿No recuerda?

¡Claro, hombre, cuando comentó usted ese pergamino! Habló a mi esposa de las figuras del blasón; aludió usted correctamente, a «cinco roelas en campo de azur».

Luis comprende, estupefacto, que aquella observación resultó decisiva para la mentalidad del buen señor.

–Usted conoce la noble ciencia heráldica, la mejor de las psicologías, de las antropologías y de las genéticas. Un blasón lo dice todo: el pasado, que es la ascendencia, y el futuro, porque revela un estilo de vivir. Pero, ¡ay!, ¿cuántos en nuestros días conocen ese lenguaje? ¡Así es nuestra decadencia! ¡Qué tiempos, amigo Madero, qué tiempos!

La noble cabeza se abate un instante sobre el pecho. Pero pronto se yergue, brillantes los ojos. El buen señor se lanza a relatar los actos conmemorativos de Burgos, en el XXV aniversario del Caudillaje, mientras se atusa el ralo cabello con los dedos manchados de nicotina. Habla como si narrase la gloria de Lepanto.

–Aquello sí que era España, amigo mío; la España eterna de los Fernandos e Isabeles. Si usted hubiera asistido, su corazón se hubiera fundido con el nuestro, no lo dude.

Luis piensa en los sacrificios de doña Emilia para costear el viaje. Pero cómo iba a faltar don Ramiro, que si bien por vivir en zona roja no pudo empuñar las armas durante la guerra, participó activamente en la oscura batalla de la retaguardia. Así lo ha insinuado ya a Luis días atrás, aunque corriendo en el acto un velo, pues nadie debe jactarse de un mero acto de servicio. En cambio, nada le impide cantar a pleno pulmón las jornadas de Burgos. Certeramente las ha resumido el titular de *Arriba* en su extraordinario del domingo: «Veinticinco años después y como entonces.»

Luis ya lo había leído, pero su reacción fue pensar: ¿para qué ha servido todo, la guerra y el exilio? En cambio, don Ramiro ha revivido estos días sus años mozos en fervor de multitud, templando su alma en la comunión del pueblo con su Caudillo. «¡Qué importaba la lluvia pertinaz! Miles, cientos de miles aguardaban al Jefe enviado por la Providencia hace un cuarto de siglo. Aún seguía lloviendo cuando inauguró en Pancorbo el monumento al pastor, símbolo clarísimo frente al lobo de la estepa, el lobo comunista, claro está.» Pero luego, en el Parral, en el campamento de las organizaciones Juveniles ya lució el sol, significando el orto de las nuevas generaciones. Como dijo también *Arriba*, aquello fue un «referéndum espontáneo».

Y se entusiasma don Ramiro: ¡Para qué las urnas, ese invento del liberalismo que permite esconderse tras el anónimo de la papeleta! ¡Ah!, en Burgos se daba la cara como en la guerra. Allí estaban los tres Ejércitos, unánimes con su Generalísimo; allí la Iglesia de Cristo, mil sacerdotes y seminaristas entusiasmados cuando Franco les entregó el nuevo Seminario construido por el celo católico del Estado; allí las nuevas generaciones encarnadas en cinco mil muchachos del Frente de Juventudes; allí, en la plaza de José Antonio, todo el pueblo: los viejos falangistas y requetés, los heroicos alféreces provisionales. ¡Qué jubiloso reencuentro! Tunas y rondallas recorrían el Espolón, los grupos intercambiaban botas de vino y meriendas, no se encontraba un sitio en todo Burgos, yo comí en el portal de una casa con unos camaradas recién conocidos.

–¡Qué hermandad entre las tierras y los hombres de España! Ése es el futuro –continúa don Ramiro–; ya lo dijo Franco en su discurso. ¡Qué discurso! ¡Cómo demostró que nuestro sistema político se adelanta a todos los demás! Sí, las demás naciones acabarán imitándonos, pese a las maquinaciones del exterior, a las envidias contra la España del Cid y de Trento. Jornadas como las de Burgos galvanizarán a un pueblo más que cien programas técnicos, porque la fe mueve montañas.

Luego pasa a otro tema menos sublime. Dios aprieta pero no ahoga; también los pequeños problemas de Don Ramiro van a resolverse gracias a las jornadas de Burgos. Se ha encontrado allí con viejos camaradas, personas importantes asombradas de que él no tenga un alto cargo en el Movimiento. Arganzuela, Pérez Levante, otros más le han prometido resolver lo suyo, porque el pobre señor está sin ningún ingreso fijo desde que el programa de estabilización de 1959 acabó con unos cuantos organismos y, entre ellos, con el Comité Corchorresinero, de cuyo sueldecillo vivían los Gomes Bozmediano.

Pero al cabo a don Ramiro se le ocurre la idea de que no se está ocupando adecuadamente de su huésped y le pregunta si está contento en la casa. Ante la respuesta afirmativa de Luis, enlaza con sus comentarios.

–Su cuarto era antes mi estudio; ya se lo dije el primer día... No, no se disculpe, no puede estar en mejores manos. ¿Y sabe lo que más me gustaba de él, lo que a veces verdaderamente llegaba a inspirarme, dentro de mi modestia? El balcón. ¿Me permite gozar de él un momento? Verá, verá. Voy a enseñarle algo.

Al abrir el balcón penetra el aire frío de la sierra junto con los ruidos de tráfico.

–Vea –reanuda don Ramiro–: todo un símbolo. Arriba, lo divino, «la noche serena» de Fray Luis; a nuestra izquierda, la Almudena, es decir el Altar; en el centro, los encinares de la Casa de Campo, la tierra de nuestros antepasados; a la derecha, el Palacio, el Trono. ¿Eh? ¿Se capta o no se capta? El modelo del orbe; todo un programa vivo. ¿Qué digo programa, palabra de técnicos y politicastros! ¡Una triple bandera para morir por ella: Dios, Patria y Rey!

Extiende el brazo y lo mantiene en alto un momento, mientras Luis ve en la Almudena una tarta lamentable. Un pastel de bodas ribeteado de merengue, con dos torrecillas para poner a los novios de alfeñique. Además, don Pablo le ha dicho que sigue sin terminar por falta de dinero, buena prueba de que la primera parte de la triple bandera de don Ramiro no inspira demasiado entusiasmo al país, al menos cuando afecta a los bolsillos. Pero el caballero sigue discurriendo por sus derroteros:

–Contemple, en cambio, aquello más lejano, acechando con todo su poder y sus luminarias tentadoras. Vea esos dos rascacielos, la Torre de Madrid, el edificio España. Ése es el peligro, esas Babeles, esos monumentos de soberbia, esos nidos de extranjerismo, esas imitaciones de lo yanqui. Porque ya ni siquiera copiamos a París, cultura al fin, pese a su decadencia. Ahora nos tientan los bárbaros, con sus Babilonias. ¡Sí, señor, Babilonias!

Luis goza el delicado perfume que aún exhala en octubre la albahaca, y se lo agradece a doña Emilia, que le preguntó si le molestarían sus plantas. Entre tanto, don Ramiro se regodea otra vez en su hallazgo retórico, y repite su clamor con voz tonante, como si increpase a los edificios iluminados:

–¡Ah, Babilonia, Babilonia!

Águeda

«¡Babilonia!»

¿De dónde esa voz en la noche? Cerré asustada la ventana.

Las tejas tibias del poniente se enfriaban rápidamente bajo las primeras estrellas. Casi tenía olvidada mi angustia. Y de pronto esa voz inquietante. Como si sonase abajo, pero tales voces vienen de lo alto. «¡Babilonia!» Alucinaciones. Me vuelvo histérica.

Sor Natalia me acariciaba la frente, en mi cama del colegio, disipando sombras y temores. Ahora la necesito, aquella mano. Si la voz es alucinación, ¿qué significa? ¿Viven en mí Semíramis, los jardines lujuriantes, Nabucodonosor gruñendo a cuatro patas? ¡Absurdo! ¡Al contrario! Aunque esas torres enfrente, la de Madrid y del Edificio España, parecen *zigurats* iluminados.

¿Me cambió?, pensé. Lo mejor, pantalones, si Gloria hubiera llegado pronto; sugerir con ellos que yo también recién llegada. Pero pasaba el tiempo: ¿qué ponerme? ¿Más accesible a su mano?

Menos mal que un taxi muy cerca de la Academia, donde *Viajes Ulises*. La recepcionista, junto a la ventana, inclinada sobre sus papeles. Miope, seguro; pero, ¡ni hablar de ponerse gafas! Tan agachada que casi asomaban los pezones. Gordas, buen cebo; no se puede quejar.

«¡Babilonia!» ¿Alucinación? ¿Presente o pasado? Me oprimo las sienes y me duelen. ¿O ya me dolían y por eso las oprimo? Despeinada; de pasarme la mano sin sentirlo. No sé lo que hago. He de ir a la peluquería, pero ya es miércoles, mañana fiesta, el viernes otra vez clase por la tarde, y el sábado imposible. Ahora que caigo, ¿me habrá puesto don Rafael esas clases por la tarde pensando en llevarme algún día a tomar una copa? ¡O incluso a cenar: es capaz de creérselo! Su jactancia de macho...

Hoy creo en Dios, como Bécquer. «¿Calle Hermanos Bécquer?», preguntó el taxista. Por lo visto, dije la frase al subirme, en alta voz, feliz de pescar el taxi. Acabaré loca. Tengo que decidirme. La tensión, insoportable, y ¿para qué?, ¿por qué? Hoy mismo, si quiero.

Llegué, la casa vacía. Cuando sale por la tarde es cuando más la temo. Y todo tan ordenado... Estatua de sal: así me quedé. ¿Cuánto rato? Luego temblando, abrí de golpe su armario. Loca, sí, pero de júbilo, ante el arco iris de su ropa. ¡No se había ido! Mis armarios, en cambio, siempre sombríos. Desde la infancia en Pamplona. ¿O me vestían como a todas las niñas, y lo he olvidado? ¿He llevado lazos, tiras bordadas, entredoses? Me veo sin color, como en los sueños. Mis audacias ahora: un poco de verde y marrón, algún anaranjado. Ni siquiera el ciclamen, cuando estuvo de moda en los cuarenta. Y eso que me iba su casi medio luto. Algún celeste o amarillo en una blusa.

«Muchacha de uniforme», me llamaba Meg, mirándome como a Gerta. Odiosa, en tales momentos; succionante su intento de atracción. Buscando otra ama. Me reconcilié con la frase cuando vi la vieja película en el cineclub. ¡Qué Dorothea Wieck, qué verdadera! Fascinante, estremecedora.

¡Viva Gloria, fabulosa Gloria! ¿Acaso llegué a gritarlo? ¡Me estallaba! Sus vivos estampados saltaron como el diablo de resorte en la caja de sorpresas. Violencia de fuegos amarillos, volcanes rojos, llamaradas verdes. Todo el prisma, todas las capas del Bunsen cuando arden sustancias complejas.

El zoo de Vincennes. El guacamayo rojo y verde echándose sobre mí con aleteo furioso, su grueso pico caqueteando. Retrocedí asustada, olvidando los barrotes. La gente rió; el pájaro también, mirándome con sus ojos abultados. ¿Por qué me atacó a mí?

El armario-arco iris me devolvió la sangre a las venas. Tan de golpe que se me nubló la vista. Mi corazón resonaba por todo el cuarto. Hube de sentarme en la cama.

Lástima no tener un perro. Aquel que se coló en la Residencia y lo adoptamos. *Séneca*, le pusieron las de Letras. ¡Era más listo! Un buen día desapareció. ¿Le atropelló un coche? Desapareció como una persona. ¡*Séneca*, ven aquí, dame cariño! Cariño perruno, fiel, sin angustias, por favor: no quiero sufrir.

Pero sufro. Me preocupó tanto orden. Hasta el espejo limpio. Ni un pelo en su cepillo. Y cuando sale deja siempre un caos: ya lo recogerá Águeda. Hoy todo en su sitio; hasta mi regalo, el *baby-doll* que le compré el otro día. Temí una trampa. ¿Qué pantera me aguardaba, relamiéndose las fauces como en los fosos del circo?

No debí meter prisa al taxista. Era joven y se pavoneaba conduciendo. Por poco atropellamos a la vieja del canasto. Por cierto: ya no se ven canastos. Bueno, el otro día pude haber sido yo. Hoy estuvo a punto de ser la vieja. ¿Alguien a la tercera? ¿Quién? Puede que fuera lo mejor.

Cuando fui a comprarlo me atendió la Ojos de Vaca. Me resigné. «Pero no es su talla, señorita», dijo la muy estúpida mirándome el pecho. La hubiera abofeteado. Se dio cuenta y entonces se pasó de comprensiva. Claro; un encargo. Días antes había despachado un juego rojo y negro, con mucho encaje, a un señor mayor. Se reía, obscena y cómplice. Uno de esos calvos que se echan por encima el pelo de la sien, para disimular. Sí, he de ir a la peluquería.

Pasaba el tiempo, ¿qué me ponía? Ácido en mi corazón: la incertidumbre. Como sobre una muestra; burbujas, vapores. Dieron las nueve en Palacio. Me puse la bata; le gusta abrírmela. Aun sabiendo que al verme en bata se le antojaría salir a cenar. En cambio, cuando me encuentra vestida le apetece comer algo en casa. «Cualquier cosa, ya sabes»; luego devora ferozmente.

Esa Babilonia... ¿Acaso oigo ya voces? La Doncella de Orleans... *La Pucelle*, ¿para qué? Aquel rubio del *party* en Londres, ¿cómo se llamaba? Estaba muy bien; en el Instituto de España. Me lo soltó con naturalidad: «¿A mi casa o a la tuya?» No le engañé con mis pretextos: «Las españolas no sabéis aún que la virginidad ya no se lleva.» Pero ser derribada, poseída, penetrada... Como en una tienta; la garrocha... Odioso, tan sólo imaginarlo. Pero eso, empezar con Gloria...

¡No había pensado en el frigorífico! ¿Habría algo, por si quería quedarse? Menos mal; huevos, leche, su paté favorito, bastante. Ay, faltaba su yogur de fresa... Pero fruta y judías verdes de ayer; aunque no le harán gracia... ¿Y si no quiere nada? ¡qué angustia! Entonces vendría habiendo cenado. ¿Y con quién? Lo sabré porque se quejará de jaqueca, para acostarse sin hacerme caso. Casanova, en iguales ocasiones, pretextaba dolor de muelas. Me lo contó Fred, ¡qué buen chico era! ¿Habrá logrado establecerse en Canadá?

También creí escuchar voces en el colegio; se lo conté asustada a sor Natalia. Ella también de niña, me dijo, pero no se debía hacer caso. Las borró su mano sobre mi frente. «Las santas oían», insistí. «¿Santas?», replicó melancólica. La buscaba siempre en el recreo; mejor en el pasillo. «Quíteme las voces, sor.» Su caricia era mi oxígeno. ¿Hubiera enfermado, quizá, sin ella? Hasta que me dijo, muy seria, que no podíamos continuar esos juegos. Llanto de fuego, aquella noche, sofocado mordiendo la almohada: no me quería. Salvo una esperanza; si acababan los juegos, ¿empezaban las verdades? Ignoraba cuáles, pero me derretía sólo de pensarlo. Como los místicos. Y esperaba cada día, mirándola ávidamente. Cuando me torcí de veras el tobillo en la escalera, ¡qué voluptuosas sus manos en mi pie desnudo!

Las clases por la tarde. ¡Claro, el plan de don Rafael: como en una tienta! Cuando me ve lejana, absorta: «¿Pensando en el novio, niña...? No se enfade, aunque se ponga así tan bonita; no me mire como dándome un latigazo.» ¡Ojalá pudiera dárselo! O mejor mandar a Maximina que se lo diera; aquella criada navarra, tan fuerte. Con la fusta del tío Conrado. En el culo al aire, doblado por la cintura, como un niño. O mejor, en los huevos esos tan importantes; los *cohones*, pronunciará él tan ufano, aspirando la hache. Que aúlle de dolor. Parece ser terrible; peor que en los pechos... ¡Qué cosas pienso en mis esperas...! Babilonia, Babilonia.

Si sor Natalia me viese, si supiera... Curioso; por primera vez desde que vivo esta tensión estoy segura de que me comprendería. Pues ahora me explico aquellas manos, buscándome a mí, como yo a ella. ¡Ojalá hubiese sabido ir a su encuentro! Es criminal, no responder. Necesitamos otra piel contra la nuestra. Eso es comunicarse de verdad, como Gloria y yo en la caseta de la piscina. Es criminal negarse. Nacimos para vivir.

Pasos en la escalera, pero sólo era Tere. Adiviné que miraba la luz bajo mi puerta y abrí, procurando hacer rutinario mi saludo. Ella también se esforzó por parecer indiferente. «¿No está la señorita Gloria? No tardará. La esperaban, pero me dijo que volvería pronto.» Lo dijo piadosamente, pero me encogí como un perro bajo un palo.

La mano de hierro me estranguló en el acto; no dio tiempo a sollozos ni lágrimas. ¡Y antes de que aflojara, ya todo resuelto! Sus pasos, Gloria subiendo a toda prisa, yo en la puerta, ella irrumpiendo, abrazándome. «¿No estás vestida? ¡Date prisa, que tengo una idea: salimos esta noche! ¡Venga, que mañana es fiesta y no hay que madrugar...!» Me hostigaba. ¡Qué excitación! Y así tomamos algo de pie en una cafetería. Así empujamos la puertecita del *O. K. Club*.

Venía del cine, inventó. Con una amiga de Ponferrada. Ahora ya no me importa esa mentira. Una película estupenda. Comprendí. Robert Mitchum, su favorito: «¡Qué hoyuelo en la barbilla!» No dispone de él para salir y traérselo luego; pero está Águeda. ¿Es un sucedáneo? ¿Pensará ella que vale la pena?

No se quemaron las cejas para decorar el *O. K. Club*. ¡Qué verá en él para extasiarse así! *Spaghetti-western*: paredes imitando troncos, revólveres colgados, anuncios de busca y captura, pianista con elástico en las mangas de la camisa. Algunos bailan, pero abunda más el hacer manitas por los rincones. Los taburetes son torturantes, pero descubren muslos. A veces un chillido de ratita en la penumbra rojiza, una risita, un vaso estallando contra el suelo. Sórdido escenario de guardarropía, aunque al parecer se divierten.

Claro, la trajo aquí «él», quien sea, cuando la esperaba el otro día. Pero me dijo que anteayer tarde, con la de Ponferrada. Poca imaginación. ¿O provocar sospechas a propósito, para darme celos? ¡Si no hacía falta, si ya iba yo a su encuentro! ¡Qué sorpresa le esperaba!

Conquistándome con la fórmula de las novelas baratas. Empezar por el alcohol, claro. Su último descubrimiento, el *vodka pilé*; lo máximo en disipación sofisticada. Ahora se dice «la» vodka. En femenino, como en ruso, por lo visto.

Me imaginé al otro; a mi «rival». Ahora ya todo me hace gracia, carece de tremendismo. Haciendo el macho en *O. K.*, lanzando proposiciones a las camareras de la barra, sopesándoles los pechos con la mirada, puestos en bandeja por ceñidos chalequitos a cuadros rojos y negros, transparentados bajo las blusas con corbatín de lazo. Grotesco.

Enfrente, una morena con botas, emparejada a otra. Nos miraba con aire superior; se las notaba más adelantadas. Gloria se arrimó a mí; puso la mano en mi muslo. «De muslos no estás mal», me concedió generosamente un día. Otra forma de subrayar que el resto nada. De pronto cayó en la cuenta: «¡Qué bien estás con botas!» ¿Empezando a excitarse?

Como Robert Mitchum. En una película de safari no se quitaría las botas ni para derribar a la rubia de turno, la esposa del noble inglés a la caza del rinoceronte albino. Gloria dispone ahora de una trinidad: Mitchum-El Otro-Águeda. Tres cuerpos distintos y una sola excitación verdadera.

Ha cambiado el estilo de mi memoria. Recuerdo lo de esta noche en forma muy curiosa. Muy intensamente y, a la vez, con toda indiferencia. Como si hubiera ocurrido a otra, y yo mera espectadora. «Ha sido importante», me repito; pero no me afecta. ¡Y eso que he saltado al fin la barrera! ¿Es eso, la barrera?

Empecé a ser espectadora subiendo ya la escalera de casa. Ella seguía conquistándome, ¿no se había dado cuenta todavía? La conquista de Águeda la he decidido yo: ésa es mi satisfacción. «No hagas ruido –advertí–, vas a despertar a los chicos de Tere.» «No haber sido tonta. Que no los hubiera tenido.» Pensé en los pechos generosos de Gloria, maternales, y me asombré. «¿Tú no quieres hijos?» Su voz, una puñalada. «¿Tú sí? Pues haz por tenerlos.»

No bebimos mucho, pero a ella se le nota más. ¿O era la excitación? ¿Su época de celo? Todavía no. Empezó el día en que estuvo a punto de atropellarme el taxi. A mí me toca pronto, ¿será por eso? ¡Qué poco nos enseñan de cosas importantes! En cambio sé que en los perfumes dominan los terpenos y hasta conozco su fórmula; pero la cuestión es olerlos, excitarse los sentidos, gozarlos.

No sería el alcohol, pero ella confiaba en él. Nada más llegar me preparó un *whisky on the rocks* («Tenemos que comprar vodka», repitió varias veces). Se lo agradecí; me borró el cansancio. ¿O era náusea ante la vulgaridad? «Brindemos por lo que estoy pensando, ¿quieres?» Ésa fue su ingeniosa insinuación. Brindé y recargó la suerte: «Cuidado;

ya sabes a lo que te comprometes.» Bebimos de un golpe, como el pianista del Club. Soltó una risita y se dejó caer de espaldas en la cama.

Aquella primera vez que se reclinó, en la residencia, cuando aparecieron las palomas. Inocencia, goces sin trampa. Claro, aquella inocencia era justamente la trampa. ¡Quién fuese como ella! pensé entonces. En su trono, siéndole ofrecida la vida; estrujándola, gozándola: Y ahora, yo en la trampa. Sólo que si se entra a sabiendas ya no es una trampa.

Me miró desde la cama. «Otra copita, ¿quieres?» Me dispuse a servirla. «No pierdas tiempo; sin hielo. Como los hombres.» Me miró intencionadamente mientras bebía. Mala actriz. Como si nos estuviéramos desafiando, tentando nuestras fuerzas antes de sacar el arma; aún duraba el ambiente del Oeste. Reprimí deseos de reír, aunque más adentro tenía miedo. O más bien, debería tenerlo, debía de estar allí, pero yo no lo sentía. «¿Qué viene ahora?», me pregunté, como quien consulta un programa.

Pero no en un teatro, sino en un examen. La teoría me la sé; es decir, más o menos. Pero saberse la teoría no es nada; en esa asignatura lo importante es el ejercicio práctico. Es preciso tener suerte en la muestra y luego, depende de tantas cosas... Porque el reactivo no lo dan preparado, hay que aportarlo.

Se levantó y avanzó. Me tocó la barbilla y me volvió la espalda. Bajé su cremallera, hice resbalar su vestido, lo sostuve mientras ella sacaba una pierna y luego otra. Agachada, me envolvió un curioso olor animal y marino; era otra Gloria. ¿Terpenos o glándulas excretoras? Me dispuse a colgar su vestido; se enfadó. «¿No puedes olvidar un momento tu manía del orden?» Arrojé el vestido sobre la butaca. «Sigue desnudándome, anda. ¿Verdad que te gusta?»

Antes esa palabra me repelía. No la usaba. Solía decir siempre «desvestirme». Como los médicos: «Descúbrase un poco, por favor.» ¿Quizá desde que las otras niñas me llamaban «la roja»? Yo era la «hija del rojo», del sacrílego que osó arrojar bombas sobre el templo del Pilar, santuario de la raza. O quizá desde los pequeños salvajes del colegio frailuno, enfrente del nuestro. Aprendices de macho. Pantalón corto, pero ya su puñalito para el uniforme azul y negro en los desfiles. Ya miraban babeantes, disfrazando con la jactancia su inmadurez.

Gloria se tumbó en actitud de esperarme y soltó una risita. «Había ambiente, ¿verdad?» Me pregunté si El Otro no habría estado quizá en el *O. K.*; sirviendo yo de excitante para otro día. Ya sin el traje me senté en la cama para quitarme las botas. «No, déjatelas para lo último.» Volví a ponerme en pie. «Espera, pruébate mi *baby-doll*... ¡Llevas siempre unas combinaciones tan serias!» Una culebra oscura en el arroyo de su voz. ¿Germinaba ya dentro su intención todavía inconsciente? «Ya conoce mi desnudo –pensé–, ahora lo quiere disfrazado.» Me vestí la corola de oro transparente sostenida por mi doble tallo de cuero negro. Entonces vi en sus ojos centellear la Idea.

Luisa María lo decía, en el colegio mayor. Que como Gloria sólo paría ideas muy de tarde en tarde, se las veía aparecer en su cara. «Casi una suerte, para quienes estamos saturadas de Ideas», le repliqué.

«¡Espera! –gritó entusiasmada–. Un momento; no mires.» Sus pies desnudos recorriendo el cuarto. Me hizo girar a un lado y a otro, mientras deslizaba telas sobre mi cuerpo. Se alejó; le agradecí haberme mandado cerrar los ojos: mejor ir a ciegas, a donde fuese. De pronto algo caliente y blando rozó mi labio superior, sentí el reflejo de abrir la boca como para comulgar. Aquello –¿su dedo? ¿por qué caliente?– iba y venía. Me ciñó un cinturón; ¿qué colgó de él? Un frío alargado en mi muslo; me estremecí. «¡No, la gumía no!» Abrí los ojos, llevé a mi costado las manos. «¡No mires, idiota!» (pero mi voz la había intimidado), «bueno, te la quito ¿qué te pasa?» «Era de padre, no la toques con esas manos» (de puta –pensé– puestas en el trofeo sagrado). Se la llevó; durante unos instantes no la oí.

Se disipó mi cólera. Al menos agradecí sus manos en mi cuerpo. Me hacían comprender cuán virgen es mi piel. Desierto sin oasis. Nadie me tocó en años y años; desde el baño infantil. Gloria me revelaba nervios ignorados; los del pudor, también los de la pasión o del instinto. No lo sé todavía.

«¡Fantástica, estupenda!» Rechinó la puerta del armario, la del espejo por dentro. «Mírate ahora.» Me vi ante la luna. Botas altas, túnica dorada ceñida por un cinturón negro, rojo sombrero de ala ancha ensombreciendo el rostro, un sarape al hombro. ¿De quién aquella cara con bigote? Gloria, gozándola desde su cama.

También la piel de *Atila*, se estremecía con ramalazos bajo mi mano. ¡Espléndido caballo de tío Conrado! ¡Eso sí que era poderosa vida! El odioso Mohatar lo entendía. El vínculo entre el árabe y su caballo, ¡eso sí que era amor! Sin razonamientos. Puro borbotón de sangre.

Reconocí nuestra manta alpujarreña, su sombrero para la piscina, su cinturón ancho, mi propia cara abigotada con un corcho quemado. ¿Había visto con El Otro una película de *El Zorro*? Se palmoteó los muslos. Miró alrededor, faltaba algo. «¡Qué lástima...! Bueno, toma esto.» Puso en mi mano, como si fuera un látigo, su cinturón trenzado. Y automáticamente, por una vez sin pensarlo, el metal de la hebilla en mi puño me hizo restallarlo. La cola de la víbora chascó en mi bota, su espasmo de cuero rozó mi muslo desnudo.

Gloria no percibió nada; ¡ni lo sospechó! Mi pecho un terremoto de violencia, mi mano contraída sobre el látigo, mi corazón al galope. Un sofoco de gozo por toda mi cara. Si no hubiese mirado al espejo la hubiera fustigado, ¡ah, estoy segura! Pero contemplé la realidad, el disfraz grotesco; me desinflé. Se abatió de golpe la exaltación. Sólo quedó la banal decoración de su capricho. ¿Acaso la alcanzó de lejos la llama?, porque se levantó y vino a desvestirme. «Anda vamos; déjate hacer, ya verás qué gusto más rico.»

«Eso; no te detengas», deseaba yo. ¿Qué me importaba reemplazar a Mitchum-El Otro? Los niños sin caricias enferman. También los chimpancés con biberón, sin el peludo cuerpo de la madre. ¡Qué hambre de manos en mi piel! Marginalmente percibí el prisma de luna traspasar la ventana. Bañaba en leche azul el desnudo de Gloria.

Desnuda yo también, conducida al ara sacrificial. «Vamos pava, ¿qué esperas? ¿Será verdad que no lo has hecho nunca, ni en el colegio?» Le excitó la idea porque se puso mimosa. «¡Tontina!», dijo, y sus manos abarcaron mis mejillas para desflorar mi boca. Me invadió trompa de mosca, lengua de camaleón, larguísima lamedera del oso hormiguero. Piel contra mi piel, oscura humedad tentacular. La imité; era preciso retener a mi pescadora con su propio anzuelo clavado en mi boca.

«Así, muy bien; ¿ves, boba?» Ya no temí retroceder; me hice pasiva para aprender a ser activa. Su voz me guiaba; sus manos eran ya de propietaria. Tendida a mi lado guiaba las mías hacia su intimidad. La impacientaba mi torpeza y, a la vez, la excitaba. Risitas cosquillosas. Hänsel y Gretel abrumando mis pechos. Distanciada por dentro continué la gimnasia. Gloria se crecía en la cresta de una ola, impulsada por mis maniobras, mientras yo escalaba penosamente una montaña obedeciendo sus instrucciones. Cuando exhaló el supremo jadeo yo sólo tenía fatiga. Palmoteó mi muslo sudoroso con gratitud satisfecha, como a un caballo que ha corrido bien. ¡Ay, pero no *Atila* ni ella el árabe! «No está mal para la primera vez.» Aprobado respando. Sólo que se trataba de otra persona. Una tal Águeda. ¿Por qué no gocé, por qué? ¿Acaso no podré? ¡Sin embargo, aquel sofoco de goce por un instante! Pero otra cosa.

El coche rasga la calle de Bailén, desplazando en mi oído la respiración de Gloria. Me he venido a mi cama por si se despertaba y volvía a exigir mi prestación. Su boquita dormida, dulce como la de un bebé recién amamantado, ocultando la lengua obsesionada. Se ahondó el silencio tras el paso del coche y sentí los primeros golpetazos de la jaqueca que penaliza mis depresiones. Y de nuevo la angustia: ¿Qué le impedirá abandonarme ahora? No me hago ilusiones; Gloria ha gozado, pero esperaba más. Yo también, ¿o no? ¿Quizá por intuir esta gimnasia tras tantos años eludiéndola?

Otro coche. O el mismo. ¿Se repite este instante, vuelve y vuelve, como los martillazos en mi sien? Alucinaciones. ¿Es eso Babilonia? Acaricio mi muslo, pero no siento nada. La foto del otro día, en una revista. La india del Amazonas, el pelo en melenita, el tatuado cuerpo desnudo sobre una hamaca. Su hijito, también desnudo, gateando sobre el vientre materno: Lo que no tuve. ¿Es por eso? Cuando mi boca buscó un pezón humano sólo encontró caucho tratado con azufre y moldeado.

La luna alcanza la curva gumía colgada en la pared. Muerte en ébano y plata. Una cólera inmensa agudiza mi jaqueca. Malditos los culpables, los que me robaron la Vida. Como cantaba Patachou: *On m'a volé tout ça*. Mi vida amputada en su origen, gris, «tolerada menores». Sólo un simulacro, como la película de Claudette

Colbert, *Imitación de la vida*. Y ahora, demasiado tarde, esas manos de Gloria intentando vestirme con una piel humana. Prometiendo llevarme hasta el amor y dejándome frustrada, en el umbral.

PAPELES DE MIGUEL
A la sombra de Magda

Septiembre-octubre de 1975

Hasta el tercer día no me sentí instalado definitivamente en mi celda, aun cuando ya el primero la recepción inspirada. Por última vez septiembre se hizo junio y dejé abierta la ventanita de mi celda. Así descubrí el patio: entonces empecé a ser otro habitante más.

En el otro piso era respiradero de mina. Flotaba un polvillo como hollín. Oscuro patio; indispensable asomar la cabeza y torcer el cuello para ver el cielo. Chimenea silenciosa, casi amenazante. Ventanas hostiles. Cuando se abrían, sórdidos ruidos de retretes y baños. A veces un grito en la noche. ¿Por qué siniestro?

Mi nuevo patio, en esta casa antigua, habitado como una plaza pública. Desde mi buhardilla siempre cielo a la vista. Ventanas vivas: una mujer canta, una máquina de coser galopa, una televisión sugiere imágenes. En mi tercera noche sólo un niño llorando, repentino; una voz amorosa calmándole. De madrugada un asmático jadea. A intervalos horarios, dos relojes: primero uno de cuco, minutos después un carillón sugiriendo un comedor de roble, con aparador y trinchero, quizá un alto filtro de porcelana sobre un macetero. Con el carillón casi coinciden campanas de un convento. ¿Las Góngoras? De repente, al alba, un despertador hace de gallo urbano. Le siguen otros, y así comienzan los ruidos cotidanos, sucediéndose como las estaciones en el año. Desde el chocar de loza matutina hasta los fregoteos de la cena. Ordenación de la vida.

Mucho esperé de mi mudanza, al cambiarme de concha como cangrejo ermitaño, pero más me ha sido dado. Total transformación; de crisálida en insecto. No me creo aún con alas pero ¡qué libertad! Agilísimo tórax; ya sin camisa de fuerza. Buena regla para el espíritu: cada cinco años nueva casa; cada diez, nuevo lugar; cada veinte, nueva tarea. Y siempre hacia lo sencillo; de capital a pueblo, de rico a pobre, de ingeniero a pastor.

Me encuentro ahora con (y en) el futuro y el pasado. Acaso lo mismo: eterno retorno. Soy quien nunca fui; también quien ya fue. Futuro desde el primer día, desde aquella bienvenida a mi celda. La paloma esperándome en el alféizar; Nerissa llegada antes para seguir acompañándome. Su negra pupila cercada de rojo, anillo como sangre coagulada, diana donde hacen blanco las cosas. Donde fui acogido hasta penetrar en la cabecita gris graciosamente agitada a un lado y a otro. Me acerqué y no se inmutó, ni siquiera cuando abrí. Iba y venía a pasitos; me dedicó unos arrullos. Echó a volar por fin. Volverá. Tu mensaje, Nerissa; enviándome tu ave para acompañarme hacia el Árbol Ardiente.

Alado mensajero el día de mi fiesta, San Miguel Arcángel. Alas contra raíces: el camino. Desprenderme; primero de las raíces, luego hasta de las alas. Y seguir subiendo.

Retorno a tía Magda en este barrio. A mis dieciséis años, curso 1929-1930, el anterior a la Universidad. Por las calles, final de la monarquía: *Delenda est*, proclamaba Ortega en *El Sol.* Dentro de casa, en el pisito de Libertad, 7, dos perros de piedra en el portal, la viuda y el adolescente. «Tú serás el hombrecito de mi casa», me dijo al recibirme. Mi padre seguía retenido en la Administración internacional de Tánger, donde se colocó al perder la carrera de artillero en la Sanjuanada. Mamá no quería dejarme solo, reciente la muerte de Leonorcita.

Su perfume ligero, casi campestre. *Quelques fleurs*, pero su cuerpo añadiéndole maderas del trópico. Efluvio más turbador aún porque ¿cómo podía emanar canela una piel tan de nieve? Sugería repliegues íntimos. Nuca, brazos, axilas: no se atrevía a más mi ardor niño ante aquella magnolia abierta en madurez inútil.

¡Aquellos domingos! Sorprenderla ante su coqueta, velado su cuerpo sólo por el *peignoir* malva, sus manos en torno a la olorosa cabellera, evocación de Baudelaire. Espejo *art nouveau* de mesa, con orla de flores y libélulas, pintadas en nacarina sobre el cristal. Leves mangas resbalando hacia los hombros, desnudando los brazos. Mis ojos clavados en aquel marfil vivo, en el pecho palpitante. «¡Vete, niño!», sonreía cariñosa. «Soy el hombre de la casa», replicaba mi audacia, asombrada de sí misma. Rescoldos de melancolía juanramoniana en su mirarme: *Arias tristes, Laberinto, Estío*. Un ¿por qué no? como un gemido flotaba en su alcoba. Juntos lo reprimíamos ¡por fuerzas tan distintas! Aún inseguro el tallo de primavera; aún recelosa del macho la fruta de su otoño, tan herida por veleidades del difunto infiel.

Yo esperaba –¿qué?– mientras ella se refrenaba –¿por qué?– y me entristecía la sensación oscura de estar perdiéndome goces indecibles... Sí, flotaban en nuestro silencio, pero... Se levantaba al fin, me empujaba dulcemente hacia el pasillo, rozaban sus labios mi sien, «espérame un momento», susurraba, cerrando la puerta para vestirse; ¿quizá para vencerse?

Yo esperaba. Luego caminaríamos, ella de mi brazo, hacia misa de once (el título de un tango) en San José, pasearíamos por Recoletos, compraríamos un postre en Hidalgo, comeríamos, transcurriría la tarde –«¿por qué no sales a pasear con tus amigos?»–, encenderíamos la lámpara y mucho después, ya en la cama y a oscuras, yo seguiría esperando... ¿Qué? Lo escuchado en el colegio, entre risas groseras a chicos mayores, era incompatible con pensar en ella. Cosa de otro planeta. Así, esperaba sin esperar, sabiendo sin saber. Como ahora, en otro plano –soy aquél y soy otro–, camino sin saber, sé sin moverse.

Esperé aún tres años antes de vivir aquello. Cerca de aquí, precisamente, en la calle de San Mateo, ahora es un hotel. Aquella proximidad a la casa de tía Magda me culpaba voluptuosamente, pero también excusa ante mamá cuando la República rehabilitó a mi padre y pusieron piso en Madrid: «Vengo de ver a tía Magda.» La veía, sí, breves minutos en su mesa camilla, justo para la coartada. «Ya no me quieres como antes», me reprochó una vez, tan intencionadamente como si se sintiera traicionada, como si yo fuese igual que el tío Javier, su marido. Aquella tarde me volví a casa directamente.

Hube de esperar más tiempo la llama verdadera. ¿Lago alpino, espejo de cumbres, nubes, negros abetos, rojos tejados! Desde aquel paseo a la orilla lacustre partía al autobús para Turín. ¿Ay, escenario idílico de novela romántica, traicionado por la implacable draga! En el puertecillo, sus rechinantes cangilones revelaban el fondo de aquel espejo poético. Lodos como vómitos, manchurrones de tinta y de excremento, latas, botellas, desventrada maleta, despojos irreconocibles, un femenino zapato de baile, huesos de qué animal o qué cadáver... El purísimo azul no se inmutaba, pero Hannah y yo volvimos el dorso a la podredumbre. ¡Qué alivio cuando el coche arrancó!

¡Valle de Aosta, teatro donde nos descubrimos uno a otro, donde nuestros cuerpos tocaron las cimas y abismos de la carne! Dorada marea de julio creciendo laderas arriba como empujada por nosotros. Nos bebíamos como bebíamos el sol. ¡Perpetua embriaguez! ¿Perpetua? Sabíamos que no, pero callábamos. Por eso a veces un reflejo trágico en los grandes, oscuros, insondables ojos de Hannah; una fugaz melancolía en su boca suculenta. ¿Sospechó su trágico final, en qué campo de exterminio nunca supe? Quizá intuía ya el apocalipsis cerniéndose sobre todos nosotros. La vida me la devolvió reencarnada en Nerissa, culminada en ésta. Mi amor juvenil pudo así amar después la perfección.

Ahora, tras la noche tibia, primera lluvia de otoño amaneciendo, reinstalándome en mi ahora. Tan dulce, sin embargo, como la llovizna que, apenas adentrados en el valle, nos retuvo en aquella alquería, muy cerca ya de Issogne, donde nos vendieron pan y unos cuencos de leche, dejándonos dormir en el henil. Bajo el piso de tablas descansaban las vacas; mugían amorosamente. La hierba apilada encima rebasaba en altura el cuerpo humano. En su perfume nos hundimos juntos; su oleaje inmóvil acunó nuestro amor. Por el alto ventanillo vestía la luna de marfil a nuestros desnudos. Ishtar iluminaba los generosos pechos de su sacerdotisa. También, como hace tres días, como al llegar a esta celda, una paloma nos miraba.

Al día siguiente, espléndido, subimos al pueblo. Casi nadie por las calles en cuesta. Una plaza delante del castillo. Gran portal abierto, bóveda sombría y resonante. El patio, reavivados por la lluvia los despintados frescos de sus muros. Rotunda, la sombra de un torreón alcanzaba la fuente, coronada por un árbol seco. ¿Árbol seco? Al acercarnos resultó, en hierro forjado, un granado. A salvo, en el metal, de los inviernos; privado, sin embargo, del florecer. Pensamos lo mismo –«no florece lo que no muere»– y nuestras manos desposaron sus dedos. Nuestro silencio hacía eco a la «soledad sonora» del patio y escalaba la beatitud. Integrábamos ambos toda la Humanidad; llenábamos el mundo.

Años, años después leí en Mateo Bandello la arrebatada vida de Bianca María, la *Malvada Condesa* de Issogne, y supe de sus amantes asesinados y su muerte en el cadalso. Supe más tarde que el granado es árbol de Afrodita, pero también de Perséfone, y que a Firdusi le bastó para retratar a una mujer: la flor forma la mejilla; el zumo es la dulzura de los labios; los frutos, la redondez de los pechos, con su endurecida cúspide. Pero en el Valle no jugaban símbolos, sino la misma vida. Tras la siesta junto a un arroyo me bastó recordar a San Juan de la Cruz: «Y allí nos entraremos y el mosto de granadas gustaremos.» De siglos venía el texto para Hannah; cantábanlo por la Pascua de Pessah sus abuelos ashkenazi. ¡Qué rito milenario de amor evocaba, en su lengua hebrea, el *Cantar de los Cantares*! Su fuerza me abrumaba, me piqué, improvisé con hechos sobre las gracias de Hannah, fuimos el Amado y la Amada: «No mires que soy morena, es porque el sol me miró.» El sol la había mirado toda; llena estaba de él y así asomaban los rayos a sus ojos enamorados. ¡Qué erótica voz de garganta!

Aquella tarde recuerdo, por encima de su hombro, un lejano campanile con reloj. Ahora, desde mi terracita, el de la Telefónica. Luna roja en la noche, sin mis gafas; disco encendido en las tinieblas. Con las gafas, se torna cifras, agujas, minutos perpetuamente huyendo. También eternidad, bajo máscara de tiempo, esa fugacidad inacabable del «tiempo que ni vuelve ni tropieza». En lo más alto de la verdad no caben los dualismos porque se confunden todos; bien lo enseña Ibn Arabí. ¡Pobres dialécticas «científicas» de la sincronía y diacronía, sobre las que yo monté tantas explicaciones profesorales!

A la sombra de esa torre se acoge el barrio, como en torno a la Giralda los olivos del Aljarafe. ¡Nostalgia de su tierra en los peones de Juan Belmonte sobre el trasatlántico que los lleva a Lima, según contaba Chaves Nogales! Un banderillero conservaba tenazmente su reloj por la hora de la Giralda, como si así matara la distancia. Conmovedor, pero a mí me da lo mismo. No soy de ningún sitio, y mi hora es otra. La de mañana y la de ayer, cuando traicionaba a tía Magda, mi coartada, y esta calle de las Infantas llevaba el nombre de Rosalía de Castro.

El barrio neoviejo –¿paleonuevo?– me distancia de las cuatro novelas. ¡Este capítulo de la I, eco de aquella noche en París! Externamente, un mero episodio en menos de tres horas, una cena con mi hijo y sus amigos, pero ¡cómo me traspasó, qué cicatriz! Origen de la Novela I: la envidia. Gozosa, sin embargo, porque el envidiado era mi hijo. Su fácil vida de genio musical, regalo de los dioses como en Mozart; y eso que aún ocultaba su creación en secreto. Ahora lo sé, sus partituras; sólo una grabada por él mismo, esa *Sonata Insegura*. La escucho de tarde en tarde; lo sagrado no debe prodigarse, cada vez me descubre más honduras. La incluyó en su último disco, editado por *Musicalia*; antología de sus interpretaciones preferidas, desde Scarlatti en Aranjuez hasta una danza transilvana del último Bartok, ya emigrado en Columbia.

¡Afuera, máscara de la sana envidia paternal! Debajo, otra más envenenada: la de un viejo. Envidiaba yo su juventud colmada de goces que nunca viví. Aquella noche parisina en torno a la mesa del restaurante barato, entre estuches de violines y de trompetas, en un rincón el contrabajo de Alain que nos convidaba, por haber empezado a acompañar a Gilbert Bécaud en *L'Echelle de Jacob*. El mundo era para ellos. Tenía cada cual su mujer o su hombre, o en plural. Todo redondo, vida en presente. Ni vejez, ni muerte. Cruzado ya el ecuador de los cincuenta, yo era entre ellos el niño pobre de los cuentos ante los juguetes del escaparate. Me recordaban las *Scénes de la vive de bohème*, que conmovían a tía Magda.

¡Fuera máscaras! ¡Traspásame de parte a parte, espada de la verdad, revela mi sangre más podrida! Aquella cena fue para mí el venablo en el costado de Juliano el Grande, mal llamado el Apóstata. Me lo clavó aquella joven sirena, Chantal. Su entonación de liederista aún canta en mis oídos (¡y he olvidado su cara! pero no la melenita a lo apache, negra sobre los ojos verdísimos) confesando en voz bien alta a Miguelito: «*Pas mal, ton vieux.*» Y todo lo que siguió. ¡Aquel ángel lujurioso a mi alcance! Pero no quise.

«No me arrepentí» me dije entonces. ¡Pues claro que sí! Fue la espuela obligándome a transmutar mi veneno en la Novela I, «*Oscuro resplandor*». Sueño envidioso de aquella intensa vida juvenil. ¿Quizá tan intensa por saber secretamente Miguelito que sería breve? Destino de semidiós: ser destruido o arrebatado. ¿Entre qué rocas, anémonas, algas yacen sus huesos? Al menos fue muy rápido. Las llamas de aquel motor no alcanzaron a la cabina y el choque contra el mar sería un piadoso instante. ¡Revivido en tantos y tantos insomnios! ¡La noche de aeropuerto, salas frías de una oficina a otra, odiosas caras de indiferente comprensión oficial! Dos veces –otra tan igual y tan distinta– he agonizado en un aeropuerto: en aquel Santander y, luego, en Barcelona, cuando Nerissa me fue arrebatada.

Evocaciones dolorosas, puñales en mí clavados, pero me tengo en pie mejor que antes. ¿Quizá porque emergen consuelos olvidados? ¡Tía Magda, tía Magda! Después de peinarse se hacía las manos ella misma. El *polissoir* lanzadera sobre sus uñas. Su nombre me recordaba los cuentos de *Bubi*, por Magda Donato. En casa de la tía entraban cada semana, con el número de *Estampa*, las crónicas de modas de la escritora. Yo las miraba sin enterarme, prolongaba la lectura simulada porque estábamos en el comedor, sentados a la mesa camilla.

¡La mesa camilla! ¡Ardiente espacio condensado bajo su falda! En el centro, el fuego. Crearlo cada mañana en el brasero era un rito primitivo. Verter el negro herraj que fue hueso viviente en olivas andaluzas. Modelarlo en perfecto cono volcánico. Prender teas en su cima, cubrirlo con la chimenea de hojalata. Sacarlo al balcón mientras humeaba. Al fin, purificado, encendido montón de rubíes, era ya digno del *sancta sanctorum* y le envolvía la falda circular del templo, guardadora del fuego como las cortinas de la cama renacentista en la Novela I.

Tía Magda, la gran sacerdotisa; yo su acólito, digno a veces de echar una firma con la badila, provocando la resurrección de las brasas. «¿No hay un poco de tufo, Miguelito?» Yo metía la cabeza en el tabernáculo y miraba las piernas de mi tía con alborotado corazón. «Sería una miguita de pan.» Lo era; yo mismo la había dejado caer. Pero siempre sus rodillas muy juntas. ¡Belleza de tobillos, los más perfectos que admiré nunca de tan cerca! Emergía mi cabeza, me enderezaba en mi asiento. Siempre me aguardaba su sonrisa. ¡Aquella sonrisa! Claro, mi emoción no era un secreto.

Sobre la mesa comíamos, trabajábamos en estudios y labores, jugábamos a briscas inocentes y, cuando bajaban las de arriba, al *mah-jong*, con los prestigiosos nombres de sus fichas: Viento Norte, Dragón Rojo, Flor de Otoño. Pero la gran delicia era a solas y en silencio. Nuestras piernas comulgando en el mismo fuego. Nunca, sino por azar, tocó mi rodilla la suya o la rozó mi mano. Pero nuestra piernas convivían; el mismo ardor subía por sus tobillos y los míos, llegaba a mis muslos, me provocaba a imaginar los suyos superponiéndoles las ligas negras abandonadas una mañana sobre la silla de la alcoba. Me bastaba verla moverse apenas en su silla para suponer que había separado las rodillas. Inútil agacharme, volverían a estar juntas. El plano de la mesa separaba el doméstico mundo superior de la sagrada caverna mistérica. Como el antro ambulante del paso sevillano de Semana Santa donde Luis empezó a descubrir su verdadero ser.

Mi juego favorito, construcciones con el *mah-jong*. Sus ciento cuarenta y cuatro fichas (ladrillos de bambú por una cara, de hueso con figuras por otra) para erigir y decorar templos en escalera, con un trono en el centro. Tía Magda se extrañaba de que yo me abismase largo rato en esas construcciones infantiles. Ignoraba mi juego secreto, la función verdadera de aquellos *zigurats*, escenarios de mis fantasías. Templos babilónicos o pirámides mayas donde, invariablemente, reinaba una tía Magda con diadema de plumas, adornada de oro más que vestida, decidiendo con un gesto la vida o la muerte de innumerables prisioneros. Martirios aprendidos en el Año Cristiano de la tía –y, sobre todo, inventados por mí– torturaban a las sumisas víctimas. Filas enteras de esclavos eran castradas, por medios complicados, para ofrecer sus virilidades a la diosa del templo. Un prisionero, al final, aguardaba su destino en tensa congoja. ¿Sufriría el mismo fin? A veces, mi mano entraba un momento bajo la falda de la camilla en instintiva protección de mi sexo. Pero nunca me llegaba el turno: la fantasía terminaba antes para volver a empezar. Y otra vez, y otra tarde, con inventadas y voluptuosas variantes.

Dos días seguidos al mes aparecía la señora Társila, para traer y llevarse su capillita con Santa Rosa de Lima. Tía Magda la entronizaba en su alcoba, encendiendo la mariposa que ardía veinticuatro horas, hasta ser recogida la imagen para llevarla a otra cofrade. Por la ranura posterior de la capilla depositaba dos duros de plata para la santera. La madre de la tía Magda había nacido en Arequipa, cuyo caserío era visible en un grabado del gabinete, con el cono perfecto del volcán Misti al fondo. Por la calle de San Marcos me acabo de cruzar con otra Társila, una copia exacta. Ironía: justo ante el portal ese, ahora un hostal de dos estrellas, mármoles en el zaguán. Fue la casa de Madame Alberta, la más cara de la zona. Una vez me retuvo ella misma, un capricho, me llevó a su cama, muy mimosa, sí, cachonda y eficaz, pero al despedirme en la puerta, insistiendo en que volviera, me acarició la mejilla como tía Magda, ¡qué horror!, bajé tembloroso la escalera repasando detalles, descubrí que «era» tía Magda.

¿Por qué me vuelve aquel horror en una enorme ola de emoción? Me llena –¡aún ahora!–, me desborda y se derrama. ¿Por qué me pareció tía Magda? De cara, sin nada en común; las uñas, escandalosamente rojas. Entonces, sería el cuerpo. Pero ¿qué sabía yo del cuerpo de la tía? Sin embargo, ¡lo reconocí! Así debió suceder. No podía ser tan sólo la caricia final. ¡Ah, sí!, y que Madame Alberta se había echado a la vida dejando a su marido porque la engañaba, me dijo. ¿Por eso tanto horror, esta oleada?

Lo había olvidado, algo tan hondo. Recuerdo, en cambio, cosas que viví sin pasión. Todo lo trasplantado a la Novela II; así salió de falsa y no pude concluirla. La pueril oposición política universitaria queriendo incendiar una pirámide egipcia con hogueras de papel. Aprendices de revolucionarios. Vanidad superficial, intriga sin impulso, falsa visión de la realidad. Sin duda había núcleos auténticos, catacumbas verdaderas contra la dictadura, pero preferían la reprimida dignidad al alboroto. Como el Ateneo de La Laguna, firme en su pobreza, rechazando subsidios oficiales, refugio de viejos hombres libres transmitiendo a otros jóvenes la antorcha de la dignidad civil, al borde siempre de la multa o la semiclandestinidad. Me sentía identificado con ellos, dando allí un breve cursillo. Como me dijo un directivo refiriéndose al dictatorial gobernador civil recién llegado: «Con éste nos sumergiremos como los submarinos, dejando fuera el *schnorkel* hasta que pase.» Y nunca arriaron la bandera.

¿Cómo adivinar aquellos días tinerfeños, que allí, en una casa de La Laguna, había nacido ya Nerissa, destinada a ser poco después la última floración de mi vida? A la Novela III trasplanté nuestro auténtico encuentro: yo esperando el ascensor, sin sospechar todavía nada, ella descendiendo ya hacia mí, surgiendo del camarín sagrado como una figura de Boticelli. ¡Hannah resucitada! Porque lo eras, pese a tus ojos marinos, a tu figura esbelta. Otra mujer muy distinta, recién creada, pero la misma vibración en mí que cuando Hannah, viviendo otra vez un milagro.

De no ser así, ¿cómo hubiera yo podido amar a otra, con la misma súbita violencia? Y, claro, como Hannah, tú me hablaste primero: yo no hubiera podido, petrificado por la identificación. Trataste del curso, de tu matrícula en el mío porque, tras interrumpirla varios años, querías acabar la carrera y habías subido a buscarme a mi Seminario para averiguar lo que exigía el profesor de Antropología Cultural. Sólo comprendí lo último: ¡de lo alto descendías en mi busca! ¡Y ni siquiera vivías en Madrid! ¿No te diste cuenta de que, apenas abierta la puerta del camarín, yo ya era tuyo, fiel planeta de mi último sol?

También la Hannah de aquel verano del treinta y cinco, se me apareció en una puerta, en el cursillo napolitano de estudios mediterráneos. Pero, al revés que contigo –¡mi cargazón de años!–, era algo mayor que yo y se declaró mi guía en el acto, mi Jádir. Me aventajaba, además, con su madurez de raza perseguida y su esoterismo cabalístico. Tras aquella caminata Valle de Aosta arriba, tomamos en Suiza el *Oriente Express* hasta Viena. Fue empeño mío aquel descabellado gasto, quise vivir con ella un eco de la *Belle Époque* en el tren inspirador de Dekobra y Morand; ¡un rey fue a veces su maquinista por la Bulgaria florecida de rosas! Ya no era prestigioso, vieja dama venida a menos, pero aún quedaba la taracea incrustada en los paneles del vagón comedor, y el pesado cobre de sus pestillos y su grifería. Una modesta *tournée des grand-ducs* para nuestra despedida hasta el verano siguiente. ¡Cómo sospechar que ya no habría más veranos hasta diez años después, que dos guerras en España y el mundo nos separarían, que ella acabaría en la pira nazi, que la vida me haría ir olvidando el verdadero fuego, hasta el milagroso descenso.

Pero ahora recuerdo. ¡Tanto, que revivo todo: Hannah y Nerissa! Todo a la vez, pues también Magda. ¿Es el conjuro de este barrio? ¿Acaso he roto ya el círculo de los relojes y mi tiempo es simultáneo? ¡Qué claro ahora el misterio de mi Amorosísima Trinidad! Tía Magda fue el descubrimiento, el deshielo, con su romanticismo; Hannah prendió el fuego erótico. «La hermosa judía», la llamaba yo en broma, ésa por quien se pierde el buen cristiano. Mi oferta, de circuncidarme si ella quería, ¡cómo desató sus carcajadas! *«Ma Michele, cosa dice.»* Aquella risa honda, *de gorge*, a la francesa. Se levantó y aún reía, paseando su desnudo por el cuarto: su raza toda en los rabínicos rizos negros de su pubis. Pero ninguna de las dos era completa; de su conjunción en la más alta alquimia brotaste Tú, Nerissa. Naciste para mí, adviniste del cielo para salvar mi ocaso.

¿Para mí? Escribiendo la Novela IV me desangré muchas veces en llanto, me derretí lentamente, me consumí por haberte perdido... ¿Perdido? «¡Pero si no me tienes, Miguel! –exclamaste una vez, dolorida también, cuando yo te erigía en mi razón de existir, el motor de mi vida–. ¡Si no me tienes!»

Era verdad tu desesperación, pero también mentira. Te salía del alma aquella palabra, en aquel sofá del *Nüremberg*, frente a las tazas vacías de nuestro té con limón. Ni allí mismo, café en su hora desierta, podía yo pedirte que reclinaras tu cabeza en mi hombro, con la miel de tus labios. Fue verdad, no te tenía. No te tuve nunca; sólo gocé de tu cuerpo algún roce furtivo, unos besos rasgados de desesperación... Y lo más doloroso, la corona de espinas en mi corazón: pensarte junto a tu marido, aunque me asegurases que su edad os separaba hacía tiempo, incluso antes de su enfermedad. Todo eso fue cierto.

Y sigue siéndolo. Sigue sangrando mi pena: que, entre tanta memoria de ti, mi cuerpo no tengas recuerdos del tuyo, como recuerda los orgasmos de Hannah. Serían, por supuesto, otros recuerdos, porque ¡eres tan distinta! Pienso un lecho en el verano, apenumbrado el cuarto por la persiana, aire caliente y húmedo, rumor de olas cercanas. Nosotros dos desnudos, mirándonos en la gloria de nuestra piel, en el fulgor de nuestros ojos. Confluirían como ríos nuestras bocas entreabiertas, las lenguas exasperadas. Peregrinarían luego los labios por nuestras eróticas geografías. Reviviría yo ahora suavidad de ingles, tersura de muslos, sabor y olor de tu vello en estío, rugosidad del pezón enardecido, firmes y elásticas respuestas a mi propio cuerpo, y la entrega, la entrega posesoria, su ritmo y su cadencia, su fiebre y su descarga, el alud y la llama...

Fue verdad, no te tuve. Pero también es otra la verdad: te tengo más adentro que en el imaginado lecho. Mi corona de espinas arranca a cada instante gotas de sangre viva. Rubíes fosforescentes cuya luz me ilumina. Si todo ha de cumplirse –¿no se hizo Árbol en llamas el de hierro?–, ¿qué cumplimiento es el de nuestro amor, consistente en no cumplirse? Éste es el misterio en que ahora medito. Y algo se produce; sí, antes de los cuatro legajos y de esta mudanza, aún tenía yo miedo al dolor de pensar en ti, Nerissa. Es decir; eludía evocarte. Ahora perdura el dolor, pero se ha disuelto el miedo. Estás así más cerca de mí. Te tengo, Nerissa, como nunca. Estamos más que juntos; estoy en Ti. No lo comprendo bien, pero sucede. Me atrevo incluso a interrogarme sobre nuestra cobardía: ¿Por qué nos dejamos escapar uno a otro? Ahora, de mi Amorosísima Trinidad se desprende que cumplimiento ya fue Hannah, tras las emociones primeras en tía Magda. ¿Entonces tú, Nerissa? Estoy seguro: Viniste a hacerme vivir mi transubstanciación, hasta integrarme en ti.

¿Un modo de consolarme? ¿O de vaciarme? ¡Pero si me duele, si estás más cerca que desde tu partida! Porque voy vaciándome del resto me llenas tú; porque me desnudo de todo tú me habitas. Como en su *Fusus al-Hikam* escribió Ibn Arabí: «Pues no podemos nunca ver a Dios inmaterialmente, contemplarlo en la mujer es la manera más perfecta de todas.» Todos los místicos lo saben en el Islam, desde Balj hasta Al Andalus. La mujer, óptimo espejo de Dios, vivido plenamente. Los cristianos sólo se atreven a la sublimada devoción por María.

Así y todo, hermano de Ibn Arabí, San Juan de la Cruz. Me vuelvo a él en memoria de Hannah y releo el zumo de granado como «fruición y deleite de amor de Él», como «bebida del Espíritu». Y encuentro traducidas las mismas palabras del Cantar de Salomón lanzadas aquella tarde por Hannah a las cumbres alpinas: «Darte he yo a ti la bebida del vino adobado y el mosto de mis granadas.»

¿Es eso, Nerissa, es eso?

¡Mírala, tu respuesta y tu promesa: tu paloma se posa en mi ventana!

Es muss sein. Escrito está en el Cuarteto XVI.

3. ¿DECRETAN LOS DIOSES ESTE DÍA?

Descaecimiento

OCTUBRE, OCTUBRE
¿Decretan los dioses este día?

Viernes, 3 de noviembre de 1961

LUIS

Este aire sí es mi patria, qué delicia de otoño, tras las lluvias pasadas, como primeros días de colegio, tibio sol, mañanas de Madrid azul y oro, veladuras grises, oliendo a tierra húmeda como entonces, no han podido cambiar mi aire, el humo de la hojarasca rizándose entre el encaje de los árboles desnudos. Apenas últimas hojas amarillas, me costó trabajo librarme de don Ramiro, ¡qué pesado, pero qué tipo!, le envidio, sin problemas, tuve suerte con esa casa, refugio con horizonte, el de mi balcón bajo la ventana de Águeda, los cedros del jardincillo en talud hacia Bailén, la Casa de Campo a lo lejos, me siento haciendo novillos, pero hasta las doce no me entregan en la imprenta, antes no puedo hacer nada, pero figuro trabajando, consta en el *planning* del Doctor Calasans, «Madero, galeradas y ajuste», controlado, es cómodo este banco arrinconado, lástima de plaza destrozada, cubierta de piedra, ¡vieja Plaza de Oriente de mis juegos!, niñeras, aquel barquillero jorobadito, siempre tan risueño, engatusándonos para que compráramos, cuánta picardía, nos enseñó a fumar, vendía «pitos» de tapadillo, nos prestaba perras gordas, su deformidad como si le infundiera vida, los gnomos de la tierra, los herreros míticos, los cabiras de Lemnos, ¿demonios fálicos?, vida misteriosa, deseos pervertidos, yo prefería pirulís de La Habana, ¡su dulce penetración de los labios!, y el carrito empavesado que daba la vuelta, tirado por un burrito con sombrero de paja en el verano, saliendo sus orejas por agujeros, el dueño agitanado, con un pitillo colgando del labio, restallaba el látigo como en el circo.

Ahora la pompa en todo, hasta en la oficina, el Doctor engolado reinando en todas partes (Corazón Santo), cada uno su pedestal para disimular su mediocridad, parapetados tras la mesa, extrañeza unánime al verme poner la mía contra la pared, todos me gastan la misma broma: «¿te han castigado?», prefiero ese aislamiento para trabajar, enfrente los libros alineados, el tablero de corcho con notas a la vista, aquí la mesa es para recibir, negociar con visitas, mostrador de chalaneo, la mía banco de artesano.

Me cuesta reinsertarme aquí, aún no he terminado mi readaptación, tampoco la facilita esta gente, no viven el cambio del mundo, siguen en su guerra, no terminó, raro es el día sin alusiones en la prensa, ¡y qué periódicos!, cómo me acuerdo de *El Sol*, incluso el *ABC* de entonces, qué ramplonería intelectual esta dictadura, qué chatez de pensamiento creyéndose en posesión de la verdad, el ministro que visita el monasterio gótico convertido en Parador de Turismo y aprovecha para atacar a Jruschov; el paso por Barajas de un obispo peruano camino de Roma y que (reverentemente nos informa la prensa) ha de interrumpir su viaje por una disentería, ésas son las noticias, y la reveladora discriminación en las recepciones caudillescas –«audiencia militar» y «audiencia civil», ciudadanos de primera y de segunda–, sólo los anuncios reflejan la vida; pues no digamos el NO-DO, sus resentidas omisiones de lo que pasa fuera, su triunfalismo al presentar el embalse, gloria de nuestra ingeniería, valladar inexpugnable contra el comunismo, y esa obsesión provinciana por lo que dicen de España, la carta del turista escribiendo al *Sunday Telegraph* lo bien que se alojó en Torremolinos; España, modelo de ley y orden; así se revela la secreta inseguridad de estos triunfadores, por eso no bajan la guardia, a nosotros solamente nos toleran, yo sospechoso, traigo el bacilo de pensar por cuenta propia, puedo contaminar el alma del IDEA, a veces me da risa, qué cerrilismo carpetovetónico para repetir que España es diferente, la única esperanza surgida en Europa desde Trento, y además ahora el milagro español de la estabilización de 1959, el mundo exterior enfermo y corrompido, aún hay algo peor, esa caridad de cartón piedra para el arrepentido (eso se me presume al haber vuelto, ¡si supieran!), lo del Buen Pastor y la oveja negra, pues sí, negra para siempre, no soy redimible sino sólo contratable, rojo *per saecula saeculorum*, aunque todavía ellos siguen construyendo, ahí en la Moncloa, un templete redondo con ladrillos en cruz y rejas como espadas, otro recuerdo de aquello, será inaugurado cualquier día con chinchín, rataplán y tararí.

Allá ellos, un superviviente no tiene futuro, vivir cada rato apacible, como éste, rasguido de escobas de brezo, crujir de gravilla bajo infrecuentes pasos, alguna voz de jardinero, es temprano para los niños, lejano rodar de autos por Bailén, se queda uno frío y andar gusta, el sol dando en lo alto de Palacio Real, allá arriba pequeñas estatuas, pero hermanas de estas gigantescas en la plaza,

Chindasvinto y Witiza, Fruela I y Turismundo, recitados de carrerilla en el colegio los treinta y tantos reyes godos, qué estúpida enseñanza de la historia, más bien qué inteligente, ocupar la memoria con eso escamoteando lo importante, recorro San Quintín y subo hacia el Senado, sede ahora del Movimiento, su tarea frenar el país, ironía del nombre; el muro de la Encarnación, esto era usar bien la piedra y el ladrillo, qué sedante, a pesar del ciprés agresivo, lanzada feroz al cielo, ¿por qué me desazona siempre ese árbol hermético?, ese símbolo fálico, hojas sin estaciones, como el pino, Attis, hijo de hermafrodita y náyade, tan bello que enamora a su padre, que éste le enloquece hasta inducirle a castrarse, muere y resucita como la vegetación tras el invierno, siempre la fertilidad tras la castración y muerte, el ciprés me desazona, su misterio.

Lo dejo atrás, atrás la Plaza de la Ópera, el quiosco, la serena vendedora, compraré por oírla, no lleva anillo, ¿cómo no se habrá casado una mujer así?, cualquiera la querría, como pararrayos de catástrofes, ¿o acaso una mosquita muerta de las que luego sacan los pies del plato?, como me repetía de Asunción la tía Hélène, pobre Asunción, ¿sería verdad?, no me porté bien al dejarla, pero quería pescarme, en eso tenía razón Hélène, hubiera cambiado mucho mi vida, ahora seguiría yo en Argel, ¿daría clases o me ocuparía de sus viñas?, al menos me he librado de la guerra, ¿qué habrá sido de ella?, ¿habrá huido a Francia perdiéndolo todo?

Provinciana calle de Santiago, criaditas hacia la rinconada, donde sobrevive *Viena*, comprar un pan reciente para el desayuno tardío de sus señoras, las pantorrillas sin medias se adivinan frías, los muslos guardando aún calor de la cama, la gente se saluda, una calle humana, en Milaneses ya, ¡mira que rotular *Golden Gate* a una cafetería!, en qué película se habrán inspirado, en cambio, el café *Platerías* desaparecido, otra baja en mis recuerdos, a veces me traía padre, aquel viejecito de la tertulia, había sido ayudante del general Villacampa, y se sublevó con él, un superviviente, y ese nombre de la calle, ¿cómo lo habrán dejado?, *Siete de Julio*, milicianos del pueblo, seguramente no dice nada a la gente, éstos han encarcelado también a la otra historia, la del pueblo, sólo evocan la escrita por los curas, la de Boabdil y Lepanto, también han podado la Plaza Mayor, asesinado sus árboles, sembrada hoy de cemento, antes humanizada, parada de los tranvías a los Carabancheles, soldados y criadas despidiéndose aquí, las casas asomando a la plaza las flores de sus terrazas, pero éstos sospechan de la vida, afuera el pueblo, que no se asome siquiera, este recinto era para la Inquisición, sus autos de fe quemando herejes, parece que quieren recordarlo, prohibido vivir, prohibidas las muchachas tendiendo ropa en tan gracioso alzar de brazos, mueran los juegos infantiles, desterrados los viejos sentados bajo las acacias, fuera todo eso, aplástelo la línea recta, el suelo enlosado, ¡muera la vida, viva la muerte, arriba el Orden!

Dan ganas de gritar que aquello pasó, que murió don Felipe, y el sol se pone pronto en los dominios, ¿qué Imperio?, ni siquiera el proclamado por vosotros hace veinte años, aquél de ir hacia Dios, Dios a vuestra medida y semejanza, no les importa, ya lo saben, aunque no lo confiesen, su imperio es de museo, panteón embalsamado, la vida encajonada en los moldes sacrosantos, este urbanismo oficial, aquí no se mueve ni una línea, ladrillos ¡a formar! ¡alinearse, dinteles!, y ésta es nuestra consigna: abrir la boca ante el Escorial, apoteosis de las pompas fúnebres, y hasta el propio Escorial superado, pase al museo, para futuras pompas ya está el Valle de los Caídos, pirámide del nuevo Faraón, pobre Plaza Mayor hecha desierto, ¿le llegará algún día otro deshielo post-staliniano?, la pañería de Bustillo, mi padre me traía, en el pico constantes desniveles salvados por un par de escalones, pasadizos, varias casas comunicándose, ideal para Luis Candelas, entrar por una calle y salir por otra, olor a paño nuevo, mostradores abrillantados por el roce de las telas, atendía un viejecito con la cuadrada vara de medir, mi padre le llamaba por su nombre, lo he olvidado, también su aspecto, ¿se parecería a este otro viejo, ahí junto al puestecillo de libros?; le pregunto si levantan las losas para volver a poner árboles. «¿Árboles?» Se escrespa, «si se atreve a nacer uno por casualidad, seguro que lo fusilan; ¡árboles: qué cosas pide usted!».

Curioseo en el puesto, hay viejos Xavier de Montepin editados por Sopena, muchos FBI y del Oeste, el viejo justifica su exabrupto, se dispara cuando le hablan de árboles; el gran pozo de piedra un chicharrero en verano; menuda diferencia cuando él vendía ahí en medio, bajo una acacia, «¡más fina era! ¡como una modistilla, sí señor!, ahora no plantan nada, ¡qué va!, asfalto para los coches, aparcar a gusto, los amos de la calle, si no se tiene auto, ¿por qué razón va a preocuparse de uno el Ayuntamiento?, peatones de mierda»; la de cosas que ha visto pasar ese viejo; oyó la bomba de la boda del rey, vio llegar a los heridos del Gurugú, y al venir la República don Pedro Rico en ese balcón, tres años de obuses, la entrada de los franquistas, aquí les arrinconaron, «¿le interesan *Los tres mosqueteros*?» (se interrumpe viéndome coger el libro), «la tengo en otra edición más completa, ya no está prohibida», le miro asombrado, «¿estuvo prohibida esa novela?», se asombra a su vez, «¿de dónde sale usted?, la censura hasta hace poco, no dejaba venderla, estaba en el *Índice*», increíble de puro grotesco, le cuento mi larga ausencia, «también estuve yo en Francia», me responde, me mira de otra manera, ya no soy un extraño para él, «qué lástima que a la vejez ya no se pueda vivir más que en la tierra de uno, ¡maldita sea!», se pone sentimental, le compro un número viejo de *El Cuento Semanal*; la que se armó en el colegio cuando nos pescaron leyendo uno de Joaquín Belda, quedo en volver, esos mosqueteros prohibidos, ¡otro aldabonazo del pasado!

Qué sorpresa, aquellos mosqueteros, los míos, desenterrados ahora, treinta años en el olvido, los tres mosqueteros éramos nosotros, Athos era Arturo, le estoy viendo, ¿dónde vivía?; Porthos el chico del carbonero de la calle del Espejo, Gregorio, sí, qué bríos para hacer astillas en medio de la acera, como el leñador de ahora en Noblejas; Aramis era yo, por entonces mi ventolera religiosa, influjos de tía Chelo, me había comprado un juego de misa, con cáliz, candelabros, atril para el misal, vinajeras, todo de plomo dorado con purpurina; ¿y Artagnan?, me falta Artagnan, ¿cómo puedo olvidar su nombre?, ¿por qué se me resiste?, freudiano, sin duda, todavía hoy me siento bajo su dominio, pero se me ha borrado su cara, su nombre y su casa; qué desamparo esa mutilación del recuerdo, como si me faltara mi padre, como si al excavar hubieran destrozado el rostro de la estatua, ¿qué significará?, sólo veo su espada, la mejor de todas, hoja de madera contrachapada, Tizona, Durandal, Excalibur, Musaguine, las del Cid, Rolando, Artús, Osmán Gazi, ¿por qué Osmán?, ¿cómo ha entrado en mi memoria?, ¿por qué me pone nervioso?, ¿qué me pasa?, otra zozobra interior, recovecos de mi caverna, el ciprés, el mosquetero, Osmán intruso en el ciclo bretón, tenía un nombre aquella espada, sí; al decidir una aventura jurábamos por ella, la besábamos, ¿y por qué recuerdo ahora al niño del portero, tan pequeño, con sus pantalones con raja, jugábamos a derribar con canicas soldados de cartón?, hoy todo sale a flote, y empecé el día tan sereno, légamo removido en la memoria, él nos presentaba la empuñadura para el beso en la cruz, Artagnan, ¿quién era?, ¿qué destino selecciona mis recuerdos y mis olvidos? Artagnan está ahí, en mi abismo, soy espectador de mi angustia, pero también su víctima, ¡cuántas sombras me persiguen mientras camino!, en torno al mismo centro, la plaza de la Ópera, ¡ha nacido un ciprés junto al quiosco!, tenía que estar desde hace años, ¿será posible?, misterio de obelisco vivo, gritando casi, ¡Egipto, aquel sueño!, «Salomón es un perro», pero falta el mar, y por eso tengo miedo, huyo de ese ciprés y ese quiosco, juntos más poderosos, deliro, ¿qué recuerdos reprimo?, Freud, ¿qué llevo en mi abismo?, a mi refugio, a casa, los escalones de dos en dos, dieciocho, es otra llave, no entra, ¡me la han cambiado!, pero claro que es la misma, abre al pasillo oscuro, de pirámide, «Salomón es un perro», algo me ha estallado dentro, voces en el comedor, serenarme, todo absurdo...

Luz diurna, doméstica, dos mujeres, huyeron los fantasmas; ¡pero si una es tía Hélène!, ¡la señora del primer día vestida de tía Hélène!, la misma tela a rayas, ¿qué dioses presiden esta fecha?, casi no entiendo a doña Emilia, «doña Flora, una buena amiga», ¿soy yo quien da la mano y quien saluda?, no hay tiempo de aclararlo: descarga el golpe, encima, en casa de Águeda, ¿un mueble?, demasiado sordo, ¡un cuerpo, ella, mi corazón se para!, corro, salgo, escaleras inacabables, puerta abierta, Tere junto al cuerpo en el suelo, ¡Águeda!, todavía respira, «...acostarla, don Luis, acostarla», ¡qué cuerpo en mis brazos!, admirables rodillas, su cabeza doliente, ojos entrecerrados, moño a medio soltar, Cristo de una *Pietà*, ¿yo la Madonna?, ¡qué dioses los de hoy!; vivo un sueño, olor de sus cabellos, pálido perfil, labios exangües, ¡ese cuello tronchado como un tallo, ofrecido a una cuchilla, esa venita azul y delicada!, «pero tráigala, ¿qué hace ahí parado?», ¡cómo latía mientras la sostuve!, yacente la devuelvo, tres sombras la atienden, doña Emilia en un pasmo jesuseando, doña Flora eficaz (imperiosa tía Hélène, la reconozco), retrocedo, la esquina de esta cómoda se me clava, ese papel arrugado en crispación dramática, obedezco a los dioses y lo cojo, una letra inmadura despidiéndose, firma «Gloria», ¿leo bien lo que entiendo?, pide perdón, tiene que dejarla, «yo guardo el gran recuerdo, te lo prometo, que seas feliz», ¡qué postdata bruta!, se lleva una maleta prestada, «te la devuelvo pronto, ¿no te enfadas, verdad tesoro?», esta puñalada la derribó, esconder este papel: no la favorece, guardármelo.

¡Vaya por Dios, don Ramiro!, ¿qué preguntas absurdas?, ¿por qué se adentra por esa puerta?, ¡qué agitado retorna!, ¿qué me enseña misteriosamente?, «¿pero no comprende usted, Madero?, ¡somnífero!, lo sospeché en el acto, un médico urgentísimo, cuestión de vida o muerte», medio mutis aspaventoso (qué cuadro tan irreal: somos un sueño), vuelve a mí, exige silencio, «en nuestras manos el honor de esa mujer», ¡qué diría si conociera la bola de papel en mi bolsillo!, se marcha feliz con el melodrama, hasta me ha hecho creer por un momento en el suicidio absurdo, todo cabe este día de quimeras, el ciprés, el quiosco, tía Hélène, la *Pietà*, ¿por qué la torturan, qué hacen las tres furias en torno a su cabeza?, «está helada, Emilia, trae la copa», tía Hélène imperiosa acerca el cáliz, corro a salvarla, pero es alcohol, un poco de whisky resbala de sus labios, la venita azul palpitando lenta, alarma en un control, «hay que reanimarla, Emilia», «Jesús, Jesús», sus pies en mis manos bajo la manta, mármoles pese a las medias, de forma perfectísima para un cuerpo de estatua, ¿cómo puedo pensar tales cosas si su vida en un hilo?, masaje, calentarlos, caricias a una hermana, yo también fui apuñalado, también mi cuerpo un golpe contra el agua, somos del mismo mundo; ¿decretan eso los dioses de este día?

¿Qué dicen de un lavado?, ¡si ya sus pies responden tibios!, ¡he encendido su sangre!, don Ramiro, incrédulo ante el médico tranquilo, «no se ha intoxicado, seguro», ¡oscila su cabeza, suena su voz!, «¿qué pasa?», vacilante y lejana, «un desmayo, sin importancia, no se apure», sonrisa de niña que sospecha le engañan, le gastan una broma, el doctor mostrando el famoso tubito, la cabeza niega sonriendo, va y viene sobre los cabellos yacentes, pero don Ramiro obstinado, dedicándome un aparte como en el teatro, «claro, amigo Madero, no va a confesarnos que sucumbió a la desesperación», recuerdo su indiferencia al taxi que la atropellaba, pero ahora vencida por un papel escrito, ¡atención a sus ojos!, ¿me adivina?, va recordando, mira hacia la cómoda, no deberá saber que alguien lo leyó, junto al mueble un gran cántaro de pueblo, dejo caer el papel con disimulo, salvarla de inquietudes.

Su tez más entonada tras el café de Tere, tierno matiz oliva, «por suerte había un médico abajo, visitando a Ildefonso», don Ramiro erigiéndose en héroe, «traído por un amigo del viejo, un dorador, curioso personaje», su voz ceremoniosa disipa dramatismos, todo vuelve a su cauce, pero no las figuras inquietantes de mi sueño, tampoco la puñalada, para ella las aguas de otro Sena, ¿qué sintió en ese instante?, ¿también aquel frío negro al recibir el golpe?, los dioses de este día trayéndome a salvarla, fui su marinero de los muelles, también el gendarme que anotó mi nombre en un papel, herida por el puñal de Marga, me equivoco: de Gloria.

Águeda

Pies, ¿qué tengo? Se caen los zapatos. Esa mano temblona, ¿de quién es? Ya no se caen; claro, si mis pies son grandes. Me extrañaba.

Zumbidos, vacíos. Un cubito de hielo en el pecho. ¡Pero si la broma es por la espalda!

¡Por el escote no! Se mueve de un lado a otro. Es metal. Tengo que mirar. Abrir los párpados. ¿Los han cosido o son de plomo?

¿Y esa pared tan cerca? No, cabellos, cabeza, ¿quién?, ¿qué me hacen?, ¿de qué hablan? ¡cuánta gente!, ¡qué baile tan raro!

«¿Qué pasa?» Esas gomas colgando del cuello. ¿Un médico? Bueno, sacaré la lengua; ¿por qué no?

Caliente, amargo en la boca. Parece café. Pues claro que no he tomado medicinas. ¡Qué hombre tan tonto! «¿Por qué?, ¿qué ocurre?» ¿Un desmayo? ¿Yo? ¡Usted no me conoce!

¡Pero es verdad! Caí en el vacío. Al ver el cuarto; también vacío. Es verdad. Acertó mi corazonada. Por fin llegó el lobo. ¡Qué dentellada! Del armario no saltaron guacamayos ni primaveras. Sólo mi medio luto: gris, negro, blanco. Ni siquiera el malva eterno de Madame Rivoire, desde que le mataron al marido en el Marne. No busqué su maleta: bien a la vista su carta. Lobo acechándome. Saltó a mi cuello.

El danés de los alemanes aquellos, cuando fui a cuidar a su niño. El crío un encanto; ni se despertó. Pero el perro, qué miedo. Yo en la casa sola, el bebé en la cuna. El perrazo, en la alfombra, abría un ojo y me miraba. Deseando que yo hiciese algo. Cinco horas inmóvil. Ni al cuarto de baño. Un monstruo.

No pensé: caí en el vacío. Bueno, primero una eternidad muerta en pie. Estatua de sal. ¿O de corcho? Tenía que pasar. Exactamente así. Todo previsto menos los primeros minutos. La puñalada, la parálisis, el desplome.

¡La nota de Gloria, el ascua en mi mano! ¡La dejé en el mueble! ¿La habrá visto alguien? ¡Sería horrible! No tienen cara de eso. Lo de si tomé algo lo han preguntado por el tubo vacío. Pero ese hombre, el de abajo... Levantarme y destruirla. ¡Que se vayan!

Todo previsto, pero no esto. Lo que empieza, la soledad. Muérdago sin árbol, hiedra sin muralla. Mejor seguir en este vacío, en la oscuridad. Como cuando se corta una película. Sin enterarme.

Qué piadoso, cuando es rápido. Aquella hermosa tarde, el bar de carretera, cerca de Torrelodones. ¿Quién nos había llevado? ¡Ah, sí, en dos coches! Probando el seiscientos de Luisa María. Aquel *setter* espléndido, color de fuego; se le ocurrió cruzar de pronto. ¡Qué impresión, ser testigo! El camión se le echó encima. Vi el primer golpe en el cráneo, cuando intentó agacharse; luego los rebotes del cuerpo contra los bajos. Quedó atrás, inmóvil. En décimas de segundo, el perro aniquilado. Vaciado de vida, en el asfalto. ¡Qué chillido, la dueña! Cogió la cabeza de la niña contra su pecho, para que no mirase.

¡Cuánta gente! Al incorporarme hay más. Doña Flora, esa amiga de la de abajo. Menos mal, don Ramiro se marcha con el médico. Pensaron en el somnífero, claro, ante el tubito vacío: desesperación. Si fuera por desesperada, lo hubiese hecho hace tiempo. ¡Estaba tan claro: no la satisfacía! Pero nunca hubo más dócil aprendiza. ¿Qué quería?

Cara de japonés, el viejo médico. Piel amarilla y todo; él sí que debería cuidarse el hígado. Vacío interrogatorio: «¿Trabaja usted mucho?» ¿Qué quiere que le diga, que me ha dejado mi amiguita, porque no le doy gusto? No sea tonto, hombre; cuando digo amiguita es con intención, ¿comprende? Pues ya ve, ni para eso sirvo. Menos preguntas, menos alfilerazos. No me aplique acupuntura, aunque sea usted japonés.

Demasiado cariñosa estos dos últimos días: ella también lo había previsto todo. Como al principio, en la residencia. Entonces era pura miel; mis entrañas resecas sorbían aquellas dulces gotas. Como aceite de lámpara; alimentaban una llamita dulce. Yo ignoraba el nombre de esa llama. Tampoco lo sé ahora. Amor no, claro. ¿Pasión de ánimo, como decía Dionisia?

¿Por qué revolotean tanto? Gracias, gracias, pero déjenme. Si acaso, Tere. No les echo yo porque ni fuerzas. Ha huido la energía de mi cuerpo como líquido por unas grietas. «Lo importante es descansar. Reposo, tranquilidad.» ¿Y eso, dónde lo venden? «Tranquilidad viene de tranca», repetía el tío Conrado. «Todo se arreglará, hija mía.» ¿Y usted qué sabe? Esa luz, entrando también como un líquido. Parecía la noche y empieza la tarde. No, no quiero comer nada. Bueno, un caldito de Tere. Un ponchecito de doña Emilia. Pero que se vayan todos.

Como en la enfermería, con Sor Natalia. ¿Dónde estará ella? ¿Quién asomará por esa puerta? En la residencia era Sor Severina. No pinchaba mal, pero ¡tan reseca!, incapaz de consolar enfermos. Además, aquella gripe, me tocó cuando ella estaba de ejercicios. Sólo podía hablar lo imprescindible.

Se ha derramado mi energía pero, menos mal, también las obsesiones. Sólo que volverán. Marea implacable; no quiere matarme de una vez, sino atormentar. Buena verduga. ¿Por qué choca ese femenino? Una mujer puede superar a un verdugo. Parece que no han existido, sin embargo. O sí, ¡claro que sí! Imprescindibles en los serrallos, en los palacios chinos. Mujeres torturando a otras. O a hombres, ¿qué delicia! Con tenazas, con agujas, con fuego, con azotes. ¡Qué convencional, no pensar más que en verdugos machos!

¡Gloria! Atención: pensar en otra cosa. Ahora lo veo claro. Gloria ya no era nada, antes de irse. No éramos nada. Tengo que repetirlo. Y pensar en otra cosa. Esta mañana los de cuarto aprendiéndose los minerales, reconociéndolos tan sólo por un numerito pegado en cada uno. Los memorizan, y a eso llaman aprender mineralogía. Dado el número, sueltan lo que saben de cada muestra. «Galena. Sulfuro de plomo. Gris metálico...» y todo el rollo. ¡Malditas etiquetas! Todos como mariposas, pinchados por un alfiler sobre un papelito. A mí ya me han clavado el mío. Sobre todo si han leído la nota... Tengo que saberlo, ahora mismo.

¡Qué esfuerzo, levantarme! ¿Cómo se puede quedar una tan lánguida, sin una herida, sin una fiebre? ¡Qué violentas campanadas en mis sienes! Tiene razón el médico: agotada. La tensión permanente de estos días, semanas. La dejé aquí encima, estoy segura... ¡Aquí está...! ¿Cómo pudo caerse al cántaro? Inexplicable, pero es. ¡Ah, qué bienestar la cama! No, ni la tiré ahí, ni pudo caerse. ¿Alguien sin querer, en el jaleo...? No estoy para pensarlo. Ya la destruiré; ahora bajo el colchón.

Verdugas, como mi obsesión, que es mujer. Era, pues me ha dejado. Pero volverá como la marea; aunque no se llame Gloria. La obsesión. Se llamaba «los pechos de Gloria». Eran mi tortura, pero ahora indiferente. Vaciada, como el *setter* en la carretera. Ahora no sé si aquella lengua buscona me gustaba, me daba risa o náusea, o me dejaba fría.

Tere abre con su llave. Entra con don Ramiro y su huésped. Altísimos, desde mi cama bajita. La de Gloria, la de nuestras noches. Me acostaron en ella creyendo era la mía. ¡Si yo la sierva, en el sofá cama! ¡Qué saben ellos de nada! El caldito, el ponche. Ligeramente, en la pared, la sombra de Tere al ayudarme a tomarlos. Aquella sombra siniestra de murciélagos acorralando al ratón Mickey en una película de dibujos. «Tú eres nada. Nada, nada, nada», cantaban. «¡Yo soy ratón!», clamaba Mickey aterrado. «Tú eres nada, y nada serás», le contestaban. Yo soy nada, y nada seré. Si acaso, ratón. Ratita.

Debo escucharles. «Todo está arreglado –afirma el viejo–, gracias a don Luis Madero.»

Pero ¿arreglado, qué? ¡Ah, mis clases! ¿Las va a dar el tal Madero? No digan tonterías: ¿qué sabe de química, de naturales? Francés sí, me lo está diciendo. Mejor que yo. Se ha sentado en el puf de esparto y pellica.

Lo compramos en la Puebla de Montalbán, en aquella excursión a Extremadura. Allí le llamaban «posadero» a ese asiento como tambor. Caminamos hasta el enorme castillo desmantelado. Refugio de aquel rey niño que se salvó disfrazado gracias al sacrificio de alguien. ¿Relacionado con don Beltrán de la Cueva? Siempre hay quien se sacrifica, siempre hay una Beltraneja derrotada.

También se ha asomado a las ciencias naturales, si le doy los textos. Y práctica docente, mucha en Argel. Bla, bla, bla. Me cansan. Que hagan lo que quieran. Ahí están los libros. Puede sustituirme por la tarde, hablará con el Director. Trato de dar las gracias, ser amable para que se vayan. Digo que estoy muy, muy cansada. Sospecho que debe sonar como vencida. «Lo comprendo. Lo comprendo muy bien.»

Ha hablado ése, sentado en la pellica, las rodillas muy altas. Resulta grotesco, pero también misterioso y amenazante. Como un huaco peruano. Se levanta y se lleva a don Ramiro. Su voz le ha delatado. Fue él. Leyó la carta de Gloria y la echó al cántaro. Si tuviese fuerzas le abofetearía. Le destrozaría, como una verduga. ¿Qué le importa, por qué se mete?

Escucho a Tere. «Muy buena persona, muy considerado. El huésped de abajo, ya sabe. Al fin don Ramiro se dio por vencido; se le caían los anillos de tener huéspedes. Pero la pobre doña Emilia no tenía ya de dónde sacar. Y ése, ya digo, da gusto. Claro, muy caballero ha de ser para admitirlo los Gomes Conese, tan ilustraos, tan alumbraos... ¡Ay, señorita Águeda, qué alegría oírla reír!»

Chorro vital de Tere. Y su tacto innato:

de Gloria, ni palabra. Prefiero que no lo haya leído más que uno. Tere me anuncia una cenita ligera. «¿Pagarme usted? –imita a don Ramiro–. ¡Ese dinerito me quemaría las manos!» Ríe porque río. Gesticula con todo su cuerpo, duro y nervioso; ¡qué distinto contacto del de Gloria! ¡Qué cara morena de campesina! «Tienes que atender a tus hijos», le digo. «Yo no me ahogo fácil. A más carga, mejor burra resulto. Y si me doblo llamo a mi hombre. Mi Mateo puede con todo.» Alivia como las manos de Sor Natalia, pero por otra vía. Ésta me quita la carga; aquélla la endulzaba, la evaporaba. ¿Y ese cencerro, para qué? «Lo trajo mi Mateo días atrás en una partida de chatarra. Si necesita usted algo, a cencerrear. Se oye hasta en Chinchón. Don Ramiro quería bajarla a su casa, a la cama de Jimena. Le convencí con el cencerro: así está usté sola y no lo está.» Tere conoce mi independencia. Otro acierto suyo. Es célebre.

«Célebre», lo decía siempre padre. Ya no se usa en ese sentido; es de su tiempo. Otra punzada en el corazón. ¿Cómo es posible, cómo es posible que sigamos años y años separados? Los dos solos, aquí y allí. Quizás él no lo esté, pero yo comprendería. ¿Qué motivos le impiden llamarme? Padre, padre, ¿por qué me has abandonado?

Los chicos. Puedo faltar poco de la Academia. Aunque ese Luis tenga buena voluntad. He de ocuparme de Teodoro; es inteligente. Captó muy bien la catálisis. ¡Hasta quería saber más! Pues si nos metemos en la heterogénea, polifuncional, y no digamos las enzimas, la biológica, la reacción de Michaelis-Menten... Confórmate con Berzelius y Faraday, con la esponja de platino.

Qué calor, la comida; qué sopor. Cuando mi sarampión estaba padre. Era la seguridad, la salud. Fue cuando me regaló la gumía. Más tarde le dará el sol, en la pared sobre mi cama. La verdadera cama, la de mi celda. Gumía que arrancó al moro en cuerpo a cuerpo, antes de pasar a Aviación. Símbolo de su poder. Me fascinaba de niña. El tío se la quería quedar; no era para dejarla en manos de una chiquilla. Supe defenderla. Mientras la conserve conservo a padre.

En el colegio ignoraban que la tenía. Hasta que aquella cotilla de Dionisia me descubrió. ¡Qué aspavientos, la Madre Resurrección! Querían mandarla a la tía. ¡Qué escrúpulos! ¿Y si había que declararla a la Guardia Civil? Además, de un infiel. El Padre Capellán opinaría. Al fin, cedió: por buenas componendas la guardaron en la caja hasta fin de curso. Si va a casa de mi tía la pierdo y me quedo sin padre.

¿Estoy peor? Cuando liberaron Belsen y otros campos, los esqueletos supervivientes se morían al darles de comer. Luego descubrieron que en ese estado sólo se tolera la leche descremada. Leche me ha faltado a mí. Materna; de amor estoy hambrienta. Me duermo suavemente, me hundo. El viejo esquimal, abandonado en el témpano por sus hijos. Acabar piadosamente con la boca que sobra y que no caza. Me hundo...

¿Dónde? ¿Qué pasa? Ah, ya... ¿Durmiendo o desmayada? ¡Cuánto tiempo! La tarde ha pasado también; otro líquido escapado, como la vida del *setter*. Cuánto rosa en las paredes. El sol caído traspasa los cedros. La luz es verde, violeta. Flota todo, como yo.

¿Dónde, otras tardes así? Aquella de verano, en Melilla, qué dos meses horribles entre los enemigos de padre. ¿A quién fuimos a despedir al correo de Málaga? Subí con la tía a la ciudad vieja. Le dimos la vuelta bordeando el mar, por la ronda de las murallas. ¡Qué tristeza! De los derrumbaderos subía un olor a las basuras podridas que arrojaban. Nos asomamos al Oeste. El sol igual de rojo. ¿Por qué estaba yo a la vez indignada y triste?

Al mover la cabeza, la almohada húmeda. Pero el cerebro lúcido. Prodigiosamente. No pasa un coche. ¿O no lo oigo? ¿Estoy viva? ¿Deliro? Sufro, luego existo. Y no quiero sufrir, no quiero mi lucidez: adivino demasiado. Mis ojos calan muros. Como drogada. ¿Me habrán puesto morfina o algo? ¿Cuándo? Me veo a mí misma netamente. Otra yo. Ahí sentada, frente a mí, mientras todo se vuelve oscuro. Te estoy viendo, tonta, no te empequeñezcas.

–Es que no quiero hablar contigo porque siempre me sermoneas. ¡Eres tan vieja! Mucho más que yo. Nunca cruzaste las piernas al sentarte; siempre te estirabas la falda sobre las rodillas. A mí me da igual. Empecé en una piscina, hace años, ya sabes... Me perfeccioné en aquella discoteca, el *O. K. Club*, también hace tiempo. Y las descrucé del todo en esta misma cama, abiertas y en tijera. No en tu diván virgen, sólo para dormir. Gloria también se abría, como rana en el agua. Ya te veo reírte, porque se ha ido; pero eso no borra los hechos: lo hicimos. Me alegro de que te moleste. Te odio, te he odiado siempre. Y no quiero oírte.

–Tendrás que escucharme y dejar de hacer locuras. Pero aún: tonterías. Tú no sirves. Por eso se ha ido. Ten sentido de tus límites. Adáptate a lo que eres.

–¿Tonterías? ¡Ojalá lo fuesen! ¡No soy tan pava como tú! No he nacido muerta, clavada como una mariposa en una caja. Lo mío son locuras. Estoy loca; es decir, viva. Púdrete tú, momia reseca. Yo, viva. Hasta ahí debe llegarte el olor de esta cama. Con sudor mío y de Gloria. Anoche mismo. ¿O fue anteanoche? Hubo fuego en mis noches.

–¿Tus noches? No te engañes; fueron las suyas. Nunca se abrió tu cáscara del todo. Resquebrajada, nada más. ¿Te gustó, acaso? ¿Lo viviste de veras? Anda, júramelo.

–Fue un comienzo. Al menos me asomé. A las piernas abiertas, a ese pozo. ¿En frío? Puede, pero sé cómo es. Esto la calentaba, aquello la hacía retorcerse, con lo otro suspiraba, insistiendo jadeaba. Una máquina sencilla; para los necios hombres. Resortes a la vista. No me extraña que ellos las dejen ansiando recibirles de nuevo dentro. Ahora resulta que comprendo al chulo. Muy fácil; son trucos.

–Pero te ha dejado.

–Sí. ¿Sabes por qué? Porque yo no soy tan sencilla. Por culpa tuya, pero me alegro, aunque éste sea mi problema.

–Haz como yo. En mi torre estoy a salvo.

–¡Escupo en tu torre! Me da risa. Hecha de renunciamiento. ¿Acaso te salva de sufrir? Mazmorra para esclava. Se fue, pero desconcertada. La he intrigado: ya es algo. Invertí los papeles, además: otro triunfo. Ella creía tomarme, pero su placer la arrastraba a la deriva. Yo la poseía, a la diosa. Sus pechos –aquellos que te obsesionan, no lo niegues– eran mi juguete, con sus areolas morenas. Su ombligo profundo como un oído era mío. Sus axilas olorosas. Su sexo abriéndose como yo quería.

–¡Te aprovechaba! ¡Le dabas su placer!

–Perdía su dominio; yo nunca. Anteanoche yo a horcajadas sobre ella. La inmovilizaba, la obligaba a esperar. Sus pechos entre mis muslos. «Me aplastas», gimió. Gimió: ya no ordenaba. Mi primera victoria, física, sobre alguien. El monstruito debajo de mí, ¡por fin!

–¿Y ahora qué? Ya has hecho el experimento. Como una reacción con el sulfúrico. ¿Acaso eres lesbiana? Porque no gozaste, confiésalo.

–¡A ti qué te importa!

–Mírate bien; sé sincera, si eres tan valiente. ¿No eras tan poderosa cuando la cabalgabas? Reconócelo entonces: No has gozado con ella. Ni con nadie. Nunca.

–¡Te odio! ¿Qué sabes tú de goce ni de sexo?
–Nada, es verdad. Pero tampoco lo pretendo. En mi torre vivo en paz. No sufro. Soy fuerte a mi manera. Tú sólo te esfuerzas por creértelo.

(Se calla. Quiere que me penetre la idea. ¿O quiere que la aprenda ella? ¿Quién soy? ¿Quiénes son ellas dos?)

–Al menos avivo una hoguera, aunque sólo sea en mi cabeza. Supe encender un fuego, un...

–En Gloria... Llora, llora; te hará bien. Hay que ser sensata, ver claro. Ya lo has comprobado. Empíricamente: Gloria no te daba nada.

–¿Qué querías? ¿Que un hombre me...? ¡Me niego hasta a decirlo!

–Tampoco. No es para nosotras; lo sé antes que tú. Desde que mi pecho no pasó de bajorrelieve. ¿A dónde ir con esto? Además, odiamos la baba del macho. ¡Qué horror ser poseídas, vertederos de otro sexo!

–¿Por qué somos así? ¿Por aquel día, al salir del colegio, el pequeño monstruo? ¿Un asco para siempre?

–Antes ya me había negado a ser su novia, cuando me mandó el papelito con la otra niña. Ya estaba decidido.

–Nos agarró de las trenzas, nos tiró al suelo, nos cabalgó.

–Como tú a Gloria. Y se sacó aquello.

–Gritaba el corro de salvajes. ¡Se le ven las bragas, bájaselas! ¡Méala!

–El cielo estaba negro.

–Estuviste enferma. Delirabas.

–Estuvimos enfermas. La tonta niña

histérica, decía el tío. E imaginábamos al tío sobre la tía, como el monstruo.

–A todos los hombres sobre todas las mujeres.

–Menos a padre.

–Padre era diferente.

–El único.

–Único.

–Entonces ya estamos de acuerdo.

(Larguísimo silencio. Tejido de sudor, de ojos dilatados en la noche, de neuronas febriles, de agotamiento. Me resisto aún. ¿O se resiste?)

–No, no te escucho. Quiero vivir.

–Quieres sufrir. Anda, acéptate. Como somos. Hormigas obreras. Estériles. Frígidas. ¿Qué creías, que tu especie de soledad se resolvería metiendo carne en tu cama? Sólo conseguiste juegos en la piel, mientras ella ardía en el orgasmo. Gozaban sus entrañas; no las tuyas.

–¡Quiero vivir eso!

–Niñita pidiendo la luna. Prisionera de tu piel, convéncete. Habrías de ser como Gloria: una máquina sencilla. Frotan su cuerpo y arde, como el palo de los pigmeos para hacer fuego.

–Sus manos me encendían.

–Sin pasar de la piel... Vuelve a tu ser. A dar clases, clasificar minerales. Tu manera de comunicar. De no estar sola. Como yo.

–¡Tú lo estás en lo más hondo!

–¡Basta ya! ¡Callaos las dos, dejadme sola! ¡Basta!

Silencio, salvo el fragor de mis sienes. Simularé que vivo. La vida atada a la noria. La antinoria, pues sólo elevo cangilones vacíos, aunque pesan más que llenos. Al bajar, se van llevando el agua de mi vida. La antinoria.

Vuelvo al redil: esa torre. A los brazos de Águeda la vieja, que viene a la cama, me besa, se acuesta a mi lado, se funde conmigo, se instala en mis propios huesos, me ocupa con su frío. ¡Adiós para siempre al olor tibio de Gloria! La cama se hace mármol. Sarcófago. Juntas las dos Águedas, encadenadas para siempre, lloro y lloro. Me deshago llorando hasta el cansancio y el sopor. Hasta que abre Tere trayendo la cena, y enciende la luz y se asusta: «Señorita, ¿qué le pasa a usted?»

Nada, nada. Ya pasó todo. Ya nunca más me pasará nada.

QUARTEL DE PALACIO

Con el desmayo de Águeda, doña Flora olvidó su angustia, pero ahora le asalta de nuevo, mientras baja la escalera. Solamente otra vez en su vida perdió unas alhajas, pero el cariño de Gustavo convirtió la catástrofe en otro eslabón de amor. La pulserita entregada en prenda por doña Emilia, y que Flora venía precisamente a devolverle no vale gran cosa, y su dueña ha estado muy comprensiva, pese al significado sentimental de la pulsera. Indemnizar no es el problema de Flora, sino el hecho de fallar. Tuvo siempre la cabeza bien segura, no necesitó anotaciones, no cometió errores. Ahora lleva semanas de inquietud, de inseguridad: algo le ocurre. Desde la guerra venía viviendo serenamente, afrontando la vida y los años con satisfecha paciencia. «¿Qué me pasa?», repite mientras su pensamiento investiga afanoso dónde puede haberse dejado la pulsera.

Tiene una corazonada, uno de sus pálpitos, al ver a ese hombre en el portal. ¿No data su inseguridad actual precisamente de aquel día en que el personaje apareció sentado en el banco? Justo aquella tarde rompió la cucharilla verde de su helado en «*La Coupole*» de Montparnasse, recuerdo de su primer viaje a París. Ese hombre en el portal lo explica todo; por fuerza. Su pálpito no la engaña. El hombre la sigue sin disimular ni apresurarse, sin tratar de alcanzarla. Sencillamente, la sigue. Doña Flora recobra entonces todo su aplomo. No teme; su preocupación de estos días no es miedo, sino ignorar qué le pasa. Y ahora no huye; sólo busca un lugar donde entablar batalla. Ya se avista la plaza, el quiosco, y más allá el banco. Sería un buen sitio, pero está ocupado por un viejo y una madre con su niño. Doña Flora habla un momento a María al pasar ante el quiosco y, mientras tanto, el banco queda libre. Inverosímilmente, la mujer y el viejo al mismo tiempo, han decidido marcharse cada uno por su lado. Como si urgencias simultáneas les movilizaran. ¿Por qué no; qué tiene eso de particular? Pero ¿por qué sí, en este preciso instante? Da igual. Flora acepta el hecho y se sienta, cada vez más segura, recogiendo con gracia su largo echarpe: está en su mundo. Por eso cuando llega el desconocido y, con la mayor naturalidad, se sienta tras una inclinación de cabeza, ella pregunta serenamente:

–¿Qué desea usted? ¿Viene ya a buscarme?

–No, de ningún modo. Se trata de esto.

Ofrece a Flora un paquetito en papel de seda: el perdido envoltorio con la pulsera. Aunque ella esperaba cualquier cosa, el hombre logra sorprenderla. Doña Flora escruta ese rostro, más aguileño que nunca. ¿Mefistofélico? No exactamente. ¿Ave de presa? No acierta a clasificarlo...

–¿Me las quitó usted?

–Vamos, vamos, señora... ¿Cómo puede decir eso?

Doña Flora calla un instante. Pero ya ha comprendido que el asombro está fuera de lugar. En su vida ya le han ocurrido «cosas» y ella ha provocado otras.

–¿Es usted un mensajero?

–Pues no es mala idea... En todo caso, aparezco a tiempo.

–Siempre, claro.

El hombre asiente con un suspiro. Significa que es obvio, pero también denota un reprimido cansancio.

Doña Flora acaricia el envoltorio y lo guarda en su bolso.

–¿Qué he de hacer a cambio?

–Nada. No desconfíe. –El hombre ríe levemente–. ¿Qué esperaba o temía, el clásico pacto? ¿La sangre, el alma? La vida no pacta.

–Entonces, ¿por qué?

Gil Gámez mueve el brazo ampliamente, abarcando el universo en marcha, desde las arenas hasta las galaxias.

–¿Por qué? No es propia de usted esa pregunta, doña Flora. La suya es «cómo». Deje el «por qué» para los hombres. Sobre todo los muy cultos –ríe–, como don Pablo, por ejemplo.

–Buenísima persona. Un caballero.

–Sin duda. Pero... ciego –responde Gil Gámez sin aludir a las cataratas.

–Sí –ratifica doña Flora apenada.

Se posa en el aire un breve silencio.

–Perdone una pregunta ridícula –dice ella, sabiendo que él la conoce ya–, pero tengo esa manía. Sospecho que no tendrá sentido esta vez pero ¿qué día podía haber nacido usted?

–¿Por qué no ayer? –contesta, risueño.

–¿El día de Difuntos? ¿Nacer ese día?

–Muchos nacen. Y yo... ¿no cree?

–Es verdad... Scorpio, además...

El hombre toma la mano de doña Flora y la besa con elegancia.

–La admiro, Florita.

–Pobre de mí –suspira ella con humildad radical–. No me conoce.

–Ya lo creo. Conozco a todos, Flora... Pablo, doña Emilia, María, Paco...

–¿Quién es Paco?

–Ya le conocerá. Uno con dientes de lobo.

–¿Acompaña a Jimena? Les vi el otro día... ¿Y esta Águeda, la del desmayo hace un momento?

–Se llama Ágata, aunque ella lo ignore todavía.

–¿No lo sabe?

–No es cuestión de saber, sino de hacerse lo que se es. Usted se hizo, Flora.

Ella suspira, entre la duda y la esperanza.

–¿Es verdad eso?

–Cuando yo lo digo... Además, ya lo sabe. ¡No irá a coquetear también conmigo!

Flora se esponja, tórtola cortejada.

–¡Ah, eso siempre! ¡Con todos!

Gil Gámez ríe, y saca del bolsillo un estuche alargado. Lo abre y aparecen unos cigarrillos con boquilla de cartón tan larga como el resto. Flora, estupefacta, no necesita leer la inscripción dorada, y exclama, con tan intensa alegría que bordea el sollozo, al recordar a su Gustavo.

–Murattis..., ¿todavía existen?

Coge uno y se lo lleva a la boca mientras, efectivamente, sus ojos se empañan. Gil Gámez ofrece fuego como un prestidigitador, como si la llama brotase de sus dedos. Flora aspira hondo. Luego expele el humo, tan voluptuosamente que la cara se le rejuvenece veinte años.

–Me hace feliz... ¡Ay, aquellos tiempos! Si volvemos a vernos...

–¿Lo duda?

–No, no..., se lo confiaré todo. Aunque ya lo sepa. A veces, ese peso oprime demasiado.

–¿No será al contrario? Esas cargas nos sostienen. Si

las piedras no pesaran se desplomarían las bóvedas. Pero comprendo. Llega el momento del cansancio final.

Flora le mira en silencio. Se inclina apenas, con acatamiento.

–Bien, cuando diga... ¿Falta poca ya?

–Eso no se dice. Por eso la vida es tan alta... No tendrá usted prisa, ¿verdad?

–¡Ninguna! Y menos mientras fumo esto.

–Tome la caja. Procure que duren.

–Si no estuviéramos en la calle, le besaba.

–Ya sé que aún puede besar.

–¡Oh, sí...! Pero no lo prodigo.

–La admiro por ambas cosas.

–Me mima demasiado. Este rato... Para llorar de alegría. Nunca lo había vivido así, tan natural.

–Es precisamente lo más natural.

Flora va a tirar el cigarrillo terminado, pero lo apaga contra la tierra y conserva la boquilla de cartón.

–Guardaré este primero... Hacía ya...

–Veintisiete años.

–Eso es. Fue cuando, cuando...

Apoya la cabeza en sus manos para ocultar su emoción. Gustavo... Gil Gámez se levanta y se aleja despacio, como un gato, sin hacer chirriar la arena de la plaza. La sonrisa, extrañamente, hace aún más poderosa su cara de águila, sobre el cuello con saliente nuez.

Cuando levanta el rostro, Flora no se pregunta por el hombre. Contempla sus pies: pequeños y bonitos. Se decide: Todo está arreglado y hay que celebrar el gran encuentro con un gran capricho. Hace días vio un par extraordinario en el zapatero a la medida de la Plaza de San Martín, junto a la librería para bibliófilos. Color cuello de tórtola. Exquisitos. Encargados por una famosa actriz para una obra que transcurre en los años veinte, pero salieron un poco pequeños. ¿Quién comprará esos zapatos tan anacrónicos y además caros, porque el zapatero se entusiasmó con su obra y prefiere dejarla en el escaparate antes que malvenderla? Allá va Flora, Florita, Flora Maipú, a apoderarse de ellos, a comprarlos, como dice la gente, como si todo fuera cuestión de dinero y como si ciertas cosas pudieran pagarse.

Flora pasó en su trayecto por delante de don Pablo, que escribía en *La Ópera*, pero él no la vio porque estaba demasiado absorto, y no sólo por su disminuida visión. Al contrario, su problema consiste en que, desde que padece cataratas, aparecen en su interior hechos y verdades que antes no percibía. Ha estado ciego hasta ahora, y eso es lo trágico, porque ya es tarde... Todo lo ha hecho mal; ya no tiene arreglo... Es mejor no pensar. Pero desde ayer no piensa en otra cosa.

Ayer, como otros años, se unió a María para llevar flores a Roque en el día de los Difuntos. Dorotea se encargó del quiosco por la mañana, y se fueron a comer a *Casa Ciriaco*, en la calle Mayor, frecuentada por don Pablo desde la época de Zuloaga y, luego, de Sebastián Miranda y Julio Camba. Un rato apacible, como siempre entre los dos. Todo seguía en paz cuando en Gaztambide, esquina a Rodríguez San Pedro, tomaron el autobús para Aravaca. Sombras ilustres en esa encrucijada: allí estuvo la casa de Galdós, y está la de las Flores, obra del perseguido Zuazo, donde habitaron Neruda y el más humilde Emilio Carrere.

El autobús atestado bajó por la Universitaria hasta el gris horizonte de noviembre en Puerta de Hierro y, después, remontó con esfuerzo la Cuesta de las Perdices. Todo son recuerdos para don Pablo. ¡La Cuesta! Ahora es sólo una autopista. Se acabó el merendero *Casa Camorra* (la de verdad) en lo alto. Se acabó también aquel pícaro *El Tropezón*, más alejado. Ahora la cuesta no presencia viajes galantes, sino apresurados tránsitos. Todavía fue vía de conquistador en 1934, con Verónica, llamada Ketty por los habituales del café *Acuario*, y a la que el

Pablito de entonces empezó a llamar Vera cuando intimaron. La piel más de seda que acarició nunca. Alta, demasiado para muchos, o apasionaba o no llamaba la atención. Con Pablo... A ella le gustaba salir con él; era fría, pero... A Pablo le dan cierto reparo sus pensamientos, puesto que va al lado de María, aunque ella no pueda ni sospecharlos... Ay, Vera, Vera, aquella primera cena en la Cuesta; o en la piscina del *Canoe*... Vera, qué mujer extraña, qué rara llama desconocida acabó surgiendo de su frialdad.

Se detienen en lo alto, junto a *Villa Romana*, a la entrada en Aravaca por la avenida de la Osa Mayor. Desde ahí toman el camino a la ermita, donde desde un tanque franquista mataron a Roque, aprestado para destruirlo con una botella de gasolina y una bomba de mano. La ermita es un modesto edificio rectangular con un atrio y una espadaña, aislada todavía, pero ya amenazada por una urbanización envolvente. Don Pablo y María caminan pensativos sobre el sendero húmedo por la lluvia de estos días pasados, bajo la amenaza de los nubarrones enganchados en la sierra próxima. Siguen hacia el cementerio, entre otros grupos de gente, atravesando la carretera de La Coruña por el cruce inferior. El cementerio es pequeño, y mezcla lo aldeano con mausoleos ostentosos erigidos por familias propietarias. En un rincón la fosa de cadáveres de la guerra. Allí dejan sus flores y alzan sus pensamientos y su recuerdo los dos peregrinos.

En el retorno a la parada del autobús, evocan inevitablemente al muerto. María habla de la familia de Roque, a cuyo pueblo la mandó éste cuando murió Beatriz, la madre de María. Deza, una villa soriana bastante grande, donde vivió María desde los tres a los siete años, con los padres y hermanos de Roque. Volvió a Madrid la niña y empezó a ayudar en el quiosco, atendido por Gervasia, la hermana mayor de Roque, convertido en un padre para ella. Pablo era otra cosa; le traía caramelos y juguetes, la llevaba al circo, después al cine y al teatro, regalándole vestidos y libros. Roque le daba un hogar; Pablo la asomaba al mundo, le pagaba el colegio y educaba a la niña, que iba haciéndose mujer. «Roque era mucho mejor que yo –comenta don Pablo–, más idealista, más abnegado, más fiel a sus principios, hasta morir por ellos.» María vivió la entrega total del buen tipógrafo a su ideario anarquista, que le costó la cárcel a veces y, luego, la voluntaria muerte en primera línea a los cuarenta y seis años. Era todo fibra, mediano de estatura, delgado, de manos cariñosas y hábiles. Sobre todo, profundamente bueno.

Pero cuando Pablo se refiere a la abnegación e idealismo del muerto no piensa tanto en la política como en la vida. Amó Roque a Beatriz desde que la recogió de la calle en la famosa churrería junto al Eslava, una madrugada de jaleo, en que el obrero pegaba carteles de propaganda. Amparó a la mujer constantemente como un hermano, y fue su amante mientras ella quiso, pero respetando siempre su libertad, de acuerdo con el ideario. Después, al saber que Beatriz se había enamorado de otro hombre, de Pablo el señorito, no hizo nunca reproches y se tragó su amargura.

Empezó con los Reyes Magos, sí, de 1922; al año siguiente ya mandaba Primo de Rivera. Pablo salía de una *matinée* del Teatro Real; Hipólito Lázaro –«divo de los divos»– y Ofelia Nieto habían cantado *Aida*. «Lo mejor, el tercer acto», repetía a Pablo su melómano amigo, Andrés: desapareció durante la guerra. «¡Cómo ha atacado Hipólito el *Pur ti riveggo mia dolce Aida*!» A Pablo la ópera le interesaba menos que la música de cámara, pero Matilde le había hecho saber por la portera que iría con sus padres. Y ahí estaba Matilde con el pie en el estribo –tenían «coche a la puerta»–, lanzándole la expresiva mirada de rigor antes de que el cochero arrease a los caballos. Cumplidos así sus deberes de pretendiente que aún no entra en la casa, Pablo escuchaba distraído a Andrés, contemplando la agitación de la salida: los porteros del Real llamando a los coches por el título nobiliario de los dueños, el rodar de carruajes, el vaho exhalado por los ollares de los caballos, el motor de los escasos automóviles, los golfillos ofreciendo simones de alquiler, la dispersión hacia los hogares o hacia las cenas en *Fornos* o en el *Suizo*. Y, en lo alto de un pescante, la insólita visión: el viejo cochero bigotudo con una muñeca viva en brazos, dándole de beber café con leche caliente por el pitorro de la cafetera, como lo bebían los cocheros encargándolo al cercano *Café Español*. Pablo tardó un momento en reconocer a la niñita que cada día, metida en un cajón, estaba junto a la vendedora de periódicos de la esquina. «¿Tendrá mañana Reyes esa niña?», se preguntó de pronto, y entonces aceptó la propuesta de Andrés, para marcharse a dar una vuelta por el bullicio de la Plaza Mayor, entre los puestos de juguetes, antes de meterse a cenar en cualquier parte. Allí compró la pepona más bonita que encontró.

A la mañana siguiente la puso en las manos de la niña y descubrió los finos tobillos de la madre. ¿Se enterneció Beatriz como madre? ¿Sospechó capacidad de cariño en el hombre? ¿Detectó la admirada ojeada de Pablo? De los tobillos subió hasta el pelo bonito y la cara limpia: grande la boca y los ojos, voz vibrante y desgarrada para pregonar, joven y dura a un tiempo. Esa voz le estaba dando las gracias, casi con aspereza y, sin embargo... Así empezó y así descubriría el joven, bajo la agresividad, un manantial de amor cegado por un primer engaño, que luego acabó derramándose apasionadamente sobre Pablo. Sabiendo que él no correspondía con el corazón, pero sin lamentarlo ni arrepentirse; queriéndole aunque sólo recibiera el apetito del hombre y sus atenciones; eso sí, delicadas. Ella seguía adelante, fascinándole con su independencia, bravía, leal con Roque, entregada a pesar suyo a aquel señorito bueno pero sin temple, joven intelectual del Ateneo, con porvenir político y universitario, a punto de casarse con la señorita del Real. Y Beatriz se entregaba como sabiendo ya que aquello iba a durar poco. ¡Qué verano, qué violencia ardorosa, qué mieses de oro los cuerpos acamados!

Pero en otoño fue la catástrofe. La dictadura cortó la carrera y el noviazgo de Pablo, y empezó a perseguir a los anarquistas. Eso les unió más. «¡Qué extraño concierto entre los tres en los últimos tiempos de Beatriz!», recuerda Pablo. Cuando ya, con sólo veintitrés años, se dejaba ella morir de tisis deliberadamente, bebiendo para acelerar el fin. Aquellos meses finales del veintitrés y primeros del veinticuatro fueron terribles. Perseguidos los anarquistas, registrada por la policía la buhardilla donde ella vivía con Roque, escondido éste cerca de un restaurante vegetariano de la calle de los Artistas, en Cuatro Caminos. Pablo pagaba otro alojamiento a Beatriz cerca de su esquina de periódicos, Gervasia atendía a la venta cuando Beatriz ya no podía levantarse y Roque se jugaba su libertad para verla. Pablo recuerda con remordimiento cómo él espaciaba sus visitas por miedo al contagio, y cómo sólo le hacía el amor eventualmente, pretextando que la perjudicaba, aunque ella insistiera. No, Pablo no llegó a enamorarse nunca tan de verdad como ella; aunque le halagaba aquella pasión y gozaba con aquel cuerpo. ¡Qué meses de tensión, violencia, caos en sus vidas..., y qué tenacidad la de Roque, impasible como patrón de una barca en la tormenta! Pablo se reconocía a su lado débil y cobarde; no había merecido las noches inolvidables que le dio Beatriz, pero tampoco llegó a desertar, y asumió su papel con piedad, ya que no con verdadero amor.

A quien sí adoraba era a la niñita, juguete de todos en su cajoncito, arrebujada en un trozo de mantón, del que salían sus piernas con botitas y medias marrones de canutillo, con algún roto que dejaba ver la piel violácea en invierno. A veces, los parroquianos de la tasca de al lado, la *Casa Demetrio*, la llevaban dentro cuando hacía frío y la incitaban a meter el dedito en los vasos de tinto para luego chupárselo. En aquellos meses terribles ya dejaba el cajón y daba unos pasitos. Al morir su madre, la mandaron a Deza, y Pablo ayudó a Gervasia a conseguir el quiosco mientras Roque, capturado al fin, penaba en el Dueso.

¡Qué sorpresa y qué gozo el de Pablo cuando, al acercarse una tarde al quiosco, vio a la niña después de los cuatro años en Deza, y ella le reconoció sin vacilar! «Usted es el señorito Pablo.» «¡Pero si tenías tres años cuando te fuiste...!» ¡Qué emocionante reencuentro!

Reviviendo así el pasado llegaron por fin a la parada del autobús de Aravaca y subieron, evoca don Pablo ahora en *la Ópera*. Había un asiento libre, junto a un niño, y lo ocupó María. Entonces fue cuando la madre del niño desencadenó la tormenta, al mandarle que dejara su sitio «al padre de la señora». El niño obedeció, y don Pablo iba a renunciar cariñosamente cuando sonó la voz de María. Seca, restallante, inhabitual en ella, proclamó: «No es mi padre, señora.» Ante su tono de insolencia, casi de desdén, la mujer se picó y comenzó a replicar. María volvió a ser tajante: «Lo que usted quiera, pero no es mi padre. Nada más.» Don Pablo, estupefacto, solventó la crisis renunciando al asiento y explicando a la señora que volvían del cementerio y María estaba emocionada. Como la buena mujer venía también de visitar a sus muertos, y como don Pablo se sentó a su lado al quedar luego libre el asiento, ambos entraron en conversación amistosa mientras María, enfrente, guardaba un silencio herido, y don Pablo fingía no advertir sus ojos empañados.

¡Si pudiera simular también ahora que no percibe el fondo del problema! María, naturalmente, no se avergonzaba de él como posible padre. Terminado el trayecto, metidos en un café para merendar –don Pablo no se atrevió a prolongar la tarde con ella, acabándola en cena– tocó el tema suavemente con explicaciones tendentes a aclarar que, en efecto, no era su padre. María no debe pensar que lo es de verdad y que, sin embargo, no fue capaz de casarse con su madre o de reconocerla. María le atajó con cariño:

–No me lo explique usted. ¿Qué cree, que soy una niña, que ignoro la vida? Lo sé todo desde hace mucho tiempo. ¿Qué hablábamos en guerra Gervasia y yo? Sé que mi madre vivía con los dos, y lo comprendo; sé que Roque la quería más que usted, pero ella se enamoró de usted y usted no. ¡Qué se le va hacer! Todo estuvo bien, fueron decentes uno con otro; lo comprendo, y no tenía usted que haber hecho más... Pero usted no es mi padre y se acabó.

María se interrumpió a tiempo. Había estado a punto de escapársele lo que prefiere morirse a decirlo: aquellos días ilusionados de 1939, cuando Pablo volvió de Santander y recobró su casa, cuando ella pensó –¡y él le indujo a pensarlo!– que... ¿Cómo puede él no recordar? ¿Cómo puede perder el tiempo en convencerla de que no es su padre?

Pablo la escuchó atónito. De pronto vio a la niña súbitamente convertida en mujer y hablando de amores, de vida, de hombres conviviendo con su madre, de cosas «que no se dicen», pero que ella acepta con realismo, con una experiencia superadora de todas las convenciones. ¡Desde su quiosco ha aprendido todo eso! En cierto modo, así se explica mejor la serenidad de María, sus brazos abiertos a todo y a todos. Pero ¿por qué ese énfasis en negarle como padre? ¿En qué la hiere eso, cómo la remueve tan hondo? Pablo nunca la había visto descompuesta y se descompuso él también.

Por la noche, a solas en su casa de siempre, salvada

precisamente por María, suena el teléfono. Es ella, aunque no lo usa casi nunca. Ha bajado a una tasca de la calle de Fomento para llamarle. Pide perdón con voz temblorosa, ha sido una tonta, debía estar muy afectada por el cementerio... Pablo la ataja, balbucea, casi llora, le desespera tener que decirse tales cosas por teléfono, se ofrece ir ahora mismo a tranquilizarla donde ella esté. ¿Cómo se le ha ocurrido pensar que él pudiera estar enfadado? María le interrumpe, ya con voz serena. No tiene importancia, lo que quería era sosegarle a él, sabía que estaría preocupado. «No tiene que pensar en nada; en nada, ¿me oye?, no ha pasado nada.»

¿No ha pasado nada? Pablo no puede dormir. La piedra arrojada en el estanque por aquella desconocida del autobús extiende los círculos de sus ondas. Llegan más allá de nieblas antiguas, tocan riberas ignoradas, retornan como un eco de descubrimientos... todo el pasado se replantea. Pablo quisiera no ver lo que ve. Ya todo es distinto: María es una mujer, y él no es un viejo todavía. Ahora resulta que desde el reencuentro de ambos en Madrid al final de la guerra, después de tres años, en la misma casa de su infancia, ha pasado un cuarto de siglo. Ella tenía casi dieciocho años y él treinta y ocho en aquellos días... Empieza a comprenderlos de otro modo. Su madre... Y al mundo se le puede dar la vuelta, pero al tiempo no. Al tiempo, no; al tiempo, no.

PAPELES DE MIGUEL
Descaecimiento

Luna menguante de noviembre, 1975

Abatimiento, sequedad, desánimo. *Descaecimiento*, escribían la madre Teresa y el padrecito Juan. No estoy lleno de vacío, según quiero, sino henchido de oquedades como llagas. La paloma no ha vuelto. ¿En qué desierto me adentré?

Crece la mancha de la gotera. Se reproduce. Anteayer sólo una: un gatito. Hay, al lado, otra redonda. ¿Pelota para su juego? Extraño gato. Patas delanteras abiertas como alas. ¡Aquel famoso gato con alas, tema veraniego de los periódicos en el cuarenta y nueve! ¿O en el cincuenta? Alas incipientes. Si siguen las lluvias, ¿en qué reencarnará? ¿Ángel o murciélago? ¿Símbolo de qué?

Mi cuerpo, tronco reseco yaciendo sobre la cama. Todo símbolo rebota en él. Soy opaco, estoy pesado. ¿Soy o estoy? La campana de las Góngoras da la hora. El invierno me cierra las voces del patio, me roba el cuco y el carillón. Amaina la lluvia, pero la gotera crece. Me concentro en ella, como el prisionero en el rayo de sol. Tristeza. Las goteras tienen sus razones que la razón no comprende. ¿A qué viene ahora Pascal? Aguas vivas misteriosamente infiltradas por canalículos. Líquido corazón de la montaña, desangrándose por fuentes en laderas. El mío ya desangrado. ¡Y sin lograr llenarse de vacío!

Cansancio; pesadísimo cansancio. Tirar de mi cuerpo. Veo en el espejo el progreso de mi vejez, en torno a mis iris; neblina cercando mi pupila, espesándose poco a poco alrededor. Goteras de mi cuerpo, revelándoseme en los dolores. Algunos ya familiares, compañeros de mi vivir. Cuando no los siento, los echo en falta. La cuarta lumbar, el deltoides izquierdo, el ciático. Sé cómo volverán: posturas durante el sueño, cierto esfuerzo, cambios de tiempo. ¡Pero hay otros dolores alevosos! Este latigazo en los riñones, ahora al alcanzar el vaso, ¿por qué? Tengo sed. *Eli, Eli, lamma sabacthaní.*

Deambular por el barrio, ¿para qué? Todo rebota en mi gran cansancio. Ayer, esquina de Reina con plaza Vázquez de Mella (cuando día Magda, se llamaban de Gómez de Baquero y de Ruiz Zorrilla) el hombre con dos maderos al hombro. Sólo vi a un obrero transportando material; hace días hubiera sido un Cristo con su cruz a cuestas. No logro transmutaciones. No consigo ver, como estos días, el barrio de antes, el mío. Ausencias, ausencias. Aquellos chicos de ultramarinos volteando en la acera, sobre astillas en llamas, un negro bombo como de lotería: ¡qué grito, el olor a café! Niños de los jueves, con globitos. Castañeras de noviembre. Traperos con el saco a cuestas y el pregón en la boca. *¡El amolaoooooor...!* ¿A dónde huisteis? Al no veros ahora, amarrado me siento a este tiempo, el del calendario. ¡Y creí haberlo superado! Ilusiones de viejo.

¿Por qué sólo un obrero? ¿Por qué niego a ese hombre su volcán de emociones, su rueda interior de fuegos artificiales? ¿Por qué no le proclamo poeta o pintor? Kafka en Praga, Modigliani en París, Klimt en Viena, Pessoa en Lisboa, Kavafis en Alejandría. ¡Kavafis, insignificante empleado inglés en la administración colonial de riegos! ¡Insigne griego de Oriente! Kavafis, viejo amigo, bien sabías que huir es inútil: *No hallarás otra tierra ni otra mar... y en los mismos suburbios llegará tu vejez...* ¿Qué más? ¡Veía verdaderamente la ciudad: ojo cruel porque certero! Aquello de *a tan vana esperanza no desciendas* en «El dios abandona a Marco Antonio». *Eli, Eli*: Sublime gemido del quinteto en sol menor. Me acuso: el obrero era un Kavafis. No lo vi; sólo ven La Zarza Ardiente quienes la llevan encendida dentro, los Moisés. Un viajero sólo hubiese visto una zarza ardiendo. ¡Pero yo vi el Almendro! ¿Por qué he perdido Visión? Sólo soy pesadumbre. Cargado voy de sombras y me hundo.

La gotera, ella, vive. Como agujas de reloj: imperceptiblemente se mueve. ¿Hacia ángel o murciélago? Cuando vine aquí un techo sin mancha. ¿Me esperaba para nacer? ¡Ojalá significara que carezco de techo, que nada me separa de las nubes! Pero es lo peor de todo: un tejado inútil, enfermo.

¡Si al menos retornara la paloma...! Más compasión tenía el cuervo del ermitaño. ¿Estoy abandonado? ¿Eras la mensajera de Nerissa? ¿Cómo me veía tu ojo impasible? ¿Qué versión daba de mí tu nervio óptico, tu cerebro? Prisionero de nuestra fisiología, ante todo; de nuestros mitos y conceptos, después. Anclados en el cuerpo y en la cultura; pero nada somos sin esas áncoras. Nuestras únicas herramientas y ¿para qué? Justamente, para librarnos de ambas. Esas anclas, nuestras alas. Culminación del vivir es la muerte. ¿El más alto saber?: no saber.

¿A qué escribir entonces? Vaciarme será desangrarme, creí; pero el Vacío hay que construirlo. Escribir para erigirlo. Así mi cansancio. Ya lo explicó Barbusse: «Se comienza por escribir lo que creemos; se acaba por creer lo que está escrito.» Más aún si está impreso. *Magister dixit*: el unicornio sólo se deja acariciar por una virgen (Plinio el Viejo). Y ando errante sin maestro. Necesito la paloma, tu mensaje, Nerissa.

¿Para qué escribí las novelas? No para qué, sino ¿para quién? La I, para mí; hacer reventar el absceso, mi envidia del Miguelito en su bohemia parisina. La II contra todas las gentes felices, en venganza del rayo que me arrebató a Miguelito. ¡Toda carta a Nerissa la III, mi larguísima carta! Otra venganza la IV, destilación de odio.

¿Para quién escribo ahora? ¿Para qué? Para nadie; es decir, Él: Todos mis maestros lo enseñan así. ¡Pobre y rota voz mía, en esta desolación! Pero imposible dejar la pluma. Dar nombre a algo es poseerlo, sabía ya Ulises. ¡Posesión ilusoria, triste fe intelectual en la palabra, sin la cual no existiría la mentira! Reducimos a palabras el mundo para hacerlo inteligible y nos extraviamos en la maraña verbal. Sin ella no existiría el Mal. No hay maldad en el tigre, aunque mate: no conoce el vocablo «crueldad». La serpiente del Edén era el conocimiento; es decir, el lenguaje. Sólo el hombre puede ser malo; pues sólo la palabra le distingue de la Naturaleza. Siempre esclavo de las palabras; nunca pude vivir –hacerme– sin ellas. Siempre me dominaron, aunque se prostituyen a otros. Me asustaban incluso algunas. Necesité a Bataille, recuerdo, con toda la fuerza de su *Ma mère*, para asumir el vocablo «incesto». Otros me los hizo posible Kavafis.

Kavafis, pobre viejo de día, transmutándose al llegar la noche. Se encierra con su amante en la *habitación pobre y vulgar, escondida en los altos de la taberna equívoca. Y allí, sobre un lecho barato, miserable* entrega su cuerpo y recibe otro, renace voluntariamente toro en esa arena, embistiendo con sudor voluptuoso hasta morir en el espasmo. ¿Qué importan entonces la sordidez, las roncas voces de los jugadores abajo, el olor a cebolla quemada en el *schachlik*? ¡Ni siquiera ser despreciado quizá por su ocasional pareja!

¿Qué importa, si después recuerda? Memorias de sangre en llamas. *Vuelve otra vez y tómame en la noche, cuando los labios y la piel recuerdan.* Sabe la verdad *(De cualquier forma no hubiera durado mucho)*, más vive en otra verdad: *pero ¡qué poderosos los perfumes, en qué lechos espléndidos caímos! Recuerda, cuerpo, la piel toda jazmines en la noche*. Kavafis nunca tuvo miedo. *Nada me retuvo. Me liberé y fui. Hacia placeres que estaban tanto en mi realidad como en mi ser. Y bebí un vino fuerte, como sólo los audaces beben el placer*. Cierto que la transmutación se desvanecía; Kavafis al fin volvía a su casa *para esconder allí su vejez y su miseria*; pero ¡ah!, cantan ahora sus versos los jóvenes, cuyo *espíritu, cuya voluptuosa carne, aún se conmueven con la expresión que él diera a la belleza*. Sus versos, de mármol que respira, son la voz de Platón y de Safo: pasión enamorada, nobleza del cuerpo. Su palabra eterniza y dignifica cuanto toca. ¡Qué alto sobre el cinismo de Verlaine!

Pero, entonces, ¡la palabra es salvadora! Mi vejez apela a Kavafis, que no soñaba otras vidas como Pessoa; vivía sus sueños con su carne. Con ella labraba en piedra sus verdades. Las dos anclas del cuerpo y la cultura –dolores y mitos– se hacen alas gracias a la Palabra. ¡Y yo renegaba de ella, mi único refugio, mi sostén ahora! ¡Si escrito está que en el principio fue el Verbo; que el Cálamo es creación y testimonio! Antes del Cálamo nada existía sino Allah, enseña Ibn Arabí. Con la pluma sigo adelante, buscando un sentido a mi abatimiento. Para eso me fue dada la visión del Almendro: para alcanzar la otra orilla del desierto. Pero temo a esta noche oscura, sin *ansias en amores inflamada*. Dieciocho años en gran sequedad pasó Teresa por no poder discurrir. Sólo la salvaba algún libro, sin el cual se le *disbarataba el alma*. Sólo me salva ahora el hermano Kavafis.

Mi sequedad la pagó Cristina. También me irritó la tonta del Decanato. Sus objeciones burocráticas al anuncio de mi seminario antropológico: «Eso de dedicarlo al pie, don Miguel...» ¡Resistiéndose a un tema fabuloso! Hermes, un dios calzado, el pie femenino en China, descalcez en el Islam (y en el Carmelo), la coz de la yegua de Mahoma volcando una urna de agua, la de Pegaso en cambio haciendo nacer la fuente Hipocrene. El sol, pie único en el Rig Veda. Los cojos sagrados, como Mani o Vulcano. Símbolo fálico. En Bizancio, los imperiales borceguíes de púrpura. Viejo tema mío. ¡Cuántas explicaciones de clase venían de la Novela III y seguían en la IV! Imbécil funcionaria...

¿Qué ocurre estos días? Todos obsesionados con esa vergonzante agonía. No hablan de otra cosa: los partes del «equipo médico habitual». ¡Qué espectáculo, del que nadie aprende; tantos intereses aferrados al podrido cuerpo! Cuervos con sonoros graznidos (Dios, Patria, Lealtad, etc.), mientras le arrancan aún pedazos de vísceras, rajan y cosen el pellejo, le disecan en vida. ¡Si pudiesen, volverían al *Reinar después de morir*! Le sacarían al balcón triunfal, mecánico subir y bajar del bracito, altavoces con las palabras de antaño, tan vacías hoy como entonces. Empeñados en matar a la misma muerte para prolongar su comedero. Están en su papel, pero ¿qué nos importa eso a los demás?

Mi irritación la pagó Cristina. ¡Pobre!, me puse desagradable al comentar su tesina. Me avergoncé, le pedí perdón a mi mejor alumna. «No lloro por eso, don Miguel, sino por lo que a usted le pasa.» Lo ha notado, como todos. Mi cambio desde Mallorca; también mi cansancio ahora. Pero no llegan a verme como soy: odre de abatimiento.

Tío Jacinto, en Deza, siempre cansado. ¡Primavera del treinta y seis, cuando preparaba mi ensayo sobre su soriana *Tierra de la Recompensa*! «Hay corriente», se quejaba, levantándose para ajustar la contraventana. «¿Qué corriente?», me preguntaba yo, viéndole volver cansinamente a la mecedora. ¡Tan diferente de sus hermanos, papá y tía Magda! Entretanto, su mujer iba y venía, administrando como un hombre la mermada hacienda, vieja alquería del monasterio cisterciense de Huerta, adquirida por un remoto abuelo cuando la desamortización. La tía Claudia trataba a su marido como a un niño. ¡Quizá le inventaba dolencias para regatearle sus únicos placeres, la caza y la buena mesa!

Pero tío Jacinto se salvó al final. Enviudó, liquidó las fincas y se me apareció en París a pasar dos semanas con aquella platónica doña Rosaura. De dolencias nada; un sesentón vividor, comiendo y bebiendo a placer. Hasta se parecía a papá: igual parsimonia al liar y engomar los cigarrillos, el mismo cortaplumas en el bolsillo del chaleco para sacar meticulosa punta al lápiz, idéntico jicarón de chocolate para desayunarse.

Le irritaba el de París, tan clarito, a la francesa. Sí, al final disfrutó de la vida hasta su apacible muerte, sin verla venir, en los brazos de su Rosaura, su Jádir, su angélico guía. El pobre Augusto Becque tuvo peor suerte, padeció más de un año.

Claudia anulaba a Jacinto. Hélène manejaba a Augusto. ¿Acaso ley de la pareja humana, esa destrucción de uno por el otro? Lo pensé cuando me dejaste, aquel treinta de junio. ¡Cuatro años, un mes, ocho horas después de tu advenimiento! El huracán vengador arrasó la Novela III, insufló en la IV su hiel y su rabia. ¿Cómo no me maté? ¡Si no hubiera sabido que los suicidas, en su reencarnación siguiente, mueren cuando más desearían seguir viviendo! ¡Y yo todavía pienso en otra vida contigo! Pero quizá ya me llamaba, sin yo sospecharlo, el Almendro Ardiente.

Ocurre en la *Mantis*, algunas arañas y crustáceos. El fatuo de Javier traicionaba a tía Magda. Monique me hubiera contaminado; me salvé a tiempo, llevándome al niño. ¿Mis padres? Mamá era más débil, pero ¿qué sabemos nunca de nuestros padres? No puede ser ley. Tú y yo, Nerissa, nunca. Imposible. Aunque hubiera parecido yo la víctima, ¡qué gozo, en realidad, vivir bajo tu imperio! Pero a Ti te destruye Eduardo. ¿Recuerdas tus justificaciones por teléfono, aquel treinta de junio? «No tenemos ningún futuro... No he logrado hacerme un lugar en tu vida.» (¡Qué error! Tú eres mi universo, sin Ti no tengo ni presente.) Y al final se te escapó: «No puedo abandonar a Eduardo enfermo.» ¡Precisamente! ¡El chantaje del muy canalla! Y mi edad impidiéndome romper con todo. Aún podía proporcionarte el goce en la cama, pero no el que tú merecías, el que yo te hubiese ofrecido cuando joven.

¿O fue otra excusa mi edad, como Eduardo fue la tuya? Siempre las máscaras; quién sabe si incluso este desánimo. ¿Fuimos cobardes? ¿Exige más valor reformar la vida que soportarla? Huyendo juntos, ¿hubiéramos evitado nuestras penas o se hubiese degradado nuestro amor hasta la rutina y el hastío? Porque el amor no es el Amor. O quizá cobarde ahora, bajo mi máscara de cansancio. Miedo a ceñirme con mis propias manos la corona de espinas de tu ausencia; la que me llenaría de vida. La espina dorada de Machado: *¡Quién te pudiera sentir / en el corazón clavada!* Un crucificado mirando a las alturas, como el Cristo de Miguel Ángel para Vittoria Colonna, su Nerissa. Chejov: quien teme y evita el amor no es libre.

Cavilar, cavilar. Un yunque mi cabeza en el insomnio. Más roto a la mañana. Constante martilleo: ¿por qué no, por qué nosotros no? Tu cuerpo deseado, imaginado.

Reconstruido con los escasos recuerdos vividos por el mío. Tu mano en el pliegue de mi codo al cogerte de mi brazo y rendirme la dulce resistencia de tu pecho, mientras caminábamos por Londres. Las raras ocasiones de tu hombro acogiendo mi frente. El perfil fronterizo de tu rodilla. La camelia de tus mejillas, el nácar dorado de tu cuello, toda tu dulce piel, tu voz explicándolo: «De niña me protegían del sol con grandes pamelas, porque me llenaba de pecas.» El perfume de tus cabellos. Y tus besos, raros como frutos exóticos. Inolvidable: mis labios rezuman ahora la miel del recuerdo.

Tu cuerpo a mi lado, aquella gloriosa tarde en el *Embankment*, junto a la aguja de Cleopatra, gris y prisionera como nosotros. El río alto, oliendo a mar, cruzado por el puente de Waterloo. ¿Recuerdas la película? A la otra orilla, el *Royal Festival Hall*. Más allá del puente, por encima, la cúpula de San Pablo. Por debajo el casco amarillo y la negra chimenea del *Discovery* de Scott. Banda militar, sus cobres nos atrajeron a los jardines. *Pompa y circunstancia*, claro. Viejas y jubilados en las tumbonas de lona. Tulipanes en formación, como soldados. Estatua de Robert Burns. Junto al monumento belga de la Guerra del Catorce la enorme higuera, la densidad de su olor umbroso y fresco. Apuntalado el tronco medio caído para que no cediesen las viejas raíces.

¿Ceden también las mías? Senilidad, pensé hoy al sentirme embelesado por un niñito en la placita de Chueca. ¡Y menos mal si no es pederastía incipiente! Inesperada tibieza del aire. Acariciaba el sol mi faz como en el verso de Amado Nervo. Luego, ante la puerta del Hostal que fue burdel rectifiqué un recuerdo. Era en Aranjuez, aquellos dos veranos, donde la señora Társila traía a casa a Santa Rosa. Viví con los tíos mientras papá andaba de operaciones en el campo de Ceuta, tras el desastre de Annual.

¿Error freudiano? ¡Claro que ya adoraba yo entonces

a tía Magda, a la manera de los nueve años! Infantil voluptuosidad acompañarla por el parterre, ante el Tajo embalsado y el puente colgante. A veces suspiraba. ¿Seguía queriendo al marido infiel? Por ella renunciaba yo al juego del peón en la plazuela de San Antonio, y hasta a la bicicleta que a ratos me prestaba el hijo del coronel de los Húsares de María Cristina. Sonrisa de tía Magda en el nimbo azul de su sombrilla. La manejaba con tanta gracia como el abanico. Puño de galalita, *article de París*, comprado por papá en los *Magasins Modernes* de Tánger. ¡Qué madurez tan femenina en todo, el sombrerito *cloche* de paja, el vaporoso vestido de *crêpe georgette*, la fascinante oscilación de sus tobillos...! Robé lilas para ella, ocultándolas dentro de mi blusa. Mi pecho quedaba perfumado, y por la noche me hacía evocarla... Tía Magda; Madre en mi Amantísima Trinidad, revelación del amor.

Sortilegio de Aranjuez circundado por el Tajo, como el mundo helénico por el río Oceano. Sus estatuas vivían. Magia del XVIII, la cima de Occidente: Razón y sensualidad en equilibrio. Los jardines, mi paisaje interior para siempre. Inacabables crepúsculos de estío, traspuesto ya el sol, suspenso el tiempo, la luz un polvillo dorado en el aire azul. Tía Magda con sus amigas en la terraza corrida sobre las arcadas del patio de Oficios. Sillones de mimbre. Copas con limonada: ópalos sobre la negra laca de la mesita filipina. Del parterre de Palacio llegaba el rumor del río derramándose por la presa. Cascabeles de un coche de caballos. Lejano silbo de un tren, hacia la estación. Voces lánguidas, cortadas por risas cristalinas. Perfume de magnolias. Lenta, muy lentamente, voluptuosa, la noche.

Clarísima noche. Todo en su propio filo. En tránsito las horas, el mundo, los seres y, sin embargo, paz. Yo mismo, ¿era niño aún o empezaba a no serlo? Cresta de la ola: ser dejando de ser. Apogeo del siglo XVIII, principio de la catarata final. Nadie vivió este último sorbo de plenitud en vilo como los grandes venecianos. Los invoco ahora para aprender a beber el cáliz de mi cansancio. El dux Foscarini, el almirante Emo, el inquisidor Gradenigo. Vivían gloriosa extinción en medio del júbilo popular y las grandes fiestas, en la ceremonia y el libertinaje. También mujeres, como la Barbarigo o la fabulosa hembra que fue Catarina Dolfin-Tron. Pobre y vieja, tras tantos lujos y placeres, se mantenía firme: «Yo no me mato. Y, si caigo, no será de rodillas.» Su pie, según Canova, el más perfecto.

El pie, región de Piscis. Signo de Luis. Tus rodillas, Nerissa. No las descubrí aún en tu advenimiento, deslumbrado como quedé por tu rostro: Hannah en tus pupilas y transparentándose desde dentro de ti. Pero a tu vuelta de Barcelona, en aquel examen, las puso de manifiesto el escalonamiento de los pupitres y tu asiento junto al pasillo. Bajé desde la puerta y, aun sin poder reconocerte así, supe que eras aquellos hombros exquisitos, aquellas manos de femenina firmeza. Me detuve, consideré tu letra, tan tuya; respiré tu perfume. Ya abajo, hablando con mi ayudante, volví a mirarte: ¡Prodigio de tus rodillas! Después acabaría besándolas, pero serían la cerrada frontera de tu cuerpo, cuando les rendí el debido homenaje: de princesa bizantina.

Lo eras y eso me inspiró el bautizarte «Nerissa», con la misma inicial de tu Nilia canario. Nerissa, deidad marina, sombra abismal y espuma risueña. Pasión y juego. Sobre todo, inmortal juventud del mar: era obvio que nunca envejecerás. ¿Sabes que por un momento pensé en un nombre otomano para ti? Pero aún era Stambul demasiado reciente, aún no me había instalado en él. Yo seguía aferrado al fascinante Bizancio de mis lecturas: Jorge Acropolites, Anna Comneno, *Cronographia* de Pselo, *Arcana Historia* de Procopio, autobiografía de Juan VI... Refinamiento y violencia.

¿Por qué tardé tanto en llegar a Stambul? ¿Por qué no me guió Hannah hasta allí, cuando viajamos en el Oriente Express? Al reinterpretar luego mi vida lo comprendí: no había sonado la hora. Hasta aquel crucero turístico, Semana Santa del sesenta y nueve, decidido en mi mente de pronto, sin motivo. Es decir, por tu secreta mano. Y aún así, errando como Colón, creyendo ir a Bizancio. Llegué a Stambul. Tuve más fortuna que con tu cuerpo: traspasé la frontera. Aunque, claro, el cuerpo es siempre una frontera. También el tuyo, como este mío que arrastro y me retiene.

¡Glorioso amanecer, navegando a media máquina ante el palacio de los basileos, dorado por el sol, bienvenida de gaviotas, centelleos de rosa en los cristales, su famoso balcón de la esquina nordeste! Pero desde el barco toda aquella noble montaña de piedras labradas se reducía a mero pedestal de los minaretes, verticales flechas en torno al aplomo de las cúpulas. Bajo la mayor penetré horas después.

Caverna mística de la Suleimanyé, cielo interior para el vuelo de espíritus en llamas. Transfiguración de mis galerías mineras. Había alcanzado mi meca. San Pedro o Notre Dame, con toda su grandeza, siguen siendo edificios. El arquitecto de Solimán el Grande abarcó el vacío para amparar nuestro propio vaciamiento. Asombroso Sinán, hijo de cristianos, jenízaro en batallas, alarife después. Un Miguel Ángel escultor de cavernas a fuerza de pilastras y de bóvedas.

Allí mi primer paso hacia el Almendro en Llamas. Tardé en saberlo porque, con tu advenimiento, me consagré al afán contrario: llenarme de ti. ¿Contrario? ¡Si ya me guiabas, ya eras mi Jádir! Compartiste conmigo aquel banco frente al Bósforo, surcado por los caiques de curva proa y los vaporcitos hacia la orilla asiática. Tu invisible presencia respiraba a mi lado. El roce como de alas era tu pelo al mover tu cabeza.

Siempre vuelvo a tu cuerpo. ¿Por el lastre del mío? No sabemos vivirnos. Libres de inhibiciones, en trance de hipnosis, podemos leer un periódico a cinco metros. Ha sido necesaria la vejez para revelarme mis regiones desconocidas. Mi espalda, por ejemplo, tan ignorada como la de la luna. Apenas mis ciegos dedos la rozan de tarde en tarde. ¡Intacta y virgen si no fuera por la mujer en el amor, sus manos acariciándola, sus uñas anclando para retener el espasmo! Ahora mi espalda campo atirantado, llena de nudos como cicatrices.

Frontera el cuerpo y su divisoria, la muerte. Trampolín para el salto más allá. Nadie abraza a la pobre muerte cuando viene por las vacías alamedas del alba y sólo encuentra necias resistencias. Las orugas, más sabias, se entierran afanosas en el ataúd de su capullo para transfigurarse en mariposas; el hombre se niega a su reencarnación, a vivir nueva vida. Yo no, Nerissa; te vislumbro al otro lado. No soy granado de hierro como el de Issogne, floreceré porque soy capaz de morir. «*Ven, muerte, tan escondida...*» Pero yo sí quiero sentirla venir; sentirte llegar. ¿Será eso este cansancio adormeciente? ¿Comienza mi hibernación? ¡Pero si aún no estoy vacío! Los dolores de mi espalda, ¿son alas emergentes? Maduras estarán cuando me cierren los ojos. Y los abra de nuevo junto a Ti, escalón hacia el Absoluto.

Alas. Tres veces me rozaron las de la muerte, y no son negras. Primero en la guerra, cuando atacaron Santander por Trucíos. Ala gris, sutil velo de niebla en que me perdí hasta ir casi a dar en un parapeto de facciosos. La propia niebla me hizo invisible a ellos. Fue dos semanas antes de que el pobre papá se precipitase al mar desde la carretera de la costa, ametrallado su coche por un avión de la *Legión Cóndor.*

Verde en Londres, aún no recuperado enteramente de mi amnesia. Aquel taxi arrollándome en Regent Street. De pronto me vi en el suelo sin haber sentido el golpe.

Me faltaba un zapato, cuya recuperación fue mi primera reacción. Desde la ventanilla del taxi parado más allá flotaba al viento el ala verde. Echarpe de una viejecita que miraba aterrada. Para tranquilizarla besé la mano que me tendía mientras exclamaba: «*Oh dear, poor little thing.*» Ante su fragilísima voz me sentí robusto. Sólo después empezaron los dolores a llenarme el cuerpo.

La tercera, dorada. Durante la Novela IV, ya sin Ti. Aletazo por dentro; quizás un rompimiento preparándome para la Iluminación. En mi cama de hotel, de madrugada. Insomne, pensando en Ti como siempre. De pronto algo reventó en mi tórax, como tapón que salta. En el acto, afluir de sangre a mi cabeza, campaneo en las sienes. «Apoplejía», pensé, mientras mis labios musitaban, lentamente –más «ese» doble que nunca– «Nerissa, Nerissa...». Pasó un tiempo de no sé qué tiempo. Tan consciente de mis sienes, por los latidos, que evoqué las tuyas, con tus cabellos dando cóncavo refugio a las conchas rosadas de tus orejas. Tu pelo hizo dorado el aletazo, y en ningún momento tuve miedo. Sí, en cambio, apasionada curiosidad, como si ya me asomase a la otra orilla. Con ojos dilatados de niño: ¿Y ahora qué pasa? *¿Ara a pacha?*, pronunciaba Miguelito cuando aún tintineaba en el suelo la taza que acababa de romper involuntariamente.

Gris, verde, dorada el ala transfigurante. No he temido a esos roces, no temeré el abrazo final. «Morir es acto específicamente humano», repetía Kafka a su amigo. Siempre comprendí a la esposa de Cecilio Peto, cuando éste vacilaba en cumplir la orden imperial de suicidarse. «Mira, no sufro», exclamó Arria, tendiéndole el puñal que acababa de hundir entre sus pechos. Más admirable aún, porque más sencilla, Coco Chanel llegando a su casa fatigada –seguía trabajando con setenta años– y dejándose caer en un sillón. Su vieja criada la miró inquieta y Madame Chanel, con una sonrisa, le dedicó sus últimas palabras: *C'est comme ça que l'on meurt.*

Me dejo caer en el mismo sillón de toda mi vida. Por la ventanita la alta torre de mi barrio con su disco rojo, tiempo y eternidad a la vez. ¿Por qué no viene la paloma? Aquí, a mi moridero, a mi esperanza. Tras mi última mudanza aguardo el momento para saltar y alcanzarte, Nerissa. Así será, todo viene preparándolo. La Gran Caverna de la Suleimanyé, tu advenimiento, la Novela III, transida de reencarnación. La boda de don Pablo, en *La espiral hacia dentro*, me garantizaba que yo no te había encontrado demasiado tarde. Incluso tu estado civil –¡qué puñalada, al enterarme!– se desvanecerá al otro lado. Pues Hannah estaba en ti, también llegaría yo a estar en tu compañero, con otro cuerpo digno del tuyo. «¿Te das cuenta de que entre los dos sumamos un siglo?», me dijiste. Lo peor no era ese total, sino el desequilibrio; mi edad neblinosa comparada con tu dorada madurez. Pero después no importaría.

Todo venía preparándolo, y de repente me dejaste caer. ¡Qué desplome! Mi amargura urdió la Novela IV, condenando a Luis a la impotencia, Ágata a los brazos de Safo, Pablo al despeñadero de los años. Hizo de Paco un cínico trepador, de la maga una celestina lúbrica... Llegué a escribir allí que la destrucción es más segura que el amor. Después lo taché, como otras blasfemias: «Mediante la tortura o el asesinato la hago mía, su mente incluso. Pero ¿cómo estar seguro de que no piensa en otro mientras la poseo, mientras jadea mis embates y ronronea voluptuosamente? ¿No me estaré derramando sobre un proyecto de cita con otro para mañana mismo, a espaldas de mi jactancia posesoria?»

Así se desahogó mi herida, bilis y veneno junto con la sangre. Taché esas frases, sí, pero quedó la historia en el harem de Solimán. ¡Insospechados antros! Revelación, en la edición de Eric Losfeld, por aquella fotografía del chino empalado, con el éxtasis iluminando su rostro. Iguales Larissa y Nardo en el suplicio del palo, uno frente al otro, en sus horas de agonía bajo la feroz mirada del sultán...: Era mi venganza aunque condescendiente a endulzarles el suplicio con el deliquio de mirarse, de caminar envidiablemente juntos a la muerte. Yo, desterrado de ti, envidiaba al empalado Nardo –al recordarlo me vuelve la emoción– y transfiguraba su agonía en un supremo desposorio. A cambio de reencontrarte y morir a tu lado hubiera bendecido el espetón traspasante, ardería en él como en candelabro sacro y viviría gozoso el desgarramiento de mis entrañas... El horrendo suplicio acaso inició ya mi vaciamiento, al hacer reventar mi absceso interior. El empalado ardiente preparaba ya el Almendro Ardiente, árbol traspasado por el fuego. ¿Por qué esta sequedad de ahora no ha de servir quizá para mi purificación, también llegada de tu mano?

Asoma la luna sobre mi insomnio, alta luna invernal ya en retirada. La pintó Rousseau sobre Pierrot y Colombina, etéreos en el bosque desnudo y glacial. No es la cobriza luna que vimos juntos emerger del Támesis, Nerissa. Hoy flota desangrada, transparente, irreal. Agujero en la noche para revelar la eternidad del Muro Blanco, más allá de todo lo visible. La Luz Absoluta habitando la tiniebla.

Al mudarme aquí me contrarió la orientación a poniente de la ventanita. Me negaba las lunas emergentes. Ahora las prefiero así, declinantes como yo. Las lunas llenas de sangre son para un Kavafis poderoso, marchando *sin fin concreto por la calle, como poseído todavía del placer ilegal, del prohibido amor que acaba de ser suyo.* Y yo, en cambio, desangrándome.

¡Hasta hoy; pero ya no! ¡La gotera! ¡Obra Magna del agua! ¡El gato no ha reencarnado en ángel ni en murciélago, sino en paloma! Sus desplegadas alas, mensaje de Nerissa; ¡Esperanza de Ti, tu advenimiento!

4. NEFERTITI Y EL CAZADOR DE LEGAZPI

El Almendro en llamas

OCTUBRE, OCTUBRE
Nefertiti y el cazador de Legazpi

Lunes, 6 de noviembre de 1961

Luis

El cofre de los tesoros, las huellas de mi vida, los compañeros de ruta, mis cosas de París, ¡por fin llegaron!, qué emoción encontrar el cajón en mi cuarto, apenas pude comer, ya estoy yo todo aquí, abrirlo reverente, lo primero aquel regalo de tía Hélène por mi buena nota en francés, *Sans famille*, de Malot; después sus favoritos, *Scènes de la vie de bohème* y Loti, *Aziyadé, Pêcheur d'Islande*, fascinada por lo exótico, escapaba con ello de su vida aprisionada, identificándose con «las desencantadas» de Constantinopla, y luego de pronto el contraste, en la caja de las postales el cinturón de Marga, la franja de seda púrpura que anudaba sobre su traje negro, creí haber quemado todo recuerdo de ella, sobrevivió escondido bajo esas postales, ahora me quema las manos, antes mi cilicio, me desafió a usarlo como corbata, pero me presenté con él al cuello, anudado como una chalina, mi dogal, creo que su sonrisa era sólo placer, no advertí crueldad, ahora me quema los dedos, pero lo guardaré, lo he salvado yo mismo en un acto fallido, como el de Águeda delante del taxi, aquella primera mañana, su sacrosanto deseo de morir, por eso me atrajo en el acto, parecemos impávidos hasta que estalla el volcán, mil años mudo y de pronto el Vesubio, el Hekla, el Krakatoa, el Monte Pelado, el Teide, emoción de reemplazarla anteayer en su academia, usar su silla, su mesa, recordando mis últimas clases en Argel, curiosidad de sus alumnos, saben bastante, buena profesora, el director no había llegado aún, ¡cuánto me costó convencerla de la sustitución!, pero aún estaba ella débil, don Ramiro se aferró al romántico suicidio frustrado, «cuando Águeda reflexione lo agradecerá a la Providencia», se equivoca pero le comprendo, su paso decidido, ¡es tan vulnerable!

El director, qué tipo, presentándose el sábado arriba en el estudio, a Águeda no le hizo gracia, estoy seguro, aunque trajo unas flores, menos mal que yo no me había atrevido aún, demasiada gente, la fatigábamos, el tal don Rafael ofreciéndose para todo, perfecto caballero, según don Ramiro, pero no, antipático, también para doña Flora, mucha labia andaluza con ceceo discreto, uñas manicuradas, bigotito a la moda de aquí, pañuelo blanco asomando recto como el del Doctor Calasans, tan seguro de sí, qué manera de engatusar a don Ramiro, «qué me dice usted, Gómes con *S*, qué distinguido, para un andaluz como yo también más fácil» (discreta risita), «pero oiga, también los hay por mi tierra, sí señor, con *ese*, menuda familia, de la Reconquista, un torreón con un escudo como la copa de un pino, ¡digo!, en Ronda», qué más quiso don Ramiro, feliz, que si otra rama, quizá de origen lusitano, el tipo ese llevándose de calle al pobre viejo, sonaba a falso, pero don Ramiro en el séptimo cielo, nos libró del fulano doña Flora, dos o tres frases intencionadas, retirada del intruso, ella lo disponía todo, muy cariñosa, ¡qué estilo, como tía Hélène!, aunque doña Flora más misteriosa, trasluce un pasado, «toda una señora», comentaba luego doña Emilia como si me adivinase, «no crea lo que le cuenten», sí como tía Hélène, por algo me la recordó la mañana de mi llegada, sus andares por la calle, Argel revivido.

Más y más libros, mitologías, orientalismo, los cátaros regalos de Max, en la última página aquel dibujo suyo, hubiera podido ser pintor, lo era todo, curioso, nada guardo de mis primos, viví entre ellos aislado, acercándome sólo a Losette, va poblando mi cama el rebaño de objetos, mis pobres posesiones, mi único patrimonio, qué es el hombre sin ellos, sin fetiches, algo tangible a donde agarrarse, algo diciéndonos, que no fue un sueño, aquella noche, la voz del gramófono, el mismo terciopelo que la de Águeda, allí era la de Damia en *J'ai perdu ma jeunesse*, ¡ay, el fonógrafo en la playa!, al pie del *cabanon*, al fondo rompiendo las olas, su fosforescencia bajo las estrellas, y aquella voz envolvente, *Il y a «Dame» dans Damia*, repetía el tío Augusto, al fondo titilaba el faro de Tarifa, las luces de un navío surcando el Estrecho, yo tendido en la arena, aún tibia, ya enfriándose.

Águeda, estatua yacente, ayer conmovedora tarde, tapada hasta el cuello, hondísimos los ojos en las órbitas violeta, excitada y agotada a la vez, repasando los ejercicios de los chicos, mis ojos hacia sus pies, los prodigios de mármol que reanimé, emoción de recordarlos en mis manos, cierto, su voz rica y profunda, modulada, su risa de garganta, para don Ramiro masculina, para mí seductora, Tere le trajo un té y volvió a marcharse, sentada en la cama, jersey gris de cuello enrollado, piernas cruzadas bajo una manta, no en la actitud del loto, sino en la *sattvaparyanka*, la posición noble, la mano derecha en *varada-mudra*, para conceder un don, su risa al oírse así descrita, yo adoptando sucesivamente las posiciones rituales, cómo se toma a la Tierra por testigo en la *bhumisparça-mudra*, terminé con la ofrenda en la *añjali-mudra*, y en verdad yo me ofrecía, desde mi escabel de esparto y piel de cordero, se llama *posadero*, «lo compramos en tierras toledanas», ¿por qué empleó el plural?, ¿con quién iría?, su francés estupendo, de haber nacido en París, su padre agregado aeronáutico en la Embajada, ¡con qué veneración le nombró!, ¡ay, los padres!, no esperaba yo lo que iba a ocurrirme, cuando le enseñé la foto de los míos, cuando le hablé de mi madre, su mirada de asombro, descubrí un misterio antiguo, ¿cómo no me inquieté nunca?, no pensar en ello, aferrarme a mis recuerdos, estos objetos y mis viejas ideas, mi base es muy precaria, no ponerla en peligro, todos tenemos secretos ignorados, tampoco ella sospecha lo de la nota de Gloria, cómo la escondí para ocultarla a don Ramiro, es mejor no pensar, recordar el aire de ayer tarde, declinó hacia otoñal patetismo, anegados juntos por líquida luz de ocaso, dorada, rosa, púrpura, malva, al final otra penumbra irreal dentro de las sombras, ingrávidos callamos, charcos de claridad en los ejercicios de sus alumnos, hora imprecisa, universal desarraigo, ¿en qué época vivíamos?, con los papeles sobre mis rodillas yo era un escriba egipcio, lo descubrí de golpe, ¡revelación!, casi me sentí el pelo rapado, el cuerpo desnudo, salvo el paño de esclavo a la cintura, un servidor de Thot, el famosísimo del Louvre, con sus ojos vidriados absorbiendo el mundo, ¡cómo me identificaba con él!, sin duda por la magia del crepúsculo, o aquel aire –si acaso lo era– en que flotábamos, felicidad colmada, yo en mi auténtico ser, en mi centro, reencontrándome, hasta se me olvidó el misterio emergido, yo era el de la playa feliz, el de tía Hélène, pero más sabio aún porque más desengañado, ¿será esto el retorno a mis fuentes?, y yo lo ignoraba: Luis el escriba, Lu-Iss, de Isis.

Más libros, en mi pasado predominan, ¿he sido hombre de papeles?, aparece el lapicero de tío Augusto, plata ennegrecida, hasta el final lo usó, y al fondo de todo, lo último es lo primero, como en el Evangelio, la cajita de anises que saqué de Madrid en el 37, redonda como una pastilla de jabón, al parecer hermética, un sencillo secreto para abrirla, oprimir por los lados, y dentro unos sellos de entonces, efigie de Pablo Iglesias, y la llavecita de la caja de música que me regaló mi padre, notas de un vals inolvidable, qué llanto cuando la tiró tía Chelo, porque se le había soltado la cuerda, no tenía arreglo, como si las cosas sólo sirvieran para ser útiles, como si no acompañasen, ayudándonos a vivir.

Don Ramiro irrumpiendo, incapaz de resistir la curiosidad, su expresión hostil ante la cometa china que he colgado de la lámpara, un murciélago, «¡pero si simboliza la dicha!, el carácter *fu* que lo designa es homófono del que significa felicidad, cinco murciélagos en círculo son *Wu Fu*, las Cinco Dichas: longevidad, tranquilidad, salud, riqueza y buena muerte, longevidad porque vive en las cavernas, duración de lo profundo», no comprende, claro, su prejuicio por influencia semítica, para la ley mosaica es animal impuro, «ah, entonces es distinto, yo soy cristiano viejo», pero no acepta mis dos grandes carteles, la Rueda de la Vida, *Samsara*, entre los dientes y garras de Yama, y el Vajradhara con su Sakti en la forma Yab-Yum, debe parecerle obsceno, mueve la cabeza desconcertado, como arrepentido de tenerme en su casa, ya amaina, pobre hombre, además su idea de convertirme, misión urgente, alaba mis pequeños mandalas, sí, son bonitos, su manía de llevarme a la fe: las imágenes sirven para acercarse a Dios.

Yo el escriba, ella la reina, claro, casi la diosa, Maha Arva Tara, la Verde y Benéfica, pero mejor una reina, más cercana, yo al pie de su trono, mi cálamo inscribiendo en el papiro sus deseos, dulces de obedecer, deliciosa servidumbre, qué revelación en ese instante del crepúsculo, cuando el mundo vacila en suspenso, bajé los párpados para no delatar mi gozo turbulento, cuando me atreví a alzarlos otro descubrimiento, no una reina cualquiera, sino precisamente la del escriba, Nefertiti, cómo no la había reconocido antes, delicado cuello, la cabeza erguida, proa del jersey enrollado, ojos grandes y algo separados, como levantados hacia la sien, no era maquillaje, y los pómulos altos, la tez oliva dulce, a veces sus párpados medio bajados, mitigando su mirar, ¿fatiga o defensa de íntimos secretos?, y cuando esos párpados se alzaban, por interés o asombro, qué fuerza, qué relámpago, oh Nefertiti, del Alto y Bajo Imperio, de la doble corona, y yo, felicísimamente, su escriba... Max me hubiera acusado, como siempre, de sakhtismo, de adoración a los principios femeninos, no le interesaba el amor de los trovadores, el *amour de loing*, cuando yo creía que era tan único en la historia se echó a reír, es desde antes el amor udhrita, el del poeta Jamil al-'Udhri, tradicional entre los beduinos yemeníes, el famoso Majnun enamorado de Leyla, cuando tras tantas peripecias puede al fin conseguirla se aleja sin tocarla, Max conocía el poema en la versión otomana de Fuzuli, ¿sería verdad que aprendió el turco durante aquel año misterioso de su vida?, desaparecido, sólo aquella postal enigmática, desde su vivienda en Katip Vefa Kadesi, una mezquita cercana, espléndida, ¿qué mezquita?, lo sé perfectamente y no puedo recordarla, no era la Azul, un verdadero hueco en mi memoria, ¿por qué?

Y aún más descubrimientos: de perfil Águeda es otra, ¿será ése su secreto: dos personas?, Nefertiti y otra muy distinta, ¿quién?, ¡al fin la identifiqué!, nariz fuerte, mentón audaz, delgados labios, ¡florentinos, eso la delató!, si se soltara su pelo recogido sería uno de los pajes en el cortejo de los Reyes Magos, capilla del Palazzo Medici, el fresco de Gozzoli, Lorenzo el Magnífico, modelo de uno de los Reyes, ¿quién sería ese paje?, ¿qué muchacha de la casa ducal?, ¿qué adolescente?, posible perfil masculino, casi confirmado por el jersey gris, su cota de malla, femenino aunque apenas insinúe los pechos, me colmaba el asombro, yo el escriba, ella Nefertiti y paje florentino, hombre y mujer (privilegio de dioses), de perfil afilada proa, de frente imperiosa mirada, me latía la sangre, ya era yo algo, su escriba, por obra de la magia crepuscular, ¿o el hechizo de Águeda?, desde ayer tengo un presente, casi me asomo a un futuro, desde mi pasado encarnado en estos recuerdos, estos objetos, obra del destino su llegada hoy, desenterrarlos yo en este momento, a punto de subir a verla, acompañarla a la academia, traerla después, no está para ir sola por esas calles.

¿Me asomo a un futuro?, ¿desafiaré mi pasado?, el secreto de mi vida, por qué la mujer tan difícil para mí, a veces podía hacer el amor y a veces no, por qué impotente ante Marga, cuando todo parecía ya posible, por qué me absorbió el Sena, descifrar el fuego eterno amenazando al niño que se toca instintivamente el sexo, la tía Chelo repitiéndolo a todas horas, el incendio del teatro Novedades, allí me quedé huérfano por causa del pecado, el de mi padre, «castigo de Dios» siempre en boca de tía Chelo, no hacer como los niños de la calle, el pipí sentadito para no tocarse, ¡qué pasado!, mi casa asesinada, yo el inocente con la culpa a cuestas, anatema la risa cruel de Marga, pero ahora soy algo, tengo un quehacer, descifrar ese misterio, las dos caras de Águeda, doble águila, cuál es ella, incitante problema, reventón de esperanza en un crepúsculo, primera ilusión en tanto tiempo, desazón, servidumbre, ¿acaso torturante?, no importa, bienvenida si me hace revivir, sirvo al menos de algo: el escriba ignorado.

¡Uf!, tumbarme. ¡Qué felicidad, qué bienestar! El mundo es confusión: nunca lo había notado. ¡Qué caos de gentes y cosas, qué torbellino! Medio mareada, como esta mañana. En la ducha. Menos mal que estaba Tere haciéndome el desayuno. Es adorable. ¡Qué pronto acudió al oír mi espalda contra la pared, adosándome para no caer! Me repuse en seguida. «¡Qué cuerpo tiene usted, señorita!», «¿Yo? ¡No digas tonterías! No tengo pecho.» «Yo tampoco, y he criado a tres salvajes.» ¡Es verdad; delgada como yo! Claro, sólo me fijo en las pecheronas. Para sentirme culpable, por lo visto. ¡Mira que ayer, lo de la madre de Luis!

Menos mal que salí acompañada por él. Los autos me aturdían. La calle toda aristas y color. Críos jugando en la Escalinata; sus gritos perforaban los oídos. María la del quiosco preguntándome; se ha enterado todo el barrio. Glacial el aire; cuánta prisa la gente. Risotadas de unas chicas. A veces se movía el suelo –pero Luis mi apoyo– al volver de la Academia.

Odiosas caras de satisfacción. ¡Todos encantados de sí mismos! Haciendo su buena obra; redimiendo a la pobre muchacha descarriada. La oveja negra. Tuvo una crisis; lógico. «Sola, sin el amparo de la familia, que es la base de la sociedad. Claro, con lo que trabaja. ¡No descansó en todo el verano! Pero gracias a nosotros...»

Los alumnos encantados por su clase del sábado. «¡Lo que sabe ese señor!», exclamó Pili, la gordita. ¡Mostraba un entusiasmo...! ¿Gustará a las mujeres? No da esa impresión y, sin embargo...

Lo mejor, los niños. Entraron con Tere el sábado, cuando mi desayuno. Me lo soltó la pequeña. «¿Es verdad que te querías matar?» Así de claro. Si la oye la madre, vaya azote. Para luego cogerla en el acto y comérsela a besos. Pedagogía de Tere: la ducha escocesa. ¿Y por qué no? Más nefasta la que padecí: no tocarme nadie. Mantenida a distancia. En cuarentena.

Empeñado en el taxi; yo empeñada en andar. «Encantaste a los chicos. Podrías dar aquí asignaturas de letras.» ¿Le brillaron los ojos al oírme? ¿Acaso por trabajar conmigo? Mi debilidad sugería ideas absurdas. «Pero no te deseo a don Rafael como jefe.» «Pues, anda, que Calasans.» Es verdad, un hombre no tendría mis problemas con don Rafael.

Don Ramiro a salvarme más que nadie. Consejo: necesito distraerme, Águeda al limbo. ¡Pero si lo llevo dentro, idiotas! «¡Es tan buena, la pobre! La mala era "la otra", ¿no cree usted? Vino a buscarla un fulano, se la llevó en un *Seat*.» Se le escapó a Tere: ya se fijan en los coches. Mateo necesita uno para sus cambalaches por los pueblos. De segunda mano, claro.

¡Curioso Luis! Me gustaría leer su tesis, aunque sea de literatura. Del simbolismo literario a los decadentes. Ayer..., ¡qué tarde fabulosa! Quizá mi debilidad liberaba mi fantasía. Viena y París contadas por él. Dos finales de un mundo, capitales de un segundo milenario. Simbolistas, *Sezessionstil*, *Jugendstil*, *Art Nouveau*..., fueron los coletazos, si lo comprendí bien. ¡Tan sugestivo! Y yo no tenía ni idea.

¡Qué gritos les suelta! «¡Estos hijos me van a matar! ¡Fuera de ahí, *desastraos*! ¡Estoy consumida!» Pero luego Tere se ríe y los niños sólo obedecen cuando les atiza. ¡Qué sano gritar, enfadarse, pegar!, ¡qué vital! Y llorar cuando te azotan, y reír cuando te besan. Pero se requiere un compañero para ese juego; no es un solitario con naipes.

Sus palabras en el cuarto oscureciendo. Después del fin de siglo, ideas esotéricas. Max, su amigo: decisivo. Ocultismo, orientalismo. ¿Cómo puede creer en eso? Resultaba divertido adoptando las posturas rituales; ¡qué complicación! Y yo, una *Tara*. Parecía insultante pero, entre veintiuna deidades protectoras, yo la Verde, patrona del Tíbet. La Blanca es de Mongolia. Prefiero la Verde. ¡Buena estoy yo, pobre desvalida, para proteger a nadie!

La mala era la otra, la que huyó en el *Seat*. Yo soy la buena, ¡tan seria! No hay quien me libre de esa etiqueta: seria. Me la clavaron al nacer en el Registro Civil. Águeda Quillán Montero: seria y desgraciada. *Mullier sapiens, var. infelicissima*. Arbusto útil, pero necesita podarse implacablemente. Flores invisibles. Jugo insípido y raro, pero inofensivo. No se reproduce; se obtienen nuevos ejemplares por mutación degenerativa de la *Mullier fecunda, var. temperamentalis.* Adorna poco, pero es robusta y soporta bien los climas adversos. No requiere muchos cuidados.

A esos niños no les han etiquetado. Cogen lo que quieren disputándoselo. Los críos de la Tere; es curioso, nadie les llama los de Mateo. Y eso que es hombre sanguíneo, violento. Ni son buenos ni serios como yo. Están vivos. Son libres.

¿Qué voy a ser, sino buena? Además, es cómodo. No sufrir es lo más parecido a ser feliz. Con Gloria, siempre en vilo. Asombroso cómo se ha borrado ella de mi cabeza. Debe de ser mi debilidad. Borra esa palabra de tus proyectos, Águeda: «Vivir.» Es peligrosa. La tentación; ya sabes. Si vuelve, recuerda: con Gloria, en vilo. Pero es difícil que vuelva.

¿Qué tragedia me contaba Luis camino de la academia? Cruzábamos Arenal. En el teatro Eslava, el mismo día de su nacimiento, 2 de marzo de 1923. Un periodista mató a otro de un tiro. Justamente pasaba por la puerta el padre de Luis, a buscar al médico para atender a la madre, ya de parto. ¿Qué más? Me falla la memoria, estoy rendida.

La pequeña de Tere. No tuvo inconveniente en confiármela. «¡Ahí queda esa fiera, no se queje luego; usted lo quiso!» Un cachorrito. Gateaba por mi cama. Bajo las sábanas me tocaba. De pronto su manita encontró mi pecho y acercó la boca. ¡Qué confusión la mía! Le asombró mi rechazo. Esa niña grande es tonta, debió de pensar; no sabe jugar. Debí reírme, pero me sentí culpable.

¿Y este otro niño? ¿Este solterón argelino que me cuidaba ayer como a una hermana? Siente curiosidad, claro. Observa al bicho raro, la mujer ambigua. Le habrán dicho de todo y más. Y leyó la nota de Gloria, estoy segura. La escondió él. Pero no está ufano de sí mismo; no es un don Rafael. ¡No, no es como todos! ¿Qué le habrá hecho volver después de tantos años? Sospecho que también es variedad *infelicissima.* Si no, ¿cómo se dejaría manejar así?

La foto de sus padres. Amarillenta. El hombre con bigote, alto cuello duro de la época, una perla en la corbata. Ella delgada, el pelo corto. «Era inglesa, un peinado prerrafaelista.» «Tu padre tenía unos ojos pícaros.» «¿Pícaros? De ningún modo. Era un hombre muy serio. Dirigía los coros del Teatro Real y...» Interrumpiéndose, como si recordase algo contradictorio. ¿En qué quedamos? De la madre hablaba con adoración. Guarda la memoria física de su pecho: algunas noches, medio dormido, la almohada se lo recuerda, tibio, blando, acogedor. Yo contemplaba estupefacta la fotografía: el busto de la inglesa, una tabla. Se quedó cortado. ¿No lo veía él?

En el bar, al regreso, viéndome levantar la taza de café. No había notado antes que soy zurda. Más bien ambidextra, porque reprimieron mi tendencia, como todo. Pero prefiero la izquierda para escribir. «En Inglaterra conocí a bastantes»: trataba de consolarme. Claro, hay más libertad. Mi problema con las tijeras de costura, diseñadas para las diestras. No había caído. Eso es lo peor, no perciben que este mundo está hecho para hombres, diestros y blancos; las mujeres, los zurdos y los negros somos residuales. Marginados, como se dice ahora. Y tantos otros. Odioso. Ni siquiera se sienten ellos culpables, porque ni se dan cuenta. El orden impuesto es el natural; los demás somos los «anormales». Sin derecho a la vida.

¿Solterón? ¿Y por qué solterón; qué sé yo? Aunque no lleve anillo... No está mal, en estilo serio: de mi misma raza. Por lo menos es alto, aunque algo desgarbado. Me recuerda aquel novio de Tomasa; luego dio el pego: de serio, nada. Se casaron por compromiso, embarazada ella. A lo mejor éste tiene también su alma en su armario. A ratos me desconcierta. Mejor; más divertido. Así no pienso en la pobre Águeda.

Él sí que se desconcertó por mi asombro ante el retrato. La foto del busto plano contradecía su recuerdo de un pecho generoso. Pero él no lo había advertido nunca. Ofuscado por su memoria. La mujer de la foto era su madre, sin duda. ¿Entonces el seno recordado, aquella almohada de carne? Interrogándose tan intensamente me daba pena. Quizá yo tampoco hubiera caído en ello de no ser por mi obsesión con los pechos.

La arañita en el bar, ahuyentada cuidadosamente por Luis. Una pobre *Epeira* que morirá pronto, dijo. Ya es raro haberla visto en noviembre. ¡Resulta que le encantan las arañas! Su cita de Bacon: los empíricos son hormigas que recogen y gastan, mientras que los racionalistas son arañas, fabricando la tela con su propia sustancia. ¡Con la propia sustancia! En cambio, las abejas... «Odio las abejas –le corté–; siempre de modelo.» Se desconcertó, ¡qué gusto! Le volví a poner en marcha fácilmente, como a un muñeco de cuerda.

Sí, le encantan las arañas. Madres amantísimas. «Pero ¿no se comen al macho después?»: mi dulzor venenoso. Impasible: «No hay amor más total.» Tono de éxtasis. ¡Eso sí que no me lo esperaba! «Como los cristianos –prosiguió–, comerse a su Dios por amor.» Inútil tomarle a broma. Su plena seriedad: «¿Por qué no han de ser ellos felices, al entregarse así, tan totalmente?»

Su amigo acercándose. Ese tantas veces en el banco junto al quiosco. Don Pablo Abarca. ¡Qué casualidad, autor de un artículo sobre aquel crimen del Eslava! Detalles fascinantes; drama psicológico. ¡Qué imprevistos, la vida! Amigo también de doña Flora. Sabe de mí, seguro. ¡Y yo creyendo vivir aislada, ignorada!

La paciencia de las arañas. La de los chinos. También sabe Luis mucho de chinos. Orientalista. «¡No tanto!, sólo aficionado.» Cree en el *Tao*: todo es doble, cada cosa contiene su opuesta. ¿No vive un poco en las nubes? ¡Ya decía yo!: don Rafael le ha propuesto dar clases. Claro, la reacción positiva de los chicos. ¡Tiene un olfato para detectar gente explotable! Esclavos. Hormigas obreras, como yo. ¿Será éste también hormiga de mi especie? Bueno, mejor; así tendríamos una amistad sin complicaciones.

Siempre vuelve a sus mitos: la cultura empieza con la prohibición del incesto, ese tabú es lo que separa al hombre de la naturaleza. Me asoma a otro mundo. *Homo intellectualis* y, desde luego, infeliz. Tiene las manos alargadas. Y buen gusto para las corbatas. Bueno, para la corbata: los tres días la misma. Acaso no tenga otra, el pobre; no deben pagarle mucho en IDEA. ¡Mira que si fue un regalo y el buen gusto es de otro! O de otra, claro. Pero no parece mujeriego.

Se me va la cabeza, ¿de qué me hablaba aquí mismo, al despedirnos?, ¿qué es lo que quisiera ponerse a estudiar, pero ya es tarde? «¿Por qué es tarde?» «¡Mi vida ya está acabada!» Respuesta categórica, cargada de razón. No, no hay mujer... Me caigo de sueño.

QUARTEL DE PALACIO

Don Pablo abre los ojos a la oscuridad y ausculta ese habitado silencio de las casas viejas. Las campanas de Palacio dan tres cuartos. Casi las siete; no necesita mirar el reloj. Hoy se ha despertado más tarde que de costumbre, porque tardó en dormirse después de orinar la última vez. Suspira: siente la cabeza pesada. Antes, esas campanadas iban acompañadas por otras: Santiago, San Ginés, la Encarnación; en verano se oían incluso las de los carmelitas de Ferraz. Curiosamente, las de la clausura monjil eran las más alegres; las de San Ginés, más solemnes. Aquella campaña contra las campanas, en los primeros tiempos de la República, ¡qué irritante torpeza! ¡Como si no abundaran ruidos más molestos!

¿Cabeza pesada? No; más bien la mente traspasada por una obsesión. Hasta mientras duerme sigue dando vueltas a lo mismo. Hace unos días tuvo un sueño muy concreto. No quiso anotarlo al despertar, como otras veces, precisamente para olvidarlo mejor, pero no ha conseguido borrar lo esencial. Aquel inmenso páramo con una casa al fondo como un faro, el del santanderino Cabo Mayor, hacia donde él caminaba horas y horas sin alcanzarla nunca; aquella angustia de pensar que nunca llegaría, en castigo a no haber dado limosna a aquella vieja, leguas atrás...

Aunque está solo en la casa, se levanta siempre a oscuras. Adquirió ese hábito en el cuarenta y uno, para no molestar a su madre, ya muy enferma. Además, aunque encendiera tampoco vería mucho. Se pone la bata, coge sus cosas de la mesilla. Ya en el cuarto de baño, da la luz y se mira al espejo. ¿De quién es esa cara? Dice llamarse –como escribiría un notario– Pablo, don Pablo. Bautizado Saulo, como Saulo Abarca, el bisabuelo marino. La madre no quería; transigió decidida a llamarle siempre Pablo. Pero poco antes de morir, recuerda ahora el hombre ante el espejo, su mano sudorosa entre las del hijo, murmuró claramente, como quien repara un pecado, «Saulito». Su última palabra.

Esa cara en el espejo, borrosa por el velo de las cataratas, ¿es el Pablo de siempre? Lleva unos días moroso, río indeciso («como resistiéndome a avanzar», piensa, pero se niega a admitirlo), viviendo en el pasado, en un manglar de memorias. ¿Era en *Soy un fugitivo*, aquella película de Paul Muni, donde alguien huía por una ciénaga enmarañada? Recuerdos como lianas («bejucos», decía su madre con su habla de la Cuba española), como algas o sargazos... Ninguno agresivo, pero entre todos paralizantes, inoculando una gustosa melancolía, una morbosa delectación por lo inasequible.

No le atrae el libro donde quería buscar asunto para un artículo, mientras permanece sentado en la taza del retrete, intentando la operación cotidiana. O casi cotidiana, porque eso es la vejez: inseguridad creciente en los actos fisiológicos más espontáneos (una próstata dejándose ya sentir) y no digamos en el amor, cada vez más espaciado. Los dientes descarnados, la caspa –cepillar a diario el cuello de terciopelo del gabán–, los dolores en las coyunturas... La progresiva desintegración de la máquina.

Sigue afeitándose con navaja, heredada de su padre, con el semanario de cuero y el mismo suavizador de mango. No ve, ni lo necesita: se guía por el ruido del acero en la barba. ¿Quién sabrá afilárselas cuando muera el viejo vaciador de la calle de las Hileras? El propio Tomás lo anuncia: «Después de mí, don Pablo... A lo mejor, la próxima vez ya no estoy.» Don Pablo respondió con optimismo, mientras pensaba que igual podía no volver él. Se pasará a la cuchilla, porque ensayó una máquina eléctrica y no le convenció.

Se ducha. De niño era el baño semanal; una operación complicada. Lo más bonito, tras los juegos con el agua, el final: la madre secándole con la gran toalla, poniéndole el pelele y la batita y echándoselo sobre el hombro para llevarle a cenar a la cocina, antes de acostarle. Después, de colegial, la ducha como deber de limpieza. La ducha como placer no la descubrió hasta su historia con Vera, en 1934. Con Mercedes, quince años antes, no había gozado estos lujos. ¡Cómo ha eliminado el progreso los olores de alcoba! ¿El progreso? Ahora, la ducha es quitarse del cuerpo exudaciones seniles y como escamas de pez. Antes era lluvia sobre un prado; ahora es limpiar la ciudad, arrastrando todo a las alcantarillas.

Abrigado otra vez con la bata, apaga y sigue el largo pasillo hasta su cubil, junto en el chaflán de la esquina, encima de la entrada al desaparecido *Café Español*, con su pianista ciego. En la puerta se detiene, indeciso. Antes iba derecho al balcón, lo abría para «oler» la madrugada, sentir en la cara el frío estimulante, oír el lejano rodar de algún auto. Después cerraba y, a lo mejor, un disco. Sabe dónde hallar los mejores: por ejemplo, el gran álbum de Beethoven, por Schnabel. Y a sentarse con los auriculares puestos; a veces, con la partitura bajo la lamparita.

Ahora sigue en la puerta. Dudaba hace un momento ante su propio rostro; ahora vacila ante su propia guarida, su refugio, el sitio donde nadie podía tocar nada... De pronto, como si lo acabara de descubrir, recuerda que ese salón no sólo guarda su huella. Fermina limpiaba, después Gervasia, durante la guerra.

¿Acaso no se nota? Las viviendas absorben en sus

muros pátinas de los sucesivos habitantes, superpuestas como capas de cal en un cortijo andaluz. Éste no es ya del todo *su* cubil. Como la fiera percibe el olor intruso, así él desde la puerta... Lo achaca a aquellos evacuados, dos años y medio, desde octubre de 1936 hasta el fin de la guerra, gentes de un pueblo toledano. María le ha contado qué deliciosos melocotones confitados hacían al principio. Dos matrimonios emparentados, más una vieja y tres hijas mayores. Cuatro hijos en el frente, que de vez en cuando se presentaban de improviso, hasta que fueron dejando de venir, porque sólo sobrevivió uno, y quedó separado en Cataluña. ¡Qué invasión! Y, lo peor, milicianos eventuales; aquel capitán viviendo –¡Señor!– junto a María, aquel hombre cuyo recuerdo emerge del fondo de los años para herirle como un reproche... Pero no; María y Gervasia vivían replegadas en el cuarto del patio, junto a la cocina, defendiendo la oculta puerta que ellas mismas tapiaron con Roque para disimular una habitación entera, donde escondieron lo de más valor y lo más personal... Gracias a María se salvaron todos esos muebles instalados en 1904: el escritorio de su padre, la librería isabelina de caoba, el sillón de orejas, la larga mesa española en el centro, con un velón y una salvadera, la valiosa alfombra de Cuenca, aparte de adquisiciones posteriores con gran significado para él: la reproducción del Baroja de Juan Echevarría, la del *Paisaje con la muerte de Ícaro*, de Brueghel, la adorable *Bárbara de Vlandenbergh*, por Memling, y la fotografía del Solana con Ramón y su tertulia en la cripta de Pombo. Más los libros, las colecciones de revistas... Testigos de su pasado.

Como en las pátinas dejadas por la vida en la pared, en la mente de don Pablo hay también varios niveles. Hace un esfuerzo para ser honrado y llegar al más profundo: lo importante no es haber salvado unos objetos, sino el hecho de que María viviese en la casa tres años dramáticos. No fue María «haciendo», sino «estando»;

no su obra, sino ella: su respiración, sus ademanes modelando el aire, sus ensueños y pensamientos, el eco de sus palabras. Esa presencia de María, en su casa, en su memoria... Desde siempre, pero descubierta ahora. ¡Qué sorpresas, la vida! ¿Qué vida? Cada una es muchas. ¿Cómo será el Pablo de María? ¿Qué tiene que ver con el de Madero, el de Florita, el de Ildefonso, el de tantos y tantas? La biografía que suponemos única se disuelve así –¿o se multiplica?– en cientos de vidas. Pero no se puede vivir más que una. ¿O sí? ¿O se puede vivir además la de otros, la de otra?

Como situado de golpe ante un precipicio, don Pablo siente el vértigo de su soledad. Y lo peor es haberla creado él mismo, como el gusano de seda su capullo, tendiendo hilos a su alrededor y encogiéndose dentro, en posición fetal, el cordón umbilical terminado en sí mismo, en el Pablo vuelto hacia dentro. Ahora lo descubre, en un relámpago que rasga esos hilos y le deja desnudo ante la verdad. Don Pablo se pregunta: «¿He vivido?» Y luego, más patéticamente aún: «¿Es tiempo todavía?» «¡María, María!»: se le escapa ese grito de socorro, estallando en lágrimas. Y se deja caer en su sillón.

Muchos años y muchos pensamientos después ya ha amanecido. Gira en la puerta del piso el llavín de la señora Josefina, la asistenta... También de ella, ¿qué sabe? Sólo la existencia del hijo que le amarga la vida, ese Alejandrito vago y cínico al que adora. Pero Pablo sospecha que ella ha vivido. Recuerda aquel suspiro –lava de volcán insospechado– ante el retrato de Arturo, en uniforme de alférez de navío: «Mi marido también era muy guapo.» La voz apasionada, pronto recaída en la resignación.

Con los primeros pasos de la asistenta, Pablo evoca su reciente reencuentro con Susana, que le dejó una indiferencia honda y una impresión de ser la última vez que hacía el amor, sin importarle gran cosa. ¡Ay, ahora sí le importa! ¡Nada de última vez! ¡Todavía es un hombre! Pero ¿puede ofrecerse gallardamente? Lo cree y a la vez lo duda. Una duda corrosiva. ¡Por Dios, que venga pronto Josefina con el desayuno, que le hable, le obligue a pensar en otras cosas, le eche a la calle mientras limpia, le impida cavilar!

Sale en cuanto puede, y da un paseo por el barrio, esperando quizá charlar un momento con Feli, pero la ciega no está todavía en la puerta de Santiago. En cambio, si hubiera entrado en la tienda cercana, se habría encontrado con un pequeño cónclave.

–¿Qué, cómo sigue la señorita Águeda? –pregunta el señor Urbano a Tere, mientras le despacha.

–Ya está bien.

–Me alegro –tercia Marta, la tendera–. Con aquella golfa no hacía más que repudrirse.

–Tanto como golfa... –defiende su marido.

–Tiene razón su señora, señor Urbano –replica Tere–. La Gloria se pasaba el día en la cama. Y una mujer a la que le tira el catre de esa manera, ¿qué va a ser? Digo yo.

–¿Es verdad que se quiso suicidar? –pregunta la huevera–. Tú estabas allí, ¿verdad, Tere?

–Sí estaba..., pero el médico dijo que no. Ni hablar.

–Claro –interviene Urbano–, ¿cómo se va a matar por eso una mujer como ella que, vamos, podría tener hombres a puñados?

–Empezando por ti, ¿verdad, charrán? –increpa Marta mientras cobra a Tere y se avía–. Anda, anda, que cuando ella viene se te cae la baba y no paras de darle conversación.

Las parroquianas ríen, mientras la señora Marta se echa a la calle. Va a la peluquería para restaurar su complicado peinado. Es su vicio, quizá porque su marido es calvo. Tere sale con ella para volver a su casa. Llegan juntas hasta el portal y, antes de seguir su camino, la señora Marta pregunta a Lorenza por su Ildefonso: el pobre, con sus achaques. Vuelven a hablar de Águeda.

–Acaba de salir. Lo que no le va –comenta Lorenza– son esas medias gordas y negras que lleva ahora. ¡Si las calzan igualitas en mi pueblo!

–Son la moda –corrige Tere–. No son medias, son pantis. Enteras hasta la cintura.

–Vamos, unas bragas hasta los pies –traduce Marta.

–¿Y todo cerrado? –se asombra Lorenza–. Pues ¿por dónde se respira con eso?

Ríen las otras dos.

–Pero ¿usted por dónde respira, señora Lorenza? –pregunta Tere.

–¿Yo? Por todos los sitios que puedo, como Dios manda. Los agujeros están para algo, me parece... Así se comprende que a la pobre le haya *dao* el gusto por la otra acera.

–No tenía ese gusto; eran compañeras –defiende Tere.

–Vamos, vamos; verde y con asas... –insiste Marta–. Yo no soy mal pensada, pero ¡cómo cuidaba a la Gloria! Como a pichoncito en palomar.

–Tampoco hay que *desagerar* –suaviza Lorenza.

–Y aunque fuese una pasión de ánimo –justifica Tere–. Siempre tan sola, algún arrimo había de buscar. Pero más buena no la hay. ¡Si vieran cómo quiere a los niños! Abraza a los míos como usté y como yo. Como una madre.

–Es que el instinto, es el instinto –sentencia Lorenza.

–La vida tiene muchos raíles, digo yo –continúa Tere–. Todo le pasa por no haberse tropezao a tiempo con un hombre de verdá. Cuando se tope con él...

–Uno como tu Mateo, vamos.

–Sí, señora: como mi Mateo. Más hombre no hay.

Mientras las buenas vecinas dictaminan, don Pablo se ha encontrado en *La Ópera* con su nuevo amigo Luis Madero, acompañado por una interesante mujer, a la que cree haber visto antes. Se sienta con ellos y sigue su conversación sobre el drama del teatro Eslava donde, en

1923, Alfonso Vidal y Planas mató de un tiro a Luis Antón del Olmet. Pablo recuerda el suceso que evocó en una reciente crónica. Precisamente él estuvo aquella tarde en el café de *Puerto Rico*, y había visto a Vidal y Planas en otra mesa, discutiendo con un amigo, hasta que salió violentamente del café. Entre tanto, Antón del Olmet estaba en la imprenta del *Heraldo*, dando el original de su sección diaria *«Pandemonium»*. De allí se fue a su cita con la muerte; es decir, a Eslava, para ensayar su obra *Capitán sin alma*. Al día siguiente pensaba marchar a Barcelona para estrenar *Responsables*, prohibida primero por sus alusiones políticas y después autorizada. Aquella tarde, recuerda don Pablo, llovía bastante.

Define a los personajes. Antón del Olmet era arrogante y desenfadado; Vidal y Planas, por el contrario, menudo y nervioso. Se habló de una mujer llamada Elena que, al parecer, había dejado a Alfonso por Luis. «Estalló el tímido dominado por otra personalidad más fuerte –enjuicia Pablo–. Vidal y Planas era además un solitario sentimental, lanzado rápidamente a la fama por su drama *Santa Isabel de Ceres*, una historia de burdel y daifas, como se decía entonces, donde se idealizaba a las mujeres de mala vida.» Luis recuerda a su tía Chelo comentando años después el suceso como el castigo divino por haber escrito esa obra, lo que aprovechaba para poner a Luis como modelo la vida de San Estanislao de Kostka, pues la señora frecuentaba los jesuitas de la calle de la Flor.

«¡Qué curioso que la víctima fuera el fuerte, el condecorado, el cantor del Ejército de Marruecos con su libro *Tierra de promisión (catecismo de la Raza)*! –sigue Pablo–. Era jactancioso; en ese libro hay una fotografía cuyo pie reza, desafiante: "Antón del Olmet avizora a Mannesmann y le dice: También España es europea." ¡A Mannesmann, nada menos, que intentaba quedarse con el mineral de hierro del Rif! En cambio, el matador vivía, según los periódicos, dominado constantemente por su víctima. En *El Sol* del día cuatro, Araquistain daba una interpretación social del suceso, afirmando que "una de las especies más abundantes y funestas de la sociedad española es el monomaníaco de la valentía". Quizás una alusión a la dictadura militar, que sobrevendría meses después, y de la que ya se hablaba por entonces.»

A la misma hora, en el distante barrio de Legazpi, dos hombres almuerzan en *El Serrallo*, un bar del final de Delicias, frecuentado por camioneros que descargan en el gran mercado de Madrid. El nombre de la taberna se lo puso el propietario hace unos años porque, habiendo nacido en Ceuta, le sonaba bien, sin conocer su significado. Y los que están despachando unos huevos fritos con pisto y unos callos son Paco Cáceres, nuevo conocido de Jimena Gomes, y su amigo el pamplonica Ignacio, conductor de camión. Siempre que éste viene a Madrid procura encontrarse con Paco, al que quisiera atraer a Comisiones Obreras, recién constituidas en Navarra. Ahora mismo está volviendo a la carga. A Paco no le interesa el proyecto.

–Eso de la política es un juego para señoritos. Yo, si algún día me meto, será sólo porque me joden los uniformes. Todos.

–Pero ¿no comprendes que si no nos organizamos no cambiaremos nada?

–Ni organizaos tampoco. Con los ricos no se puede hablar. En palabrería ganan siempre. Ellos lo tienen todo, y están a guardarlo. Nosotros, a quitarles lo que podamos, como sea. Ya nos lo robaron ellos antes.

–Nosotros también quitamos.

–Ilusiones. Eso tiene que hacerlo cada cual: con sus reaños.

–¿Solo? –ironiza Ignacio.

–O contigo y otros, pero nuestra manada. Sin carnés ni votaciones, ni sindicatos, ni todos esos inventos de los ricos para manejarnos.

La discusión, como siempre, no conduce a nada. Los dos amigos se entienden bien, aunque en su primer encuentro por poco tuvieron una pelea seria, por un malentendido sobre la carga del camión; pero sus idearios son distintos. Mejor dicho, Paco no tiene ideario: vive y ya está, nada menos. Y su concepción del vivir es muy sencilla: la misma de los animales en su tierra. Primero, comer y calentarse. Luego, hacerse un sitio entre los demás; hay animales que se someten siempre por su propio ser, y otros que dominan. El hombre, cuando es pobre, nace *achantao*, pero en él está el levantarse, con algo de suerte y mucho coraje. De la política le desengañó además su abuelo, que puso las esperanzas de su juventud en el anarquismo para verse luego abandonado por los pocos supervivientes. Porque, además, los pobres que ya eran hombres en 1936, hoy están muertos –como el propio padre de Paco– o en presidio, si no han salido destrozados.

Además de comer y calentarse, llega un momento en que el hombre necesita a la mujer, y esa motivación guía en este momento los pasos de Paco, tras separarse de Ignacio. Su audacia le ha resuelto ese problema siempre, como en el campo, desde aquella iniciación en Doñana que él sería incapaz de contar, tal como la siente. «Nunca he pagao por una mujer»; se jacta; no le ha hecho falta. Desde que llegó a Madrid tiene sus apaños por Legazpi, y más de una noche ha resuelto la cuestión en la litera del camión de Ignacio, aparcado entre tantos. No se anda con requisitos para darle gusto al cuerpo, y para dárselo a ellas: por eso se llenan de gozo al verle volver.

Paco lleva su reloj en la muñeca y viste su gabardina, signos externos de no ser un recién inmigrado. Debajo, jersey de cuello alto y pantalones de pana. No le gustan los vaqueros de moda; son de señorito, y él es campero. Las botas lo dicen, también, aunque no son las que Paco quisiera, porque son de soldado, cambiadas a un gitano.

Así vestido, camina con su aplomo de siempre, en busca de Mariluz, una chavala que ayuda en la cocina de un restaurante barato. Ya estará a punto de concluir su faena y, como otras veces, bajará con Paco a un sótano que sirve de bodega y almacén. Es buena trabajadora, y los amos hacen la vista gorda en cuanto a lo que haga con su novio, con tal de que sea discreta.

Por el camino, Paco piensa en Jimena, inocente provocadora de las urgencias de hoy, porque ayer fueron al cine juntos por primera vez, aunque ni se permitió cogerle una mano. Jimena, tan lejana, sin embargo, de este mundo de Legazpi y de los apaños de Paco. Legazpi es el territorio de caza; lo otro es... Si el mozo tuviera en su vocabulario esa palabra le llamaría «el ideal». Jimena es la Blanca Paloma, como nombran los andaluces a la Virgen del Rocío. Es aquella vaquita blanca que tenían para la leche de la casa, adquirida de ternerilla recién destetada y acostumbrada a jugar con todo el mundo. Tan mimada, que se asustaba de los toros, de su negrura, de sus testuces graníticos y peludos, de sus bramidos en celo, de su potencia. Jimena es también una fuente de agua exquisita que hay en un pueblo de su mismo nombre: Jimena de la Frontera, el único gran viaje infantil de Paco. Ayer se lo dijo: «Tienes nombre de pueblo, chiquilla», y se lo explicó. «Me gusta», añadió sin decir por qué, aun cuando tampoco hizo falta: Jimena, la mujer, se dio cuenta. Jimena es además una yegua pinturera para pasearla por la feria y para tener lindos y bravos potrillos. En fin, Jimena es el bocado más fino y deseable que Paco puede concebir.

Su caza por Legazpi es otra cosa: cualquier piel suave, nalgas rotundas, muslos ágiles, unos besos, un trote, un galope, una explosión y un fugaz recuerdo. Desgraciadamente, en el restaurante le dicen que Mariluz no ha ido hoy a trabajar. Se fue el domingo de excursión con una pandilla, se mojaron con la lluvia y se despertó con fiebre. Paco sonríe socarronamente al imaginar la clase de excursión.

No es su costumbre resignarse, sin embargo; no es la primera vez que ha sustituido un programa por otro. A esta hora empiezan a abrirse las tiendas, y muchas mujeres salen de compras. Paco emprende una descubierta, más cazador que nunca. Planea sobre ellas como un gavilán, dejándose guiar por su instinto. Algunas miran a ese mozo de ojos como carbones, dientes tan blancos y actitud predatoria. Las más experimentadas suspiran con disimulo; saben que hombres así son raros. Las más jóvenes ignoran lo que les pasa, pero acentúan inconscientemente su contoneo bajo ese mirar selvático, deseando que, tras de cruzarse con él, sus nalgas retengan los ojos del macho. El milano, entre tanto, detecta y sopesa inconscientemente tales reacciones a su paso.

Sabe que es buena hora; los hombres están en el trabajo, los niños en los colegios. Porque prefiere las casadas; se sorprenden menos, están más frustradas y más abiertas a cualquier relámpago que rompa la grisura monótona de sus días. Se saben a sus hombres de memoria, y la rutina banal de algunas noches, antes de dormirse; saben que el que no las engaña ya es porque no sirve ni siquiera para eso; porque no se atreve o no encuentra con quién. Y su pobre horizonte se reduce al desesperante trabajo de la casa, la lidia con los gamberros de los niños, a veces con la suegra, y la competencia con las vecinas; dichosa la que tiene al menos una buena amiga de verdad. Ésas son las presas habituales de Paco, aunque él no se moleste en tanto análisis. Se limita a mirar, a buscar los signos, los andares capaces de delatar una entrepierna cálida, los pechos comprimidos retando las miradas y, sobre todo, los ojos, las caras. Si nota algún interés, busca la alianza de casada en la mano, porque una experiencia anterior le disuade de las solteras. Cierta vez, por la misma calle de Santiago, recién llegado de trabajar con

Mateo, siguió a una criadita pulida como una joya, que ante la puerta del piso se dejó besar, pero advirtió que estaba dentro su señorita, creyendo librarse con eso. Paco, sin contestar, se la llevó en volandas hasta el último rellano de la escalera, y allí la poseyó sin demasiada resistencia, ante la cerrada puerta de la azotea. Al final ella pareció darse cuenta de lo que acababa de pasar y, aunque no era virgen, se echó a llorar. «Si me has hecho un hijo, me pierdes.» Paco la miró asombrado: «¡Qué cosas! ¡Qué tiene que ver un hijo...!» Ciertamente, para él un hijo era ajeno a aquello. Pero desde entonces prefiere las casadas.

Al fin una mirada devuelve la suya antes de desviarse temerosa, se fruncen unos labios, enrojecen ligeramente unas mejillas. La mujer, transportando una bolsa con comestibles, se mete en una tienda. Paco, recostado contra una acacia en la acera, la espera a la salida. Está buena; delgada pero firme. Y acuciada por la misma necesidad que él: Paco lo percibe siempre, como los caballos libres de la marisma lo olfatean en las yeguas. ¿Treinta y cinco años? No más. Cara fatigada pero ávida. Ojeras. La mujer sale con otra bolsa más. No hay duda: ha mirado ante todo a ver si estaba el hombre. Primero sonríe, pero inmediatamente se detiene; vacila como para volver a entrar en la tienda. Eso es bueno, piensa Paco, y avanza con audacia: «¿Quiere que la ayude a llevar eso, señora?» Sus dientes prometen, sus ojos garantizan, su voz sosiega: «No desconfíe: soy amigo del señor Cortés.» (Ha leído el apellido en el rótulo de la tienda. ¿Qué importa si ella sospecha que es mentira?) Con gestos suaves, como para tranquilizar a una jaca, retira de su mano la bolsa más pesada, acariciándole los dedos al mismo tiempo, sin que ella haga nada por impedirlo. La mujer tiene que echar a andar, so pena de llamar la atención. Paco camina a su altura.

De pronto, el paso vacilante de ella se vuelve otro.

Decidido, con un objeto. Tuerce por la primera esquina, se detiene en la siguiente, señala un portal con un gesto en la cabeza, sin querer acercarse más, tiende la mano para recoger su paquete. «Muchas gracias. Yo vivo ahí.» Paco no suelta la bolsa, sonriente, responde: «A las mujeres como usted, las sirvo a domicilio.» Sus ojos lo dicen todo. Los de la mujer se clavan en él, inquiriendo todavía, con una última y ansiosa incertidumbre. Al fin se entrega: «Segundo interior –dice–, espere un poco.» Y le vuelve la espalda dirigiéndose al portal.

Un ratito después sube Paco las escaleras como un gato. No necesita llamar: la mujer abre. Ha tenido tiempo de soltar la bolsa, de quitarse la rebeca de lana que la abrigaba y, sobre todo, de arreglarse un poco el pelo. Pero todavía, por prudencia, tiene en la mano un portamonedas, como para remunerar un sencillo servicio de portes. Paco, muy suavemente, se lo quita de la mano y lo coloca sobre una mesita junto a la entrada. «Pero ¿qué quiere usted?», necesita ella decir todavía, desde su último reducto, ya rendido. «Lo que tú», responde la voz ahora en celo de Paco, sofocada y ronca, cogiéndola por la cintura y acercándola a él. Ella aún se repucha. «No está muy corrida», piensa el mozo complacido, y la calma. «Quieta, bonita, quieta.» Con la misma inocencia que cuando se revolcaba en el chozo con un cabritillo. Los cuerpos se tocan, se reconocen de frente uno a otro; las bocas se sueldan y se exploran, las manos de la mujer se aferran a la cabeza de Paco, mientras las del hombre acarician la nuca, recorren la espalda, tranquilizan las nalgas, las separan y abren en un anticipo. «¡Niña, cómo estás!» Las respiraciones se aceleran; la mujer siente contra su vientre la seguridad de que no se ha equivocado, de que está en los brazos de un hombre. Se desprende y da la vuelta, marchando hacia la alcoba: avanza lentamente, porque las manos acarician ahora sus pechos y desabrochan el traje, la boca besa su cuello, el empuje viril acosa su grupa. Es como una tienta para Paco, que susurra «donde tú quieras; verás lo que es bueno».

«Quiero aquí», dice, mientras retira la colcha del lecho conyugal, con un énfasis en el que Paco adivina la violencia de la venganza. Quién sabe de qué, pero, por supuesto, del retrato masculino, que mira desde la mesilla con su corbata de torpe nudo. Una vez desnudos, Paco tiene a la vista un cuerpo nervioso y deseable, de atractiva madurez y unos ojos ardientes que no admiten espera. Paco, sin embargo, la acaricia, juega, crea la confianza, detecta el gusto en el susto. No quiere sorprenderlas, no monta sin lograr antes la doma, la participación en el juego. Sólo entonces cabalga, instintivo y consumado jinete.

La despedida no suele ser difícil, salvo las obligadas promesas de volver, previo teléfono o sistema de acuerdo. Ellas quedan contentas, al haber recibido más de lo que esperaban, y aún más de lo que dan, pues para él no se trata de respirar nueva vida un momento, sino de calmar la suya por unos días. Además, ¿por qué no? A veces volver es agradable, aunque no demasiado: No caer en la costumbre.

Esa misma noche, mientras anchamente duerme Paco en su catre del almacén, un piso más arriba Jimena está despierta en la oscuridad de su cuarto, como el día anterior. Su salida con Paco el domingo (la primera vez que han estado juntos casi cuatro horas) le ha dejado en la piel huellas de insolación, y en la mente una obsesionada memoria. Lo esperaba así cuando llegara a ser; lo sabía desde que en agosto vio por primera vez al hombre. Este hombre que le pareció alto y maduro, cuando luego resultó de su misma estatura y casi su edad. Desde entonces se sintió acechada por los ojos bravíos, y se replegó deseando esa emoción tan ajena a lo de siempre: su casa, sus padres, su mundo. No puede haberla heredado de ese don Ramiro y ese mamá cariñosa, pero sumisa, aunque ambos sean ciertamente sus padres. Es como una pasión contagiada por ese hombre.

Ayer tarde pasaron cosas ya definitivas. Paco le preguntó con sincero asombro, qué veía en él para dejarle acompañarla; ella se limitó a sonreír: ¿cómo explicarlo? Luego la puso en guardia contra él mismo, muy serio, y paternalmente: «No te convengo, chiquilla. ¿A dónde vas conmigo? No tengo nada». Jimena volvió a sonreír: «Será que soy tonta.» Así fueron, comprende ahora, la declaración y su entrega. Ya no es ninguna broma de chiquillos; sino juego sagrado de mujer y hombre. Su hombre: sólo de pensar esas palabras, le tiembla el cuerpo en la cama y se le sofoca la cara.

Es verdad. Ese hombre huele a peligro, arrebata. Es un bandolero, un salteador de caminos. Tere cuenta de él vagas cosas referidas por Mateo, asombrado por el temple del mozo al tratar con los duros del mercado, los buscavidas, los gitanos, los quinquis, los que ofrecen cosas robadas. No es mercader, no chalanea: es un pirata, se impone. Leopardo acechando en el árbol, cayendo como el rayo. Es el milano y ella la paloma, feliz en sus garras. ¿Feliz? No es eso, es un incendio, una vida a la máxima potencia.

Y esta tarde ha podido ver lo que es Paco. Estaban ambos en la cola del cine, con una docena de personas entre ellos y la taquilla. Un aprovechado intentó colarse delante de una mujer, cuya débil protesta desdeñó el aprovechado, encogiéndose de hombros. El resto de la gente callaba. Paco salió de la cola sin prisa, pero lleno de violencia contenida. Jimena contuvo temerosa el aliento y abrió los ojos desmesuradamente. El hombre era más alto que Paco, pero éste, sin palabras, le cogió por el cuello del abrigo y lo sacó de la cola con un zarandeo que lo dejó vacilando. El otro se volvió contra Paco y le miró. Inmediatamente se encogió ante su atacante, que esperaba tenso, como un resorte comprimido. El hombre balbuceó un «Usté no se meta en esto», al que Paco no contestó. El otro hizo un gesto que quiso ser despreciativo y se marchó. Paco volvió tranquilo junto a Jimena, y el tiempo echó a andar de nuevo.

Ahora, en la cama, la misma oleada de orgullo y de triunfo recorre el cuerpo de la mujer. Intuye que puede sufrir mucho con ese hombre; pero sabe que va a vivir. Y en la oscuridad ya goza, anticipadamente, esa gran pleamar de su sangre.

PAPELES DE MIGUEL
El Almendro en llamas

Diciembre de 1975

Este San Miguel, en las clarisas de San Pascual. ¡Tan distinto del parisino, en la rue de la Pompe y, sin embargo, recordándomelo! Aquél se impuso a mi vista mientras bautizaban al niño. Monique estaba encantadora. Su expresión todavía me engañaba; máscara de ternura sobre la intolerable avidez. Debí interpretar a tiempo aquel San Miguel, comprender por qué se me clavaba en la memoria. Sonsoneaban los latines, mientras yo lo miraba de vez en cuanto, sorprendido de que el niño no llorase bajo el agua ni con la sal. Pero ¿cómo saber que la imagen describía el futuro, con sus rayos en cadena, fuegos jerarquizados? Primero, la espada flamígera de Miguel cayendo sobre Satán; a su vez, el rostro del arcángel iluminado por una luz en lo alto –pero también herido: ahí el secreto–, más arriba, el sol atravesando el vitral y golpeando en lo alto del cuadro. Triple rayo abatidor del avión, el que sumergió a mi hijo en el Cantábrico no muy lejos de mi padre. Consuelo de saberles próximos, comunicados por las ondas, unidos en las profundidades. Mejor que en archivescos cementerios, siempre removibles; recuerdo más de uno desventrado por los obuses.

Extraño convento de clarisas, con fachada al tráfico de Recoletos. Pero su espalda vuelta hacia mi barrio. Más barojiano que nunca por la mañana temprano: porteras barriendo la acera, una criadita –¡todavía!– con el pan, el periódico y los churros para los señoritos. Del *Bar Melgárez* sale un viejo obrero limpiándose los labios con el dorso de la mano: de matar el gusanillo con aguardiente, seguro. Aún tardarán en aparecer los empleados de banca de la Gran Vía. Escena y personajes cambiantes, según la hora. Por la tarde la calle se vuelve mesocrática y modesta; señoras sin pieles por los pequeños comercios; niños volviendo de los colegios. Con la noche surgen los ambiguos clientes de los clubs, las mujeres pintarrajeadas, los grupitos casi agresivos o el solitario borracho de mirada turbia. Miércoles y viernes, la manada de turistas –frecuentemente japoneses– pastoreada por el guía hasta *La Albufera*, a comerse una paella nocturna.

Estas esquinas eran antes de la guerra campo sobre todo de estudiantes. «Sábado, sabadete, camisa blanca y polvete», era su consigna. Los serios clientes de Madame Alberta desaparecían los sábados. Quizás idealizó el recuerdo que transfiguraba desde el anochecer la rueda de los transeúntes en la Puerta del Sol. Apariencia: tráfico de una gran plaza. Realidad: manantial de misterio desde un abismo. En el fondo de cualquier ser humano puede hallarse de todo, como en mis cuatro novelas: el tálamo desaforado de la primera; la rebeldía frustrada de la II; un ansia de otra vida, como en la III; y todo: un látigo, una bolsa de oro, incienso, una corona, mil juguetes de la vida, máscaras, máscaras, máscaras... La máscara es «la más hermosa comodidad del mundo», proclama la veneciana Flaminia en el *Vecchio Bizarro*. En Venecia servía para todo: para el paseo y para la orgía, para la intriga y la mendicidad, para amar y para gobernar. Hasta el Nuncio la llevaba. ¿Y acaso no la usamos para ser hipócritas con nosotros mismos? Preferimos ver en nuestro interior una máscara cualquiera mejor que un abismo. Nos tranquiliza como la cicatriz sobre la herida cerrada en falso.

Octubre, Octubre: otra máscara, esa cuarta novela. Hojas secas, estanques corrompidos, nieblas. El malva juanramoniano del otoño. Pero también octubre revolucionario, rojo, sangre viva. Aire o fuego, claridad o noche: dos salvaciones opuestas. Aquella víspera de mudanza: descubrí las primeras páginas con emoción de arqueólogo ante un fragmento recién desenterrado. Al limpiarlo con el cepillo emergieron las inscripciones. Luis, Ágata, Quartel de Palacio.

Trascender las máscaras, desgarrar una y otra, excavar hasta el fondo, encontrarme en la hondura, cráter en una sima. Un hecho revelador: cuatro novelas casi acabadas en diez años, una tras otra, y para nadie. Penélope, tejiendo y destejiendo cuatro veces el mismo tapiz con los mismos hilos. Esas cuatro novelas no fueron oficio de escritor, sino preparación a la desnudez iluminada, inventarios liquidadores de mi vida para despojarme de todo, pérdidas y ganancias, hasta el último grano.

Tanto releer *Octubre, Octubre* y hasta hace poco no he captado su verdadero sentido. ¿Qué impenetrable gelatina oponiéndose a mi comprensión? ¿La ha vencido la paloma, la sequedad de mi último desierto? Ahora lo sé: no fue venganza contra otros esa Novela IV, sino mi destrucción, la destrucción mía necesaria para crear el Imposible. Novela IV: la salvación hacia el abismo como puerta indispensable para salvarse hacia lo alto. Quemar las naves. Quedarme solo ante la salvación, hacia la luz; en la última playa a donde me ha guiado Nerissa.

El Amor es siempre imposible. Si fuera posible sería

sólo amor; brasero, pero no llamarada. Como la vida, que se reduce a dejarse flotar en la corriente. En cambio, la Vida es para los locos, lo mismo que el Amor; para los dignos de saborear la tortura en el potro de lo Imposible. El mundo antiguo y el Islam veían al loco más cerca de los dioses. ¡Ah, Hölderlin! El Amigo de Lulio, ardiente antorcha. Nerissa y Hallaj, el mismo fuego.

Lo imposible se reveló en Mallorca. Ante el Almendro viviéndose en su hoguera como los mártires buscan la Vida en su morir. La última verdad es esa unión de los contrarios. Mientras mi rencor creía vengarse al escribir la Novela IV, mi amor estaba destruyéndome por Amor. Transmutar a Luis y Ágata en peregrinos de lo Imposible era elevarnos, Nerissa y yo, hasta el Amor. Para alcanzarlo, forzoso quedarme solo. Rechazado.

Marginados: imposibilitados para ser lo que son. Humanos incompletos, sexos aberrantes, desterrados sociales. Cuando intentan ser, suelen resultar sórdidos o grotescos. Salvación: renunciar del todo. Lo Imposible no se alcanza con migajas de lo posible, sino con escaleras de Nada. Nadie se desmargina siendo un poco; solamente no siendo. Negarse para ser.

Entonces, ya en el Amor, goce de filos exasperados, llamadas sin nombre. Honduras adolescentes, premeditaciones suicidas, brutalidad lesbiana, arrebatos homosexuales: asomarse por instantes a lo Imposible. Sólo por instantes esa pompa de jabón, polvillo de mariposa. ¡Pero qué abismal ofrenda en el eunuco enamorado! Como la del viejo, a quien su lenta progresión hacia la muerte familiariza con lo imposible ya. No interesan los residuos de la vida, ni siquiera este cuerpo moribundo. ¡El otro, el otro, futuro y galopante!

Petra. ¡Qué seguridad, qué aplomo! Vive a pleno pulmón, siendo lo que es, y desde siempre: y no quiere ser ni más ni menos, ni otra. «La cuestión está en tener cada cual su dignidad», sentencia. ¡Y qué distinta su hija! Con el traficante de su marido, vividor de estos tiempo, acabará con chalet, alhajas, coche grande y todas esas ruedas de molino que nos cuelga del cuello el consumismo, para darnos la ilusión de estar vivos. Cuando prosperen y el marido tenga una querida, tanto por placer como por prestigio, y vaya de cacería a buenos cotos privados, la Lola se sentirá «realizada», como dice la gente.

He conocido a la madre llevando mi ropa a su lavandería automática, donde antes tenían una casquería: «Idiomas y talentos», en el rótulo. «Hasta ubre de vaca, comía antes la gente pobre.» En la otra puerta la hija vende *Souvenirs*, ofreciendo como artesanía vulgares productos en serie. «Pero los turistas pican, y hasta la gente de aquí –dice Petra–. ¡Qué cosas compran!; me quedo pasmada.» Las americanas de edad son las que más la asombran; todas le parecen «cómicas o putas viejas, con perdón». He hecho de intérprete entre Lola y una de ellas, encaprichada con una bacía imitación de Talavera. «*Don Quixote, yes.*» Me contó que en Alabama era consultora sexual. Increíble: ¿habrá gozado ni una sola vez ese cuerpo ballenáceo todavía joven? «Pues no vea usted en el verano, con tanto mocerío medio en pelotas. ¡Lo que pagan por un candil de lata o por un chisquero de mecha, como los gastaba mi pobre Raimundo, que en paz descanse!»

Petra y yo, ¡cómo nos entendemos! Ella, pegada al mundo en que nació, el de «antes de la guerra»; yo, a ninguno, es decir, al de después de mí. Ambos igualmente forasteros en éste, que contemplamos con ojos compasivos y burlones. Por eso hablar con Petra me sosiega. A veces la convido a chocolate en la cafetería de enfrente –a la española, como tío Jacinto– entre parejas, estudiantes y tertulias de señoras del barrio.

Necesito ese sosiego estos días, me amaga otra etapa

de sequedad. ¿Va a ser mi vida un ciclo de altibajos? Como en el texto de Ibn Arabí, recogido por Asín del *Tohfa*, donde se explican los estados de opresión –«aprieto», decía San Juan de la Cruz– y expansión, *Kabd y Bast*. Al menos esos estados, aclara el Xeij al-Akbar, denotan ya el comienzo del amor perfecto. ¡Ah, Nerissa: me acerco a Ti!

Nada tiene ya poder sobre mí. Se me borra el suceso de la mañana, pero revivo memorias lejanas. Vuelven mis gentes olvidadas; vienen a susurrarme que resucitaré como ellos. Meyrink esperando el alba para morirse, sentado en su alcoba frente a la ventana, desnudo hasta la cintura, tranquilo. Bach cantando su *Ven, dulce muerte* en el cello de Casals. ¡Si el pobre don Pablo hubiera sabido esto, mejor le hubiera ido!

Morir antes de morir; anticipar la agonía para vivirla como un prolongado crepúsculo. Duradero adiós enamorado, mientras el barco va levando anclas sin despegarse aún del muelle. Tiempo para desangrarse en paz; dejar las venas tan vacías como las preparaban los egipcios para inyectar en sus difuntos las esencias inmortales. No pueden comprenderlo esos burócratas del Ministerio y de la Facultad ante los que voy formalizando mi liquidación exterior. «Renuncio a todo, regalo mis libros y ficheros; no me interesan mis derechos, no quiero volver a recibir ni un solo papel oficial.» A veces me impaciento, les increpo. «¿No se dicen cristianos? ¿No creen que Él alimenta a las avecillas del campo? ¿Que cómo enseñaré luego? ¿De qué viviré? ¿Quién piensa en eso ni en luego?»

Alberto vino a verme. Alarmado, aunque simuló plantearlo en broma. «¿Vas a convertirte al islamismo?» «¿Para qué? Ya sabes que se va por todos los caminos.» En la Facultad me toman por loco, supongo. Sería más fácil hacerme musulmán que budista, aunque Nepal esté de moda; hay más unidad entre las *Gentes del Libro.* Pero ¿para qué? ¡Eso de un dios barbudo que nos lleva las cuentas como si le hubiésemos arrendado la vida! Lo sabía Lulio tan bien como los sufíes. ¿Tuvo su *Shams* de Tabriz, como Rumí? ¿Qué le retuvo en la cristiandad? No hay tanto de Ramón a Al-Ghazali en el razonamiento, ni tanto de él a Rumí en la lírica. No enloqueció del todo; eso lo explica. Le retuvo un poco de razón griega. No se alzó hasta la violencia blasfema y sagrada de Hallaj cuando grita, alzando los muñones de sus manos recién amputadas: «Yo soy la Verdad.» *¡Ana al-haq!*

Luego me supuso interesado en el Zen. Me recordó a aquel Carlstadt, aliado al principio de Lutero, que luego prohibió leer las Escrituras y acabó incluso abominando del abecedario y recomendando escuchar la verdad en boca de los ignorantes. Mis amigos tratan de comprender por la vía del raciocinio; es decir, intentan encajarme en sus casilleros. Como Occidente, tardando siglos en asimilar la idea del cero hindú. No comprenden mi ambición. Sencillamente ésta: Nada.

Tú sí me conoces, Nerissa: soy, exclusivamente nerissista. Acepto el abismo entre nosotros, el que te hace Imposible para mí, a cambio del reencuentro cuando haya logrado construir mi muerte. No reniegues de esa esperanza, no la pongas en duda; hasta las especies se reencarnan en otras al ascender la escala. ¿Qué fue de los dinosaurios? No acabó con ellos su pequeño cerebro en relación con su masa, ni el adelgazamiento de la cáscara de sus huevos. La nueva teoría equivale a reencarnarlos en aves, a juzgar por su amplia ventana preorbital en el cráneo, reencontrada ahora en el archeopterix de Eichstatt. «Casi como una paloma», afirma su descubridor. Si un dinosaurio reencarna en un palomo, Nerissa mía, ¿cómo dudar?

Alberto tampoco me comprende, aunque su amistad le acerque tanto a mí. Derivamos hacia la música; le hice oír la *Sonata insegura*, de Miguelito. Aún me tiene atónito. ¡Qué revelación cuando la casa editora me envió un ejemplar del disco! Nunca sospeché que fuese tanto, aquel hombre-niño que vivió a mi lado. Me enorgullece su creación; me desespera haber ignorado entonces su voz, su ímpetu. Ni sus profesores lo sabían; sólo conocían al intérprete ya excepcional. ¿Humildad, saberse capaz de más aún? Era de la raza de Beethoven, que talla su estatua poco a poco; de los titanes que escalan la montaña contra el propio Zeus, contra el rayo. Esa *Sonata*...

Hablé con su maestro, igualmente desconcertado. «Gran música desintegrada; ruinas de la más noble arquitectura.» Conjeturo que primero edificó su palacio como los arquitectos convencionales, y después lo descompuso según un canon secreto, inexpresable, de apariencia caótica. El andante se convierte en allegro, luego en progresión fugada, pero todo en un eco deformante. Fragmentos de caleidoscopio que tienen sentido, gemas de lírica schumanniana, riguroso metrónomo de Bach. Sobre todo fuerza, ritmo. Un héroe con la osamenta fuera, la forma carnal dentro. Un caos sin azar. Primero construir, luego desbaratar, reconstrucción distinta. No es la dialéctica, sino la escala ascendente y descendente de Ibn Arabí.

A veces Petra los mismos ojillos burlones y penetrantes que Madame Morangé. Me la presentaron en *La Coupole*, me contó haber conocido a Laura, antes de que ésta se fuera a vivir con Bataille. Viviente historia de *La Coupole*, Madame Morangé, desde que se inauguró el café en 1927. «Yo he vivido esta casa», repetía orgullosa. Solía sentarse junto a las cristaleras, para ver pasar el mundo por el boulevard. Tomaba una media de cerveza antes de irse a almorzar al fondo, siempre el mismo menú. Su gorro negro imitación de piel, su broche antiguo, sus ojos sin lentes. Ojos de quien todo lo ha visto: debió de ser muy seductora.

Me sugirió escapar por las cocinas, el día en que llevaba yo un mensaje y me creí seguido por los alemanes. Quizá lo imaginé, pero más valía entonces pasarse de prudente, a pesar de que solían respetar mi tarjeta de residente español. ¡Qué importantes me parecían entonces todas esas cosas, qué ingenuamente me uní a la Resistencia! No hice gran cosa, pero fui muy útil como correo. Sólo tuve verdadero miedo cuando me detuvieron en Cannes. ¿Qué casual equívoco me salvó? Aquella bofetada, aquella cara del sádico de uniforme interrogándonos en la *Kommandantur*. Nos metían por la puerta de atrás, claro. ¡Aquella bofetada, innecesariamente humillante!

¡Alex, el enlace! Sus pómulos eslavos, su cuerpo aquijotado y enigmático, sus corbatas llamativas cuando todos nos desvivíamos por pasar inadvertidos. Escribía para *Fénix*, la revista teosófica. O por lo menos, eso decía; también justificaba yo mis pasos de la zona ocupada a la libre como viajante de productos farmacéuticos. Era del *Grupo Tarbes*, organizador de evasiones por los Pirineos. Me sorprendió que me preguntase un día por nuestro Miguel de Mañara; había leído la obra de Milosz. ¡Qué encuentros más fantásticos los nuestros! ¿Cuántos idiomas hablaba? Quien nos oyese hubiera creído que usábamos clave, pero discutíamos en serio. Más bien me instruía. Sobre antroposofía, Steiner, sobre todo Milosz y sus fabulosas teorías sobre el iberismo judaico en su *Ars Magna*. Alex era judío, claro. Me dejaba siempre estupefacto. «Porque como yo soy bisexual...», me soltó un día, de pasada, quizá con ánimo exploratorio. Seguro que obtenía gran provecho guiando a España fugitivos. ¡Y fugitivas!: cobraba en dinero y en especie. Facciones sugestivas, sabía engatusar; quizá porque resultaba ambiguo. Sí, más bien por eso. Nada estaba claro en él. Al menos, apenas liberado París desapareció.

¡Qué distinto París después de la guerra! Vivíamos sin pensar, sobre todo en nuestro *Saint-Germain-des-Prés*. Sólo aquella inconsciencia explica mi boda con Monique. No reflexionábamos, no proyectábamos. Nunca terminábamos la noche donde habíamos pensado. Se salía buscando la trompeta de Boris Vian, y se acababa oyendo a la Greco en una cueva, ante un plato de arenque con cebolla. ¡Las lilas del Luxemburgo, respiradas tumbados sobre un banco! *Les frères Jacques* empezaban entonces; una noche charlé con Inkijinof, me habló de Duvivier dirigiendo *La tête d'un homme*. Sartre pontificaba en su café de *Flore*, con su secretario Jean Cau al lado. Charles Trenet cantaba *Les voyous*; aún no había tenido el gran éxito de *La Mer*. Vivíamos al día, nos bastaba respirar, felices por haber sobrevivido a la guerra. Hasta el panadero de la esquina hacía poemas. Como proclamaba la canción de moda:

Il n'y a pas d'après / à Saint-Germain-des-Prés / plus d'après-demain, d'après-midi / il n'y a plus qu'aujourd'hui.

El estribillo: *Voici l'eternité / à Saint-Germain-des-Prés.*

La vida entonces: una aventura que siempre podía desembarcar en algo. Y la eternidad era hoy. Pero había otra más. La misma canción lo prometía: *Quand je te reverrais / ce ne sera plus moi.* Escúchalo, Nerissa. Sólo en una sucesión de eternidades habita el amor. En cambio, el amor se contenta con «siempre», esa engañosa, miserable palabra, que muere con nosotros.

Releo *La experiencia interior*, de Bataille. ¿Por qué irritó tanto a Sartre? Ahora la comprendo mejor: el silencio del éxtasis como única respuesta a la herida más violenta. La filosofía del suplicio del palo; pero entonces yo no estaba maduro para acatarla. Bataille, sí; cinco años le había costado recuperarse de la muerte de Laura, su compañera, que ya antes había intentado suicidarse cuando vivía con Jean Bernier. Cuando, años después, vi una fotografía de aquella mujer, con su angélico rostro y los cabellos lisos separados por una raya a la derecha, me asombró su parecido con tía Magda. Sin embargo, bajo aquella faz tranquila había un desatado temperamento. ¿Entonces, acaso también tía Magda? Nos cruzamos por la vida como barcos en la niebla, ignorándonos, percibiendo apenas una borrosa silueta.

Me lo pregunté mucho. ¿Tenía la serena cabeza de tía Magda un ardiente cuerpo de Laura? ¿Era su efluvio lo que removía mi manantial adolescente? ¿Sabes, Nerissa? Mi deseo de tu cuerpo me ha impulsado a veces a imaginar tu rostro sobre el cuerpo de Hannah, que tan bien conocí. No resultaba. Tus montones de trigo eran otros. Y, sobre todo, tus ojos lo impedían. Tus ojos como el mar que encarnas. De colores de mar, mudables bajo la ráfaga de alegría o de pena. Sereno azul mediterráneo, atlántica esmeralda de pasión, gris cantábrico de melancolía. Grises como el mar que envuelve a mi hijo y a mi padre. ¡Si pudiera sepultarme en tus ojos! Incompatibles con el otro cuerpo: por eso eres y no eres Hannah, pero sublimada; un escalón más hacia lo alto. Por eso no has sido mía, aunque tanto lo desearan mis venas: para ser Imposible, para llevarme al Amor.

¿Componía ya Miguelito cuando vivía en *Saint-Germain-des-Prés* (el suyo, tan distinto del mío)? Me lo ha hecho pensar Petra: «¡Cómo aguanta!, ¿verdad? Siempre lo he conocido así.» Se refería al árbol de la plazuela de Chueca, tumbado como una torre de Pisa sobre la humilde fuente pública, junto al buzón de correos. Petra se había asomado a la puerta de su tiendecita e interpretó mal mi contemplación. ¿Cómo podía saber que la modesta acacia madrileña me recordaba aquel soberbio castaño de los jardines del Luxemburgo, junto a la verja, donde Miguelito me hizo esperar tanto aquella tarde?

Yo estaba gozando la alegría de los niños camino del inmediato teatrillo de marionetas, y no me di cuenta de su llegada hasta no oír su voz, jadeante por el apresuramiento. Empezó a explicarme: un ensayo prolongado... Le atajé, y echamos a andar. «¿Ves? –me señaló–. En esa casa murió Massenet. *¡Merde!*» Los jóvenes son crueles y los artistas más. ¡Cuánto me había gustado, antes de la guerra, la *Meditación de Thaïs*! A tía Magda le encantaba; la teníamos en un disco, tocada por Jacques Thibaut. Enfrente desembocaba la rue Bonaparte, ¿o la de Guynemer? Quizá quiso Miguelito compensarme de la espera invitándome a la famosa cena, la que desencadenaría mi envidia y la Novela I. Sí, fue aquella misma noche. La provocación de Chantal, la liederista de ojos verdes y apache melenita. «Una cena de artistas, de bohemios, papá.» Pensé en Henri de Murger. ¡Qué diferente resultó!

Te lo conté: Mi mantra sagrado era tu número, y yo marchaba por las calles repitiéndolo como en trance. «Dos-veinte-cuarenta y tres-sesenta y cuatro.» Peregrino hacia el oasis de una cabina telefónica; metálica en España, roja en Londres. Manantial de tu voz para mi sed. Como la inyección para el drogado. Divisaba mi salvación a lo lejos, acudía presuroso al no ver sombras tras los cristales. A veces estaban rotos, los vándalos habían cegado el pozo. También trampas menos visibles: teléfonos al parecer intactos pero averiados. La máxima crueldad: escuchar tu voz sin que Tú pudieras oírme, tu dulcísimo «¿Diga?» –a veces un adivinante «¿Eres tú, Miguel?»– sin que yo, nuevo Tántalo, pudiera devolverte mi voz. Correr entonces hacia otra cabina, ansioso de no tenerte en vilo, hasta poder al fin comunicar contigo, con mi vida.

Mi mantra, ese número mágico. Cifras sumando 21, producto de siete por tres, trinidad y planetas y notas musicales. Además, el 2 y el 1, Unidad y Pluralidad, Par e Impar, derecha e izquierda, generación de la dialéctica. En orden invertido, espiral hacia adentro, implosiva en vez de expansiva. Cavilaba sobre esa invocación a Ti como los cabalistas en su arte, que yo entonces sólo había estudiado con perspectiva antropológica, con la fría superficialidad de la ciencia y su rigor petrificante.

Ahora me acerco a la Kabala como la sirvieron sus fieles, como transfiguración del mundo en el árbol del Shephirot. Como se acercaron también los sufíes: Ibn Arabí, dedicándole una obra con el título expresivo de *Faida*, Utilidad. Apliqué la cabalística a tu nombre, Nerissa, y también –no te enfades– el simétrico de Hannah, escrito así por ella, como con un espejo plantado verticalmente tras las tres primeras letras. Así se reducía a *Han*, sílaba evocadora del sagrado *Om*. Exhalación ascendente, completada por la descendente Nah. Escalas que así fui aprendiendo; puentes desde el espejismo denominado realidad hasta la Realidad, el Absoluto.

La primera vez que nos vimos en Barcelona. En *Nebraska*, ¿recuerdas?, aquella cafetería de la calle de Caspe, a la que se entraba bajando unos escalones. La habías elegido para llegar pronto desde tu peluquería; pero además añadía otro nombre geográfico a nuestro planisferio amoroso. Yo te aguardaba al fondo, en aquellos asientos para dos, sin apartar mi vista de la escalerita por donde al fin descendiste, alada diosa, envuelta en la luz de la calle como en nimbo menos dorado que tu sonrisa. Momentos antes –quizá no lo creíste, aún no estabas segura de mí– la radio del local había retransmitido, en voz de Montserrat Caballé, seis canciones castellanas musicadas por Toldrá. Una con este estribillo: «*Todo en el mundo me sobra / desde que te conocí.»* Todo sobra, menos lo Único.

Tardó mucho en germinar la semilla del Absoluto, inconscientemente recibida. Fue indispensable llegar antes a perderte. Necesité un año más para recobrarme del desplome: por el mismo hilo telefónico que tanto nos había unido me arrojaste del paraíso. Pasaron meses de estupor, sin oír mi corazón, sintiéndome el alma de corcho bajo un cerebro que dictaba palabras con ánimo vengativo, aunque guiadas por la secreta Mano que construye deshaciendo. Al menos, escribir era un simulacro de vida... Al fin levanté la cabeza, sentí la fatiga, murmuré: «¿Y ahora?»

Aprovechando las anticipadas vacaciones de Navidad –¡el miedo a disturbios universitarios!– me fui a Mallorca, como pude haber ido a cualquier otro sitio sin recuerdos. Me atrajo además una fórmula turística que brindaba alojamiento en masías. «¿Por qué me sobrevino allí y no antes, en Stambul, en Argel, en tantos sitios donde pasé de largo ante el milagro? ¿Por qué no sucedió, sobre todo, ante el rincón de París donde habitó el propio Lulio, junto al conmovedor *Saint Julien le Pauvre*, a la vista de *Notre Dame*, donde hoy está el *Bar Petit Pont*? Allí tuvo su casa, pero había de ser en la propia tierra del místico donde me esperaba la Iluminación. Se estremece todo mi ser, traspasado como por los rayos que llagaron al Hermano Francisco.

Amanecía. Mi ventanita daba a la parte de atrás de la masía. Escarpada ladera cerrándome el horizonte, forzando la mirada hacia lo alto. Tierra parda, asomos de roca viva, piedras rodadas acumuladas en los repechos. Cerca, un bardal de piedra seca limitando un campo triangular. Arbolillos en triángulo también, desnudos, convulsionados los troncos, casi dibujados a pincel como en una seda china. Ramajes de alambre, pero sensibles al aire, temblorosas sus copas, humanos por contraste con la roca.

El aire delataba de tal modo el mar al otro lado de la colina, me envolvió tan vivamente en un salado azul que decidí escalarla para gritar en lo alto, como los fatigados hombres de Jenofonte: «*¡Thalassa, thalassa!*» Me lavé sin saber que practicaba abluciones rituales, me puse aprisa el pantalón y la camisa, me calcé las alpargatas, atravesé la sala común y, cruzando el portal, me encontré fuera. El cielo un celeste palidísimo, seda indecisa entre el día y la noche. La única nube no recibía todavía el oro solar. Una mariposa, color de piedra, se movió ante mis ojos y emprendió el vuelo. Recién nacido el aire, alzándose sus fragancias campestres, sus olores claros y oscuros, ligeros como velos, pegajosos como ungüentos, danzantes como libélulas, fresquísimos en la primera mañana del mundo.

Di la vuelta a la casa y avancé por el sendero cuesta arriba, a lo largo del bardal. En el vértice, señor en un trono, solitario y aislado, un árbol más alto. Fue agrandándose a compás de mis pasos y, de repente, cuando estuve ante él, un súbito silencio sobrevino. Me sentí en un recinto sagrado, descubriendo que el Absoluto empieza en el Silencio, más allá de la música de las esferas. Entonces flameó mi Zarza Ardiente.

Se incendió aquel encaje de ramas. El almendro floreció de golpe. Me quedé sin razón, puro mirar atónito, ante aquel fuego blanco de infinitos pétalos. Ardiente por su vibración. En eso consistía el milagro: en que, al estallar en flor, el almendro vibraba rapidísimo como un diapasón callado, obligando a ondular el universo. Vibraba el aire, el perfil de la colina, el firme de la tierra, el cielo y hasta el silencio. El cosmos se centró en el Almendro, condensado él mismo en encendida nieve, blancura vibrante, luz absoluta. Cegadora y, por eso, tenebrosa también. Vibración de oscura luz: el Absoluto.

Cuando volví del éxtasis, el mundo era como antes. Recordé la historia del monje que estuvo cien años escuchando a un pajarillo como si fuera sólo un instante, y la leyenda islámica de los siete encerrados en la caverna; comprendí que no eran fábulas. El almendro ya no tenía flores, parecía más reseco que nunca, como si quisiera provocarme a no creer en el milagro. Pero ya estaba florecido en mí para siempre, ya había brotado en mi caverna interior el árbol del Absoluto. No caí de rodillas, no ocurrió nada espectacular. Me limité a reanudar mi camino –eso sí, tembloroso todavía–, hasta coronar la colina y descubrir el mar. El tiempo había vuelto a ponerse en marcha. Sobre el acantilado que cerraba la cala ya se teñía de rosa y oro el cielo. Y hacia el norte, entre los dos promontorios, el azul se aclaraba también, diluyéndose hacia el infinito.

Permanecí sentado un gran rato, recibiendo el aire, viendo el mar rayándose de luz y el cielo de colores. Asomó el sol por encima de las rocas en sombra. Retorné lentamente a la masía, donde me esperaba un rústico desayuno. Junto al butacón, entre los pocos libros del estante, uno que, increíblemente, no había descubierto la víspera al curiosear por la casa. ¿Acaso no estaba aún allí? Una edición del luliano *Llibre del Amic y del Amat*, preparada por Martí de Riquer. Lo abrí al azar, y desde las primeras líneas ofrecidas a mis ojos, comprendí que en él se hacía palabra la Revelación. El Almendro en Llamas.

5. LA CEREMONIA DEL TÉ
Máscaras

OCTUBRE, OCTUBRE
La ceremonia del té

Viernes, 24 de noviembre de 1961

QUARTEL DE PALACIO

Al atardecer, a la salida de IDEA, Luis se mete en un bar con Guillermo, que se ha citado allí con su amiga. Enfrente siguen trabajando en el derribo de una casa señorial que tienen prisa, por lo visto, en demoler. Frente a la fachada un obrero sujeta una cuerda con su cintura para que no pase la gente demasiado cerca, con riesgo de ser herida por un cascote. Cuando viene un coche el obrero se sube a la acera y luego vuelve a la calzada. Parece de lejos una figura de ballet y se nota cuando piropea a las mujeres, especialmente a las metidas en carnes. Se gana así el jornal con las manos en los bolsillos, la cuerda pasando por el hueco entre sus codos y la cintura, el pitillo colgando de los labios, los ojos risueños bajo la visera del casco, bien satisfecho de la vida.

–Un alemán se indignaría al verlo –exclama Guillermo–. ¡Qué falta de productividad! Como esos cerros testigos de los geólogos; sobreviviendo en medio de las pretensiones oficiales del progreso y modernización. ¡Si le viera Calasans, qué escándalo!

Se acerca una muchacha con pantalones y jersey, llevando un gran bolso colgado del hombro y una carpeta de papeles en la mano. Guillermo la besa y la presenta a Luis Madero. Ella y Luis exclaman a un tiempo, como en las comedias:

–No serás la amiga de Águeda...

–No serás el amigo de Águeda...

Ríen y se miran ambos con valorativa curiosidad.

–Me ha hablado tanto Águeda... –dice al fin la muchacha, después de encargar un café.

–Y a mí de ti... ¿Soy como me imaginabas?

–Pues... más bien sí.

Luis queda pensativo, porque esa muchacha no es lo que él sospechó alguna vez; no parece posible sucesora de Gloria. No hay más que verla mirar a Guillermo. Éste vuelve a señalar al obrero. Luis lamenta que el pueblo sea así todavía. Lina defiende: ¿cómo querrá que sean?

–Es posible, pero a veces me desanimo –comenta Luis–. Una de las cosas que más me han chocado al volver. Entré en el *Barflor* de la Puerta del Sol con nostalgia. Cuando yo era niño me fascinaba su fuente de naranjada helada, instalada en la puerta, con el chorro amarillo brotando en surtidores dentro de dos grandes bolas de cristal a medio llenar... Entré allí y el bar no había cambiado mucho, pero el camarero sí. Resultaba más bien alguien haciendo de camarero. No era de camarero su pelo cortado a navaja ni la cadenita de oro en la muñeca. Por eso era alguien a medias.

–No tenía conciencia de clase –define Guillermo.

–Será eso –acepta Luis–. No me parecía pueblo.

–Y claro que no lo es. Son sólo masa. El pueblo es masa más conciencia colectiva.

–Pues a mí todo me parece masa. Bueno, casi todo –rectifica, pensando en Ildefonso.

–¿Y qué quieres –exclama duramente Guillermo– después de tanto años asfixiando esa conciencia, destruyendo a quienes la encarnaban, prohibiendo recordarla, amordazando a todos? ¿Qué quieres...? Nos aplasta una feroz conspiración contra la creación de una conciencia colectiva: conciencia de la dignidad y de los derechos del pueblo. Se reprime por todos los medios: con la censura y con el beato bienestar, con el seiscientos y el fútbol; incluso proclamando sobre el papel esos derechos y hasta dejando caer algunas migajas desde las altas mesas bien provistas. El pueblo es hoy una pequeña minoría entre las masas paralizadas por la represión y compradas por el consumismo. Pero esa minoría va creciendo, se va creando la conciencia de clase.

–La praxis revolucionaria construye poco a poco su camino –refuerza Lina.

Hablan con tanta firmeza que Luis no se atreve a reiterar su escepticismo. Es, además, un lenguaje distinto del suyo. Guillermo concluye:

–En la película *Enrique V*, la de Lawrence Olivier, ¿recuerdas, Lina?, había un espléndido verso de Shakespeare: «La hierba crece de noche.» Pues en la noche de España crece la hierba de la conciencia política.

Lina mira entusiasmada a su novio (Luis los llama así). Se enreda la pareja en una discusión sobre un artículo de cierta revista francesa de izquierdas. Luis a poco se despide para volver a su casa. ¿Por qué le mira Lina burlonamente? ¿Por su poco interés en el tema discutido? ¡Qué más da! Águeda le espera en el estudio; eso es lo que importa. ¿Cómo le sentará su trigésimo cumpleaños? ¿Cómo estará de humor? ¿Y si además le llevase una golosina por si le apeteciera cenar sin salir a la calle? Decide pasarse por la tiendecita de Tere. Águeda siempre tiene algo en la nevera, y con unas tapas para picar...

En la tienda cae en plena discusión. Tere ha subido el precio de las aceitunas gordales y está justificándose ante una clienta de velo y devocionario.

–Comprenda usté, señora. Las riadas esas tan grandísimas. La del Tamarguillo, o como se llame el canal ese de Sevilla. No ha quedado ni una aceituna.

–Pero éstas ya las tenías aquí de antes, mujer.

–¿Y cuando las vayamos a reponer? Perderíamos entonces dinero. Ya le ha avisado el almacenista a mi Mateo que suben un real por cuarto. Y también él las tenía desde antes, con que... Nosotros somos unos pobres, doña Laura; no podemos acaparar como ellos... ¡Así abusan!

–No, si voy a acabar compadeciéndote... Pero están los que han perdido su casa con la riada.

–Según –interviene Inocencio el municipal, comiéndose su guindilla con su cacho de pan–, porque algunos saldrán ganando. Un ministro nada menos ha ido a verles. Les han llevado en camiones hasta muebles nuevos. ¿No vio usted la portada del *ABC*, con la foto del convoy?

–Ahora les dará dinero el gobierno para que se callen –concluye Tere– y hasta la próxima, Guadalquivir.

–¡No, mujer! –replica la del velo–. Ahora repararán el canal ese y no volverá a salirse de madre.

–O no lo reparan –sentencia Inocencio–. Desde que yo hago memoria hay riadas. Eso sí, ahora se volcarán en discursos, suscripción nacional, planes de ingenieros, millones para obras... y dentro de unos añitos, otra riada. De obras, ni rastro.

Doña Laura encuentra aquello un poco subversivo y prefiere marcharse a su novena. Las demás dan la razón a Inocencio y Luis se encuentra mucho más cerca de esta gente que de los teóricos de la praxis, con su parloteo revolucionario mientras viven en las redes del orden.

–Nada –remacha el guardia–, la riada, una desgracia para mil y un negocio para cien. El resto, a sacar lo que se pueda. Como usted, señora Tere, subiendo desde ya las aceitunas.

–¿Qué quiere usted que haga? –replica Tere mientras entrega a Luis sus compras–. ¡Los peces gordos son los que ganan! Anoche llegó de Barcelona mi Mateo y allí hay quien va a conseguir fábrica nueva a cambio de la vieja que se llevó la rambla... Con que los pobres como nosotros, a espabilar. Esto es la feria de Valverde: el que más pone, más pierde.

Una criadita se lleva la mano a la tripa y exclama:

–¡Ay, Dios, qué malo es comer!

–¿Te ha sentado algo mal? –ríe Tere–. Pues hija, ¡peor es no comer!

–No lo crea usted, señora Tere. Se aguanta mejor; no duele.

A Luis le asombra esa respuesta, contraria a lo esperable. Se fija en la muchachita y comprende que le gana a él en experiencia del hambre. Delgada, pálida, bajita, en zapatillas, con medias de algodón y una bata también de algodón, encima una rebeca gorda con un codo roto y los brazos cruzados sobre el busto infantil. Pelo lacio cogido detrás con una goma, grandes ojos oscuros hundidos en la carita pequeña, unas orejas casi translúcidas. ¿De qué sierra, de qué páramo despoblado por la emigración habrá venido? ¿Se llamará Donata, Justa, Quiteria, Marcelina? La praxis es para Luis una palabra; el hambre una verdad de piedra. Y debe de tener razón: parece que el hambre da punzadas al principio; luego embota la sensibilidad y por eso se puede vivir perpetuamente hambriento. Estremece a Luis una breve ráfaga de solidaridad que no ha sentido con Guillermo y Lina. Cavilando, se dirige hacia el estudio de Águeda. ¡Ojalá sea uno de sus días buenos!, porque la sobremesa con doña Flora ha removido despiadadamente su pasado. Se la encontró por la calle y ella le invitó a tomar café porque celebra su santo. Tenía que contarle unas cosas y ¡vaya si se las ha dicho! Luis tardará en asimilarlas, en incorporarlas a su memoria viva.

Doña Flora, entre tanto, ve desplomarse la celebración de su fiesta. Había preparado una buena cenita en casa para compartirla con su vieja amiga Carmen, compañera de los buenos tiempos, pero acaban de telefonear de su parte para cancelar la visita: «El dichoso lumbago, doña Flora. Le ha dado un latigazo esta tarde y está en cama la pobre, baldada.»

Le sobra costumbre de estar sola a doña Flora. Pero precisamente quería comentar con Carmen algo que no ha podido contar a Madero; ciertos extraños sucesos recientes. En fin, cenará algo y se meterá en la cama temprano. Suspira: no tenía ganas de acostarse así...

Llaman a la puerta de un modo que la estremece. ¿Han sido dos timbrazos largos y uno corto, o lo ha soñado? ¿La «g» del Morse, como solía llamar Gustavo...? ¡Imposible! Sería mucha casualidad.

Al reconocer por la mirilla al visitante ya no se asombra. Gil Gámez, claro. El único de quien se podía esperar eso. Ya está dentro, felicitándola, con un paquete. Doña Flora le hace pasar –¿acaso cabe otra cosa, si él lo desea?– y le sienta frente a su butaca habitual, donde ella vuelve a instalarse, componiendo su chal en torno al busto y posando los pies en el taburete. Le llega, mitigado por una pantalla, el calor del butano instalado en el hueco de la antigua chimenea. Se cruzan frases, pero doña Flora está más atenta a los signos, mientras Gil desata el envoltorio. Se queda atónita: No tanto por el caviar iranio fresco y la media botella de vodka, sino sobre todo por la de vino blanco. Mira estupefacta al hombre de ojos magnéticos.

–¡Un *Sancerre*...! El preferido de Gustavo. ¿Lo sabía?

Gil Gámez ignora la insinuación.

–No me gusta el champagne. Sólo ha conseguido fama a fuerza de literatura; ése es el talento de los franceses. Por otra parte, he cumplido mi promesa.

Extrae del bolsillo dos largos estuches de Murattis. La sonrisa de Flora expresa toda su gratitud. Coge un cigarrillo y Gil Gámez le ofrece fuego, encendiendo luego el suyo. Aspiran, exhalan lentamente una bocanada. Doña Flora se siente reconfortada. Ignora lo que le va a traer la noche, pero sabe que no será perdida. Aunque sea la última. Ese hombre no visita en vano.

–Por supuesto, se queda usted a cenar, ¿verdad?

Si no, ¿para qué viene vestido tan impecablemente? Incluso la perla en la corbata, a la moda de entonces. Responde:

–Con una condición: que me permita servirla.

Doña Flora se anima. Todo se consolida a su alrededor: ha entrado ya en situación. Se levanta.

–Encantada. Voy a vestirme.

Se retira a su alcoba. No es preciso indicar al visitante dónde encontrará lo necesario. ¿Para qué? Y, efectivamente, cuando ella vuelve, todo está dispuesto: la blanca mantelería, la vajilla de la madre de Gustavo, la cristalería de Baccarrat, el vodka y el *Sancerre* enfriándose, el caviar sobre hielo picado, los cubiertos, una rosa en un búcaro... Lo admira todo sin sorprenderse, aunque ¿por qué las tres velas en el candelero son verdes?

A su vez, Gil Gámez la contempla. No decepciona el traje malva, coetáneo de la perla en la corbata. El pelo recogido alto, las orejas exquisitas, los hombros desnudos increíblemente frescos, la espléndida pulsera, el camafeo. Y esa sonrisa... a la vez valiente y seductora. El caballero le ofrece el brazo y la lleva hasta su silla susurrando: «Admirable.» La instala y se sienta enfrente, después de servir caviar y vodka.

Doña Flora paladea el suntuoso sabor marino. Después, vacía una copita de un golpe seco. ¿Cómo se ha enfriado tanto en tan poco tiempo? Imposible, pero así es. Sus ojos se empañan: muy bien podría ser por la fuerza del alcohol; o quizá no.

Un poco más de caviar. Un poco más de palabras. Doña Flora no tiene prisa. Será lo que ha de ser. En su momento.

–La primera noche en París, con Gustavo, fue así. Deseaba cenar en Montparnasse, pero era verano y sólo encontrábamos restaurantes cerrados. Al fin tuvimos suerte: estaba abierta la *«Closerie des Lilas»*. Nos dieron una mesita, ni muy lejos ni muy cerca del piano. Cuando entramos tocaba *«Frou-Frou»*. Increíblemente, el camarero que nos atendió era sevillano.

Doña Flora ríe y rechaza una tercera copita.

–No, gracias; no quiero perder la cabeza... ¿Sabe lo que más me llamó la atención? El menú: el que me dieron a mí no tenía escritos los precios. ¡Qué delicia!

Mientras Gil Gámez va a la cocina para traer la sopa, doña Flora se sirve, pensándolo bien, la copita rechazada. No va a írsele la cabeza por eso... A no ser que haya perdido mucho la costumbre.

La sopa le ha salido exquisita a la señora, mucho mejor de lo que esperaba ella misma. Pero, claro, es natural.

–Gustavo pidió al pianista que tocara *«La noche triste»*. Era mi tango favorito; el de mis mayores éxitos cuando cantaba en el *Ideal Rosales*... Y, para marcharnos, *Fascination*, de Marchetti... A él le encantaba. Tocaba un poco el piano, de oído, con acompañamientos muy sencillitos, que se buscaba él... Hubiera podido ser pianista.

Gil Gámez no necesita contestar para participar en la conversación. Sus silencios hablan y, además, no se trata de él.

–¡Aquel primer viaje a París! Sólo nos enfadamos una vez, y eso fue precisamente lo que nos unió. Yo, empeñada en subir a la torre Eiffel; Gustavo, lamentando que perdiéramos el tiempo en aquella vulgaridad. Lo de «vulgaridad» me hizo más testaruda. «¡Pues soy vulgar, ea! ¿Qué pasa?», le grité... Yo tenía de joven mucho genio...

Sonrisa del hombre, sospechando que todavía lo conserva.

–Gustavo cedió. Llegamos al pie del primer ascensor y nos pusimos en la cola. No logramos entrar en la primera cabina, ni en la segunda. Gustavo esperaba con paciencia, cariñoso. Entonces, ¿sabe usted lo que hice? Le tomé del brazo, di media vuelta con él y le dije: «¡Qué bonita era la vista desde arriba! ¿Ves cómo tenía yo razón en que viniéramos? ¿Verdad que valía la pena?» Gustavo me besó allí mismo: ¡Eso no se veía en la calle en 1928...! ¡Y qué noche! Vivíamos en el *Hotel Meurice*, en la rue de Rivoli. La cabina de teléfono imitaba una silla de manos. Era el hotel donde paraba a veces Alfonso XIII, en viajes de incógnito.

Gil Gámez sirve fiambres. Después, delicadamente, llena una copa de *Sancerre* a doña Flora. Hay una profunda pausa. Una mano con mitones de blonda avanza hacia el vino con un temblor que podría pasar por pulso firme. La copa es alzada como un cáliz hasta la nariz un poco respingona –graciosamente insolente, como la de la «parisiense» de Knossos– y desciende religiosamente hacia los labios. Ahora sí que los ojos se empañan y la voz se turba. Pero no se altera la compostura.

–Me lo recuerda todo –suena lenta, profunda, muy de lejos, esa voz conmovida. Y tras una pausa–: ¿Qué he hecho yo para que la vida me dé esto, me regale tanto?

–Vivirla. A bocanadas: vivirla. Incluso las copas amargas.

Los hombros de nácar antiguo hacen un gesto que lo asume todo.

–El velo de Maya entero. El sí y el no. El rojo y el negro. La cima y el abismo. Bueno, ya sabe usted –concluye la voz viril quebrándose en frivolidad como poderosa ola sobre una playa.

–De todos modos, tuve suerte; la tengo.

–¿Suerte? Sí, pero sólo se encuentra lo que se busca. Usted buscaba vida, y la ha encontrado. Usted quería vivir: Pues ha vivido. Vive.

A ella no se le escapa el retardo en la adición final, pero no se inmuta. Todo eso es verdad. ¿Cómo no iba a serlo? Es verdad dentro de ella, lo ha sido siempre.

–¡Montparnasse! Le llamaba «su barrio». Bailamos tangos en *«Le Jockey»*. ¡Qué días! Otra noche hasta estuvimos en *Le Chabanais*, el famosísimo burdel a cincuenta metros de la Biblioteca Nacional, donde fue un habitual Toulouse-Lautrec. Gustavo había vivido y leído mucho; lo sabía todo.

–Un hombre así, aficionado al piano, al arte... ¿Por qué se hizo militar?

–Por los caballos –replica en el acto la mujer–. Bueno, sí, había la tradición militar en la familia, no tenía más que catorce años cuando entró en la Academia de Valladolid, esas cosas... Pero, sobre todo, los caballos. Los comprendía, le comprendían a él, los quería... Montando, eran un solo animal. Un centauro, ¿no es eso? Ganó concursos hípicos en seguida.

–Medalla militar en Taxdir, ¿no?

–Sí, con Cavalcanti. ¡Cómo evocaba Taxdir! ¡Aquella carga...! ¡De dioses, decía; de héroes griegos...! Siempre los caballos... Menos mal que, cuando pidió el retiro, logró seguir entre ellos; asesoraba la cuadra del Conde de la Cimera, en Aranjuez; daba clases en un picadero elegante que había hacia Alberto Aguilera, en los terrenos de la antigua cochera de tranvías... Los caballos llenaban su vida; yo sola no le hubiera bastado.

–Sí le hubiera bastado. No la hubiera dejado.

–Puede –asiente con otro sorbo de *Sancerre*–. En todo caso, le gustaban los caballos, pero no los militares. Le encantaba vestir de paisano. Una de sus admiraciones era un escritor austríaco –leía bien el alemán–, un tal Meyrink, otro Gustavo, que se atrevió a desafiar nada menos que a todos los oficiales de un regimiento de Francisco José, uno tras otro, para él solo... Tiene gracia, ¿verdad? ¡Cómo se divertía Gustavo contándolo! Le fascinaba la idea. Él hubiera hecho lo mismo. Tiraba a espada muy bien. Era delgado, parecía poco fuerte, pero resultaba de acero. ¡Y qué hombre más hombre...! Cómo me llevaba en el tango... Pero no nos hablamos hasta años después, cuando yo ya había dejado las tablas y estaba de taquillera del Real Cinema... Era exquisito; yo a veces le llamaba Adolfo, por Bécquer, mi favorito... ¿no resulta cursi?

–Nada sincero es cursi. La pincelada cursi la añade el espectador.

–Pero ya no se lleva. Ni los tangos...

Hay un silencio. Gil Gámez pone un disco en la vieja gramola. Se acerca a doña Flora, mientras surge la voz antigua:

«Yo represento la playa
y tú las olas del mar.
Vienes a mí, me acaricias,
me besas y luego te vas...»

–¿Me hace usted el honor?

Bailan. Naturalmente, Gil Gámez baila como Gustavo. Gustavo de la Gándara, Gil Gámez, G. G. Todo es tan natural, tan a compás del profundo fluir del tiempo, de la vida...

Cuando la acompaña a su sillón, otra vez los ojos empañados.

–¿Qué me pasa? Que soy humana, claro. Pero no son recuerdos, ni melancolía, ni felicidad, ni dolor. Es...

Un largo silencio, mientras Gil maneja la cafetera para dos; la misma que ha destilado horas antes, para Luis Madero, un amargo brebaje. Ahora añade lucidez, afila los nervios para flotar más alto. Doña Flora ignoraba que ella poseyera tan exquisito café en su casa. Y nada de licor; le bastará el *Sancerre* que queda, porque es más que un vino: es una resurrección. ¿O una reencarnación? No;

sin trampas. Hay un G. G. y otro G. G. Resurrección en la propia carne de la mujer.

–Yo se lo decía –rompe de pronto doña Flora–: No hay sitio para mí en tu vida. No consigo hacérmelo. Y él me contestaba: lo tienes en mi corazón, donde ya no cabe nadie más.

La voz del hombre suena grave y persuasiva. Como un decreto de lo alto, una revelación:

–Usted fue el motivo que él necesitaba ante sí mismo para dejar el ejército.

–Eso no. No les podía ver, pero era un oficial ejemplar.

–Por eso, porque no les podía ver. Les odiaba. No se permitía un fallo en el servicio para enfrentarles con un ejemplo. Trataba bien a sus soldados, y fríamente a su coronel. Se lo toleraban porque era de gran familia, con amistad en Palacio. Y por jinete supremo. Y por seductor de muchas hasta desembocar en usted, Flora, como en un mar. No comprendían que era buen militar por despreciarles. Y usted le liberó.

–Ésa es invención suya, Gil o como se llame... Perdone, será el *Sancerre*. Generosa, pero invención.

–¿Y si yo le probara que me lo dijo él mismo?

Muchas imposibilidades ha aceptado ya esta noche la señora, pero no esta nueva bendición. Es demasiado.

Gil Gámez señala el retrato del húsar de la Princesa.

–Conocí a su Gustavo. Ese marco, de encargo, lo doré yo. Hablamos muchas veces. ¿Lo duda? Levántese. Toque aquí, por detrás, en la madera. Una «G» gótica. Mi marca.

El tacto, como a Santo Tomás, convence a la dama. Así, ésta era la revelación. Humildísimamente, como la doncella ante el ángel mensajero, pregunta:

–¿Y él se lo dijo?

–Varias veces: «Flora me ha salvado.»

Ahora, en su sillón, hundido el rostro entre las manos, la mujer llora mansamente, dichosamente. Aunque la imagen evocada no es la del apuesto húsar, sino la del pobre enfermo, en su final. ¿Ella le salvó? Así está escrito. Llora felizmente y felizmente acaba el llanto. Levanta el rostro. Ahora Gil Gámez sonríe ante el imposible más difícil: las lágrimas no han descompuesto el rímmel ni el colorete. En verdad una noche mágica. ¡La magia es tan natural!

–Hubo sombras. Hay sombras –murmuró la voz femenina.

–Claro. Si no, ¿cómo veríamos la luz? La noche no es lo contrario del día; la muerte no es el envés de la vida: son su realce. El terciopelo negro debajo del diamante.

–Yo no soy ni lo uno ni lo otro. Él me hizo lo que soy.

–Y usted le hizo a él.

–Pero ¿usted no sabe...? –empieza arrebatada–. ¡Claro que lo sabe! ¡Tiene que saberlo! Lo de los maquis; lo de los evadidos de la Francia ocupada. Sobre todo, lo del notario. Lo que tuve que hacerle, por salvar a Gustavo; lo que le hice después... ¡Sí, sí, retorciéndose en su despacho, agonizando en esa habitación aquí debajo! ¡Déjeme hablar, tengo que decírselo a alguien: la estricnina! ¡Fue horrible y gocé viéndole morir! Cien veces volvería a hacerlo aunque...

Gil Gámez la ataja y resuelve, sosegándola:

–Si Gustavo la eligió así y la moldeó así, ¿cómo dudar de que hizo usted bien?

Doña Flora vacila mucho antes de preguntar:

–¿Lo sabe... él?

–Nada queda nunca oculto.

Conque eso era.

–Entonces, ya no temo nada. Ni espero nada.

–¿Por qué no? Hay más.

–Ya lo sé. La muerte. Aquí estoy sentada –sonríe segura.

Las velas verdes son un pequeño cabito cada una.

–No. La vida.

–¿Más vida todavía? No comprendo.

–No hace falta. Llegará.

–Pues aquí la espero.

El reloj da la una. Han pasado así las horas.

–Es medianoche. Mi hora de marcharme, ¿no? –sonríe gratamente el visitante.

Una despedida, palabras de salón, un besamanos, una puerta cerrada con suavidad...

Y una mujer vieja, rejuvenecida, dejándose recostar contra el muro adamascado, llena de felicidad.

Luego avanza por el pasillo, llega a su alcoba. Deja atrás, a su derecha, el gabinetito de la bola de cristal de roca, del tarot, donde escruta, para sí y para otros, el futuro.

Ni se le ocurre entrar. Ya todo ha estado bien. Ya su futuro se reduce a claro, interminable, deleitoso presente hasta el final. Puro presente, pase lo que pase.

Águeda

Repensarlo para recordarlo todo. ¡Tan decisivo! Lina es asombrosa, mágica. ¡Lástima de magnetofón, no haber grabado sus palabras! (Y las de Luis, también.) ¡Qué segura, qué fuerte! Un balón de oxígeno, un acelerador de reacciones. Y con ocho años menos que yo; un siglo de diferencia a nuestra edad.

¡Celebrar la vejez: estamos locos! ¡Felicitarme por mis treinta años hoy! Adiós a la juventud sin haberla vivido. Gloria la única gran locura frustrada. La cabeza caliente y el sexo frío. Águeda volviendo al redil. Tan buena, tan seria... ¿O Gloria fue un comienzo, un desencadenante?

Soy araña, esperándole. ¿Dónde las habrá estudiado? «No soy aracnólogo, sino mero aficionado.» No todas tejen; muchas cazan saltando sobre la presa, como la pantera. Pero Luis prefiere las tejedoras. Sacan su arma de sus propias entrañas. Engendrar tela es casi engendrar ya a la víctima. ¡Gozo de la espera! Atención a las vibraciones de los «hilos telefónicos»; más pasión que el pescador de caña. Distinguiendo la ondulación producida por la brisa de las sacudidas agónicas de la presa. Mi red la ha tejido Lina; pero yo aguardo.

Treinta años ya. Nueva etapa. Por de pronto, la casa: he vuelto a mi cama y ya no queda ni olor a Gloria. Pero sobre todo, Lina. Hoy han muerto los pechos de Gloria. Truncadas sus atrevidas cúspides. Las areolas violeta reducidas a ojeras cadavéricas. ¿Y me impresionaban esas sombras chinescas? Me asombro. Nueva etapa.

Ahí están sus rosas. Se pasa de atento. Y el otro día los *Benson & Hedges*, ¡un cartón! Tuve que regañarle aunque se hubiera acordado de mi marca. Bajó la cabeza como perro apaleado. «¿No habías dicho que no te gustan las fumadoras?» «Bueno, no es femenino (¡qué idiota!), ¡pero fumas con tanta gracia!» (¡quién lo hubiera pensado!) «y además me gusta ver el humo». «Entonces, ¿por qué no fumas tú?» «Hay humos mejores: sándalo, incienso.» Lo dijo misteriosamente. Es de otros tiempos. Pues no sabe lo que le espera. ¡Voluptuosa expectación! Aguardar a Gloria era una angustia; esto un excitante fuego dentro. ¡Con tal de que no le asuste! Sí, es mejor no haberme puesto el vestido, seguir con pantalones. En cambio, de cintura arriba... ¡Qué bien, así tendida, manos bajo la nuca! Sin *stress*. ¡Qué libre la sangre por mis venas!

Lina dice que le gusto a Luis; no me lo creo. Pero quisiera poder influir en él; despertarle. Es demasiado niño. Lina, ¿dónde la habrá descubierto don Rafael para explicar Ciencias Sociales? A ésta no la explotará; al contrario, ella se pasa el día denunciando abusos por todas partes. De esas muy concienciadas. ¡Qué regalo me ha hecho para hoy! Ni sospecharlo, cuando fui a buscarla. ¡Ahora los transeúntes miran mi pecho! Revolucionario.

No se lo espera, porque le gusto masculina. Pues sí, me encontrará con pantalones, como siempre. Descalza y sujetos bajo el pie por la tirilla, como los galanes románticos. Pero nada de jersey gris con cuello alto; mi «cota de malla». «¡Te hace tan Juana de Arco!» ¿Qué quiso decir con eso: *Pucelle* de Orleans o marimacho de Gloria? Porque me supone el macho, como todo el mundo, la que dominaba. ¡Cuando era ella mi tirana y no supe retenerla...! El caso es que le gusto masculina. ¡Qué sorpresa se va a llevar!

Y Lina empeñada: «Le gustas a Luis.» «¡Pero si es otro como yo, un infeliz en el fondo de un pozo!» «Por eso mismo. Provócale, zarandéale, para que reaccione.» ¿Tendrá razón Lina? Hacer con él lo que ella conmigo.

Me encanta esperarla en el patio de atrás de la Universidad, entrando por Amaniel. Fue claustro del antiguo Noviciado y jardín botánico, pero lo han destrozado. Ahora, aparcamiento, claro. «Estos del Opus midiendo el progreso en autos *per cápita*», dice Lina. Altísimo magnolio; del siglo XVIII, seguro. Sófora increíble, viejísima, las ramas retorciéndose una sobre otras como en un macramé. En el pabellón, el aula de química que diseñó Moles; la mejor de su tiempo. Ahora, abandonada. Como era republicano...

Aquella Juana de Arco, pequeñita, de calamina. Uno de mis poquísimos recuerdos infantiles de París. Desapareció. Fue tío Conrado, claro. Como no podía destruir a padre aplastó con la bota su recuerdo y la tiró. ¿Cómo iba a tolerar una gloria francesa aquel bárbaro del Imperio hacia Dios? ¡El

Imperio! Tánger y gracias; aprovechando la guerra y mientras duró.

Llegó rodeada de alumnos. Terminó el año pasado Económicas y es ayudante. ¡Qué popular! Delegada de curso, se las tuvo tiesas con el Rector, cuando el encierro en el Paraninfo. Nos paramos en la librería de lance de San Bernardo, ante unos libros en ruso. Lina ha empezado a estudiarlo, «para un economista marxista es fundamental». Deletreó algunos títulos y autores. Pasternak. «Allí no hay esas masturbaciones mentales de la *nouvelle vague.*»

Me irritó su insistencia: «¿Cómo voy a gustarle a Luis, con mi sosería?» Soltó la carcajada. «Con tus tabúes, tus retorcimientos y tus escrúpulos, resultas un bombón exquisito. Plato bien especiado, mujer fatal. De esas tardías que se destapan y los vuelven locos. Como Luis. Encajaríais bien en la cama.» Ni contesté. Monstruoso pensarlo.

¿Traerá Luis el castigo? ¿Cómo se le ocurrió decir que mis ojos son de Nefertiti? Se le escapó a doña Emilia. Con eso me pone en ridículo. Me va a quedar de apodo en el barrio. Se disculpó, pero no bastaba. Merecía un castigo. Se me ocurrió de pronto y lo reconoció. Eso, zarandearle, removerle. Se lo impuse: comprarse un cuadernito escolar y escribir quinientas veces «Águeda, he merecido el castigo». Y con buena letra, como los chinos: la caligrafía un arte. No dijo una palabra. Excitante espera.

¡Qué diferencia cuando Gloria! ¿Cómo pude sufrirla? Ser tan capaz de odiar (a tío Conrado, a los militares sublevados contra padre, el monstruito...) y rendirme a Gloria de aquel modo. Claro; era mujer. Un hombre no me hubiera conquistado nunca. Es lo que me gusta de Luis. Sus charlas me sosiegan, nuestra intimidad no me inquieta. Con éste no sufriré; hasta se me han pasado las jaquecas (tocar madera). Le falta madurez, incita a ser materna. Sí, pero madre educadora. Quien bien te quiere te hará llorar. El castigo.

Lina negándose a ver la bonita tela gris en el escaparate de Murviedro. «Mientras yo sea tu amiga, no vuelves al gris. Ni al traje sastre. Se acabó el uniforme... Mira: eso te hace falta.» ¡Qué amarillo, qué llamarada! «Me miraría la gente.» «De eso se trata.» «Estás loca. No va con mi cabeza de profesora y mi moño.» «Pues cámbiate la cabeza. Córtate el pelo.» Ciertamente era sencillo.

Asombrosa Lina, sin problemas. Le nace la acción como las manzanas al árbol. No premedita, ¿para qué? Todo a su alcance. Cuando habló de la educación para nuestros hijos pensaba en los suyos. Yo miré su vientre, su delgada cintura, imaginé su sexo. ¿Un macho ahí, un hijo ahí, un hombre futuro? ¡Qué horror! ¡Y para ella tan natural!

«Todavía, si fuese un amarillo más discreto...» «La cabeza, tonta. El maquillaje y el pelo.» «¿Te maquillas tú?» «A mí no me va. Yo soy estilo deportivo, *hippy*. De pantalón vaquero. Pero tú, tan exótica, con esos pómulos y esos ojos... Te quedará una cara sensacional.»

Nos asustó un bocinazo. Lina saludó al del coche, que no pudo pararse. «Guillermo, mi amigo.» Y como notó mi incomprensión añadió sonriente: «Mi amorcito. ¿Te lo digo como en las novelas? Mi amante. Me acuesto con él, vamos.» Se burló de mi expresión. Soy idiota, no lo puedo remediar. «No lo digo por chocarte, sino por ayudarte. Con un amigo, ¿dónde mejor que en la cama?» Su voz se hizo tan cariñosa que me conmovió.

¿Me hubiera hablado así mi madre, si viviese? ¡Si al menos padre escribiera más! Aunque su servicio se lo impedirá; habrá de ser prudente. ¿Continuará en Argel, con esa Gaby? ¿Cómo será ella? ¿Cómo se conocerían? Comprendo que necesite una mujer, pero no que eso me excluya. Hasta podría ayudarle.

Lina me cogió al fin en un momento propicio. De pronto necesité hablar con alguien. La convidé a comer: mi cumpleaños. Me felicitó jubilosa. Ella misma decidió dónde; en *«El Campo del Moro»*, calle de Bailén. Un momento nos paramos frente al horizonte invernal; nubes fantásticas. El aire frío nos empujó al restaurante. Allí le confesé cuánto me chocaron sus frases sobre Luis y yo. «No estoy dispuesta a servir de gozadero a un hombre, eso es.» «¿De qué?» «De gozadero. Como abrevadero. Lo decidí hace años. No me humillarán.» Me excité, como siempre al tocar el tema. Esperé su réplica. Pero calló, mirándome con ternura. Luego: «¡Qué educación, qué barbaridad! Colegio de monjas, ¿verdad? ¡Qué niñez has tenido, pobrecita!» Con eso me tapó la boca. ¿Cómo voy a negar el fracaso de mi educación?

Suponiendo que haya tenido niñez. Mi padre no pudo educarme. Primero en Zaragoza, en el aeródromo, yendo y viniendo a Pamplona los fines de semana. Luego, huido, y yo prisionera. Primero, con mi madre, presa del tío Conrado y de su mundo. Después, nunca he tenido casa: colegio interna, Colegio Mayor, residencias, pensiones... Soy lo que me han hecho. Vencida desde la infancia: perdieron los míos. Solamente aprendí emociones con Sor Natalia, pero se la llevaron pronto. ¿O se marchó? No me enteré bien de aquello. ¿O no me quise enterar?

Lina me advirtió: «Un señor de otra mesa te mira mucho. Un hombre ya maduro. Los que a ti te convienen.» «No insistas. ¿No ves cómo reacciono, con qué violencia? Se me dispara la adrenalina.» «Porque no has intentado nada.» «¿Nada?» Me destapé; le conté lo de Gloria. Me costó un gran trabajo, pero desembuché, como dice ella. Rompió a reír:

«¿Lesbiana tú? ¡Qué tontería! Si no hay más que verte...» Me desconcertó. ¿Entonces fue solamente un error? Remachó: «No te empeñes por ese camino. Piensa en hombres. Lígate a Luis.» «¿Sabes lo único que a veces me inspira Luis? ¡Darle de bofetadas! Se pasa de tonto.» «Pues dáselas. No evites las tentaciones; se repudren dentro.» ¿Quién no se ríe con ella?

El otro día, embobado mirando mis pies. Le obligué a confesarlo. Se disculpó. «¡Son tan perfectos!» Me asombró: y eso que apenas podía verlos, bajo mis piernas cruzadas, sentada en la cama. Lo eché a broma. «¿Cómo pueden impresionarte esas cosas para andar?», aunque me sentí halagada. Descrucé una pierna lentamente, la extendí hacia él, giré el tobillo un par de veces, como mirándome un zapato. Al menos, sin deformaciones: ventaja del calzado siempre amplio. Y Luis fascinado, como dicen de los gallos, cuando se les pone el pico en el suelo y se traza velozmente una recta con una tiza. Hipnotizados.

Obedecí a Lina, coqueteaba. Sí, ella ha tomado las riendas. Ya no dice nada; lo hace. Se le ha ocurrido mi regalo de cumpleaños. «Treinta años, ya, Lina.» «La mejor edad. Ya verás.» Le dije que no se empeñe, porque lo peor no es mi cara. Me miró extrañada, me resistí, insistió, me rendí. «No tengo pechos, Lina, ¿es que no lo ves?» Rota mi voz, eso le impidió reírse esa vez, estupefacta. Me asomaban las lágrimas: «¿No lo ves? Son ridículos, ridículos.» Me tomó una mano y habló muy seria, muy grave. «Los míos son igual y Guillermo los adora... Esto no puede seguir así, Águeda. Necesitas romper tus tabús.»

¡Es verdad, Lina también sin pechos! ¡Prodigiosa revelación; cómo recuerdo ese momento! La paloma. El niño con el aro, desviándose hacia la calzada, la niñera como un clarín: «Andresíííín.» Lo volqué todo hacia afuera, como un absceso. Mis pechos que no crecían. El remedio que se me ocurrió en el colegio: rezar a Santa Águeda. El daño que me hizo la frase de aquella niña: «Aquí entras con trenzas y sales con tetas.» Mis noches de rodillas. Mi estampa con «la santa doncella de Catania» llevando sus cortados pechos en una bandeja. Su busto tapado por un manto rojo, ¿debajo dos agujeros?, ¡qué obsesión! Como las dos órbitas vacías de aquel horrible tuerto a quien dábamos limosna, secándose la serosidad con su manga sucia. ¿Cortados, arrancados con tenazas? El *Año Cristiano* era ambiguo: una vez decía lo uno, otra lo otro. ¿Y si me crecían a mí; me los cortarían por ser roja, hija de un rojo?

La obsesión de Luis, los pies. Cuando bromeo sobre su admiración me explica la importancia de «esas cosas para andar». Numerosos mitos. Budapada, la huella del pie de Buda, adorada en toda Asia porque nada más nacer midió el universo en siete pasos. Las huellas de Jesús en el Huerto de los Olivos; de Mahoma en la Meca; del inmortal Pong-Tsu en el monte Tao-Ying.

Yo crecía, crecía, pero mis pechos no. Insignificantes. Cuando supe de las hormonas ya era tarde: me había dado por vencida. Como si no me importara, pero en el fondo... Por eso, Gloria me deslumbró. El poema de Baudelaire, *La Géante*, el poeta acurrucándose a la sombra de unos pechos enormes, ¡qué envidia! Lina al fin rompió a hablar; había callado hábilmente mientras yo me desahogaba. Bebí sus palabras. «Tonta, ¿qué te crees? ¿que no se puede amar con los pechos pequeños? Tienen sus ventajas, y a muchos les gustan más.»

Mis pies admirados. Pregunté a Luis, burlona, si le gustaban los de las chinas, si esa tortura le resultaría provocativa. Respondió muy serio: «No los he visto desnudos pero, según ellos esa práctica engrosa voluptuosamente los muslos.» Para abofetearle. «Al pie pequeño llaman los chinos "el lis de oro" y, después de las famosas "dos pulgadas cuadradas", son lo más erótico de la mujer.» Pero esquivó la mirada y pasó rápidamente a otro tema. ¡Qué ingenuo! ¿Creería que yo no imaginé dónde están esas dos pulgadas?

Sí, Lina ha cogido las riendas: ése es su regalo. Me preguntó mi talla de sostén. Al saberla reflexionó: «Necesitas ir más descotada, precisamente porque son pequeños. Hay que coger el toro por los cuernos. Que se te vean un poquito, su nacimiento y en medio. Te voy a regalar uno de línea baja, para descotes en *V* muy apuntada.» Inútil recordarle el invierno. «Luis te ve en casa.» Fuimos a la corsetería, tuvo la delicadeza de probarse ella también para mostrarme su pecho sin comentarios: semejante al mío. Sólo distinto el color: ella, rosada, yo de ámbar. Me lo compró. Mi secreto júbilo tan fuerte que estallé: «¿Sabes la talla de Gloria? Cuarenta y dos.» «¡Qué vaca! ¡Los tendrá muy caídos!» Nunca lo noté mientras los adoraba.

Hipnotizado Luis ante mi pie, que se movía como un animalito en libertad. De debajo de mi muslo extendido salió el hermano, como un pez de su gruta. Avanzando el hociquillo se emparejó con su compañero. Eran graciosos; también a mí me gustaban. «Me recuerdan un breve poema de Li Si-hao. Una poetisa de la época Sung.» Le pedí los versos, pero se negó. Una indecencia, seguro.

Lina siguió llevando mis riendas. En una perfumería eligió cuidadosamente el maquillaje. ¡Qué lío! Para pestañas y párpados, delineador, sombra... «Hoy mismo; empiezas hoy mismo.» «Va a subir a verme Luis.» «Estupendo. Razón de más. Das el golpe maquillada y con melena. Una media melena despuntada.» Lo que más trabajo me costó aceptar. ¡toda mi vida con pelo largo! «Treinta años, vida nueva», cortó Lina. Eso me decidió. ¿O la buena comida? Nos metimos en la peluquería. Salí otra: como Sor

Natalia al entrar al convento. ¿A quién ofrendé mis cabellos? ¿A mi padre?

Replegué mis pies sobre la cama y, de pronto, recordé un comentario de Gerta. Ella se interesaba también: el pie como símbolo fálico. Por eso el zapato es femenino: donde penetra el pie. Para Luis todo es símbolo, todo significa algo más en otro plano. Siempre un doble fondo; muchas conchas. Somete cualquier cosa a destilación fraccionada y la disfruta siete veces.

Lina me habló de su Guillermo. Le conoció en Inglaterra, en un campo de verano para estudiantes. Recogían fresas. Tiene un piso con otros dos, en la calle de López Silva, junto al Rastro; una casa moderna. Allí hacen el amor, en su cuarto. A veces en el campo. Salen con el cochecito de Guillermo.

Curiosa sensación del nuevo sostén, con su armadura por debajo. Noto el alambre, como en mi boca infantil aquel aparato corrector de dientes. ¿Llevo ahora corrector de pechos o vuelvo a la niñez? «Se te olvidará pronto que lo llevas», aseguró Lina. Con el aparato me pasaba horas dándole a la lengua. ¿Voy ahora a empujar hacia delante con mis pechos? ¿Mi nueva proa; nuevo rumbo?

Al cruzar Arenal en la entrada de la Plaza, recordó de pronto Lina: «¿No estuviste a punto de ser atropellada ahí mismo, hace unas semanas? ¡Por eso me recordó algo tu cara al conocerte en la Academia!» Es asombroso; como si todo Madrid se hubiera dado cita a ver aquello. No sé cuántos me lo han dicho ya.

Ligera de cabeza, al salir a la calle. Sensación de desnudez, pero más miradas masculinas. ¡Es que me han transformado! ¡Qué cambio! Y el perfume. Me resistí un poco; demasiado exótico. «Me estás disfrazando, Lina.» «Sí, pero de lo que eres. Hasta ahora te disfrazaste de lo que no eras.» Sentí esa gran verdad y me abandoné a mis treinta años. Perfume en mis sienes, mis orejas, mi piel en el vértice del escote. Como si me aplicara un cigarrillo.

Así es como Luis me ha hecho vivir mis pies. Antes, meros útiles, mis zapatos motivo de broma. Ahora, un tesoro sensual. Como mis ojos de egipcia. Luis y Lina, L. y L. ¿Golpe de timón en mi destino? ¿Cada uno llevándome en la mano? Lina sí, Luis no: a ése habré de manejarle yo. Hacer de Lina con él. Y en cuanto al destino, cada cual ha de sacarle partido por sí mismo. Como padre: conquistar la gumía. Lo importante son mis nuevos atractivos. No me asusta ya Santa Águeda. Sus pechos, en la bandeja de la estampa, eran –ahora caigo– helados de vainilla con fresa en todo lo alto.

Pasos en la escalera; los suyos. ¿Y si se asusta? Lo que más le va a disgustar es la melena; ¡elogiaba tanto mi gesto de cabeza al echar atrás el pelo suelto! Pero es dócil; no es un mujeriego como don Rafael. Aunque cuidado con las ovejas mansas. Se infiltran, es otro sistema. Cuando te das cuenta ya están dentro. Para llevarle adelante mantener firmes las riendas. Sus golpecitos. «Adelante. Está abierta.»

LUIS

Lo presentí antes de llamar, abierta, nunca ocurría, qué golpe me espera, tendida como el día del desmayo, en penumbra, de repente el perfume, salta sobre mí, pantera negra, selva incendiada me rodea, afloja mis rodillas su voz, obedezco su orden, enciendo la lámpara, la sombra se revela mujer, inesperada, madura, poderosa mujer. ¡Ese pelo, sobre todo!

Obra de Lina, claro, precisamente

conocerla hoy, juego del destino, Águeda hablándome tanto de ella, una muchacha tan resuelta, aquí la prueba, ha decidido feminizar a Águeda, mi propio proyecto a más largo plazo, la prisa es corruptora, este salto de mil leguas, qué nueva mujer, «no te quedes ahí como un tonto», me dirijo al escabel, «no, en la alfombrilla, no quiero que me mires desde más alto, si lo permite tu orgullo masculino», mi orgullo ¡si supiera!, habla restallante, el hábito hace al monje, «ante todo, ¿y el castigo?», le entrego el cuaderno, en silencio, con el paquetito de mi regalo.

Mira el cuaderno, me manda dejarlo en su cómoda, junto a mis rosas, lo guardará ella hasta mi próximo delito, abre el paquete, ¿le gustará?, unos rojos calcetines de esquiadora, dibujos noruegos, «¡qué locura!, además de las rosas, de importación, ¡qué derroche!», pero los acaricia, como yo lo hice, lana muy dulce, «si yo no esquío», «para que estés descalza aquí cuando apriete el frío», se humaniza, me lo agradece, «estupenda idea; espera ahí», salta de la cama, va al otro cuarto, al pasar me envuelve su perfume, y no quiero fijarme en esa blusa, intento adaptarme a la nueva situación, ¿cómo ayudarla después de todo eso? ¿en qué queda mi plan?

Vuelve calzada con ellos, el negro pantalón elástico sobre sus muslos, soñé que me dejaría ponérselos, hubiera vuelto a sentir sus plantas, los dedos bien formados, hubiera acariciado su mármol color miel, Canova en antiguo Carrara, ¡posar mis mejillas en ellos!, puro sueño, al menos mi lana los abriga, los extiende desde la cama, a un palmo de mi boca tantalizada, dos perdices rojas, linternas encendidas, joyas vivientes, cruza las piernas y casi se ocultan bajo el ébano del pantalón, postura del loto, no, más bien las manos en *bumisparçamudra*, tomar a la tierra por testigo, el sofá-cama su pedestal, ¿trono para reinar o torre de refugio?, a veces tan superior (¿estará comparándose con Gloria?, da escalofríos), a veces replegada y vulnerable, entonces conmovedora niña, ¿torre o trono?, en todo caso yo su escriba, hoy ella más Nefertiti que nunca, sin el moño, la estatua es sólo cabeza, desconocemos el busto de Nefertiti, no me atrevo a mirar el nuevo de Águeda, desnudo del jersey, esa V que hipnotiza, desciende separando sus dos pechos, menudos pero arrogantes, qué ocurre en ese vértice, ese centímetro cuadrado, qué golpe de timón le ha dado Lina, y el maquillaje en los ojos, más Nefertiti que nunca, ¡oh Águeda, déjame salvarte a mi manera!, no te precipites, déjame ser tu puente a tierra firme, no pido nada a cambio, sólo el goce de que pases sobre mí, no me lo hagas más difícil, ¿a qué viene el perfume, el escote?, no te va, «¿te has mirado al espejo?».

Lo exclamé en voz alta, sus ojos se endurecen, hierática, niega secamente, no te enfades, soy el esclavo, pero también el escultor de ti, pero me explica, no se ha mirado porque yo soy su espejo, se va a mirar en mí, se inclina, acerca su cara a la mía, el perfume se aviva en el vértice ambarino, distingo una venilla diminuta, ahí donde ocurre algo inmenso, su mano levanta mi barbilla, me clava los ojos, relampaguean sus dientes, rosa y sombras violeta de la lengua, «me veo, pero te veo; asombrado, desconcertado», sus ojos irradian, iris dorados con gris acero alrededor, alguna chispita rojiza, sangre sobre acero, «¡y enfadado, además!, ¿te atreves a enfadarte?», sus ojos disparan saetas, yo su San Sebastián, «¿y sabes lo que veo ahora?», su júbilo me revela que adivina, le digo que no, pero su sentencia me traspasa: «veo tu miedo».

Suelta mi barbilla y creo desplomarme, al suelo por inservible, «tienes miedo» repite satisfecha, recobra su postura, tiemblo ante ella, es verdad, su silencio pone un sello en sus palabras, las eterniza con lacre, goterones de lacre rojo su perfume, en el suelo me clavan, «no te gusta mi cambio, pues prepárate a más, y basta de mirar mi escote, demasiada osadía para un escriba». Ahora quiere un espejo, me dice dónde encontrarlo, «sujétalo tú mismo, ahí, más inclinado, eso, no te muevas», se mira largamente, más esfinge que nunca, se me cansan los brazos, quiere aprenderse su nueva Águeda, cedo un poco, «no importa, ya basta, ya sabes cómo es Águeda», aguardo su capricho, quiere té, con galletas, me levanto en silencio.

Cocina llena de trampas, jugándome trastadas el gas y los cacharros, me quemo con la cerilla, soy menos que escriba, un robot de hacer té, todo distinto desde hace unas horas en casa de doña Flora, su santo –Flora pagana y San Juan de la Cruz el mismo día, qué broma– fue cupletista por los años veinte, cantaba tangos: Flora Maipú, quién me iba a decir que mi infancia sufriría un cataclismo, que me esperaba allí otra madre, conocida y desconocida, desde entonces no doy pie con bola, al fin empieza a hervir el agua, espero en la silla de la cocina, qué pensará ella, por qué no me llama, necesito serenarme, he de orientarme en la nueva selva, hacerme a sus lianas y a sus serpientes, a sus flores venenosas.

Curiosísima casa de Flora, la de su marido Gustavo, de húsares de la Princesa, buena familia, salita con cortinas de pesadas borlas, galones, agremanes, maceteros con palmas, la nueva selva, ya anunciaba otro mundo la campanilla de cordón en la puerta, su tintineo, espíritu avisando nuestra llegada, interior de Méndez Bringas, maceteros con palmas, un *vis-à-vis*, cacharritos, búcaros, antiguos abanicos en estuches con cristal, el posapiés, muñeca veneciana en el diván, alabo su pasamanería de museo, «ya no se hacen estas cosas, sólo un viejo maestro en la calle de Peligros, hace puñetas para togas y borlas de birretes, pero van a tirarle la casa», no la escuchaba, la contemplaba, casi hermosa a los cincuenta en ese su santuario, viva y fuerte, majestuosa y coqueta a la vez, nos sentamos en la camilla, círculo mágico, preparó café con «espíritu de vino», no admite otra cosa, cómo apartaba las mangas flotantes de su bata, mejor que tía Hélène, como una japonesa, ceremonia del té, ritual preparatorio.

Le sirvo el té en bandeja al borde de la cama, muerde una galleta, no puedo apartar la mirada y lo nota, «tengo la misma talla que Lina», indiferente como si hablara del tiempo, «y ya no me importa Santa Águeda», como no entiendo me explica, la obsesión de su adolescencia, rezar a la santa, a San Jorge para que la librase del dragón, le advierto que ya no hay San Jorge, un mito universal del renacer anual de la vida, como Tammuz, la Iglesia lo utilizó como otros mitos, ahora lo ha eliminado como a otros santos, Santa Filomena, Santa Bárbara, «¿y qué hacen ahora con los altares?», se ríe, «no lo expliques tan triste», ¿cómo confesarle mi pena, que Lina se me ha adelantado?, yo hubiera sido San Jorge para librarla de Santa Águeda, pero ¿qué fuerza tengo tras el derrumbamiento de mi infancia, en casa de Flora?

«¿No has tomado té?», me da lo mismo, «qué cabeza la mía, tengo que alimentarte», la voz alegre, diferente, me inquieta, «ven, toma y come, luego hablarás de Santa Filomena, ¡abre la boquita, no seas antipático!, ¡así!», por qué no, me la tiende su mano izquierda, abro la boca al máximo, una galleta entera empapada, sus dedos la empujan sobre mi lengua, me resbala té, se me hace espesa, degluto penosamente, una comunión de magia negra, «anda, otra galletita», obedezco, me rindo y estoy en paz, ¿para qué la dignidad?, es un triunfo no sentirla, una idea me reanima, claro: Águeda me cuida, pendiente de mí, mía, Lina ha intervenido, pero yo su escultor aún tengo mucho que hacer por esta reina, de Saba, ¿Salomón?, el sueño, «Salomón es un perro», seré su perro, todos los caminos llevan a Águeda, lo demás qué importa, «y ahora, por haber sido bueno, apura la taza», me la da a beber sujetándome la nuca con la mano, como a los niños, el té ya frío, miguitas de galleta en el brebaje, pero su torso se me acerca, su excitación aviva el perfume, ahora huelo la carne de Águeda, la nueva Águeda, triunfante, el té con la dulzura suprema de un veneno, yo su perro, mi sueño el primer día, no comprendí que el gran rey fuera un perro, ahora sé que un perro es dios.

«Las pasamanerías son atroces», decía Flora, «pero eran el orgullo de mi suegra, ¡me odiaba!, por eso conservo todo eso, es como tenerla a la vista, embalsamada, impotente, conmigo no pudo, pero cuánto daño a su hijo, esas horribles madres como pulpos», resuena otra vez su voz en mi soledad ahora, «¿te asombro, Luis?, llámame Florita, hijo, casi te he visto nacer», ¿qué decía esa señora?, ahí empezó mi revelación, ¿dónde había yo entrado?, ¿Eleusis; caverna de Mithra?, ella ¿sibila de dónde?, me sirvió de su cafetera rusa, ¿qué mágico brebaje atándome para siempre?, «porque tú eres el hijo de Madero», me miró de hito en hito, se convirtió en la mujer niña, la hetaira sagrada, la azucena-sexo, ¡qué secretos habrá en los cuartos del fondo!, «quién me iba a decir que vendría a felicitarme el hijo de Madero, los buenos tiempos después de la Guerra, la primera, la última entre caballeros, aún permanecían algunos refugiados en el Ritz y el Palace, el Ritz entonces quedaba lejísimo, hasta príncipes rusos, cuando conocí a tu padre yo ya había actuado en el Real, antes de mis diez años, en *Hänsel y Gretel*, una ópera navideña de Humperdinck, yo hacía de serafín en el sueño de los protagonistas, ya sabes, el famoso cuento, el horno de la bruja *Mazapan*, chillaban los espectadores infantiles al ver su fuego por la boca», me sobresaltó su invocación al fuego, «a tu padre le conocí más tarde, fui corista de plantilla en el veinticuatro, poco duró, al año siguiente cerraron el Real, ya ves a tu pobre padre le preocupaba el fuego, telar de madera vieja, decorados pura yesca, y fue el agua lo que acabó con el Real, filtraciones de los cimientos» (sí, pero el fuego acabó con mi padre, no lo recuerda ella).

«Le llamábamos Ricardito porque era buenísimo, pero se hacía respetar, y eso que éramos de alivio, eso sí, al estilo de entonces, locuras con buenas maneras, ¡aquel pasillo del piano!, conmigo no valía ser senador vitalicio, si no me gustaba pues nada, y siempre fiel mientras duraba la cosa, ¡buen músico tu padre!, el maestro Lasalle le apreciaba mucho, sobre todo para Wagner, entonces era el no va más, ¡qué latazo!, yo prefería Puccini o Bellini, *Tosca* o *La Sonámbula*, nombrado muy joven director de coros, tan formal en medio de muchachas deseando destacar, nos hacía gracia, pero era muy justo, aún no comprendo cómo se casó con tu madre, no le iba en absoluto, perdona, hijo, pero así lo pienso.»

«Quizás por ser tu madre inglesa llevaba melenita corta, entonces nadie así, todas de peinadora o peinándonos unas a otras, la conoció y luego fueron novios por correo, se casaron y les dieron vivienda en el Real, en los altos del teatro, daba a un palco de la sala, ya lo sabías, ¿verdad?, enfrente vivía el conservador, don Felipe, llevabais tres años allí cuando yo entré en el coro, desde el desastre de Annual, me lo contó Fiammetta, estaba de moda Tórtola Valencia, bailaba en camelo oriental, pero embaucaba a los escritores.»

¿Quién era Fiammetta?, «pues la Nardi, otra corista, éramos como hermanas», y ahora resulta que se encaprichó con mi padre, escuché la historia atónito, «tres años resistió sin hacerla caso, pero la inglesa le hacía la vida imposible, se había hecho protestante otra vez, íntima de una de la Embajada, y además una tía suya enciscando el matrimonio», yo escuchando a doña Flora atónito, se desgarraban los velos de mi infancia, en aquella habitación abarrotada, la pantalla derramando sombras por los muebles anacrónicos, caverna para la voz de doña Flora, oráculo, despertando otras voces del pasado, entrando por mis oídos como el veneno en el padre de Hamlet, me fue revelado todo, la ruptura, la «inglesa» marchándose a Londres con sus padres, yo en brazos de tía Chelo, mi padre en los de Fiammetta, ésta me quería mucho, me veía con mi padre y la niñera en la plaza de Oriente, me cogía en brazos, me regaló un sonajero, era muy cariñosa, me apretaba contra sus pechos exuberantes, me la mostró Florita en la foto, tomada en el jardín de un chalet de Aravaca, el verano del veinticuatro, un amigo de Florita que veraneaba en San Sebastián les cedía el hotel a las dos, mi padre iba a verla, un día me llevó en el coche de un amigo, así gocé tantas cosas sin recordarlas, pero las llevé siempre dentro: el sol sobre la hierba, el fuego del verano, el tibio pecho de las dos mujeres, la irradiación del amor entre jóvenes, yo juguete de todos, mimado, empapándome de vida, lo ignoraba, pero ahí está la prueba, en esa foto y en mi corazón.

No está amarilla, el tiempo la ha respetado más que a la de mi madre, como si la vitalidad del original, algo sepia, pero era su color, cuánta juventud en ese grupo, al fondo listones entrecruzados con enredaderas, pabelloncito del jardín, delante la mesa en desorden tras la comida campestre, dos hombres con bigote, el del borsalino con guías a lo kayser, mi padre sin sombrero, le reconozco, pero no es el mismo, también Florita es allí distinta, su devorable sonrisa, se lo dije y se esponjó, y la otra, su blusa de manga ajamonada, me sostiene en brazos, espléndida morena, pechos ubérrimos, elásticos, ¡qué revelación!, comprendo todo, estos pechos recuerdo y no los ausentes en la foto de mi madre, esta ternura carnal oprimió mi cuerpo, en ellos me refugié y nunca en otros, ¿soy entonces más hijo de la Nardi?, me lo pregunto a sabiendas de que sí, qué terremoto vital, mis columnas interiores derrumbándose, eran sólo de cartón, estos pechos sí de piedra, los del jardín de Aravaca, de las Hespérides, donde nunca estuvo la otra, quiero decir mi madre, la que era mi madre hasta el otro día, por eso su foto amarilla de cadáver, ¿voy a seguir llevándola conmigo?, esos otros pechos junto a mi mejilla, me amamantaron de vida, Florita seguía hablando, el del borsalino era Mariano, artillero, pero no es que a ella le diera por los militares, yo sin escucharla, «quiero esa foto», me prometió que será para mí, pero no tiene otra de la Nardi, entonces no se hacían instantáneas como ahora, Mariano era muy aficionado, con trípode y todo, he de tener esa foto testigo, de la geología de mi vida, el seísmo inicial y la gran falla, me dejó tembloroso, como en antijuicio de Salomón perdí a mi madre verdadera, la del tibio y palpitante seno, Salomón es un perro, me confiaron a la otra, la que no supo amar a mi padre, ni darme sus pechos, aun así llevé su foto, ¿cómo vivir sin madre?, pero ahora tengo a ésa, la de los pechos verdaderos, la de amor rebosante, amor a mi padre y a mí, lograré reinstalarme en otra nueva infancia, emergida en mi caverna interior.

Rayo de luz hasta el fondo, explicadas las largas ausencias de mi padre, sus contratas por provincias (siguiendo a la Nardi, ahora lo sé), el inútil retorno de mi madre en su busca, a última hora porque sólo vino a morir, eso sí lo sabía yo, aquel domingo 23 de septiembre, el incendio del Teatro Novedades, me dejó huérfano, mi padre tocando en la orquesta, mi madre entre los espectadores sin que él lo supiera, ahora completo el suceso, casi cuarenta años después, la Nardi en el escenario, mi madre a sorprenderles, quizás a armar el escándalo, hasta puede que tía Chelo le sugiriese la idea, era muy capaz, pero el fuego no dio tiempo, el fuego amigo de Flora, enemigo de Chelo, el infierno, las alusiones de mi tía a la justicia divina, grotescas, pues me contó Flora que la Nardi se salvó, vivió más años, casada en Barcelona con un fabricante, se escribieron hasta su muerte, nunca olvidó a mi padre, su gran amor. ¿Y yo quién soy?, pero agradecido a esa Circe, prefiero un huracán apasionado para agitar mi infancia, mejor que la fría británica, la seca pureza de tía Chelo, prefiero este terremoto de Águeda, Lina creyendo transformarla con la melenita, no sabe que la ha hecho más Nefertiti todavía, ¡y el auténtico paje florentino!, le reconozco así, Águeda más mía que nunca, yo su Pigmalión, ahora sí, ya estoy seguro, podré serlo, su Alberto Magno con robot, su Rabí Judah Low con el Golem, ya la he modelado como Nefertiti, se resistía, pero ya está, rendida a mi cincel, Nefertiti, sería sólo un nombre sin su esclavo, el escultor anónimo la salvó de la muerte, le dio un rostro, la ofreció a nuestro asombro a través de milenios, el pobre esclavo héroe, a los pies de su trono, los demás de la corte olvidados, el Sumo Sacerdote, el Gran Eunuco, el Jefe de los Diez Mil guerreros, ¿qué memoria dejaron?, sólo aquel escultor venció al tiempo, se sumergió en lo hondo de la piedra, buen buceador de perlas, volvió con ella en brazos, Nefertiti, y yo lo he conseguido, su resistencia, por eso he tomado posesión de Águeda, cuando feudalmente mis manos se hicieron sus vasallos entre sus pies, el que posee será poseído, San Juan de la Cruz, Eliot, por algo acepté el castigo, qué sentido tenía si no, el cuaderno escolar, como un niño, ella lo decidió, yo te serviré, Águeda, me necesitas, que maquille Lina tu piel, no me importa, yo labraré tus cimientos, me infiltraré en tus profundidades, conozco bien los mundos subterráneos, ¡los he vivido tanto!, soy buen minero, seré tu guía, acéptame, úsame.

PAPELES DE MIGUEL
Máscaras

Enero-febrero de 1976

De nuevo la paloma; mi primera visión hoy. En mi techo, consolidada por la nieve. Cuajó unos días blanquísima sobre las tejas, se infiltró al derretirse y ha dotado a la mensajera de Nerissa de unas alas múltiples, como de águila heráldica. Se la mostré a Alberto, pero sólo percibió la mancha de una gotera. «Claro –dijo–, lo que pasa en estas casas viejas.» Miró y no vio. Busqué el texto de Chejov en *Mi vida*, leído la víspera:

«–¿Cabe descubrir lo que no existe? –preguntó el doctor.

–No existe porque no sabemos verlo.»

Sólo ve la Zarza Ardiente quien la lleva dentro de sí. Como yo el Almendro, acaba de hacer un año. ¡Sólo un año; ya un año! Te llevaba a ti, Nerissa; por eso me fue dado verlo. Ceguera interior: máximo mal del hombre. Los compañeros, inquietos por mí; yo, amparado en la paloma.

¿Por qué llegamos tarde al amor? Como don Pablo. ¿Por qué llegó tarde el Pablo que soy? «¡Tonto!», me dice el águila-paloma: «¿A qué amor?» Sólo a partir de los cuarenta empiezan a madurar los discípulos sufíes. ¿Lo aprendieron ya en Platón o en sus propias vidas? Sí, mi amor con Hannah, el que busca don Pablo demasiado tarde, ya quedó atrás; pero aquel Amor donde Tú me aguardas aún no ha llegado. Camino hacia él y necesito mi cuerpo para recordar, vivir, conocer el tuyo. Ésa es la condición humana. Acaso también la divina. Para ser Él nos necesita. El Imposible no sería absoluto sin lo Mortal, que es lo Posible. De otro modo no estaría completo.

Así mi viejo cuerpo se empareja con el tuyo inmarcesible. Pero empieza a serme posible estar juntos y lejos. Como en el poema de Rumí: «Tú en Tabriz, yo en Ispahan, somos uno.» Montaña arriba, se borran los confines, se confunden las categorías. La espuma en el océano es tanto sonrisa como espasmo.

¿Por qué se me representa el mar? ¿Por qué en mi memoria predominan las tardes, hay menos amaneceres y muy raros mediodías? Sólo sobre la playa tangerina de mi infancia luce el sol meridiano. Cada ser tiene su hora propia: Tía Magda florecía en los atardeceres de Aranjuez como Miguelito en la noche de París. Aquella playa infinita, desnuda bajo el sol, envolviendo los cuerpos en calor. Tío Javier quitándose meticulosamente los puños de celuloide antes de entrar en la caseta mientras (ahora superpongo una intuición –y es verdad– al recuerdo) lanzaba una ojeada a las bañistas cercanas. La comida a la sombra de los cañizos; olor especiado de los pinchitos morunos. Verdes pimientos de ensalada, sardinas asadas, camarones rojos, abiertas sandías. Giratorio chirrido del gramófono derramando por la gigante campánula de su bocina una música gangosa. Fox-trots, tangos, rumbas. Gardel en aquella voz cascada. Una sofocada señora, amiga de tía Magda, golpeándose los pechos opulentos con el abanico, rompiendo a hablar cuando suena la «Americana» de *Niña Pancha*, de Quinito Valverde. Ella había nacido en Cuba. Su marido, que en paz descanse, le escribía desde la manigua, cuando a la noche se suspendían las operaciones militares, alumbrándose con un cocuyo, chispa de luz apresada en un vaso boca abajo. ¡Irrumpe en mi memoria una visión olvidada! Junto a la caseta próxima, en una tumbona, la mujer con bañador naranja. Toda aislamiento, Eva inaccesible. Un hombre se le acerca, pero ella no le ofrece una manzana. Al contrario, es él –su sacerdote– quien le tiende una toalla, la cubre, nos esconde aquel cuerpo. ¿Dónde, dentro de mí, permaneció agazapada esa imagen, ahora tan vívida? Otro secreto del que me vacié en mi deliberado desangramiento.

Pero la playa era, sobre todo, juego y fantasías, aventuras imaginarias o auténticas pedreas con los morillos del aduar próximo. Nuestro *Coventry* surcaba el mar en busca de ballenas; con mi pala yo las arponeaba desde popa. O bien las piedras del enemigo llovían de repente sobre la vieja barcaza varada en la arena, nos obligaban a meternos bajo cubierta, resonaban secas contra la tablazón. Nos asaltaba el miedo en la penumbra impregnada de olor a brea: ¿y si tenían éxito en el abordaje? ¡Pero allí estaba David!

¡David, cómo te recuerdo, capitán! ¡Tú, eras tú quien ofrecía la toalla a la Eva naranja, esposa de un magistrado italiano del Tribunal Mixto! Ahora me vuelve incluso lo que entonces no supe ver y quedó inconscientemente grabado en mi caverna. Estaba vuestra caseta junto a la de aquella Eva, que te requería para pequeños servicios, y tú nos esquivabas a veces con increíbles excusas. Sí, por aquel tiempo te operaron de fimosis y sentíamos tus amigos supersticioso recelo ante la perspectiva de dejarse cortar algo en el órgano mágico e innombrable...; tú, en cambio, sentías ardiente prisa por operarte y ahora comprendo por qué, Capitán. Una ofrenda a tu Eva naranja; una iniciación ritual.

Por eso te separaste de nuestra pandilla después de un solo verano. Pero nosotros no habíamos vivido aún la diferencia; dudábamos entre mirar a las Evas o mirarnos nosotros; admirarte sobre todo a ti, Capitán. Nos llamábamos amigos, pero la amistad es amor con otro nombre, o no llega ni a convivencia. Máscara del amor, como el subterfugio religioso: amad a vuestros hermanos, amaos los unos a los otros. No hay otra comunicación posible, entre las mortales islas que somos, sino el amor. Por eso confiesan los sinceros que no es posible la amistad entre hombre y mujer. Y sólo por un tabú cultural callamos en Occidente cuando el sexo es el mismo. No lo callaban Rumí y Shams, ni Safo y Lidia, ni los samurais heroicos y amantes. Como en el *Pa-Kua*, el círculo de los contrarios imbricados, todos llevamos hasta en el soma huellas del otro sexo: ellas como nosotros.

Pero ese andrógino dualismo sagrado no debiera degradarse en unisex o travestismo, máscaras deleznables, confesiones de impotencia. Confusión de estos tiempos, incertidumbre, identidad sin norte, cuando la verdad biológica es el dualismo interpenetrado, la coincidencia de opuestos. Al menos, mientras no se llega a la tercera forma del amor, la ensalzada por Ibn Arabí.

Emergió de repente por el escotillón. Milagro, brujería. Antifaz rojo y negro, capirote de nigromante, ojos alanceadores. Ya iba yo predispuesto a misterios, tras el zaguán oscuro y la escalera que, al enroscarse como en una torre, me dejó en tinieblas. Hubiera tropezado con una puertecilla, de no colarse tenue luz por debajo. Al tacto, ningún timbre; llamé con los nudillos. Como un resorte, la puerta abierta, la figura alargada a contraluz, altísima con su capirote, inquietante con el antifaz. Y la voz hueca y la risa estallante. Mi desconcierto se hizo temeroso. ¿Dónde había caído? Sin embargo, ¡todo tan propio de él, ese dorador que me ha hecho conocer Petra! Hasta el sitio: un sótano dando a un patio bajo en la casa donde una tienda cerrada desde la guerra ostenta este rótulo: *Nuevas Estructuras. Librería.*

Aunque no; ya le conocí hace tiempo. Lo tenía en olvido al serme presentado, pero estoy seguro. Con tía Magda bajé hace muchos años esos escalones resbaladizos, percibí ese olor a humedad, traspasé el umbral. Otro capitel de mis sepultadas ruinas sacado a la luz. He estado ya en ese antro; contendría quizás otras cosas, pero el mismo desorden. Mejor dicho, igual orden mágico, oculto a los profanos. Mirando, hasta creí reconocer objetos. El banco de trabajo, desde luego. Y ese armario con cristales arriba, mostrando lo más delicado para el arte: las ágatas de bruñir, los pinceles de estofar, el pomazón, la cajita con librillos de pan de oro.

Porque ése es su arte y su materia: el oro, nada menos. Lo proclama con orgullo. Colaborador de los imagineros; ahora mismo tiene sobre el banco una soberbia talla para resanar. Claro que en estos tiempos faltan encargos y se ocupa en otras cosas. Por ejemplo, caretas para este Carnaval. Por eso me abrió con antifaz; una broma por la que se disculpó. Pero ¿es alguna vez broma lo extraordinario en este hombre?

Además, ¿era en verdad una disculpa? Su tono desmiente siempre lo que dice. Sardónico en la frase humilde, cordial con palabras ásperas. En todo caso, las máscaras invadiendo el taller. Pueblo de rostros. Multitud de cuencas sin pupilas en los antifaces, amontonándose sobre la silla, escalando como hiedra las paredes. Todo alrededor, público de toros o de circo romano. ¿Naumaquias o mártires? Carátulas grotescas, siniestras, risueñas, patéticas. Enterradas durante el año, ¿reviven ahora, en Carnaval? Mejillas sanguíneas o nevados Pierrots. Elogié algunas y las desdeñó. «Ésas para el comercio, se modelan a patadas. Ahora le enseñaré.» Son, sin embargo, más expresivas que en las tiendas, y no se repiten. Por eso, mientras me dejó un momento a solas, me agobió la sensación de que un pueblo vivo me estaba mirando. Se burlaba, me compadecía o me amenazaba, según las expresiones del cartón moldeado. ¿Cuándo saltarían los leones en esta arena? ¡Carnaval, tiempo ambiguo y mágico para la verdadera resurrección del año!

¿Dónde se fue? Siete estadios bajo tierra, supongo. De ocurrirme este episodio días atrás, no sé qué mal agüero hubiese visto en él. Pero he superado ya el desánimo reciente. Fue otra oleada de *Kabd*; miedo, sobre todo, a no ser capaz de progresar. Y también dolores distintos, no musculares. Las cavernas del plexo solar como descompuestas. Fui al médico; he de durar lo bastante para liquidarlo todo, para volar al otro lado, a donde Tú me tenderás la mano.

Pensaba ya marcharme cuando regresó el dorador con una enorme caja de cartón. «Estaban abajo», murmuró. ¿Disculpa, provocación? Porque, ¿qué es ese abajo, qué simas? ¿Hay más sótanos en esta casa de tan pobre apariencia, con sólo dos plantas de tres huecos y su clausurada tienda? Se me escapó la sospecha en alta voz, porque me contestó: «Dicen que hay un pasadizo hasta la Casa de las Siete Chimeneas, donde vivió el Príncipe de Gales con el Duque de Buckingham cuando vino a Madrid... Sí, el mismo Duque de *Los tres mosqueteros*... Porque esta casa se construyó en terrenos de un convento de monjas.» Hablaba como para sí, en tono que daba a sus frases sentidos ocultos. ¿A qué venía la alusión a los tres mosqueteros? ¿Aludía al nietecillo de la Petra jugando con sus amigos o al sobrino de tía Magda en la playa de Tánger, peleando con otros junto al capitán del *Coventry*? Y ¿qué insinuaba al mencionar conjuntamente a las monjas recoletas y al libertino Duque?

Se acabaron de golpe mis cavilaciones ante lo extraído de la caja. Seis máscaras prodigiosas, que me cortaron la respiración. Y espesas, corpóreas, sin la fragilidad habitual de las caretas. «¿Son de madera?», pregunté, para explicármelo. Sonrió. «No, pero casi. Modelo el papiermaché contra un molde inverso tallado en madera... Soy algo tallista, además de dorador... Obras mías antiguas; ahora no podría trabajar así, me falla el pulso», añadió mientras con segura mano las alzaba, las exhibía, las ostentaba.

Resultaron siete; las admiré una y otra vez. Siete, porque una doble, y todas con alma. Vivas: no cabe otra forma de expresarlo. Hasta la luz se intensificó un momento, como si el sol se atropellase por la ventanita para verlas mejor. ¡Qué condensación de caracteres! Un hermoso y ambiguo galán, como el David miguelangelesco. Un joven óvalo femenino, tan puro de líneas como una máscara japonesa para el Noh. Un viejo de acabadísima tristeza; sin necesidad de ojos para mostrar su nostalgia de todo lo pasado y, peor aún, de las ocasiones que dejó pasar. Una vieja celestinesca, serenamente cínica, vestal de la indiferencia, dueña de la balanza donde el placer y el dolor se igualan a nada. Un joven ávido, agresivo, de dientes lobunos y labios amagando ya el mordisco, nariz venteante y orejas faunescas. Y el prodigio final, de doble naturaleza. Desde luego un soldadote de *Commedia dell'Arte*, un risueño matamoros gozador de la vida; pero al volverla como un reloj de arena los caídos bigotazos se volvieron cuernos incipientes y la expresión resultó demoníaca.

«¿Le gusta, verdad? También es mi favorita. Tuve un buen momento al inventarla.» «¿Cómo se llama?», pregunté antes de comprender que no había razón para ponerles nombres. ¡Aunque sí; caracteres tan vivos deberían tener un nombre! Y lo tienen, el dorador lo reconoció, pero se negó a confiármelo. «No puedo –repetía–, no puedo. Son mías. Si le dijese sus nombres serían también suyas.» Eso me hizo pensar; de pronto recordé un nombre y casi se lo eché en cara gritando: «Usted se llama Saúl, ¿verdad?» Quedó un poco sorprendido, si es que este hombre se sorprende de algo. Al cabo me contestó: «No, no; me llamo Samuel.» Pero como vacilaba, apenas lo dijo adiviné que mentía, que tenía otro nombre. No me lo dirá, pensé, sabiendo que los disfraces rituales son para engañar a los espíritus. Evoco ahora la última máscara, con los cuernos en alto, y me recuerda los demonios grabados en los sellos cilíndricos de Mesopotamia.

Salí sofocado, ansiando el aire de la calle, mi soledad entre la gente. ¿Qué me hubiera pasado de continuar allí? Pero volveré, no hay más remedio, sabe muchas cosas. Después de guardar sus máscaras seguimos charlando. ¿Cómo salió a relucir su recuerdo de Taxdir? Pero entonces, ¿cuándo nació este hombre sin edad? ¡Ni que fuera el judío errante! Por fuerza nació el noventa y dos, como mínimo. Asistente del comandante don Jerónimo Noriega, que también se rebeló contra el Dictador, como papá. Seguramente se conocerían. La República le reintegró al Ejército y sirvió con Queipo de Llano, en el Cuarto Militar de la Presidencia de la República. Lo dejó voluntariamente porque criticaban su vida privada. Había acabado liándose con la dueña de un burdel de por aquí cerca... «¡No sería Madame Alberta!», interrumpí, arrancándome a la fascinación con que le escuchaba. Rompió a reír, sardónico. «¿También usted? ¿Qué edad tendría entonces...? De todos modos, no lo sé. Quizás fuera esa Madame Alberta.»

Ese hombre da vértigo. Algunas de sus máscaras especiales son como cascos; envuelven todo el cráneo. «Como quedarse uno sin cerebro –comenté–, amputado de la razón.» «¡Claro, para eso son! ¿Sabe?, éstas no las vendo, las alquilo. Están ya comprometidas para una fiesta en casa de una señora; el Miércoles de Ceniza precisamente, para infringir lo mandado.» Reía como si no creyera en sus propias palabras que, sin embargo, sonaban a verdaderas. Continuó: «Sin cerebro, como en la vida real. ¿Acaso alguien es razonable? Ni usted: me ha dicho Petra que se ha cansado de dar clase en la Universidad. Hace bien, pero ¿es eso razonable?»

Da vértigo. ¿Qué edad tiene?, vuelvo a preguntarme. Manos viejas, pero seguras y fuertes. Pelo blanco, pero abundante y joven. Faz muy arrugada, pero como tallada en madera, sólida, sin bolsas caídas. Ojos medio ocultos que a veces relampaguean. Fascina: Volveré.

Por fuera es fácil dejar el mundo, ni siquiera comprendo cómo puede nadie aferrarse a él. Nave de los locos; hablan de orden jurídico y empiezan por esta imposible monstruosidad; la ignorancia de la ley no excusa su cumplimiento. Pues ¿y su orden económico?: No frenar ningún egoísmo; ya la mano invisible lo convertirá en bien común. ¿Y la política? Su verdad es la opinión de la mitad más uno. ¿Y el honor, y el patriotismo, y la santa intolerancia? Nave de los locos, danza de la muerte.

Pero, ¡por dentro, el desnudamiento interior! Cada vez que me creo ya vacío salta un monstruo agazapado en la memoria. Adelanto poco. Primera etapa cuando la orquesta, mientras afina y ensaya escalas, es aún algarabía caótica, antes de que el Director imponga orden. ¿Cuándo vencerá la música, dejándome a solas conmigo, a solas contigo? ¿Y cuándo, más alto aún, triunfará el silencio? Sonoro silencio lleno de revivencias, de ecos inaudibles, pero presentes... Y, al final, el silencio absoluto, el éxtasis, lo que Juda Ha-Levy, más allá de los varios «momentos-corazones», llamaba deleitosamente la «gustación».

Poco, pero adelanto. Mi retorno a este barrio, decisivo; a esta tierra donde tienen raíces desconocidos habitantes de mi morada interior. Por eso me ha guiado aquí Nerissa; así me aguardaba su paloma; traspasando luego el muro sus angélicas alas desplegadas por el agua. Si en mis cuatro novelas asoma el pasado conocido por mí –el más fácil de vaciar– aquí me aguardaba el censurado por mi memoria, el que por eso mismo más importa perder. Con la voluntad me derramé en aquéllas; por gracia de Nerissa me libraré de este último lastre oscuro. «El amor es una gracia de Dios y la astucia no sirve para nada», gritaba el pobre y admirable Pavese, en su adiós a Pierina. Mi mudanza exterior de domicilio, la única que los demás perciben, se hace cambio interior por obra de la Iluminación. Me transmuto y reencarno en otro yo, empiezo a ser el que era: así puedo desnudarme del que soy.

¡Qué observaciones tan espontáneas de Petra derramando luz en mis tinieblas! Ayer: «¡Ay, hijo, yo ya no soy la que era!» Frase tópica, pero nueva verdad en sus labios. Como el budismo, pero sin metafísicas, con la fuerza de lo evidente, proclama que no somos el mismo ser ni siquiera a lo largo de cada individuo. La continuidad es una ilusión. Mudamos de piel, nos reencarnamos en vida, sí. Así me ocurrió tras cada terremoto entre las Novelas: por eso tan diversos los niveles sucesivos de mi arqueología interior. Con esa garantía volveré a ser otro después de la próxima muerte, apenas más marcada que las otras. Me aniquilaste, Nerissa, aquel treinta de junio; pero te he vuelto a encontrar. ¿Cómo no encontrarnos de nuevo también después?

Doy las gracias a Petra y se asombra. «¿De qué? ¡Usted sí que hace un favor a esta pobre vieja! Además, entre amigos no hay agradeceres. El cariño se da y se coge, ni más ni menos.» Ella me lo regala a manos llenas; me cuenta su vida y me hace vivirla. Su juventud, su marido, la guerra, los hijos. Ahora, los nietos, Felipín y Silvia. «¡Mire usted que ponerla Silvia, como en las fotonovelas esas! Pero se empeñaron sus padre; lo de Lola es antiguo.

En cuanto mi hija dice "antiguo", ¡sanseacabó y pata! Yo también soy antigua, claro. Y menos mal que les convencí del Felipe y ahora están tan contentos porque se llama como el hijo del Rey; aunque no lo reconocen, claro. Yo le puse el nombre por *La Revoltosa*. El *¡Ay, Felipe de mi vida!*, cómo le salía del alma a la Sélica, una vez que la oímos...» Su pasión por la zarzuela; ya le he dicho que la convidaré un domingo y se le han iluminado los ojos. Madame Morangé hablando de Modigliani y de Fujita, de Brancusi y Giacometti.

¡Esas notas! Acababa de cumplir diecisiete años cuando las escuché por primera vez. Al lado de tía Magda, en la Comedia, al cuarteto *Pro Arte* con Ruiz Casaux como segundo cello. La Sociedad Filarmónica; se adquirían las entradas en «Conciertos Daniel», calle de Zorrilla. El perfume de *Quelques Fleurs* y el de la fragante carne de tía Magda se mezclaban para mí. Nuestros brazos se ayuntaban sobre el apoyo intermedio de los asientos. Primera fila de entresuelo, colgada sobre la oscura caverna del teatro. Luz de lo alto concentrada sobre el altar. Cinco celebrantes de negro con sus instrumentos. Hondo silencio palpitante, cristalizando el aire. ¡Ay, ahora llega ese pasaje celeste, el inefable desfallecimiento en el *Adagio* del Quinteto en Do Mayor de Schubert, Opus 163! Desató entonces mis lágrimas y no borró mi emoción ni el *Scherzo* ni el *Allegretto* último, ese injerto de Hungría en Viena. Tía Magda lo notó al encenderse las luces y dejó de aplaudir para oprimir mi mano. Éxtasis: nuestras manos al unirse se aislaban entre todas las demás palmoteando. Ella y yo a solas en el teatro lleno. ¡Aquel desfallecimiento en el compás veinticinco y otra vez al final! Versión sonora del San Bernardo de Ribalta, muriéndose de gozo sobre la carne de Cristo, en el cuadro del Prado. Siempre evoco esas notas en mis derrumbamientos: como las silbé en un *Embankment* donde la luna había vuelto, pero Tú no, Nerissa: ya me habías abandonado. Schubert estaba próximo a morir cuando le brotó aquella música en agosto de 1828. ¿Y quién no está siempre próximo a morir?

He vuelto, claro, ¿cómo no? ¡Remueve tanto mis adentros, saca tanto légamo del fondo de mi pozo! Inexplicablemente, sus evocaciones me afectan, me conciernen por una vía secreta. ¿Será un segundo enviado, un Jádir de la Tiniebla, como Nerissa es mi Jádir de la Luz? Como Bast para Luis y Ágata. Ya que en mi primera visita le nombré a Madame Alberta, me ha contado hoy un viaje a París con ella. «Oh, no; yo no era su amante. La acompañaba como agente de negocios. Exportamos clandestinamente unas tallas antiguas y con el importe pagó la prima de dos francesitas de postín. Fue antes de que descendiera a la calle de San Marcos, cuando tenía todavía el hotelito *meublé* detrás del Ritz, casi en las afueras. Además, yo conocía París y ella no. Hicimos trato en *Le Chabanais* –todavía no se había abierto en el bulevar Edgar Quinet el *Sphinx*, luego tan famoso–, en el salón de abajo, entre respetables matrimonios burgueses que iban a beber algo mientras se divertían con el tejemaneje de pupilas y clientes. Nos enseñaron el salón pompeyano, con el gran baño en forma de cisne, para Ledas de alquiler. Alguna vez lo llenaron de *Mumm Cordon Rouge* para los escarceos del futuro Eduardo VII, a quien las chicas tiraban confianzudamente de los bigotes. Pero siempre con buenas maneras, incluso –y muy especialmente– en el sexo. Puede haber grandeza en la violencia bruta; nunca en la sordidez.»

Al evocar esos recuerdos, los escasos míos de Madame Alberta se evaporan, quedan atrás. Mientras me hablaba admiré una talla puesta sobre el banco. El movimiento del sol desplazaba la sombra de sus relieves y le infundía vida. San Sebastián: una llamarada en tres palmos de madera de peral. Puro retorcimiento; desdén por la belleza formal, casi expresionismo, seco fuego. Una mano apasionada dio vida a esa carne desnuda, zarza ardiente. «¿Berruguete?», pregunté. «¿Verdad que podía serlo? Está atribuido, pero lo cierto es que fue de un genial discípulo suyo apenas conocido. Diego de Lerma; murió joven, tuberculoso. De haber vivido más probablemente le hubiese quemado la Inquisición.» (Siempre la sonrisa burlona, dudando de lo que estaba diciendo.) «Me la ha traído para resanarla aquella señora de la fiesta con las máscaras, ¿recuerda?» Me mostraba su dedo un descascarillado del oro en la peana. «Lo tiraron al suelo durante la orgía, por lo visto. Ella no me lo ha dicho, claro. Me alegro, porque así tendré aquí la estatua muchos días.» Me extrañé porque no parecía exigir mucha labor, y me explicó su sistema para gozar de tales obras de arte: hasta que no le traigan a dorar o restaurar otra pieza buena no devuelve la que tiene. Sus clientes ya lo saben y trabaja tan bien que puede exigirlo. Si la señora no logra darle por el momento otro trabajo, ya buscará a un amigo que lo tenga.

¡Admirable San Sebastián, estirado hacia lo alto como un Greco! No el hermoso mancebo habitual, cuyo armonioso cuerpo parece posando para el escultor; sino un haz de músculos torturados, recordando una cepa o un olivo. Sin necesidad de flechas –sólo se perciben los agujeritos donde se insertarían algunas de metal– la carne acusa el golpe invisible y se contrae como bajo una banderilla de fuego. La estatua delata el frío sadismo profesional de los arqueros, conocedores del punto doloroso y no mortal. Uno ha llegado al colmo del acierto: un agujero taladra el sexo sugiriendo una saeta clavada además en el tronco donde se debate el mártir. Pero lo asombroso es el contraste de la cabeza. No todo podía ser dolor ni vencimiento físico. El artista tallaba a un santo, cuya alma no se rinde, ni por lo tanto el rostro que es su espejo. En la faz resplandece la esperanza del cielo ya ganado, casi la visión de Dios, como en mí estaría la de Nerissa. El cuerpo se retuerce en la tortura, pero los ojos viven el más seguro éxtasis. El resultado es inesperado, increíble: la misma voluptuosidad que en la fotografía del chino empalado, en el libro editado por Eric Losfeld con textos de Georges Bataille.

Otra versión sobre Madame Alberta: la de Petra. «Echaba las cartas y acertaba mucho. La consultaban hasta señoras de sombrero, como doña Ifigenia. Claro que no iban a la casa aquella; la convidaban a tomar el té muy finas, porque ella era muy señora y merecía ese respeto. Pero en su casa de niñas se soltaba el pelo, aunque las mantenía en orden. Se encaprichaba con algún jovencito, pero su chulo era cochero. Una mala cabeza de buena familia; hasta decían que había sido militar de campanillas. Tenía medallas y todo. También ella conocía a lo mejor de Madrid; había tenido antes una casa de más postín, por detrás del Buen Retiro, pero la desacreditó el cochero armando un escándalo. Tuvo la desfachatez de desafiar a un senador vitalicio nada menos: ¡figúrese la que se armó! Pero ella era muy persona; por cierto, tenía la misma peinadora que su tía de usted y que doña Ifigenia: la Társila.»

Discutí esa afirmación: Társila era la santera. «No, no; la que yo digo era peinadora. ¡Menuda pájara! Una alcahueta, aprovechando la facilidad de peinar de casa en casa. Tenía un sobrinillo. Pobre, ¡qué vida le daba! Siempre amenazándole con el pecado mortal y la condenación; prohibiéndole jugar con los chiquillos que, según ella, no sabían más que guarrerías. Le tenía acoquinado, no se sabe qué fue de él. Acabaría siendo mariquita, con esa educación, digo yo.»

¿Y doña Ifigenia? «Pues la primera señora que serví. De niñera; tenía yo catorce años y aún parecía menos. Un pispajo. Siempre he sido así de bajita, y con el poco comer todavía no tenía ni pechos. Ella, una señora cubana, buena jamonota, casada con un antiguo del Ministerio de Ultramar traspasado al Tribunal de Cuentas cuando el desastre aquel. Don Federico del Cantón, mucho nombre, pero le conocían por un mote que terminaba lo mismo, porque la señora era de alivio. No tenía ella la culpa; le rebosaban las ganas por todo el cuerpo, como dicen de Isabel II. Le gustaban las galas, siempre andaban en batas vaporosas con volantes y siempre despechugada, siempre sofocada. Me recordaba la copla aquella, ¿cómo era...? "ay negrito abanícame". Se perecía por los canarios y por las flores... Por cierto, don Miguel, gracias por sus claveles; no hay flor que más me guste, ya lo sabe usté. Y, para la casa, la albahaca... Pues la señora tenía de todo, pero quería más. Era de las de "puerta de atrás", como se decía entonces. Iba al Casino de Madrid por la calle de la Aduana, a la Gran Peña por Reina; citas así, de lo más discreto. Se dejaba ver sobre todo en misa de doce, en San José; luego se dejaba seguir por Recoletos y a los pocos días la esquelita por la portera o por el continental. ¡En aquel tiempo había menos facilidades...! Al principio su tía la trató; iban juntas a Candelas, a tomar chocolate en invierno y horchata en verano; la misma tienda de ahora. Luego se distanciaron; me figuro que su tía se enteraría de aquellos líos o notaría cualquier cosa rara.»

Me envuelve Petra en historias del barrio como en una red. A veces me hace reír, como con la vieja beata, torturada por la impiedad de su marido y al fin consolada cuando éste muere de repente. «Dios le tocó el corazón a última hora, Petra; me decía. ¡Fueron mis oraciones a Santa Rita! Ya ve usté, murió como un santuco... Sí, sí; nos acabábamos de acostar cuando dio un grito: ¡Hostias, que me muero! Así, como lo oye; pidiendo la comunión: ¡Dios le tenga en su gloria!»

Esas historias me enraízan al barrio, pero también me ayudan a salirme de mí, interesarme en una vida más vasta y compleja donde me disuelvo, me anonado. Más aún, me remueven facilitando mi interior minería. Con ello mi arqueología secreta, excavando en las Novelas, se completa al recobrar mi adolescencia enterrada en estas calles, en la memoria de Petra y del dorador. Historias que me suenan a ya sabidas. ¿Las he escuchado antes, las he leído en *Octubre, octubre*, en sus predecesoras? ¿Qué es imaginario y qué es real? ¿Cuánta realidad contiene de verdad la realidad? ¿Qué diferencia entre Petra, doña Ifigenia o Madame Alberta y su cochero, por una parte, y Pablo, Ágata, Jimena, o yo mismo, por otra? ¡Todos sombras en la divina linterna mágica de Omar Khayam!

Sombras intercambiables. O quizás no; admito lo que hay de garra animal en Paco o en doña Flora, pero nunca me cambiaría por ellos. ¿Y qué importa mi voluntad? No por eso dejamos todos de ser sombras, pasajeras espumas en el Océano del Absoluto. Además, pensándolo bien, hubiese querido ser como Paco mientras escribí la Novela II, con su apoteosis revolucionaria en el entierro de Ildefonso. Sí, comprendo a todas las sombras que somos, emanaciones Suyas, vestidos cambiantes del Amigo a la vez que adorno y capricho del Amado. Uno y otro unidos en el monismo dialéctico de Ibn Arabí, en la Imaginación Creadora. Pero ¡ay! al mismo tiempo no comprendo. Nunca comprendemos nada. Ninguna parcela es verdad; apenas digo «éste soy yo» cuando he dejado de serlo; afirmo «estoy aquí» y ya he dejado de estar. Sólo son inmutables las verdades globales como Tú, Nerissa; y más aún las paradójicas. A esas alturas o abismos donde vivir y morir, sol y tiniebla, justo e injusto se funden y cumplen simultáneamente en el supremo Vértice. Dicen que materia y antimateria, el Todo, si se juntan estallan en Nada: así lo interpreto.

Vaciarme de recuerdos, también sombras. ¿Cuál fue la verdad? Aquella risa de Miguelito cuando le confesé haber escrito una novela provocada por él. «¿Por mí?» «Sí, por aquella noche en París. Envidié tu vida de artista, ¿sabes? Me amargó mucho no aceptar el reto de Chantal, aquella liederista tan provocativa... La de ojos verdes y melenita apache... No sé si te diste cuenta.» Entonces estalló Miguelito en carcajadas, censuradas hasta hoy por mi inconsciente: «¡Nos dimos cuenta todos, papá! ¡Bien listo anduviste en no hacerle caso! Todos sabíamos que era una *allumeuse*, en el fondo una lesbiana, una Lorelei interesada en los hombres sólo para someterlos. La llamábamos Circe, los convertía en cerdos. Chantal era una liana: te envolvía. Jacques picó y acabó dando vueltas desnudo a cuatro patas por el estudio, cabalgado por ella. Hubiera sido capaz de violarte, literalmente; con el mismo artefacto que se ataba a la entrepierna para hacer de hombre con sus amigas... ¡Hiciste muy bien en dejarla plantada; me sentí orgulloso de ti!» Porque así hablábamos padre e hijo.

¡Y yo, torturado y envenenado por aquel falso reto hasta segregar un libro entero para liberarme! ¡Aquellas carcajadas olvidadas! Pero ahora bien recuerdo: una de nuestras últimas conversaciones –quizá por eso– antes de la catástrofe. Así y todo, yo se lo confesé; él, en cambio, nunca me reveló que componía su *Sonata*. Aquel mismo día le recordé que, siendo aún muy niño, cuando en Argel en el *jardin d'enfance* le sacó la maestra a la pizarra y le mandó pintar un sol, trazó sin vacilar las cinco rectas paralelas del pentagrama y dibujó en la segunda una corchea. Recuerdos, sombras saliendo a la superficie; charlábamos cruzando la bahía de Santander en las barcas para una caminata por los campos de Pedreña hasta el río Cubas. ¡Y de mi envidia había nacido la gran cama ardiente de la Novela I! Ahora ya ignoro incluso si, como creí al escribirla, en la Novela IV corrompí a Luis como hubiera querido corromper y aniquilar a Eduardo: haciéndolo impotente, para poner a Nerissa fuera de su alcance. También inalcanzable para mí, por supuesto; pero no comprendemos nada, pues Ágata nunca fue Nerissa. ¿O, más correctamente, Nerissa nunca fue Ágata? ¿Cómo saber la verdad? Cuestión previa, ¿qué verdad? ¡Tan numerosos los rizos de espuma en el Océano!

Siempre Carnaval, todo máscaras. ¿Es Felipín, con su antifaz y su espada, o es d'Artagnan o el Zorro quien corre por la plazuela con sus amigos? ¿Quién de ellos es David en el *Coventry*, o Paco por Legazpi, o Antonio en Aravaca? ¿Quién el eunuco en Stambul? Todos somos un poco ambivalentes, no sé si por lo dificultosa que hace el sistema la maduración o porque, al contrario, la madurez última es el bisexualismo suprasexual. Los ángeles son andróginos castos. Pero ¿qué importa el sexo? Superado en aquel cuadro poseído primero por el duque de Rivas y luego adquirido por Gómez de la Serna para su torreón de Velázquez. Representaba una mujer de cuerpo entero cuya mitad derecha está viva y hermosa mientras la izquierda era su descarnado esqueleto: por este lado, escribió Ramón, parece que vuelve a ser hombre y alcanza un hermafroditismo en la muerte.

Todo máscaras. ¿También tía Magda? Su amistad con doña Ifigenia... Claro que se separaron, pero ¿no podría ser por rivalidades? El dorador, al confirmarme que ya estuve hace años en su estudio acompañado de mi tía: «¡Vaya señora, doña Magdalena!» ¿Respeto o sorna en la admiración sensual? ¡Esa ambigua sonrisa sempiterna!

Me esfuerzo por recordar algún detalle sospechoso, en Aranjuez o en el barrio. Sólo suscito evocaciones entre ella y yo; su cuerpo, su perfume, sus gestos, su proximidad. Si fuese como Ifigenia, ¿no hubiese acabado yo en su cama, una cama casi materna, incestuosa? O más bien al contrario, no me necesitaba precisamente por tener algo mejor... ¿Qué imagen retengo: mi memoria sentimental o el famoso dibujo erótico de Egon Schiele «Tía y sobrino»? Había en el dorador, al hablarme de ella, una expresión de complicidad. ¡Eso es, adoptó por un instante la mismísima cara de Alex, cuando nos veíamos en París con información secreta! Como si se hubiese puesto una máscara de las suyas. Es parecidísimo, no me había dado cuenta hasta ahora. Un Alex envejecido, claro, aunque este hombre no lo esté y de pronto me acuerdo del fibroma, cuando ya estaba destinado papá en Madrid y yo vivía con él. La operación de tía Magda, el fibroma en la clínica del Rosario. ¿Era un fibroma? Entonces se resolvían los embarazos indeseados con un raspado. La recuerdo en la cama del hospital, pálida; ahora me parece culpable. ¿Por qué culpable? –me replico–; pálida por la operación, la pérdida de sangre. Justo, rearguyo, la pérdida de sangre... ¿Qué imagen, qué máscara?

¡Pero desvarío! ¿A qué siniestro abismo me arrastra ese dorador? Pobre Magda, adorada Magda, admirable Magda, santa Magda, culpable Magda. Sé que me perdonas. ¿Qué importa nada, si de todos modos no comprendemos? Aunque, inevitablemente, estas historias te diluyen y alejan. Así mi amantísima Trinidad cojea de un ángulo, se reduce a uno porque, al cabo, Hannah y Nerissa son una misma. Te quiero, Magda, pero te digo adiós. Adiós a mi adolescencia; puedo hacerlo precisamente porque la he recobrado aquí. No te olvidaré nunca, pero ya quedas fuera. Sombra, tú serías tú en otro planeta; no en mí.

Disolución, desmoronamiento de las cosas y el tiempo, de los seres y la cronología. Veo a Petra casi a diario, pero ¿qué sé yo si en cuanto vuelvo la espalda sigue existiendo? ¿No pensarán otros lo mismo de mí? ¿Es esto empezar a vaciarse de verdad: esta inconsistencia universal, esta disgregación de cuanto existe, sea con máscara de persona, de torre, de recuerdo, de creencia, de acontecimiento, esta reducción del ser a sombra?

6. ESTA NOCHE DE FUEGO Y DE MISTERIO

Ese aroma tranquilo, ese deleite

OCTUBRE, OCTUBRE
Esta noche de fuego y de misterio

Lunes, 1 de enero de 1962

ÁGUEDA

¡Aire, aire! ¡Hielo de la noche en mis pulmones y en mi sangre! ¡Respirar hondo este cristal, como al salir de larga zambullida, aunque me arriesgue a una pulmonía! Volver a la certeza y a la luz. La luna como un sol, clarísimo agujero en el cielo. Su filo, un cuchillo partiendo la calle en plata y sombra. ¡Ah, se me pasa el sofoco, voy despejándome! Hacer saltar los zapatos también me alivia. Salir de tanta confusión, tanto amago y misterio; también promesas e insinuaciones. «Te va bien beber un poco –me susurró Lina al oído–, así, alegrilla, estás para comerte.» Pero no era eso, sino la caverna, el bosque mágico, el fuego.

«¡Meigas fora, meigas fora!» ¡Qué grito

bárbaro! Como ese Paco, que apareció volando. Los tres escalones de un salto; la recia mandíbula, oscura la barbilla. Me devoró vestida y todo; por una vez no me desnudó con la mirada. ¡Qué imbécil fui; intimidada en vez de indignarme!

Acababa yo de llegar a la caverna, aún no había vivido esta noche de fuego y de misterio. Impresionada además por la carta de tía Regina, después de tantos años... ¿cómo habrá sabido que yo trabajaba en *Farmasán*, de donde me la han reexpedido a la academia? ¡Qué importa! No escribo a la tía desde... eso, desde París, cuando el cursillo de espectrografía: ocho años ya. ¿No ha comprendido que no quiero saber nada? Ha muerto el tío Conrado en Tenerife. ¿Y a mí qué? ¿Es que ni muerto me va a dejar en paz? ¿No me acosaron bastante, para atacar aún desde la tumba? ¿Por qué se figura tía Regina que me importa enterarme ahora? ¡Si a él no le escribí nunca! Bueno sí, alguna tarjetita. De una pobre niña sola en un colegio de monjas, antes de Sor Natalia. Me lo ordenaría alguna, quizás Sor Clemencia, que se sabía todo el santoral. «Niña, que el sábado es San Conrado.» Claro, halagar al que pagaba los estudios de la huérfana. Veinte años después se muere el Capitán General de Canarias. ¿Quién era ese señor?

¡Qué sangría, tan fuerte como un *cocktail*! Una «zurra» preparada por ese irlandés. Y los cigarrillos de doña Flora. ¿Tendrán algo de kif esas mezclas orientales? Me sentí mujer fatal con aquella larguísima boquilla. *Murattis*, recordándome la novela prohibida, *La madonne des sleepings.* Se la había cogido Aurorita a su padre; nos la pasábamos clandestinamente en el colegio. Dekobra nos parecía perverso; debía de ser tonto. ¡Menudo fresco el padre, dándonos palmaditas a todas cuando venía a visitarla!

Y encima la carta toda dulzuras. «Lo que te quería, el pobre tío. ¡Cuánto se acordaba de ti! Dedícale unas oraciones para encomendarle a Dios, aunque estará ya en su santa gloria: ¡fue siempre tan bueno!» Pero ¿en qué mundo vive la pobre Regina? Ni el tío era bueno, ni yo rezo hace tiempo. ¡Si la tenía en un puño: no hubo mujer más esclava! La muletilla de la pobre tía: «Hay que resignarse, hija; la vida es así.» Se pasaba el tiempo ofendiéndola porque no tenían hijos, cuando seguramente el estéril sería él, de cualquier enfermedad de las que presumía. Pero ¡cómo iba a ser él, tan macho, tan bruto! Y ahora ¡ese folklore barato de su excelente marido!

Aurorita, testigo el día del monstruito, ni se volvió a acordar. Los gamberros de doce años que nos acosaban a la salida. Todavía me sofoco, ¿no empezaría ahí todo? ¿Y qué es todo? Me tiraron al suelo, me levantaron la falda y empezaron a bajarme la braguita. Uno se puso encima, reía excitado, me echaba el aliento en la cara. Chillé, le mordí, no sé. No percibía nada, congelada por dentro, petrificada. Me pesaba el salvaje y unas manos tiraban de mis bragas. Otras arrancaron mi mano de los pelos del monstruo. Pero todo eso le estaba ocurriendo a otra niña desesperada, a otra niña.

¡Qué tumulto de cena! Acabé no sabiendo de qué plato cogía ni de qué vaso bebía. Luis y Lina me lo cambiaron más de una vez; seguro. «¡Animal!», chilló Tere ante el fuerte pellizco de Mateo. Ildefonso reía: «Aprovecha, muchacho, que de lo tuyo gastas.» «¿Gastar? ¡Al revés! Cuanto más uso, más carnes y más prietas.» Su propia risotada le enardecía. Demasiada gente. ¿A santo de qué han venido algunos? El irlandés, ese dorador…, ¿en qué reunión había yo caído? ¿Una trampa los tres escalones desde el pasillo? Además, no tiene manos de dorador sino de laboratorio. ¡Ah, le traía doña Flora! ¡Ésa sí que sabe; ha debido manejar a los hombres como a polichinelas!

«Las mujeres sólo estamos para

sufrir y tener hijos.» Era la cantinela de tía Regina. Como luego el capellán del colegio predicando conformidad. Un cura enorme, barba muy cerrada, gran vozarrón, siempre fumando. Debíamos formarnos para ser las madres del mañana y dar muchos hijos a la Patria. Aquello de tener que formarnos bien me sonaba a mí a tener buenos pechos, como Santa Águeda. Claro, antes del martirio. Pero me horripilaba lo de muchos hijos (¡jamás; ni uno!) con un tío Conrado cualquiera. Por eso soy química: descubrí pronto en un libro la única salida. Madame Curie. Y a estudiar como una fiera, para no necesitarlos. No tenerlos encima.

Como el salvaje, el monstruito. Cuando la gente los ahuyentó me quedé inmóvil en el suelo. Me imagino con la falda levantada, las braguitas blancas por las rodillas –eran de perlé–, hipando, cortada la respiración. Me lo imagino porque aquello le había sucedido a otra. Me recogió alguien en brazos, me volvió a llevar al colegio, mis ojos dilatados, incapaz de articular palabra. Al fin me llegaron unas voces lejanas, insistentes, casi inaudibles, aunque la boca aquella se abría para el grito: «¿Qué te ha hecho? ¿Qué te ha hecho?»

¡Ese almacén increíble, esa caverna en mi propia casa y yo sin enterarme! Vivo sobre un vacío. Peor, sobre un antro de misterio y operaciones turbias. Cambalaches de Paco y Mateo. Alquimistas de hoy: sacan oro de la basura y la chatarra. ¡Hasta sangre se ha derramado esta mañana! Sangre había en el aire. ¿Por eso la llaman sangría? Pero ya se calma el fuego, me traspasa el frío. Cierro la ventana. ¡Qué libertad, desnudarme!

Pues, ¿y lo de que tío Conrado quiso mucho a padre y le ayudó tanto? ¿Será posible que se lo crea tía Regina? ¡Si fueron enemigos! ¡Si fueron los fascistas de Pamplona, los cómplices de Conrado, quienes vinieron a buscarle aquella noche por republicano! ¿Podían ser amigos el que se sublevó con Sanjurjo en el treinta y dos y el que antes había volado desde Cuatro Vientos contra la monarquía en el año treinta? ¡Está loca!

«Te has maquillado poco –lo primero que me dijo Lina– para esta luz.» Una sola bombilla en la enorme caverna. La mitad abarrotada de bultos. El espacio restante despejado, con una larga mesa. «Pues Luis opina lo contrario.» «Todos gruñen y luego les gustamos pintadas.» La sangría caía bien, hacía frío. Lorenza, Jimena, doña Emilia, afanándose en torno a la mesa. Don Ramiro e Ildefonso, discutiendo de política. Hablaban de Lina, pero otra. Guillermo me explicó luego quién fue Lina Odena. Ildefonso la defendía; luego exaltó a aquel cañón en esos jardincillos de ahí abajo. ¡Qué gran viejo! ¡Cómo se las tiene todavía tiesas con el enemigo! Aplastado, pero no rendido. Padre sería buen amigo suyo.

«Yació sobre mí»: así me describí luego lo del monstruito infantil. Si no lo tuviese grabado a fuego, hoy me parecería increíble. Lo saqué de la Historia Sagrada, donde sonaba a maldición o a suplicio, claro. A Abraham yació sobre Sara, o David sobre Bethsabé, o quien fuera. Y el monstruo sobre Aguedita. No me sacaron de ahí. Y llevo siempre dentro a aquella niñita: el negro uniforme levantado sobre la cintura, el abdomen al aire, las nalgas sobre el polvo del paseo, petrificada, sin reaccionar. Con el otro sexo yaciendo sobre ella, aplastándola.

¿Quién dijo «catacumba»? Eso ha sido. Con intrusos, pero reunión secreta de iniciados. Como cuando Luis se refiere a los cátaros, los Guardianes de la Luz, los Ardientes... Él y yo, distintos. Más bien fríos, impasibles. ¡Qué va; ojalá fuese yo impasible! No hubiera sufrido tanto. «Fríos y apasionados», ¿quién escribió eso de los españoles? ¿Vale para nosotros dos? Se lo pregunto a la noche, poniendo mi aliento en el cristal. ¿Explica eso mis angustias, mis desconciertos? Es curioso: Luis, al entregarse, ¡vive tan seguro! Una paciencia china; como si supiera a dónde va. A lo mejor lo sabe.

Y, sin embargo, la carta de tía Regina me ha impresionado. Hizo resucitar mi obsesión: sus botas. Tío Conrado se anunciaba por el pasillo con su taconeo y el tin tin de las espuelas. ¡Ah, arrogante sí era; ciertamente un real macho! Hasta Maximina, tan hombruna, le miraba extasiada. ¿Acaso la tía sería feliz algún momento, en su resignación? Porque, a condición de resignarse, quizás... No, inimaginable: me hubiera resultado imposible. Sólo que, ¿y para las que no lo encontraron odioso, sino deseable? ¿Cómo puedo pronunciar esa palabra? La última vez la apliqué a Gloria en la cama. ¡Pero si no debo recordarle para nada! ¡Si me alegro de su muerte, de que por fin no taconee más! ¡Olvidado; por completo! ¡Maldita tía Regina! ¿Por qué me has escrito? ¿Por qué tenía yo que saberlo, nunca más, ni para bien para mal? ¡Bien muerto está! ¡Mueran todos!

Tiene razón Luis contra Lina. No debo exagerar el maquillaje. Con eso me ofrezco más. Luis hablando también de su tía. Si la llamaban Consuelo se persignaba, porque era nombre de novela de amor. Tenía que ser Chelo. Ni más ni menos. Luis contando que una vez la llamó «tía Chelito» y le castigó de rodillas en el rincón. Por aludir a la famosa cupletista que en su propio teatro de la plaza del Carmen esquina a Tetuán, el *Chantecler*, se buscaba la pulga. Decían que su escote le permitía, con sólo mover un hombro, sacarse afuera todo un pecho; con otro movimiento se lo volvía a guardar. La gente rugía, claro.

¡Qué baile se armó de pronto! Arrinconaron la mesa y don Pablo se arrancó en un chotis con doña Flora. ¡Qué estilo! Dando vueltas sobre un ladrillo, como decía tío Conrado, cuando evocaba sus francachelas. ¡Qué cateto, en cambio, Paco, al agarrar a Jimena! ¡Pobrecilla! Ándate con ojo; ese tigre es capaz de cualquier charranada. Cuando volvió don Pablo nos contó lo de Chelito.

¿Pues no me encontré de pronto llena de lágrimas por la dichosa carta? ¡Qué coraje! Corrí al baño a lavarme, me quité el jersey descotado, me arranqué casi el sostén, lo tiré al suelo. Pequeños, incipientes, inmaduros. Así son los pechos de Águeda. Para la risa de los Rafaeles. Quizá, pero no para su goce. Pechos de niña, como cuando vivía en casa de los tíos. ¿Qué diría el tío Conrado de unos pechos como éstos? ¿Se reiría, también?

«Jesús, Jesús», repetía la Josefina a mi lado, viendo bailar a los demás. Todo el aspecto de una pobre beata. Sufriendo porque su hijo no había podido venir; tenía turno de noche. «Turno con alguna fresca –me contó luego don Pablo–; es un vago que explota a la madre.»

Sí, fue cuando el cursillo para preparar mi tesis. ¡Qué guerra me daba calentar las muestras hasta la descomposición en gases! Menos mal que me concentré en polímeros; daban mejores resultados por pirólisis para la cromatografía o la espectrografía… ¡Ah, por eso dejé de escribirle!, porque me encontré en el *Boulevard* a aquella chica de La Laguna, ¿Odilia?, un nombre así, que me habló de él. «Perdona, porque el general es tu tío, pero está mal visto. Líos de mujeres, ¿sabes? Ha chocado con el obispo.» ¡Y la tonta de mi tía poniéndole por las nubes!

Estupendo el cordero, pasándolo a fuerza de tragos. Paco explicó tan tranquilo cómo lo había matado. Doña Emilia se acongojaba. Recordé Zaragoza; cuando el tío se traía alguno del tabor y Mohatar lo degollaba ritualmente. Pasaba el cuchillo despacio por la garganta nívea, con lento vaivén del filo. Brotaba la sangre, se veía cómo huía la vida, cómo cuajaba el velo de la muerte en los ojos inocentes. Se me encogía el corazón y rezaba: «¡Ojalá el cordero fuera el tío Conrado!»

¿Tendría también líos en Pamplona? ¡Pamplona! Cuando llegué, con padre, desde París, me pareció un pueblo. No tenía torre Eiffel. Ni siquiera metro. «¿Por qué no tiene torre Eiffel?» ¡Cómo reía padre al preguntárselo! Reía por todo... Y resultó «el malo». Y, después, la hija del rojo; la niña mala. Me miraban por la calle. Cuando al fin se atrevieron a sacarme, uno de los primeros días, vi aquellas mujeres con el pelo al rape, paseadas entre unos camisas azules. Me agarré asustada a la falda de Maximina. «No tengas miedo, tonta –dijo riéndose–, serán rojas. Además, las purgan; les dan ricino en porrón. ¡Si hubieran ido a misa en vez de a los mítines, no les pasaría nada!» De pronto recordó mi situación y, cogiéndome de la mano, me llevó a casa muy de prisa.

¡Aquel llanto explosivo! La pobre Josefina, ante la marca de anís. ¡Qué sorpresa sus confidencias! «No hubo en el mundo mujer más feliz que yo, señorita, y me lo mataron; le fusilaron sin otro delito que luchar como todos... ¡Más valiente, más hombre! ¡Qué crimen, matar aquella vida! ¡Y le gocé tan poco!» Suspiraba. ¿También era la sangría? Pero su voz quemaba con su verdad.

Cuando Luis me trajo el té le conté lo de tío Conrado. Para que vea que yo también sufrí una infancia. Aún le afecta lo de su madre. Todavía no se ha repuesto de descubrirse otra. La ilegal; es decir, la verdadera. Pues, ¿qué le dio aquella madre de la foto amarilla, salvo la existencia? Y existir no es vivir; nosotros lo sabemos muy bien.

Eso, Odilia. Fuimos juntas a los cursos de la *Alliance Française* en el Boulevard Raspail. Bajábamos luego hasta aquel remanso, los jardincitos de la plaza Ozanam, junto a la iglesia de *Notre-Dame-des-Champs*, esquina *rue Stanislas* con el *Boulevard*. ¡Qué hablar tan dulce tenía aquella chica! ¡Y qué ojos tan hermosos! Era de Letras, trabajaba en Larousse, en la rue Montparnasse, allí mismo, frente a un colegio de mediopensionistas.

¿Por qué me cambiaban Luis y Lina el vaso? Se me disputan. Llevarme cada uno a su campo, Águeda su trofeo. Pero Lina no es Gloria, que resultó «mula falsa», como decía el jardinero del colegio refiriéndose a un amigo cuya mujer le ponía los cuernos. Luis y Gloria; Luis y Lina: dos camas distintas. Aunque, ahora caigo, nadie puede conquistarme. Soy Nefertiti, la reina.

Pero de las visitas no me salvaba quedarme en casa. Aquellas pías señoras de las Conferencias de San Vicente. Me levantaban la barbilla con la mano, me obligaban a mirarlas mientras me preguntaban sonriendo: «¿Y tú quién quieres que gane la guerra, hijita? ¿Los malos o los de Dios?» Los malos éramos yo y padre; aquellas arpías me llamaban «la hija de Quillán». ¡Qué horror, la hora de los partes de guerra, en la radio, por la noche! Me llevaban antes a mi cuarto, pero cuando tomaban una ciudad tenía que taparme los oídos, llorando. Y al día siguiente, el desfile.

Un danzón. El disco de Nat King Cole en los altavoces: Ansiedad. «...La melodía salvaje / y el eco de la pena / de estar sin tiii.» Meg pronunciaba «salvahe», con hache aspirada. Luis no bailaba; quieto junto a mí. Esperando el signo, como él dice. Paciencia china. ¿De araña, de pescador? Pues si muerdo el anzuelo, ¡tiraré más que él y me lo llevaré al fondo! Pasaron a los tangos: ¡Viva Flora Maipú! Hasta a Luis hizo bailar. El tango, excomulgado por Benedicto XV; nos lo repetían en el colegio. Claro que allí también era pecaminoso llevar el pelo en una sola trenza, a un lado. Le dije a doña Flora que era una gran señora. Se echó a reír: «Puede, pero mi madre planchadora, hija; en la calle del Salitre. Mi padre, el señor Manolo el *Cumbreras*, albañil de nombre y vago de oficio. ¿Te gusta el manzano genealógico?» Será verdad, pero impone.

¡Pues sí, la hija de Quillán! El héroe del cielo republicano; el que ganó cuerpo a cuerpo esa gumía. Aquí me la traje, desde mi diván de la entrada, encima de esta cama que cedí a Gloria y ahora he reconquistado. Es mi madonna, mi crucifijo sobre la cabecera, mi ángel de la guarda. ¡Si se la pudiera clavar a...! Bueno, descanse en paz. Sí, me pondré zapatos. No porque quiera Lina, sino por mi taconeo en vez del suyo. Demasiado silencio, sin tacones.

Odilia nadaba muy bien. En Canarias nadan mucho ¡Claro, con ese clima! Había ganado premios en el trampolín. Me enseñó fotos espléndidas en el aire. Gran estilo. ¡Con lo que me gusta! Sería mi deporte, si pudiera. A Gloria le encantaba verme lanzarme. Presumía de mí. En la piscina los chicos me miraban. Luego se las arreglaba para que la miraran a ella sobre su esterilla, claro. Pero en París eran caras las piscinas cubiertas y un día que Odilia fue a una le salió un amigo. Acabamos distanciándonos; ya no coincidíamos.

Le adiviné en la cara que había cometido alguna pillería. Después de llevarse el servicio del té a la cocina venía del baño, luego...«¿Has recogido mi sostén del suelo?», le disparé. Enrojeció: ¡qué alegría desconcertarle! «Tus manías del orden –le reproché–, lo he tirado porque no lo quiero. No volveré a ponérmelo.» ¿Qué fue esa chispa en sus ojos? Se le turbó la voz para preguntarme si se lo regalaba. «¡No seas impertinente! ¿O acaso tienes una amiguita de mi talla? No, no te disculpes. Los escribas no hablan. ¿O es que te lo vas a poner tú? Puede que te sirviera.» Enrojeció. Al fin balbuceó: «Es un recuerdo. Me gusta que lo deseches. Ya te dije que no hicieras caso a Lina. Otras cosas sí te van, claro. Pero esto –vaciló– no lo necesitas.»

Noté que me miraba el pecho. Me observé

yo también, y ¡era cierto! Apuntaban bajo el jersey. Se erguían desafiantes: Me enternecí y se lo regalé. «Puedes colgarlo en tu cuarto si quieres. ¡Qué escándalo para el señor de Gomes! ¡En un hogar cristiano!»

¿Cuándo se fueron los demás; cómo nos quedamos los ocho en la caverna? Para el fuego; las llamaradas del alcohol, nuestras caras en torno a la queimada. Apoteosis del misterio en la catacumba. Paco, hombre prehistórico; Gil Gámez, demoníaco; Flora, conjurante; Luis, fascinado..., ¿cómo sería mi cara? Me empezó a dar vueltas la cabeza.

Gerta hubiese estado bien en la caverna. También tenía poco pecho. La conocí por Meg; me inspiró curiosidad. ¡Cómo me miró Gerta el primer día! Sentenció en el acto: «Eres como yo, Ágata.» ¡Ahora caigo, fue la primera que me llamó así! Ágata, como me llamarán dentro de poco, cuando me rebauticen el día de mi santo. En la caverna se decidió mi nombre, hablaron de las «Águedas» de Zamarramala, ese pueblo segoviano. El 5 de febrero mandan dos alcaldesas. En otro pueblo –lo contó Gil Gámez– cuelgan en la plaza el gallo más hermoso y la mujer más farruca – mejor si tiene mala fama– lo decapita de un golpe con un gran sable. ¡Cómo narra ese hombre! Nos salpicaba ahí abajo el chorreón de sangre, llenaba la caverna el frenético roce de las plumas erectas, sentíamos los estertores del ave decapitada, veíamos a las mujeres saltando debajo, como haciéndose fecundar por la eyaculación roja y caliente...

Todo converge: mi pecho, mi nombre, la muerte del tirano con botas. «También tienes los pechos afilados. Te estarían bien mis trajes.» Gerta dijo afilados, en vez de pequeños. Yo lo diré también. Suena mejor. Afilados como la gumía. Armas contra ellos, los otros. «Nunca se te caerán. En cambio, ésta...» ¡Con qué desprecio señaló a Meg, que la oía en éxtasis!

¡Se me ha olvidado la carta! ¡He enterrado al teniente coronel, al Capitán General de Canarias! ¡Soy más fuerte que él, más que el monstruito! Soy dueña del esclavo que me peina. Aunque a veces tenga rebeldías; le domaré poco a poco. ¡Con sangre! La letra, con sangre entra. Quien bien te quiere te hará llorar. Todo eso. Habré de hacerle llorar; ¡pobrecillo! Es la única manera de que reaccione; por su bien.

Sería ésa la felicidad de Meg. Y yo como Gerta. La tarde que fui a buscar a su esclava y ella entró de pronto desnuda en el cuarto de estar. «Perdona, me dijo, iba a ducharme... Y tú, imbécil, ¿dónde has puesto el champú? No está en su sitio.» Meg se levantó corriendo a buscarlo. Gerta salió a propósito para que yo la viese, claro. Ufana de su vello púbico subiendo muy alto: «Por culpa tuya se va a escandalizar de verme así tu amiga española: ¡tan moral!» Era muy esbelta. Sí, pechos como los míos, hasta quizás menos. Meg le trajo el champú, pero la riñó groseramente, mientras me dirigía sonrisas, acariciándose el vello, revelando algún momento los labios. Es curioso; entonces no me alivió nada ver que a ella no le importaba tener los pechos pequeños. Es que entonces yo no comprendía. Sí, Gerta pertenecía a los abismos.

Abajo me empezó a doler la cabeza y subí a acostarme. Hubo sonrisitas como si fuera por la sangría. Pero no era tal; se me pasó en cuanto salí de aquello: las llamaradas, el gallo agonizante, la sangre del cordero, las mujeres lúbricas... No he sido yo sola, nos ha incendiado a todos. La prueba: el sofocado grito de Tere en su casa, al pasar yo ante su puerta: «¡Bruto, me has hecho sangre!»

¡Lo he oído, estoy segura...! ¿Habrá cosas que ignoro? Me sentí sofocada como ante la puerta de un horno. Entré, corrí a la ventana, ¡qué alivio al abrirla! El Palacio, en su blancura de mármol, frente a la Almudena, montaña de sombra. En medio el infinito de la noche, un mundo congelado, inmóvil. No pasa nada.

Pero sí por dentro. Me siento rodeada de fuego, como escorpión acorralado. Abajo el alcohol ardiendo, azul y verde. Aquí a mi lado Tere y Mateo al rojo. Hasta otra llama de acero en esa pared, el filo de la gumía, su relámpago mortal.

¡Se enciende su balcón! Se abre, respira este mismo aire, debajo de su reina. La paciencia de Luis ¿no será otro fuego? Como las arañas, confesó aquel día. Sacarse la tela del propio cuerpo, tejerla con sufrimiento. El gallo esperando colgado tres días, para acabar volcán de espasmos. El placer, fruto de sufrimiento. ¿Es eso Luis? ¿Otro fuego distinto? ¿Oscuro, tenebroso fuego?

¡Todos consumiéndonos en nuestras hogueras, de llamas o de hielo!

LUIS

¡Durísima luna! Luminoso hielo en su alta lejanía, abajo nuestra caravana, yo delante con Flora y María, la pantera y la gacela, detrás don Pablo con Gil Gámez por lazarillo, Paco y Jimena se quedaron en *La Cruzada* para volver yo acompañándola, de heptágono quedamos en pentágono, y ella en lo alto, o mejor dicho, «Él», así nació en los comienzos sumerios de nuestro mundo el dios lunar *Sin*, esa luna cortante, de ningún modo romántica, con la dureza de todas las madres, al dar la vida ya rechazan, expelen violentamente, a gritos, dejándonos para siempre desprotegidos, fuera de la cueva húmeda y caliente, tapizada de rosa y malva, llena de jugos, nutricia...

¡La caverna increíble! ¿Por qué eché de menos una luz cenital o linterna?, ¿por qué le faltaba?, ese subterráneo ignorado en mi casa, el mundo de Platón y de Plutón, oh Max, Max, dame tu sabiduría para interpretar esta noche, desvelar su sentido, ¿recuerdas la iniciación pitagórica, el templo subterráneo de Cybele, Juliano el Grande que pudo haber salvado el mundo antiguo, Juliano mal llamado el Apóstata e iniciado en el culto de Mithra, nuestros largos diálogos, y bajo mi sueño cada noche esa caverna, en los antros se opera la metempsicosis, se emerge transformado, hombre nuevo, pero antes entrar, indispensable, qué escalones, parecíame subirlos, como si fueran cuesta arriba, ¿temía yo a unas pruebas iniciáticas?, qué ágape decisivo, Águeda impresionada, este giro del tiempo, darle la vuelta a un año, ¿acaso empieza ya a renacer?, ¿comienza a ser transformada por la iniciación?, todavía no, pero ya emerge y la paciencia es mía, todo el tiempo me sobra desde que quise acabarlo, allá en el negro Sena, todo el que me queda es excedente.

Sí, ya emerge mi Águeda, mi Galatea, ya la otra tarde entró en su nuevo ser, subí la escalera inseguro, qué dieciocho escalones, su estudio otra caverna y mi cuarto entre ambas, entre dos polos, iniciática en Águeda, esperar a la puerta emocionado, siempre una aventura, una sorpresa, ya es plenamente mi sacerdotisa, pero también la iniciada, ambos las dos cosas, hermafroditas del rito, qué refinamiento en sus liturgias, cómo matiza el dominio, la simple ceremonia del té, como los japoneses, como mis mujeres decisivas, tía Hélène, Flora, pretexto para su capricho, admirable Águeda, no defrauda mi intuición del primer día, prodigiosas variantes del rito, a veces me lo encarga muy caliente, «pero mucho» insiste, luego lo encuentra excesivo, se encastilla en su enfado, para probarme mi error me hace abrir la boca a sus pies, yo aguilucho bajo el águila madre, me derrama dentro una cucharada hirviente, me escalda, plomo fundido de las torturas medievales, otras tardes lo pide frío, pero no tanto y he de hacerlo nuevamente, qué es eso de recalentarlo, y me ordena escribirlo cien veces en el cuaderno, son mis cartas a ella, cruel y delicioso epistolario, quinientas veces «soy un mal escriba», pues y cuando he de llevar la taza muy llena, tan difícil no derramar ni una gota, cómo harán los camareros con las sopas, su seca advertencia, si algo se derrama lo lames en el plato, así anteayer, como un perrito, y el perro se sintió dios, ¡Salomón es un perro!, me obsesiona aquel primer sueño, aquella puerta de mi retorno al pasado; ¿a cuál?

Empezó esta noche con Águeda, subí a buscarla para bajar juntos, exquisita, perfecta, más Nefertiti que nunca, más paje de los Medici, pero le dije lo contrario, «no debes maquillarte tanto», manera de que ella insista, de que vaya haciéndose así más femenina, de que me necesite para castigarme porque la enfado, en efecto, me regañó, me había retrasado, su mirada hacia sus pies fue una orden, completamente dispuesta, pero en zapatillas, «los negros» ordenó simplemente, los cogí de su armario, me arrodillé ante ella, retiré sus zapatillas y la instauré sobre sus zapatos, un pie tras otro, alta ceremonia, tobillos fuertes y delicados, circundándolos empezó la noche.

Ordenada en tres planos, vivido uno tras otro, tres etapas progresivas, primero el plano vital del juego, el mundo superficial de Paco y Jimena, de Tere y Mateo; después el nivel más profundo de la catacumba política, el plano clandestino, la preocupación de Ildefonso y Guillermo, incluso de don Pablo, interesado ahora por el pueblo, de qué me sorprendo si a veces me convencen, otra dimensión a la que servir, es preciso hacer algo; y finalmente el mundo definitivo, la magia profunda de la noche, Flora como Kybele, la danza sagrada, la de los *galli* salpicando su sangre en sus giros, dándola al mundo para que renazca, sacrificándose por la fecundidad, y el hombre misterioso con su fuelle sonoro, ordenando el ritmo, y Águeda y yo atravesando esas etapas, impregnándonos de ellas, emergiendo renacidos.

El nivel primero, la risa y el bullicio, qué aparente, sin embargo, ya distinto en la penumbra, con la oscilación de las velas, don Ramiro con sus cosas, regocijando a los demás, pero sin enterarse, feliz entre sus nubes, los dos viejos con su dignidad. María suave lámpara de Pablo, Guillermo y Lina siempre alerta, y ese irlandés de IDEA, con su secreto lejano, Shannon, viviendo siempre su gran momento, no hablaba de otra cosa, todo lo demás sin interés, y la danza, primero la callejera y soleada, el pasodoble, el chotis pimpante, simple aperitivo, y la cena tumultuosa, la alegría del vino, todo transparente, sin embargo primer escalón ya del misterio, ahondando luego con la otra música, nostalgia y melancolía, sentimientos más hondos, el tiempo perdido, la soledad y la traición, el tango manando de los fuelles rituales.

La sacerdotisa enlazándose, consagración en la danza, pero Paco todavía en el primer nivel, no pasa de ahí, solamente carnal, tosco, primitivo y violento, no está a la altura, no supo plegarse al sabio cuerpo femenino, los brazos de sacerdotisa, el roce de esos muslos y caderas, qué fuerza vital, cuando se apoderó de mí, ¡qué emoción!, me bastó cerrar los ojos para sentirme transportado, tante Hélène en el *cabanon* de la playa, enseñándome el tango y la rumba, *viens petit, je vais te montrer*, con el gramófono invadido por Gardel:

> Por tus ojos negros,
> que en una tarde lloraron
> y que se iluminaron
> hoy te vuelvo a cantar.
> De lejanos cielos
> todo un rosario de estrellas...,

todo un rosario de estrellas corriendo por mi médula, galopando en mis venas, oh Hélène, Hélène, diosa de mi adolescencia, y casi el mismo perfume, no hierbas ni flores, no viento de muchacha, tampoco las especias embriagantes, justo las maderas odoríferas, densas, pero sin peso, y mezclado el de su cuerpo, también denso y ligero a la vez, sus brazos envolviendo como un baño, un agua lustral, así era exactamente con el mar al fondo, con el poniente a la izquierda, las rocas a la derecha, así era sin más aquel paraíso, el placer antes del pecado, la voluptuosidad inocente.

Pero ya mientras seguían ellos, mientras ordenaba aún la danza el derviche (¿por qué un derviche?, ¿he conocido algún derviche?, de pronto esos relámpagos en mi mente, esas luces de no sé dónde, ¿recuerdos o premoniciones?) nosotros ya ascendimos al segundo plano, la catacumba política, la vida clandestina contra la tiranía, lo provocó don Ramiro, con su panegírico de estas Cortes, lo captó Ildefonso burlándose de tales simulacros, para engañar al pueblo, don Ramiro encampanándose, otro discursito, sólo le faltó el «he dicho» y levantar su copa, nosotros ya ni caso, excluido de nuestro ágape, de primeros cristianos contra el imperio, de sociedad secreta en torno al señor Ildefonso, continuidad del pueblo como el Guadiana, oculto hoy, pero renacerá, nosotros somos el orden social, en la calle no hay orden, sino policía, es lo contrario, Guillermo y Lina incluso agresivos «hay que luchar», ¿qué podemos hacer?, «este almacén» sugirieron, mirándose uno a otro, «podíamos ayudar aquí, la cultura es la base, que tome conciencia la juventud», la idea nos atrajo a don Pablo y a mí, enseñar es lo nuestro, daríamos clase a algunos jóvenes, aprendices y obreros, ayudarles a hacerse conscientes, luchadores futuros, hasta Shannon se adhirió, dispuesto a enseñar inglés, eso interesó a las chicas, «la mujer es decisiva» dijo Jimena, nos entusiasmamos, Guillermo quería ilusionar a Ildefonso, «recuérdelo, al final vencieron las catacumbas, el imperio se derrumbó», «gracias hijo, pero yo no lo veré, no veré ni la próxima Nochevieja», «¡Jesús, Fonso, no digas eso», lagrimeó Lorenza, Guillermo la reanimó, «pues le prometo que verá usted una huelga, en serio, como en sus tiempos, y antes del verano».

Guillermo estaba de pie, apoyadas las manos sobre la mesa, como un líder, debe de ser alguien en el Partido, otro con su secreto, iniciándonos en el segundo escalón, se le ve maduro, poderoso, Lina a su lado, como en las estatuas egipcias del faraón y su esposa, ella ligeramente detrás, protegida por él, pero en reserva, respaldo del guerrero, su reposo también, les pienso en la casa, «una huelga que les traerá de cabeza», insistió el líder, «es una promesa», la dejó clavada y no dijo más, ése fue su regalo de año nuevo al otro luchador, al viejo que movía la cabeza, entre incrédulo y deseoso, casi con esperanza, respirábamos entusiasmo, en las catacumbas anida la verdad, la telúrica y profunda, más cierta que bajo el sol, «por las catacumbas –brindé yo en secreto–, por este mundo al margen de los de arriba, de los que oprimen y aniquilan», Ildefonso evocaba a su pobre hijo acribillado, ametralladora del tanque, pero caigo en que las catacumbas de Guillermo no son las verdaderas, le ayudaré, pero no me quedaré en ellas, sólo provisionales, Guillermo aspira al sol, a mandar él también, no es mi mundo, al contrario, más hacia lo profundo, él es rama, yo raíz, el verso de Rilke: «Florecer desean ellas / y florecer es mostrar la propia hermosura, / madurar queremos nosotros, / y eso es ser algo oscuro y esforzarse sin tregua.»

Las fuerzas oscuras en el último plano, tercer nivel profundo, asomaron los arcanos, a la luz flameante de la queimada, espíritu de cepas y de tierra, la luz de Dyonisos, de su rito que es literalmente la *orgía*, casi igual que energía, y aparecimos bajo esa llama como somos, animales báquicos, Paco el lobo, Jimena la alondra sobre los trigos dorados, María la gacela, don Pablo el viejo ciervo solitario, enhiesta la noble cuerna, pero ya velado su mirar, Gil Gámez el águila sobre el tiempo, Flora la pantera flexuosa, Águeda el cisne negro, exquisito, pero potente, y yo el murciélago, pero ya en mi segunda muda, no el símbolo chino de la felicidad, sino el de la noche, el gemir de los abismos subterráneos, seguro en ellos, veloz entre sus anfractuosidades, a partir de esta noche que empezó a sus pies, en su estudio caverna de lo alto, he salido luego del antro iniciático, he terminado bajo la luna helada e implacable.

Ocho en torno al fuego abismal, en realidad siete porque Gil Gámez aparte, como en la danza, dirigiendo sin participar, no como Flora sacerdotisa, imponiendo sus manos sobre todos, heptágono perfecto, número mágico, en él surgió el tema de Águeda, de la santa, de su nombre, la transformación de todos se plasmó en esa idea, rebautizarla en Ágata, ¡si los otros supieran cómo refleja ese cambio la realidad!, Águeda transformándose por obra de Pigmalión, endureciéndose como madre cruel, como dios luna y de la guerra, la idea brota lógicamente en la caverna que nos transforma a todos, a mí también, ¿será el año de mi realización?, ¿reencarnaré tras de haber desesperado?, la gruta simbolizando el renacer, como el primer hombre turco, el *Ay-Ad-dam*, moldeado espontáneamente por aguas que arrastran barro, lo depositan en una oquedad de forma humana y adquiere vida, renacer es natural, indispensable.

La caverna ha quedado atrás, ¿cuál me recuerda la de esta noche?, ¿o acaso me anticipa?, ahora bajo la luna, nuestra caravana en pentágono, triángulo y pareja, pero este ciprés acerado por la luna, más negro y más claro, a la puerta de la Encarnación, esa insistencia no preparada: Encarnación, ¿dónde lo he visto antes?, esa impasible lanza violentísima, ahí nos separamos, Gil con doña Flora retornan hacia casa de ésta, Feliz Año Nuevo, nuestro triángulo sigue, frío después del fuego, siguiendo los muros del convento, ¿cómo una niña sola por la calle a estas horas?, ¡pero si no es una niña! ¡una mujer! enana, pero bien formada, una muñeca, ¿qué signos son éstos?, ¿qué nuevos tiempos?, desembocamos ante el antiguo Senado en blanco lunar, la estatua de Cánovas, asesinado, me quedo contemplándola un momento, los otros dos siguen por la escalerilla a la calle del Reloj, estalla un leve grito, me vuelvo, don Pablo casi derribado sobre los escalones, corro asustado, ya María le levanta, tropezó, ella amortiguó el golpe, «no ha sido nada», insiste, su aliento como el nuestro haciéndose nube en el aire, no me quedo tranquilo, pero camina bien, sin embargo su mano temblorosa ha de buscar el brazo de María, la dejamos en su puerta, nuevas felicitaciones, en un impulso él la coge suavemente por los hombros y la besa en la frente, un roce apenas de los labios, ella le mira sin un gesto, apenas leve incurvación de labios cambia su rostro en luna tibia, saca una gran llave y entra en el portal, otra caverna, retornamos en silencio, don Pablo apoyado en mi brazo, de pronto murmura como si yo no estuviera: «¡qué extraño; jamás he subido a su casa!», y luego, más bajito, «¡Dios mío, y todos estos años, tantos años!»

A la vuelta el ciprés gritándome algo, no logró interpretarlo, por qué lo grita, y lo sigue gritando después de que he dejado a don Pablo en su propio piso, subiendo la escalera con él para quedarme tranquilo, ese ciprés me lo llevo clavado ya hasta mi cuarto, mientras recojo a Jimena en *La Cruzada*, mientras entro con ella en el piso esperando se separen sus manos de las de Paco en el portal, supongo que se besan, recuerdo a Pablo, qué más me da, ese ciprés en mi corazón, mientras pienso en Águeda arriba, mientras por el balcón contemplo el palacio real, ya con la fachada a Bailén en la sombra, blancura la de la Almudena, mientras me acuesto, a punto de dormirme, el súbito recuerdo,

¿de dónde?, otro ciprés en una ladera, cortando mar y cielo, ¿la línea de otra costa más allá?, ciprés polo del mundo, eje del universo, ancla de las angustias, perennidad viva, no vegetal, sino roca verde, y, sin embargo, a veces su cima curvándose en la brisa como el saludo de una mano, adiós o bienvenida, para mostrar que la columna vivía, a veces saltaba a volar un pajarillo desde dentro de esa roca verde, lo veo claramente bajo el sol, por eso no lo reconocí antes, incluso huelo su resina, fue mío, fue mío, estoy ciertísimo, pero ¿cuándo?, ¿dónde?, no podré vivir tranquilo mientras no descifre este arcano, brotado de lo profundo, del pozo de mi pasado, en esta noche mágica, ese ciprés vital con mar al fondo.

Quartel de palacio

¿Walpurgis o San Silvestre? ¿Verbena o aquelarre? ¿*Dolce stil nuovo o Sturm und Drang*? ¿Teniers popular o Goya negro? ¿La clásica caligrafía *chen shu* o el estilo *ts'ao shu*, a orilla del desorden? ¿Pudo ocurrir todo eso en la vulgar casa madrileña de Noblejas, esquina a Rebeque?

A primera vista, todo sencillo y cotidiano: unos cuantos amigos celebrando en un almacén la Nochevieja. Pero ¿acaso existe alguna realidad sencilla? ¿Hay amistad sin complicaciones? ¿Es una noche cualquiera la Nochevieja? ¡No seamos ingenuos!

En un almacén, sí. Pero, cuidado. Ese almacén fue escondite para el mercado negro y, antes, puesto de mando de artillería y, antes aún, imprenta para octavillas subversivas. Ha recibido metralla y registros policíacos, ha ocultado a perseguidos, ha amparado a heridos, ha visto morir a uno, exactamente el 30 de junio de 1937, susurrando por dos veces unas últimas palabras que nadie comprendió: «Como tú quieras.» ¿Almacén? Cripta, catacumba, refugio, casamata. Y, esta Nochevieja, casi una cueva de *Saint-Germain-des-Prés*.

¡Nochevieja! Charnela entre dos años, intersticio vulnerable. Jano presidía este tiempo en Roma, recuérdese bien. Dios de los dioses, espíritu de las puertas, a veces con dos rostros –hacia el pasado y el futuro–, a veces con cuatro como el Tetramorfos. Dios del tránsito desde un universo a otro; dios de todos los comienzos: ¡Él nos sea propicio!

En cuanto a los amigos, a Ildefonso y Lorenza les bastó cruzar el portal y traspasar la puertecilla bajo la escalera. Después fueron los primeros don Ramiro, doña Emilia y Jimena, que no ha renunciado a sus pantalones vaqueros. En cambio, el caballero viste su terno de las solemnidades; el mismo que llevó a la audiencia concedida en 1952 por Su Excelencia el Generalísimo al II Congreso de Productos Forestales Mediterráneos, del que era el señor Gomes tercer secretario, por su cargo sindical. Un momento vacila decepcionado en el umbral de la puertecilla, casi arrepentido de su iniciativa para una cena fraternal, inspirada por su afán de dar cristiano ejemplo a las clases humildes. Olvida –se quedaría sin protagonismo– que la idea partió de Luis (ante el aburrimiento de Águeda en la cena de Navidad), con el apasionado apoyo de Jimena.

Ciertamente, no es recinto para una fiesta ese destartalado camaranchón aún mayor que todo el piso de don Ramiro, pues incluye el patio medianero cubierto. Lo agigantan además los rincones en sombra, no disipada por la única bombilla colgada de su propio cordón, y el caos de bultos amontonados contra una pared, tapando ésta como si no existiera: la vieja minerva, la guillotina y los chibaletes de la antigua imprenta (el plomo sirvió para balas), los fardos, sacos y chatarra con que trajina Mateo, más la furgoneta encerrada cada noche por el portalón a la calle de Rebeque.

Al fin el caballero suspira y desciende con su familia los tres escalones que distancian aún más el techo, aceptando su destino como un noble bajo el Terror, en la cárcel del Temple. Si no hubiera fregado ya la Lorenza, hasta sangre podía verse en el suelo; la sangre inocente del cordero degollado por Paco en la misma mañana. Don Ramiro ignora el crimen aun cuando sabe que el plato fuerte es un cordero asado, y alberga dudas sobre la licitud de su adquisición, dados los pocos escrúpulos de Mateo y Paco. Analizado, sin embargo, ese caso de conciencia, ha llegado a la conclusión de que puede comer tranquilo esa carne. Y en cuanto a lo impropio del lugar, ¡todo sea en aras de la convivencia vecinal y la paz entre los hombres de buena voluntad, según el mensaje del Ángel! Además, «peor estuve cuando me detuvieron en el Madrid rojo, ¿verdad, Emilia?», concluye jovialmente, frotándose las manos y acercándose al radiador eléctrico. La buena esposa suspira, reviviendo el heroísmo de su marido durante aquellas espantosas cuarenta y ocho horas en la Dirección General de Seguridad; de donde le sacó el señor Ildefonso.

Luis, que llega con Águeda, siente ante esa caverna inexplicable angustia. ¡Ah, el sueño del primer día, el recinto en aquella pirámide! Paco no baja los escalones. Los salta, con esa audacia irrespetuosa que siempre molesta a don Ramiro. Al menos esta vez aporta algo: unas cuantas velas que, insertas en botellas vacías, alejarán las sombras.

Emilita baja los escalones a cuatro patas. La madre llega con su hijo y con Mateo de la tienda, cargada de patatas fritas, aceitunas, cortezas, frutos secos. Se aceleran con eso los preparativos. Paco marcha a *Casa Macario* para recoger el cordero asado y Jimena decide ir a ayudarle, antes de que su padre pueda iniciar una perorata de objeciones. Lorenza y Tere preparan ensalada en un gran lebrillo vidriado, y hacen frecuentes viajes a la cocinilla de la portería donde están en la sartén las patatas para las tortillas. Don Pablo llega con el refuerzo de María y hasta de Josefina, su asistenta, prima segunda de doña Emilia, aunque don Ramiro no lo mencione nunca porque el marido fue dinamitero y lo fusilaron al terminar la guerra. El matrimonio –civil, por desgracia– dejó la secuela de un hijo. Don Ramiro celebra que no asista ese muchacho a la cena: habrá preferido, como siempre, hacer el gamberro por la calle con otros mozalbetes.

Don Pablo se acerca al grupo donde Ildefonso toma a chacota el discurso radiado anoche.

–¿Pues no sale ahora el cínico ese del Pardo con que estamos dando lecciones al mundo y dentro de veinte años todos habrán copiado este régimen? ¡No se lo cree ni él!

Don Ramiro salta en defensa de su Caudillo haciendo notar que el discurso anuncia la cogestión, con obreros en los Consejos de Administración. Ildefonso bufa más todavía:

–Total, que ha descubierto lo que reclamaba Largo Caballero en el Instituto de Reformas Sociales hace cuarenta años.

Don Ramiro replica. Llegan Lina y Guillermo con los postres, coñac y anís, acompañados por un amigo. Un irlandés, Roy Shannon, cuarentón, habla español sin acento apenas. «Claro –explica–, vivo en España desde 1945.» Luis le conoce algo, pues traduce al inglés para IDEA, pero es sobre todo amigo de Guillermo. ¿Por cierto, qué comenta este último en voz baja con Lina, lanzando ojeadas al almacén como si lo evaluara para algún proyecto?

Shannon se ofrece a preparar una «zurra»: así llaman a la sangría en el Alto Tajo. Se recorrió todo el río hasta Aranjuez en el año de su llegada, acompañando a una cuadrilla de gancheros. Suspira al relatarlo: ¡qué gente, qué vitalidad, qué hombría! Aquello le hizo enamorarse de España, concluye con entusiasmo teñido de dolorida nostalgia. Guillermo le hace confesar que relató sus aventuras en una novela, firmándola con un seudónimo español.

Mateo sube a por limones para la zurra. Casi en seguida, doña Flora acompañada de ese dorador al que todos conocen de vista: Gil Gámez, cuyo perfil emerge del jersey azul y la chaqueta de pana negra más ave de presa que nunca. Ella se quita el echarpe y un viejo abrigo de astrakán negro, apareciendo con un traje sastre gris y una blusa palo de rosa. Flora explica: «Me he permitido traerle porque somos viejos amigos.» «¡Viejísimos!», remacha Gil Gámez que, como ofrenda, aporta las doce uvas para cada uno y además –¡sorpresa!– un acordeón en una gran caja colgada del hombro.

–No hay ceremonia sin música –proclama con una sonrisa en sus labios delgados.

Ensaya unos arpegios y se arranca. El chotis de *Cuadros disolventes*. Doña Flora, rejuvenecida en el acto, canturrea la letra, mientras se ciñe a don Pablo, que la lleva con buen estilo: «Con una falda de percal planchao...», canturrea Josefina. Ildefonso se marca unos compases con Lorenza, a pesar de su lumbago. Los ojos de los niños se abren a la maravilla.

Siguen pasodobles, que atraen a más parejas; alguno tan antiguo como *Gallito*; otros posteriores como *Rosa de Madrid* o incluso *Más chulo que un ocho*, de Álvarez Cantos, muy difundido por EAJ 7, Radio Madrid –recuerda Luis–, antes del treinta y seis. La cripta se disfraza así de verbena donde giran como un tiovivo los humanos. Hasta que la llegada de Paco y Jimena, agitados y enrojecidos, marca la señal de la cena. Don Ramiro pretende imponer un protocolo para los puestos en la mesa –ha meditado en ello mientras conversaba– pero nadie le da oportunidad y secretas leyes centrífugas y centrípetas emparejan a Luis con Águeda, a Lina con Guillermo e incluso a Jimena con Paco, lo que molesta al caballero, aunque lo considere obra del azar.

–¡Ay, señora! –exclama el viejo sentado junto a Flora–, si yo volviese siquiera a mis sesenta años no me dejaría mi Lorenza junto a una mujer tan guapa como usted.

La voz dice más que un piropo. ¿De qué fibra está hecho ese hombre –se admira Pablo– tras cárceles, expolios, enfermedades y su único hijo muerto en la guerra? ¿Se puede reaccionar ante una mujer todavía a los ochenta? Doña Flora no parece dudarlo: coge entre sus cuidadas manos la sarmentosa del viejo y le besa en la mejilla. El alboroto crece al traer las tortillas: jaleo, voces, carcajadas, tintineo de platos, peticiones de la sal o el vinagre, reproches ante el vino derramado, sopapos a los chicos, llantinas aplacadas con una golosina... Las velas deslumbran más que alumbran, impiden ver enfrente, crean islas de conversación.

Ildefonso narra a Guillermo y Lina la historia de la caverna. En el treinta y seis, la imprenta se convirtió en cuartelillo de los artilleros de *El abuelo*, un cañón emplazado en los jardincillos sobre la calle de Bailén, delante de la casa. Fue el de más calibre en los duros días de noviembre cuando los facciosos se estrellaron contra la defensa de Madrid. Luego quedó como un símbolo, disparando de vez en cuando.

En el área de doña Flora y Pablo se habla nostálgicamente de los tiempos del cuplé, de las dos grandes Consuelos de la época, la Bello *(la Fornarina)* y la Portela *(la Chelito)*, que armó el alboroto buscándose la pulga. Y de tantas otras: Carmen Flores, Cándida Suárez, Olimpia d'Avigny, la Goya o Adelita Lulú –el récord en postales iluminadas–, reinando en los olimpos del Trianón, del Salón Japonés, del Maravillas. Ya en los años veinte llegarían las revistas de Eulogio Velasco con Tina de Jarque o las hermanas Pinillos. ¡Cuántas historias sentimentales evocan Flora y Pablo: Fornarina con Cadenas, La Goya con Tomasito Borrás y la más fabulosa de todas: la boda de Anita Delgado con el Maharajá de Kapurtala! Y cuántas rivalidades, como la de Raquel Meller contra Mercedita Serós, hoy olvidada...

Don Ramiro, que ha reconocido en Shannon a un hombre educado, le manifiesta su indignación porque el extraordinario del diario *Pueblo*, dedicado al año que acaba, trae secciones de todo –¡hasta de fútbol!–, pero no de religión. ¡Y estamos en un país católico! «Será que no interesa», comenta Mateo sin darle importancia. Y Tere, desde enfrente, remacha con agudeza: «Dice usté del fútbol: el día en que celebren la Navidad con un partido en el Estadio Bernabeu, verá usted cómo va más gente que a la misa de Gallo», «O la Nochevieja. ¡Si yo pescara la contrata de vender uvas para ese partido!», imagina Mateo con los ojos brillantes. Don Ramiro, triste su noble gesto, pone a Shannon por testigo de la decadencia nacional, que no importa nada a Paco y Jimena, ensimismados en un susurrante diálogo. Shannon narra su descubrimiento en Barcelona, hace años, de una tienda en la Vía Layetana con el más extraño rótulo: *La Voz del Pueblo Español*. «¿Qué dirán ustedes que vendía? ¡Pues alpargatas y calzado barato!» «¡A ver –ríe Tere explosivamente–, el derecho del pataleo. El único!»

«No hablemos de política –esquiva Mateo–. Fijarse que lo más santo que hay es una madre, y en cuanto es "política", se acabó la santidad... Yo me casé con ésta porque su padre ya era viudo, ¿verdad, Cacha?», y suelta una palmetada en el muslo a su mujer, que le amaga un coscorrón.

Pero Ildefonso y Guillermo insisten en la política y don Ramiro defiende la tesis de que en la admirable sociedad impuesta al hombre por Dios, la función del pueblo no es la de gobernar, sino la de seguir fielmente a su Caudillo, cuando éste es tan sabio como cristiano. Doña Emilia le oye con ojos arrobados. Lo contrario lleva al caos, decreta don Ramiro, pero Ildefonso replica que no hubo desorden el 14 de abril y en cambio el caudillo ese provocó un cataclismo el 18 de julio. «Déjeles, señor Ildefonso –le apoya Guillermo con respeto–, ya volverá el pueblo con usted y con nosotros.» «Sí, hijo, pero aún estamos en las catacumbas», responde la cascada voz, dando al recinto –piensa Luis– su nombre más exacto.

Doña Flora desvía la conversación reclamando unas copitas. Gil Gámez hace la ronda a la revuelta mesa, sirviendo de sus botellas. Don Ramiro gusta del coñac cuando es, por ejemplo, Courvoisier Napoleón (lo sirvieron en el famoso II Congreso), pero el anís es más castizo, más hispánico. Le interrumpe un llanto que provoca sobresaltado silencio: Josefina ha roto a llorar sin borrachera. «No es nada, nada –balbucea la mujer–, es anís *Machaquito*, el seco...» Gil Gámez explica que no lo había probado ella desde que lo bebió su marido, antes de ser fusilado. «¿Cómo lo sabe?», calla Josefina, atónita. «Me lo acababa usted de decir», responde sonriente el dorador, mientras sigue sirviendo.

De repente, otra vez el acordeón. ¿Cómo ha logrado Gil Gámez encaramarse de un salto con su instrumento encima de un chibalete? La música hace retumbar las paredes con vitalidad que se torna sensual cuando doña Flora pide un danzón. Gil Gámez la complace, y ella se enlaza con don Pablo, mientras tararea:

> «¡Maní...!
> Si te quieres con el pico divertir
> cómprate un cucuruchito de maní.»

Y luego es *Siboney*, que baila con Luis, entre otras parejas. Lorenza, Josefina y doña Emilia retiran restos de la mesa y componen un poco el desorden. Durante un silencio, Flora se dirige a Paco. Jimena se encoge; lo venía temiendo. Más de una vez se han buscado esos dos pares de ojos. Jimena la oye decir:

–¿Y tú, Paco, qué? ¿Soy demasiado vieja?
–¿Vieja usted? ¡Ya quisieran muchas jóvenes!
–¿De veras? –coquetea la voz.
–¡Digo! Usté es... bueno, una real hembra. Mucha *mujé pa mí*, doña Flora.
«¿Cómo dice Paco tal cosa?», se asombra Jimena.
–No lo creas, tú eres muy hombre –decreta la voz–. Anda sácame a bailar, que te lo mereces.
–No sé bailar eso.
–Conmigo sí. –Y la segura voz obliga al acordeón a arrancarse:

«La palidez de una magnolia invade
tu rostro de mujer atormentada...»

El mozo y la dama casi no se mueven de su sitio. Hiedra joven, pero ya escaladora, ciñendo una alta magnolia. Águeda recuerda la del patio de la vieja Universidad, el día en que fue a buscar a Lina. Ese abrazo clavado en el sitio, pero se mueven (¡vaya si se mueven!, lo juraría Galileo) como algas en un fondo marino, como culebras de agua apareándose. Viven una voluptuosidad tan natural que Jimena no se enfada; solamente se entristece, les envidia, se pregunta si ella será capaz...
Al final de la música, Paco piensa si alguien habrá visto que ha mordisqueado la oreja femenina. Se asombra de sí mismo. ¿Qué fuerza se lo ha ordenado? ¡Y qué perfume!
Es sólo ahora cuando Jimena comprende que ha sentido celos. Antes estaba demasiado absorta. Aunque intenta disimular:
–¡Qué bien baila! Da envidia. Yo...
–Calla la boca –ataja su hombre–. De aquí a nada bailamos como ella nosotros dos.
Jimena sabe que no, que ella necesitará más tiempo para ser así, pero está segura de que Paco es el mejor

maestro del mundo. Esa certeza le quita el amargor reciente y le hace mirarle como si estuvieran solos.

La música ha saltado al tango. *Esta noche me emborracho* se lo marca doña Flora con Luis. Le maneja como a un pelele, piensa Lina viéndoles, mientras ella se enlaza con Guillermo y tratan de seguir ese ritmo casi desconocido para ellos. Después, *A media luz*, por Flora con don Pablo, resulta una exhibición, como si la caverna fuese el originario *Hotel Oriental* (el *Hotel Tal*, le llamaban los malevos) de Buenos Aires. O, más exactamente, como si albergase un recital de Florita Maipú en el *Ideal Rosales.* Porque al cesar el tango ella canta otros; no con la voz de entonces, por supuesto, pero sí con la pasión, la melancolía, el sentimiento ante la huida de la vida que ella pone en esas letras desesperadas.

Las hay para todos. Luis se siente aludido, sin esperar que sea verdad, con el final de *Amor*, el tango póstumo de Gardel:

> «Y cuando ya sólo ansiaba la muerte...
> Hoy te encuentro y mi amor es más fuerte.
> ¡Los dos lucharemos por nuestro querer!»

Hay para todos, como el tango *María*, pero hay, sobre todo, para don Pablo, quien recoge estremecido este mensaje:

> «Se va la vida
> se va y no vuelve...»

y el contenido en *Barrio Reo*:

> «Escucha el ruego del ruiseñor
> que hoy que está ciego
> canta mejor.»

¡Sus cataratas! El ruiseñor ciego se contempla: «mira, mira qué viejo estoy» y ruega: «calor de nido vengo a buscar». ¿Por qué le hacen sufrir tan deliberadamente? ¿Quién sugiere a ese acordeón que provoque justo esas canciones en la garganta de Flora? Y al final también hay para Flora su tango favorito, el de sus mayores éxitos: *Mi noche triste*, de Catiostro.

El ambiente ha cambiado. Los niños se han amodorrado y quienes no están prendidos en el encanto de la noche porteña, de las malas mujeres que son buenas, de los hombres que matan porque aman, es que –como Paco y Jimena– se encuentran embrujados en sí mismos. De repente, Mateo rompe el ensueño al mismo tiempo que pone en marcha el transistor:

–¡Eh! ¡Que faltan pocos minutos!

Corren todos hacia las uvas. Se acerca el tránsito; el momento mágico y solemne que condensa doce meses: un año menos, un año más. El locutor se excita, sobre el rumor de voces y circulación urbana en la Puerta del Sol. Estallan las campanadas del reloj de la bola dorada, el de «Gobernación» (ahora de la Dirección General de Seguridad), y como siempre se yerra en la cuenta, sobran o faltan uvas. Mateín se atraganta, aunque su madre se las peló antes y les quitó las pipas. Le cuelgan boca abajo y le sacuden, porque la cara se le ha puesto morada, pero al fin respira y se pasa el susto. Suenan los «¡Viva 1962!». Una silla cae al suelo.

Se miran todos como después de una batalla. Cierto estupor. Hay que brindar. «¡Por el estraperlo!», propone Mateo, apretando a su mujer por la cintura. «Por la patria y su Caudillo», prefiere don Ramiro, pensando en soltar un discursito. «Por el socialismo», contraataca Ildefonso. «Por Ildefonso», lanza Guillermo. «No, no; por todos.» «Eso, por todos, por la Vida», cierra Gil Gámez con aceptación unánime. Ha puesto la mayúscula en su voz y, antes de beber, derrama un poco de su vino sobre el suelo, como ofrenda a los dioses de lo profundo.

Abrazos y enhorabuenas. Empieza a disgregarse la reunión. Mateo y Tere se suben a su buhardilla con los niños, «que ya no aguantan más», aunque más bien son los padres quienes no pueden esperar, a juzgar por sus ojos encendidos. Don Ramiro se retira dignamente con su esposa en cuanto advierte que no hay oportunidad para discursos, recomendando a Jimena que suba pronto. También Ildefonso y Lorenza se resisten a trasnochar más. Guillermo y Lina se despiden igualmente, acompañados por Shannon y por Josefina, cuya casa resulta encontrarse próxima a la del irlandés, hacia Atocha. Se miran los restantes: cuatro parejas, ¡qué diferentes!

–¿Y ya está? ¡Si todo es como antes!

Así expresa Jimena, ingenuamente, la sensación de que el momento solemne es uno más. Esa voz profunda la corrige:

–Claro, porque no ha pasado nada. Esas doce oficiales son, para el cosmos, las once. Aún no es media noche. –Y repite Gil Gámez, intencionadamente–. Aún no es media noche.

Con gesto misterioso se dirige a un rincón, donde había ocultado un par de botellas con un líquido incoloro.

–La sorpresa final, con el fuego. ¿Puede haber final sin fuego? –Y sonríe, mirando a todos. «¿Será gasolina?», se le ocurre a Luis.

Es aguardiente de orujo para hacer una *queimada*, como en Galicia, tierra de brujas, de *meigas*. El propio Gil coge el lebrillo de la ensalada, lo limpia, vierte el aguardiente, el azúcar, unas cortezas de limón, todo en el centro de la mesa. Con las velas apagadas, en la penumbra, los tablones se han convertido en un altar, cuyo paño ostenta manchas vínicas como de sangre inocente. Gil Gámez oficia con su faz ensombrecida por la verticalidad de la bombilla, mientras sus manos se mueven bajo la luz. Nadie habla en la caverna, más antro, cripta y templo que nunca.

–Apagaremos justo a media noche –dice en voz baja.

Se sientan de nuevo, cuatro frente a cuatro. Flora y Paco y Luis, la atención más intensa. Apaga el oficiante la bombilla y con un fósforo prende fuego al líquido. Una alta llama se levanta, amarilla, irradiando calor en los rostros cercanos. Todos callan y la ausencia de palabras les quita humanidad. Más bien seres mágicos en torno a un fuego primitivo. ¿Por qué esa sensación? ¿Es sólo la ausencia del Verbo, o es que en verdad un encantamiento les ha transmutado en espíritus elementales? ¡Ahora, ahora es caverna, antro de Trofonio, centro de energía telúrica, símbolo del cráneo, pequeño triángulo invertido dentro del gran triángulo de la montaña!

Gil Gámez les previene: la llama ha ido cambiando de color, ahora es azul, virando a verde. Y cuando ya sólo quede un verde intenso y a la vez etéreo, cuando es justamente medianoche en las estrellas, repiten con él tres veces el exorcismo liberador:

–*¡Meigas fora! ¡Meigas fora! ¡Meigas fora!*

PAPELES DE MIGUEL
Ese aroma tranquilo, ese deleite

Marzo de 1976

El tren moderno, ¡cómo nos priva del campo! Sí, desfila un panorama rural –si el compañero de viaje no prefiere bajar la persiana–, pero somos peces en acuario móvil. Sin aire, sin fragancias. ¡Aquella plataforma última, en los viejos vagones de tercera, respirando ozono y olor a tierra mojada!

Lluvia de primavera, ayer; recuerdos de Ivan Bunin, su novela. Días atrás el aire ya con polen de las primeras flores (mis alergias nasales), pero hoy un mundo recién lavado. Tejados relucientes. Alto cielo gris, delicado, benévolo. Pecho de tórtola. Quisiera vivir más alto aún que esta buhardilla; por encima de todo. Quizás lo consiga; no ser un estilista, pero sí una cabaña en un monte. Breñas y mar lejano. Una voz interior me lo promete. ¿Tu voz? Seguramente.

Neblina en Atocha. Envejecía a la estación, imitando

el humo antiguo. Las huertas del Manzanares anegadas a trechos. Asombrosa supervivencia vegetal contra los vertidos industriales. Necio asombro; vivir es eso. Charcos en los labrantíos, cuando empezaba el campo, pasado Pinto. Corros verdes; apuntaba el cereal. En Ciempozuelos acabaron los cerros; a lo lejos la romana Titulcia. Lo reconocía todo. ¿Cómo no habré vuelto antes a Aranjuez? Ni siquiera con Nerissa, aunque lo proyectamos. Me duele pensarlo. Un mundo para ella, para ejercer su amoroso reinado.

La manía del transistor; otro individuo incapaz de vivir consigo mismo. *Los sitios de Zaragoza* a petición de alguien, dedicado a sus queridos tíos Hilario y Bibiana, en Estremera. Se me grabaron los nombres; todo lo ligado a esa música me importa. Siempre evoca la misma imagen. Vuelvo a cerrar ahora los ojos para verla: Miguelito deslumbrado. No había cumplido tres años; recién llegados a Argelia. Mi primer puesto en Beni-Saf; maestro para los hijos de obreros españoles en las minas. Ex combatientes, ilusionados con la próxima caída de Franco. «¡Ahora que han ganado los aliados...!», repetían. Yo también lo creía.

¿Con qué motivo aquella fiesta? ¡Humilde charanga española! Cualquier aficionado ingresaba en ella. El director, cojo por un tiro mal curado, renqueaba en los desfiles. La pierna le forzaba el compás. Su éxito seguro: un pasodoble; arrastraba a los franceses. Su número de fuerza: *Los Sitios*. Miguelito aprendió esa música a la primera; se anticipaba a los disparos de cañón; con su manita daba la entrada al bombo. El bueno del director sonreía al niño en mis brazos, en primera fila. Luego nos bebimos juntos una «palomita». Con anís *Machaquito*, metido de contrabando desde Melilla por el Muluya.

Seseña, la Cuesta de la Reina. ¡Inesperada visión! Un destartalado motocarro –¿gitanos, quinquis, vendedores en mercados rurales?– subía la pendiente hacia atrás.

Como las escaleras los cardíacos. Ya en mis veranos de Aranjuez oí decir que así subían esa cuesta algunos camiones, por aplicar más potencia. No acababa de creérmelo, y menos lo hubiera supuesto en esta Cuesta de ahora, tan suavizadas sus curvas. Pero esta mañana lo he visto.

¡Progresar hacia atrás! ¡Subir al abismo, caer en las alturas! Doble salvación, como en mis cuatro novelas. Ahora reparo en el dualismo de sus títulos; desde *Oscuro resplandor* hasta *Octubre, octubre*.

Pero hay otras salvaciones; no sólo hacia el cielo y el abismo. Trepar de espaldas como esa furgoneta, remero en tierra. Sufrir hasta el éxtasis, como el San Sebastián del dorador. Hacer revolución. ¿Se salva el dorador y cómo? ¿Cabe salvarse tergiversando el mundo? Lo dudo; mentir no es transfigurar.

Revolución: la vía más ingenua. Nunca admiré a Lina y Guillermo. No me deslumbró mucho tiempo la clandestinidad universitaria; pronto percibí los intereses tras la ideología ofuscante. Para otros, mero recurso. Pequeños burgueses entrando en el Partido para librarse de su mala conciencia; apoltronados liberales firmando manifiestos luego divulgados por *Le Monde*. Variante del masoquismo: sufrían la multa –con suerte, incluso un breve paso glorificante por la Dirección General de Seguridad– y eso les curaba la inhibición para seguir disfrutando de sus sinecuras. Así se me deshizo entre las manos la segunda novela.

Trepidó el puente de hierro sobre el Tajo apretado y gris. En seguida la estación, con distinción de Real Sitio. ¡Al fin! Me libré del disparatado serial en el transistor. Sobre el andén aspiré profundamente la verde, frondosa humedad. Árboles aún sin hojas, pero en los arbustos del seto se abrían ya las lilas. ¡Tía Magda, tía Magda! Me calé la boina. El antiguo coche al que se entraba por detrás, sustituido por una furgoneta moderna. Pocos clientes; la mayoría de los viajeros se dirigían a sus coches aparcados. Sólo un viejo con chaqueta de pana y yo arrancamos a pie. No vi a Frutos, el factor. Nos vendía a menor precio los billetes de vuelta sin usar y nos ahorrábamos cinco reales; con eso se podía comer. Habrá muerto, como tantos, mientras los magníficos plátanos que nos encarrilan hacia Palacio renacen cada año.

¿Por qué no he vuelto antes a Aranjuez, por qué ha hecho falta el empujón mítico de la Puerta Sagrada, la Puerta iniciática, tan vivo en mí estas últimas semanas? Casi desde el aniversario del Almendro; como si cruzase una frontera. Prolongado zaguán, etapa de tránsito, eso explica mis altibajos *Kabd-Bast;* mi exaltación y mis tribulaciones. Desfasado, inseguro precisamente cuando en la Facultad ha gustado tanto el seminario que aquella imbécil se resistía a programar. «Un éxito», según Alberto, contento al pensar que estoy «superando el bache». Cristina encantada; ojos resplandecientes. Pero ciegos; he preparado esas sesiones mucho menos que otras, no tan apreciadas. ¿Éxito? ¿Qué es eso? Mi indiferencia es absoluta. Sólo la acción desinteresada del *Baghavat-Gita.* ¿Acaso les gustará por eso mismo, por mi desdén subyacente? Cristina: «¡Publíquelo usted pronto!» Reprimí un «¿para qué?». ¿A dónde me llevaría, a qué nueva puerta? ¿El éxito?: a ninguna.

El gran símbolo que ya no nos enseñan a percibir ni a interpretar. Puerta: salvación o peligro; por eso tras las redondas de China se alza un muro para atajar a los malos espíritus, que sólo avanzan en línea recta. Puertas de ciudad antigua a los cuatro puntos cardinales –¡Aosta, con Hannah!–, como en los mandalas. Alabanza a la Virgen: *Janua coeli.* Cada pórtico de catedral una cosmogonía, una historia sagrada. Ombligo del rosetón central; Cristo en mandorla como en una vulva. Luis acertaba, al reconocer en la plaza de la Ópera el portal de su mundo. Puerta fue el ascensor, Nerissa, en tu advenimiento a mí.

Precisamente el día de San Fernando, patrón de Aranjuez. Y, desde que me cerraste tu puerta, en su quicio me acurruco, mendigo de tu amor. La soga muerde al brocal; mi espalda porfiante desgastará tus bronces.

¿Y acaso no he buscado una parte en Aranjuez, otro desaguadero de mis aposentos? Si no, ¿por qué esta peregrinación, después de tanto tiempo? Un viaje, necesitaba un viaje. Alejarme más aún de las costumbres, las máscaras. Despegarme de mi piel de crisálida y volar. Caminando desde la estación noté la falta en mi mano de un bordón de peregrino. Una meta lejana, imposible, como el Amor.

¡Balj!, saltó de pronto en mi mente. La ciudad reina, la antigua Bactria. ¡Claro, la cuna de Rumí! Sería la ciudad puerta, la entrada a la caverna donde me quedaría a solas contigo, en absorta contemplación de Ti. Nada más Tú y yo: «Todo en el mundo me sobra.» Ideal, pero aún es pronto. No estoy bastante vacío; me aguardan pruebas por pasar. ¡Balj! Cuando ya esté dispuesto, cuando sea digno, Balj será mi puente Shinvat del mito iranio, allí donde en la muerte el hombre justo encuentra su Daena, la hembra deslumbradora que se une a él para formar juntos el ángel andrógino y completo. Balj, la ciudad sagrada, centro del mundo como el zigurat babilónico de los siete pisos. Como Babilonia, *Bab-Ilani* o puerta de los dioses. Como Jerusalén, espejo de la Sión divina y cimentada sobre las subterráneas aguas primigenias.

Puerta se hizo mi buhardilla al retorno de Aranjuez, transfigurada por perfume de violetas como el cuerpo de una santa recién muerta. ¡Las violetas de Petra! «Lléveselas usted, que siempre anda regalándome cosas, don Miguel.» Lo curioso, se las había traído el dorador de un viaje por tierras de Tendilla y Pastrana, en busca de antigüedades, con un compinche del Rastro. Campestres; pequeñas, pero de vivísimo aroma. Evocaban el pecho de tía Magda, con el bouquet prendido. Pero a la vez inquietantes, pues la intervención de Samuel abrió paso a las sospechas. Mis dudas sobre la Társila. De repente, necesidad de situarla en Aranjuez; de comprobarlo. Pretexto inmediato, máscara de mi necesidad interior para peregrinar.

Caminé siguiendo las arquerías del Patio de Oficios. Sobre ellos –campanada en mi corazón– la terraza de los tíos, donde jugué tanto. Me apresuré por la Plazuela de San Antonio; en Carnaval se llenaba de máscaras «de guarrillo», envueltas en cualquier cosa para embromar de incógnito. Ante el Jardín del Rey recordé a Alfonso XIII, apeándose de su *Hispano-Suiza* con el Administrador, uniformado de húsar. Luego en el parterre, ante el río, ¿por qué de repente la memoria de nuestra excursión a Brighton, cruzando esas verdes colinas de Sussex que esconden siempre el mar sin negarlo del todo? (Ellas mismas son como olas, o lomos de delfines.) ¡Extraños parentescos de los paisajes! O de los estados de ánimo.

No vinimos aquí, tan cerca y, sin embargo, me concedió el destino nuestra excursión a Brighton. *Chinoiseries* del *Royal Pavilion*; viejas y jubilados como lagartos al sol en la *Promenade*. Nuestro almuerzo en la antigua granja de Selveston convertida en restaurante (1602 grabado a fuego en la viga). Y sobre todo –¿quizás por eso el recuerdo ante el Tajo?– las curvas del río Ouse, donde Virginia Woolf se dejó morir en la corriente cuando la destrucción del paisaje por las factorías colmó su depresión.

Nunca habíamos estado tan solos como aquel día. En Aranjuez el solitario he sido yo, aunque invisiblemente me acompañases como siempre. ¿Sabes?, surgió un perro de no sé dónde, un setter de fuego como tu *Tai Yang*, testigo de aquel día inolvidable. No me gustaba el nombre, traducción china de «sol», sugerido a Eduardo por uno de sus clientes londinenses. Siempre me ladraba, celoso de tu amor por mí. ¡Cómo sigo envidiándole! ¿Ha envejecido mucho? ¡Quién pudiera vivir como él, a tus pies y a tu capricho!

¡Aquel día! Voluptuosidad de sentirme raptado en tu coche, ardiente carro de Elías elevándome al cielo, aunque el *mini Morris* me resultaba demasiado ancho para estar juntos. Fui «amante arrebatado», una de las etapas de Ibn Arabí; yo tu *marbub*, tu vasallo; tú, mi Jádir, *Beatrice* guiándome al paraíso. Estoy viendo tu capa-poncho, con dos aberturas para sacar tus manos e imponerlas sobre las mías. Y el perfil de tus rodillas conduciendo: cedían los pedales adivinando tu deseo antes de que los oprimieras. ¡Pura cima de la dicha! Hasta olvidé que eras violada por Eduardo como Hannah fue, sin duda, violada por los SS. Ese poder de Eduardo sobre ti; mi espina obsesionante durante la redacción de la Novela IV. La olvidé, viví en éxtasis. Te asombró mi silencio, ¿recuerdas? Te cité los Upanishads: mientras se habla no se alienta y yo subsistía respirándote en aquel estuche de metal y plástico para nosotros dos. Tres, con *Tai Yang* receloso en el asiento trasero.

El mar seguirá batiendo los embarcaderos de Brighton y los narcisos florecientes en las riberas del Ouse, pero nosotros no volveremos. ¿O sí; después? ¿Dónde será? Necesito volver contigo. Miente el patético villancico: «La Nochebuena se viene, la Nochebuena se va, y nosotros nos iremos y no volveremos más». También estaba florecido el Jardín del Rey; su parterre como entonces sólo que el tallado setillo central de abrótanos ya no conservaba la cifra real; *A XIII*. Pero el mismo lagarto, ante la misma rosa, sobre la blanca piedra de Colmenar, seguía tomando el sol, respirando vida con el lento palpitar de su garganta blanquirrosa. En la Novela III Pablo –operada ya con éxito su catarata– paseaba por el parterre con María gozando de los colores, los amarantos desplegados como moco de pavo, las fuchsias colgando como danzarinas, las magnolias abriéndose como cirios de perfume. Ante las Reales Falúas concebía una crónica a base de las fiestas cortesanas con música de Scarlatti o de Boccherini.

Seguí las sucesivas fuentes hasta la punta final, donde Neptuno. Nuestra pandilla guerreaba entre los evónimos arrojándonos castañas de Indias, botaba cortezas de plátano en las acequias para «echar carreras», robando frutas, paseaba por San Antonio hasta que el reloj de Palacio daba las diez. Los domingos acompañaba a tía Magda a comprar en los puestos melones de Villaconejos –verdes, largos, «escritos», hoy desaparecidos– y, junto a la carretera, en tenderetes con bandera nacional para los turistas, auténticas y perfumadas fresas.

Olorosas como las violetas de Samuel. ¡Qué hombre! Seguro que me revelaría la verdad de la Társila y su sobrino. Pero ¿sería la verdad? Sus verdades suenan siempre a oquedad. Nada en él resulta en rigor inexplicable ni sobrenatural, pero todo es misterioso. También Alex; surgía y desaparecía imprevisiblemente. Como si los muros del presente se abriesen para dejarles pasar. Y con ellos entran sombras inquietantes. Bastaría la doña Ifigenia para haber enturbiado la transparencia enamorada de mi adolescencia. ¡Qué sospechosa amiga para tía Magda! Samuel remueve fango en el manantial más puro. Parece conocer todo lo oculto. Quién apuñaló a Villamediana, qué sucede en el triángulo de las Bermudas, a dónde fue a parar el cráneo de Goya, por qué asesinaron a la bella Hypatia los monjes alejandrinos, quién fue el verdadero padre de Alfonso XII y el autor que firmó como Shakespeare.

Pero en su sótano bajo las *Nuevas Estructuras* (cerradas hace cuarenta años) no nos ocupamos de tales cosas. El sol entra ya con más fuerza en el tallercito. En el patio, bajo el nivel de la calle –le llama «mi Mar Muerto»– ha brotado la pequeña parra. El otro día vinieron a recogerle el San Sebastián, estando yo. Así conocí a esa curiosa muchacha. Elegante con lo que visten ahora: chambergo como artista, gran chaquetón, pantalones ceñidísimos a unos muslos impecables, gráciles, poderosos. Me recordaron los de Ágata. Levantó un momento la cara hacia la luz y me traspasó el recuerdo, la coincidencia. Ojos verdes, melenita oscura; ¡la liederista, mi tentación de París, Chantal-Lorelei! Otra vez en mi camino. Rediviva.

Samuel se puso a buscar un papel para envolver el San Sebastián y ella me miró mientras pasaba sus pulidos dedos sobre la estatua. Mirada inocente, acariciar voluptuoso. Al final una contracción nerviosa de los dedos. ¿Acabar la caricia en un desgarro? Una malaquita octogonal en un anillo único. Sentí los lazos en el silencio, uniéndonos más que una conversación trivial. Volvió Samuel, lió la pieza, recuerdos a la señora marquesa, despedida. Su inclinación de cabeza para mí. Se hizo un enorme, perceptible vacío en el taller a medida que se alejaban sus pasos escalones arriba.

«La Virgen de las Misas Negras», aludió el dorador con sonrisa felina. Mi asombro. Su aclaración: se celebran en el viejo Palacio de la calle de Gravina, junto a donde se casó Bolívar. Un cura relapso consagra, usando como altar el cuerpo desnudo de esa muchacha. Me reí, mala literatura. «De veras, hay quien cree en eso. Y es virgen de verdad; no soporta a los hombres.» Añadió una confusa historia de si la intentó violar su abuelo cuando era niña. No presté ninguna atención a tan imposible cuento y acabé concentrándome en la estatua-rescate aportada por ella para recoger el San Sebastián. En mármol, una figura tendida. ¿Perfecto o perfecta? Un hermafrodita, impecable belleza. Me recordó el del Louvre.

¿Existe ese folletinesco Madrid de misas negras? ¡Imposible! Recordándolo por las calles de Aranjuez rechazaba yo esas y otras palabras de Samuel. «¡Si conociera a la vieja! Hace años me encargó algo especial, en madera de ébano. Para ponérselo como una careta, pero en la entrepierna. Un olisbo, para una amiga obsesionada por los negros. Copié, a la dimensión pedida, un Príapo del Museo Secreto de Nápoles.» ¡Qué imaginación! Ante la Mariblanca de la Plazuela de San Antonio evoqué, sin embargo, la manita sensual y nerviosa donde la cortante arista de malaquita podría dejar en otra piel una huella ensangrentada. Como la obsidiana del sacerdote emplumado abría el pecho del prisionero en mis fantasías sobre la mesa camilla de tía Magda. ¡Bah, me contagió Samuel; he pensado en esa muchacha desde entonces!

Asociación de ideas ante la iglesia de San Antonio: mis primeras confesiones de actos «deshonestos conmigo mismo». Gracias a ese eufemismo hallado en un librito piadoso decíamos la cosa sin demasiado esfuerzo. Ya nuestras almitas quedaban, según ellos, lavadas de las pústulas y llagas del pecado mortal. El aire, bajo un cielo ya despejado –sólo blancas nubes redondas de tapiz goyesco–, me inspiró la carcajada que merecía el recuerdo. Su Dios-Juez de Primera Instancia, ¡qué aberración! Me atraen los sufíes no sólo por exaltar a la mujer como más perfecta representación de Él, sino porque no personalizan al Absoluto. Esos «servir a su Majestad» en que cae un lírico sublime como San Juan de la Cruz para aludir a Dios, ¡qué deplorables! Pero mi religión, tú lo sabes, en último término el *Nerissismo*. Aunque comprenda el viaje a Balj no por eso adoptaré los Cinco Pilares del Islam.

Por de pronto, he peregrinado a Aranjuez. ¿Y Társila, mi Meca? Salí de la plazuela bajo los arcos, hacia la calle de Stuart, pasando ante el teatro. Salvo los bares, modernizados y chillones, nada ha cambiado; hasta seguían vendiendo chuletas de huerta en la esquina. La tienda *La Pilarica* –no seguirá Dionisio–, la zapatería de Varón más arriba, frente al Casino donde el tío Javier echaba por las tardes sus interminables partidas de tresillo. Torcí hacia la calle del Almíbar –Llano y Persi (¿quién?) durante la

República– y reconocí la confitería de Dorado bajo otra fachada. La farmacia de Toro. Siguiendo hacia San Pascual, los cerros del mar de Ontígola ya a la vista, otras viviendas envolvían a la entonces casita aislada donde se instaló la primera casa de putas: *La Palmera*. ¡Curioso, cómo nos enteramos de la novedad local en mi pandilla, y cómo imaginábamos la vida en su interior!

Más adelante, por una ventana baja, un chiquillo sentado muy quieto, en una sillita, junto a una cuna. ¡Como aquél, como el sobrino de la Társila! Así era, recuerdo a Társila contándole a mi tía cómo su sobrino cuidaba de la hermana menor. «Como una madrecita, no se puede usted figurar, doña Magdalena.» Favorable presagio; debía de encontrarme en la buena pista. Seguí ante el Colegio de Huérfanas de Infantería, donde a diario pasaba su visita el tío Javier. Salían a paseo los domingos y los jueves, e incluso en verano quedaban siempre algunas para formar una serpenteante fila de muchachas en uniforme negro, con cinturones rojos y gordas medias de algodón, marchando de tres en tres para evitar intimidades en pareja. En la esquina un imán inconsciente me hizo girar a la derecha y, al final de la manzana, a la izquierda. Di unos pasos más...

La casa. Un azulejo tosco me situaba en la calle del Rey. Sí, la casa, milagrosamente hallada. La reconocí; alguna vez vine en la bici a avisar de un cambio de fecha para llevar la capilla de Santa Rosa, porque tía Magda necesitaba ir a Madrid. Un pensamiento me asaltó frente a aquella fachada. ¿Qué motivos tenían esas escapadas a Madrid de la tía Magda? ¿Conocía a doña Ifigenia mucho antes de lo que yo creía? O bien, incluso sin conocerla, ¿acaso...? Porque el tío Javier ya entonces la engañaba y ella tenía que saberlo. Quizás...

Cuestiones remotas frente al hecho de verme ante la casa; se desvanecieron. Además, de repente se abrió la puerta. Un hombre alto, desgarbado, no viejo aún, pero ya calvo. Cerró la puerta despacio, se abrochó meticulosamente el gabán negro no muy nuevo y se envolvió en una bufanda también negra. Empujó la puerta para comprobar su cierre y echó a andar. Pasó a mi lado sin mirarme, absorto en sus pensamientos. Atrás quedó la casa hermética, cerradas las maderas de todas sus ventanas.

Seguí al hombre calle del Capitán arriba. Pasamos ante el estanco donde mi tío me mandaba a buscar cuarterones de picadura. El recado me valía veinte céntimos, para una hoja de soldaditos recortables. Entre tanto, el hombre penetró en una sucursal bancaria.

Entré tras él. Abrió una puertecilla del mostrador, colgó el abrigo y la bufanda. Se dirigió a un jefe sentado en una mesa al fondo. Evidentemente, le daba explicaciones. El jefe las atajó displicente y el hombre se retiró para sustituir a otro empleado en la caja, de la que se hizo cargo tras varias comprobaciones.

De pronto advertí que todo el mundo me miraba. Incluso con recelo, pensé. También el hombre de negro. Reaccioné y me acerqué a la caja. También era negra la corbata. «¿Puede cambiarme este billete de mil, por favor?» Contó nueve de cien, me preguntó si deseaba moneda, me la dio. Todos los gestos parecían –y me parecen– importantes. Habré de reflexionar sobre ellos; descubrir todo su secreto. Sus manos huesudas, sin anillo alguno, uñas planas, dedos vacilantes. Le di las gracias y me miró como cansado, cayéndosele un poco la mandíbula al intentar una sonrisa convencional. Me detuve un poco más y asomó en sus ojos como cierta intención de dar la alarma. Saludé y salí a la calle.

Cerca había un bar; entré maquinalmente. Unos obreros discutían apasionadamente el último partido en el campo local. «Somos unos mantas. ¡Mira que perder aquí!». «¡Y, además, contra el Valdepeñas!»

Un hombre de luto, una muerte. Társila murió, sin duda; hará bastantes años. Demasiado joven para ser sobrino. ¿Y la niña de la cuna? Entonces, el hijo del sobrino, pero demasiado viejo. Además, ¿llegaría a casarse aquel sobrino? Según Samuel, la Társila le tenía dominado. El chico quiso ser cura, claro. Le dio también por tocar el violín. No tenía dónde refugiarse. Sí tuvo, por lo visto, cuando vino a Madrid. Entonces conoció Samuel toda la historia; aunque es capaz de haberla conocido también en Aranjuez, ignoro cómo. El muchacho iba por las Góngoras; el organista le daba clase, un cura relamido y sospechoso. Las monjitas apreciaban mucho al chico y éste se aficionó a su maestro; decía la gente lo que era de esperar...

Desvarío. Ya no distingo lo visto de lo que estoy inventando. Pero escribo para lanzar al viento lo uno y lo oro; todo me sobra. Conviene desarticular lo real; que flote y sea arrastrado. ¡Ojalá llegara a parecerme imaginario mi viaje a Aranjuez! ¡Entonces habrían en verdad llegado! Seguramente mezclo lo que cuenta Samuel de la otra Társila, la peinadora de Madrid, la mujer del peluquero del Casino. Eran dos, aunque parezca increíble, aunque quizás una no se llamara Társila. Dos como una sola. ¿Por qué siempre una mujer así junto a tía Magda?

Una mujer así, castrando a un niño, sorbiéndole como una sanguijuela, anulándole para toda la vida. ¿Qué hacen luego esas víctimas? ¡Qué a tiempo me escapé de Monique! No, yo era ya un hombre hecho y derecho. Aunque nunca termina uno de hacerse y ella era de esa clase. ¡Qué diferente de Petra! Sus violetas aún perfuman el cuarto. Sólo un puñadito de verde y malva en la claridad del vaso. Las corolas agonizantes, vencidas ya sobre sus tallos, siguen, sin embargo, derramando silenciosamente su verdad: ese aroma tranquilo, ese deleite.

7. LA COMPRA DEL ESCLAVO

Isolina

OCTUBRE, OCTUBRE
La compra del esclavo

Domingo, 14 de enero de 1962

ÁGUEDA

Piedra dura. Me gusta el adjetivo: dura. Piedra dura, pechos duros. Falta mi bautizo, pero ya gozo mi nuevo nombre. Ágata: tres aes; ¡fuera la vocal débil! Comentario de Luis: según el maestro Covarrubias, la primera letra que pronuncian los niños es la *A* cuando son varones y la *E* cuando son hembras. Ya soy dueña de mi nombre. Y de Luis; ¡fantástico!

¡Cuánto me reí con Lina comentando el *christmas* de don Rafael! A ella le envió el «oficial» de la Academia: el propio Rafael fotografiado al volante de su automóvil, con una playa al fondo. El coche familiar, claro; el *chrysler*. Cargado con la esposa y los tres hijos demostrativos de su virilidad. Más el perro;

¿cómo no iba a tener perro, y grande? «¡Feliz 1962!» Verano, alegría, ostentación. Pero a mí me ha mandado otra foto suya a la puerta del coche pequeño, sujetándola como para dejar entrar a alguien. Por si no está clara la insinuación un «¡Felices en 1962!» de su puño y letra. Su machismo: impenetrable al ridículo.

Luis siempre con sus símbolos. El dios egipcio Kanops lleva el *aleph* hebreo grabado en la mano. El color rojo del ágata cornalina se debía según no sé quién a la sangre de los mártires cristianos y el ágata es la piedra de los íncubos. Entonces me va bien, pero yo prefiero los datos científicos. ¡Nada menos que cincuenta y seis variedades de ágata en el *Diccionario de Gemas* de Shipley, sin contar las de la calcedonia, el ónix y la cornalina! Y pensar que a mí sólo me servía de mortero en el laboratorio. Pero también de eso sabe Luis: ahora resulta que el anillo bencénico le fue inspirado a Kekulé por estar pensando, una tarde ante la chimenea, en el uroboro, la eterna serpiente que se muerde la cola.

¡Qué cara la de don Rafael cuando me vio después de las vacaciones, transformada por Lina! Pajarillo fascinado por mi escote. Sus ojos allí clavados; su mirada escarabajeándome. ¿Acaso imaginaría que yo lo hacía por él? De risa. «¡Olé la niña!», estalló al fin. Añadió picaruelo: «Usted tiene un amor, Aguedita, no lo niegue.» Despreciable. Luis, en cambio, llegó envuelto en su mansedumbre. «¿Qué has hecho esta mañana?», le pregunté. Leer, claro. El *Isa Upanishad*: sólo dieciocho versículos, pero abarca el universo. Su cara de beatitud. Exasperante.

Sí, me va bien lo de íncubo. ¿Será cierta la virilidad de la *A*? Revelaciones de Luis: Santa Ágata en Sicilia es justamente patrona de las madres lactantes: ¡Patrona de los pechos! Piedra pura, pechos duros: lo repito como un hindú repite una mantra. Luis me ha recordado esta palabra que utilizaba Gerta. Explotaba mucho la moda del hinduismo. Vendía mandalas eróticos, a base de *collages*. Hizo uno muy bonito que representaba el templo de Borobudur recorrido por una procesión sadomasoquista.

Pero ¿qué está diciendo Luis de Nefertiti? ¿A mí qué me importa que Santa Ágata fuese lactante o Nefertiti la más femenina de las reinas? «¡Eso quisieras tú, que yo fuese femenina! Dulce, sometida..., todos sois iguales. Entérate; no quiero ser ni femenina ni buena.»

Calla, pero el muy testarudo sigue pensando en Nefertiti, seguro. A veces recuerdo el látigo, el que tuve un momento en la mano la noche de Gloria. ¿Qué hubiera pasado si le hubiese cruzado a ella la cara? ¿O los pechos, Hänsel y Gretel? Y ahora éste, «¿en qué estupidez estás pensando?»

«En que no te has negado a ser reina. Sólo femenina.» ¿Por qué se ahonda su voz y raspa como violando su garganta? Vibra la frase en el aire, saeta recién clavada. En mi corazón. «Explícate», le ordeno.

«Aceptas ser reina de este dominio. De todo lo que ves desde ese trono. Dueña a tu capricho.» Tan claro que deslumbra. ¡Por eso mismo tengo que asegurármelo!: «Pues lo primero que veo eres tú mismo». Me mira de frente, acatándolo. ¡Maravilloso!, pero me finjo impasible. «¿Te estás entregando a tu reina, libremente, de todo corazón?»

«Me estoy entregando. Siempre que a ti te interese.»

¡Ah, no, sin reservas! Rendición absoluta: «Sin condiciones. La reina sólo acepta esclavos. Decídete ahora mismo. ¿Te estás vendiendo?»

«Me vendo a ti.»

La *Serenata Angélica*, de Braga: mi música para el éxtasis. Sus notas hacían flotar la capilla del colegio. Sor Natalia en el armonio. Aquel día en que apareció a su lado el muchacho violinista nos quedamos atónitas. Nada escandaloso; era su sobrino y estaba en el Seminario. ¡Qué guapo! La música y el ángel: éxtasis. Así resuena este silencio ahora, después de esas palabras. Las dejo grabarse bien en el aire, en su corazón; que floten para siempre en ese acuario nuestro. Reprimo un suspiro inefable al reclinarme hacia atrás. No cabe el júbilo en mi pecho, pero lo oculto. Declaro:

«Pues entonces yo te compro.» Así, como en unas bodas, pero yo pago las arras. Palabras sacramentales. Nos miramos hasta que la tensión de las cosas espectadoras empieza a relajarse. Consumado, el hecho inicia otra vida cotidiana. Comienza el juego. El rito, pensará él.

«¿De dónde eres, esclavo?» «De un país vencido, como todos los esclavos. Soy un derrotado.»

«Tus manos, muéstralas... No son manos de trabajador.» «Soy escriba. Pienso, doy testimonio de las cosas y sus símbolos.»

«Y eso ¿para qué puede servirme?» «Para romper la cáscara de cada palabra. Para encontrar dentro de la piedra la geoda de amatistas. Para apalancar la realidad con el símbolo. Para ahondar, ahondar hasta donde mana la fuente de la vida. Para llegar tú hasta ti misma.» «Está bien, pero necesito más habilidades.» «Pídemelas.» «Faenas domésticas. Fregar cacharros, el suelo. Coser botones. ¿Sabes todo eso?» «Para mi reina, sí.»

«Quítate la chaqueta y ven aquí. De rodillas.» Palpo sus hombros, sus brazos, el tórax. «Abre la boca. Así, que te dé la luz.» Escruto su dentadura. La lengua de Gloria. Nunca la vi en su caja; sólo la sentí dentro de la mía. ¿Y si preguntase a Luis qué sabe hacer con ella? Pero eso no se sabe hasta que se sabe. «No pareces muy fuerte. ¿Enfermedades?» «Si acaso del espíritu.» ¡De modo que hasta ahí es sincero!

¿Qué diría Pili si le oyera? Mi mejor alumna, y muy bonita. Ojos azules y cándidos, pero pechos ya en flor. ¿Qué diría viendo a su ídolo en el mercado de esclavos? Pues la dejó impresionada: me ha preguntado tres veces si no vuelve don Luis a darles francés. «¿Tan mal lo hago yo?» Se puso colorada; me pidió perdón. ¿Qué diría si viese cómo le estoy comprando?

«No estoy muy decidida. Tendría que analizarte. Ver en el laboratorio de qué pasta estás hecho... En fin, ¿eres al menos fiel?» «Para siempre.» «Lo mismo le dirías en París, a tu otra dueña.» «Soy otro. Aquél murió ahogado.»

Todos dicen lo mismo: para siempre. Padre se lo habrá dicho a esa Gaby. Porque no está a mi lado, ni yo al suyo, necesito un esclavo. Aunque resulte falso, como todos. «Bien, ¿cuál es tu precio?» «Tásame.» «Te tasará el azar. Tráeme el bolso, ése, ahí encima. Ahora junta tus manos ahuecándolas.» Vuelco en ellas el contenido del monedero. «Toma; no sé si son treinta dineros o trece. No sé si compro a Judas o a una criada. Pero eso vales.» Únicas bodas posibles; pagando yo. Mi victoria.

Contemplaba las monedas; se dispone a guardarlas. Le ordeno: «¡Bésalas!»

¡Es cierto; se me ha vendido! Qué fácil: Como para Lina. No; más que para ella. A esto no llega ella; ni lo imagina. Pero consolidar mi triunfo.

«Ahora, jura por algo sagrado para ti.»

No lo piensa ni un instante y lo adivino en su mirada. Es natural; está en mi ser. Hay un mundo, por lo visto, en el que puedo ser tan natural como Lina, ¡qué alegría!: Lenta, solemne, la reina de Egipto, de este acuario, descruza las piernas, las extiende hacia el esclavo desde el trono de su lecho. Inventamos el rito milenario. Pone sus manos entre los calcetines noruegos; el gesto feudal –dice– para reconocerse vasallo entre las manos de su señor. «Pero tus pies son lo sagrado.» Repliego las piernas antes de que los bese. ¡Seguro que los hubiera besado! La tensión me ha dejado agotada. Pero ya remaché sus hierros y puedo tratar sencillamente de las cosas.

«Ahora no me enfada que mires a Nefertiti. No se enfada una reina con su esclavo. Le castiga, le revende... o le mata, pero no se inmuta. Y tú, ¿qué sientes?» «Orgullo. Soy el escriba real. Pertenezco a Nefertiti. Espero de sus ojos si va a descender sobre mí la cólera o la gracia.»

«¿Qué ves en esos ojos?» «Ahora, curiosa excitación. Aunque al fondo...» «¡Calla!: ¡No puedes asomarte...! Empiezo a pensar que no he hecho mala compra. ¿Son sagrados, de verdad, mis pies?» «Son mis dioses... Y yo los resucité.»

«Sí, ya me lo contaste el día de mi cumpleaños. Pero ¡cuidado!, no son tuyos. Pueden pisarte el cuello. ¿Qué dirías si te tendiera de espaldas y oprimiera tu garganta, hasta ahogarte?» «Rompiéndome primero la laringe: así ejecutan, con un palo, en Birmania. De espaldas, como degüellan en Marruecos. Como saltaban los ojos a los emperadores bizantinos destronados. Sujetando la cabeza entre las rodillas del ejecutor... Vendría de tu deseo y te bendeciría. Por haber dado sentido y valor a una muerte que pudo haber sido en el fango de un río. Para nadie.» «Prefiero el esclavo vivo. Para mí.» «Un amor, Aguedita, usted tiene un amor»: lo único que se le ocurrió a don Rafael al verme transformada. «Lo que tengo es una amiguita.» Se lo solté con zumba. ¡Se azoró; el hombre experimentado, se azoró! «Una amiga que me aconseja bien», añadí. «Pues le estamos todos agradecidos, porque está usted hecha una rosa.» Se quedó tranquilo. Claro que había oído hablar de Gloria y de mí. ¡Si supieran todos que eso está ya enterrado! ¡Qué verdad, por contraste, el esclavo! ¡Los Reyes me han traído un esclavo! ¡Murieron las tetas de Gloria! Ya puedo llamarlas así: tetas. Blanduchas, aplastándose. Como diría Luis: se derrumba el Viejo Testamento y apunta el Nuevo. Germina la semilla en verdes cuchillos de hierba.

Le obligo a confesar que leyó la nota de Gloria, su despedida. Yo lo sabía, pero me encanta abrirle el pecho, rebuscar en sus secretos. ¿Y de mi maquillaje por Lina qué piensa? Lo juzga exagerado. Debería sólo sombrearme los ojos y reforzarme los labios.

«Eso significa que tiene razón Lina... Me decepcionas, esclavo. Hablas como vulgar marido de un país que llamarán España dentro de tres mil años; uno de los que pretenden, sin razón, dominar a la hembra. Pero tú eres mi esclavo. Amas mis pies, ¿verdad? Pues vas a lavarlos.»

Se levanta. ¿Me habré excedido y se rebelará? Soy tonta; ya se entregó el día de Reyes, con la sangre de su oreja. Sale hacia el baño. Oigo correr el agua. ¡Es mejor que con Gloria! Esta oleada tibia envolviendo mi carne, ¿es lo que llaman voluptuosidad? Aparece en la puerta: «Mi reina está servida.» ¡Si lo viera Lina! Pero no ha de saberlo. Es mejor en secreto.

Frente a la cubeta ha puesto el taburete. Me siento y se arrodilla junto a mí, sobre la alfombrilla. Sentado a la japonesa, sobre sus talones, apoya mis pies sobre sus muslos, levanta mi pantalón, me quita los calcetines y los deposita cuidadosamente a un lado. El agua está a punto, relajadora. ¡Qué bienestar! Ese hombre de hinojos para mi placer, ¡qué exaltación vital! Domino su espalda y su cabeza inclinada mientras me enjabona, recorriendo mis pies, personalizando mis dedos, acariciando cada curva. Como si no hubiera hecho otra cosa en su vida.

¿Habrá sido así? En todo caso, ¡qué manos tan distintas! Como electrizantes; el magnetismo del ámbar sobre el papel. Las de Gloria, un tacto indiferente. Éstas, como las de sor Natalia. Más. Por lo visto el sexo también está en las manos. En todo, claro, hasta en el aliento. ¡Qué delicia, ese contacto sexual de ahora, tan fácil, tan posible! No me inhibe; él tampoco tiene miedo. ¡Qué horizonte de juegos! Pero estaré alerta. Demasiado perfecto para no ser inquietante. Como si él lo tuviera todo ya previsto. Y no quiero problemas; no quiero volver a sufrir.

¿Una trampa? ¿Como don Rafael las suyas? Sólo que ésas, tan burdas; la de Luis, si existe, exquisita. El talco a su alcance; sí, todo calculado. Pero el mayor peligro: que no llegue a sentirme reina por dentro, de verdad. Debo estar por encima... Pero ¿qué está haciendo? Levanta mi pie hacia él y lo retiro de un golpe: «¡Alto! ¡Nada de besar!» Humildemente: «Sólo pretendía calzarlo».

Vacilo y no puedo permitírmelo. Imponer mi dominio: «No te lo había mandado todavía. Yo lo haré. Tu servicio acabó. Puedes irte.» Deslizar el calcetín poco a poco sobre mi piel; eso quería. La escena de la mujer poniéndose lentamente las medias en las novelas verdes que Aurorita le cogía a su padre. ¿Eso quería? Pero su voz es tan mansa cuando, aún de rodillas, alza la mirada: «¿Lo hice mal?»

Le salva ese temor en su voz. Me tiene miedo. Le salva: «No, pero ya es bastante. Hasta mañana.» Porque quiero quedarme sola, quiero quedarme sola. No sé si de un momento a otro tendré que chillar; abrir la válvula de esta exaltación que me colma. Me tranquilizo al fin cuando, tras recoger su chaqueta, dice desde la puerta: «Hasta mañana. ¿A qué hora?» Como el chófer que venía a buscar a tío Conrado. «A la de hoy.» Se marcha. Habré de pensar algo para hacerle subir cuando quiera, a mi capricho. Quizás colgando una señal desde mi ventana, puesto que su balcón está debajo.

Estoy a solas. ¡Todo es verdad! ¡No ha sido un sueño! No grito, pero me desplomo sobre la cama, al distenderse mis nervios. Demasiadas emociones. Tengo un esclavo. ¡Águeda, tienes un esclavo! Sus pasos obedientes bajaban la escalera y subirán cuando yo quiera. ¿Te enteras, Águeda?

Me vuelvo hacia la gumía, dominando la pared. Imagen de mi luna, su arco de ébano y plata. Dentro de su belleza, una fuerza mortal. Botín de guerra entronizado sobre mi cama, la reconquistada a Gloria. ¿Seré algún día digna de empuñarla?

Comprendo mejor todo. Al encender un *Benson* me tiembla la mano. Por una vez, de júbilo. Estoy sobresaturada: ¡Viva Ágata!

Luis

Con mi sangre la compré, sin ella no se hubiera decidido hoy, Águeda en marcha, se despega de Lina, ya fue un triunfo mi última conquista, el sostén desdeñado, dando perfume a mi ropa, murciélago en mi maleta, sus alas rígidas y membranosas, sus dos nidos sagrados y envidiables, ¡qué victoria mía sobre Lina!, y era cadena del esclavo, para tirar de mi alma como el perro en el paseo, ella cree sujetarme, aún no percibe que se obliga a seguirme, va dejando ese disfraz linesco de «mujer-como-todas», la moda convencional, el antifaz negro y azul en los ojos, quiero de ella lo profundo, la caverna bajo el trono de Nefertiti, no me interesa el erotismo superficial, la ropa interior sofisticada, quiero sus ojos puros en su exotismo, su acero verde gris, si acaso los tacones, la única sugestión acertada de Lina, sus pies armados claveteando el suelo, qué emoción oírlos por primera vez, recordándome la ventanita del sótano, ella me los ofreció el día de la sangre, precisamente cuando mi regalo de Reyes, fue otro de sus regalos, reavivar mi culto infantil, qué golpe de recuerdo.

La ventanita del sótano, el chico de la portería, sus dientes caballunos, ¿qué habrá sido de él? ¿cómo se llamaba?, ni me acuerdo, bajaba yo a jugar con él al sotanillo, aquella ventanita que daba a la calle de San Nicolás, lo mejor era verle salir, oír por el patio que su madre lo mandaba a un recado, bajar entonces como ignorándolo, preguntar por él, «pasa y espérale, no tardará», me entregaba la plaza, la ventana era mía, la abría como un sagrario, por la acera pasaba la gente, las muchachas, entonces las faldas no eran tan cortas, pero desde mi sótano veía mucho, a veces las rodillas entre el revoloteo de las combinaciones, a veces las ligas, una zona de muslo, qué ideal las faldas con vuelo, las plisadas, qué reveladoras, un verdadero regalo, me hipnotizaban las pantorrillas, con sus reflejos, aquella seda artificial de entonces, nunca me pareció que hay pocas piernas bonitas, ahora sí, entonces todas espléndidas, cargadas de misterio y de promesas.

Recuerdo aquella tarde, la pareja detenida ante la ventanilla, él la acorralaba, ella quedó de espaldas a mí, sus tobillos claros contra el oscuro fondo de los anchos pantalones masculinos, pantalones «chanchullo» se llamaban, el coqueteo de la muchacha animaba sus piernas, yo extasiado, las movía como un caballo impaciente, jugaba con sus pies, apoyaba la punta o el tacón de cada uno, los giraba en el suelo levemente, parecía bailar inmóvil, aquella costura de sus medias hacia arriba, me hipnotizaba, aquellas risitas, de pronto, una carcajada histérica, gutural, «no quieres tú, si no, sí», dijo, era un tímido de entonces, volvió a reír, pero sólo un instante, le cortó la risa el beso, cómo me llegó aquel beso, de los de cine, reaccionó en apasionado reflejo todo el cuerpo femenino, dobló rápidamente la rodilla derecha hacia arriba, se empinó al mismo tiempo sobre el otro pie, yo miraba cada contorno, cada línea, cada malla, me iba en ello la vida, saber, saber, empaparme, luego recordar por la noche, revivirlo, imaginar lo ignorado, sentir mi propio sexo, aquella, aquella tarde y llenar así de carne ajena la masturbación, luego el desplome en el pecado, la caída vertical, pero aún quedaba un goce, desobedecer a tía Chelo, engañarla, parecía que era ella la violada, la traspasada imaginariamente, la mártir empalada.

Mi mundo se llenó de tacones por aquella ventanita, para siempre, hasta ahora, hasta la muerte, el tacón femenino, hasta mientras jugaba con «dientes de caballo» ¿cómo se llamaba?, aunque no podía mirar a la ventana, todo yo alertaba a aquellas castañuelas en la acera, incluso antes de oírlas, presintiéndolas, como si el aire me las anticipase, a poco se insinuaba el ritmo, crecía, resonaba un instante en la ventana, despertaba los ecos del sotanillo, comenzaba desde entonces a decrecer, ¡qué diferencias de unos a otros!, vibrantes en las jóvenes, más lentos en las maduras, y según las estaciones, sonoros en verano, despertando un eco en la fachada de enfrente, en invierno me los robaba casi el cristal cerrado, empañado a veces, sin ver, no bajaba casi nada a jugar, no valía la pena, y luego las amistades que hice con algunas piernas, las reconocía, las de la lecherita, las de la dependienta de la mercería, las de la doncella de los marqueses muy de tarde en tarde (la más fina), las de la novia del cabo de alabarderos, otras que conocía yo sin saber de quién, sin identificar a la persona por su propia silueta, puras piernas sin rostro, pasaban y repasaban, les ponía nombres, la del tobillo oscilante, la del taconazo, la del pasito corto, no importaba de quién, no era ella lo importante, sólo el taconeo, cazándolo en mi cubil como la araña, como si tuviera mi tela en la ventanita, al sonar el tableteo a lo lejos ya acudía corriendo a ver la presa, ¡cómo envidié por entonces al señor Facundo!, el zapatero del portal de más abajo, él creaba aquella música, la componía, tenía los tacones en sus manos, las calzaba y descalzaba, las tocaba, todo eso ahora en Águeda, perfecciona su imperio, mi temor es que lo paguen esos pies prodigiosos, de estatua griega, conservados intactos tanto tiempo, mármoles en lava de Pompeya, salvados hasta hoy por sus zapatones, qué va a pasar ahora, pero siempre es así, cuanto vive se deshace, sólo lo muerto dura intacto, es que sus pies van a vivir, es que esa música es de vida, de guerra, un tableteo de ametralladora.

¿A dónde vamos?, ¿toparemos con un límite?, ¿por qué ha de haber límites?, no hay barreras mientras se es fiel a lo que se es, todavía no ha echado a volar sola, debo consumar mi obra, mi Galatea, no lanzarla a la deriva, expuesta a otra Gloria, ese don Rafael acechante, volvería a su disfraz, a dimitir de sí misma, lo impediré, hasta yo vuelvo a encontrarme, sus deseos me templan, sus caprichos me confirman, me hacen lo que soy, yo también emprendí una falsa vía, me creí lo que no era, aquella mañana en la bocacalle de la *rue de l'Odéon*, en la misma esquina, la tienda de estampados provenzales, me detuvo primero su color, después el nombre, increíble, *Flamenca*, me resistí a creer que era por el famoso poema provenzal, no cuadraba con un tendero, lo supuse fruto de turismo por España, me decidí a inquirir, era vendedora, así conocí a Marga, araña esperándome en su tela, un vestido amarillo de lino, manga corta y cerrado, dos franjas de sombra delataban debajo un sostén negro y la braguita, oh muy tenuemente, y en lo alto la cabeza, intensamente morena, dos cocas isabelinas, unos ojos de ámbar, hasta el final de todo ignoré por qué me resultaba familiar, y por qué me fascinó en el acto, así caí en su trampa, mientras cruzábamos palabras habituales, y efectivamente *Flamenca* era por la novela provenzal, confesó que no la había leído, le había dado la idea un amigo, ni aun entonces sospeché quién era, le expuse el tema, ocho mil versos con las argucias de una dama para burlar a su marido, aquella risa, así empezamos, quedé en volver, explicarle lo que fue *l'amour courtois*, la prueba de amor trovadoresca, pasar la noche juntos respetándose, solamente los juegos, como en la *tenson* de Péguilhan y d'Ussel, los versos de esa canción

> «*Que-m ditz ge-m colgara ab se*
> *Una nuoich, ab qe-il jur e-il man*
> *Que non la fortz part son talan*»

«me ha dicho que yaceré junto a ella una noche, si le juro y prometo no forzar su voluntad», la posesión a distancia, sin contacto, a partir del amor imposible, me debió tomar por tonto, sólo más adelante conocí su verdadero rostro, puede verlo cualquiera en *La Caricia*, el cuadro de Fernand Khnópff, la esfinge-leopardo abrazada al hombre del pecho desnudo, analizada en mi tesis doctoral sobre los decadentes, pero no lo descubrí hasta el final, quién era Marga, la mantis, aunque más bien fui yo el equivocado, al traspasar mis límites, pero ¿hay límites?, ¿no los imponen los otros para salvarse ellos?, porque no llegan a más y así juzgan respeto su impotencia, pero es impotencia.

Águeda me los impone a veces, pero es por juego, como cuando rechazó el perfume de Lina, quise ungir su oreja, encantadora concha delicada, se indignó, me castigó con ponérmelo a mí, «para que cargues con ese olor pesado», se divirtió con la ceremonia, en mis sienes, en mis orejas, en mi cuello, en mis manos, pero qué hacía yo luego, asombrados en la cena, en casa de don Ramiro, hube de explicar que se le había derramado un poco sobre mí, al manejar el frasco, no me gustó nada, me mantuvo un disgusto de mí mismo, en cambio otras veces, qué delicia, qué me importan las convenciones, cuidarme de sus pies, una de sus primeras confianzas, lo primero que entregó al escriba, ahora el esclavo.

¿Por qué le conté deformado lo de Marga? Lo improvisé sin premeditaciones, quizás degradarme, facilitarme mi compra, ¿qué me indujo a hacerme pasar por divorciado si no me casé nunca?, ¿por qué me describí como marido burlado, sólo meses después de la boda, con tanto lujo de detalles?, ¿por qué inventé esa historia?, ¿fue una versión de Max, de su burla aquella noche?, me lo preguntaba mientras le servía el té, el reto de cada tarde, su combinatoria, multiplicar las variantes con tan pocos elementos, complejísimo juego, comprendo mejor el Japón, tanta delicadeza en el sadismo, la ceremonia la iba haciendo mía, así recuperada de las garras de Lina, yo ahora la encamino, yo la guío.

Ella también a mí, eso está claro, su sorpresa de Reyes, nada más llegar, no me dio tiempo a ofrecerle mi regalo, «primero el mío», ordenó, «lo vas a estrenar ahora mismo, algo que te hace falta para tus obligaciones», me señaló el paquete sobre el mueble, lo abrí despacio, esperando la burla, anticipada en su voz, en efecto, el delantal azul celeste, su peto, su volante fruncido alrededor, casi transparente, «es organdí, no creas, de lo más elegante, también los había rosa», remachó, «pero era color de niña, yo lo quiero para hombre, dije a la dependienta, una idiota con ojos de vaca, lo quiero para hombre, azul, naturalmente», me lo puse, «es precioso, gracias», besé sus pies, llegó el turno a mi regalo, ¡qué miedo pasé!, ¿habría acertado?, era una idea quizá ya inoportuna, lo compré en pleno auge de Lina, de su primera influencia sobre Águeda, había pasado el momento, me azoré al verla en su trono, piernas cruzadas, esperando, el escriba puso la cajita sobre la cama, la abrió, frunció la frente, «¿qué es esto?», «si no te gusta puedes cambiarlos», me apresuré, «tienen ágata como tu nombre», «¿ágata?, ¿qué tiene que ver eso?, ¿cómo me traes unos pendientes?, además no es mi nombre todavía, ¿cómo te atreves?», no repliqué, me increpó, «¿estás loco?, ¿para qué los quiero?, no los he usado nunca, ¿acaso lo ignoras?», me enseñaba su exquisita oreja, ese lóbulo virgen, ¡como si yo no la hubiese adorado nunca!, «son de presión», advertí sumiso, «cuando te compró otras cosas Lina, pensé que...», no me dejó seguir, era cólera viva, «¡los escribas no piensan!, un siervo eres tú, ¿no lo sabías?, de presión, ¿una presión tuya?, claro, como son de presión he de ponérmelos, llevar tu marca en mi oreja, como una ternera, ¿qué te has creído?, ¿qué dirías si yo quisiera marcarte igual a ti?», toda llama de ira, nunca la vi tan violenta, «lo aceptaría», le dije, «muy bien, vamos a verlo».

Entonces ocurrió, me oprimió la frente contra el borde de la cama, junto a sus pies, sentí sus dedos en mi cabeza, eran garras, uñas, sentí el metal en mi oreja, el frío del metal, la presión de sus dedos encima, cruelmente crispados sobre el pendiente, gemí, se alegró la voz, «para que aprendas, duele, ¿eh?, y ahora vete al espejo y mírate la marca», eso mandó, pero brotó sangre al retirar sus dedos, un poquito de sangre, palideció su cara, más oliva que nunca, luego le volvió el color, en excesivo golpe, «lo siento», dijo penosa, le costó trabajo, la miré fijamente a los ojos, más escultor que nunca, «no lo sientas», ordené yo, «no lo sientas, Águeda», me dirigía a ella, no a la reina, no al juego, hablaba a la mujer y yo era un hombre, de hombre mi alboroto interior, mi exaltación, «no lo sientas, no creas ni siquiera que has de fingir sentirlo, así estoy bien, con tu marca, marcado de tu mano, yo también lo quería Águeda, no lo sientas», y me asomé al espejo, aquella gotita era el pacto, como con el demonio, como hermanos de sangre, el secreto pacto, eterno pacto, el que destruye a Lina, a la humanidad entera, el lazo inquebrantable, uno amarrado a otro, hasta el final, el que sea, cuando volví de restañarme la sangre habían desaparecido los pendientes, instrumento de lo hondo habían vuelto a la caverna, al antro de donde mana todo, de donde emergen los imaginarios cuernos que me puso Marga, donde se queda lo que de verdad me pasó con ella, donde aguarda el futuro, donde vamos.

Por eso ahora me ha comprado, por eso es mía, todavía no lo sabe, la tranquiliza esa palabra: «esclavitud», la libera del miedo, todo llegará sin ruido, sorpresa por el flanco, infiltración insensible, veremos, no he de hacerme ilusiones todavía, ¿qué puedo esperar después de Marga?, nada si no es con Águeda, pero ¿y si es?, ¿por qué no?, el único camino: hacerlo sin enterarnos ni ella ni yo, «las reinas no se enfadan con los esclavos», ella misma lo ha dicho, todo es posible precisamente por impensable, así no defenderá su intimidad, esa torre donde se encierra con sus víboras, sus monstruos, debo avanzar despacio, disfrazar el macho de esclavo, de eunuco, vestir el sexo de servidumbre, si es que tengo sexo, ¿será eso lo que estoy haciendo, disfrazármelo a mí?, si se repite como con Marga entonces sí que me mato, no en río, sino en sangre, me aniquilo, ¿y por qué he pensado «eunuco»? ¿Por qué de tan hondo esa palabra inquietante?

Que se acostumbre al esclavo, sin saberlo se acostumbrará al hombre, vía de salvación, ya se ha puesto en mis manos, la costumbre ha empezado, la doma de la bravía, como enseñan los mitos, la mística, poseer es entregarse, la gran verdad secreta, ya se siente en la piel de Nefertiti, ya habla de maquillajes femeninos, qué importa que influya Lina, ya no me preocupa, le cedo la máscara, todo se consolida, ya la tengo más cerca en lo imposible, ya se atreve a hablar de sus problemas, ella misma ha suscitado el tema de Gloria, pretextando aquella nota, «¿leíste el papel de Gloria?, ¿creíste en mi suicidio?», le ha sorprendido mi negativa, le he dicho que no encajaba, las reinas no se suicidan, se ha echado a reír, «¿y Cleopatra?», un mito histórico, la mató César cuando la hubo poseído y ya le estorbaba políticamente, se queda impresionada, lo considera lógico, pero qué sé yo de ella para saber si encaja o no el suicidio, me reí por dentro, soy su escultor, el estratega de su salvación, le digo solamente que lo adiviné desde el primer día, lo hemos comentado en *Sajonia* con Lina y Guillermo, no le ha caído muy bien Guillermo, yo también estaba ahí cuando su amago de atropello, estábamos todos, universal convocatoria para aquel frenazo, y vuelve a preguntar cuando el desmayo, si yo la levanté del suelo, ¿de modo que la cogí en brazos, eh?, juega a enfurruñarse, ¿qué pensé entonces?, sonrío y mido mis palabras, elijo la broma, la frase pomposa, ¿se ofenderá Nefertiti si el escriba fiel manifiesta la verdad según Ammón?, el tratamiento la instala otra vez en su papel, se había descuidado con su inquietud, vuelve a sentirse reina, me contesta hierática: «eso te exijo siempre, la verdad», pues le confieso, que aun sintiéndome angustiado por ella, cuando sus piernas inertes se doblaron sobre el brazo izquierdo del escriba, las rodillas emergieron admirables, la miro al pronunciarlo, es una prueba.

Se encabrita con la provocación, toma un almohadón y me lo tira a la cara, con fuerza, cargado de ira, vacilo, me ha sorprendido, «seguirías luego mirando, rijoso», me insulta exasperada, «relamiéndote, abusando de mi desmayo, sabe Dios lo que harías luego», la tranquilizo, estaban doña Emilia y Tere, debe recordarlo, y sólo reanimé sus pies, pero sigue inquieta, se refugia en la nueva situación, «ahora eres mi esclavo, ándate con cuidado, no lo olvides nunca, si hace falta te lo recordaré para siempre, indeleblemente, un hierro al rojo en tu cara, un clavo cruzado por una ese» no me asusta su violencia, es la del atrapado en arenas movedizas, cuanto más se agite más prisionera, amparada en el imposible acepta mucho más, ella misma resucita el erótico tema de los pies femeninos, en cambio el otro día lo esquivaba, ha ido bien servida, una buena lección educativa, China, claro, los españoles y los árabes, la simbología en el lenguaje, la adoración, el fetichismo beato ante las imágenes, el pie sobre la cabeza significando servidumbre, hasta Jesús brindándolos al aroma de la pecadora, a la seda de sus cabellos, ¿qué combinación erótica, los pies y los cabellos!, recuerdo de Baudelaire, el desgraciado genial, *«de ses cheveux, élastiques et lourds, vivant sachet, encensoir de l'alcôve, une senteur montait, sauvage et fauve»*.

Cada cual tras su máscara, ella la de lo imposible, ese antifaz de reina, yo la del esclavo, relación entre nosotros, también de cada uno con su máscara, la de siervo me dispensa de ser hombre, las damas se desnudan ante nosotros, ese imposible permitirá la posibilidad, no caeré en otro Sena, no habrá más impotencia, ¿cómo pudo ocurrir?, ahora no importa, lo intenté al sol y yo pertenezco a la noche, una de las revelaciones del retorno, se la he contado a Águeda, me viene a la mente muchas veces, la puertecita secreta de mi casa, cuando vivíamos en los áticos del teatro, la vivienda oficial del director de los coros, se entraba desde la escalera a un pasillo estrecho, ¡qué sórdido y oscuro!, más sombrío aún por el viejo papel verde, las flores ya borradas, pero allí la puertecita secreta, al final, al lado opuesto a la escalera, daba a un palco del Real, increíble, de nuestro piso vulgar se saltaba de un golpe a una función de ópera, lo más brillante, rutilante, quién iba a imaginarlo, como ahora en mí, la secreta puerta del tío, del turbio Sena al esplendor de Egipto, a escriba real, contemplador de la reina, su escultor, salvándola del olvido.

Le intriga, me pregunta, «¿a dónde se abría la secreta, la mágica puerta?», al teatro, inmensa caverna oscura, noche insondable y cálida, inflada de respiraciones contenidas en vez de estrellas, y allí un fulgor hondísimo, inmensa ventana, un mundo de fantasía, floresta nórdica, templo egipcio, castillo feudal, voces encantadoras, música prodigiosa, los ojos al fin se acostumbran, emergía la figura en primer término, lejana diosa, cercana su voz como un torrente de cristal, florituras en éxtasis, alcanzar lo más alto, decaer, morir, entonces el terremoto, los aplausos, truenos de bravos, luz llenando la caverna, colores, entusiasmos, fuegos artificiales, vía de salvación por las tinieblas, la puertecita como las fauces de Kala, primero la negrura de la muerte, después de resurrección vibrante, tras de Kala, Genesha, el multirrostro de la vida, eso es la puertecita.

¿Cómo soy capaz de recordarlo?, un milagro, la última representación del Real en abril de 1925, me lo confirmó don Pablo, sólo alguna más, benéfica, en el mismo verano, ¿podía yo recordarlo con dos años?, pero es un hecho, no me lo contaron luego, los niños observan mucho antes de lo que se piensa, ¡ay, percibí otras cosas sin saberlo hasta habérmelo revelado Flora!, años después en casa de tía Chelo, aquellas señoras que no se lo creían, dije cosas que nadie me había dicho, la teatral caverna la he vivido, la tía había estado otras veces, una en que asistió el rey a oír *Manon*, y la imposible verdad de ese recuerdo en mí, Águeda quisiera puertecillas así en todas las vidas, de la decadencia cotidiana a la salvación maravillosa, le contestó que la busque, «ya lo hice (confiesa), no había puertecilla en mi casa».

Siempre la hay (le aseguro), pero nos educan para no verlas, para ser bueyes en el valle de lágrimas, han empapelado todos los pasillos con dibujos calculados para hacerlas invisibles, para cerrar la salida a la vida viva, ponen barrotes de ideologías encarcelantes, pero hay puertas por todas partes, en el aire de una plaza, en los hospitales, en las aulas, en las alcobas de los matrimonios resignados, hasta en el fondo del Sena, tiene que haber salida, tiene que haberla, sólo que siempre miramos hacia lo alto para buscarla, nos han enseñado eso, y las hay hacia abajo, el árbol crece tierra abajo además de cielo arriba, el árbol es también raíces, me asombro al pensar eso, lo descubrí estando a sus pies, soy escultor de mí mismo tanto como su Pigmalión, a sus pies encontraré mi puerta, lo daba por imposible porque no buscaba bien, ¿por qué no?, iré hacia lo profundo, también hay un sol negro, amaneceres tenebrosos, resurrección en la caverna, respiro ahora aliviado, me siento fortísimo, tras la oscuridad vendrá la música, la luz, los aplausos, los ¡bravos!, el entusiasmo, la gloria final, qué gran fe me ha nacido, si renuncié a todo ya no renuncio a nada, paciencia y astucia, pero encontraré mi puerta secreta, ¿la habré encontrado ya, la primera fe tras el desastre, la salvación negra, la ascensión hacia el abismo?, lo repiensa el esclavo mientras sirve en silencio a su reina, esa fe me colma ya en ese instante, rebosa de mis manos a su piel, unge sus tobillos, la traspasa hasta la médula, cala en ella la revelación, me sentí tan seguro, tan exultante, intenté besarlos, me atajó mi gesto, aún es prematuro, aún no ha empapado su carne mi nueva fe, no ha llegado a sus venas mi certeza, pero tengo prisa, ya no puedo alejarme, pues me ha comprado, me ha unido a ella, se ha puesto en mis manos al poseerme, así he tomado posesión, he tomado posesión, hoy catorce de enero, he tomado posesión de Águeda.

Quartel de palacio

¡Esa calle del Reloj, esa calle! Ahora es única, porque es la de María, nada menos, pero ¿y antes? ¿Por qué ya tenía imán para él? Por cierto, nunca ha estado en casa de María, ¡es increíble! Desde su caída en las escalerillas, Pablo está obsesionado por esa calle.

Porque ya don Pablo no duda. Se han despejado sus nieblas y ve con una claridad aún más deslumbradora precisamente por su ceguera: no la reciente de sus cataratas, sino la de toda su vida. Y un taladro mental le tortura como tuerca de verdugo: tras los años perdidos, ¿qué puede hacer? ¿Tiene derecho a ofrecer algo? ¿Tiene siquiera algo que ofrecer? ¿Permite algo la vida a tales alturas?

¡Esos siete escalones! Camino de Damasco para Pablo. En sus madrugadas musicales revive una y otra vez el momento de su caída, de la Revelación. No hacía falta el grito de María; él ya había comprendido en el instante mismo de vacilar. Pero ella gritó, atribulada, «¡Pablo!» (el primer tuteo de sus vidas), y él contestó, bajito, sólo para ella, «Saulo». Su declaración en respuesta al grito en que María se confesaba.

¡Qué tragedia! Si sólo fuera él quien, al quedar rasgado el velo, se hubiese descubierto enamorado, y enamorado toda su vida sin saberlo, el problema sería más sencillo, aunque no menos patético. Bastaría quizás con resignarse; esconder la ternura bajo el silencio y culpar a la vida. (Pablo sonríe de sí mismo: ¿acaso tiene sentido culpar a la vida?) Pero ¿y María? Lo irremediable, lo fatal es que ya no puede ofrecerle un Pablo joven, capaz de encarnar el completo amor. Crudamente lo comprueba cada mañana, en la desnudez del baño: lo que era tantas veces espolón casi reducido a un grifo.

En su gabinete, a oscuras todavía, Pablo acaricia el fragmento de mármol sobre el velador. Manita infantil oprimiendo un racimo de uvas. Apareció hace muchos años, al labrar una de las tierras familiares, y el gañán se lo llevó al abuelo. Por lo visto excavaron allí sin encontrar nada más. Obra romana, evidentemente; quizás de un Baco niño. ¡las uvas de la vida! ¡Qué torpemente ha dejado correr don Pablo el verdadero vino, limitándose a mordisquear solamente alguna! Debió oprimirlas bien, apurar su zumo sangriento. Pero...

Mañana tras mañana, ante la noche lenta en retirarse, Pablo reflexiona. Mejor dicho, se escucha, sin ordenar razones, tratando de oír dentro la decisión. Al no lograrlo se entrega a los auriculares, esperando oírla entre las notas de los grandes inspirados: algunos padecieron como él. No confía ya en razones; no disiparon sus nieblas a tiempo. Espera –si hay esperanza– que corrientes desconocidas vaya formando en su interior un poso significativo. Mientras aguarda, se pregunta: ¿por qué fue ciego toda su vida? Y rechaza la cuestión; eso es el pasado. Ahora está donde está; viejo, casi ciego y enamorado desde hace veintitrés años, cuando retornó a la casa defendida por María. O ¿acaso ya en Santander, inquieto por ella durante la guerra? Quizás antes aún: ya alegraba su corazón la muchachita que, en el quiosco, recortaba figurines de las revistas para admirarlos, porque nunca llegarían a ser suyos tales vestidos. Y antes todavía, ¡aquella niñita que devoraba los relatos de Celia, en la sección *Gente Menuda* de *Blanco y Negro*!: ya le gustaba levantarla en brazos desde su cajón sobre la acera, a aquella hija de la Beatriz que fue su amante. ¿Será ésa la explicación? La siguió viendo como hija, incluso cuando ya la miraba de otro modo.

Entretanto, los siete escalones aguardaban su momento. ¿Desde cuándo? Ese tiempo se mide por relojes sin maquinaria, como el de sol que estuvo en casa de doña María de Aragón y que, precisamente, dio nombre a la calle. Como se mide el tiempo ciego que él hubo de recorrer hasta alcanzar su hora; como el que marcaba la espera de María porque –ahora sí lo sabe– María esperó siempre. ¡Cuánto habrá padecido! ¿Cómo repararlo, si acaso es posible aún? El sedimento de la Revelación va tomando forma: la de un niño de sesenta años. Por eso, bajo el relámpago, entregó a María su nombre infantil, su verdadera identidad. «Saulito», el que no escuchó nunca a nadie, salvo en las últimas palabras de su madre. Ése fue su regalo de Año Nuevo: un niño cuya mano habría de tomar ella para guiarle hasta la salida de su ceguera. Aunque ¿le es lícito a él aceptar esa guía? ¿Qué es mejor para ella?

Pero ¿acaso decide él? María, que nunca estuvo ciega, ha tomado ya la mano del niño, con una seguridad por ella misma ignorada. Lo muestran las sorpresas del día de Reyes. Don Pablo le ofreció un perfume elegido por dos razones: la de no haberlo ofrecido antes a ninguna y, sobre todo, la de llamarse *«Vivre»* y expresar así sus ansias tardías. María, a su vez, le sorprendió a él cuando exhibió el regalo recibido de Paco: un bonito pañuelo estampado. «¿De Paco? ¿Por qué?», exclamó Pablo acusando la espina clavada. María se encogió de hombros, casi burlona, poniéndose el pañuelo con coquetería. Hasta que, apasionada, sacó su propio regalo. Un disco:

–Ya sé que lo tiene, pero a usted es imposible sorprenderle con música. Es una grabación nueva, Pablo, y ¡le gusta tanto!

No le tutea, pero desde aquella noche ha aceptado llamarle sólo Pablo. Ahora le entrega el *Aus meines Lebens*, el cuarteto autobiográfico en Mi menor de Smetana. Ciertamente le gusta mucho porque, además, fue una de sus primeras audiciones en libertad, cuando comenzaba a vivir su vida y Mercedes, la planchadorita, le iniciaba en el amor carnal. ¡Mi primera amante –piensa– y aún tardaría María dos años en nacer! Se estremece y examina la cubierta del disco. Versión del *Cuarteto Bartok*, estampada en Hungría. Grabación deficiente, pero cuatro arcos con garra, seguro. Pablo lo escuchó por primera vez al *Cuarteto Gewandhaus*, de Leipzig; y aún conserva una versión en setenta y ocho revoluciones por el *Pro*

Arte de Bruselas, el mismo al que en 1932 oyó en la Sociedad Filarmónica todos los cuartetos de Beethoven.

La gran sorpresa, sin embargo, es secreta para la propia María, al haberme ofrecido al mismo tiempo, sin darle importancia, el segundo y último cuarteto de Janacek, en la otra cara del disco. María no puede saber que ese cuarteto ha sido llamado «*Cartas íntimas*» porque se lo inspiró al autor (casi se lo arrancó, tras muchos años de haber escrito el primero) su enamoramiento, a los setenta años, de la joven Kamila Neumann-Stossl. Vino a ser casi su testamento musical, pues aquel viejo de cabeza leonina murió poco después en Ostrava, sacrificando en realidad su vida: cogió una pulmonía al colaborar en la busca de un niño perdido en la montaña.

Este mensaje secreto evoca en Pablo otros nombres de viejos amadores, de Romeos tardíos en la música: la serena relación de Haydn con Rebeca Schroeter o la tempestad probable de un Vivaldi saliendo para siempre de Venecia, a los sesenta y dos años, con una misteriosa mujer. Pablo hace suyo el verso triunfal y patético de Nazim Hikmet: «En el umbral de los sesenta años me he vuelto a enamorar.»

Con esos pensamientos ha ido caminando por la calle de la Luna, evocando la imprenta editorial de Juan Pueyo en el gran palacio del número veintisiete, que van a derribar. Entra por la calle de San Roque, para entregar un artículo en «*Informaciones*». Allí le recibe Anita, la secretaria del redactor jefe. Descubre entonces Pablo que esa mujer tiene cierto parecido con María. No lo había notado antes. Claro, por eso le gustaba, desde que ella apareció allí, ir personalmente a entregar sus crónicas. Además ella le distingue, le telefonea a veces para advertirle de partidas al cobro... Ahora mismo le hace una indicación.

–Gracias, Anita. ¡Parece usted mi propia secretaria!

–¿Cuándo me va usted a llamar Ana, don Pablo?

–¡Como todos la llaman Anita...!

–Pues por eso. Usted no. Prefiero Ana.

Una vez la invitó a la bollería de la Corredera, junto al teatro Lara. Ahora lo comprende: le recuerda a María. Y evoca otras mujeres que le han interesado, en la calle, en un teatro. Siempre el mismo tipo. Aquella medio novia, a fines de la Dictadura... ¡Pero si María sería entonces una chiquilla! Es el tipo, la mujer que le llama la atención. Después, conscientemente, las hace «como» María.

Le gustan los edificios de los periódicos; el rumor de las máquinas y el olor a papel y a tinta grasa le vuelve a su juventud. Sobre todo a su época de redactor de *La Libertad*. Los nombres de amigos y compañeros surgen uno tras otra en el recuerdo. Joaquín Aznar, Zozaya, Manuel Machado, Luis de Oteyza, Pedro de Répide, Ángel Lázaro, y los dibujantes Rivero Gil, Ricardo Marín –que hizo apuntes políticos desde la tribuna del Congreso antes de especializarse en toros– y Carlos Sáez de Tejada, casi un muchacho cuando ilustraba los famosos folletines..., ¡ya está llegando a la iglesia de Santiago! Entre que todo lo ve borrosamente y que se absorbe en sus pensamientos, se desliza por la ciudad sin enterarse.

En la esquina, como siempre, la risueña Feli, al helado sol de enero. Le saluda antes de que llegue, reconociendo sus pasos. Pablo contesta, le compra una tira de números.

–¿Qué le ocurre de bueno, don Pablo?

–¿Por qué lo dice?

–¡A ver: su voz, su manera de hablar hoy! –vacila un instante–. Parece como si... –suelta su impresión de golpe–. ¿No andará usted enamorado, por un casual?

Pablo finge difícilmente una risa, para ocultar su asombro.

–Por Dios, Feli.... ¡A mi edad!

–¡Ay, si a la mía me mandara Dios un amor! ¡Fandanguillos cantaría!

–¿De Huelva o de Almería? –defenderse bromeando, ante esta vidente.

–¡De Almería, de mi tierra! Y mineras, lo que escuché de niña. El polvo de las minas y el cante para echar los pulmones por la boca. ¡Quién me iba a decir entonces, en la tierra del tracoma, que yo iba a acabar aquí sin vista!

Ríe, como siempre. Pero vuelve a los amores y el tema retiene a Pablo. La ciega los detecta. Por ejemplo, también le ha cambiado la voz a Jimena, la de don Ramiro. Con el Paco, ese muchacho bajito.

–¿Bajito? –corrige don Pablo–. Si es casi un hombrón para sus años...

–Me extraña. La voz no me llega a mí de tan alto. Pero si usted lo dice, que tiene ojos...

Don Pablo reconoce que, efectivamente, Paco no es alto, aunque su fuerza y su mirada le agigantan. Feli dice que le ha cogido cariño y que, en cuanto charla con ella, se siente más viva. Paco recela de Jimena porque es una señorita y él un obrero, pero Feli le asegura que no debe importarle: ella le quiere.

–Don Pablo, usted ni me escucha... Ya veo que tengo razón. No, no quiera engañarme. La gente no sabe engañar a los ciegos. Compone las palabras, pero la voz... Y esté usted tranquilo, no diré nada.

El hombre piensa que es inútil negar. Además, ¡es tan dulce confesarlo! Otra vez se siente joven.

–¿No le parece una locura, Feli? ¿No se ríe usted de mí?

–La locura sería echarse atrás... ¿Reírme yo? ¿De qué le sirve saber tanto? Me da envidia. ¡Pero ya no caen esas brevas en mi canasta!

Pablo deja atrás esa inexplicable fuente de alegría y prosigue hacia Noblejas. Ildefonso anda enfermo estos días, ha sabido por Luis, precisamente al acercarse la fecha de su santo. Era también el santo del rey. Del cuartel, ahí al lado, salían los alabarderos con sus capas blancas, sus pífanos y tambores, camino de Palacio, donde era día de gala. También era el santo del Príncipe de Asturias. En cambio, al cumpleaños se le llamaba «los días de Su Majestad». Recuerda esas cosas animando al pobre viejo.

–¡Mira quién acude, Fonso! ¡Mira quién está aquí! –grita entonces alegre la Lorenza, corriendo desde el portal.

Aparece un viejo apoyado en un bastón. Ildefonso incorpora la cabeza y contrae con esfuerzo el entrecejo. Vacila:

–Pero, pero... –De pronto se le humedecen los ojos–. ¡Nicanor! ¡Nicanor!

El recién llegado se acerca, sonriendo con desdentada boca. Ildefonso se yergue lo que puede y se abrazan. Manos temblonas, de gruesas venas salientes, palmotean torpes sobre los hombros caídos. Lorenza acerca una silla.

–¡Vaya! –jadea el recién venido–. Pensé que ya no me conocías.

–¡No te voy a conocer, no te voy a conocer! –hipa Ildefonso, secándose los ojos con un gran pañuelo–. Pero me habían dicho que estabas tan malo, y pensé...

–Dilo, dilo: creíste que me había muerto. Pues casi, *Cartonal*, casi. Con un pie dentro. Ahora mírame, de aparecido, como en el Tenorio. Hoy mi primera salida. Mi cumpleaños, como quien dice.

–Tú siempre el mismo, Nicanor.

–Y ahora tengo hasta ganas de juerga. Qué, ¿nos vamos tú y yo a correrla?

–Pero ¿no me ves...? Una ruina.

–¿Y qué soy yo? ¡Otra!

–Las ruinas son lo que más dura –tercia don Pablo, que andaba curioseando periódicos y guardando silencio durante la efusión de los dos amigos.

–¡Naturaca! –se anima Nicanor–. Y si no nos vamos ahora mismo al teatro no es porque no podemos, sino porque no nos da la gana. Y que los Tenorios de ahora no valen ná. El Dalí, ese... ¡Mira tú que ese tío ganso explicando el Tenorio! ¡Qué sabrá él! ¡Payasadas! Para Tenorios, los nuestros, ¿te acuerdas, Fonso? Se hacían como Dios manda: a gritos, a cuchilladas y con riñones.

El aguerrido visitante se calla porque le fallan los pulmones. Se señala en silencio el pecho:

–El fuelle –dice al fin.

–Todo baja –dice Ildefonso–. Desde que dieron en decir que Don Juan era maricón. ¡Vamos!

–Es que ahora ni le comprenden. Como ya no quedan hombres de los de antes...

Pablo curiosea los papeles. No hay apenas periódicos antiguos, pero sí un viejo librito de *Editorial Cenit*, sobre la reforma agraria, para instrucción popular. ¡Hombre!, y unos folletos curiosos, de aquella editorial *Vida y Trabajo*. ¿No era anarquista? Un «Sensacional reportaje de Ramón J. Sender» sobre Casas Viejas. Cien páginas a sesenta céntimos. Una crítica de «El Capital», de Carlos Marx, contra el comunismo estatal o enchufista, por J. Abad Caballero. Y otro folleto, de Tabarro, titulado «Herejías marxistas». En la portada, un sello de caucho de «CNT-FAI, Agrupación Mujeres Libres. Guadalajara». El texto empieza así: «San Carlos Marx. Nació el profeta en Tréveris...» Otro capítulo arranca de este modo: «La plusvalía o las sopas de ajo. Fue un descubrimiento despampanante del portentoso y segundo profeta judío...»

–Voy a llevarme esto –dice Pablo muy divertido–. ¿Te parece, Ildefonso? Tengo un amigo anarquista...

–¿Papeles anarquistas? ¡Bazofia! ¡Incultura!

–¿Lo dices *pa* molestarme? –se atufa Nicanor.

–No empecéis como siempre –interviene Lorenza.

–No te cabrees, Nicanor. Es de broma. Ay, también nuestro Felipe era de los tuyos, ¡acuérdate!

–Y de los mejores. Con Isidro Albert estuvo en la columna «*Amor y Libertad*», en la carretera de Toledo. Yo anduve cerca; era el sector del coronel Mena.

–No recordéis, leñe –se encrespa Lorenza.

–Sí, es mejor –admite Nicanor. Y cambia de tema, señalando con la cabeza a los papeles en la mano de Pablo–. ¡Cuánto se publicaba! Y bien barato, ¿verdad, Ildefonso?

–¡Ah, eso sí! Entonces podían leer los obreros. ¡Si nos dejaran imprimir, don Pablo...! Si me dieran otra vez nuestro periódico, ya vería usted si la gente tomaba conciencia. Se acababa esto.

–Somos más –confirma Nicanor–, somos los que tenemos brazos y corazón. Pero, claro, ponen anteojeras, consiguen que los nuestros se metan en los grises y en la Guardia Civil, que por un plato de lentejas vendan lo que no se vende, y nos aplastan a los demás... ¡A ver!

–No me pasó a mí el día de Difuntos, no –murmura Ildefonso tras una pausa–. Siempre íbamos, ¿te acuerdas, Lorenza?, al cementerio. Al nuestro.

–A visitar al «*Rubio*» –murmura también Nicanor, inclinando la cabeza con melancolía.

–¿El «*Rubio*»? –se extraña Pablo, antes de recordar súbitamente–. ¡Ah, sí! El «*Abuelo*», Pablo Iglesias.

–El «*Abuelo*» le llamaron después, cuando viejo. Pero al principio era «*El Rubio*» –precisa Nicanor.

–Así se lo puso el otro, creo. Aquel señorito tan cabal... ¡Sí, hombre, «*El chisterita*»! ¿Cuál era su nombre?

–Vera –interviene Pablo–, el doctor Jaime Vera. Iba a las manifestaciones con levita y chistera.

–Parece que le estoy viendo –evoca Ildefonso– en uno de aquellos primeros de mayo... Hará sesenta años, o así.

–Yo me acuerdo de una en que habló Paula –tercia Lorenza–. Paula Fraile, ¿te acuerdas? Lo que nos reíamos con su apellido. Pero ¡cómo hablaba!

–Sí, una que era sastra. Hablaba muy bien... –dice Ildefonso volviéndose a Pablo–. ¡Vaya valor que necesitaba echarle entonces una mujer para ser socialista! La gente nos tenía por satanases. Y una mujer, no hablemos. De fulana para arriba, la llamaban lo que usted quiera pensar, y más.

–Paula... La recuerdo allá por el año cinco, me parece

–confirma Nicanor–. Sí, hacía falta valor, estaba Maura en el gobierno. ¿Te acuerdas?

–¿Y el año treinta y uno, el primero de mayo? ¡Aquello sí que fue raro!

–¡Qué compañeras teníamos! Vosotros y en la Confederación, que conste. Lorenza también, ya lo creo.

–Callaros, bocazas –replica la mujer.

–No te escondas, no –dice ufano Ildefonso–. Hablaba lo suyo.

–¡Na! En el taller o en el centro, para convencer a algunas *despistás*. Nunca hablé en la calle.

–De novios –evoca el marido– íbamos juntos a *tó*... Eso era ser novios. Compañeros *pa tó*. Desde el año uno. Y justo treinta después, la República. En la Puerta del Sol estábamos los dos aquella tarde, con el hijo ya hombre. ¡Nosotros la hemos traído, nosotros!, pensábamos al salir el primer gobierno al balcón y poner la bandera republicana. Nosotros, el pueblo...

–Pues ya ves ahora, en qué ha quedado la cosa. Mira que llamar *Fiesta del Trabajo* al 18 de julio... Encima el *inri*: el día de sublevarse contra el pueblo.

Los viejos callan. Se les agolpan demasiadas cosas a la memoria.

–Ahora ya la fiesta del trabajo es otra –les recuerda Pablo–. Por lo menos para los curas. El papa la ha puesto en el primero de mayo. San José Artesano, la llaman...

–¡Si cree que le va a valer el truco! –se indigna Nicanor.

–La iglesia siempre lo ha hecho. Como cuando atribuyó a San Juan las hogueras paganas del solsticio de verano –explica Pablo–. Ahora las manifestaciones resultan de San José.

–Y ni aun así puede haberlas –se queja Ildefonso. Y de pronto, melancólico–. No hay pueblo en la calle. Usted que sabe tanto, Don Pablo, ¿qué pasa en España? ¿Dónde está el pueblo; dónde la dignidad del obrero? Cuando yo era mozo, teníamos dignidá, ya lo sabe usté. Se creía en la idea.

–Si yo supiera contestar a esa pregunta, *Cantonal*... –comienza pensativo don Pablo–. Ésa es la gran cuestión: ¿Dónde está el pueblo...? Claro que dejaron poco. Los madrileños se han hecho matar mucho por los que perdieron, y se han recobrado siempre. Fueron mucho más árabes que cristianos; es decir, superiores en cultura a sus vencedores. Después fueron del rey don Pedro frente al desaprensivo don Enrique, y si no entrega a éste dos torres a traición aquel malnacido de Domingo Muñoz, el de Leganés, no hubiera caído la villa tan fácilmente. Luego lucharon por la Beltraneja contra Isabel la Católica; ésa con tan buena prensa entre las derechas, pero que para reinar no tuvo empacho en acusar a su hermano de impotente. Fueron de comuneros, luchando por el pueblo contra el emperador Carlos; prefirieron ser súbditos de Móstoles antes que de Napoleón, y cayeron el dos de mayo. Fueron de los milicianos de julio y de los sargentos de San Gil. Y en fin, en los tres años que hemos vivido todos, Madrid, ¿con quién estuvo?: con el pueblo.

–Sí –se anima Ildefonso–, entonces se veía el pueblo. Estaba en todas partes. En los parapetos, en la calle, en los hoteles, en las oficinas, en los palacios. Sólo el pueblo. No se vio a nadie más hasta que no salieron de sus cuevas, el día del acabóse.

–Al revés que en el otro lado –enlaza Pablo–, allí el pueblo no estaba. Me ha contado un amigo algo que no he leído en ningún sitio, del día en que empezó en Melilla la sublevación militar, el diecisiete de julio famoso. La ciudad estaba desierta, bajadas las persianas, refugiada la gente en su casa al llegar los legionarios de Tahuima a la plaza. En una esquina de la vieja calle Chacel, entonces Avenida de la República y antes de Alfonso XIII, hizo alto un piquete para proclamar el estado de guerra. Sonó el toque de atención y el comandante al mando de la fuerza empezó a leer el bando: «¡Pueblo de Melilla!», gritó, y le atajó una voz vibrante: «¡No está!»... Hay que imaginárselo, se ponen los pelos de punta. Un civil, el único en la calle, un ciudadano, se enfrentaba impávido con la sublevación. Naturalmente, lo cogieron, lo encarcelaron, y murió meses después en el hospital, tras intentar suicidarse en la prisión, creo que tirándose por una ventana. Es un suceso histórico; mi amigo me ha dado hasta el nombre de aquel valiente, se llamaba Núñez, y era funcionario de la Aduana de Melilla, del Puerto Franco.

–El pueblo no está –repite Ildefonso en voz baja.

–Exactamente. De esta dictadura podrá pensarse lo que se quiera, bueno o malo; pero imposible decir que tiene con ella al pueblo: El pueblo no está. Por mucho que hablen de Cortes representativas y otros simulacros.

–Es que ya no queda nada –concluye Nicanor–. Cuatro viejos como nosotros y, cuando nos muramos, se acabó. ¿Quién salvará la idea?

–Los jóvenes –pronuncia solemne Pablo, en medio del silencio–. La historia no la ata nadie.

–¿Los jóvenes? –las dos cascadas voces, a un tiempo, claman su incredulidad–. No hay. Los mataron o emigraron o les cosieron la boca.

–Los nuevos jóvenes –aclara Pablo–. No los hijos de usted, no. Los nietos. Los que ahora tienen veinte años. Yo trato algunos y son distintos de sus padres. Se resisten a esto. Aún no saben cómo, pero se resisten. No todos, pero más de lo que podía esperarse tras el aplastamiento.

–Si usted lo dice –concede Ildefonso desde su incredulidad–. Yo, como no salgo de aquí...

–¿Sabes en lo que caigo ahora? –dice Nicanor tras otra pausa–. Que me gusta eso del San José Artesano. Quiere decir que han tenido que tragar, ¿comprendes, Fonso? Toda la vida contra nosotros por el primero de mayo y ahora le llamarán como quieran, pero ese día es nuestro. Han agachado la cabeza, aunque lo disfracen. Echarán agua bendita sobre las banderas rojas, pero no destiñen, no. Nos han aplastado, pero hemos ganado, Fonso. ¡Sí tendrá fuerza la idea!

Pablo nota como si, muy lejos, sonara un clarín, un toque de silencio. Y se conmueve hondamente cuando el baldado Ildefonso levanta despacio la cabeza y le mira, con velada fijeza, para preguntar, para preguntarse:

–¿Será verdad que hay jóvenes? –Y añade, en voz más baja–. ¿Habrán resucitado? Porque mi Felipe...

El pálpito de un último deseo. La esperanza encadenada ha erguido su inmortal cabeza y ha sonreído un instante. La vida se resiste a morir. ¡La voz de la esperanza! ¿La voz del pueblo? ¿De la vida?

Cuando deja la casa y vuelve la esquina divisa a dos jóvenes, pero su actitud no sugiere que hablen de política. Paco y Jimena están sentados en los escalones del viejo Petril de Palacio, actual bajada de Rebeque. El mozo no pudo esperar a ir más lejos para sentarse, estirar las piernas y, al subirse el pantalón un poco, mostrar unos botos camperos flamantes. El regalo de Reyes de Jimena, que casi palmotea de alegría.

–Por fin los has estrenado. ¿Por qué esperaste tanto?

–No quería llevarlos en el camión. Salí con Ignacio, ya te dije. Y me va dejando el volante. ¡Se me da más bien! Dentro de nada saco el carnet.

La muchacha muestra una inquietud que el aprendiz disipa con una risa, seguro de sí mismo. Pregunta a su vez:

–¿Y tu cajita, la escuchas?

Primero le compró un pañuelo, pero, inesperadamente, en un lote adquirido por Mateo apareció una antigua caja de música, con el *Vals de las Olas* y otros éxitos de la época. Consultó con María, que le aconsejó regalar la cajita, y fue entonces cuando obsequió a la quiosquera con el pañuelo exhibido ante Pablo.

–Todas las noches. Debajo de la sábana y las mantas, junto a mi oído, para que no lo oiga mi padre.

–¡Tu padre es un desgraciao! ¡Tu padre...! Bueno, me callo porque es tu padre. Aunque tú seas la Blanca Paloma.

El piropo no oculta a la muchacha el despreciativo latigazo contenido en la frase.

–¿Te ha dolido? Dispensa, mujer. Ya ves lo bruto que soy. Te lo anticipo: conmigo vas a sufrir... ¿Te has enfadado?

–No, no.

Y es verdad. Imposible enfadarse. Sentirse dolida, sí; pero es inevitable darle la razón. Bajo la máscara pomposa de don Ramiro, bajo su blandura, al parecer comprensiva, hay una oquedad fracasada, un parasitismo gangrenoso. También de golpe ella ve su casa como es. Suspira: precisamente por eso es Paco su salvador.

–Pues hablemos de otra cosa. ¿Has vuelto a la Academia?

–Sí. Y no he perdido nada en inglés.

–¡Chiquilla, mira, te voy a hablar yo en inglés!: *Ai lov yu.*

La muchacha pone morritos que refuerza fácilmente con su tristeza de hace un momento.

–¿Te lo acaba de enseñar alguna? ¿Ves cómo no me gusta el camión? Ya empiezas de conquistas y luego...

–¡Por mi madre que no! Lo sabía de antes. De Doñana.

Sabe que Paco no miente. No lo necesita. Pero será mejor no preguntar cómo lo aprendió en el Coto. Cambia otra vez de tema.

–Te creo; ya ves qué tonta soy. ¿Estás contento?

Paco vuelve a contemplar sus botos.

–Como un rey. Sólo me falta un imposible. Pero no me importa: puesto que me quieres...

Ante la mirada interrogadora, aclara:

–La faca de mi abuelo. Cachicuerna, así de grande, recia... En la garganta se la clavó a un cochino jabalí que le sorprendió sin escopeta y que por poco le destroza una pierna. En ella aprendí los primeros números, que los tenía escritos en la hoja: «1859.» Fue de mi bisabuelo: se la quitó a un bandido al que mató.

Sigue contando historias de su casa, de su tierra. A Jimena le gusta oírle. Vibra la voz con viva nostalgia y ella se siente así integrada en el mundo de Paco y cree en la verdad de ese cariño; aunque no logre explicarse cómo ha caído sobre ella semejante bendición.

¡La navaja! ¿Cómo iban a sospechar los jóvenes que aquella misma noche Flora está contemplando, como cada día desde el de Reyes, el curioso regalo de Gil Gámez? Lo ha colocado en la vitrina, al pie de un abanico con país de seda pintada. Es una gran faca con mango de asta y toscas volutas, en la hoja, en torno a una fecha: «1859.» Se quedó tan asombrada al desenvolver el paquetito, que sólo fue capaz de mirar inquisitivamente al donante. Pero el hombre se limitó a sonreír y a encogerse de hombros, como autor de una rareza inofensiva. «Fueron los Reyes Magos», dijo. Doña Flora no insistió.

Se aleja al fin del extraño obsequio convencida de que algún día conocerá su sentido. Le gusta tener sorpresas en perspectiva, dentro de esta recobrada serenidad de ahora. Pues ha vuelto a la paz que conquistó dramáticamente hace veinticinco años, después de las tensiones máximas. Aguarda de la vida lo que le aporte, sin pedir nada. Y como esa noche se siente en talante, coge de la gaveta sus cartas de tarot y se retira a su cuarto. No suele prodigar esas preguntas al destino y se susurra a sí misma si no será la última vez. ¿Es por asociación de ideas con el peligro encarnado en el acero de la navaja? Desecha la cuestión y entra en su dormitorio, donde se quita el corsé, viste su estampada bata malva y se calza las zapatillas de «entonces». Luego pasa a la alcoba grande, la compartida durante años con Gustavo y que sólo cuando tenía un hombre ha vuelto a utilizar después alguna vez; segurísima de que Gustavo lo aprueba, pues han sido pocos, y hombres tan de veras como él. Hace años además que no hay ocasión: desde que la represión acabó con los maquis. Doña Flora duerme a diario en otra alcoba pequeñita, sobre una vieja cama de cuando era corista. Entonces sirvió también para el amor; ahora es sólo para la rutina de dormir. Y hacia la gran alcoba se dirige, porque no va a echar las cartas en la mesita del gabinete donde recibe a sus clientes, sino en la cama donde fue de Gustavo.

Despaciosamente baraja los Grandes Arcanos, se concentra y empieza. A la izquierda, lo que le interesa, sale *El Mago*, la lucha contra lo oculto, y Flora sonríe: su inseguridad hasta estos últimos días. A la derecha, donde el mundo circundante, extrae *El Emperador*, el triunfo de la voluntad; arriba, las fuerzas superiores son ocupadas por *La Papisa*, la seguridad garantizada por los poderes de la Naturaleza... Doña Flora sonríe francamente. Es demasiado claro, casi juraría que Gil Gámez está manipulando las cartas. Pero continúa, y abajo es el 17, *La Estrella*, la armonía, con su figura de mujer derramando un doble río desde sus cántaras... Justo, la paz de que disfruta ahora. Ni que las hubiera elegido deliberadamente; es demasiado...

Falta la sorpresa, la carta del centro. Hay que sumar los números de las demás, uno más cuatro más dos, más diecisiete, total veinticuatro; como es mayor de veintidós, se suman los dígitos, resulta seis. Ahora sí que no es deliberado, ahora sí que doña Flora se desconcierta. Porque el seis es *Los Amantes*: la unión, el matrimonio, más exactamente el amor físico, la pareja enlazada por un tercero y arriba Cupido disparando su arco...

¿El amor físico? Aunque no rechaza la ilusión, una sonrisa escéptica pliega los labios de Flora. Al levantar el rostro pensativo contempla, desde la cama donde ha dispuesto las cartas, la vasta luna del gran armario. En ella una mujer le está mirando. ¿El amor físico para esa mujer? El escepticismo se carga además de melancolía. Y, sin embargo, ¿pues no está pensando ya en alguien? «Flora, Flora –sonríe al espejo–, ¡siempre serás la misma!»

PAPELES DE MIGUEL
Isolina

Varios de abril de 1976

En la estación de Aranjuez brotaban ya las lilas. ¿Cuál la flor preferida de Isolina? El jazmín, seguro. Delicada, blanca, perfumada. No, advierte Samuel: una venenosa orquídea negra; una dionea devoradora. Miente. ¿Cómo voy a creerle, después de haber hablado más veces con ella? ¡Y cómo la defiende Petra! Definitivamente, jazmín. El delgado tallo sus piernas estilizadas, en los ceñidísimos pantalones verdes que viste por la calle. ¿Cómo podrá ponérselos, moverse? La corola su blusa blanca, ensanchándose en los hombros delicados y en los pequeños pechos. Sale del palacio en su *Vespino;* mitad abajo, líneas en movimiento, mitad arriba, sirenita de Copenhague. Femenino centauro: araña-ondina. Y el perfume del jazmín su expresión. Siempre conmovedora. Cuando ríe, cuando frunce inquisitiva el ceño, cuando nubla su rostro de melancolía. ¡Pobre niña, a solas con la vieja en la abrumadora casona, huérfana sin guía, aprendiza de la vida sin Jádir, sin maestro!: ¿Altar virginal de misas negras? ¡Imposible, salvo en la podrida lengua de Samuel! Aunque sean ciertas las extrañas reuniones nocturnas, sesiones musicales y gentes extravagantes amigas de la vieja; aunque alguno salga borracho de madrugada... ¡Imposible!

El reencuentro primero, en la lavandería. Al entrar, una joven inclinada mientras cargaba de ropa la máquina. Aun de espaldas era joven, claro; piernas delgadas uniéndose en rotundo ensanchamiento; agilidad. Al volverse la reconocí. «¡Hola!», dijo sin darme tiempo a hablar. «¿No nos vimos en el taller de Daniel?» «Querrá decir Samuel.» «A mí me ha dicho Daniel... ¿Qué más da? Está *zumbao.* ¿Y usted?» «Miguel. ¿Y usted?» «¡Huy, usted! ¡De tú, como Petra!» (Y de repente un cambio de actitud, como cierta fugitiva. Saltó y presentó otro aspecto. Mimoso, juguetón.) «¿Qué nombre te gustaría?» Entonces ocurrió, en aquel momento. Me sorprendí a mí mismo oyéndome decir tan de golpe: «Chantal.»

¿Cómo adivinar su nombre increíble, inverosímil, un eco de Hannah en Val d'Aosta? Isolina. ¡Isolina! Advirtió a Petra que volvería, salió a no recuerdo qué, dejando su huella fascinante. Petra, explicándome que ella es así, alocada como todos ahora, pero buenísima, sencilla, tienen servicio en el palacio, claro, pero prefiere hacerse sus cosas, se ha criado como salvaje, sin madre ni padre, la abuela no sale nunca... Mientras hablaba Petra yo me preguntaba por lo que de verdad me acababa de ocurrir, sin dejar de enterarme de cuanto la concierne.

Hoy, otra vez, en la cafetería. Cinco días y seis horas después. Entré porque la vi por los cristales. He estado pensando, este tiempo: ¿por qué dije aquel nombre? Luego resultó que estaba con un chico y me quedé apartado, pero me llamó. Hablamos. ¡Qué lenguaje tan especial, estos jóvenes! Necesitaría retener todas sus palabras. ¡Cómo me rejuvenece! Ahora sé por qué entré en la cafetería. Muy honda, muy verdadera, esta sensación –necesidad– de que puedo serle útil. He llegado a tiempo para tomarla de la mano en su desconcierto. ¿Me has encomendado esta misión, Nerissa? Hacer por ella lo que el destino me impidió hacer por ti.

El chico fracasó en arrastrarla a la Universidad. «No me apetece y punto.» Se llama Enrique. ¿Su novio? Se echó a reír: ¡eso ya no lo dice nadie! Me miró intrigada: a ella también le resulta curioso mi lenguaje. ¡Y qué segura de todo, en medio del desorden! Salimos juntos. Se rió más aún al preguntarle si no le importaba que la acompañase: «Tú eres aún más antiguo que la abuela, ya lo sé.»Afirmó que de mí lo sabía todo. Entre Petra y verme, basta. Le aseguré que yo no había sonsacado a Petra. «Tampoco hace falta, lo raja sola. Además, te habrá hablado Daniel.» No quise discutir el nombre del dorador. «¿No te alucino?» Intenté seguir en broma y le pregunté si me estaba provocando. Otra vez su risa; ahora no se liga así. Entonces fue cuando añadió lo que completa mi comprensión: «¿Sabes?, tienes que conocer a la abuela. Odiosa, pero me va. De tu siglo. Es curioso...» (y entonces, después de mirarme; entonces fue cuando entré en situación): «Cuando sea vieja, quiero ser como tú.»

Ella también notó la importancia de sus palabras, porque calló mientras seguía caminando. Entonces, en otro tono: «¿La querías mucho?» Me cogió de sorpresa: «¿A quién?» «A esa Chantal.» (¡También ella lo había estado repensando!) Contesté gravemente: «Sólo cambiamos unas palabras cierta noche, delante de mi hijo y unos amigos. Nada más.» «¡Ah, por eso!», pronunció convencida, como habiendo aclarado todo. Traté de justificar mi asociación: «Tenía tus mismos ojos.» «Claro», desdeñosamente, pero no quiso aplicarse más.

Me sorprende a cada paso. Así salió lo de Balj, cuando nos detuvimos ante el escaparate, en la calle del Almirante. Unos collares afganos, plata y ámbar; supongo que falsos. Pero su pecho de bayadera los estaba pidiendo. «Mi abuelo fue ministro en Afghanistán; era diplomático. Bueno, en Teherán, pero también desempeñaba Kabul. La abuela tiene cosas como ésas.» El mundo iranio, la Bactriana, los Barmecidas, los timúridas, toda la prodigiosa Asia Central me envolvió de golpe. Avivadas ganas de peregrinar a la cuna de Rumí, Balj, mi tierra prometida a la que, como Moisés, no llegaré nunca. Debí pensarlo en alta voz. «¡Qué buena idea! Con la de libros y mapas que hay en casa... ¿De qué eres profesor?» (Me extrañó que hubiese acertado.) «De Antropología social.» «¡Jope! Por eso Petra no supo decírmelo.» (Se me había olvidado Petra.) «¿Qué es, así sin rollos?» «Saber cómo se inventa a sí mismo el ser humano.» «¡Justamente! Nos inventaremos nosotros, inventaremos el viaje... Iremos con los ojos cerrados. Yo lo hago mucho: me tumbo, leo algo y luego lo veo... Lo pasaremos pipa. La abuela tiene un samovar y en el jardín hay hierbabuena. ¡Hasta tengo discos de música persa! Viejos, de setenta y ocho revoluciones, pesan un huevo; para la gramola de cuerda. Además puedo vestirme de oriental y todo; unos trajes... Ya verás...»

Niña con su juguete favorito: Yo. Es decir, tu juguete, Nerissa, porque esa peregrinación, pasando por Aranjuez, sigue siendo el viaje al Almendro en Llamas. Ya no dudo: me la has enviado Tú. ¡Qué misteriosos caminos! Me va a llevar a Balj, siendo yo su guía; voy a ayudarla dejándome llevar de su mano. Tu mano, Nerissa; no puede ser otra cosa. Tú has elegido su melenita negra, su voz saltando de tiple a soprano, de gravedad a risa. ¡Chantal! Estuve ciego el primer día. Edipo conducido por Antígona. La más dulce muchacha, la más conmovedora pareja de aquella edad de dioses sobre la tierra.

¡Qué túnel de feria, lleno de lo inesperado! Su casa, el antiguo palacio de los marqueses de Clunia. El portalón frente a las Góngoras, el portero cheposo, la enorme escalera de piedra arrancando del zaguán, la antigua silla de manos en el rellano. Íbamos a seguir cuando... ¡sorpresa!

Voces en lo alto. Isolina me agarró del brazo, abrió una puertecita del rellano y me encerró con ella en un diminuto espacio oscuro. Toqué mangos de escoba o algo así, debíamos estar en un chiscón auxiliar para el portero. Olía a polvo y a encierro; empezaba a oler a ella. Imperio de su cuerpo, contactos estremecedores, inocentemente agresivos. Elasticidad potente de su carne. «¿Por qué?» «Chist» fue toda la explicación. Pasos por la escalera; se acercaron y se alejaron por el tramo inferior. Todavía una pausa. Abrió la puerta; sólo entonces habló, mientras me conducía escaleras arriba con toda naturalidad: «Don Dionisio; no puedo verlo. Le necesita la abuela, buen administrador. Pero cuando empecé a crecer mientras no me di cuenta, el muy cabrón me metía mano cuando me cogía sola por la casa, con eso de que si la niña tan mona y otras chorradas... Hasta que me enteré y le pegué una patada en la espinilla con toda mi mala leche... Lo peor es ese bigotito que lleva. Fue cura, tiene una calva en la coronilla como los de antes, pero natural, ¿comprendes? Da asco; me dejó casi un trauma.»

Primero, muebles del siglo XVIII. En la familia hubo un Intendente General de Indias. Cruzando salones llegamos al final, donde viven. Abarrotado fin de siglo XIX. Se asomó a una puerta y retrocedió en silencio: «Otro día te presentaré a Stefi. Está echando su cabezadita. Mejor.» Subimos por unas escaleras estrechas. El piso superior, más destartalado. Habitaciones casi vacías. Un arca, una mesa deteriorada, algún cuadro malo, una butaca de roto tapizado. ¿Por qué abría y cerraba tantas puertas a mi paso, exhibiendo el vacío? Varios mobiliarios de hoy cabrían allí dentro. Un modo de mostrarme su soledad.

«Aquí vivo yo», por fin, y me abrió paso a otro mundo. *Posters*, cojines por el suelo sobre una alfombra persa, ni un solo mueble: todos los libros y objetos colgados o sobre cajones. «Módulos –explicó ella–. Los cambio de vez en cuando; es divertido.» Más libros y objetos esparcidos: discos, una guitarra («Enrique sabe tocar, quiere enseñarme»), cajas, botellas, muchas revistas, zapatos, una bolsa moruna de colgar, grandes sacos rellenos que adoptan cualquier forma para sentarse... También un retrato arcimboldesco en la pared, una cara formada por hortalizas. «¿A que es muy cachondo? Parece moderno.» Y lámparas que cuelgan, cables eléctricos arrastrándose en busca de un enchufe, un tocadiscos... Lo primero que hizo al entrar fue sacudir un pie tras otro y lanzar así a un rincón sus mocasines.

Hemos bordeado toda la costa del mar Negro para llegar antes. Tierras de Jenofonte, aguas surcadas por el *Argonauta* en busca del Vellocino de Oro. En aquella playa sacó Jasón a tierra su nave, entre Zonguldak e Inebolu. Los ríos de la epopeya: Parthenio, Halys, Iris, Termodonte. País de los Pafaglones. Sínope, donde vivió Diógenes. Desembarcamos por fin en Trebisonda, que logró defenderse ocho años más, tras la caída de Bizancio. Sobrevivirse, agonía de un imperio, como Venecia en el XVIII, intenso desmoronamiento de toda una dulzura de vivir. Exaltación final, como el cohete, estallando en luminarias cuando ya ha reventado en lo alto, cuando ya está muerto. Viviendo después de vivir. Miguel después de Miguel.

Eso vivo: explosión de bengalas, colores encendidos en mi noche. En total serenidad, en la calmosa andadura de un viejo y una niña por tierras de Asia menor. ¡Ay, niña de canela y nácar, de noche y alba, cándida y sensual; a su paso florecen las sorpresas! Como ese jardín interior del palacio, visto desde su ventana. Ha prometido llevarme, pero no sé cuándo. Un naranjo en un ángulo, y un tilo. O como Stefi, inconcebible Stefi, viuda del viejo marqués, don Ignacio de la Cárpana. Stefi Dobasz, húngara, quizá gitana, maga sin edad instalada en su butaca como en un trono. Emperatriz de los cuadros, las colgaduras, los tapices, los *chiffoniers, vis-à-vis*, taburetes, maceteros, palmas, repisas, bronces, porcelanas, mesitas, tapetitos, espejos, lámparas muy discretas, viejo gramófono con enorme bocina y hasta un reposapiés con recipiente para poner brasas en el invierno.

La casa entera viaja con nosotros. Trebisonda, ciudad de nigromantes, inspiración de dramas, nombre de refulgencia esmeraldina. Junto al mar la blanca ciudad turca; encima el fiero peñasco de San Eugenio y la ciudadela bizantina defendida por los Comneno, no tanto por los hombres como por las extraordinarias mujeres de aquella familia. Más alta y más grandiosa la montaña Boz Tepe y, a lo lejos, los montes Pyxitis, donde enloquecieron con la miel de adelfas algunos de los Diez Mil, a punto ya de otear las ondas azules y gritar *¡Thalassa!* Mi voz leyendo para Isolina tendida se deslumbra con los signos de aquella primavera estallante: rododendros y azaleas, granados y limoneros, higueras y emparrados sobre los patios perfumados por el olor a café turco y a tabaco aspirado por el agua de rosas del narghilé. Cerezas como labios de odalisca; cogidas en Giresun, antes Cerasus, cuyo nombre tomaron. Avellanas, olivas, manzanas de Sinope. Y el famosísimo pez de la bahía, el *khamsi baligi* al que Adriano Emperador elevó un monumento en el muelle de los mercaderes.

Mi voz alude a los secretos de los magos, cuenta las intrigas de palacio que costaban los ojos al conspirador vencido, se aquieta en la molicie de la vida turca. Isolina me acompaña tendida en su yacija. Noto que me sigue en el cambiante ritmo de sus pechos, aunque sus ojos estén cerrados y sus manos reposen sobre su regazo. Estatua yacente con su melenita negra como un casco, joven guerrero si no lo desmintieran sus pechos. Pequeños, pero tan firmes, tan separados, tan marcados...

Su yacija, ¡qué sorpresa descubrir dónde duerme cuando al fin me abrió la puerta! Nada, un palomar desnudo para una paloma prodigiosa. Bajo de techo, una claraboya cenital y eso: una yacija de gomaespuma. Sólo una suntuosa colcha de antiguo damasco labrado en oro relumbra entre las cuatro paredes de cal. «La encontré en el desván, en un baúl, no sé por qué me gusta si no me va, pero ahí duermo, ahí me tiendo cuando estoy muy jodida, es mi nido, a ti sí te lo enseño.» Imagino ese oro henchido por su cadera en una onda voluptuosa. A la cabecera un arconcillo con una lamparita encima y un cenicero.

Me vuelvo y, como por un resorte, el viejo muñeco de trapo. Ajado, deslucido, un ojo de menos, de botón de bota como los de la perrita Pipa en las aventuras contadas por Bartolozzi en la *Estampa* que compraba tía Magda. Me lo presentó sin decirme una palabra y adiviné en él una pasión de niña; sería ella más pequeña que el muñeco cuando jugaba con él. Después me presentó el reloj, un Longines de bolsillo, pequeño círculo de oro, colgado solitario en la pared blanca. Parado a las tres y diez.

Me contó su historia. ¡Ojalá hubiese grabado sus palabras; purísima emoción oculta en lenguaje desgarrado! Lo usó su padre, hacía sonar sus campanitas en la oreja de la niña. Lo llevaba el día en que se mató. Salió al atardecer del *Hotel Meurice* (donde también Alfonso XIII refugió algún tiempo su destierro), cruzó la calle de Rívoli y entró en las Tullerías. Estuvo viendo a los niños jugar con sus barquitos en el gran estanque. Cuando se fueron al anochecer sacó el revólver, se metió el cañón en la boca y disparó. Le llevaron a un hospital, vivió todavía unas horas, pero no pudieron salvarle. No habló, no se enteró. El reloj se paró a la misma hora en que él murió.

Evoco la muerte casi idéntica de Anteiro de Quental, allá en sus islas atlánticas, sobreviviendo una noche tras dos disparos en el paladar. ¿Qué edad tenía Isolina? «Cinco años. Papá era el hombre más guapo y más bueno del mundo, pero se dejaba comer. Por la abuela, por mamá, por todos.» El muñeco y yo contemplamos en la blancura ese reloj tan absoluto que su silencio suena como un andar en la eternidad.

No me despiertan pájaros alegres, sino angustiadas bocinas de coches aparcados junto a la acera, imposibilitados de salir por los situados en doble fila: los primeros serán los últimos. Me divierte esa ronca indignación de los que anoche llegaron antes y gozaron al encontrar sitio, pagándolo ahora. Esos cuervos me despiertan, dejándome alerta para los ruidos humanos del patio, recobrados tras el invierno. Los relojes, las duchas, las cocinas, los esfuerzos del asmático, las voces apresuradas por salir al trabajo.

¡Qué delicada luz por estas calles estrechas! Primero un toque en lo alto. Con las horas, la claridad va descendiendo como lento polvillo dorado. Con el directo sol enrojecen y centellean los cristales de los pisos sucesivos, pero, al volver la esquina, los rayos son oblicuos y alargan con decorativas sombras las barandillas de los balcones. A mediodía hay calles partidas a lo largo en sol y sombra. A la tarde la luz se dulcifica, líquida como en Aranjuez, en torno a las naranjadas de tía Magda. La plazuela de Chueca se hace estanque rectangular con bancos para los viejos. Como en un pueblo, todavía usan la fuente pública. Anteayer una mujer, de espaldas, llenaba un bidón de plástico. ¡Lástima de cántaro! Viejas y flacas piernas en medias negras. De pronto se volvió: inesperado fulgor de ojos clarísimos, grises, llenos de vida en el curtido rostro campesino. Percibí las temblonas manos y me acerqué, ofreciéndome a ayudarla. No tenía nada que hacer mientras no llegase Isolina (¿vendría con Enrique o iríamos a su casa?). «Gracias, puedo aviarme sola.» Estuve por decirle que ya lo veía, pero que era una forma de pedirle que me ayudase a mí. «¿A qué?», se hubiera sorprendido ella. «A acabar alcanzando esa mirada suya.» Pero no me atreví. Acaso me hubiese respondido (al menos lo hubiera pensado): «Se consigue llorando cuando se nos rompe el corazón». Llorando, como amaba Lulio.

No leo otra cosa: el *Llibre del Amic y el Amat*. Es mi ancla en esta navegación, pero no me retiene; me levanta. Petra me pregunta qué me pasa. ¿Lo sé yo? Deambulo a todas horas. Espero encuentros, signos; hago descubrimientos. En el retranqueo de la calle de la Reina, a la puerta del negocio en traspaso desde hace meses, un vagabundo ha puesto casa. Un *clochard* madrileño. Se lava pulcramente en la fuente de la plaza de Bilbao, junto al quiosco de periódicos de la señora Aurora, que vendía papel junto a su madre desde los tres años. Se afeita cuidadosamente. Rebusca en la basura de un volquete donde lanzan escombros y hasta muebles rotos. Durante unos días ha disfrutado de una otomana sin patas. Se la han quitado, supongo. ¿Cómo se puede acampar así a unos metros de la Gran Vía, de los Bancos y Casinos, las tiendas de lujo, las oficinas de grandes empresas? A veces me mira y me reconoce. «¡Qué tipos más raros andan por la calle!», pensará.

Qué tipos: yo. No paro. Entro con frecuencia en la iglesia de las Góngoras, más habitable ahora con las vulgares imágenes tapadas por los morados lienzos de la Semana Santa. Me siento tranquilamente en un banco, dejándome envolver por los susurros y el arrastre de pies de las beatas, por el rechinar de puertecillas de confesionario, por el chisporroteo de las velas y, a cada hora, por las resonantes campanadas desde lo alto. Pero pienso en el palacio a mi espalda, la cueva verde de la maga Stefi, el palomar desnudo de Isolina. ¿Desnuda ella también para dormir? «En invierno pongo un calentador eléctrico.» ¿Soy ahora su padre o soy su hijo? Cuando la madre de Ibn Arabí adolescente visitó en Córdoba la casa de Fátima, la *Xaija* del muchacho, escuchó a la Maestra estas palabras: «Oh, madre de luz, este muchacho es mi hijo y es tu padre.» Mujeres de los sufíes, de los Quijotes y Amadises. *Fin'amors* de los juglares provenzales, ¿es eso lo que me envías, Nerissa? ¿Es un *assag*, prueba suprema de los trovadores, casta impudicia de la dama desnuda acariciada, contemplada, hasta alcanzar el *joi*, el gozo sin contacto, esa transfiguración tántrica? ¡Su piel de porcelana! ¿Qué deseas de mí, qué esperas de mi amor?

Desde la puerta de las Góngoras me enfrenté con el portal de palacio. Salía ella sobre su *Vespino*. Su pierna un puntal estatuario para sostener la máquina mientras me hablaba. El casco de su melenita negra ceñido por una cinta de cuentecitas de colores formando dibujos geométricos. «¿Te gusta? Son de los indios navajo, dicen. Sin coña. Chao.» Arrancó, dejándome su trepidación. Después su ausencia sonora.

Enrique, hijo del tornero de la calle de San Marcos. Por una vez, el dorador elogia a alguien, a ese chico. «El padre le quería tallista, pero talla mal. Si quiere hacer un águila, le sale una paloma.» (Pienso en mi gotera.) «Ya lo ha dejado. Vale más que eso. Estudia Derecho y va muy bien.»

Enamorado de Isolina, claro; sólo que ahora no se dice así. ¿Oyes, Nerissa? ¿Y cómo podría yo hablarte sin esa palabra «amor»? ¿Cómo puede curarse una orfandad, una soledad adolescente, cómo tenderle la mano para ponerla a salvo de las olas en una playa dorada? Una cierta clase de amor, desde luego; pero evidentemente Enrique no puede hacerlo. ¿Pues no admira al dorador? Bastaría eso para probar su inmadurez; vive también arrastrado por las corrientes, en la misma amarga desolación. Isolina necesita un hombre. «Siempre me entiendo mejor con los viejos.» De pronto ha decidido que no le gusta su nombre. «Pues es precioso, ¿qué otro desearías?» «No sé. Clara, Adriana y Valeria... algo así.» Valeria: en busca de identidad, de afirmarse.

Su orfandad muy antigua revelada en una fotografía. La descubrí ayer en su álbum. Grupo en la cueva verde de la hechicera Stefi. Tres mujeres alineadas: la propia Stefi en el centro. «Mi madre y una criada que tuvimos», identificó la propia Isolina. Agresiva voz al mentar a su madre. «La odio –me dijo una vez–, mató a papá». Recíprocamente hostil la mirada materna, junto a la penetrante de Stefi y la estólida de la criada. Cada una encarnando una fuerza a su manera. Tres parcas sofocando a la víctima cercana. Las tres vestidas de un negro inapelable, no de ese oscuro que admite luz. Las tres una muralla para las lamentaciones. Delante, su frente a la altura de los vientres adultos, junto a las llaves posesorias colgadas de las cinturas, la tensa carita blanca de Isolina, lirio sobre el tallo de su cuellecito. Tensa, pero no domada. Las manos se revelan al extremo de los brazos caídos. ¿Se dio cuenta Isolina, en aquel instante, de cómo sus puñitos se cerraban, apretados, defensivos, dolientes?

De aquella muralla sólo queda una torre. La criada se desvaneció; la madre se desgajó huyendo, para sobrevivir a su manera. La vieja ya no es enemiga, pero sí rival. Ambas enamoradas de Mauricio, el suicida, hijo de una, padre de la otra. Me lo reveló una pelea que hube de presenciar la otra tarde, porque marcharme a mitad del té hubiera sido peor. ¡Qué barbaridades se dijeron! Sin gritos, Isolina acusó a la vieja de haber pasado por las más altas camas de Viena antes de acabar en el *Sphinx* de París. «Tú misma me lo has dicho, abuela.» «¡Y a mucha honra; no lo hace cualquiera!» ¡Qué palabrotas! El permanente fondo de la cuestión, surgido por no sé qué pretexto: a cuál de las dos quería más Mauricio. Al fin convinieron en que igual a ambas y muchísimo. ¡Qué reconciliación, qué besos y abrazos entonces, queriéndose, besando ambas al muerto en la mejilla de la rival...! Se me puso la carne de gallina. Por suerte se había apagado allí dentro el día y nadie había pensado en encender lámparas. Yo me encogía en el gran sillón para hacerme invisible. Permanecí quieto cuando las dos se fueron abrazadas, llorando todavía, olvidadas de mí; luego salí silenciosamente a la calle.

Anduve sumido en asombro hasta la Gran Vía, por donde desfilaba la fría Semana Santa oficial, con personajes aburridos detrás de no sé qué imagen rodeada de velas eléctricas. ¡Qué muerto aquel cortejo frente a la violenta pasión que yo acababa de presenciar! Convencional incluso la sincera beatería de las mujeres con escapularios. Mero oficio en los profesionales del transporte bajo los pasos, invisibles en su mundo cerrado por los faldones morados de las tarimas, llevando a hombros una procesión subterránea, una carga como un castigo, la antiprocesión. Me acordé de Luis en Sevilla. Al día siguiente, en los periódicos, todos esos tópicos del «hondo fervor religioso en el pueblo español». ¡Qué farsa!

Ahora sí que viajo a conciencia. ¡Cuántos libros, en la biblioteca del viejo marqués! Ciertamente, ni Rumí, ni Hafiz; ni un solo místico persa, pero ¡cuánta crónica viajera! En los mapas del viejo Justus Perthes trazo la ruta. «Cuéntamelo tú, Miguel, invéntamelo tú. Me encanta oírte, lo veo perfectamente.» Así me reconoce por su guía, ¡como si yo no supiera que Tú te vales de ella para llevarme a Balj! Primero me enviaste la viva paloma a mi ventana, como la que llevó el olivo al arca; después el águila-paloma dibujada por el agua. Ahora esta mensajera a la que has dado el cuerpo de Chantal. ¿Acaso porque entonces me fue negado? No me atrevo a saberlo. Al menos, por ahora. Aguardo tus señales, pues ¡a dónde iría yo seguro sino de tu mano, amor mío!

Entretanto, delicia del viaje. Isolina sobre la doble giba de un camello de esa Bactriana a donde vamos. Yo en un dromedario árabe, más ligero, para ir y venir según los deseos de mi reina, adelantándome a prevenir su aposento. Atado a su camello va otro cargado con sus túnicas y sus joyas, sus espejos y su calzado, sus perfumes y su vajilla de plata. Un dosel de seda verde la defiende del sol y se balancea al paso de la montura, flameando como una alegre bandera contra el azul del cielo, el ocre de las montañas, el amarillo de la arena.

Un libro muy humano me guía especialmente, entre otros más cargados de erudición: el diario de viaje de Ella Maillart. El título me chocó: «*The cruel way.*» ¿El camino cruel, la manera? Intraducible, como el Tao. Inusitado, de todos modos: una expedición de dos mujeres solas en automóvil, por tierras donde sólo viajan hombres, salvo Freya Stark. Pero esta pareja anudando una ambigua relación humana, entre Cristina, la drogadicta, y la autora, que intenta salvarla. Ya en la segunda página escribe ella: «Y suponiendo que Cristina volviera pronto a ser normal. ¿Cuánto tiempo podríamos soportarnos mutuamente?» Ambivalente relación. Mi guía, más que el libro, más que la autora, es su compañera Cristina, andrógino Ángel Caído.

Androginia: ¿es ése el sentido de esta prueba, este *assag*? No me confundo, Nerissa, no pienso que es ya la biunidad esencial contemplada y vivida por Ibn Arabí, la que constituye en un solo ser al Amigo y al Amado, sin frustrarse por ello el eterno diálogo entre uno y otro; es decir, el amor y la vida radicales. Sé que no es eso porque aún no estoy maduro y, sobre todo, porque ese destino final es sólo para nosotros dos, Tú y yo, Nerissa. No puede ser ése el sentido de esta prueba, de esta mensajera, Chantal-Isolina; ella puente mío hacia ti; yo puente suyo hacia su Valeria o Adriana.

Pero hay otra unión sublimada, que a Luis le sirve de meta, aunque la persigue por una vía mucho más complicada que la mía. La suya se enreda en el simbolismo y la práctica hindú. Ignora que el origen del tantra es elamita y que por la doble vía del mazdeísmo y del sufismo se llega a los cátaros y al *assag* trovadoresco, incluso a las «cortes de amor» tuareg, mejor que por la penetración aria hacia la India. Luis prefería la unión tántrica, de Shiva y Shakti, la fusión del *tantrika* practicante con la hembra que ha de reforzar su propia feminidad, la existente en él, esa *anima* de Jung en el hombre. Luis, inspirándose en el Kularnava, espera de Ágata el despertar de su energía en el bajo vientre.

No es eso, ya lo sé, sino lo mismo, pero por la vía de mis maestros. Es el ensayo, en este plano actual, de la unidad a que aspiro después contigo, la prueba de mi capacidad. Complementada además la unión de la pareja con la de las edades; ese siempre dulce y melancólico traspaso de la antorcha encendida desde las manos del maestro a las del discípulo, de la experiencia a la inocencia, a la juventud.

Y para esa misión, afortunadamente, aún no es tarde. Pues Tú lo quieres, Nerissa, estoy dispuesto.

Tendida la estatua viva en su camaranchón, en su sagrado palomar bajo el muerto reloj paterno. Yo, cerca y lejos de sus ojos cerrados y su pecho viviente, entre el caos sobre la alfombra, libros y apuntes, el Atlas abierto, discos y almohadones. Sonaba mi palabra y el recinto la reforzaba como una cúpula de mezquita –siempre un lugar es hostil o propicio para el rito– imprimiendo vibración a mis estampas. Mi palabra, destilando las notas que reúno en mi celda, pues ahora no salgo de ella más que para encontrarme con Isolina cada tarde. Mientras me preparo la imagino durante el día en su *Vespino*, o en las aulas y pasillos de Políticas, rodeada de compañeros, incluso emparejada con Enrique. Sí, incluso con Enrique; pero ya no me importa.

No me importa porque seguimos adelante, Shiva y Shakti, Amigo y Amado, Padre e Hija y Tú, mi Espíritu, con nosotros y sobre nosotros, contemplando la trinidad presente en toda sacralización de la vida. Atrás quedó Trebisonda, atrás la Cólquida de la maga Medea, otra Stefi, otra Doña Flora. Cruzamos ya esa Armenia admirable, distendida entre vecinos fuertes y crueles, como una Polonia oriental. Hemos pasado bajo la fortaleza de Baiburt, junto a encantadoras iglesitas en ruinas, por el paso de Kop, sobre el Éufrates recién nacido, bordeando el lago Van con sus islas como nenúfares gigantes. Nos ha guiado el Ararat, la montaña del Arca, primero ante nosotros, luego a nuestra izquierda con su cima nevada y ahora ya detrás. En Erzerum, la vieja capital, le encantó a Isolina que la admirable medersa hubiera sido fundada por una mujer del siglo XIII: Handi Katun, hija de Aladdin Keykubad el Magno, nieta de Keykusru I, sultán seljúcida de Konya, donde yace Rumí, nacido en Balj. Remontamos así la geografía recorrida por mi Maestro. ¿Qué vidas tuvieron esos nobles y sonoros nombres hoy ceniza, inscripciones borradas en la roca, frías memorias de eruditos? Deslumbraron, gozaron, degollaron a sus enemigos, poseyeron a sus esclavas, firmaron tratados eternos con los más rebuscados epítetos... Ahora adornan como miniaturas este cuento viajero de las *Mil y Una Noches* que yo, viril Scheherazada, ofrezco a mi joven y femenino sultán.

El viaje a Aranjuez, sin motivo entonces, inspirado precedente de esta ruta. Ahora, nueva prueba este ensayo de mi viaje verdadero hacia Ti, el último, de la mano de esta niña oprimida en su infancia como el sobrino de Társila. Por eso en mis nocturnos desvelos, en este mismo barrio al que me hiciste volver, imito al Miguelito necesitado de tía Magda. Ahora, como entonces, el deseo se materializa físicamente de madrugada en el miembro que mi sangre tiende como una ofrenda a las fuerzas de la vida renaciente.

Habíamos llegado a Bayazit, el soberbio castillo fronterizo cuyo minarete surge en lo alto del cerro como un faro para el monótono mar de la estepa. Isolina, como otras veces, me habló de suicidio, acariciando la idea. «No sirvo para nada. Estudio Políticas, ¿para qué? Me liaron unos amiguetes anarcos y el porro. Luego resultaron todos unos pelaos, un desmadre sin cachondeo. No me interesa nada.» Y así.

Tema de adolescencia, por supuesto, pero un armónico inquietante en su voz. ¡Y sola en esa casa, con esa vieja a la vez guardiana y aplastante! A estas alturas de nuestro viaje no puedo permitirle vacilaciones. Por eso la enfrenté con el verdadero rostro del suicidio, le conté casos auténticos recogidos por Álvarez en su libro dedicado a Silvia Plath. El viejo vienés que hace un siglo se hundió a martillazos en el cráneo siete clavos de diez centímetros y que, al no morir inmediatamente, cambió de idea y se dirigió a un hospital. El empresario de Belfast que, en marzo de 1971, eligió una taladradora eléctrica para suicidarse y logró hacerse nueve agujeros en la cabeza hasta que se desplomó y perdió la vida. La muchacha polaca…

Isolina reaccionó estremecida. «No, eso no. Pero un coche, uno bueno, bien lanzado. Volando. Descapotable, claro, con la cara al viento. ¿Te imaginas el echarpe hacia atrás, como Isadora Duncan, no fue ella la de la película?

A toda pastilla, carretera en curvas, por una costa con el mar muy abajo. Asustando a volantazos a todos los gilipollas que van a su aire, a calentarse el culo en una playa. Llevando detrás pila de bofia en moto, a sirenazo limpio, sin alcanzarme. ¡Jo, qué gozada! Al final freno un poco, les hago creer que ya me tienen, otro volantazo y al mar toda derecha en un bonito salto. ¡Vaya corte!»

Habló exaltada, viviendo la escena. No discutí; ataqué por otro ángulo. Ignoraba las consecuencias; el castigo de los suicidas en su ulterior existencia, cortada por la muerte en el momento en que más anhelarían seguir viviendo. Eso cambió sus ideas –¡es tan fácil manejarla!– y me miró incrédula primero, con asombro después, con esperanza al fin. «¿Tú crees en eso, en la reencarnación?» Dejé un silencio, hasta que Tu imagen pudiera asomarse a mis ojos, para que penetrasen mis palabras. «Si no creyera, ¿cómo soportaría esta vida?» Respondió, convencida: «Tienes razón. Así, claro.» Y me miró como no me había mirado nunca. Repito: como no me había mirado nunca. Ahora sí que soy su maestro, su guía, su Jádir.

Desde entonces me pregunta con frecuencia por ese retorno, esa esperanza. Es pedirme que le hable de Ti, Nerissa; es decir, de ella. Del mundo en que la vejez no es definitiva. ¡Figúrate con qué ardor hablo, cómo me escucha! El viaje de Balj se ha convertido en la caravana al Paraíso. Ya no me oye tendida, sino cruzadas las piernas y desnudos sus pies sobre la alfombra. Sus manos aferran las rodillas, todo el cuerpo se inclina hacia mí, bebiendo mis palabras, los ojos bien abiertos, la excitación hace blanquear los nudillos en esos dedos largos y delicados, dotados ahora de nueva fuerza.

Así estábamos, matando a la muerte con la resurrección, cuando la última muralla se desplomó y mil soles amanecieron para mí. El timbre del teléfono fue la trompeta de Jericó. Isolina lo cogió con irritación; era Enrique. Empeñado en que ella le acompañase a cenar. Celebraba no sé qué con toda la pandilla. Me sentí irritado –suicida reencarnado viéndose morir en su mejor momento– porque la conversación se alargaba. Isolina reía y hasta coqueteaba. Ella no lo diría así, pero ésa es la palabra. Me sentí de sobra, arrinconado, hundido. Me envolvió una niebla, me torné insensible, dejé de escucharla aunque quería. Hasta que en mi mundo de corcho y plomo volvió a penetrar su voz, dirigida a mí. No me enteré y hubo de repetírmelo: «¡Qué plasta de tío! Venga a darme el coñazo para que saliera con él. ¡Si estoy aquí como nunca en mi vida! Venga, sigue tú.»

No estoy seguro de sus palabras exactas. Tampoco de que me cogiera la mano para cortar mi silencio. Pero me cogió la mano. ¿Cómo pude seguir hablando con naturalidad, como si no hubiese estallado el recinto en que estábamos? Expansión total del Universo.

No logré parecer tan natural, porque notó algo. «¿Te dolía la cosa? ¡Eres bobo, tío! ¡Si paso de Enrique, hombre! ¿No te das cuenta?» O algo parecido.

De todos modos conseguí reanudar el viaje. Los viajes: el de la muerte como puerta para la reencarnación y el más apacible, hacia Balj. Seguimos adelante; su pecho se agitaba un poco más. Entramos en el Azerbaidjan persa por Bazergan, llegamos a las alturas de Arg y desde allí contemplamos, ceñida de esmeralda por sus huertas y jardines, la que Marco Polo llamó «rica y muy noble ciudad de Tabriz». Allí nació Shams, sol de Rumí, el Amado.

Mauricio, el padre, quería un hijo varón. La madre, antes de fugarse con otro, le echó un día en cara: «Pues haber sido bastante hombre para tenerlo.» Me lo ha contado Stefi, la vieja maga, mientras esperábamos a Isolina tomando una taza de té. El mío con hierbabuena de su jardín, ¡increíble rincón en medio de Madrid, aire de hace siglos! Con ginebra el suyo, holandesa de caneco. ¡Qué conversación, mientras crecía lentamente la oscuridad en el cuarto, se espesaba el tiempo, nos envolvían como bejucos el olor de las plantas y los vapores del samovar! A veces me hablaba de su nieta como si me la estuviera ofreciendo celestinescamente; otras parecía ofrecerse ella misma, ¡y lograba hacerlo verosímil, natural, deseable! ¡Cuánta hembra, en esa todavía mujer! No se rinde tan fácilmente el sexo. ¡Qué inflexiones de voz, qué sabiduría, qué abismos entrevistos! Oyéndola, en ese palacio capaz de ocultar cualquier misterio, hasta cabe creer que sus cenas a artistas sean realmente misas negras. Si no fuera por los claros ojos de Isolina...

«Los jóvenes no me interesan»: me repitió Isolina una vez más, cuando estábamos solos arriba, ¿Chantal retornando para saldar una deuda antigua, enviada también por Miguelito? «Cuando sea vieja quiero ser como tú»: saboreo de nuevo esas palabras. El mismo reto de entonces, el mismo pétalo de magnolia su escote. Acepto la prueba, el *assage.* Mi arco no tiene ya la viril tensión de la juventud, pero aún puede disparar flechas. Y me prohíbo repetirme, como en las pasadas semanas, que esta niña tiene derecho a la plenitud de la primavera. Porque antes de la Primavera está el alba del año, lo mismo que a la hoguera de Hannah hubo de preceder el brasero y la camilla de tía Magda. Sin ésta, aquélla no hubiera ardido tan fieramente.

No más dudas. Derribadas con las murallas del otro día, cuando la trompeta de Jericó. ¡Hasta Enrique me la entrega! Yo no lo he buscado; Tú lo has querido. Yo andaba por el yermo cuando esta aparición, Tu rostro, Tu reto, Tu prueba. ¿Acaso cabe otro sentido? ¿No es el anticipo, la puerta de nuestro reencuentro?

La última hoguera aquí, antes de arder de nuevo para Ti. Iniciarla para ser iniciado; siempre la cadena mística y carnal: Fátima a Ibn Arabí, Ibn Arabí a Raisa en La Meca. Principio y fin esa iniciación, arrancar el último deseo y hasta la tenaz memoria de Chantal. Sólo Isolina puede abrirme las entrañas tan hondamente, desnudarme al fin de mí, dejarme vacío del todo, exhausto sobre la playa, Tu ribera.

No te negaré que tengo miedo, Nerissa, pero sólo de no estar a Tu altura, a su altura; ni siquiera recordando de Bradomín en otoño la sabiduría para colmarlas. Pero gracias por enviarme la prueba del fuego, por considerarme digno de afrontarla. Celebraremos la misa más blanca y luminosa concebible; un *fin'amors* cumplido con mi dama. Siento también crecer el fuego en ella, cuajar ese diamante cuyo fulgor me estremece porque aún me deslumbran sus destellos. Para decírtelo de nuevo con la más alta música: *Es muss sein.* Ha de cumplirse.

8. IMPOSICIÓN DE MANOS

Peregrinos a Balj

OCTUBRE, OCTUBRE
Imposición de manos

Domingo, 4 de febrero de 1962

QUARTEL DE PALACIO

Don Ramiro había salido de casa para visitar a los amigos que quieren ayudarle a encontrar un puesto digno de él, pero al llegar a la Plaza de la Ópera ha dado la vuelta y remonta la cuesta de la calle de Amnistía. No lo ha podido remediar: la señora que venía en dirección contraria presentaba unas opulencias frontales prometedoras de un dorso no menos atractivo. No se ha engañado el experimentado caballero; el culo que va siguiendo es de los más eficaces para remontar placenteramente una cuesta. Don Ramiro paladea el vocablo «culo», cuyas cartas de nobleza están en Quevedo y en los escritores de la gran época. Designa la obsesión máxima del buen señor, que marcha por la calle coleccionándolos y hasta comparando la cosecha de unos días con otros. La moda actual de los pantalones, aunque tan opuesta a la moral, facilita mucho sus especulaciones. El ejemplar que persigue ahora es un caso excepcional Ante el curso emprendido por sus pensamientos considera que habrá de confesarse. Le parece estar oyendo ya las exhortaciones de don Cayetano, el capellán de la Adoración Nocturna que le atiende como padre espiritual: «Hay que moderar esa carne, señor Gomes, es carne que levanta su cabeza infernal.» La penitencia, sin embargo, no será grave. Lo malo es la justicia divina porque, como en el romance de don Rodrigo y doña Florinda, también a don Ramiro le sucede que los gusanos «ya le comen, ya le comen, por do más pecado había».

En efecto, ha observado Don Ramiro que sus exaltaciones callejeras le suelen acarrear inevitablemente un recrudecimiento de sus molestias hemorroidales. Lo único que le consuela de esa cruz enviada por el Señor en castigo de sus pecados es que el noble marqués del Corduente sufre el mismo padecimiento. El propio don Hipólito José le ha honrado con esa confidencia en una de las veladas para la Adoración Nocturna y don Ramiro la acogió con sorpresa inicial, desconcertado ante una justicia divina que aflige con tales enfermedades a la flor de la nobleza. ¡Qué honor, en todo caso, ser partícipe de tales confidencias! Otras no menos valiosas ha recibido el señor marqués. Mientras sigue las protuberancias femeninas que oscilan acompasadamente ante su vista, calle de la Amnistía arriba, don Ramiro recuerda el precioso dato –oído a tan autorizada fuente– de que don Alfonso XIII no usaba calzoncillos, sino camisas cuyos largos faldones hacían el mismo papel. Además, su *valet* dormía exactamente debajo de la alcoba del Rey y podía subir inmediatamente.

De súbito, la dama encandiladora penetra en un portal. Le ha parecido a don Ramiro que, antes, ha dirigido a su seguidor una mirada interesada. «Su intuición de mujer –piensa– la ha hecho sensible a las cualidades de la estirpe. Y es que se ven pocos hidalgos en estos tiempos.» De todos modos su excursión, como siempre, termina ahí y, melancólicamente, da la vuelta a la esquina de Ramales para retornar a su dirección primitiva y, por la calle de Felipe V, encaminarse de nuevo hacia su destino de origen.

Jimena, desde el piso alto de la tienda del Patrimonio Nacional, ve pasar a don Ramiro. No hay clientes en el establecimiento y la muchacha puede cavilar y soñar. No es como en diciembre, cuando llegó allí destinada. Las paredes estaban cubiertas de modelos de Christmas del Patrimonio y el recinto lleno de compradores. Jimena tenía un miedo atroz a equivocarse en los precios. Ahora hay poca venta, aunque pronto, en Semana Santa, empezarán los turistas. Por eso han tenido que hacer horas extraordinarias este domingo, para adaptar la exhibición a la nueva temporada.

Por la esquina de Arrieta asoma Paco. Desde el balcón Jimena le ve más bajito y sonríe al pensarlo. Él ha levantado la cabeza un momento –aunque no puede verla a causa de los visillos– y ha continuado hasta quedar en la acera de enfrente. ¡Qué bien plantado es; con qué aplomo se mueve! Es fácil sentirse segura junto a él. Ese muchacho de gabardina y boina es un hombre. Saca su cajetilla de tabaco negro y se pone un cigarrillo en la boca. Aparece en sus manos un chisquero de mecha y golpea la rueda dos o tres veces con la palma de la mano. «No falla nunca», explicó un día a Jimena. Preferiría hacerse él mismo los cigarrillos –«echar un pito», como él dice–, porque es lo suyo, pero ya casi ni se encuentra papel. «Le están quitando el gusto hasta al fumar.»

Hay precisión y fuerza en todos sus gestos. Ese poderío inspira a Jimena una vivísima ternura. No se lo explica. Debería temer, respetar, admirar. Ha sufrido alguna vez sus ráfagas de violencia y de mal genio; pero esa fuerza la conmueve. Ahora mismo sonríe enternecida. Como cuando fueron al teatro en noviembre, a ver el Tenorio. Le entusiasmó; gozaba como un niño. Reconocía versos: «tó eso lo decía mi abuelo». Van poco al cine, cuando hay películas de «cante y baile». Jimena se alegra de que prefiera el teatro; teme a la oscuridad con él. El último día que vieron una película Paco le cogió de la mano. Una piel viril sobre la suya. No tiene callos, porque toda su piel es recia. «Con lo tierna que tú *ehre*, niña», se dolió una vez por ella, «y yo tan *áhpero*». Jimena –que ahora mira su relojito mientras recuerda– contestó cogiendo con sus dos manos la fuerte diestra del hombre. Luego se arrepintió. Se siente débil frente a él.

¡Y cómo habla del campo, los toros y los caballos –sus dos admiraciones–, las alimañas y los pájaros, los patos azulones! ¡El águila imperial, con sus alas bordeadas de nácar cuando vuela! ¡Qué vocabulario! La azofaifa, el caballo marismeño, las hierbas castañuelas, los higos zaharíes, los zorzales, las ardeviejas, los espulgabueyes. Palabras de otro mundo más vivo. Frente a la ciudad, en cambio, recela siempre: de los señoritos, por explotadores; de los pobres, por mansos y resignados. La ciudad es hostil, pero él se defiende a dentelladas: ¡al que agarre! No teme a nada y, si teme, se quita el miedo atacando. Lleva siempre navaja –la lengua de cinco muelles–; le gustaría llevar faca. La del bisabuelo, la del bandido; constantemente la echa de menos. «Claro que lo seguro era la mano y el corazón.» Pero el acero ayudaba. Estaba ya hecho a la sangre.

El campo y el mar. La mar, como él dice. En la marisma se respira aire salado. Habla de los *caballeros* –es decir, los que pescan la caballa, en Ayamonte– y de los hombres de almadrabas. ¡Su mundo es tan diferente! Eso preocupaba a Jimena. ¿Se llevarán bien... después? Porque se irá con él, se casará. Él no ha dicho nada, pero es impensable otra cosa, aunque sean tan distintos. ¿Importa mucho? ¿Y qué más da? La fuerza que la empuja es irresistible. Otro motivo de miedo: ¿tendrá ella, siempre, el mismo imán para ese hombre? A veces teme que haya otras, ¡qué tristeza! ¿Cómo será eso posible? ¿Acaso los hombres son así? Jimena quisiera saber más del mundo y de la vida, para estar más cerca de Paco, que lo sabe todo sin haberlo estudiado nunca. Se siente insignificante, incapaz de ganárselo y, extrañamente, esa sensación la estimula en sus insomnios. Por algo la habrá buscado él así. Pero ella no es poderosa, ni sabia; está empezando en todo. ¿Qué les une, si nada les une? Ni la religión, que es para él un mero invento de los curas a favor de los señoritos. La Virgen, sí; Dios, puede..., ¡pero la religión! Y se ríe. Una cosa tranquiliza algo a Jimena: él se lleva muy bien con Tere (mucho mejor que con Mateo) y Tere es buena, inspira también seguridad. Sí, Paco es el mejor hombre del mundo. Jimena se ríe de sí misma ante ese pensamiento. ¿Cómo lo sabe si es casi una niña? Pero frunce el ceño como si al mismo tiempo diera una patada en el suelo y piensa firmemente: «Lo sé porque sí.»

–Se acabó –avisa la voz cariñosa de la compañera. Jimena va a retirarse del cristal cuando se queda clavada tras los visillos: una gitana que lleva un canastillo de flores se acerca a Paco. Una gitanilla joven y muy guapa. ¡Qué envidiables andares, voluptuosos sin pretenderlo! ¡Cómo se revolea la falda! ¿Pues no le ofrece un clavel que él rechaza con una sonrisa? La gitana insiste, la expresión de Paco cambia, como recordando: al fin asiente, y ella misma pone el clavel en el ojal superior de la gabardina. Paco mira mientras tanto hacia los balcones, en los que no puede ver nada.

Jimena se siente de hielo. ¡Claro que hay otras!, ¿cómo no va a tenerlas un hombre así? La gitana va desastrada, pero es guapa. Gente campera como él. Jimena comprende mientras se le desploma el mundo. Lo que importa ahora es no llorar delante de las compañeras.

Por de pronto, le hará esperar, para que él no note nada. ¡Y sigue hablando con esa mujer, sonriente, tan tranquilo, a la vista del balcón! ¡Jimena no le importa nada! Que espere y, luego, salir sin que ninguna note nada, y menos aún el ordenanza de abajo... Pero ¿qué es eso? Dos gitanos se acercan apresurados, uno lleva una garrota terminada en porra. Salta el corazón de Jimena y olvida su reciente decisión. Coge su abrigo y baja a saltos la escalera mientras se lo pone. No atina a abrir la puerta mientras, a través del cristal, percibe la actitud agresiva de los hombres que han sorprendido a Paco con la muchacha. Jimena siente su corazón batiendo contra sus costillas. Le falta el aire. Al fin se ve en la calle, inicia una carrera, pero lo que ve la detiene.

¿Qué ha pasado en un instante? No hay tensión, en ese grupo de cuatro todos ríen. Los hombres sacan tabaco: ¿no va a haber bronca? «Tonta de mí, corriendo a defenderle.» Pero Paco la ha visto, la llama con la mano. ¿Se acercará o no? Cuando se une al grupo, la gitanilla le ofrece a ella otro clavel, con una sonrisa de dientes lobunos, como los de Paco.

–¿Es tu gachí? –pregunta a Paco, que asiente, el hombre de la garrota, mirándola de arriba abajo–. Noragüena, mosita. Vaya, que hay payos bien hombres.

Ante esos ojos negrísimos que la han tasado con admiración, Jimena se desconcierta. No comprende. La gitana se da cuenta y le explica que Paco «respondió» por ella un día y los hombres son su tío y su hermano, que están agradeciendo la buena acción. Pero Jimena no puede seguir el diálogo, sólo retiene, cuando ya ha dado la mano a todos y los hombres se alejan, lo que dice el más viejo a Paco: «Cuente usté con los Galayos, si le hacen falta alguna vez. También responderán por usté.»

Jimena se queda desconcertada, indignada consigo misma por haber sido tan tonta, no haber tenido dignidad, aceptar una situación así, que no comprende, entre

Paco y otra mujer. Pero despacio le va penetrando la explicación que él ofrece sin darle importancia, mientras caminan como de costumbre hacia la plaza de Oriente. Hace días en Legazpi, un tío *malage* se quiso propasar con la muchacha y Paco le plantó cara y lo ahuyentó: es lo que los gitanos llaman «responder por alguien». Ahora ella le ha reconocido y ha querido agradecérselo; así como los dos gitanos, que no andaban lejos. Paco va comprendiendo la actitud de Jimena.

–¡Te pensaste que nos íbamos a pegar y corrías a defenderme! –ríe–. Sí, sí; acudías como una loba... No te pongas *colorá*, niña; aunque no hiciera falta está bien hecho; me gusta... ¿Avisar al ordenanza, a ese gordo? ¡No me hagas reír!

Mientras habla comprende mejor aún. Adivina el primer impulso de Jimena al verle desde el balcón con la gitanilla juncal. Se engalla. «La niña está celosa, la tengo en el bote. Entonces ¿por qué me achico delante de ella? Fina estampa y más buena que el pan, sí; pero más mujer era la *Ersebé* en Doñana y bien que tragaba. A lo mejor me sujeto porque ésta es un capullo todavía. Da reparo montar a una potrilla demasiado tierna, con las patas aún temblonas... No pierdo nada con esperar, y menos estando servido cuando quiero. Más inocente que una cordera; al huerto me la llevaba en cuanto me diera la gana... Pero, además, ésta es otra cosa. Sabe estar más arriba, aprenderé si voy a su paso. Como los señores finos y ésta lo es, aunque su padre sea un desgraciao...»

–¿En qué piensas, Paco?

No se ha dado cuenta de que estaba callado, arrojando chinitas a una estatua de la plaza de Oriente, desde el banco en que se han sentado. *Si-se-bu-to 1.º*, lee en el pedestal, y se siente orgulloso porque está medio borrado y porque sabe que *1.º* quiere decir «primero».

–¿En qué voy a pensar, chiquilla? ¡En ti!

Jimena nota que no miente. «Mi Paco», se dice con el

pensamiento y el posesivo la llena de gozo. Paco a ratos canturrea entre el diálogo, y lanza otra chinita que vuelve a dar en la nariz del Sisebuto 1.º Atina como un pastor. La primera vez que entonó un cantar le preguntó Jimena si le gustaba la música. La miró asombrado:

–¿La música? No; pero me gusta mucho el cante. La música es esa *fantesia* de señoritos; el cante es para gozar de la vida o para quitarse las penas. ¿Sabes? Hay letras muy hondas.

Jimena le ha oído una que le parece retrata a su Paco:

> «Tengo las manos vacías
> de tanto dar sin tener.
> Pero las manos son mías.»

Una *soleá*, le dijo. Jimena nunca le ha oído cantar fuerte; siempre «por lo bajini». Se canta fuerte en el teatro, en el café, en la juerga. Su pena es no saber tocar la guitarra. Pero nunca pudo tener una y ya... Quizás cuando tenga la vida más hecha y pueda echarle un tiempo...

Continúan su diálogo de cada día, lo que Paco llama *la conversación*. Recuerdos del abuelo, de la noche afuera de su casa, en el poyo del chozo, frente a la llana soledad marismeña. Y también planes: ahora asiste bastantes noches a esas clases para obreros que han montado en el almacén Guillermo y Lina con sus amigos. Asiste una docena de jóvenes, algo irregular, y unas dependientas de *El Corte Inglés*. Paco quiere saber de cuentas, sobre todo; estar más seguro de ellas. También le interesa la geometría, que es para medir las tierras. El otro día ha descrito que el codo doblado así –«fíjate, niña»– es un ángulo. Se encrespa un poco ante la risa de Jimena: él ya sabía de antes, que algo fue a la escuela, eso de los ángulos, pero se pensaba que eran nada más rayas en el papel del libro o del cuaderno. Y resulta que los ángulos son de verdad, no fantasías: las esquinas de las casas o la separación de los dedos. Eso quiere aprender él: cosas de verdad, que se toquen.

«Aunque también habría que saber de leyes, niña, que es lo que sirve pa explotar a los pobres y quitarse el dinero los ricos unos a otros.» Eso ya Paco no alcanzará a saberlo nunca, pero tendrá abogados. Lo único bueno de la ley es que los hijos de viuda como él no van a la mili. ¡Ah, él no hubiese ido de ningún modo; antes se hubiera salido de España! Le revientan los militares, los curas y los guardias; todos los que se visten de criados de otros. ¡Ser un *mandao* así, sin rechistar...! ¡Eso no es de hombres! ¡Y encima, que le den órdenes los que mataron a su padre! ¡Antes irse a Alemania o a donde fuera!

Planes: en cuanto saque Paco el carnet de primera, cogerá un camión. Ya tiene práctica, aunque sea clandestina, gracias a Ignacio, y ya lo ha tratado también con el jefe. Lo de Mateo se acabará; ya se lo ha dicho. Una buena experiencia, le ha abierto mucho los ojos, pero ya no saca más de ahí. Claro, es mejor que peón. La construcción; esos comienzos sí que fueron duros, niña: «Explotado, de eventual, pero permanentes para no pagarte el seguro, con jornales rebajados.» Mateo fue una suerte; con él aprendió el trato. Y con un camión, sabiendo tratar, se puede hacer mucho. Acabará teniendo uno suyo y entonces, ¡a subir! Además, se manda en uno, que es lo más grande. Sí, le gusta el campo, pero allí no hay nada que hacer. Morirse de hambre y de asco.

Claro que le gusta el campo. «De chiquillo, era la libertad. Si me llevaban a un pueblo me sentía como ardilla en jaula, aunque fueran nada más las cuatro casas de El Rocío. Pero es que yo era un ignorante; la libertad está en ser alguien. En cuanto eres don Fulano, haces tu voluntad. Ni la ley puede contigo; se compra. Los señoritos que iban por Doñana hacían lo que les daba la gana, con la caza o con las mujeres. Ni Guardia Civil ni nada; siempre mandaban ellos. Y en cuanto junte unos duros, también sacaré a mi madre de allí. Es una santa. ¡Ha sufrido más! Mírala.»

Saca la fotografía de máquina al minuto. Jimena contempla en la cartulina esa cara delgada, de mejillas consumidas, surcada por arrugas; pero adivina unos huesos finos que hicieron guapa a la mujer joven, cuando esos ojos ahora intensos podían mirar con alegría. «Está mu recocía del campo –comenta Paco–, ¡pero tiene el cuello más blanco! Es que por allá, sabes, se ponen un pañuelo en el cogote para trabajar. Los hombres y las mujeres. Ellos se lo sujetan con la gorra o con el sombrero.»

Guarda religiosamente la fotografía. Ríe.

–¿Sabes una cosa? Nada más verte la primera vez, cuando entré en el almacén, le pregunté a la Tere tu nombre. Y fue y me contestó que Jimena. Me hizo gracia. Es nombre de pueblo. Jimena de la Frontera. ¡Un castillo más enriscao que tiene! Me dije, pues no será tan señorita si tiene ese nombre. Me quedé agradecido.

Jimena protesta: no es una señorita. Trabaja; es vendedora. «Pero en Palacio. No en los tratos por la calle, como nosotros. ¡En Legazpi te quisiera yo ver! ¡Entre sinvergüenzas y aprovechaos!» Jimena vuelve a lo que no ha dejado de pensar en todo el rato.

–¿Eres muy amigo de los gitanos?

–Antes, ¡qué va! En mi tierra no los pueden ni ver. Son la plaga del campo. Pero ahora me llevo bien, ya lo has visto. A su manera son muy serios.

–¿A ti no te engañan?

–No engañan más que al que se deja, como es natural. Hay que vivir. La vida es corta y la mitad es de noche. Como yo no me dejo, me respetan y nos entendemos. Tengo unos cuantos amigos, de los gitanos que viven en el barrio de La China. A éstos de hoy no les conocía, pero me alegro: eso de mirar por una mujer suya lo agradecen mucho. Las gitanas son muy decentes, ¿sabes? Las cuidan con cien ojos.

Como Jimena hace un gesto, el mozo insiste.

–Sí, sí. Ellos dicen que las payas no tienen vergüenza y no les falta razón.

Jimena protesta, se enzarzan en una tierna discusión. Podría durar todo el día, pero es hora de volver y echar a andar. Ven a distancia a Luis, por la acera de la calle de Requena. Su aparición indica la hora, por su puntualidad. Jimena lo comenta riéndose y afirma que es muy bueno. Paco muestra una expresión de duda. «Sí, da clases sin cobrar. Pero es bueno porque no ha matao a nadie; nada más. No vale nada.» Jimena se extraña. ¡Sabe tanto! «¿Y qué? Mírale andar. No pisa firme. Es de esos que andan como dormidos. No tiene poder.» Jimena recuerda que de los toros también se dice «poder»; y piensa que Paco la ha comparado alguna vez con una ternerilla blanca y mansa que había en el Coto. Y a una madreselva sin tapia –para sostenerla ha llegado él– y a tantas cosas... «Sólo le envidio que vive en tu casa –continúa él–. Contigo a todas horas, pared por medio de tu cama, el tío ladrón. ¡No te rías, niña, que eso es el cielo! Se abre un agujero en el tabique y ya está.»

Pasan a lo largo de los autobuses aparcados. Hacia ellos acuden los turistas llevados a visitar el Palacio Real. «¡Qué ganao de payasos!», comenta Paco. La gitanilla de antes ofrece claveles a los extranjeros. ¡Con qué gracia los flecos de su mantoncillo! Adelanta Gil Gámez a la pareja dirigiéndoles un saludo y ven, con asombro, que la gitana se queda inmóvil. Cuando la alcanzan, y Gil Gámez ha pasado ya, la muchacha hace con la izquierda la cuerna contra el mal de ojo. Está nerviosa. «Ese hombre lo da, de veras. Yo lo noto» y el cuerpo se le estremece como en un escalofrío. Mete la mano en su escote y saca una diminuta bolsa colgada de un cordón, como un escapulario. La oprime con fuerza. Al alejarse, Paco explica que seguramente en la bolsita hay tierra de la tumba de algún pariente. Es bueno contra el mal de ojo. «¡Pobre señor Gámez!», ríe Jimena. Paco no se ríe; algo hay en eso de verdad. A los niños pequeñitos, en el barrio de La China, a veces les ponen un calcetín de un color y otro de otro, porque el mal de ojo entra por los pies y al verlos distintos se confunde, no sabe en cuál de las «dos personas» tiene que entrar y se queda fuera. La sonrisa de Jimena no destruye la seriedad de Paco, pues aunque ese truco le parece burdo, hay cosas en este mundo que no se explican, pero suceden. Y evoca una vieja historia de su mundo campesino.

Mientras tanto, Gil Gámez sigue tranquilamente su camino, sin prisa, como si no le impulsara también a él la hora del almuerzo que a todos acucia. Un alto y delgado muchacho rubio con acento americano, como si perteneciera al grupo de turistas, le detiene cortésmente y empieza a plantearle las creencias de los Testigos de Jehová; pero la risa gutural del transeúnte, aun siendo cortés, le deja cortado en seco. Gil Gámez continúa por la calle. Le gusta la gente. La chica culibaja, rubita y peinada hacia lo alto, resuelta, zarandeando la falda escocesa con el consabido imperdible grande forrado de cuero. El ciego joven guiado por la antena de su fino bastoncito blanco. Juanita, la cerillera del bar *«El Tubo»*, en la calle de la Escalinata, que canta la *Machicha* con incisiva pronunciación, cuando la provocan a recordar sus buenos tiempos. El desplumapollos que se quedó sin oficio porque ahora vienen pelados de las granjas y cogió el palo de los chupachups y de las manzanas recubiertas de caramelo rojo. El vendedor de estilográficas. El relojero. Y los empleados, las amas de casa, los funcionarios, los dependientes, las estudiantes, las peluqueritas (antaño eran modistillas), los guardias, los cobradores, todas las gotas del río humano. A sus oídos llegan frases, esquirlas desprendiéndose de la cantera vital:

–«Pues le digo a usté, señá Delfina, que ahí no vuelvo. Ayer me las cobró un real más caras...» «Y te prometo que como no alineen a Rivilla pierden el partido...» «Espera, tú, ¡vaya hembra, fíjate! ¡Vaya hembra...!» «Unos retales estupendos, sólo que hay que estar en cola a las seis para entrar temprano...» «¡Niñooo! ¡Como no dejes de llorar ahora mismo te machaco...!» «Dijo que esa pomada era mano de santo, pero yo no doy abasto a rascarme...» «¡No se lo aguanto eso ni a mi madre y quieres que se lo aguante a la tuya...!» «Ese expediente tiene tomate; le digo a usted que tiene tomate...» «Cuando está a punto echo por encima el sofrito y...» «Después, chico, si hay un poco de suerte, ya las tenemos en el bote...»

Entra en un bar y los bebedores –unos todavía el vermú y otros ya el café– se sorprenden al oírle pedir un vaso de leche. Al lado charlan dos soldados de la Escolta del Generalísimo.

–¿No le viste anoche, en la tele? Está más viejo.

–Pues a su vuelta de la última cacería pasó muy cerca de mí y no me pareció... Es que tiene rachas.

–Toma, como todo el mundo.

–No, que la enfermedad es de altibajos y le ponen unas inyecciones...

Callan brevemente y luego hablan un poco más bajo.

–Oye, el día que la hinque... ¿qué va a pasar aquí?

–¿Y yo qué sé?

–Es que yo estaba pensando reengancharme.

–Por eso no lo dejes. Siempre habrá escolta para otro general, digo yo. Y hasta un rey... Lo demás, allá se las entiendan los de arriba. De sus historias nosotros nunca sacamos nada.

Dejan el tema, quizás influidos por el extraño parroquiano que toma leche. Éste, entre tanto, recuerda aquel título de una alpargatería de Barcelona, evocado hace algún tiempo por don Pablo: *La Voz del Pueblo Español.* Gil Gámez sonríe. Él sí sabe por qué el primer propietario puso ese nombre a su tienda.

Entra Paco, tras dejar a Jimena en su calle, y se sienta

en la mesa más lejana. Pide un vaso de vino. Se ha tropezado con una idea que absorbe su pensamiento. Fue cuando enseñó a Jimena la foto de su madre. Mientras la muchacha contemplaba la cartulina, él miraba a Jimena. ¡Qué caras tan distintas; no tenía nada que ver, pero nada de nada! ¿Cómo le gusta tanto esa muchacha? Antes su madre era la mujer y todas las mujeres. Oírse llamar por ella era una gloria: «Curro, Currillo, ven acá.» Porque antes era Curro... ¡Ésa es la cuestión; que ahora es Paco!

Pero ¿lo es? ¡Qué pregunta tan difícil! El Curro tiene esa madre, campaba por Doñana, iba camino de Guarda Mayor, como mucho. Paco brujulea por Madrid, acompaña a esa señorita y va a por todo. Sabe que nunca dejará de ser Curro, pero que es preciso ser Paco y luego Don Francisco para que no le avasalle nadie; para mirar a los señoritos de tú a tú –y hasta de arriba abajo– cuando vuelva a Doñana. Porque volverá con su coche, ¡digo!, más grande que de aquí a Lima. Y con una mujer, pero de bandera. No para meterla allí, sino para sacar a su madre en andas, como en un paso, como a la Blanca Paloma.

Sonríe; no es problema. Cuando se llega es fácil llamarse Curro en Madrid. Resulta una gracia más; otro mérito. Saca la fotografía y le cuenta a la madre lo que ha pensado. La arrugada cara, cuyos ojos intensos la hacían tan luminosa de joven, sonríe con la misma boca que el hijo.

Ágata

Decisivos días: ayer mi bautizo, hoy la excursión. Buena ida de Guillermo, celebrar mi nuevo nombre. El tren un latazo. ¡Cuánto tiempo que no salía al campo! Un desierto. Cerros con manchas de yeso. Casuchas en ruinas. Y, al fin, repentino contraste. Un oasis. Estruendo en el puente metálico sobre un ancho río gris. Una estación cuidada, bonita, mejor que la de algunas capitales. Altos árboles por todas partes, todavía sin hojas. Como un encaje delante del cielo. Lo malo fue el café. Puro recuelo. Guillermo acertó con su vaso de tinto.

Nunca se me había ocurrido rebautizarme hasta que lo insinuaron en la caverna de Nochevieja. Pero solamente lo decidí de veras cuando las ágatas hicieron saltar sangre de sus orejas. Proclamaron así su poder; su magia, como él dice. Hubo de aceptarlo: ¡si será verdadero mi nombre que no encontró argumentos en contra! Y decidí que antes del lunes cinco, antes de que otros celebren Santa Águeda. El único sorprendido, don Ramiro. No se lo creía, lo tomaba a broma. «No es posible, Aguedita; el sacramento es único. Además, una aberración, cambiar una heroica virgen cristiana por una piedra.» Sólo se rindió cuando pudo disfrazar su concesión de tolerancia y magnanimidad.

¿Cómo no lo pensé antes? Además, así me asemejo a padre. «Ágata» con la *t* y las tres fuertes *aes*, me endurece, me aproxima a él. ¡Ojalá también me acercara en el espacio! Siempre lejos. Como en Pamplona. Entonces no me daba cuenta pero si él estaba destinado en el aeródromo de Miraflores, ¿por qué vivíamos nosotras en Pamplona y no en Zaragoza? Aunque viniera cada semana; no era lo mismo. ¿Estaría ya complicado en actividades clandestinas, para defender a la República contra lo que acabó en la sublevación militar?

Guillermo no lo tomó con interés. Lina sí, muy divertida. Luis acabó entusiasmado. Feliz con otra oportunidad para un rito: ¡Nada menos que un rebautizo, con confirmación! Guillermo torcía el gesto: todo rito le suena a religión. No encaja en la línea del partido, claro. Lina es más flexible: él es un dogmático. Luis presentaba la idea como un rito pagano;

identificación con la naturaleza. «Eso: para una química una roca», aplaudió Lina, y me preguntó: «¿Qué es el ágata?» «Un silicato. Una variedad criptocristalina del cuarzo.» En todo caso, el nombre endurecido responde a mi momento. Es lo que soy: ya he enterrado aquellas botas militares.

En el tren los Guardias Jóvenes. Se apearon en Valdemoro. «No es lo mismo que la Joven Guardia», ironizó Guillermo, y rompió a cantar una cancioncilla de guerra. ¿De qué me sonaba? La cantaba padre, seguramente. ¿Antes de la guerra, ya, o la he oído después? Siempre tarareaba por las mañanas, en el baño. ¡Cómo llenaba la casa cuando estaba! Y no es que resonara de odiosas botas. Hasta en eso era en anti-Conrado. Los aviadores vuelan; no pisan la tierra.

¿Qué es el ágata? Eran bonitos, los pequeños morteros de farmacia, pero nunca me interesé por la piedra. Luis, sí; desde que aceptó la idea se lo ha estudiado. Contada por él, la creación del ágata bajo tierra resulta una aventura fabulosa, aunque comete errores terminológicos. La ígnea lava interior acumula burbujas de gases, retenidas por la densidad del magma, quedando así cavidades en la roca. Más tarde se infiltra agua con silicatos alcalinos y se coagula dentro un gel de sílice. El álcali forma con el hierro de la roca sales coloreadas, que se difunden en el gel y forman las capas regulares de color. Finalmente se espesa la masa por pérdida de agua y acaba cristalizando. ¡Y cuántas variedades según la disposición de las bandas o los colores! Me encantó el «ágata fortificada», con colores en líneas quebradas como plano de baluarte. Ésa soy yo.

A ver ahora a quién se le ocurre intentar poseerme. Al contrario; poseo. Un esclavo, puedo hacerle mi víctima. Víctima voluntaria y adorante. Cuidada con cariño, bien cebada, como entre los aztecas, por lo visto. Ya me ha dado su sangre.

Esa Marga, su mujer, debió de parecerse a Gerta. Al menos en estilo. Seguro. Sólo que él no es Meg. Ésta era una cordera llevada al matadero y Luis es otra cosa. Es el voluntario: A veces me inquieta la pasión con que se entrega. ¡Ya sospechaba yo un secreto! ¡Y me lo ha ocultado hasta el otro día! ¡Casado! Bueno, divorciado, supongo. Sería mejor casado, así resultaría imposible. Ya lo sabré: le haré vomitar la historia entera. ¿Por escrito, en el cuaderno? No; quiero verle la cara mientras confiesa.

¿Cómo apareció por la cafetería el dorador? Claro, le invitamos a sentarse. Ahora que recuerdo, quien más insistió fue Guillermo. ¿Estaría metido también ese Gil Gámez en actividades políticas? No me extrañaría nada, con su aire misterioso. ¿Quién le dijo que íbamos a mi rebautizo, en casa de doña Flora? También él la conoce y tuvo la idea de llevarle a la señora un obsequio. «Una botella de *Parfait Amour*; es su licor.» De color violeta; no lo he probado nunca. Como la tinta francesa en las oficinas de correos, aunque más transparente.

Se resistirá, pero acabará confesando. A lo manso, a lo manso, es testarudo. Pero ya empezó soltando algo. Marga es alta, aunque no tanto como él (no se atrevió a decir como yo; no se le ocurre compararnos a las dos). La boca pequeña, un poco respingona; la nariz –graciosa, reconoció–; la tez muy morena. ¿El tipo? Corriente; de ahí no salía. No mencionó sus pechos y no quise preguntarlo.

Nos recibió encantada y le entusiasmó la idea. Incluso se le ocurrió que con «h» también estaría bien: Agatha. Preferí Ágata; me aferré a la roca. «Significa *buena*», comentó Gil Gámez con mala intención. Luis negó la tesis; el nombre se debe al lugar histórico donde se explotaron las primeras: junto al río Acates en Sicilia. Lo asegura Teofrasto, dijo, en su *Trata-*

do de las piedras. «Además, puedes no ser buena y, en cambio, estar buena», rió Lina.

La indiferencia de Guillermo me irritaba. Sólo se animaba para cuchichear con Gil Gámez. Pero, eso sí, es organizador estupendo. La excursión de hoy está resultando perfecta. ¡Prodigiosa para mí, aunque él no lo sepa! Todo previsto. Le gusta sentirse líder. «Esta excursión es anticapitalista, es el antiturismo», insistía. «Una peregrinación, entonces», saltó Luis. Doña Flora nos exhortó a la formalidad. Un nombre no es una broma. Nos contó cuánto rebuscó el suyo con su agente: Flora Maipú. Resulta que no se llama Flora, pero no dice cómo. ¡Ella también se rebautizó! Me alegro. Guillermo se resistía a todo rito: es reconocer una realidad más allá. «¡Pues claro!», afirmó doña Flora, categórica. Lina evocó el otro ritual, el folklórico de Santa Águeda en Zamarramala. Ese día mandan dos alcaldesas. Llevan sombreros como mitras bajas, con borlas rojas y amarillas y botones de plata. Se baila en rueda exclusivamente para casadas. Si se mete en ella algún mozo lo echan a bofetadas o pinchándole con las agujas del pelo. Doña Flora lo consolida todo. Esa maga refuerza mi poder; convierte de verdad mi blando ser antiguo en roca viva. Se lo dije y me dio una sorpresa: Santa Águeda no era blanda; no cedió. Lo proclama la historia. La casta doncella de Catania, «torpemente requerida de amores», como decía el libro, se negó al procónsul Quinciano. Afrontó el tormento: el verdugo cortando sus senos virginales. San Pedro, apareciéndosele en la cárcel, hizo rebrotar sus pechos y ella sufrió de nuevo la tortura hasta morir. Venció así a Quinciano. Según Luis, otro mito aprovechado por la Iglesia. Arcaicos cultos de la fecundidad. Desde las bacantes de Eleusis hasta las *yausas* melanesias descritas por Malinowski.

Ese matrimonio, ese divorcio, me ha complicado las cosas. Ya no sé bien qué es

Luis. ¡Antes, tan claro, tan fácil convivir! Era el hombre fracasado; sin éxito con las mujeres y de ternura inédita. Pero ahora, como todos. ¿Ha entrado en una cama como otro caballo de Atila? ¿Fue un don Rafael? ¡Imposible! Don Rafael no se hubiera entregado como esclavo; sólo del nombre se le revolvería el machismo. Además, todavía no sé lo que ocurrió. ¿Les iría mal en la cama? ¿Sería como con Gloria? ¡Necesito una confesión completa!

De museo, el gabinete de doña Flora. De la familia de su marido. Un *vis-à-vis*, un biombo de seda con pequeños espejos en lo alto del marco, cortinajes, y tantas plantas... Un invernadero. Ella resulta así maga del bosque, más que de caverna. ¿O es una caverna verde? Todo muy limpio –¡menudo trabajo!, ¡eso sí que es magia!–, pero a la vez como polvoriento. Como esas abandonadas ciudades mineras del Oeste. *Ghost-towns*. Algo ya muerto, que sobrevive. No, tampoco muerto; al contrario. Fantasmal, pero sensación de fuerza: ¡un campo de fuerzas, eso es! ¿Y nosotros qué somos ahí? ¿Cuerpos de prueba en ese campo? En otro pueblo de Zamora, contó Guillermo, uniéndose por fin a nuestra ceremonia, las mayordomas de Santa Águeda se hacen acompañar ese día por dos mozos. Los más apuestos, elegidos por ellas, y obligados a servirlas en la jornada. (Mire intencionadamente a Luis.) Les llaman «zánganos» (¡cómo me divertía oírle!).

En la comida junto al Tajo, Lina y Guillermo llamándome «la neófita». Discutiendo si me estaba permitido comer antes de las veinticuatro horas de la confirmación. Al fin me autorizaron, pero sin vino. ¡Su tonta superioridad! Les dejé estupefactos cuando hice a Luis comer en mi mano, como un perrito. Ignoraban mi poder. Fingieron no darle importancia, claro. ¿Empezó entonces mi excitación? ¿Fue en ese instante cuando la excursión empezó a transformarse de verdad en una peregrinación?

¿Sería de ella la culpa? La clave estará en el otro, en el

amante de Marga. Luis no ha dicho nada; le disgusta recordarlo. Lo comprendo, pero no le librará de hablar. ¡Eso sí que será una tortura! Psicológica; la mejor. «A ver, descríbeme al amante de tu mujer. ¿Era más guapo, más fuerte, más macho que tú?» No duró mucho el matrimonio, por lo visto. ¿Un desesperado intento, buscado por mal camino? Como yo. Al cabo, este nuevo Luis tampoco va a ser tan difícil de entender. Más bien su historia resulta una confirmación. Como ésta mía.

Las Montañas Rusas, exclamó Guillermo, señalándolas cuando, después de comer, paseábamos por el vasto Jardín del Príncipe. Al principio sólo percibí unos árboles más altos. Luego distinguí entre los ramajes un monte. Artificial, claro. Un cono casi perfecto, con un sendero serpenteante. En la cima un pabelloncito de madera. Cuando haya hojas será invisible. «Ya se ve lo que es –dijo–. No vale la pena subir.» ¡Ya, ya! ¡Pero luego ellos...!

En todo caso salió vencido de aquel matrimonio. Volvió aquí simplemente a morir. Nada le importaba ya; pero ahora hasta se atreve a provocarme a veces. Mejor, más divertido. ¿O es que me ve como una nueva oportunidad? ¡Que no se haga ilusiones! Yo no voy a ser su Marga. Ni su Gloria.

Deliciosa regaderita de porcelana. Sajonia, siglo XVIII. Perfecta para el rito. Incliné la cabeza sobre un gran caldero de cobre, donde crecía un «amor de hombre» desbordándose hacia el suelo. Doña Flora alzó la regaderita y dejó caer unas gotas de agua sobre mis cabellos. Ya estaba. «No es agua –dijo muy serio Gil Gámez–, pero no te preocupes. Ni mancha ni quema. Penetra, nada más.» Su sonrisa mefistofélica, apenas insinuada. Al tocarme noté ya el pelo seco. ¿Cómo era posible? Caería muy poca. Y luego la copita de *Parfait Amour*: dulzón y perfumado. No me entusiasmó. Pero para ella es sagrado. Se notaba. ¿Me transfundirá la sabiduría de la maga?

No, no soy otra oportunidad. Entonces, ¿qué le atrajo primero? Ha dicho que mi aspecto, el día del frenazo. Acabaré debiéndoselo todo a aquel taxi. Luego le llamó la atención la nota dejada por Gloria, ¡le dio una importancia! Como si le atrajera la que no podía vivir sin la otra. La pobre mujer pasiva; ya que Marga campó por sus respetos. Pues si es eso, poca vista tiene conmigo. De pasiva, nada. No era sólo el licor, claro: era todo. El gabinete perdió su aspecto de ciudad fantasma. Más campo de fuerzas que antes. Las plantas vivísimas; todas las cosas adquirieron filo. Y nosotros. El infiernillo de *espíritu de vino*, como decía Flora, manteniendo el té caliente. Mucho más bonito que «alcohol etílico» (con algo de metílico, claro). Estábamos en el mundo de la alquimia; no en el de la química. Por eso, espíritu.

¿Será capaz de equivocarse así conmigo? Si pensaba dominarme, me ha coronado reina. Y él, mi esclavo. Pero hay que estar alerta. No olvidar sus arañas. Por algo cita mucho el Tao: lo alto es bajo, lo vacío es lo lleno, y todo eso. Tiene más conchas que un galápago. Además, como todos: en cuanto se rasca un poco aparece el sexo. Ese fracaso de su matrimonio; ese abandonarle ella por un amante...

«Puesto que soy tu madrina... toma un pequeño recuerdo.» Me entregó doña Flora un estuchito que había traído de su alcoba. Una sortija de plata, con un óvalo de ágata, precioso color de miel oscura. Atajó mis agradecimientos. Lo más curioso: resultó ser mi medida; no habrá que adaptarla. «Tienes las manos preciosas», comentó. ¿Yo? ¿Estos dedos casi siempre manchados de ácidos? Aunque no tanto desde que dejé el laboratorio.

Luis palideció ante estas *Islas Americanas*. Petrificado, en cuanto llegamos aquí. Su mano tembló en mi brazo y se desprendió. «¿Te pasa algo?» Negó lo evidente. Fascinado ante el quiosco y el ciprés erguidos en la isleta, en medio del estanque. Aguas quietas, oscuras, con hojas secas flotando. Huele a fecunda corrupción orgánica, como los compostos, los estiércoles. Crujían en el silencio las ramillas pisadas. Nos impresionó un raro chillido de ave. ¿Por qué *Americanas* si el quiosco es chinesco y el templete de enfrente en «tierra firme» es neoclásico, una cupulita sobre columnas de mármol? Pero ante Luis mudo y pálido vi en el ambiente signos de que algo iba a suceder, estaba sucediendo. ¡Y ha sucedido! ¡Recordarlo todo!

Los otros no se daban cuenta. Hablaban entre sí, reían excitados. «La prueba final de la neófita»; decidió Guillermo señalando el puente que conduce a la isla. Sólo conserva los travesaños y los pasamanos de hierro; las tablas, podridas, han desaparecido. Aun así, pasé fácilmente, de travesaño en travesaño, agarrándome a los pasamanos. Los demás me siguieron gritando «¡Viva Ágata!». Menos Luis: desde la otra orilla contemplaba ensimismado el quiosco. Repasamos el puente y fuimos al templete neoclásico, semejante a los de Trianón.

De pronto Lina recordó la canción segoviana de Santa Águeda que aprendimos ayer en casa de Flora: «Si quieres que te cante la Catacumba, túmbate tú en el suelo, tumba que tumba.» Guillermo rompió a reír, excitado, y estalló: «Lina y yo nos vamos a las *Montañas Rusas*, ¿verdad?» Lina se le agarró del brazo; su sonrisa era odiosa. «¡Ciao!», gritó, moviendo la mano, alejándose ya, muy pegada al hombre.

Despreciables. Pero cuando me vuelvo a Luis, para compartir con él mi indignación, empieza a disculparse. Le grito: «¿No lo ves?» «¿Humillarse?», pregunta extrañado. A él le parecerá un honor para Lina; a mí me repugna sólo el imaginarlo. «Por lo menos –dice Luis suavemente–, nos han dejado solos.» Salto como un resorte. «¡Antes te mato!», grito. Soy capaz. Aunque sea con una piedra. Pero su mirada expresa otra cosa muy distinta. Vuelvo a percibir la magia del aire que los otros habían roto. Espero.

«Aún no me conoces, Ágata», comienza cuando su mirada ya me ha desarmado. «No quería decir eso. Es que necesito la soledad contigo en este sitio decisivo. Ese mármol, esos pedestales, ese templo para una diosa, para ti. Y ese quiosco, ese ciprés, son míos», añade con voz turbada.

El chinesco me recuerda el quiosco de la música en Santoña, entre los árboles junto al muelle. Era cuando más me preocupaban mis pechos. Me negaba a compararlos con los de Charo. Ella insistía morbosamente. Amiga de un solo verano. La música tocaba mucho aquello de «Verdes como el trigo verdes; como el verde, verde limón». Y «limón» me hacía pensar en pechos.

«Celebramos tu confirmación. Estrenas nueva vida, Ágata. ¡Recuérdame en ella como quien te ayudó con más afán que nadie, con agonía!» Habla casi con lágrimas. Me conmuevo, pero reflexiono a tiempo. ¿Quién es él para comentar mi vida? ¿Qué truco es ése? «¿Recordarte? No pienses en escapar; te he comprado.» «No lo pienso, Ágata. Mientras tú lo desees, eres mi dueña.» Crece mi seguridad, mi fuerza.

Charo era más pequeña, pero tenía más pecho que yo. Se notaba en la playa. Su padre era de prisiones; destinado en el Dueso. Ella también escuchaba la música sola; no tenía otras amigas por lo del padre. Curioso; ahora lo pienso: nuestros padres nos unían al causar nuestra soledad. ¿Nos unían? ¡Su padre hubiera podido ser carcelero del mío!

Se lo perdono todo. «Entonces arréglame este zapato. Me hace daño.» Se arrodilla y me descalza. Un clavito saliente en el tacón. Busca una piedra adecuada. Para no pisar el suelo mojado me subo sobre uno de los pedestales entre las columnas. Me mira desde abajo, debe verme erguida, más alta en esa perspectiva, por encima de él. ¡Qué homenaje su mirada, qué rendición!

¡Qué abrumadas sus espaldas! Eso fue: ante el quiosco un peso nuevo cayó sobre él. Gozo el instante, largo instante. Mil ruidos entre los árboles ahondan el silencio. El golpe de su piedra contra mi zapato impone un ritmo a los pájaros, a los susurros del ramaje. Me envuelven hálitos de vegetación renaciente entre los olores de la fermentación invernal. El agua estancada no está muerta, sino cargada de fecundidad. Luis a mis pies, ¡confirmación de Ágata!

¿Susurro mi nombre sin darme cuenta? En todo caso, Luis lo recoge. «Sí, Ágata. Admirable Ágata», repite. El impulso explota en mis entrañas voluptuosamente. «Pon aquí una mano sobre otra, encima del pedestal», ordeno levantando mi pie descalzo. Obedece y las oprimo con mi planta. Sus manos como pies de crucificado. Mi presa, esas manos de hombre, de caballo de Atila. Dragones vencidos por la virgen. Mi victoria sobre el pequeño monstruo, sobre don Rafael, sobre todas las manos busconas de los machos. Mi posesión sobre Luis. «Ya estamos solos –canto–, ¿qué dices ahora?» «Que soy feliz. Me salvas.» Se inclina para besar mi pie. Le salvo, ¿de qué? Pero ¡qué importa! ¡Qué fuego voluptuoso me sube por el pecho, me llena los pechos! Aquí veníamos, aquí hemos llegado.

LUIS

Mi diosa triunfante, sobre su pedestal entre dos columnas de mármol como ella, si vistiera túnica, pero mejor así, auténtica, ella misma, mi estatua de Ágata, pantalón gris claro, grueso chaquetón azul, luminoso pañuelo amarillo al cuello, en lo alto la boca espléndida, la nariz florentina, los ojos egipcios, y mis manos cimiento de esa diosa, presas entre el mármol y el ágata, entre el frío y su tibia planta, esclavas mientras me declaro feliz, qué imposición de manos en aquel templete redondo, no los dioses de Atenas, sino los dieciochescos, los de Sade y Cagliostro y el Caballero de Seingalt, los dioses que trajeron la revolución tan razonable, ésos eran los espíritus presentes, mientras la nueva Ágata tomaba posesión de mis manos, las conquistaba con su pie.

Invisibles pájaros silbaban, cloqueaban, titiaban, rozaban ramas, batían las alas; serpientes desveladas prematuramente de su sueño invernal, por nuestro rito sacro, rastreaban la hojarasca; topos se asomaban, faisanes adornaban el aire gris con su plumaje, chascaban ramas secas en el concierto, susurraba el viento, tejía todo un bajo continuo para nuestras palabras, Ágata bautizada desde ayer, mis manos ya ungidas desde hoy.

Pero bajo mi frente la caverna de aquel sueño, ya estoy seguro, el ciprés de la Encarnación bajo la luna, los cipreses y otros signos, son recuerdos de otra vida olvidada, antes de nacer, ya no puedo engañarme, ¡qué choque ante el quiosco!, palidecí al verlo, sin sangre me quedé, volcado el corazón, ¿habré vivido en China ese ignorado antes?, en dónde mi otra vida, en qué época, ¿los Ming, los Sung?, ¿lo sabré algún día?, seguro, se van acumulando lo signos, cada vez más intensos, emergen de mi otra memoria, ¿por qué ahora?, ¿es mi entrega a Ágata lo que resucita mi otra vida?, ¿se cumplen al fin las palabras de Max?, creía en la transmigración y yo no dudo ya, sólo espero descubrir el otro Luis, ¿o cómo se llamaba allí?, acaso así me reconstruya, me haga hombre de una pieza, cuando recobre al otro. ¡Encontrar entonces, en plenitud, a Ágata!

Mis manos entre el mármol y sus pies, mi corazón entre el ahora y el ignoto preayer, mis ojos en el chinesco revelador, quiosco y ciprés en alguna orilla, un paisaje en mi otra vida, reconocido en el acto, Luis atirantado entre dos mundos, separados por el tiempo, pero perteneciendo a ambos, mis manos y mi corazón en Ágata, mi corazón y mi memoria ¿en dónde?, ahí, en el chinesco, pues en verdad he vivido antes un quiosco, Max no se equivocaba, por eso me atraía el orientalismo, tienen razón todos ellos, Milarepa y los suyos, Blavatsky y Steiner, he vivido otra vida, seguramente otras, vivo ésta con raíces en aquéllas, tal era el mensaje de la Encarnación –reencarnación– y su ciprés, entonces no llegué a captarlo, ahora sí, renazco a aquella vida de donde renací para ésta, la iré desenterrando poco a poco en una arqueología de mi esencia, esa vida me llamaba con sus cipreses: aquí me tienes, estaré atento a tus signos, hacia ti voy.

Quién iba a esperarlo de esta excursión dominguera, mera diversión, para celebrar la confirmación de Ágata, anticipando un día su santo, que ya no es su santo, a un Aranjuez desconocido, ¿por qué mi destino lo escamoteó hasta ahora?, fue idea de Guillermo, ha venido muchas veces, interesado por la antigua escuela de Jardinería, «hay estatuas de todos los dioses, confirmaremos a Ágata invocando al que queráis, ¡ah, y un templete neoclásico!», pero no anunció el quiosco, para mí lo decisivo: la Gran Revolución.

El tren, luego dirán que la Renfe ha progresado, será en las grandes líneas, no nos quejemos, antes los asientos de tercera eran de tabla, por suerte sin turistas, vinimos con el pueblo, dos estupendos viejos, trajes de pana y tapabocas, dos mujeres de negro cargadas con cestas, más jóvenes que ellos, pero ya envejecidas, incluso una rifa de caramelos con un vendedor ambulante, ofreciendo tiritas con cuatro naipes cada una «ya están todas vendidas, señoras y señores, ahora una mano inocente», se baraja, una niñita saca el as de oros, lo tenía yo, el hombre me entregó el «pequeño juguete para el nene o la nena», una barquillerita de hojalata, llena de caramelos, con su ruletita y todo, marcando números como las de verdad, buen presagio para empezar, jugamos con ella, la gente nos miraba, veíamos huir el paisaje, también antiturista, campo rústico ¡veladuras de neblina todavía!, cielo lechoso, tierra desnuda, asomaban trigos ralos, un viejo comentaba: «mal nacer ha tenido ese corro», matojos estremecidos por el viento, mundo deshabitado y áspero, para guerras civiles, claro, para matarse entre hermanos.

Pero ya en tierra, apenas rebasada la estación, tras caminar un poco, ¡otro mundo!, nobleza del XVIII, las alas del Palacio Real como brazos abiertos, no por donde entran los turistas usando una puertecilla furtiva, Lina maravillada, aunque el Palacio le recuerde la explotación clasista, qué diferencia con el granito del Escorial, «este edificio no fue para un Felipe», nos recuerda nuestro guía Guillermo, «sino para un Carlos IV con el cirineo matrimonial de un Godoy, para una Isabel II que llegó hasta el pie mismo de la escalera en el primer tren construido en Castilla, el tren de la fresa, en 1851».

Así, tras la nobleza y el empaque del XVIII, está la bufonada de la Majestad cornuda, ¿y porqué no el amor de la hembra madura, su cachondez saciada por el garañón apropiado?, en todo caso secretos tras apariencias, siempre la vida es teatro, entre bastidores otros se mueven, personajes amagando, influyendo, dando luz o tinieblas para el público ingenuo, «tras esta vida otras» me han gritado el quiosco y su ciprés, decidimos visitar el Palacio, muchas preciosidades, aun antes de la revelación del quiosco me llamaron la atención las *chinoiseries* del salón de porcelana, y los cuadritos con pinturas chinas sobre papel de arroz, ahora comprendo, muchas estampas son torturas, una tan simple como arrodillar al reo sobre una gruesa cadena enroscada, pero enseñan poco, apenas una vigésima parte del primer piso, la planta noble, ¿y lo demás?, ¿y lo que no enseñan?, otro Palacio de corredores oscuros embutido en éste, pasillos que alrededor de las cámaras permiten al servicio estar a punto, por donde acuden el lacayo a encender la chimenea cuando la reina se levanta en camisón, la doncellita, la dama de guardia, los que vienen a por los orines y los excrementos ocultos bajo el sillón de caoba y terciopelo, las oscuras entrañas de la vida cortesana, el campo de las intrigas, celos y envidias, subidas y caídas en la rueda de la fortuna, teatro, escena y bastidores, Lina supone que está todo vacío, Guillermo recuerda haber visto seis pianos de cola en una estancia que fueron a ocupar para la Escuela de Jardinería, la que fundaron los Boutelou a fines del XVIII, me gustaría verlo, aunque estuviera vacío, ese antipalacio, esas catacumbas bajo la ciudad real, apenas un tabique separándoles, los dos mundos, el de señores y criados, «tirar ese tabique es la revolución» proclamó Lina, se equivocaba, siempre hay otra vida debajo, Fernando traicionando a su padre viejo, María Luisa engañando al rey con Godoy mientras éste pensaba en Pepita, y por debajo de ellos tantos otros, un mundo subterráneo.

Doble palacio, a la vista y secreto, dobles, triples, infinitas vidas, pienso mientras mis manos son poseídas por Ágata, como en el Jardín del Rey anejo a Palacio, abierto y luminoso, pero en su fondo el misterioso Dyonisos, entronizado en una fuente, nos lo dijo Guillermo, pero no pasamos de Apolo el de Vertumno, de los trabajos de Hércules, de las Castañuelas donde el río desciende por una rampa de piedra tan bien labrada que el agua parece remontarla, cuántos dioses juntos, el río rodea una isla mitológica, todo el Jardín, separando sus mármoles perennes del pueblo y la vida mortal.

No hubo tiempo de llegar ni hasta el Niño de la Espina, Guillermo nos lo contó, nos llevó hacia el merendero, teníamos hambre, *El Embarcadero*, más pequeño que *El Rana Verde* situado junto a él, frente al antiguo Palacio de Godoy, ahora *Hotel Pastor*, ahí encontraron escondido al Príncipe de la Paz aquel 19 de marzo contado por Galdós, comimos, bromas con Ágata, se tomó la revancha, hube de comer en su mano un caramelo, sabía más dulce aún, Guillermo y Lina atónitos, les excitaba, por eso más comprensible su escapatoria erótica a las *Montañas Rusas*, y a nuestros pies la impasible corriente del Tajo, la paciencia del río verde-gris y opaco, una rata de agua lo surcó un instante para desaparecer entre los juncales, unas ondas se dilataron blandamente.

En los jardines del Príncipe, qué árboles espléndidos, orgullosos de sus vidas seculares, qué verdor formarán en primavera, Guillermo indignado al encontrar pavimentada la alameda, una vergüenza que se hiciera eso en los años cuarenta, cuando no había materiales para carreteras, se gastaban aquí en mero halago al dictador, ¡qué distinto en tiempo de los Reyes!, sólo tenía permiso para entrar en automóvil el pintor Rusiñol, ya viejecito, ni siquiera permitido al último Administrador, comandante de los húsares de la guarnición, recorría las avenidas para vigilar los trabajos en un ligero tílbury, apenas dejaba huellas, los animales de carga para las faenas eran dromedarios, sus patas acolchadas tampoco marcaban herradura, solamente entraban bueyes para sacar grandes troncos caídos, qué precauciones para conservar el ambiente, en cambio la dictadura sin sensibilidad, arrojando asfalto a la nobleza del parque, ¿y para qué?

Guillermo nos guió junto a Narciso, nos introdujo en lo más secreto, la zona del faisanero, de los guardas, en fin, de los iniciados, esa palabra me traspasó, me anticipó algo, recordé los Guardianes de la Luz, llegamos a las *Islas Americanas*, el corazón de ese mundo, lejos de todo, el jardín encerrado en sí mismo, hundiéndose bajo su propia hojarasca como Venecia en la laguna, espesor de hojas secas en sinuosos caminos, todo el invierno en olor a podredumbre, también a germinación futura, árboles exóticos, derechos y altísimos, fosos culebreantes con un fondo de agua, espesos arbustos, no se ve más allá de lo inmediato, cualquier espíritu puede surgir a cada paso, y al fin ese quiosco. ¡Dios mío, ese quiosco!

¡Se abrió el escotillón en el escenario dieciochesco!, me hundí en el otro mundo, el del quiosco chino, ya no *chinoiserie* fingida, sino vida real bajo mi vida de hoy, revelación definitiva, me petrifiqué en estatua de sal, su verdad corroboró los presagios, desde mi llegada aquí, desde aquel sueño primero, «Salomón es un perro», también había cipreses en el sueño, no ha sido retorno a mi infancia como yo creía, sino a fuentes aún más lejanas, a mi otro pasado, ¿cuál?, he de saber, saberse siempre, no como Ágata que prefiere ignorarse, teme bucear en sí misma, yo hasta el fondo, ante ese revelador quiosco, el agua duplicándolo, otro mundo hacia abajo.

Guillermo nos ofreció su manjar de los dioses, nos sentimos lotófagos, pero yo al contrario, lo comí para recordar, unas nuececillas desconocidas, tamaño de aceitunas, pero dura cáscara, pacanas o apacanas, nueces americanas, de árboles altísimos, un poquito amargas, «como la sabiduría», comentó Lina, rió: «mientras no sea veneno», «¿pero acaso no es veneno la sabiduría?», ¿lo dijo Guillermo a Ágata?, no me importa, yo quiero saber, veneno si es preciso, Guillermo se declaró inspirado, me molestaba su aire de broma, que sacara un frasco-petaca con anís de Chinchón, ellos bebieron en el vaso-tapón, yo ofrecí a Ágata mi barquillerita vacía, la caja del azar, «suerte» brindó Lina mirando a su Guillermo, ¡insensibles al nuevo mundo, a las fuerzas invasoras, a las memorias plasmándose, irrumpiendo violentísimas!

No fue el anís, ya tenían sus planes o quizás les encendió una chispa, un grito de faisán que ensangrentó la tarde, una erótica brama cerval, el olor de la bestia de dos espaldas, Guillermo y Lina se alejaron, Ágata enfurecida, una euménide, «ésos..., ésos», no hallaba la palabra, «quieren amarse», pronuncié sencillamente y añadí, «al menos nos han dejado solos», nunca lo hubiese dicho, casi se abalanzó, un relámpago, su violencia evocó otra muy remota vinculada al quiosco, ¿qué agresión habré sufrido allí antes?, me asusté, fue menos de un segundo, estaba ya explicando a Águeda mis palabras, cómo la necesito ahora, se calmó, se quejó del zapato, entonces se lo arreglé, la adoré triunfante en su pedestal, perfecto el pie que acaricié en octubre, ahora no desmayada, sino poderosa, quizás mi mirada le dio la idea, entonces me concedió la delicia, tomó posesión de mis manos, yo pobre pedestal de su estatua, con espaldas de atlante para izarla, sostenerla en lo alto, mis manos ancladas en su pie, salvadas y seguras.

Entonces algo la estremeció, retorció el pie sobre mis manos como para atornillarlas, lo levantó, «cálzame», qué voz desconocida, tan profunda y opaca, yo inquietísimo y ahogándome de júbilo, ésta es mi Ágata, pisó con su zapato, «me hace daño, no has sabido arreglarlo», no era posible, pasé y repasé mi dedo sobre el clavo remachado, «eres un inútil, te había perdonado, pero no lo mereces, ¿no querías soledad?, pues la vas a tener», impasible, modelo de reinas, ¿qué es un esclavo para ellas?, se le decapita y otro, se le echa a los leones, se acude a ver cómo agoniza, sus ojos ya entre brumas, «ponte de espaldas a esa columna, junta las manos detrás, rodeándola», se quitó su pañuelo amarillo, sentí la seda en torno a mis muñecas, ¡qué fuerte puede ser la seda!, de seda el cordón negro que el sultán mandaba para que se ahorcase a los altos funcionarios caídos en desgracia, me ató con furia, pero sin cuidado, a sabiendas de que no me sujetaba la tela, sino la pasión, la que me habita y la otra, la que yo he creado en ella, la que agitaba su pecho mientras me contemplaba, yo viviendo en dos mundos, porque en mi vida anterior también pasaba algo como esto, violento y exquisito, me hice pura voluptuosidad, temblorosas las piernas, se irritó más y escupió las palabras, «no me engañas, sé lo que querías, y no lo tendrás nunca, ¡nunca, nunca, nunca!», me sentí Sebastián, sus flechas traspasándome, ¡yo en éxtasis!

Hablé con osadía, atado a la columna pude ser atrevido, me alentaba mi impotencia casi más que mi deliquio, «ya lo sé, eres Artemis, la doncella que entrega a Acteón a los perros por sólo mirarla, pero todo gran mito es ambivalente, sábelo tú, Artemis no fue virgen, nunca la llaman *parthinoi* los helenos, en Éfeso era procreadora, en Nápoles su estatua tiene dos filas de ubres, el torso lleno de pechos...», me atajó con un insulto, «no te valdrán tus mañas, las que te enseñó tu Marga, la que te puso los cuernos, no merecéis otra cosa, sólo pensando en ser jinetes, conmigo ni lo sueñes, si acaso al revés, yo caballo de Atila, para hollarte, humillarte, degradarte, yo Guillermo y tú Lina, como Gloria, ya lo sabías, pues lo mismo...». Torrente, explosión, caldera estallando, ¿cuántos años hirviendo ese agua?, jadeante imaginé sus pechos erectos, provocantes, ¡oh, si estuviera desnuda! ¿me adivinó?, ¿la desnudaron mis ojos?, ¡qué bofetada!, ¡qué fuego en mi mejilla! (también hubo dolor en mi otra vida), «me voy porque no me domino, ya sabes lo que te espera, si no quieres ser Lina no estés aquí cuando yo vuelva, no me veas nunca más», se alejó, sus pisadas inapelables no acusaron ningún clavo en su firmeza.

¡Qué fuego por mi cuerpo, qué salto ha provocado en mi entrepierna!, resurrección de mi sexo, lo imposible con Marga aquí cumplido, triunfo de mi diosa, mi obra, mi dueña, su poder sobre mí, llámeme lo que quiera, Lina, Luisa, esclavo, su doncella, eso me somete y me la entrega, progreso, el murciélago asciende a su tercera fase, cuando deviene andrógino, y yo vivo y ardiente, embriagado del humus mojado, de las hojas podridas, yo también corrompido, pero vivo, todo fermenta, escarabajea bajo el silencio y el frío, hierve secretamente la primavera, también renaceré, así como he renacido ya, me hago hombre cuando me llaman Lina, tengo manos cuando me las atan, seguiré a su lado, aunque ella sea el jinete, ¡qué me importa!, pues quiere serlo, se ha traicionado al gritarlo, nos salvaremos hacia abajo, cierro los ojos para no ver otra cosa, tan sólo mi interior, hoguera de emociones, ¡qué triunfo!

Tan absorto en mi cripta que ni la oigo llegar, pero siento su presencia y abro mis párpados, mágicamente ante mí, me clava la mirada y bajo los ojos, rodea la columna y me desata, en realidad se había aflojado el pañuelo, yo lo sujetaba con mis manos, ¡qué delicioso roce de las suyas!, conoce así mi decisión, soy Lina y lo que quiera, somos ya una pareja; lo demás importa a la gente, a las iglesias y juzgados, a nosotros el *Yang-Ying*, lo esencial para la vida, vuelve a ponerse su pañuelo al cuello, suenan las voces de Guillermo y Lina, ruidosas adrede para avisarnos, para que nos compongamos, qué mezquinos, Ágata y yo nos miramos, sonreímos cómplices, juramentados ya en secreto, bautizado yo también con la violencia, confirmado por su mano, somos iguales, estamos en paz.

¡Qué vulgares aparecen entre los arbustos, tras su pequeño placer!, sórdida su hipocresía, hablando de otra cosa, disimulan, en la espalda del jersey de Lina quedan pinochas adheridas, sólo viven en la superficie, renacuajos en una charca, ni sospechan mis goces abisales, los de Ágata, saboreo el ser Lina, alcanzar yo también esas pinochas sobre mi espalda, como un tatuaje, pero ¡de qué otro modo!, ¡el éxtasis allá en nuestra caverna!, y de pronto me asusto, ¿y si se arrepiente?, he de seguir labrándola, esa piedra preciosa, ¿y si me sucede luego como con Marga?, pero ya no, después de lo ocurrido, abatida la barrera, mi inhibición, la pareja se cumplirá, ella también camina preocupada, nos punza además el frío, ocaso de invierno, cielo pálido ya mientras aguardamos en la estación, cercados por la helada, el hielo recompone el cristal de los charcos, muere el sol amarillo, se llena de sangre al final, aún chispean un momento las copas de los pinos, se enternece el ladrillo y la piedra, todo parece irreal, evoco aquel crepúsculo madrileño desde la Armería, primero de mi retorno, encuentro con don Pablo, pero ya no es lo mismo, mientras el sol celeste se hunde otro sol negro emerge en lo profundo, tampoco soy yo el mismo, junto a mí hablan tres seres, bromean al notarme pensativo, ¿quiénes son?, porque allí no existieron, en aquellos quioscos en que viví otra vida, de pronto nueva idea, ¿la vivió también Ágata?, lo sabré a toda costa, aquella vida hace verdad a ésta, el otro sol emerge en mis raíces, desde el pozo de mi pasada sangre, hoy he resucitado, rebrotó el miembro amputado, el rabo de la salamandra, que se nutre del fuego.

PAPELES DE MIGUEL
Peregrinos a Balj

Varios anteriores al 30 de mayo de 1977

Imposible dormir, imposible. Sus palabras, sus vestidos, sus gestos, su figura. Entre jirones de paisajes, mapas, escenas viajeras. La realidad y el sueño, la obsesionante realidad y el sueño que la hace posible. Ayer, pasos en la escalera cuando estábamos en Meshed, frente a la exquisita cúpula turquesa de la tumba de Gohar Shad. «¡Calla!, es mi abuela. ¡Que no nos oiga! Si entra, empezará a hablar y lo estropeará todo.» Aguantando la respiración, la complicidad nos unía como nunca en el voluptuoso lazo de la culpa. Se alejaron los pasos, nos quedamos mirando, su sonrisa lo decía todo. ¡Su sonrisa! Única; no es igual para ningún otro.

Al marcharme no conseguí pasar inadvertido por delante del salón. La señora me retuvo. ¿Qué dijo? ¡Tantas cosas! Su tiempo pasado, la vida que huye, la sabiduría de aferrarla. Me recordaba a Erszebeth en Doñana, buscando el fuego de su juventud en el cuerpo de Paco. Me habló del primer hombre de su vida, a sus catorce años; tenía treinta más que ella, como debe de ser, estaba loca por él... Me alucinaba... Acabó regalándome un recuerdo. El frío del metal en mi mano me serenó ante el rostro arrugado y astuto, el iris negrísimo y vivo de los ojos entrecerrados. Contemplé el objeto: redondo estuche de plata con tapa de malaquita. Como la sortija de Isolina. ¿Gema de la familia? ¡Simbólico verde! Color del manto que el Jádir impuso a Ibn Arabí en el jardín de mirtos. No encontré palabras: la maga me ofrecía también el manto verde. Y aún faltaba lo mejor, aparecido bajo la tapa, al abrirla. Un retrato, como en un guardapelos.

No Isolina, Stefi misma, de joven. Pero lo asombroso: Tú, aunque con cabello ala de cuervo. Aquel retrato infantil que me enseñaste en Brighton, reapareciendo en moreno bajo el manto de malaquita. ¡Hasta las cosas se reencarnan! Otra trinidad: la vieja gitana de ese palacio, la eterna Nerissa que me aguarda después, la joven Nerissa que me espera ahora. Paralela a mi trinidad espiritual: Ibn Arabí o la visión del mundo; Rumí o la vivencia del amor; Hallaj o la posesión del Absoluto. Los tres fundidos también en el Amor.

Imposible dormir. Mi confirmación gloriosa en esa investidura verde. ¿Qué me importa el veneno de Samuel? Me ha dado pena su soledad, entre su oro y sus tallas. Pretendía inquietarme con ese Enrique, pero mi sonrisa le derrotó. Entonces afloró al fondo de sus ojos la sombra de una fatiga cósmica. Le gustaría morirse, pero ¿puede? Apartó la mirada y se concentró en su nuevo trabajo: un fauno. Lo que ya no será nunca. ¿Lo fue alguna vez? ¿Por qué no? ¿Qué es lo que ese hombre no ha sido? Pero en pasado.

Torbellino de seres y cosas removiendo mi insomnio. Necesario encender, escribir para liberarme. Cuando se viste con el manto comprado por su abuelo en Isfahan,

¡qué misteriosa Isolina! Deseable hasta acongojar. Sugiere el desnudo más que sus ceñidas ropas, porque éstas dejan de verse y en cambio las formas se delatan. La primera vez me sentí Ibn Arabí en su noche de la Meca, cuando circunambulando la Kaaba una voz murmuró en su oído: «Los fieles enamorados quedan perplejos en su amor, fascinados ante todos los peligros.» Y, como él mismo evoca: «Al mismo tiempo se posó en mi hombro una mano más dulce que la seda y al volverme contemplé el más divino de los rostros.» Posa también Tu mano sobre mí. Guíame.

No hace falta; ya me has conducido a Chantal reencarnada, dándole la vuelta al tiempo. Al glorioso ardor de mis médulas, como las de Quevedo en su soneto. A la resurrección del viejo toro. Mejor rinoceronte, el cuerno erguido. ¿Así sufrían los santos padres en el yermo? Mi cuerpo todo tenso, como el diez veces ensartado en las cuerdas del arpa del Bosco, el Infierno del Músico en el *Jardín de las Delicias*. ¿Me salvo o me pierdo? Eso es amor: salvarse en la perdición, perderse en la salvación.

Andar, fatigarme. Salí a la oscura noche. ¿Oscura? ¡Clarísima luna triunfaba en lo alto! La Telefónica, más zigurat que nunca. Algún coche rasgaba el pavimento de la Gran Vía casi desierta. Algún despojo humano de la noche alegre se cruzaba con los recién levantados hacia su trabajo. Los semáforos viciosamente obstinados en arder y apagarse, en jugar a colores, para nadie. En el cruce de Princesa con los Bulevares percibí un arrebol por oriente. Le volví la espalda hacia Rosales. Se me hacía desconocido mi viejo barrio: ¿Quién era otro: él o yo? Llegado el paseo, crucé hasta su orilla, me asomé a la vaguada de los muertos de 1936 como al pretil de un paseo marítimo. Doblé hacia la Plaza de España por el oscuro túnel de acacias. Algunas yemas blanquecinas anticipaban ya el más madrileño perfume.

Escalé la suave pendiente hacia la colina del cuartel de

la Montaña y contemplé las piedras nubias del templo de Debot. En la vastísima cúpula celeste, ya más pálida, seguía triunfando el ascua dorada de la luna. El pequeño templo y su propíleo, reflejados en el estanque, flotaban sobre el agua. Mi piedrecita contra aquel espejo convirtió la réplica lunar en movedizos fragmentos luminosos que acabaron reuniéndose de nuevo. La luna se hizo así moneda de plata sumergida. «Volveré a este lugar», pensé recordando la *Fontana de Trevi*. Surgió un jardinero con una manga de riego. Le seguía un gato: Bast, naturalmente, huésped del templo egipcio. De pronto, en los lejanos edificios hacia Extremadura, centellearon cristales tocados ya por el sol. Pero la luna seguía encendida, dueña de su luz, reina del cielo.

Como en el más viejo Oriente, donde la luna es dios. Últimamente hallazgos de Tella Mardikh, la poderosa ciudad de Ebla. Casi doscientos mil habitantes; quince mil tabletas abriéndonos su historia. Saqueada en el tercer milenio por Naramsin de Akkad, antes su rey Ebrum imperó desde Mesopotamia hasta Chipre. Y en los textos paleocananeos sobre arcilla el poderoso Dios-Luna regía el cielo y los mares y el celo de la hembra. Allí la cuna de nuestros dioses, porque el primero fue Él, de donde vino Allah; y después Yaw, de donde resultó Jahvé.

Dioses y diosas se tornaron cenizas, como los reyes y los esclavos, los santos y los asesinos. Pero todos ardieron antes de morir, pues quien no ardió no ha vivido. Y, sin vivir, ¿cómo reencarnarse? ¿Cómo reencontrarse, sin arder? Arder, en esta Isolina-Chantal-Tú.

Quiero y no quiero, deseo y temo. Aquel «que muero porque no muero». Sí, pero antes fue dicho: «Tan alto vivir espero.» ¿Por qué temer? No, ya no. Claro designio tuyo: ofrecerme al final, justo a tiempo, el fruto en otra hora deseado, el que provocó mi primera ciudad enterrada. La prueba: he recuperado las fuerzas para escribir, para grabar sus palabras decisivas, disipadoras de mis últimas dudas. Tú has dispuesto la unión del *tantrika* y la *sakhti*, de Miguel y de Isolina.

Hace horas todavía me interrogaba sobre el sentido de mi extraña enfermedad de estos días. Esas taquicardias sin alarma, esos sofocos sin fiebre, esa postración y ardor a la vez. Por fin la explicación, única posible: mi metamorfosis; fatiga de crisálida emergente. Como aquellas semanas de Miguelito.

No tuvo otro síntoma que insuperable languidez. ¡no le interesaba ni la música! Tendido en cama desdeñaba los cuentos, sus tacos de arquitectura, el piano, el tocadiscos. El doctor Gisbert, otro desterrado en Argel: «No tiene nada. Ha dado un estirón, le faltan materiales para seguir creciendo y de pronto la Naturaleza impone esa quietud. Postración regeneradora, ya verá usted.» Yo escuchaba incrédulo a aquel viejo republicano, temiendo estuviera anticuado. Pero un buen día Miguelito resucitó: había cambiado de piel.

Yo me he desprendido de la vieja esta misma tarde con visitas. Primero, Cristina sospechando mi enfermedad al no ir yo al Seminario precisamente en el último día. Me hubiera gustado reunirme con todos, porque sé que no volveré a la Facultad: esa parte de la vieja piel. Se lo oculté a Cristina, claro; ¿para qué entristecerla? Me tomó el pulso. ¡Qué tacto tan insípido! Cristina, una mano cualquiera; Isolina, electrizante.

Después vino Petra; se puso antipática con sus comentarios. ¡Pobre mujer, tan cariñosa al traerme sus melocotones, los primeros que recibe! De una cuñada en un pueblo ribereño del Jalón. ¡Violencia de su aroma llenando el cuarto! Explosión vegetal, como el otro día las violetas, pero ahora el estío en vez de la primavera. Sobre la mesilla, al parecer humildes, las tres esferas de terciopelo, entre dorado y púrpura, perfumaban el aire con tanto ardor como ruiseñores enamorados. Con ellos empezó mi recuperación, esta serenidad de ahora. No; nada de serenidad ni de equilibrio, sino excitación compensada con secreta certidumbre. Indescriptible acumulación de júbilo, reprimido por un muro que acabará saltando en pedazos.

Cariñosa, sí, pero ¡esos comentarios...! Sólo elogió a Isolina (y aun así, niña mimada, estudiando por callejear mejor), pero ¡qué cosas de la madre! «Pendón *desorejado*; hizo bien en volverse a su tierra. La marquesa, una cabra loca; no hay más que ver sus medias, ¡qué dibujos para sus años, con esos tacones! Y deja a la chica a su aire: ¡Pobrecilla, da pena! El día menos pensado se malogra, tal como está hoy la juventud.»

Exasperante. Pero providencial, porque cuando llamaron, ¡cómo me alegré de que Petra hubiera aseado el cuarto! Se lo perdoné todo. ¡Qué aparición la de Isolina! Exclamó sencillamente «¡Hola!» y se adentró en el perfume de los melocotones. «Nada, nada; estás fenómeno. Seguiremos viajando; hoy lo invento yo, ¡verás qué barbaridades!» Petra aplicaba la oreja sin comprender, muerta de ganas de enterarse. ¿Se despidió al no conseguirlo o por la manera imperiosa y posesoria de sentarse Isolina en la butaquita? El caso es que nos dejó solos.

«Me da rabia estar así», dije señalando mi barba. Desde mi yacija, mirándola hacia arriba, más perfectas sus rodillas, más rotundos sus muslos, más arrogantes sus pequeños pechos, más luminosa su cara en el oscuro marco de su melenita. «¡Pero si te va la barba! Te la debías dejar.» «Y luego, este cubil...» «¡Como yo! Entre cuatro paredes, un colchón en el suelo: es lo más sano.»

Su júbilo me contagiaba, pero mi debilidad lo convertía en lágrimas. «¡Qué cara de bobito pones!» Miró alrededor: «¿Ésa es el águila-paloma? Como en el Arca de Noé.» Así consagró esta celda como el templo de la Alianza; así me puso a flote sobre mi diluvio. Cogió las fotografías de Miguelito (la primavera, todavía en París, enanito en la enorme butaca; la última sobre los prados de Pedreña, montaña de Solares al fondo) y le agradecí su expresión enternecida. Miró la otra, sin decir nada. La tuya, Nerissa, aquella en que estoy solo en el *Embankment*, justo en el mismo sitio en que me hice contigo la que tú posees. Ni un comentario: ¿pudo adivinar algo? Luego se acercó a mi mesa, con los desplegados mapas de la ruta a Balj. Se asombró al comprender:

«¿Tanto trabajas para luego contármelo?» Le quité importancia, claro; dije que lo hacía por mi gusto. Pero repitió, con una mirada fija que entibió mi pecho: «¿Tantas horas, supongo?» Me rendí: «Para viajar contigo, sí; en tu compañía.» Entonces fue ella quien desvió la mirada y se puso a ojear un libro. Interpuesta entre la lámpara y yo, su leve blusa transparentaba la curva exacta de sus pechos.

Surgieron comentarios triviales. Podríamos haber llegado antes en avión, al aeropuerto de Mehrabad. Sí, pero nos hubiésemos perdido Trebisonda. Supersticiones: para los persas el zafiro trae mala suerte y en cambio las turquesas protegen. Dice este libro que sobresalen en la política, en los negocios y en el sexo... Por encima de nuestras palabras, el intenso vivir de los melocotones, la electricidad de mis pensamientos. ¡Qué silueta vibrante Isolina! La diosa de la vida.

Declinaba el día, pero no quiso encender la lámpara. «Mejor así», dijo mientras volvía a sentarse, a mi cabecera, no enfrente. Y poco a poco, en la progresiva oscuridad... ¡Qué confidencias! ¡Qué íntima comunicación! Se me entregaba en sus palabras; su presente y su pasado. No se habla así ni a un padre o madre, ni a un psiquiatra tampoco. Me contó su primer intento sexual con un compañero que la atraía, pero que fallaba por precocidad; y su iniciación al fin con otro, que le hizo daño sin darle placer... Se dio cuenta de mi asombro, casi de mi confusión: «No seas de otro siglo: la que no lo hace es por gilipollas, con la píldora no pasa nada. Y yo lo hago poco, ahora nada, no consigo gozar... ¿Por qué no podré?». Lo repitió tras una pausa, lamentándose: «¿Por qué no podré...?» ¡Cómo me arrepiento de no haberla abrazado, para acunarla en mis brazos! Con esas experiencias aún era más inocente, por haberlas sufrido sin amor.

De pronto se echó a reír. «Te lo prometo, te sienta bien la barba.» Me pasó la mano. «Y no raspa.» Pensé que no debe decirse así «te lo prometo» (¡qué observación estúpida!), pero sólo dije: «Si a ti te gusta... Aunque me hace más viejo.» «¿Viejo tú? Estás en mi edad, la que me hace falta; ¡hasta Stefi lo dice!» ¿Se aprovechaba de mi postración, de mis escrúpulos? No, impensable en ella. ¿Adivinó al cabo que mi deseo se iba haciendo irrefrenable? El caso es que sin transición se despidió: «Cuídate y levántate pronto, perezoso, que me haces falta. *Ciao*.»

¡Levántate y anda, resucitado Lázaro! ¡Pero si lo que quiero es morir, morir en esa playa! ¡Si estoy ya levantado por esa primavera, manantial, torrente, mi última miel en esta vida!

El sofoco me impedía escribir, pero no quise olvidar nada. Un rato escuchando mis venas, templando mi deseo. No más dudas. «¿Qué es amor?», se preguntó Rumí en un poema y se contestó: «Deponer la voluntad.» Hágase la tuya, Nerissa.

Salí luego a la noche sobre los tejados. En lo alto danzaban asombrosamente las estrellas. ¿O acaso giraba yo? O todos, ellas y yo derviches de Rumí. La danza cósmica, la *sama'*. Sonó en un poco de silencio, el suspiro de la flauta, el *ney*. Por primera vez en estas semanas tomé el *Maathnawi*, y leí:

«Busco un alma rota por la separación
para derramar en ella el dolor del deseo,
pues todo aquel cercenado de su raíz,
como la flauta arrancada de la caña en que nació,
suspira por reencontrarse.
Con fuego, no con viento, suena en verdad la flauta:
perezca quien no arda en esa llama.»

Escrito para mí, para esta noche. Como un *ney* arrancado de Ti, ardo por reencontrarte. En Isolina acabaré de cumplirme, cerraré el periplo iniciado con Hannah, estaré ya colmado para Ti. Estallaré como la granada madura y mi sangre será sus rubíes de cuajada pulpa. Perezca quien no arda en esa llama. ¿Será el treinta de mayo, día de Advenimiento?

A la vista de Balj arribé, mas se desvaneció como espejismo en el desierto. La piel de sus muros tuve ante mis manos y no las extendí para abarcarla. No penetré la puerta de su gloria ni agité mi bandera en su recinto.

En el último instante se tornaron espejos las murallas, reflejando la imagen irrisoria de la Niña y el Viejo: la elástica tersura de la seda y el luminoso nácar de su vientre, frente al cuero arrugado y amarillo donde apunta impaciente el esqueleto.

Se tornaron espejos clamorosos como espadas entre Tristán e Isolda, precipicios entre Majnún y Layla, imposibles entre Isolina y yo. ¡Isolina, más imposible aún porque aún era posible!

Cuando al dar vista a Balj, inesperadamente, abrió su manto y emergió desnuda: tallo de lirio con melena negra y sombría también su flor secreta e insolente las rosas de sus pechos. Sonriendo a mi asombro y extendiendo las manos me asestó la palabra que mató mi deseo: «Ven a mi cuerpo. Un hijo no me importa.»

¿Un hijo? ¡Qué blasfemia! Sólo hay Uno: Miguelito flamígero, sin rival, sin hermano. Dormido entre las olas de mi pecho, viviendo en las estrellas submarinas. Dejé de verla, con abiertos ojos, mientras la voz vendía su manzana: «El placer... Hasta Stefi me aconseja un amante maduro... Lo pasaremos pipa.»

Mi máscara de espanto pudo tapar la náusea, mas no lo entendió ella: «No pongas esa cara de carroza; aunque ya estés pasado me gustarás lesbiano.»

Palabras puñaladas. Un *Mane, Thecel, Phares* desgarrando mi pecho. Y Balj tragada fue por los abismos de la degradación, mientras yo me alejaba lentamente.

Ha transcurrido un tiempo planetario. En menos de una hora. Puedo ver la Verdad. Gracias. Te doy, Nerissa; beso humilde Tu mano conductora. Ahora entiendo el sentido del viaje con todas sus etapas:

La ola de soberbia me exasperó ante el reto; mi desértica ciencia me enredó en las razones, el río de mi sangre confundió con Amor aquel deseo.

Para llegar a la Verdad más alta hay que pasar por todas las mentiras. Para que yo llegase, vaciado de mi última ceniza modelaste a Lilith, a Chantal, a Isolina. Incluso la amparaste con tu sombra para vestir la tentación de ángel.

Pero el *assag*, la prueba, ha terminado. Con mis ojos abiertos, con mi abismo desnudo, de humildad me revisto y en tu amor busco asilo, abrazado al marfil de tus rodillas.

No tengo miedo. Sé que Tú no ignoras que nunca te perdí en mis confusiones. Que, si seguí adelante, fue buscando tu faro allá en lo oscuro, llevado de deseos de tu cuerpo, de la sed de morir sobre tu pecho derramando en tu sexo mis entrañas. Porque mi vida pasa y me destroza la espera de morir para encontrarte.

Pero no fui a sus brazos: ya lo viste. El arcángel y Tú me habéis salvado del simulacro en que es asesinado el árbol del Amor, Almendro en Llamas.

Ayúdame a seguir y que mi cuerpo sea ya únicamente la montura que me lleva hasta Ti, con su último suspiro. A las puertas de Balj: la verdadera.

Desnudo entonces ya hasta de mí mismo el muro pasaré y veré tu Rostro.

9. EL MOSQUETERO PERDIDO

Despertar en París

OCTUBRE, OCTUBRE
El mosquetero perdido

Lunes, 5 de marzo de 1962

LUIS

Llevábamos semanas apacibles, Ágata dulcemente mi dueña, contenta en su trono, yo avanzando por entre su sosiego, Lina sin intervenir demasiado, desde eternidades no vivía yo en tanta paz sin temer asechanzas, anticipando lo previsible tras cada esquina, las novedades de cada tarde en la alta torre de Ágata, progresivos descubrimientos, palabras penetrándola lentamente, la suave intimidad de la costumbre, Ágata sin recelos, y ahora de pronto esto, cuándo acabaré de desenterrar esqueletos agresivos, cuántas sorpresas funestas todavía, cómo puede ser tan profundo el pozo de un hombre, mi caverna verdadera catacumba, laberinto interior, cómo es posible, y aún ni cuarenta años.

Cierto que fluía el río subterráneo, el rumor intranquilo, por debajo de la paz esa carcoma, la provocación del quiosco, me punzaba ese tema, qué habré vivido allí, cuándo y dónde, además no era allí, lo sé muy bien, en el sueño era dentro de la pirámide, en la Encarnación junto a un ciprés, ahora además un quiosco, pero no un chinesco, he intentado provocar nuevos ecos, he releído libros sobre Oriente, me he apuñalado con palabras provocadoras, ningún eco decisivo, dudo que sea un chinesco, no encaja, distinto del resto que ignoro, ¿cómo puede algo desentonar con lo desconocido?, sigo en incertidumbre, a solas con ese ciprés, esa cámara sepulcral, ese quiosco, piezas de un rompecabezas, sin saber cómo armarlas, sin levantar la pista del pasado, constantemente inquieto, pero lo encontraré, no fallará.

Por si fuera poco el otro río, el de mi pasado en esta vida, mi infancia desconocida, redescubierta diferente, se la he ido sacando a Flora en mis visitas, en las evocaciones de la pitonisa, al principio reticente, ahora debe intuir que ya estoy maduro, ¿maduro para qué?, ha ido revelándome esa historia, sombría desde antes de mi nacimiento, por lo visto el tío Augusto atraído primero por tía Chelo, pero irían juntas aquella tarde por la plaza de Oriente, esa que está a Occidente, qué revelador, en todo caso la tía Chelo se lo creyó, se hizo ilusiones, su hermana Helena interponiéndose, me imagino que en la conversación le birló el novio a Chelo, así lo interpretaría ésta, no iba a decir «soy más fea, más sosa», cómo no preferir a tante Hélène, tan adorable, ilusiones de tía Chelo, el tío Auguste se las llevaba de calle, aquella voz de barítono, su vitalidad, hijo del Mediodía, recuerdo la primera Navidad en Argel, y eso que no tardó mucho en morir, acompañado por Asunción al piano, la canción de Bernard de Bentạdorn, *Quan vei l'Alauzeta*, la alondra, el nombre de su hija Losette, o su otra balada favorita, la del árabe que logra huir a costa de reventar a su caballo, «*Adieu noble coursier, mon cheval de bataille...*», me parece estar oyéndole, cantaba para tante Hélène, qué miradas cruzaron, ahora que lo pienso, culminarían en la cama, ¿cómo haría el amor tía Hélène?, ¿lo imaginé alguna vez?, por fuerza he debido pensarlo, pero me lo habré prohibido; así lo he olvidado, lo sé porque ahora mismo lo rechazo, ¿fue aquél uno de sus últimos orgasmos?, habían separado ya los cuartos, aunque tía Hélène tan hermosa en su otoño, pero él debía ya de estar enfermo, ¿cómo pudo soñar la tía Chelo, cómo pudo ni soñarlo?, ¿acaso ella no se miraba al espejo?, ¿no se desnudaba en el baño?, ¡qué cuerpos tan distintos las dos hermanas!, la sequedad exprimía cada célula de Chelo, el frescor generoso cada miembro de Hélène, ¿cómo pudo soñarlo ni por un momento?

Pero lo soñó, lo acarició y así empezó mi pequeña orestiada familiar, mi vulgar desgracia antes de nacer, ahora lo comprendo, Chelo se consagró a mi padre, hermana incestuosa sin confesárselo, pero eso no la disculpa, y llegó la inglesa, le robó a su segundo hombre, afortunadamente era una pánfila, débil enemiga, le dio un hijo, pero ¿qué importa?, quizás Chelo se sintió tranquila, puede que hasta feliz, la mejor situación, tener motivos para odiar sintiéndose a salvo de daño, poder acusarla ante mi padre, ponerla en evidencia, hasta que surgió la otra, la que de verdad arrebató a mi padre, Fiammetta, la de mis verdaderos pechos infantiles, ¡cómo enrugiría la tía Chelo!, ¡cómo volcaría su veneno!, ¡cómo enfrentaría al matrimonio!, según Flora llegaron prácticamente a separarse, luego una de esas reconciliaciones, quizás obra de Chelo para luchar contra Fiammetta, la verdadera enemiga, quizás una noche de verano, de imprevistos desnudos y hambre sexual, o un encuentro por compromiso, sin pensar en el hijo ni quererlo, y fui yo, qué estorbo después, nuevas escenas, cierto día la inglesa me tiró en una cama gritando a su cuñada: «ahí lo tienes, para ti», yo viví aquel rechazo sin ser consciente, cómo no iba a refugiarse mi padre en Fiammetta, en su carne enamorada, a eso le llamaba mi tía el pecado, a esa entrega de vida, toda mi infancia oyéndola aludir a mi padre, «no te vuelvas como él, no caigas en el pecado», qué sórdida orestiada aquella casa, qué tumor adherido al brillo paredaño de la ópera, qué excrecencia, cómo no iba yo a querer olvidarlo, con todas mis fuerzas de niño abandonado, cómo no aferrarme en cambio a otros recuerdos, los días luminosos en Aravaca, o quizás fueron sólo unas horas y yo las hice siglos, bastó acaso una tarde llevado por mi padre, aquello me borró dentro la madre oficial, me estampó el recuerdo de la que me quería, la que me daba sus pechos, ¡qué niño asesinado!, luego reconstruido, pero ya para siempre con una falla geológica en su corazón.

Al fin llegó el infierno y los convirtió en víctimas, después del Novedades incendiado ¿cómo odiar a nadie?, así que me quedé solo, con esa herencia a cuestas, además de la otra, la vida antes vivida en el quiosco, a la sombra del ciprés o clavado en él, ¿cuándo lo sabré?, cualquier momento emergerá otro signo, ayer mismo me estremecí ante la dama veneciana, el retrato de Flora disfrazada, un péndulo secreto desviado en mi centro, sensitivo como un radiestesista, ¿habré vivido en Venecia?, un quiosco sobre un canal oscuro, y qué historia quizás de amor y muerte, ¿acaso es la influencia del Carnaval?, ¿o el ambiente de casa de Florita?, ¿qué puedo haber sido en Venecia?, ¿qué figura de Carnaval, de *Commedia dell' Arte*?, tanteo asociaciones por si ahora aclaro algo, quizás por eso elegí de pronto Pierrot, Venecia, me retorna esa palabra, Farinelli, un momento, ¿por qué pienso en Farinelli?, era napolitano, ¿por qué surge en Venecia?, ¿fui músico, cantante?, Venecia-Farinelli, dos vagas claridades a lo lejos, el péndulo se altera, he de pensar en ello,

entre tanto algo más inmediato, acaba con mi paz, emergiendo también de las tinieblas, del mismísimo olvido,
ese ardiente fantasma subitáneo, el mosquetero perdido,
y además de la mano de Ágata, como un signo, me lo
impuso de golpe, a los ojos y al alma como un dardo, ese
resucitado, aquel Antonio Hervás.

Flora lo anunció de
otro modo, «el Caballero d'Artagnan», pero surgió Antonio redivivo, adulto y niño a la vez, en la puerta de la
sala y en mi memoria, un obús estallando en mi cabeza,
aquel perdido trozo de mi vida, Antonio Hervás de
pronto, los recuerdos en una catarata, compañero de colegio, empezó a destacarse al llegar la República, su padre llevaba meses escondido, era socialista, perseguido
por la policía, apareció triunfante el trece de abril, empezó a ser figura de los mitines, salía en los periódicos, el
chico se ufanaba de su padre, nos hablaba de Fermín Galán, le vio una vez antes de lo de Jaca, también le habían
llevado a casa del doctor Cárceles, el viejo federal que
tomó el Ayuntamiento de Cartagena en septiembre del
setenta y tres, gobernó el cantón con Barcia y con Toñe-
te Gálvez, gracias a Antonio viví más intensamente los
primeros días de la República, aquella embriagadora
efervescencia, qué choque para un niño, qué tensión entre la calle vibrante y la casa temblorosa, la tía Chelo
evocando el Apocalipsis, yo me alineaba con Antonio,
me convertí pronto en su escudero, tendría unos tres
años más que yo, fuimos juntos al concierto de la Banda
Municipal de Rosales, ayudamos a derribar en la plaza la
estatua de Isabel II, colocamos allí un busto de la República, ¿de dónde lo sacarían?, y un retrato de Galán y
García Hernández, fuimos al cine a ver *La Marsellesa*,
película prohibida por la dictadura, la actriz era Laura La
Plante, la primera mujer que me turbó sexualmente, ¿en
qué otra película aparecía medio desnuda y encadenada?,
me obsesionaron sus muslos, iba a diario a la puerta del

cine a ver la foto, vimos arder en mayo el convento de Jesuitas al final de la Gran Vía, fuimos al entierro de la viuda de Salmerón que vivía en la calle de la Libertad, ¡qué placer morboso contárselo luego a la tía Chelo!, se santiguaba frenética, a sus ojos estábamos viviendo la época del Terror, me castigaba al rincón, yo la imaginaba con cofia en una carreta, camino de la guillotina, resucitan ahora esos olvidos, especialmente Antonio, mi guía, lleno de iniciativa, me llevaba a todas partes, me descubría el mundo opuesto al de mi casa, fabuloso nuevo mundo, sin cadenas ni tabús, todo calles victoriosas en olor de multitud.

Dos cursos después nos declaramos mosqueteros, así se juntan y disuelven de pronto los grupos infantiles, sociedades secretas o pandillas, nosotros mosqueteros, Porthos pretendió la jefatura, era el más grandote, claro, Gregorio, el carbonerito de la calle del Espejo, cómo revivo la escena, en aquellas cocheras abandonadas de la calle del Factor, se enfrentó con Antonio, se echaron en cara sus respectivas superioridades, «¿a que yo levanto más peso?», «¿pero a que yo corro más?», Antonio propuso un duelo a espada, Porthos no quiso, se sabía inferior, por fin Antonio, le llevó a una trampa, «¿a que yo meo más lejos?», le dijo, Porthos aceptó riendo, confiado, pero fue vencido, Porthos no comprendía, insistía en que él era más hombre, la suya era más larga, «¿y qué?», se burló Antonio, «¿qué hace un regador con una manga muy larga si le falta presión?», nos pareció mágico eso de la presión, Antonio se llenó de prestigio, Porthos cedió, acabó comprendiendo y adaptándose, nunca hubiera tenido la inventiva de Artagnan para colarnos en los solares, entrar en un sótano por una ventana rota, llevar mensajes imaginarios por una ciudad enemiga, divertirnos a poca costa en las verbenas, era todo acción, decisión, y ahora que caigo, su cara del estilo de ese Paco, el mozo de Mateo, ese gañán, no es posible.

Otra gran aventura, aquellas chicas, defenderlas contra los peligros, según Artagnan les amenazaban muchos, unos golfillos las molestaban, cuando ellas jugaban con sus amigas en la plaza del Biombo nosotros de guardia en las esquinas, las protegíamos relevándonos, la consigna era morir por ellas, cuánto me preocupaba aquella guardia, sentía un inmenso miedo de fallar, notaba que Antonio no se iba tranquilo cuando era mi turno, yo era el más pequeño, Aramis, yo le juraba que moriría, si hacía falta moriría, tendrían que matarme antes que hacerles daño, pero nunca ocurría nada, cómo declinaba la tarde en aquella plazuela de provincias, sin transeúntes casi, qué dulzura, en lo alto el chillar de los vencejos, abajo las vocecitas de las niñas, el tiempo no se notaba, al instante volvía Antonio, las horas habían pasado en un vuelo, «sin novedad», «bien, Aramis», era cierto, me hubiera enfrentado con cualquier cosa por defenderlas, incluso con un perro rabioso, lo pensé alguna vez, me quitaría la blusa y me la arrollaría al brazo izquierdo, como la manta en las riñas a navaja, cuando me mordiese ahí le estrangularía con la otra mano, seguro que lo hubiese hecho, me daba más miedo decepcionar a Antonio.

Y el caso es que yo detestaba a las chicas, al principio no, pero luego noté que una obsesionaba a Artagnan, le separaba a veces de nosotros, se alejaban cuchicheando, empecé a odiarla, también a sus amigas, pero más a ella, me desesperaba pensar que los dos quizás lo hacían ya «todo», un «todo» aún impreciso y misterioso para mí, peor aún que lo hicieran a mis espaldas, que me negaran la participación, trataba de imaginármelos sin saber, hubiera dado cualquier cosa por estar junto a ellos, ayudarles incluso (¿a qué?), ser también para eso el escudero de Antonio, pero yo no estaba iniciado en ese mundo de mayores, me decía a mí mismo que algún sortilegio se requería y aún no me había alcanzado, algo como el «sésamo» sin el cual no se abre la cueva del tesoro, una tarde estaba con otras sentada en la Escalinata, Antonio me propuso que pasáramos ante ellas, «verás cómo nos hacen un retrato», dijo, decíamos eso cuando una niña nos mostraba sin querer la entrepierna, me emocioné pensando que así recibía el espaldarazo, poseería el secreto, «¿has visto?», me dijo después de haber pasado, yo no había visto nada, tan sólo la braguita blanca porque su postura le levantaba las rodillas, me faltaba el sésamo, la palabra mágica de Alí Babá, en cambio un día Artagnan nos había dicho sin darle importancia, «yo ya soy apto para la reproducción», qué querría decir eso, nunca me explicaba esas cosas, me trataba como a un niño.

Aquel duelo, se desafió en las cocheras con un chico que no conocíamos, el rival se asombró al vernos allí, «son mis padrinos», le explicó Artagnan, el otro protestó, y más aún ante la espada de madera que le ofrecimos, él había ido a partirse la cara y no a esas tonterías, «¡en guardia!», le gritaba Artagnan, el otro viéndose amenazado trató de dar mandobles, pero hubo de retroceder, «¡que me saltas un ojo, que me saltas un ojo!», gritaba, al fin tiró la espada y dijo que eso era una trampa, una traición, Artagnan se cegó de cólera, «no eres un caballero», le increpó, «debería hacerte apalear por mi gente hasta matarte, me conformo con menos, ¡al suelo con él!», le derribamos, «hacerle un gazpacho», decretó Artagnan, Porthos se entusiasmó, yo ignoraba de qué hablaban, le bajamos al chico los pantalones, Porthos le tapaba la boca porque berreaba, «venga» me dijo Artagnan, yo sin saber, «allí hay boñiga de los caballos» me explicó Porthos, comprendiendo fui a cogerla en las viejas cuadras, la restregamos sobre su sexo al descubierto, después le echamos tierra, qué excitante, «te capamos», se reía Porthos, el chico se retorcía, al fin todos le escupimos encima, empezando por Artagnan, fue el supremo goce, sentí ganas de ser yo la víctima, era el protagonista de aquella ceremonia, me pareció que con su salivazo Artagnan le hacía suyo, era fascinante, conmovedor, terrible, el chico se levantó furioso, llorando, escupiendo amenazas, Artagnan impávido, no volvió a hablar del tema, había hecho justicia, eso era todo.

Nos separó el verano, nos reagrupó el invierno, empecé a asomarme al sésamo, descubrí mi propio sexo, sus endurecimientos, su vida independiente de mí, ya hacía tiempo que me pasaba, la primera vez se lo dije a la tía, desechó la cuestión sin darle importancia, ocurrió precisamente en su cama, los domingos sin colegio yo a veces me iba a la de ella, antes de levantarnos, me abrazaba hablándome del Terror, los revolucionarios, quería preservarme también de eso, su cuerpo estaba caliente, me gustaba arrimarme sin saber por qué, y pasó aquello, se apartó de mí, descartó la cuestión, «es la naturaleza», me miró de otro modo, «no deberías volver aquí», la miré interrogante, «bien, te dejaré, pero habrás de ser bueno», la preocupación de ser bueno provocaba la erección, yo me retiraba un poco para que no lo notara, ahora pienso que ella se acercaba lo justo para percibirlo, no decía un palabra, ¿por qué tenía yo que ser bueno?, me pasaba sin querer, se lo pregunté al confesor y me asustó, era pecaminoso, me preguntó si me masturbaba, no insistió ante mi incomprensión, pero retuve la palabra, sonaba como «turbas» callejeras, obsesión de la tía, siempre inquieta con los asesinos revolucionarios.

Entre tanto más mosquetero que nunca, la jefatura de Antonio nos unía sólidamente, aquella niña de la plazuela se marchó de Madrid con su familia, no supe que Antonio la sustituyera, yo en cambio tenía un secreto, muchas tardes me subía la tía al piso de arriba, a rezar el rosario con su amiga, doña Fabiana Saralegui, gorda y bigotuda, una verruga en la frente, viuda de un coronel, vivía con su sobrina Corito, lo menos quince años, le sobresalían los pechos por encima de la camilla, me fascinaban, danzaba entre ellos una crucecita de plata, el brasero calentaba mi entrepierna, metía las manos bajo las faldas de la camilla, me sacaba con disimulo el sexo y me lo acariciaba, ¡qué placer y qué miedo!, ¡Señor, si me descubrían!, fluía el runrun de las letanías, yo miraba los pechos de Corito, ella me echaba ojeadas distraídas, pero a veces como si adivinara, era imposible, me asaltaba la tentación de tocar sus rodillas, ya llevaba medias, no lo hice nunca, no pasé de aquello, por encima el rosario, las palabras santas, por debajo de la mesa el pecado, fuego como en el infierno, tinieblas, la mitad sucia de los cuerpos humanos, ¿cómo sería lo sucio de Corito?, no podía imaginármela sucia, la tía Chelo tampoco, aunque pensarlo era desagradable, siempre purificándose, doña Fabiana sí, tendría bigote como su cara, a veces yo repetía *ora pro nobis* cuando ya era *miserere*, «¡niño!, ¿en qué estás pensando?», una vez me dieron un bofetón, me eché tanto hacia atrás que casi me caí, me hubieran descubierto, fue una emoción enorme.

Llegaron las vacaciones, Porthos se fue de veraneo, Athos definitivamente, habían trasladado a su padre, ¡qué delicia solos Antonio y yo!, una tarde me anunció para el domingo cierta expedición, auténtico viaje lejano, a Aravaca, preparamos merienda, me costó horrores escapar de la tía, le dije que me iba al cine, a un programa doble, salimos después de comer, tremendo calor, un coche de caballos hacía el trayecto desde la plaza de España, con bancos laterales como los que iban a las estaciones, el campo era inmenso, por la Bombilla vimos mucha bullanga, *chíbiris* con el pañuelo rojo al cuello, al cabo de una hora larga nos apeamos en la plaza de un pueblo, junto a un pilón con un abrevadero, Antonio preguntó a una vieja por alguien, echamos a andar, «ahí vivió don José de Caso, le conoció mi padre», me dijo Antonio, «fue pasante de Salmerón», yo contemplé pasmado la casita, una sola planta entre otras iguales, en una calle en cuesta bajando de la iglesia, es que el padre de Antonio había vivido oculto en Aravaca; el dato llenó de prestigio al lugar, anduvimos entre huertas y sembrados, bordeamos largo rato un arroyo medio seco y maloliente, avanzamos hacia una colonia de hotelitos en dirección a Pozuelo, nos aproximamos a uno de ellos por su parte trasera, «¡espera!», me ordenó Antonio señalándome la sombra de un árbol, allí aguardé con sumisión perruna.

¡Vuelvo a sentirme solo en aquella tarde caliente!, ¡qué diamantinamente me recuerdo!, atrás la vaguada por donde habíamos venido, los campos resecados bajo el sol, el aire ondulando por el calor, entre las matas se distinguía el hotelito, y otros más allá, a veces una ráfaga de brisa me traía voces de niña, yo sentía algo en mí, así como estar creciendo, un madurar expectante, algo estaba ocurriendo también en el mundo, al cabo volvió Antonio, muy desalentado dijo que nos íbamos, atajó mis preguntas, «es tonta», lamentó, «no quiere, ¡es más tonta!», calló como si eso lo explicara todo, pero aquella vez no me conformé, pregunté, insistí, se desahogó, había venido a que la chica se fugase con él, se habían escrito y todo, lo había jurado, pero ahora ella no se decidía, me pareció increíble, un sentimiento ignorado se desbordó en mí, ¿cómo era posible que nadie se negara a ir con él?, ¡ojalá hubiera querido fugarse conmigo!, ya iban a desbordarse mis palabras («a donde quieras, lejos, para toda la vida, yo siempre tu escudero»), cuando entre unos olivos surgió el chico que no había querido batirse con Artagnan en las cocheras, le vi cuando se disponía a tirar una piedra, sólo tuve tiempo de interponerme y de alertar a Antonio.

Me hirió en la coronilla y se me nubló la vista, caí de rodillas, pero no perdí el sentido, pude ver a Antonio defendiéndome a pedradas hasta ahuyentar al otro, luego vino a mi lado, me pasó la mano por la cabeza, me ardía un hierro al rojo, mi corazón latía desaforadamente, de miedo, de orgullo, de pasiones incendiadas por la tarde, al ver mi sangre en sus dedos sí que estuve a punto de desmayarme, pero había que salir corriendo, el rival podía ir a buscar a otros chicos, ¡qué dulce sería morir los dos juntos!, pero el imaginar herido a Antonio me devolvió las fuerzas, me amarró su pañuelo en la cabeza, corrí cuanto pude para no retrasarle, cerca ya del pueblo nos detuvimos bajo un gran árbol, estábamos a salvo, Antonio se sentó en una piedra, yo apoyé la cabeza sobre sus muslos para que me examinase mejor, sus palabras afectuosas me llenaban de dicha, «¡has sido un jabato!», el olor de su cuerpo me embriagaba, provocado el sudor por la carrera, sus manos me acariciaban como nunca, la herida no era grande y la sangre se había coagulado, apenas si el chichón me dolería unos días, alcé la cabeza para mirarle, su mano descansaba sobre su rodilla, en un rapto incontenible la besé, retiró la mano, cariñoso, pero muy serio, me dijo que eso no se hacía, los chicos no se besan, «¿por qué –protesté con lágrimas– si yo te quiero tanto?», «¡mucho, mucho!», insistí, «los chicos no se quieren», repitió, «vamos, estás nervioso; no hay que llorar, no es nada».

Caminamos hacia el coche, yo no estaba nervioso, tampoco era el dolor, mis lágrimas brotaban primero por pura e inefable felicidad, ahora lloraba de tristeza porque los chicos no se quieren, ¡pero si era mentira, si yo quería a Antonio!, más que a nadie, más que a nadie, ahora me doy cuenta de veras, treinta años después, por eso lo olvidé tan absolutamente, aquel amor no era recordable, por eso casi me desmayo de nuevo esta noche, ante Antonio Hervás resucitado, crecido, triunfante, enigmático y pleno, colmo de sí mismo, bellísimo, no he dudado un momento, con el mismo perfil de paje florentino, el perfil de Ágata, Antonio evocado por la magia de Flora, volviendo a este presente, para qué, ¿a reclamar amor?, Antonio-Ágata, ¿Ágata reclamando?, ¿dónde echar el ancla?, si no es en aquella otra vida no sé en dónde, en el quiosco auténtico, ¿dónde podré hacerme al fin quien soy, sea yo lo que sea?

ÁGATA

¡Qué buena idea, telefonearle para que vaya directamente a casa de doña Flora! Ya no tengo prisa y hace un día delicioso, con perfume de primavera. Da gusto andar por la calle. Hasta la gente parece caminar más tranquila. Y aún queda sol a estas horas.

Odioso. Hombre típico, siempre cotizando su papel de macho. *Homo sexualis*. Es gracioso: qué cerca está el obsesivo macho del homosexual. Ese Don Rafael, dale que te pego. El otro día: «Si quiere, no venga mañana a dar la clase.» Me le quedé mirando, sin comprender. Sonrió con suficiencia, claro: «Catorce de febrero, hija; San Valentín... ¡Día de los enamorados...! Vamos, Aguedita, que usté y ese señor Madero... Bueno, bueno, no se sofoque. ¡Y eso que sofocadita, mirándome con esa mijita de *aborresimiento*, está usté preciosa...! Dispense, no se enfade; yo creí hacerle a usté un favor.» ¡Intolerable! ¡Metiéndose en todo!

Además, evito cruzar la Plaza de Isabel II hasta casa, para luego recruzarla de vuelta. Retiene un poco, ese gran espacio abierto. Comprendo la agorafobia. Y gano tiempo. No están mal esos saldos. He de volver mañana. Necesito una falda para la blusa nueva. No va con nada de lo que tenía, pero ¡era un color tan único! ¿Quién se resistía? Pasará lo de siempre: no encontraré la falda, pero encontraré otra cosa... ¿Dónde llevan a ese pobre niño, vestido de baturro? ¡Claro, Carnaval! El padre se vuelve para mirarme. La verdad es que mi abrigo-capote llama la atención. ¡Y estuve dudando en comprármelo! Menos mal que Luis me decidió. Tiene buen gusto.

«Ese señor Madero...» ¡Si supiera don Rafael lo que vale! Es raro; le gusta acompañarme de tiendas. Hasta a la Ojos-de-Vaca le he llevado. Nunca oí que le gustase a un hombre. Todas las casadas se quejan; acaban yéndose solas o con amigas. Sin embargo, para saber lo que les atrae a ellos, mejor un consejo masculino... Pero ¡Ágata!, ¿te interesa atraer a los hombres? Eso es nuevo. ¿De hace unas semanas? ¿O más? ¿Desde Aranjuez? ¿Desde Lina? Nuevo, sí, pero no he cambiado. Atraerles... ¡para darles con la puerta en las narices! ¡Qué delicia...! Como mucho, me gusta ser aconsejada por Luis. Acierta siempre. Es admirable. ¡Qué cosas me hizo ver en el Prado el otro domingo!

Prefiero las callejas. Esa librería de viejo. ¡Qué libro más curioso! «Teoría y práctica del *boomerang*»; hace falta ser inglés para especializarse en eso. ¡Vaya, qué aceitunas! Me encapricho. Luego la gente se reirá de verme andar comiéndolas por la calle. ¿Qué más da? Sólo mitad de cuarto; bueno, un cuarto. Las que sobren al llegar a casa de Flora las tiro. No, se las doy a una niña. O las dejo en su papel con mucho cuidado en una ventana baja. Como antes con los pedazos de pan. Ya no se hace: no se respeta el pan.

Quizás desde Aranjuez. Eso aclaró nuestra amistad. La estabilizó. Sí, como una combinación estable, no una mezcla explosiva. Estoy tranquila, segura. Y no dirá que me excedo. Me atiende porque le gusta. Ya me lo ha dicho: trovador, *chevalier servant*, cortejo. ¿Su manera de hacer el amor? No; decididamente no es amor: lo diría. ¿Por qué lo niega tan enfáticamente? Casi me ofendería si no fuese porque hay algo encerrado. La dichosa Marga: le hizo mucho daño. Menos mal que allí hay divorcio. ¿Por qué iba yo a ofenderme? No me interesa el amor. Estoy muy bien así. Es halagador que me cuiden. Y no me paso, ¡qué va!, yo no soy Gloria... ¿Gloria? ¡Siglos que no me acuerdo de ella! ¡Y fue tan importante! ¡Por estas calles bajaba yo corriendo hacia la plaza, todos los días! Gloria... ¿Por dónde rodará?

La galería central, la escuela española. Siempre había pasado yo de largo. Sí, el bodegón de Zurbarán desde luego; esos prodigiosos cacharritos... y algún monje. Pero los cuadros grandes, los de santos... Siempre pasaba de largo. Y de pronto, Luis me detuvo ante el Ribalta: «La visión de San Bernardo.» ¡Qué cosas me dijo! Y eran verdad. Aparte la pintura, la psicología. Los pliegues blancos del hábito, preciosos; ¡qué mangas para un traje de noche o de ceremonia! Pero el rostro, la expresión. Esa cara de éxtasis. ¿Eso es el éxtasis? ¡Qué raro, hay dolor; por lo menos agotamiento! «¡Pues claro que hay dolor! ¡Naturalmente!» Miré a Luis: arrebatado. En su cara como un eco de la del cuadro. Algo le ha hecho esa Marga. Y es verdad, un cuadro espléndido.

¿Otro disfraz? ¿De qué va? ¡Ah, sale del club ese! Y se mete en el coche donde el fulano la espera, claro. ¡Qué pobretona! Qué pintarrajeo, qué falda: más que ceñir, abulta. Pero claro, atrae lo que busca. Como los animales. ¿Cómo se llamaban aquellos productos que leí el otro día, buscando los colorantes...? La comunicación química sexual... Eso, las feromonas de los lepidópteros. Ahora recuerdo; me impresionó. Los materiales biológicos más potentes conocidos. Aquella relación entre la energía cinética de las moléculas de las feromonas que actúan en las antenas del insecto y la que éste desarrolla al ponerse en movimiento..., ¿cuánto era? ¿10^{15}? ¡No es posible, volveré a mirarlo! ¡Muchísimo más que entre el mecanismo detonador y la propia bomba de hidrógeno! Y pensar que eso se empezaba a saber hace ya siglo y medio... Tengo que contárselo a Luis; se me había olvidado. Se pondrá tan contento: el triunfo de la vida sobre la mecánica, etc... Su manía. ¡Ya me estoy sonriendo!

Esa «máscara» es lepidóptera y atrae a sus congéneres; es natural. Yo no quiero atraer más que a los que son como Luis. Bueno, ¿y cuántos hay? Gregorio parecía que lo era, y después resultó propagandista del Opus. ¿Y cómo es Luis, cómo soy yo? Nada corrientes, claro. La gente se imaginará cualquier cosa, de nuestros ratos a solas en casa. Divertido engañarles. Bueno, da lo mismo. Pero ¿qué somos? Amigos, no; más que amigos. ¿Entonces? Es curioso; el idioma no da para más; no hay gradaciones. Pero nosotros somos intermedios. Más allá de la amistad, pero antes del sexo. Aunque... Algo tiene que haber, si es intermedio. Como la cara de San Bernardo. No es sexo y sin embargo... Nosotros no llegamos, pero lo hay... Sé sincera, Ágata. Y Luis, posiblemente, cerca del éxtasis. A veces le envidio. ¿Por qué no podré? No pude con Gloria. Con un hombre, ni pensarlo. Luis, Luis. La justa medida. ¿Por qué se refrena él? ¿O no se refrena? No quiero pensarlo, no quiero cavilar... Será lo que sea. Estoy bien; somos una combinación estable... ¿Son estables los estados intermedios...? No quiero pensar, no quiero sufrir.

Don Rafael no piensa. Con lo de San Valentín le paré los pies y ni se enteró. Porque no le conviene, claro. «Cuando usté quiera un día libre, no tiene más que decirlo. Aguedita; aunque sea San *Ponsio Pilatosss.*» O cecea o carga las eses. «Y no me llame tanto "don Rafaé". ¡Lo que daría yo por no tener ni el bachillerato! Así me quitaría usté el "don" y me llamaría Rafael. ¡Digo, y hasta puede que sin cultura llevara yo mejor el negocio académico! Para el dinero, ¿sabe usté?, las letras estorban.» ¿Todavía quiere ganar más? Su cinismo desarma.

Como castañuelas repiquetean mis tacones. Ya me he acostumbrado; ni lo noto. Si no hubiera sido por ese eco de las pisadas del que me sigue... En estas callejuelas se distinguen los ruidos. Pero ya me he acostumbrado también. Como el impacto en mis caderas; la leve sacudida al repercutir el tacón. También se ha fijado en eso don Rafael, en mi nuevo balanceo.

Claro, tuve que sonreír ante su cinismo. Eso le animó. «¿Verdad que sí?: las letras estorban. Si yo no tuviera estudios ya me hubiera quitado de encima a ese calamidad de Herranz, más chocho cada día.» Me indigno y le defiendo: es un profesor excelente, los chicos le quieren, sabe muchas matemáticas. Me apasiono en favor del pobre hombre, solo y viejo. Ahora sería general, si no hubiera cumplido con su deber en el treinta y seis permaneciendo leal a la República. «Pare usté la jaca, niña, pare la jaca... No niego que sabe, pero eso mismo estorba. Aquí no vienen los niños a aprender ni a formarse ni a esas literaturas. Esto es una fábrica de aprobados, hija. Cuanto más aprobados, más pesetas y más prestigio.» Protesto: la enseñanza... Ni me deja seguir: «Es lo mismo en todas partes, hasta en la Universidad. ¿No leyó las declaraciones del Subsecretario el otro día, midiendo la productividad de los centros docentes por la proporción de aprobados?» Me callo: sabe lo que hace.

Comprendo aquella confidencia de Luis, el otro día, sobre la magia de los tacones en su infancia. Los espiaba por una ventanita. Sus ojos a la altura de esa base del cuerpo; esa base frágil, delicada y, sin embargo, cruel. Todo un símbolo. En el periódico, aquella riña de mujeres. Una se quitó un zapato y le saltó un ojo a la otra con el tacón. Como puñales. Ya lo dicen los ingleses, *stiletto heels*. ¡Cómo lo pronunciaba Gerta, cómo se recreaba en la palabra!

Es monstruoso, pero tienen razón. Aquí no interesa educar, sino dar la sensación.

¿Tenemos los mejores matemáticos? No, ni se habla de eso. Pero se han construido tantos edificios, publicado tantos libros y gastado tantas pesetas. Cifras, ladrillos. ¡Qué horror, cuando volví de Francia y conseguí aquella beca en el *Consejo Superior*; qué diferencia con París! No tenían dinero ni para las suscripciones a revistas extranjeras indispensables. «Desengáñese, Aguedita. Los ideales están muy bien, pero si el mundo se convierte en mar, o se vuelve usté pez o se ahoga.»

En su infancia está la explicación; como en la mía. Sin madre, como yo. Pero al menos tengo padre. ¿Lo tengo? Pero ¡por qué, por qué, por qué! Esa distancia, esa ausencia. Y ya lleva más tiempo que otras veces. Nada, ni siquiera una postal... Peor estuvo Luis. Al menos, padre me dio a mí el primer impulso. Luis, sin nadie. Por eso se ampara en mí. Por eso se me entregó en Aranjuez. Ya era mi esclavo antes, pero ¡aquel día! ¡Qué favor nos hicieron Lina y Guillermo al dejarnos solos! Todo quedó definido. Y estable. No ha tenido madre y busca una. Le haré volar por su cuenta; le enseñaré. Puedo hacerlo: padre me dio bríos. ¿Es por eso que parezco masculina? En el barrio lo decían: ¡claro, Gloria era tan convencionalmente femenina! Con sus formas, sus mohínes, su voz, sus miradas... Le enseñaré a volar. Es curioso: yo no sé volar, pero estoy segura de poder enseñarle. Con energía, claro. Es complicado: para él la tengo; para mí, no.

Más complicado en los animales. ¡Si la gente supiera! Más fascinante aún. Yo creo que por eso Alberta estudiaba biología. ¡Ella sí que era masculina! ¡Qué cosas nos contaba! Aquello de los crustáceos. No lo recuerdo bien, pero los hay hermafroditas –¿no eran los cirrípedos?– y con aberraciones. Capaces de la autofecundación y de la fecundación cruzada. Además, muchos degenerados enanos que sólo se aparean con hermafroditas. También hembras gigantes, dependientes de aquellos machos pequeños para su fertilización. Alberta disfrutaba contando esas cosas; las otras soltaban sus risitas. Ahora que lo pienso, Alberta debía de ser perversa. Más que Gerta. ¿Qué haría con los animales en el laboratorio? ¿Qué les cortaría, qué les injertaría? Soberana absoluta. ¡Ella sí, Reina del Alto y Bajo Egipto! Era cuando vivíamos al final de Reina Victoria, torciendo por la esquina de aquel bar tan destartalado y cochambroso, ¿cómo se llamaba? Hace eternidades que no voy allí. Desde que dejé *Farmasán*.

Con energía, sin duda. Es la única manera de que aprenda a volar. Bajo mis alas. ¿Qué sería de él sin su reina? Tengo que hacerme cargo de Luis y ejercer mi soberanía. Por su bien. El árbol desviado que es preciso amarrar a una estaca firme. A la columna de Aranjuez. A veces parece un niño pidiendo unos azotes. *Ecce Homo*. A la vez me ampara, sin embargo. Me serena pensar que sube a casa, habla con su voz tranquila, cuenta mitos fantásticos. Me adivina, me interpreta, me despeja dudas. Y luego, ¡es tan agradable compañero para salir! Se disfruta el doble, con él. Ayer en *El Huertano*, el restaurante murciano. La dorada a la sal, ¡qué nostalgia marina! ¡Si me llegaran noticias de padre, sería todo tan perfecto! Podría vivir así siempre.

Sí, volver a esos saldos. Los de los grandes almacenes son una lata, con tantísima gente. Y esas peleas, para agarrar algo en los montones de prendas. Una falda y quizá algo más. Ahora es cuando hay cosas clásicas para el invierno, de las que no pasan de moda.

Pero está preocupado. Al principio me inquieté: creí que se arrepentía de su entrega en Aranjuez. Pero no es eso. ¡Cómo se resistía! Al fin me lo ha dicho: temía que yo me fuese a burlar. La reencarnación; está persuadido de haber vivido una vida anterior. Se resistía a hablar y tuve que enfadarme. Y castigarle. Pero se rindió: buena señal. Ayer, con motivo de su cumpleaños. Al volver del restaurante. Estaba afectado por el fin de la treintena. «El próximo año empiezo con un cuatro. ¡Un cuarentón, Ágata, un cuarentón! Echaré barriga y todo eso... El gran salto.» Nos reíamos, pero estaba afectado. Brindamos. Luego una copa en casa. Me entregó su confidencia porque le conmovió mi regalo. Otro de sus encantos: cómo agradece la menor cosa. La verdad es que me costó trabajo; no es fácil regalarle nada. ¡Como no presume en vestir, no fuma y ha leído tanto! Pero encontré *Les Thibault* en la «Librería franco-española» y me acordé de haber leído la novela en París; me había gustado mucho. No lo tenía y, en su gratitud, me confesó su creencia. Ya había pensado en ello antes, pero la verdadera revelación fue ante el quiosco. Cree haber vivido otra vida, con el episodio decisivo en un quiosco. Aunque no como el de Aranjuez; cuanto más lo piensa más seguro está. ¿Entonces, por qué tan impresionado allí? Le obsesiona aclarar el misterio... No he pensado nunca en la transmigración, pero ¿por qué no? Empieza a darme argumentos, incluida la conservación de la materia. Una cosa es la materia y otra su organización. Además...

Cuando llegué al portal de Flora le vi venir, desde Arenal a la altura del *Niño Jesús de Praga*. Le esperé y subimos juntos. Me preguntó qué me ocurría; me encontraba resplandeciente. Siempre dice cosas agradables. Comentamos la deliciosa tarde. Doña Flora le besó cariñosamente y le felicitó por su cumpleaños. Se echó a reír cuando él lamentó el final de la treintena. «¡Cuando llegues a mis años!» «Está usted mejor que yo, en comparación.» Es verdad. Ya madura, pero fresca, atractiva. «¡Una buena jamona, como decían en mis tiempos!», ríe ella. Ofrece su regalo: la amarillenta fotografía, la del hotelito en Aravaca. Veo por primera vez a aquella Fiammetta. ¡Qué hermosa, aún en esa imagen deficiente! ¡Qué vitalidad en los grandes ojos italianos, en su boca sensual! Y sí, los pechos arrogantes, sin exagerar, bajo una de aquellas blusas camiseras cerradas hasta el cuello. Luis la acepta y la guarda en su cartera. Un tesoro.

¡Qué fantasma, de pronto; qué sobresalto! Guillermo, llevando en la cabeza el velo rosa pálido que cuelga de una lámpara de pie en el vestíbulo. Detrás Lina, riéndose. Vienen de comprar bebidas y unas tapas, y no les hemos oído abrir la puerta. «¿Os ha gustado mi disfraz? Mono, pero sencillito.» Resulta que además del cumpleaños de Luis celebramos el Carnaval. Aunque ahora no se celebra. «¡Ya lo creo que se celebra!», replica Guillermo, «todo el año es carnaval». Critica la farsa oficial, los jerarcas disfrazados de representantes del pueblo, los simuladores de la investigación científica (guiña un ojo a Luis, en honor de IDEA, supongo), los imitadores de Sindicatos. Y además hay bailes de los ricos, y hasta en círculos y casinos. A veces con fines caritativos, naturalmente. «¿Es usted partidaria del mejoramiento social y material de la clase obrera, señora? Pues inscríbase en el concurso de disfraces de la señora de Tal. Los fondos irán a los albergues para mujeres descarriadas.»

Doña Flora se remonta a sus recuerdos. ¡Cómo se ponía de carrozas el paseo de coches de la Castellana! A ella la buscaron más de una vez para ocupar alguna. ¡Tenía tantos amigos jóvenes y alegres! Un año ganaron el primer premio, por una carroza titulada «Pascua Rusa». La idea fue de ella, recordando los ballets de Diaghilef. Una isba en la nieve y jóvenes rusos tirando confetti... Pero sobre todo los bailes: el de los actores, en el teatro de la Comedia, con las actrices más guapas, el de la Asociación de la Prensa... Y el del Círculo de Bellas Artes: la apoteosis. De allí se salía ya de día, después de haber hecho de todo... Verdaderas locuras, ¡ay!

Ayudamos Lina y yo

a doña Flora en la cocina. «¡Pero si no hay nada que preparar!» Es cierto; esa mujer parece tener una varita mágica. Lina me pregunta por Luis; la semana pasada le notó como cansado, silencioso. No quiero revelar su preocupación y digo que no le ocurre nada. Lina siempre está pensando en Luis y en mí en términos convencionales. ¡Y todo es tan diferente, tan especial! Se me ocurre de pronto que Lina sincronizaría con don Rafael, y la miro bajo otra luz. Exagero, soy injusta. Bueno, no exactamente eso, pero... No he olvidado aquella vulgar escapada a las *Montañas Rusas*, aunque al final me beneficiase.

Después de la cena fría vuelve el tema del carnaval. Lina propone que elijamos disfraces para definirlos. Guillermo recoge el reto en el acto: «Yo, de Robespierre, pero con una guillotina bien afilada para cortar, de verdad, unas cuantas cabezas.» Aplaudimos. Luis dice que el suyo es muy sencillo: Pierrot. Su elección decepciona, por poco original. ¡Si supieran! Engañado Pierrot, pienso yo, recordando a la famosa Marga. Pero más defrauda Lina, que no se imagina disfrazada. «Eso no vale –gritamos todos–, hay que definirse.» Se sale por la tangente: con una sábana y unas sandalias ya resultaría una griega. «Penélope, por ejemplo.» Luis advierte que no es tan sencillo: además necesitaría un telar. «Y muchos pretendientes –tercia Guillermo–. No te lo consiento.» «Soy libre», replica Lina. Doña Flora elige pronto: va a su cuarto y vuelve con una preciosa fotografía suya, de dama veneciana del XVIII, con su gracioso tricornio y el velito sobre la cara. Seductora.

¿Es ilusión mía o ciertamente Luis se impresiona ante la foto? Quizás un efecto de luz con los velos que la tamizan en estas pantallas de doña Flora. Acaso mero sofoco. Pero me ha parecido...

Yo me vestiría de amazona; con unas botas y una

fusta. Pero aún no lo he dicho cuando se me anticipa Guillermo: «¡Ágata, de verdugo!», declara tajante. Estupor general. «¿Por qué?», le pregunto secamente, aunque no me haya disgustado oírlo. No lo sabe; le ha salido así. Interviene Flora: ella tiene mi verdadero disfraz, y me lo va a prestar ahora mismo. Se ríe con sólo anunciarlo. Me mira de arriba abajo: «Sí; estás como yo cuando era más delgada. Resultarás espléndida.»

¿Qué será? Me excita la idea. En su alcoba me esperaba casi lo que yo había pensado; unas botas. Admirables: nunca vi cuero tan suave y flexible. «Hechas a medida, hijita, por el zapatero de su majestad.» Magia de doña Flora, como una madrina de Cenicienta. Un poco justas, pero para ir hasta el comedor me sirven. «A mí me estaban grandes –dice doña Flora– y eso que yo tenía el pie mayor de lo que gustaba entonces.» Mientras me viste, curioseo la alcoba: de París de 1900, como en las películas. La oigo contar que en ese disfraz vivió una gran noche de su vida. «Me amortajarán con él; lo tengo así escrito.» Lo dice como si hablase de ir a otra fiesta. Y puede que sea fiesta para ella. El traje me está bien. Sigo a la señora por el pasillo, que levanta con la mano el *portier* y anuncia campanuda: «¡El Caballero d'Artagnan, mosquetero de Su Majestad!»

La sorpresa es para mí: creí que Luis se iba a desmayar. Los demás entusiasmados, vitoreándome, pero Luis terriblemente pálido. Me da pena y para distraerle me quito el sombrero en una profunda reverencia, arrastrando la pluma por el suelo. «Enamorarías a todas las mujeres», elogia doña Flora. «Sólo le falta el bigote. ¡El bigote!», exclama Lina. Al fin miran a Luis, asombrados por su silencio. Sigue pálido, pero se ha repuesto. Afirma en voz baja, muy intensamente: «Al contrario; sin bigote es como está perfecta.» Lina me mira triunfante. Debe pensar que por fin «conquisto» a Luis. Me preocupo por él, pero el triunfo se me sube a la cabeza. Me siento yo misma, en mi propia piel, segura como nunca.

¿Qué le habrá ocurrido? Tendrá que decírmelo. Su mirada busca mi perfil, pero le esquivo. Parece como si intentara reconocerme así mejor. ¿Reconocerme? ¿Reconocer a quién? Su mirada no es tanto admirativa cuanto otra cosa. ¿Pasmo, miedo, resignación? Creo comprender: algo relacionado con su vida anterior. ¿Habré evocado algo sin saberlo? ¿Qué destino, qué sombras, se han infiltrado en ese cuarto?

Quartel de palacio

Jimena percibe una mano saludándola a través de una vidriera, en la calle del Arenal, cerca ya de la plaza. Es doña Flora, sentada en la cafetería Sajonia, tomándose un té con pastas. Jimena vacila: esa mujer le atrae, pero también le pareció peligrosa, en Nochevieja, al bailar el tango con Paco. Al fin entra y se sienta con ella. Pide una cerveza. Flora se echa a reír: «Comprendo que el té con pastas no es de tu tiempo. En el mío era lo elegante. Todavía antes de la guerra se podía tomar en la terraza del Ritz, con orquestina, por cinco pesetas. Se bailó mucho un fox lento famoso: *Las tardes del Ritz*. ¿Ibas a tu casa?»

–Sí. Fui a comprar una cosas, después de salir de la tienda –responde Jimena, mientras se pregunta si la señora no habrá adivinado su pensamiento sobre el baile de Nochevieja.

–Por fin tu padre se ha resignado a que trabajes, ¿no?

–Ya casi se ha olvidado. Vive en su mundo.

–¿Encuentra empleo?

–No. Le han prometido varios, pero nada. Ahora está entusiasmado con las clases en el almacén.

–¿Qué enseña?

–Quería dar Historia de España, pero le han encargado de las leyes laborales, sindicatos y todo eso. A los chicos obreros les interesa mucho más.

–Eso lo mueve Guillermo, ¿verdad?

–Y Lina, sí. Trabajan mucho en ello amigos estudiantes; todo gratis. Paco dice que hay algo detrás... No sabe bien, pero huele algo.

–¿Cómo vas con él?

–¿Con Paco?, ¿cómo he de ir?

Doña Flora percibe que la muchacha no quiere entrar en el tema y cambia de conversación mientras la contempla. A la luz del día resulta bonita, en su estilo sencillo. Tiene vida; es natural que se ahogue en casa, con la madre extasiada ante el marido, noble, pero imbécil. «Noble, pero imbécil», ¿dónde ha leído esa frase? La ha oído en el teatro. Aquella obra tan rara de un francés. Inspira compasión y, sin embargo, vive explotando a su familia. Mientras habla, la muchacha rechaza atrás su pelo largo con un gesto de cabeza como de cervatilla. Sus manos son fuertes, parecen seguras. ¡Qué delicado lóbulo de la oreja para el mordisco! Rasgo de Géminis o Virgo. ¿La boca de Tauro? Más bien Virgo también: firme, pero no dura. La nariz recta y delgada, pero no larga. Los ojos brillan, abiertos y cándidos.

–¿Naciste en septiembre o a fines de agosto?

–El 15 de septiembre. ¿Por qué?

Flora, satisfecha, le explica ese juego que practica mucho: adivinar el signo del zodíaco por los rasgos físicos. No es para reírse. Un científico como Jung calculaba usualmente el horóscopo de sus pacientes, y lo tenía en cuenta.

–Tú eres Virgo.

–¿Y eso qué quiere decir?

–Un signo equilibrado, a la mitad del zodíaco. Eres receptiva, buena amiga. Perteneces a la tierra; tu color es el gris o el marrón; te gusta enseñar, el orden, la tranquilidad. Eres muy leal. Tienes encanto; bueno, eso se ve.

Jimena sonríe halagada.

–¿Y lo malo? No todo será tan bonito.

–Quizá demasiado pasiva. A veces te preocupas sin necesidad. Y si tuvieras mala suerte, en el fondo te la habrías buscado tú... Como ves, nada grave.

Jimena ríe.

–Me parece estar oyendo a mi padre... ¿Y usted, de qué signo es?

–Yo, Capricornio, ¿no lo ves? Tomada razonablemente, la astrología es verdadera. A mí me ha sido útil toda mi vida.

Siguen con el tema; después pasan a los trapos. Cuando Jimena se despide, camino de su casa, piensa que hay cosas de verdad en el diagnóstico. ¿Cómo se llevará con Paco? ¿De qué signo es? Ella no ha leído nada de esas cosas; sólo ahora empiezan a publicarse algunos libros, prohibidos antes por la censura. Además, su padre en contra. «¡Supersticiones tontas!» Su compañera, sin embargo, lee cada día la sección del periódico *Pueblo*. Le preguntará.

Supersticiones... Jimena ya no mira la religión como antes. Seguía yendo a misa con sus padres por inercia y el domingo rogó a Paco que la acompañase, aunque por supuesto aparte de don Ramiro y su esposa. «Yo voy contigo a donde quieras, niña, pero la religión es un atraso», dijo Paco. Tenía razón: a su lado, iluminada por la realidad, Jimena lo vio todo como una mera rutina social. Percibía la actitud de indiferencia y hasta de aburrimiento en muchos asistentes a la misa. No le servía de nada ver a lo lejos, cerca del altar, a su madre sinceramente extasiada y a su padre recibiendo «el consuelo de la santa religión».

Cuando terminó, Paco le tiró del brazo y la sacó rápidamente. Jimena comprendió que él no estaba dispuesto a aguantar además la perorata de don Ramiro. Caminando hacia Mayor, se perdieron pronto entre la gente. «No me lo pidas más, niña», fue lo único que dijo el hombre. Su tono, sin ser áspero, hizo a Jimena sentirse culpable de haberle arrastrado. «Yo tampoco vuelvo», dijo firmemente. Y la mirada de Paco, girando rápidamente la cabeza para verla, le resultó un premio.

Luego, a solas en casa, sintió remordimientos. Aprovechó un momento con Luis, antes de la cena, para abordar el tema, sin referirse a sí misma.

–Yo respeto los sentimientos ajenos –dijo Luis–, pero a mí el problema sólo me interesa antropológicamente. Los curas llaman religión a lo suyo, y mitología a las creencias de los demás, pero lo suyo es otra mitología. Construir una ciencia llamada Teología es un fruto del orgullo humano. Ignoro si hay Dios o dioses o no, pero me resulta evidente que ningún Dios puede ser tal como nos lo presenta la Iglesia romana.

De todas maneras, tardó Jimena en dormirse. Se acusó de soberbia, el más grave pecado. A la mañana siguiente, con un pretexto, salió más temprano para poder confesar y eligió deliberadamente a don Crisanto, el más viejo de la parroquia, un buen señor que la conocía desde niña. La decepción fue total: el sacerdote no comprendió absolutamente nada; ni siquiera se asomó al problema. Sólo repitió, con mecánico y aburrido sonsonete, unas cuantas vulgaridades que seguramente le servían para todo: tentaciones del demonio, pedir la gracia con fe, Dios aprieta, pero no ahoga, etc. Sorprendentemente, cuando después le preguntó a Jimena por su madre y por su nueva vida de trabajo en el Patrimonio, latía en las palabras del cura un tono de auténtico interés. Era hablando de lo sagrado, «profesionalmente», cuando se expresaba con menos fuerza persuasiva que un vendedor de electrodomésticos. Al salir Jimena contempló la plazuela desde la puerta. Vio una mañana fría, pero con una luz que empezaba a ser dulce. Se le escapó un suspiro de alivio: lo que parecía gran barrera entre Paco y ella se había disipado como una niebla calentada por el sol.

Al lado, también al sol, estaba Feli. Como el día empezaba bien, Jimena se gastó diez pesetas en una tira.

–¿Siempre aquí fuera, Feli?

–¡A ver, señorita! ¿Dónde quiere que esté? Mientras no llueva...

–Quiero decir si no entras en la Iglesia.

–Pues la verdad, casi nunca. Ya se asomará Dios a verme, si le interesa una vieja ciega. Y si no, ¿para qué voy a ir a darle la lata; verdad, usté?

Mientras ellas hablan, Flora camina por Arenal hacia su casa. Sube lentamente los dos pisos –ay, ahora le cuesta más trabajo cada día– y cuando va a meter la llave en la cerradura se detiene: ¿qué ha ocurrido? Escucha atenta. Nada. Pero nunca se engaña; presiente las cosas. Al fin introduce la llave, la hace girar y en ese momento suenan pasos en el último rellano de la escalera, junto a la claraboya. No pertenecen a ningún inquilino. Pero Flora no siente miedo. El corazón le dice que es como otras veces. ¡Hacía, sin embargo, tanto tiempo que ya daba esas experiencias por terminadas!

Los pasos siguen bajando y el hombre asoma en la vuelta de la escalera. Es como los anteriores, aunque varíen los detalles: ahora es boina, cazadora, pantalón de pana, barba mal afeitada. Pero los mismos ojos. Siempre el mismo recelo, aquella inquietud de animal acosado.

Flora empujó del todo la puerta y la dejó abierta, sin entrar. El hombre bajó hasta el descansillo.

–¿Doña Flora?

–¿Quién le manda?

–Dionisio.

¿Quién sería el tal Dionisio?

–Pase, pase.

Entraron y cerró tras ella, corriendo el cerrojo. Encendió la luz. Notó que el hombre respiraba mejor.

–Muchas gracias.

–¿Cuánto tiene que estar?

–Hasta mañana. Han de avisarme.

–¿Por teléfono?

Se rió de sí misma. Reaccionaba como antes. Pero seguro que hacía tiempo ya no intervenían su teléfono. ¿Para qué?

–No teníamos su teléfono. Por eso no la hemos prevenido.

–Es mejor.

–Pasará por la calle. Un compañero. Nada más pasar.

–Bueno, no se quede ahí. Estará cansado.

Todos llegaban cansados, siempre. Aunque hubieran caminado poco, aunque no vinieran de muy lejos. El cansancio era su estado normal. Cansancio de andar alerta, de esperar, de no hacer nada hasta ese momento en que hay que hacerlo todo de golpe, jugárselo todo. Vivían en un estado extraño: como acorchados y, al mismo tiempo, muy alerta, muy sensibles.

–Usted no se acuerda de Dionisio, ¿verdad?

Efectivamente, hipersensibles. Se había dado cuenta. Confesó que no.

–Pues él no la olvida. Dice..., dice que no la olvidará nunca.

Flora sonrió con melancolía. Hipersensibles. Es decir, envidiables. ¡Qué gran cosa gozar de un refugio, inesperadamente amoroso, en ese filo del peligro sobre el que caminaban sus vidas! ¡Qué gran oasis debió ser la hospitalidad de Flora! Este de ahora miraba alrededor, se sentaba.

–¿No has traído nada?

Algunos llegaban con un lío o una maleta de madera. Incluso en los primeros tiempos, una mochila, un macuto.

–Dionisio tenía una cicatriz.

El hombre estaba empeñado en recordarle a Dionisio.

¿Por solidaridad masculina o para consolidar a su recomendante? ¡Si supiese éste de ahora cuántas cicatrices habían pasado por allí! ¡Cuántas habían acariciado las manos femeninas! Él no lo sabía, pero lo intuyó y precisó el detalle:

–Un bayonetazo. En el bajo vientre. Casi lo deja inútil para... bueno ya me entiende.

¡Ah, sí! Aquella cicatriz la había besado. Por fuerza –sonrió–; lo había besado todo alrededor. Y el bayonetazo no le había dejado inútil; de ningún modo.

–¿Ojos claros, un poco rubianco? ¿De Soria?

Este de ahora sonreía, encantado.

–Casi, Madrid, pero la familia segoviana. De un pueblo.

–Ya. Y había vivido bastante en Barcelona.

Con eso se disipa el riesgo. El reconocimiento mutuo, como si hubieran cambiado el santo y seña, le hace más joven, más sonriente, más locuaz.

–Me están buscando otro sitio para quedarme. Tenemos que preparar cosas. El escondite previsto estaba vigilado.

–No me cuentes; es mejor. No quiero saber nada –ante la expresión del hombre, como volviéndose a poner en guardia, añadió–. No lo tomes a mal: comprende que es mejor. Además, querrás lavarte, afeitarte; tendrás hambre...

–¡Si pudiera bañarme!

Sí, tiene aspecto de eso: de hombre habituado a baños. En otros tiempos, en otro planeta más piadoso para él. Alto y delgado, con la frente muy alta porque el pelo ya escasea. Unos cincuenta años. Culto. Flora le conduce al cuarto de baño. Le entrega una gran toalla limpia y otra más pequeña. Le dice que llame si necesita algo.

Mientras tanto se vuelve a su gabinete y enciende un Muratti. Gil Gámez los repone antes de que se acaben. Recuerda aquel jovencito, casi un niño, que llamó desde el baño, como llamando a su madre. Había dejado la toalla lejos y no quería mojar el suelo. Esperaba púdicamente de espaldas. Acababa de escaparse de Burgos y le debían de andar buscando hacia la frontera francesa, por lo que le dirigían hacia Portugal, a pesar del mayor riesgo. Le secó ella misma y pasaron a la cama desde el mismo baño. Negarse o esquivarlo era ridículo. ¡Pobres hombres, pobres chiquillos!

Se alegra de que éste ya no sea joven. Flora ya lo es menos. Han pasado, desde el último, ¿nueve años? Es como si hubiera perdido la costumbre, como si hubiera prescrito de algún modo y acostarse juntos resultara un poco rebuscado. Además, no se lo pide el cuerpo. Ni siquiera le excita la ocasión. Este hombre, además, no es un fugitivo romántico, sino más bien reflexivo, cuidadoso: debe de ser un buen organizador, quizás importante. En todo caso, Flora no tiene ganas.

¡Sí tiene –se rectifica con violencia–, pero no así! ¡No de este modo! Una gran despedida, eso es; un gran adiós al cuerpo. Con un gran sacerdote. ¿Por qué se acuerda de Gil Gámez, al pensar tal cosa si no puede ser Gil Gámez?

El hombre tarda y Flora se mete en la cocina a preparar algo. Oye tirar de la cadena y también sonríe. ¿Cuánto tiempo llevará este hombre de ahora sin esos lujos a los que no damos importancia: no sólo el artefacto, sino la soledad y el tiempo sin apremios? Aunque quizás no. Lo poco que ha dicho no denota al fugitivo –de Burgos, de Soria; al principio venían de Miranda de Ebro–, sino más bien al llegado de Francia. Se encoge de hombros. Le oye salir.

Se ha afeitado. Debe de llevar la maquinilla en el bolsillo y usado para ello el jabón de tocador. Lo hacían muchos. Le explica lo que hay de cena; todo le parece bien. Su obsesión es no molestar. Le ofrece una copa, pero ese hombre bebe poco. No, no es el tipo romántico. Casi, ni humano. ¡Eso de que parezca estar tolerando a Flora! Debe ser eficaz y de esos que no creen en la capacidad de la mujer para la lucha. Dan ganas de darle una lección.

Después de cenar, el fugitivo pide permiso para ponerse a escribir y redacta una carta apresuradamente. Se dispone a salir para echarla al buzón. Flora se ofrece: es mejor que lo haga ella. Además, le gusta a veces dar una vuelta de noche. El hombre acepta; al fin parece agradecer algo. Anuncia que, si no le importa a Flora, estará ya durmiendo cuando ella llegue. Ella le ofrece su propio cuarto, pero el hombre se niega tercamente. Le basta la alfombra o, bueno, el diván. Flora le lleva al fin al cuarto de la muchacha que tenía en tiempos de Gustavo. Desenrollan simplemente el colchón, pues el hombre sólo quiere una manta. Quizás duerma bastante; lo más probable es que vengan a buscarle hacia mediodía. Seguramente una mujer ya mayor; una pareja despista mucho.

Doña Flora sale a echar la carta. Al regreso se encuentra con Baldomero, el sereno. Está recorriendo su demarcación y tanteando los portales a ver si están cerrados. Doña Flora le pregunta por sus gatos, los que viven en estado salvaje en la Plaza de Oriente y a los que da de comer en la esquina de San Quintín: cuando golpea el suelo con el chuzo, acuden veloces. Baldomero sonríe bajo sus grandes bigotazos, inadecuados sobre sus rosadas mejillas de hombre tímido. Doña Flora sabe que tuvo que echar a su mujer de casa: aprovechaba las noches con otro. Por cierto, Baldomero le comunica que entre los gatos ha aparecido una gata muy rara. «Negra, pero de un negro... Parece que echa luz.»

–¿Por qué es rara?

–No come nada. Nunca la he visto comer. Y los otros no la rozan nunca, no se restriegan los lomos. No se apartan de ella, pero no se juntan. Oiga, ni en enero. Viene como a verlos, o a verme, pero siempre apartada. Le digo que nunca vi cosa igual, doña Florita.

Cuando vuelve a casa, efectivamente, Martín –dio ese nombre, por supuesto falso– ha apagado la luz. Estará ya durmiendo, si la fatiga vence a la inquietud. También apartándose, como la extraña gata de Baldomero. Los otros preferían hablar; comunicar con un ser humano. Gustaban de una buena sobremesa. Flora sospecha que, ante el estilo de su vivienda, éste la toma por una burguesa poco de fiar. Sí, dan ganas de enseñarle quién es quién.

Pero la ocasión no surge hasta la hora del desayuno, cuando el hombre limpia su pistola. Ostentosamente, con vanidad (¡peligrosa cualidad en su oficio!, piensa Flora).

–¿Qué, ha visto usted otras como ésta? Lo mejor que hay.

–Mi marido era militar –contesta escuetamente Flora.

–¡Ah, claro; el del retrato a la entrada! –El apenas velado desdén desencadena la decisión de Flora–. Pero no las habrá usted usado.

–No. Yo he matado con estricnina. ¿No lo ha visto nunca? ¡Qué sacudidas, qué contracciones! No hay mejor venganza.

El hombre la mira, pensando si es en broma. Pero la segura naturalidad acabará convenciéndole, en esa voz que Flora hace más sugestiva que nunca.

–Claro que don Alipio se lo merecía de sobra. El canalla más sucio que he conocido. Vivía en el piso de abajo; era el notario de la familia. Se aprovechó de que yo necesitaba dinero para la larga enfermedad de Gustavo y tuve que someterme a lo que él quiso. Le encantaba humillarme con cochinadas; se sentaba a trabajar y yo tenía que excitarle debajo de la mesa, a cuatro patas, mientras él incluso contestaba por teléfono... A poco de morir Gustavo volvió a llamarme. Me presenté como si tal cosa y le calenté el coñac que bebía siempre antes. «Bueno, Florita, volvamos a lo nuestro»; me parece estar viéndole frotarse las manos y mirarme por encima de sus lentes. «No, no volveremos, don Alipio. Murió Gustavo, ¿no se enteró usted?, y para mí no necesito nada. Pero nada.» Empezó a porfiar, pero en seguida se sintió mal. «No sé qué me pasa.» «Pues que ha bebido usted estricnina de sobra. Por eso le dije que no volveremos.» Tuvo poco tiempo para insultarme. Pronto se cayó de la silla, se arrastró por el suelo, se retorció en convulsiones. Yo, sentada en el diván, cruzadas las piernas, bañándome en agua de rosas. Cuando estuvo muerto llené la mesa de fotos y de libros obscenos que él guardaba escondidos y le dejé medio desnudo, en postura de lo más escandalosa posible. Me subí a mi piso y ya está. Heredaban unos sobrinos de pueblo que sólo tuvieron interés en echar tierra encima y cobrar. Repito: nada como la estricnina.

El fugitivo no dijo una palabra y Flora se levantó hacia su alcoba. De pronto se detuvo ante la vitrina, donde estaba la faca regalada por Gil Gámez. La contempló un largo instante; sabía que esa faca no era para ella, que alguna vez debería entregarla a su verdadero dueño. ¿Ahora? No, ese arma de hombre de pueblo no era para este organizador clandestino. No encajaban juntos. «No ha llegado la hora de la faca», concluyó Flora y se retiró a su alcoba a terminar de arreglarse.

Poco antes de mediodía una mujer con aire de cajera de tienda se presentó en la casa y minutos después se marchó con Martín. El fugitivo se limitó a unas palabras de agradecimiento; apenas había vuelto a hablar con Flora desde la historia del notario. Aquel hombre tenía todavía mucho que aprender.

PAPELES DE MIGUEL
Despertar en París

Hasta el 30 de junio de 1976

«Maigret había tratado ya de convencer a algunos de que quienes dejan degradarse poco a poco sus vidas (especialmente si muestran morboso placer en enfangarse cada vez más) son casi siempre seres idealistas. Pero no lo conseguía. El juez Coméliau, por ejemplo, le respondería:

–Diga usted más bien que han sido unos viciosos toda su vida.»

Maigret tiene razón, en esa novela de Simenon, *Maigret et le corps sans tête*, leída anoche en el tren. ¡Profundas verdades a la venta en los quioscos de las estaciones! Como las contenidas en la historia conmovedora del ladrón solitario, entre Olga y su madre, *Le voleur paresseux.* ¡Cómo he pensado en Luis y Ágata! También en mí, ¿cómo no?, evocando mi último episodio, ya tan remoto. Al borde de la catástrofe, si no me hubieses Tú ayudado. Hombre: animal que tropieza mil veces en la misma máscara. Pero todo ya remotísimo, desde este *Hotel du Quai Voltaire*, número 19. Abajo una placa: alojó a Wagner y a Sibelius. ¡*Vals triste* de mi juventud, tercamente repetido por los altavoces de Recoletos en la Feria del Libro de 1934, entre la *Invitación al Vals* y las *Czardas de Monti!* También se hospedaron aquí otros dos más entrañables: Oscar Wilde, que se atrevió a ser honrado en una sociedad hipócrita, y el inmenso Baudelaire, en quien quizás pensaba Simenon al escribir el párrafo copiado.

En la misma máscara. Creí que Isolina eras Tú; ¡sufro tanto de tu ausencia! Quise acelerar nuestro reencuentro –¡como si la purificación fuese cosa de días!– y me aplicaste el fuego. Compréndelo: necesidad todavía de un cuerpo. ¡Que sobreviva el deseo al derrumbe de nuestra fisiología! Crueldad inconsciente de la vida. No; error nuestro. Peregrino perdido en tormenta de arena. La rosa de los vientos como una ruleta: Norte confundido. ¡Qué violencia el remolino, qué ardoroso el simún! Ardí, pero en la hoguera negra. Como sabe Maigret.

Lo rumio por costumbre, pero pasó. Ya pertenece a otra vida. Mis viejas neuronas. O no graban, o vuelven sobre lo mismo; disco rayado. Grabaron, grabaron; aquella idea de culpabilidad. Isolina confiaba en mí, esperaba salvarse conmigo. Otro error. Simplemente intrigada. La salvación no se recibe gratis. Exige esfuerzo y paciencia perseverante; yo quise acelerar. En fin, otra vida. Como mis cuatro novelas. Desde ahora no escribiré cuadernos de campo sobre mi excavación introspectiva, sino un Diario de Navegación. Por el mar desconocido, pero la otra orilla decretada ya. He cortado todas las amarras, levado todas las anclas, izado todas las velas, dócil sólo al soplo de tu amor. ¡Largos meses sacando basura del pozo para perderme unas semanas en la confusión del agua todavía turbia! ¡Noche del sentido! Ya pasó: en el fondo, bajo la transparencia, mi luna. Absoluta, como el sol de Rumí.

Fue penoso anunciarle a Alberto, en su hotelito de Pozuelo, que no volveré a la Facultad en octubre. Trató de convencerme, pero sigo mi destino. ¡El destino! Si no fuese auténtica esa noticia en el *International Herald Tribune* resultaría inverosímil. Ya es extraño que un músico, George Zukerman, sienta la vocación de ser solista de fagot: sorprendente concierto suyo anteayer. Naturalmente, su problema es encontrar repertorio, a pesar de pedir obras a cuantos puede, pues desde el barroco apenas se escribe para fagot. Y ahora lo asombroso: hace tres años dio un concierto en Vilna y a la salida un desconocido le regaló una obra, perdido ya la esperanza de oírla alguna vez en su propio país. La firma, Balis Dvarionas, no decía nada a Zukerman, que tardó dos años en reconocer la obra como una gran creación y seis meses más en estrenarla, con auténtico éxito. Escribió inmediatamente al autor para anunciarle el triunfo, y recibió una respuesta de la familia comunicándole la muerte de Dvarionas, poco tiempo antes.

Así la vida quita y da las cosas. Alberto se resignó y pasamos el día tranquilamente. Largué entonces mis últimas amarras. Libre al fin, en alta mar. El calor anticipaba ya el pleno verano. Me arrojé a su piscina. Un velo de nubes celaba el sol; se le podía mirar nadando de espaldas. Se percibía como una precisa y redonda claridad ese sol que, sin nubes, me hubiera cegado. Pero resulta visible precisamente porque estaba oculto. Así el Absoluto de mis maestros.

Hoy sí que es pleno verano. ¿Preludio de tormenta? París vacío como en aquel agosto de 1914 narrado en *Los Thibault*. Tú me regalaste esa novela y porque vives siempre en mi memoria la recuerdo. ¿Cómo no recordarte si esta fecha 30 es mi Viernes Santo, mi crucifixión? A Ti estoy escribiendo, aunque nunca te llegará este Diario de a bordo. Fue a esta hora exactamente; cuando se cumplían cuatro años, un mes y ocho horas desde tu advenimiento en el ascensor. Entre cada treinta de mayo y cada treinta de junio ha cuajado así mi Cuaresma anual; entre tu aparición y tu adiós. Este año, además, purificación del Carnaval del Deseo, máscara final de mi vida.

Aun en este aire de bochorno mi corazón helándose al recuerdo. Tu voz en el teléfono apuñalando mi congoja: «No puedo más, amor mío. No ser del todo me duele demasiado.» Volvías a Londres, pero con Eduardo, ¡cuando yo había esperado que retornaríamos al *Embankment*, como aquella tarde! Él iba a su congreso de Informática Financiera o lo que fuera... Yo sobraba.

Nunca lo sabrás pero, tras mis lágrimas al colgar el teléfono, mi desesperación me llevó a Barajas y tomé el primer avión a Barcelona. Di vueltas y vueltas por las salas de espera, ante las ventanillas, en la cola de pasaportes del aeropuerto. Inmensos vacíos llenos de gente, confiando en verte contra toda esperanza. ¿Qué hubiese hecho, para qué? Pero yo no razonaba; mientras siguiera en el Prat el final no era definitivo. Tomé el último avión de vuelta. Casi vacío, irreal, ataúd volante. Llegué a mi casa al alba. El portal: entrada de una tumba. Mi cuerpo se sublevó: allí mismo, en el alcorque de una acacia en flor, devolví de golpe todo lo que no había cenado.

¿Hice aquel viaje sabiendo, en el fondo, que no te encontraría? ¿Para remachar acaso mi soledad? Sólo sé que me vi fuera, en el quicio de tu puerta cerrada; pero todavía, en una isla lejana, aunque a menos de una hora de vuelo de Ti, a sólo nueve cifras de teléfono. Ningún momento tuyo atracaba ya en mis riberas, como esos *bateaux-mouches* que pasan ahora de largo por el Sena, llevando a turistas y enamorados. ¿Comprendes cuán fácil ha sido engañarme por última vez, tomar a Isolina por tu mensajera, casi por tu sombra? Poseerla, poseerte; ser poseído por Ti. Culminación en hombre del niño que vocifera dentro del gigantón de fiesta mayor. ¡Soy grande, soy fuerte, debéis quererme! ¡No paséis de largo!

Ya no volverá a ocurrir. He madurado en el molino triturante; soy uva dando su zumo bajo tus pies; he roto con las trampas de la confusión. Lo noto en mi permeabilidad para mis maestros. Fue una suerte aquella breve charla con Cristina –¡Ella sí fue tu mensajera!– sin la que no me hubiese enterado de este cursillo sobre temas islámicos en la Escuela de Altos Estudios. Parece hecho para mí. Me pierdo el detalle filológico, claro, pero unas cuantas sesiones reveladoras. ¡Qué nuevo Rumí, el filósofo, visto por Gibson, el discípulo de Arberry! ¡Qué descubrimiento sobre el *«amor courtois»* en Ibn Da'ud y sus sucesores, mostrando que el *assag* es de todas las culturas, cimentación del hombre! Y hasta del cursillo elemental de persa se me queda algo, pues el alfabeto no ha sido problema (tengo que perfeccionarme para leer a mis maestros). Pero gracias, sobre todo, a Mahmud: un hallazgo humano en este cursillo. ¿Te lo debo a Ti también, otro Jádir que me envías, esta vez verdadero? Por supuesto, todo te lo debo a Ti. Te doy las gracias en persa, con ese modismo de cortesía en que uno se declara esclavo *–bandé–* de la persona a quien habla: *Bandé tashakkor mikonam:* «Tu esclavo te lo agradece.»

Filosofía de Rumí: rechazar todas las categorías analíticas para comprender el vivir humano, sólo interpretable mediante símbolos y analogías. Dos objetos no pueden coexistir a la vez en el espacio, pero dos voluntades sí. ¡Cómo se rasgarían las vestiduras quienes reducen la antropología y las ciencias sociales a modelitos y análisis de sistemas! Rumí sabía más hace ya siete siglos. Ya era evolucionista: mejor aún que Darwin. En su escala mística, la evolución es viaje hacia Dios, retorno ascendente al origen. Los minerales devienen plantas, que se tornan animales, que se elevan a hombre, ángel, hasta Él. La variedad de seres no compone una jerarquía estática, sino una escala en movimiento. Ni siquiera Plotino alcanzó esa idea; si acaso el *élan vital* bergsoniano, esa voluntad de vivir tan intensa y fuerte como para crear los medios. Ahora soy pura voluntad de llegar a Ti, Nerissa; luego buscaré el modo. Me repito estos versos del *Mathnawi:*

«Me extinguí como piedra para tornarme planta; perecí vegetal para renacer animal.

Si muriendo como animal resurgí hombre, ¿cómo temer ningún descenso en mi próxima muerte?

Con ella me crecerán alas de luz» (III, 1-3).

En Luis la idea de reencarnarse le permitía seguir viviendo; en mí garantiza mi fe, mi esperanza, mi amor. No habrá Novela V, pero si la hubiera, la ciudad renacida sobre las cuatro sepultadas repetiría el mismo plano rectangular de la novela I: la cama renacentista, el ámbito cerrado con damascos para alquimia de transmutarnos en uno solo.

Por si no bastaran las conferencias, disolviendo mi última máscara, están nuestros largos paseos. ¡Qué bien comprende Mahmud mi desvarío reciente! Pues vive el deseo viril y también el amor udhrita; el de Leyla y Majnún; el del secreto y la muerte. El hadith invocado por Ibn Da'ud: «Quien ama castamente y oculta su amor y de ese secreto muere, ése muere mártir.» Amor aún más alto que el de *assag* y *joi*, aquel de Jaufré Rudel por Odierna, la condesa de Trípoli. Frente a esa vida, la que desde hace tres años busco contigo, ¿qué significa error y máscara, culpabilidad y deseo, fatiga y dudas? Se desprenden los últimos jirones: me siento vacío. Fuera lastre y provisiones, anclas y ataduras. Para el nuevo viaje, sólo el viento de tu amor hacia tu amor sopla en mis velas. Mi arboladura, brazos tendidos. El filo de mi proa surca las aguas sólo hacia tu orilla; la de morir en Ti. Proclama Rumí: «Bajo la visible evolución de las formas es la fuerza del amor lo que impulsa todo progreso.» «De no ser por el amor, ¿cómo hubiese llegado a existir nada?» El Soplo que crea y recrea el mundo a cada instante. Mi *elán vital*, mi seguridad de hallarte. De mi secreto muero; por él llegaré a Ti.

Mártires. Mahmud planteó el tema del martirio de Hallaj en el coloquio y, por suerte, Fréchet lo conoce bien. Al saber que algunos nos interesábamos, decidió introducir en el programa algunas lecturas del *Diwan*, en la edición de su maestro Massignon. ¡Cuán grande Hallaj en sus imprecaciones! ¡Cómo exige el amor, más que lo entrega! Absorber es su manera de entregarse. ¡Qué audacia sagrada, sellada con la sangre! Muerte, Avenida sagrada, pórtico de catedral, *iwan* de mezquita, entrada salvadora. Misterio, sí, afortunadamente. Pues la inteligibilidad es la triste hija del miedo: acabo de leerlo en *La Caverne*, ese intento de otra antropología por un heterodoxo –¡al fin, en esta cultura sin verdaderos herejes!–, para quien la casualidad no explica nada, sino que se limita a registrar observaciones. Un autor marginado, claro. Manuel de Diéguez, nombre español desconocido para mí, escribiendo en su retiro de Normandía.

Un hallazgo. Muchos hallazgos estos días. Los acumulo, pues siento que se acaban. Todos fugaces; si acaso retenidos como símbolos, como mensaje a mi estado de ánimo. Isolina fue dejar atrás mi interior; este París, velo de colorines sobre el denso cursillo, es dejar atrás mi exterior: lo bebo por eso con avidez. Todo. Exposiciones, por ejemplo. Dos muy dispares y sin embargo juntas porque se reparten el Petit Palais. Dos hombres sorprendentes. Farinelli y Meyrink; frivolidad y misterio, placer y muerte, luces y arcano.

La primera, un poco oportunista, con esa gracia francesa para sacar leche de una alcuza. Mezcla de Venecia, la España borbónica y el personaje, para llenar las salas. Venecia en los cuadritos de costumbres de Pietro Longhi, en los retratos de su hijo Alessandro, en los paisajes urbanos de Canaletto o los Guardi. Incluso uno hacia 1900, por Pietro Fragiacomo, una *Piazza San Marco* transida de nostalgia, mojada tras la lluvia, un jirón del sol otoñal sobre los esplendores bizantinos, las mesas borrosas del *Café Florián*. Pero domina la Venecia dieciochesca, genial de vida ambigua: piedras descansando sobre agua; fulgente joya engastada en fango (que la va devorando). *La putta onorata* de Goldoni. El reino de las máscaras, de la transfiguración bajo el oscuro *tabarro* y la *batuta*, el blanco antifaz con capuchón de seda negro.

Todo eso mezclado con Mengs y recuerdos españoles. Y, sobre todo, el personaje. Que ni era Farinelli, sino Broschi, ni veneciano, sino del sur, de Andria: irónico topónimo para el más famoso *castrato* de su tiempo. Pero ¡qué garganta, a cambio de la virilidad! ¡Qué locuras encendía! El catálogo es muy descriptivo. Ni las histéricas *fans* de los cantantes actuales da idea de su apoteosis. *Il ragazzo*, por antonomasia; no había otro. Las mujeres le adoraban tanto como los hombres. En Londres un sagaz empresario le enfrentó con su rival Senesino en la ópera *Artajerjes* y la orquesta fascinada dejó de tocar cuando Farinelli inició su aria mientras Senesino, olvidando su papel principal de Gran Rey, abrazó llorando a su encadenado prisionero. Una dama del público gritó fuera de sí: «¡Sólo hay un Dios y sólo un Farinelli!» Después triunfó en España donde nueve años, noche tras noche, sosegó la morbosa melancolía de Felipe V repitiendo las mismas cuatro canciones en un ritual para íntimos. Fernando VI le nombró luego comendador de Calatrava y Farinelli regentó el teatro de la reina Bárbara de Braganza, para el cual inventó un aparato simulador de la lluvia. Al austero cazador Carlos III no le fue grato y Farinelli salió de España. Murió en Bolonia, rico y agasajado todavía, a los setenta y siete años.

Cruzar el vestíbulo del *Petit Palais*, con sus ujieres y su guardarropa, era salvar un abismo. ¡Qué hombre tan diferente al otro lado, qué muerte tan distinta! ¿Conocería Gustavo, ayudante del agregado militar a nuestra embajada en Viena, a su tocayo Meyrink? No es imposible que algún día se cruzasen por la calle, porque Meyrink vivió hasta 1932. Pero Meyrink no le hubiera estimado; odiaba a los militares. Aborrecía toda prosopopeya del Imperio. Era un hereje como los pintores que ama Luis: el bizantino Klimt, el bárbaro Schiele; por eso su casa fue una vez apedreada. Pero Meyrink resistió a todo, se refugió en la mágica Praga de los alquimistas, se curó la tuberculosis con baños fríos y ayuno, salvó de igual modo a su segunda mujer (que alcanzó los noventa y tres años), continuó testarudamente su vida adelante, entre esoterismos –Alex me los recordaba– y su esfuerzo literario. Pero sin huir de la muerte; más bien preparándole una bienvenida digna de ella. A los sesenta y cuatro años, un cuatro de diciembre, se despidió sereno de los suyos, se retiró a su alcoba y se sentó, con el torso desnudo, frente a la ventana. Desde otra situada en ángulo su familia pudo verle tranquilo, a lo largo de la noche. Al aparecer el sol, tal como él mismo lo había anunciado, murió en paz. En esa exposición unas cuantas huellas de ese personaje misterioso, cuyo nieto acabó profesando en un monasterio asiático, con el nombre de Saddhaloka. Convencido de la reencarnación, recreador literario de *El Golem*, no me extraña que fuese autor predilecto de Luis en la Novela III. En su *Ex-Libris*, una mujer con una maza-espada emerge de la boca de un pez vertical, bajo el signo del *Ying* y el *Yang*.

Las exposiciones, las tiendas de antigüedades, las callejas de la orilla izquierda, el cine retrospectivo o el más moderno, giran en loco tiovivo en torno al pozo inmóvil de la mística islámica de nuestro cursillo y de las charlas con Mahmud. Madrugar mucho, deambular por las calles, entrar en los pequeños bares donde el olor a serrín de la limpieza se mezcla con el de los *croissans* recién hechos. Tanta agitación exterior contribuye a mi dilución interior. Me saturo de todo lo que intelectualmente ofrece una gran ciudad. ¿Me atolondro? Libélula, vuelo vertiginosamente sobre la densidad del estanque, entre las nieblas de la mañana, ebrio de haber soltado el peso de la piel muerta, obsesionado por disfrutar las horas que aún faltan antes de enterrarme en otra metamorfosis. A veces me siento aturdido. Mejor; necesitaba toda esa percepción múltiple y varia, después de los obsesionados días en mi falso viaje a Balj.

Pues cuando Balj se desvaneció aquella tarde como espejismo, cuando ya había dejado de estar en el error, la rutina adquirida por mi cuerpo durante las semanas de intoxicación me provocaba todavía pensamientos y hasta sueños. Mi alma seguía retenida cuando ya mi espíritu se había liberado. Aunque sonriendo, a veces me preguntaba si acaso estuve endemoniado, poseso; el extraño Samuel –¿Daniel?– se prestaba a creerlo. Extraño hasta en su desaparición: cuando traté de verle dos días después –cuando me atreví a salir de casa y encontrarme con alguien– su taller estaba cerrado. La portera le había oído salir de noche, cargar cosas en un coche que vino a buscarle. Solía desaparecer así y de pronto reaparecía. ¿Reventó el globo multicolor, el velo engañador de Maya? ¿Se rompió la linterna de Omar Jayam con todas las sombras que somos a su alrededor? Tuve horas de fantasías enfermizas.

Pero ya no, y esta dispersión de aquí –sin alejarme de mi centro espiritual, como la cabra que pasta atada a una estaca– me ayuda a la liberación. Éstos son recuerdos pasando como nubes sobre una llanura. Algunas sombrías, pero sin dejar huella sobre la estepa sin fin. Tan vacío y libre me siento que ya no es cuestión de mis aposentos, porque no hay paredes, ni corredores, ni escaleras. Habito un altiplano donde nomadeo en libertad, bajo el cielo que es mi único manto. Aún no estoy ante el blanco muro absoluto, pero no veo tampoco nada frente a mí, ni siquiera yo mismo en el espejo interior. «La mejor manera de alabarle a él es no alabarle –proclama Rumí– porque hacerlo es afirmarse y afirmarse ante Él es perderle.» Eso: mirarse en el espejo y no ver nada.

Ya mis sueños son únicamente tuyos, Nerissa. Pues ¿qué es vaciarme sino sentirme habitado por Ti? Mis sueños, como el de anoche. Larguísima playa solitaria; nubes bajas y oscuras. Junquillos de las dunas sacudidos por el viento. Mar tempestuosa y sombría, olas fragosas restallando como látigos sobre la arena. Alta, esbelta figura; su túnica modelada por las ráfagas en pliegues barrocos, a veces largos lienzos ondeando como banderas de socorro. Me voy acercando a ella. La figura se lleva la mano a un pie y se desploma como una gaviota dulcísima. Corro hacia ella, hundiéndome pesadamente en la arena, enredándome en los montones de algas depositados por el mar, algunas moviéndose vivas como tentáculos de pulpo. Al fin llego a la arena limpia donde yace. Bajo los velos, tu cara y tu cuerpo, Nerissa. Tus ojos acongojados mirándome; ojos de haberme esperado mucho tiempo, de no poder casi seguir esperando más. Miro alrededor: nadie, soledad de la playa y el mar. Pero un mar de pronto en calma. Habremos de volver por donde yo he venido. Guardo el vago recuerdo de un pueblo de pescadores. Te cojo en mis brazos: no solamente no pesas, sino que al revés, me levantas como un impulso, me haces flotar como un salvavidas sobre las enredadas algas. Y de pronto se ha invertido la situación: tú me llevas en brazos y yo reclino mi cuello sobre tu hombro, como allí en el *Embankment*, aquella tarde. Pienso repetidas veces «amor, amor, amor, amor». Tu rostro se inclina hacia mí y pronuncia estas palabras (las recuerdo perfectamente al despertar y las anoto en el acto): «¿Aún no sabes quién llora en el palacio de la Archiduquesa?» Tu sonrisa es dulcísima, y aplaca el mar y el viento, multiplica la luz, me apacigua. Me estás llevando hacia el mar, entramos en él, descendemos y descendemos. El agua dispersa los rayos solares en fantásticas ondulaciones; me disuelvo en un océano de luminosa paz.

Ese palacio de la Archiduquesa sólo puede ser aquel que yo inventé, en una provinciana ciudad carpática, para un cuento escrito en los tiempos de la Novela I. No llegué a publicarlo y se ha perdido entre otros papeles. Un viajero llegaba a la ciudad y por avería de su carruaje había de permanecer en ella unos días. Recorriéndola, llegaba ante un gran palacio barroco: el de la Archiduquesa. Sobrina lejana de Su Majestad Imperial, había sido desterrada de la corte a sus remotos dominios para impedir una boda desaprobada por el Emperador. El viajero ve abrirse el gran portalón y se queda asombrado ante la belleza de la dama que sale a pasear en coche. Pero más le asombra aún escuchar el llanto de un niño. Se acerca al portalón; no es allí, no se ve a ninguna criatura llorando. Sigue en dirección del llanto, da la vuelta a los muros del palacio, llega a la parte trasera, se acerca a lo que fue puertecita de servicio y que se encuentra tapiada, sin duda desde hace mucho tiempo. Allí es donde se oye con toda intensidad el llanto, como si llegara desde un pozo o un subterráneo. Llanto sin violencia, gemir ya resignado en su desesperación. Más de una hora está el viajero allí; continúa el llanto. Al fin se aleja el hombre, pero ya no puede olvidar.

No recuerdo otras peripecias del cuento, cómo llega a

ser recibido por la Archiduquesa para investigar el hecho, cómo al fin no aparece el niño y, en cambio, descubre otras cosas sobre la extraña vida de la dama. Sólo recuerdo el final: antes de partir en su coche ya recompuesto, el viajero se acerca a la puertecita una vez más y sigue oyendo el llanto infantil en el subterráneo. El enigma no se resuelve. ¿Por qué ahora, en mi sueño, me has dicho que he debido ya descubrir el misterio?

No lo sé, pero, de todos modos, claramente estoy contigo. Y la luna: saliendo del metro en el boulevard aparece redonda y brillante en lo alto. No es una enorme roca muerta rodando por el espacio, sino el Amigo tan fiel al Amado que llega a hacerse luz de Él. Por eso derrama emoción en cuantos la miramos, guía nuestros pasos, despierta a los insectos nocturnos, a las aves de las sombras, al ímpetu de la marea. Rodar muerto y vacío es la vía para arder al fin.

No doy abasto a tantas incitaciones. Traspasado estoy dentro y fuera. Sobre todo, traspasado por Ti. Y no digo que sólo contigo porque también peregrino hacia Miguelito: mis paseos solitarios me llevan a los sitios en que estuve con él, a la esquina del Jardín de Luxemburgo, a los corredores del Conservatorio, a la puerta de su hotel barato, el *Hotel Nantais*, hacia Santa Genoveva. Es otra garantía de mi nuevo equilibrio, mi nueva solidez. Nosotros tres: Tú, la diosa madre; yo, el hijo; Miguelito, el arcángel.

Me he atrevido incluso a volver al restaurante de aquella noche, *Le Vieux Gaulois*. He encontrado un sitio no muy lejos de donde estuvimos. El mismo bullicio, el mismo humo, la misma música de tocadiscos al otro lado de la mampara. Los comensales bien podrían ser los mismos jóvenes de entonces. No había un contrabajo en la esquina, pero sí el estuche de un violín. La camarera la misma: me asombré de que no me reconociera y luego me asombré de haberme asombrado. Me expliqué la falta del contrabajo con toda naturalidad: seguramente era demasiado temprano para que Robert viniese a cenar. Casi llegué a oír las palabras de Chantal, las que desencadenaron la Novela I: *Pas mal, ton vieux.* Y, por supuesto, vi su cara; la percibí perfectamente. No era nada difícil: el local estaba lleno de Chantals e Isolinas. Es lo mismo: me asombro de haber creído que fuese tu mensajera.

No me afectó el recuerdo; no vibró ni una fibra de mi cuerpo. En cambio, ¡qué emoción interior la indudable compañía de Miguelito! ¡Qué seguridad de tu presencia! ¿Sabes? Se fueron apagando los ruidos, las voces; se disipó el humo; se intensificaron las luces hasta resultar casi incandescentes. Dejé de notar el asiento; floté. Y tan a mi lado estabas Tú que resolvía el enigma de mi cuento, oculto durante tantos años. El niño no lloraba en el subterráneo del palacio, sino en lo hondo del corazón del viajero. El niño era el mismo viajero niño, llorando de soledad en su interior; una soledad de la que el mundo le había distraído hasta llegar a aquella ciudad. Una soledad no percibida hasta no haber visto el rostro de la Archiduquesa, su belleza devastada por haber sido privada de su amor. Aquella belleza inutilizada por el capricho imperial había hecho saltar masas de roca en el corazón del viajero, y éste había llegado a oír el niño en su interior, el niño desvalido, oculto bajo el cartón y las telas del gigantón de feria, que le disfrazaban de hombre.

El niño que Tú recoges en mi sueño, tomas en brazos, llevas contigo hacia la caverna receptiva del mar. El niño libre en Ti.

Cerca de aquí vivió Lulio, que escribió: «Amor es aquello que esclaviza a los libres y libera a los esclavos.» Ya soy tu esclavo libre.

10. DELIRIO EN EL *FORUM*
La playa y el morabito

OCTUBRE, OCTUBRE
Delirio en el *Forum*

Lunes, 26 de marzo de 1962

LUIS

Como ver a un marciano, así de pronto, en la calle Mayor, imposible, primero mudo, después el grito, «¡Émile!», su asombro entonces, nuestro abrazo apretado, el chorro de palabras simultáneas, estorbando a los transeúntes, el corazón saltando de la sorpresa, al júbilo, al fin un cierto orden, caminar juntos, Émile volvía de la Dirección General de Seguridad para arreglarse el tránsito a Francia, se había embarcado de Orán a Alicante sin pasaporte, «¿necesitas dinero, alguna cosa?», sonreía, todo estaba bien, encontró pensión en la calle de Postas, «¿la posada del Peine?», se echó a reír, apretar su brazo, renunciaba a Argelia, adiós para siempre, aquello imposible, evidente en la tristeza de la voz, «he aguantado hasta el límite, me rindo», otro Lázaro como yo, a reemprender su vida, viaje inverso al mío hace veinticinco años, decía adiós tranquilo, las lágrimas se agotan, ¡qué hacer sino doblegarse!, si acaso, recordar.

¡Qué contraste con aquel entusiasmo, aquella añoranza de los suyos en Argel!, y hace sólo cuatro años, aquel trece de mayo del cincuenta y ocho, Émile recién salido del *Lycée Bugeaud*, yo en la Universidad, qué delirio en el *Forum*, frente a los mármoles del Gobierno General, las escaleras hacia el mar, las de Odessa en *El acorazado Potemkin* visto en el Madrid en guerra, aquella multitud cívica y verbenera, las muchachas risueñas, los estudiantes avanzando hacia el Gobierno entre *paras* tolerantes, los llamados «hombres pintados» por su uniforme camuflado, aquel grupo lanzando contra la verja un camión militar en marcha, todos cómplices, Fuenteovejuna francesa, los gritos políticos, *La Marsellesa* rugida por cien mil gargantas, aquella ventana en el cuarto piso con alguien asomándose, aquella bandera tremolada en lo más alto con su cielo y su sangre, la masa como mar embravecido, el toque de clarín, el silencio de pronto para los altavoces, el anuncio de que Massu aceptaba presidir el Comité de Salvación Pública, el coronel semidiós con la institución de 1789, el trueno de alegría, ¡qué griterío!, así se tomó la Bastilla, se conquistó San Petersburgo en tres días, por una multitud arrolladora, por un pueblo hecho tigre.

Sí, así debió tomarse la Bastilla, reímos y sufrimos recordando aquellos días, la fortaleza vencida por la Revolución debió inspirar la misma sensación de alivio, catarsis, final de la pesadilla iniciada cuatro años antes, la guerra entre la ciudad europea y la Kasbah, entre las casas junto al mar y las azoteas de lo alto, entre los bulevares y las callejuelas, los tiroteos diarios, los paracaidistas asaltando viviendas por las terrazas, y los civiles acorralados entre dos mandíbulas, el FLN y el ejército, desgarrados, enfangados, ensangrentados, acabadas las amistades internacionales, Ahmed tan inteligente, Halima con sus ojos inmensos, todos divididos, recelosos, enemigos sin desearlo.

«¿Y tu novela, cómo va?», no sé de qué me habla, por fin un esfuerzo, ¡ah, sí, sobre la historia de la marquesa de Ganges!, «la bella provenzal» asesinada en 1667 por sus dos cuñados, el abate y el caballero de Malta, los dos la deseaban y a ninguno se rendía, el famoso proceso que inspiró a Fabre d'Olivet su poema inacabado, la idea me la dio el tío Augusto, pobre Augusto, creía en mí, me había interesado el aspecto teosófico de Fabre d'Olivet, proyecto casi borrado de mi memoria, me hace mirar a Émile con otros ojos, permanecemos en los demás como éramos al dejarles, yo soy aquel muchacho a final de carrera, escribiendo poemas y estudiando literatura provenzal, pero Émile quedó atrás cuando fui atraído por Max, así quedé petrificado en otra memoria, recobro en ella mi olvidado yo, aquel Luis fascinado por la marquesa de Ganges y su tortura, ¡qué personaje! Volvemos a las alambradas, los controles, los terroristas disfrazados de mora para ocultar las armas bajo los jaiques, nuestra vergüenza ajena por la tortura pero también nuestro miedo, las bombas, la terrible de la cafetería de la *rue Michelet*, la que destrozó el *Bar Milky, rue d'Isly*, apenas una hora después de vernos allí Émile y yo, recuerdo aquel bolero, tan repetido en el tocadiscos: «hasta mañana, Rebeca... Te quiero tanto, mi vida», ¿sonaba cuando la explosión?, ¿bailaría en aquel instante la muchacha pelirroja y opulenta, nunca supe quién era?, ¡cómo se movía!

Massu en enero del cincuenta y siete con sus nuevos *paras*, el comienzo de la *Operación Champagne* que iba a resolverlo todo según los militares, se equivocaron como suelen, en su desdén por el paisano, subestimaron como siempre a un pueblo, nunca aprenderán que las armas sólo destruyen, impotentes para crear nada nuevo, capaces sólo de retrasarlo, por medio de sangre y más tortura, ¡mi encuentro con Ahmed!, me amargó el comienzo de mi primer curso como profesor ayudante, me habían felicitado otros amigos, y me lo tropecé a la salida, me acerqué a invitarle, escupió en el suelo y se alejó sin una palabra, sin siquiera odio en la mirada, le detuvieron semanas después llevando una pistola, no pude hacer nada por él, qué evocaciones de otro planeta en este entresuelo de *La mallorquina*, qué resurrección de otras vidas, ¡y son las nuestras!

No cesamos de hablar, intercambiamos sueños y nostalgias incongruentes con la ventana a la Puerta del Sol, aquella Argelia naciente, volcán de voluntades, la creían indestructible, irrefrenable, imaginaban a los rebeldes desmoralizados por la radio, en sus escondites de la Kabilia o de la Kasbah porque entonces los FLN eran los rebeldes, aún no los negociadores y menos todavía los ministros, ratones aterrados por la fraternidad en torno al ejército, los bocinazos constantes por las calles, «Ti-ti-ti-ta», «*Al-gé-rie française*», acompañados por gargantas, sartenes, cajas vacías, ritmo de vencedores, ¡quién podía entonces sospechar lo contrario!, la comunión ciudadana pasó como una ola, aquella multitud todas las tardes en el ágora del *Forum*, a oír a los oradores, Salan con su quepis, Massu con su boina verde, Jouhaud con su gorra de aviador, Sid Cara de paisano, Lagaillarde con su barba, Thomazo con el trozo de cuero que tapaba su nariz mutilada, qué catarsis, algunas mujeres se desmayaban, y qué éxtasis al conocer el *Je vous ai compris* de De Gaulle, yo sentía tristeza comparando con la España del treinta y seis, con nuestros generales perjuros, creía que De Gaulle no lo sería, pronto me desengañé, Émile tardó más tiempo en darse cuenta, no tenía mi experiencia española, todavía en febrero del sesenta, cuando Lagaillarde se atrincheró en mi Facultad, con Ortiz y los suyos, alzándose contra el abandonismo de De Gaulle, mis amigos me escribían persistiendo en su error.

Max fue el único que no se engañó nunca, odiaba a los militares, los enemigos de la vida, prohibido ser humano porque prohibido pensar, «la disciplina es la lógica del soldado», consigna en el muro de un cuartel, qué risa, por algo se dice «civilización», odiaba a Massu sobre todo, porque engañaba más, alto y austero, casi monacal pero una máquina de destripar, ¡y en nombre de Dios y de la Patria!, siempre que se pronunciaba «Patria» tenía Max un rictus en la boca, un gesto de ironía y de desprecio, «el telón para cubrir los intereses», escuchamos juntos el famoso discurso de De Gaulle, recuerdo cómo veíamos llover por las cristaleras del *Café de Bretagne*, aquella nueva idea de la «autodeterminación», el primer paso para abandonar la «Argelia francesa», pero aún prometió De Gaulle que no negociaría con los rebeldes, mientras Ferhat Abbas preparaba ya el primer gobierno en Túnez, los Émile se lo creyeron, yo me acordaba de España, de las promesas de «respetar a quienes no tuvieran sangre en las manos», de hacer la «revolución social y económica», de tantas palabras falsas, Max siempre vio claro, no podía soportar un uniforme, consideraba a Massu el peor de todos, precisamente por parecer íntegro, «esos tan estrictos son letrinas con tapa de mármol, tienen miedo de verse por dentro, por eso miran al frente», «todos tenemos ese miedo», le contesté pensativo, contemplando los regueritos de lluvia en la cristalera, «yo no, yo soy en eso chino, sólo tengo miedo de que miren los demás dentro de mí», así me contestó con aquella sonrisa suya bajo el bigote rilkeano, entonces me explicó la diferencia entre la idea cristiana del pecado y la idea oriental de salvar la cara, es el pecado el que genera angustia, la angustia de Occidente, por entonces empezó a intrigarme la vida personal de Max, aquel misterio, cara de la luna oculta para mí, pese a nuestra intimidad cotidiana, ¿tenía familia?, decían que una hermana, quizás una madrastra, otros que una querida, ¿de qué vivía?, nunca estuve yo en su casa, ignoraba incluso su dirección, ni siquiera un teléfono, siempre llamaba él, y de pronto aquellas desapariciones, cinco, seis días teniéndome en vilo, hasta que de nuevo su voz, o su alta silueta bajo los arcos del patio académico, los ojos eslavos, la sonrisa imperturbable, como si nos hubiéramos visto la víspera, ni una explicación.

Y ahora Émile me da la razón, «hiciste bien en marcharte a París», gracias a Max, cuando le pregunté por qué no me acompañaba me aseguró que imposible, recuerdo la intensidad de sus palabras, como si alguna misión sagrada le retuviera en Argel, ¿los *Guardianes de la Luz*?, así que acepté el puesto mal pagado pero estable, la extraña editora de textos esotéricos en la *Rue Monsieur-le-Prince*, cerca de donde vivió Antonio de la Gándara, el pintor español tan solicitado por las damas elegantes de principios de siglo para sus retratos, ¿quién me iba a decir que no muy lejos encontraría la boutique de Marga y mi prueba mortal?, Émile sigue contando lo que pasó después, el asalto de los manifestantes a la Kasbah en diciembre siguiente, el fracaso de la nueva sublevación en abril del sesenta y uno, la implacable crueldad de De Gaulle contra los compañeros de armas que le recordaban las promesas con las que llegó al poder, al fin la *degringolade*, la *débâcle* como de Zola, hasta hoy, hasta estos acuerdos con los «rebeldes» en Evian, pese al honor militar, a la palabra generalesca de no negociar con ellos nunca, hasta hoy en que también Émile odia a los quepis.

Le comprendo, yo era solo y escapé a tiempo pero a su hermano lo mataron en la *ferma* familiar de la Mitidja, en lucha de territoriales contra rebeldes, uno de sus cuñados perdió una mano en la bomba del Hipódromo, pero aguantar aún sabiendo ya que todo está perdido, aguantar a causa de su madre, muerta al fin recientemente, dejar entonces para siempre la tierra natal, allí empezó el abuelo trabajando las viñas, llegado desde Alicante cuando las replantaciones tras la filoxera, «allí no me quedan más que tumbas, ¿te acuerdas de la frase que definía nuestra opción: la maleta o el ataúd?», comprendo su amargura, insiste en que hice bien en volver desde París, «ésta es tu tierra y aquí vivís en paz», «la paz de las prisiones» le respondo, se encoge de hombros, «no está mal como prisión, Argel al final ya no era vivir, todavía en el centro parecía normal, la plaza Foch, el hotel *Martínez*, el café *Riche*, como una Europa más cálida y luminosa, pero las zonas hacia los barrios musulmanes, *rue des Noiseaux, rue des Flandres, rue de Reims*, ¿recuerdas, Louis?, y hacia las afueras, la avenida *Sidi-Chami* rebautizada *Boulevard del Crimen*, imposible, no compares, esto es el paraíso», y sorbe su café y respira hondo, gozando la primavera incipiente, las nubes fugitivas contra un azul pálido sobre la animación de la plaza, me callo que ahí mismo están los calabozos, los de nuestros Massus y sus sayones, ¿para qué?, no me entendería, yo hago ahora de rebelde en su *«Algérie française»*, soy el «ratón» cazable en la Kasbah, como los cazan aún los de la OAS en los *bidonvilles* parisinos, en Gennevilliers o en los distritos trece y dieciocho, en las calles de Chartres o de la Goutte d'Or, sí, ya sé, lo he oído muchas veces, el olímpico Goethe prefería la injusticia al desorden, se comprende, la injusticia favorecía a su casta.

Y a mí también aquí, no puedo negarlo, me siento casi culpable, ayudaré estos días a Émile, no necesita nada pero habrá de hacer gestiones, quizás alguien de IDEA puede ayudarle, su plan es irse a la región de Burdeos, de lo que entiende es de vinos, tiene allí amigos, prefiere no quedarse en España como tantos, también lo pensó, e incluso unirse en París a los plasticadores de la OAS, siente ráfagas de cólera violenta, pero se ha decidido, lo repite «he tirado la esponja», nos envuelve un silencio, como yo en septiembre, ¿a dónde vamos?, contemplo las tazas vacías, el café resecado dejando un poso negro, le propongo comer juntos, salimos, vamos hacia la plaza Mayor, nos detenemos en un bar, «tomar el aperitivo», como allí, casualmente hay una botella de anís Machaquito, «es la primera que veo», comenta, brindamos con los vasos altos, llenos de la opalina «palomita» donde flota el hielo, alguien pone un disco y suena la voz de quizás Juanita Reina, Émile evoca su pasión por las canciones de Juliette Greco, le digo que aquí llegaron a estar prohibidas, se queda pensativo, mueve la cabeza como expresando que la estulticia no tiene remedio.

No volvemos a hablar de su guerra, me recuerda a tía Hélène, «¡qué guapa!», me sorprende el adjetivo, sí, era arrogante en cierto modo, pero yo no la hubiera calificado así, más bien de seductora, enternecedora, a veces mirándola se apresuraba el corazón y cuando, ya enferma en sus últimos tiempos, se apoyaba en mi brazo, ¡oh, la dulce elasticidad de su pecho!, «claro que la conocí, yendo a tu casa contigo, la primera vez me dio agua con alcohol de menta», sonrío, era costumbre suya, el *alcohol de menthe Ricqlès*, lo usaba para todo, en agua, en un terrón de azúcar, desinfectante en un pequeño corte, sedante, toquecitos en la sien con un pañuelo cuando sus jaquecas, las famosas jaquecas, parecían coquetería y le amargaban la vida, ¡Hélène, Hélène!, me conmueve la evocación, pero ¿qué escucho?, ¡sacrilegio intolerable!, ¿habré oído mal?, «repítemelo», «pues eso, que te tenía esclavizado», le cohíbe mi cara, se excusa, «perdona pero todos lo sabíamos, estaba clarísimo, te chafó el noviazgo y Asunción era una chica estupenda», me gustaría tener motivo para pegarle, un silencio penoso, «no quisiera haberte molestado, tú sabrías lo que hacías», ¿qué voy a decirle?, hablamos de otras cosas, trivialidades de entonces, pero mientras tanto pienso, veo aquel tiempo bajo otra luz, una fase de Hélène me traspasa: «tú serás el báculo de mi vejez», así fue, más que sus propios hijos, seguí a su lado cuando ellos habían volado ya, ¿era eso ser esclavo?, ¿tendrá razón Émile?, otra mutación en mi pasado, cuando Fiammetta y los pechos maternos, y ya asomado al abismo más negrura, ese «tú sabrías lo que hacías», ¿creería la gente que engañábamos al tío Augusto cuando ya estaba enfermo?, ¡ahora soy yo el sacrílego!, me horrorizo, ¿cómo se me ha podido ocurrir?, ¿en qué antro de mi mente tal deseo?

¿Por qué Max le resultaba antipático a Hélène?, me prevenía contra él, por entonces empecé a sentirme intrigado, me habló Max de los *Guardianes de la Luz*, me reveló que había sido iniciado en la Orden por la marquesa de Lenterac, «iniciado tántricamente, ¿comprendes?, no, ya veo que no comprendes», su risita compasiva, la marquesa amiga de su tío Milosz, en 1935, también de Rudolf Steiner, había estado en el *Goetheanum* de Dornach, no me contó mucho más, una sociedad secreta, «algún día estarás maduro», ahora caigo en la cuenta de que gracias a ellos me encontró Max trabajo en París, la extraña editorial de la *rue Monsieur-le-Prince*, ¿me controló Max a distancia mientras no supe nada de él?, ¿acaso no fue casualidad su aparición final?, ¡quizás lo tramó todo con Marga!, ¿o más bien ella le engañaba?, ¡la cabeza me da vueltas! Émile ha llegado a decirme que Max vivía de las mujeres, señoras por supuesto, discretamente, que incluso fue a visitar a Hélène cuando sabía que yo no estaba, qué extraña sensación oyéndole, ¡todo mi ser rechazando la imagen y comprendiendo a la vez que es muy posible!, explicaría la aversión que le cogió Hélène tras de haberle encontrado simpático, otro terremoto en mi vida después del de mi infancia, ¿cuándo acabaré de encontrarme?, ¿cuándo sabré quién soy?, al menos desde ahora vivir lúcidamente lo que venga, cogerlo sin reservas como esta voz del más allá que estoy oyendo, que viene a destruir y a revelar, después de todo agradecerlo.

Prometo a Émile ayudarle en sus gestiones, quizás recurriendo a alguien de IDEA, se acaban los temas, me entristece percibir la separación ya de nuestros caminos, sólo nos une el pasado, cuando contemplaba la Puerta del Sol desde *La Mallorquina* creía verla en obras como en el treinta y seis, con sus postes sosteniendo los cables de los tranvías y muchos transeúntes con sombreros de paja, como si las carteleras anunciaran una película de Angelillo, para hablar de algo evoco nuevos nombres, pregunto por españoles, y enciendo sin querer la mecha con el nombre de Quillán, «¿le conocías?», deseando llevarle noticias a Ágata.

¡Cómo estalla la bomba! Émile es un torrente helándome la sangre, a Fernando Quillán le asesinaron hace un par de meses los del FLN, le apuñalaron una noche por delator, nadie lo ha lamentado, era un vividor, una escoria, sablista, sufro por Ágata pero ahondo para saber, una historia de señorito achulado degradándose cada vez más, llegó a Orán en el cuarenta y uno con fondos republicanos, se enredó con una francesa dueña de una *boutique* de la que vivían ambos, acabó tolerando otros líos de ella, al fin hubo de marcharse de la ciudad, acosado por acreedores y ofendidos, intentó constituir en Argel una ficticia «Asociación de Solidaridad Antifranquista», era demasiado conocido para sacar dinero con tal truco, vivió algún tiempo con la dueña italiana de un burdel en la Kasbah, cuando empezó el control del barrio vendió informaciones a los militares, al mismo tiempo cobraba por ayudar a escapar a algunos, al fin el FLN descubrió su doble juego y le ejecutó, ¡qué sórdida historia!

Escucho a Émile con fingida indiferencia, ¡pobre Ágata!, espero que no lo sepa nunca, que le crea desaparecido en una de sus «misiones heroicas», la veo más vulnerable todavía, ahora la comprendo mejor, capto la secreta debilidad de su fuerza, minada por ese padre, en la infancia vivimos esas llagas sin saberlo, las produce la falsedad del beso paterno, la mirada huidiza, la palabra hueca, el reprimido suspiro de la madre víctima, las ausencias inexplicables, no se sabe qué pero sangra una herida secreta, queda una cicatriz, avanza una corrosión inexplicada, se sufre ignorando la causa como se soporta una tara congénita, como yo viví aquel gesto y no lo supe hasta ahora, mi madre tirándome en la cama y diciéndole a mi tía «¡para ti!», repudiándome, ahora comprendo mejor la exasperación de su angustia, no es la falta de noticias sino la inseguridad en el héroe, el miedo por esa estatua inventada cuyos dorados resanamos constantemente, ahora interpreto detalles que ella me ha contado sin comprenderlos y hasta pienso que la sagrada gumía, el trofeo de la lucha cuerpo a cuerpo contra el feroz cabileño, fue venalmente adquirida en un bazar de Tetuán, tras porfiado regateo, o incluso sustraída en un descuido del moro.

Pobre Ágata con su secreto fardo, mi reina y mi diosa en su trono de barro, pero así me acerco más a ella, también yo mutilado desde los orígenes, encadenado por Hélène, ambiguo ante mi mosquetero, ese Antonio Hervás que me obsesiona desde que el otro día emergió de mis abismos, ¡cuántas biografías somos cada uno de nosotros!, acabo de vivir cuatro horas con ese Luis de Émile que ya no soy yo, llevo días viviendo con el mosquetero, descubro que fui reducido a báculo por tante Hélène, ¿y qué es lo decisivo?, ¿quién soy en fin?, por no hablar de Max, y de Marga, y de lo que me hizo volver aquí a sobrevivirme, espero que Ágata no lo sepa nunca, protegerla para que no le alcance esa maldición, que no sienta su vida sobre una sima abierta, pero esto me agiganta frente a ella, cuando otra vez compare a alguien con su padre yo sabré la verdad, ¿cuántas veces no me habrá comparado a mí mismo con su héroe agusanado?, que no lo sepa nunca, no podría encararse con el derrumbamiento, recuerdo su desmayo por mucho menos.

Camino con orgullo, en invisible desfile triunfal, pues yo no tengo miedo de mirarme, quiero vivir incluso mis gusanos, también el amor por Antonio o por quien sea, y hasta la impotencia con Marga, ser deliberadamente lo que soy, hacer verdadera mi vida, avanzo como anduvo Lázaro sabiéndolo ya todo, no hago otra cosa desde mi regreso a mis fuentes, camino hacia la copa que me aguarda, como se camina hacia la guillotina, me alegra haber desvelado esa historia, saber de Ágata esa enfermedad secreta, tenerla así en mi poder de otra manera, ¡si yo quisiera aniquilarla, qué pocas palabras bastarían!, la rajaría un rayo como a una torre, eso hace mi sumisión más voluntaria, más alta y más oscura, avanzo hacia mi grial de sangre y lodo, como caminaré esta misma tarde cuando termine en la imprenta, como subiré los treinta y siete escalones que me elevan desde la calle hasta la caverna en lo alto, nuestro sagrado campo para el rito, me detendré en el rellano ante la puerta del tabernáculo, daré tres golpecitos y esperaré, ¿qué?, lo que me espera, lo que empeñosamente busco: el verdadero Luis. Voy a lo que soy.

Ágata

¿Me conviene? ¡Yo qué sé! ¿Cómo saberlo, en este torbellino desatado por Lina? Pero ¡qué eficaz! Por eso me dejo llevar. Logra lo que quiere. Me viste a su estilo y me saca a la calle. Nada más salir, ahí en la esquina de

Amnistía, el resultado. Un tipo, doblándose sobre mí como el torero sobre el toro. Dándome un pase. Oliéndome, «comiéndome» toda. Toda, ha dicho: «Desde los pies de la cama hasta el Santo Cristo.» Una bestia, pero un éxito de Lina. Conoce a los hombres.

Luego, la mirada del Urbano, la miel de su saludo. Una baba. Cuenta la Tere que tiene una amiguita fija, en un apartamento, unas casas nuevas, cerca del Rastro. Es mecanógrafa en no sé qué Ministerio, pero se ayuda con el viejo. La chica, por lo visto, tiene además un novio. Después de saberlo me fijé más en el Urbano, con sus dientes amarillos y su calva rodeada de un cerquillo canoso, como ese actor inglés de cine, ¿cómo se llama? No les comprenderé nunca. ¡Lo pasmoso es que mi mirada le pareció un signo de interés y hasta se puso colorado! ¿De dónde le viene a Lina esa intuición? ¿Cómo es tan espontánea en el artificio? Lina ama sin programarlo. «¿Cómo empezasteis? –me atreví a preguntarle la otra tarde–, ¿cómo fue la primera vez?» «Pues venía llegando, y ocurrió. De excursión a San Rafael, en pandilla. Nos tumbamos bajo un árbol después de comer con todos, sin intención, y así fue. ¡Sin darnos cuenta!», termina riendo. «Pero ¿no hace daño la primera vez?» «¡Bah! ¿Y qué?» Me confía detalles con tanta naturalidad que alcanzo a compartir su punto de vista. Fue como cualquier otro goce; un bello atardecer, una buena película. Más intenso, pero así de natural. Lo comprendo intelectualmente, pero ¿sabría yo vivirlo así? No; será un cataclismo, una falla geológica.

Recuerdo aquellos padres, tan paletos endomingados. Esos, ni lo podían comprender, claro. Les vi por casualidad; sor Clemencia los encerró a hurtadillas en la sala de visitas de la Residencia. Venían a llevarse a su hija, la de Magisterio. Se había quedado embarazada. Las monjas hicieron lo imposible por ocultárnoslo, pero inútil. Si no hubiera bastado el «tambor de la selva» que lo difundía todo, lo hubiéramos sospechado por la homilía del capellán al domingo siguiente. La altísima virtud de la virginidad, la honra, el escándalo y la piedra de molino colgada al cuello. ¡Qué cosas se decían todavía en 1951! Comprendo que para ellos fuese un terremoto, pero para mí, ¿por qué?

«¡Me gustaría tanto tener un hijo! –continuó Lina–. ¿Sabes?, en noviembre pasado creíamos que vendría. Cuando le dije a Guillermo que me había equivocado, se llevó un disgusto. Aunque sería un problema: tendríamos que casarnos. Desde entonces le quiero más que antes. Los días de espera fueron como un éxtasis. Al hacer el amor éramos todavía más libres, no sé cómo explicarte, más inocentes. Diría que más puros, pero la palabra "pureza" está manchada por los curas. De verdad, sentirse pura antes de amar es muy fácil, pero falso. La pureza sólo llega a ser auténtica haciendo el amor, ¿comprendes?» No, pero me da igual. No me planteo la cuestión en términos de pureza. Lina sí porque, aunque la rechace, su educación es de aquí. La prueba: ese prejuicio de casarse, pensando como piensa. Tampoco ella me comprende cuando le digo mi horror de sentirme bajo el hombre como una mariposa clavada en su casa. «Eres tonta –me soltó–. Cuando hayas probado, hablas. ¿Mariposa clavada? Al contrario. Te balanceas como un navío mientras ellos, los pobres, se afanan, saltan, se crispan. Te asaltan como las olas, sin anegarte nunca. Incómodos, no pueden acariciarte bien mientras que tú, libremente, recorres sus lomos con las manos, les clavas las uñas, espuelas para estimular su golpe. Es al revés de lo que piensas: tú eres el jinete.»

«Aquella noche corrí / el mejor de los caminos / montado en potra de nácar / sin bridas y sin estribos.» ¡El romance de *La casada infiel*, prohibido por la censura! ¡Poco sospechaban las monjas aquella edición republicana que escondía Alberta! Muchas se sabían de memoria los versos de Lorca y rumiaban aquello de «sus muslos se me escapaban como peces sorprendidos / la mitad llenos de lumbre / la mitad llenos de frío». Hasta yo me acaricié alguna vez los muslos, por dentro y por fuera, notando la diferencia, aun sin hombre. García Lorca no parecía tener mucha autoridad, según dicen, pero esos versos prueban que ellos también creen ser el jinete. ¿Quién es el jinete, quién?

«Durante aquellos días fuimos puros.» Lina insistía en la añoranza. (Descubro que es en términos de «jinete» como se me plantea.) «Ahora contamos las fechas porque el anticonceptivo nos repugna. ¿Es verdad que fuera existen unas píldoras eficaces? Aquí no podemos hacer otra cosa. El sistema exige tener dinero para tener hijos, para el rito oficial del matrimonio, con todas sus consecuencias. Los hijos se pagan, como dice Guillermo. O en dinero o en escándalo, con daño para ellos.»

«Tú eres el jinete, ¡qué duda cabe! –me aseguraba también Gerta–. Espoleas a tu caballo con un golpe de cadera, con un respingo de lo que ellos llaman retóricamente *Mons Veneris*. Y responde en el acto, acelera el galope, jadea, se cubre de sudor. Tú te mantienes con el lema de París: *Fluctuat nec mergitur*. Oscilas sin hundirte.» ¡Cómo reía Gerta con aquella voz suya de garganta, a lo Marlene! «Sientes llegar la delicia y les azuzas, se vuelven galgo con la lengua fuera. Cierras lo ojos y le olvidas, eres reina del universo, con un esclavo para tu goce. ¿No decís vosotros, en los toros, la "suerte de recibir"? Pues eso, matas recibiendo.»

Yo la comprendí muy bien, pero me sigo sintiendo mariposa clavada. ¿Por qué mi desajuste entre el cuerpo y la mente? Me han enseñado miles de cosas, pero no a vivir siendo lo que soy. Soy un sexo, pero no me enseñan cómo. «Te comería enterita», ha dicho el bestia, pero no explican cómo se coge el tenedor. Somos sexo, pero el sexo está prohibido. Soy mujer, ¿cómo se vive eso? Sí, soy mujer, la naturaleza me lo recuerda cada mes. Aunque también ella tiene sus caprichos: nos lo recuerda sólo a cuatro especies, la hembra humana, la de un mono antropoide, la del murciélago y la del ajolote. Nos lo explicaba Alberta. El ajolote, un lagarto mejicano, casi gelatinoso, con ojos de rubí. Ya sorprendió la peculiaridad de su hembra a Fray Bernardino de Sahagún, que escribió en sus *Cosas de la Nueva España: «¡Similia mulieribus!»* Y luego decía que su carne era más fina que la del capón, pudiendo por eso ser comida en vigilia. Contaba luego una leyenda. Por lo visto una india noble fue violada por un cacique a pesar de estar aquellos días con «su costumbre» (escribe el buen fraile) y para no tener su descendencia se lavó en una laguna llamada Axoltitla. De aquello nacieron los ajolotes. Desde entonces decíamos a veces: «Estoy de ajolote.»

Sí, comprendí a Gerta, pero no interpreté bien sus frases de aquel día, en el *Lyons* de la esquina del parque, hasta que no supe su dominio sobre Meg. Claro, me estaba exhibiendo las ventajas de sus aficiones, para convertirme a ellas. Porque Gerta dominaba siempre a su pareja, fuese hombre o mujer. «Tú eres como yo –me repetía, con ojeada cómplice–. Deberías firmarte Agatha, como una walkiria.» Entonces me exasperaba; ahora todos me llaman Ágata, y yo tan ufana. ¿Seré así? No obstante, la walkiria no gozó con Gloria. Quizá Gerta tenía razón (sólo que ella sabía cómo y yo no): cuanto más parece el hombre poseer a la mujer, más se agota en ella.

Luis lo ha comprendido también esta tarde y se ha negado. Se ha negado a ser poseído. Es curioso, lo ha intuido a mi manera, como una mujer. Pero entonces, ¿acaso sueña en poseerme él? ¿Tenderá a eso toda su táctica de docilidad? ¡Intolerable! ¿Será capaz de creerme capaz? ¡Pues entonces sí que voy a hacerme Agatha para él!

No se puede confiar en nadie. Sólo padre no me engañó nunca. Me ha dejado sola, eso sí, demasiado sola; pero no me ha traicionado. ¡Y yo le correspondo disculpando a tío Conrado o tratando de comprender y de ayudar a Luis! Pues se acabará Luis, si continúa como esta tarde. ¿En qué quedamos, se dejó comprar o no se dejó comprar? ¿Soy su dueña, o no? Pues que se someta.

Lo extraño es que llegó radiante. Por una vez, hasta parecía contento de sí mismo. Estuve a punto de empezar bajándole los humos inmediatamente, pero lo justificaba su encuentro: el amigo de Argelia, camino de Francia. La charla, la comida, los recuerdos. Le mandé que me lo presentase. ¿Por qué puso inconvenientes? «¿No comprendes que quizás conozca a mi padre y pueda darme noticias?» Luis alegó el poco tiempo que va a estar en Madrid, su constante ocupación en tramitaciones... ¡Tonterías!

¿Tendrá celos? ¡Es estúpido! Lo va a pasar mal, porque me necesita. «Ni carne ni pescao», como diría don Rafael: «si el mundo se vuelve mar, un pececillo destinado a pasto de otros, el pobre». Don Rafael sí que triunfa, embolsándose miles de duros con los libros de texto. ¡Un hombre que no lee! Dan ganas de abofetearle, por su cinismo. La educación como mera industria.

Luis necesita algo que la sacuda de una vez, le ponga en marcha. La marcha. Era buena, mi idea de los pantis como revulsivo, las medias hasta la cintura. La planeé hace días. Sólo que he sido blanda o no he elegido bien el momento. Y, una vez ordenado, imponérselos. Como Gerta se impone a Meg. Hay que obligarle, forzarle... Eso, violarle. Aún tengo que aprender el oficio de Ágata.

Con don Rafael, lo mismo. Debí empezar su tratamiento el otro día. Pero no pasé de una sonrisa venenosa. Al menos intenté que lo fuera; aún no estoy segura de saber destilar veneno. «¿Querría usted hacerme un favor, don Rafael?» «Por Dios, Aguedita, con mil amores.» Hecho mieles resultaba cómico. «Pues entonces, no vuelva a llamarme Aguedita; ése es el favor.» ¡Cómo se le alargó su cara! Se confundió en excusas: confianzas de su tierra, como eso de «niña», que se le escapa otras veces. Además, se le pega el nombre: se llamaba así una tía suya que vivió siempre con ellos, porque era «mosita vieja».

Sí, aún tengo que aprender. Olvidarme de Águeda. No confiar en nadie: hasta la docilidad de Luis era mentira. Y eso que me ha ayudado, aun sin querer me ha puesto en el buen camino. O quizás queriendo, pero buscando lo mismo que todos; ahora lo veo. Me dio más que Lina: ella sólo lo que se encuentra en los escaparates; Luis, lo que era preciso buscar dentro de mí. Más difícil. Si Lina me dio el maquillaje; Luis, los ojos egipcios. Lina, las medias; Luis, las rodillas. Lina, los tacones; Luis, la adoración de mis pies. Luis cantó el primero a mis piernas. Es verdad; en el espejo son espléndidas.

Hasta cuando se disculpaba resultaba don Rafael impertinente. Para justificar el «Aguedita», me llamó solterona. Como el otro día: «Es usted una profesora estupenda, la mejor», pero agrega que enseñar bien no interesa nada. Otra bestia. También me comería desde la perinola hasta el Cristo. ¡Qué asco! Y el caso es que otras le encontrarían apetecible. Atrae a las alumnas, es un hecho.

Me quedan posos de Águeda; hay que limpiarlos. Volverme pez, pez-Ágata. Justo; existe una variedad de ágata «ojo de pez». El redoble de los tacones por delante, anunciando mi paso. No ofreciéndome, sino invadiendo. No son castañuelas de bailarina, sino crótalos de serpiente cascabel. No repican; apuñalan. Mis nuevas armas. Tic-top, tic-top, tic-top. El tacón hiere al cemento, luego se posa la suela, opacamente. Ritmo de grillos estivales. Sólo me falta empuñar un látigo.

O mejor la gumía. Punta y filo para el combate contra ellos.

Esta tarde, Gerta le hubiera domado. Y el caso es que al principio estaba dócil, pasadas sus reticencias para presentarme al amigo argelino. Le esperé sentada en la cama con las piernas cruzadas y así le permití entrar. Cuando me preguntó si quería el té, caminó tan humilde hacia la cocina que creí llegado el momento.

Además, desde mi bautizo era una malva, aceptando su entrega en Aranjuez. Aunque tuvo como un brote de rebeldía. Después del Carnaval, aquella tarde en casa de Flora. Le asusté, vestida de mosquetero; le impresioné demasiado, eso es. La verdad es que aquel traje me hacía Ágata de verdad. Precisamente por eso, tenía que asegurármelo con otra cadena más. Y surgió la idea.

Le detuve en la misma puerta. «¿No olvidas nada?» Me miró sin comprender. «¿Y si te manchas, bobo? ¿Para qué te he comprado un delantal?» Se le escapó un gestecillo, pero se dirigió al armario y se lo puso. Era preciso imponerse; si no se entrega del todo, no podré endurecerle. Me eché a reír. «Resultas ridículo. No encaja esa tela celeste.» En silencio, echó las manos a la espalda para soltar el lazo y quitárselo. «¡No es eso! Lo ridículo no es el delantal, sino llevarlo con pantalones: la incongruencia masculina y femenina. Verás, voy a mejorar tu uniforme; vas a ser de verdad un paje. En el armario hay unos pantis rojos, nuevos, para ti. Vete al baño y póntelos.»

Se quedó inmóvil; aguardé ansiosa. Al fin, fue hacia el armario: mi triunfo. Pero volvió a detenerse. Insistí. «Son tu talla, no te preocupes. Y dan mucho de sí.» Pero entonces faltó a lo convenido. Inició una súplica intolerable: «Por favor, Águeda...» «¡Ágata!», le grité a mi esclavo. «Perdón, Ágata; pero no puede ser.» «¿Por qué no? Prueba y veremos.» «Compréndelo, Ágata.» «¡Prueba!» Forcé la energía de mi voz, pero ya sentí que me había precipitado, aunque si retrocedía le perdería. ¿Sabría yo superar la crisis, salvando la cara hasta otra oportunidad? Entonces sonó el timbre, como el oportuno gong en el boxeo.

Porque repicó en aquel instante. No era Tere: suele golpear con los nudillos. ¿Entonces? Luis se metió de un salto en la cocina, con los pantis en la mano. Me levanté y abrí. Lo más inesperable: Gloria. Me quedé tan atónita que me aparté a un lado y entró. Gloria, con un nuevo peinado hacia lo alto que le sentaba fatal. Sonaron nuestros besos en el aire. Había deseado venir a felicitarme para mi santo, pero no pudo en aquella fecha. Todos los santos tienen octava, etc.: sus palabrerías de siempre. Al menos, no se veían maletas por ninguna parte, ni en el descansillo. Me fijé al cerrar la puerta. Sus monadas repugnantes. ¿Qué vendría a buscar? La habría plantado su mozo. Mi irritación crecía. Al fin comprendí: ella creía que todo seguía igual, con Águeda a su disposición. Así es que cuando me preguntó, triunfante y venenosa, dándolo por seguro, si estaba sola, llamé a Luis.

La aplasté. ¡Qué triunfo! Pues, además, Luis, azorado, salió inadvertidamente con el delantal puesto. A Gloria se le alargó la cara un palmo. Hubiese yo besado a Luis en ese momento. Pero entonces, Luis se dio cuenta, y no fue capaz de comprender cuánto me ayudaba con ello. Sólo atendió a su orgullo machista. Enrojeció como un pimiento, el idiota, y se puso a desatar el lazo, pero se le enredó. «No te lo quites, tonto, y sírveme el té. Gloria y yo tenemos mucha confianza, ¿verdad?» En esa frase sí que puse veneno, estoy segura.

A Gloria le llegó al corazón. Seguía muda, mirando a Luis, a mí. «Para que veas –pensé–; para que veas a quién desdeñaste. Lo que darías tú por uno así.» Pero sólo le dije: «Siéntate, guapa. Tomarás el té con nosotros.» Luis se había eclipsado. Expliqué a Gloria lo del delantal: «¡Los trajes de hombre se limpian tan mal!» Gloria se quedó en pie, balbuceando disculpas. ¡Ella abochornada, desconcertada; qué éxito! Se marchaba, sólo había querido darme una sorpresa y felicitarme. Pasaba casualmente por el barrio... «Y la sorpresa te la has llevado tú, ¿verdad?» Al cabo se despidió: «Adiós, Águeda.» «Tengo para ti otra sorpresa más. Ahora soy Ágata. Más moderno, ¿comprendes?» Me salió un tono frívolo estupendo. Y fui yo la melosa, desde el descansillo, mientras ella huía escaleras abajo. ¡Gloria derrotada por mí! Me sofocaba el júbilo, la exaltación vital.

¿Y qué me encontré al entrar, qué jarro de agua fría? Un tonto aguafiestas, sin darse cuenta de nada. Sentado en la silla de la cocina, el delantal en el respaldo, su cara entre las manos. Al oír mis pisadas me miró, ¡qué asombro: tenía lágrimas! ¡Precisamente cuando tanto había quedado resuelto! Me armé de paciencia. «¿No comprendes que ésa venía a darse la satisfacción de encontrarme sola, quizás a ser de nuevo mi parásito? Viene a eso, ¡y me encuentra con un hombre! ¡Y encima lloras! ¡Si es magnífico!»

Entonces asomó la oreja. «Con un hombre no, Ágata –pronunció solemne–, ése es nuestro error. Con un hombre no. Un hombre no admite ese delantal.» ¡Qué paparruchada enjaretó después, qué razonamientos de esos «con lógica», como dicen ellos! Me indigné, claro. «Total, que te ha fallado el truco. Sí, el truco. Tu devoción, tu entrega... ¡Pura hipocresía! ¿Lo vas a negar, si salta a la vista? A la primera prueba, por una tontería, que, además, me ayuda tanto, te echas atrás. Te lo dije bien claro en el templete: no sueñes con ser nunca jinete. Al contrario. Yo tu caballo de Atila, mi tacón sobre ti»... Me desahogué. Se lo merecía.

No replicó. Cuando al fin callé, sólo dijo otra idiotez. «Eras mi última esperanza,

Ágata. Ahora lo he comprendido. Y también he comprendido que te quiero. Por eso mismo me marcho.» Efectivamente, fue a la puerta y salió. Acarició un momento la jamba de la puerta, como Greta en *Cristina de Suecia* y se fue. Increíble: se fue. ¿Quién los entiende? Y ese falso «te quiero»: otro truco para dejármelo clavado. ¡Qué fácil es decirlo! Porque su orgullo, lo primero. Macho, antes que nada. «Te quiero.» ¡Qué vileza, dispararme eso en el momento en que yo pensaba que sí, que todo estaba claro, que al fin ganaba una batalla a la vida, tras treinta años de derrota! Me clavó ese arpón, como a las ballenas, para marcarme de su propiedad con la banderola en el astil. Unas banderillas, para mantener abierta la herida. Me chafó el triunfo sobre Gloria; de eso puede estar satisfecho. Pero no me ha aplastado la vida, ¡qué va! Al contrario, ya voy sabiendo cómo hay que jugar; sólo necesito práctica. ¡Y practicaré! Nadaré por ese océano. Un pez con dientes bien agudos, en triple fila como los escualos. «Estás para comerte, morena», me dice al pasar. Pues sí, una morena. Feroz. Como las que devoraban esclavos en las piscinas de Roma.

Quartel de palacio

¿Asoma ya la primavera? Don Pablo, camino del quiosco, quisiera creerlo. El invierno ha sido duro y él va siendo menos capaz de resistirlo. ¡Qué rebelde, la gripe de febrero! La cogió el día del bautismo de Águeda. Es decir, Ágata. ¡Aquel golpe de aire a la salida! Pero bendita gripe: también le trajo a María. Volvió a la vieja casa de Vergara. Veinte años después. ¡Qué abismo de tiempo!

Año de bautizos o rebautizos. También el suyo, en los escalones junto al antiguo Senado. Pero no ha resultado; María no se aviene a llamarle «Saulo» y la verdad es que a él también le suena raro. Entonces, ¿por qué le salió del alma en su caída de Nochevieja? ¿Por qué repitió, con ese nombre, la última palabra de su madre? ¿Por qué le pareció que con ello se entregaba a María?

Don Pablo se detiene pensativo. «Al escapárseme así aquella noche, ¿se me fue acaso ese nombre para siempre, como aquellos globos que se soltaban de mi manita infantil y desaparecían en lo azul? ¿Acaso mi rebautizo es ése: pasar definitivamente, sesenta años después, de Saulo a Pablo? Una confirmación más bien.» Reanuda su camino atajando sus divagaciones. En cualquier caso, María no asimila el «Saulo». ¡Ay! Pablo sospecha por qué. ¿Resultará una barrera? No lo parece, por ahora.

Llega al quiosco y hablan. Han de esperar a Dorotea, la portera de casa de María que atiende a la venta mientras ellos dos van a comer juntos.

–Ya no tardará –comenta María, mientras cobra un *Capitán Trueno* al chico del encargado de los *Baños de Oriente*. Luego añade–. Por cierto, ¿sabe usted que los cierran? ¡Como ya todo el mundo tiene baño en casa...!

¡Bendita gripe! Evocaba Pablo aquel prodigioso día. Estaba en cama; deprimido. El intento de preparar alguna colaboración para el periódico le había levantado un amago de jaqueca. No oyó la puerta, pero sí los pasos. «La portera», pensó y se asombró de que ya fuese la hora de almorzar; no tenía apetito ninguno. Pero no llegaba sola.

¿La imaginaba su anhelo? No, María estaba allí, al pie de la cama. Pablo se echó a llorar. Sus ojos se empañaron, brotaron lagrimones en la cara contraída para ahogar el sollozo. «Vamos, vamos, don Pablo –exclamó la portera, añadiendo vuelta hacia María: «Está muy débil; ya ve usted.» «La vieja portera, la de cuando la guerra, me hubiese tuteado», pensó María. De pronto, se dio cuenta de cuántas cosas habían cambiado. «Esta habitación era la mía –recordó mientras se acercaba al enfermo–. Y esa es la puerta que tapié, con Roque y Fermina, para ocultar durante la guerra los objetos de valor. Nunca los descubrieron. Es decir, Julián lo sospechó, seguro. ¡Qué bueno era!»

Pero el retrato sigue en su sitio, en el salón. La madre de Pablo sentada, empuñando el abanico como un cetro, erguida y dominadora su cabeza. Sus ojos fríos como vigilando a María, inquieta por ese retorno de la muchacha, dispuesta a defender a su hijo, como veinte años atrás.

Pablo había logrado serenarse. «Sí, estoy débil.» Sonrió, mientras la portera salía en busca de un cubierto y una servilleta. María había dejado sobre la mesa de noche un termo con caldo y una mermelada de naranja amarga. Inglesa: manía de Pablo. Le conmovieron los ojos húmedos del hombre, su barba de varios días, y le cogió un instante la mano huesuda, más afilada aún por la pasada fiebre. Pablo suspiró profundamente. Oyeron regresar a la portera y se soltaron.

Ahora, junto al quiosco, Pablo se deja envolver por el recuerdo. La portera se marchó y María aún permaneció unos momentos. Pablo se preguntaba qué estaría ella pensando al volver a pisar aquella casa, después de tanto tiempo. Mientras dialogaban, con aparente naturalidad, Pablo se consumía. Desesperanza más que arrepentimiento; la encrucijada en que se emprende el camino equivocado. Pero no estaba todo perdido. Algo quedaba en pie: María había vuelto. María sabía que podía volver y lo había querido.

Llega Dorotea, se mete en el quiosco y les ve alejarse. Desde Nochevieja, es Pablo quien se coge del brazo de la mujer. No van donde otras veces, a *Casa Eugenio*. Pablo ha decidido disfrutar de la vida, caramba, y propone la *Taberna del Real*. María no se asombra. Últimamente ha pasado a ser ordinario lo extraordinario.

Pues María sabe, claro está, que han cambiado las cosas. A veces se alegra: ¡lo ha deseado tanto! Siempre; desde que ella se iniciaba en el pequeño negocio del quiosco con Roque y su hermana y este hombre que ahora se apoya en su brazo para caminar era «el señorito Pablo». Alegría empañada de amargura: el tiempo perdido por culpa de él y de su odiosa madre. También el temor: después de todo, ella ha logrado equilibrarse, sobrellevar la vida serenamente, relegando a su fondo, como el agua de una cisterna tapiada, la vida latente de lo que pudo ser. Piensa que ya ha pasado el momento. Pero, llegada a esa conclusión, algo la empuja de nuevo ante la soledad de ese pobre hombre en su ocaso. Ese algo es amor, se dice, reavivado cuando, durante aquella gripe, sus visitas al enfermo se lo mostraron tan solo, tan vulnerable, tan desvalido. Su corazón, con ese pensamiento, se desangra, y sus brazos se extienden hacia él con el lienzo del consuelo, como los de la Verónica.

¿Y Pablo? El análisis le induce a no mover las aguas tranquilas de esa amistad añorante entre ambos, disfrazada de relación paternofilial. Pensar en el amor es hasta ridículo. Pero ¡la soledad de María! Esa pobre mujer en su buhardilla, sin otra compañía que el canario. También un día envejecerá y tendrá necesidades. Pablo puede darle seguridad, dejarle una casa, unos bienes y ¡desea tan ansiosamente hacerlo!

–¿Cómo dices?

–Preguntaba qué es lo que celebramos hoy –responde María. Ya están sentados a la mesa, uno a cada lado de un ángulo.

–Tu juventud.

–¡Si llama usted juventud a haber cantado los cuarenta!

–A mi lado no es nada. Voy con el siglo.

Se acerca la camarera y encarga el almuerzo.

–Más vale celebrar otra cosa –continúa María después.

«Nuestro encuentro, nuestro nuevo encuentro», piensa Pablo, pero no se atreve a decirlo.

–Por ejemplo –añade María–, ¿qué le dijo el médico la última vez?

–Que para el verano puede ya operarme el ojo derecho.

–Pues celebremos eso: su recuperación.

¡La obsesión de antes vuelve a caer sobre Pablo y le hace callar! ¿Debe plantear claramente las cosas antes de operarse, o debe esperar a ver cómo ha quedado, para no imponer a María el cuidado de un inválido? Sería mejor lo segundo, pero ¿y si entretanto le ocurre algo? A los sesenta años pasados ya nada es seguro.

María recibe la emoción del hombre y toma la mano sarmentosa, de venas abultadas y manchas pardas, pero todavía firme, sensitiva, hecha a cuartillas, a la pluma, a teclados. La mano femenina no presiona. Se posa levemente, como un pájaro.

–Alégrese. Volverá a ver cuando le operen.

Pablo hace un gesto de duda. María desvía la conversación hacia amigos comunes: Flora, don Ramiro y su familia. Por cierto, ese Paco, ¡qué interesante! Pablo siente una punzada: es el mozo bien plantado que le regaló un pañuelo a María. Pero ésta lo que admira es el tesón con que el muchacho procura leer. En ese instante llega el postre. Fresones de Valencia. La oleada del recuerdo hace temblar la voz de Pablo.

–Aún no es tiempo de fresas. Las de verdad. ¡Qué pasión sentía tu madre por ellas! Deseando que llegaran las primeras de Aranjuez. Competíamos Roque y yo a ver quién acudía al puesto de periódicos con el primer canastillo. ¡Roque! Muchas veces lo he pensado: cuánto mejor le hubiera ido a tu madre casándose con Roque. Y a él también: la adoraba.

–Puede. Pero ella a quien quería era a usted.

Pablo se queda de piedra. ¿Cómo lo sabe María,

cómo puede romper el aire con esa verdad que debería ignorar o no pronunciar? La mira. Ella sostiene la mirada.

–Usted me sigue viendo como una niña. Pero lo sé todo, Pablo. Roque me contó la vida de mi madre. ¡Tan distinta de la mía!: mi madre vivió, e hizo bien. La admiro; yo no sería capaz de tanto. No reparó en nadie; no se dejó robar su tiempo; no se sacrificó por tonterías...

En su cara conmovida, los ojos brillan con una intensidad febril que Pablo no sospechaba. Se siente intimidado: le alcanza la alusión personal tras esas palabras. Pero no es posible que María lo sepa todo. Aquel terrible final de Beatriz, tan romántico en *La Dama de las Camelias* y tan espantoso en la realidad. La pobre Beatriz ardiendo de fiebre en la buhardilla; Pablo y Roque turnándose para cuidar su reposo, para limpiarle sus esputos sanguinolentos, para que no se destapara en sus delirios o cometiese una locura. Pablo cumplía aquel deber lleno de miedo al contagio, y avergonzado por la cariñosa naturalidad con que Roque hacía lo mismo. A veces los ojos femeninos tenían una lucidez sobrehumana y en los labios moribundos había un asomo de burla y desprecio ante el miedo disimulado por Pablo. No; desprecio, no, sino compasión de enamorada a pesar de las flaquezas de su hombre. Ahora le abochorna aquella tarde en que, con un visible pretexto, eludió darle a Beatriz el amor que ella le pedía. Le parece estar viendo el sol rojizo por la ventanita de la buhardilla, con un color como el de las mejillas y los pezones de Beatriz en el cuerpo pálido que, medio desnudo, quería provocarle. Pero, al menos, la cuidó. Escribía sus artículos junto a la cama de la enferma; recuerda que por aquel entonces se ocupaba de Larra, aprovechando fragmentos de una biografía destinada a una editorial popular... ¿Cómo? ¿Acaba de decir María que su madre fue feliz?

–No sabes lo que dices. No sabes lo que sufrió.

–Imagino cuánto vivió... ¡Si yo hubiera sido tan fuerte como ella!

Pablo mira a la mujer. En su nublada visión actual se superponen fácilmente, sobre el rostro de María, las facciones de Beatriz. Aquel rostro era más vivo, más hermoso, pero... ¿cómo expresar la diferencia en la semejanza? Beatriz era una hoguera; María, una sosegada lámpara. Cierto, asoma a sus ojos una indecible, cautivadora luz interior.

–Pues os parecíais. Aunque fuerais tan distintas.

–¿Nos parecíamos? Entonces no comprendo nada.

Pero calla lo que no comprende y Pablo prefiere el silencio. Teme la aclaración.

–Usted no la quería como ella a usted.

–Sí, yo la quería.

–Quizás. A su manera.

–Todos queremos a nuestra manera. No podemos de otra.

María piensa que ciertas maneras de querer ya no son querer. Pablo adivina algo así –¡se lo ha reprochado tanto a sí mismo en estos días!– y se explica, se justifica:

–Quizás entonces yo no sabía bien enamorarme. O quizás se quiere cada vez de distinta manera. Quizás el amor más hondo no es el más exigente, el más demandante.

–¡Pero mi madre no era exigente!

Cada palabra de hoy está revelando a Pablo otra María. ¿Cómo intuye aquella entrega vital de Beatriz, generosa y arrebatada, absoluta, sin cálculo, sin proyectos ni pretensiones, aquel gozarse y hacer gozar sin reserva ninguna sin prejuicio? No obstante, era exigente; exigía, sin decirlo, lo que Pablo no llegó a darle: un amor equivalente. Se conformó, sin embargo; se resignó, entre desesperada y estoica... ¿Cómo puede comprenderse todo eso sin haberlo vivido? ¡Si él mismo no lo ha sospechado hasta ahora! Se estremece descubriéndose la idea de si acaso Beatriz se dejó morir. Por eso, porque exigía más.

–A veces he querido comprenderlo pensando que era usted mi padre. Pero sé que no.

¡Dios mío!, ¿por dónde van los pensamientos de esa mujer? Producen vértigo. Se apresura, alarmado:

–No, no lo soy. ¡Es segurísimo!... Tu madre no lo dijo ni se le escapó nunca, pero creo que tu padre era un palaciego y hasta que intentó ayudarla. Tu madre no aceptó; no admitía las cosas a medias. Pero yo no, yo no.

–Lo sé. Me lo aseguró Roque. Le hice jurármelo.

–¿Jurar? Si tú tendrías quince años cuando mataron a Roque.

–Ya me importaba –pronuncia esa boca llena hoy de verdades bajo los límpidos e inquisitivos ojos. Pablo se inmuta, se aleja del tema.

–Pobre Roque, ¡cuánto valía!

Recuerda al obrero tipógrafo, anarquista puro y convencido, con sus tres dedos de menos en la mano izquierda por la explosión de una bomba que le estalló mientras la preparaba. Le recuerda perseguido por la Dictadura, aunque ya estaba retirado de la lucha activa. Era tan agresivo como Beatriz, pero su violencia no nacía del desprecio, como en ella, sino del odio. Un odio tan hondo y puro que dejaba de ser malo, porque al dirigirse contra el mal se elevaba a noble pasión. Diamantino, absoluto, como el de los dioses. Iluminando su sonrisa y sus ojos claros, haciéndole paradójicamente bueno, como si al ser demasiado pequeña la satisfacción de aniquilar a alguien resultara luego indiferente hacer favores a cualquiera.

–El hombre más íntegro que he conocido –insiste Pablo–. ¡Y tan verdadero, tan auténtico! Como tu madre. Yo, junto a ellos, me sentía incompleto. Todavía me creo a medio hacer.

–No; ya no.

¿Será posible? ¿También María lo advierte?

–Sabía que se notaría. No sólo tú. También Feli, la ciega, me lo dijo el otro día –Pablo sonríe al recuerdo–. ¡Qué espantosa tristeza haber tardado tanto en madurar!

El silencio no puede prolongarse. Ha llegado el momento. Añade:

–Escúchame, María... Es tarde, sí. Pero ¿tanto como demasiado, demasiado tarde? Yo pienso que quizás... A mí, al menos, me gustaría intentarlo, ¿comprendes?

María no contesta.

–Soy una torre en ruinas; lo sé muy bien. ¡Suponiendo que haya sido torre alguna vez!, pero algo aportaría... yo...

–¿Qué? ¿Qué aportaría?

La voz es hiriente. Pablo percibe su error. ¿Por qué le cuesta tanto? Se arroja de cabeza.

–Amor.

Ninguno de los dos lanza un suspiro, que, sin embargo, hace ondular el aire. Aunque sólo se oigan pasos de camarera, tintineo de cubiertos, chocar de platos, voces. Toda una cúpula de ruidos albergando el gran silencio que acaba de cuajar.

–¿No me crees?

María inclina la cabeza. ¿Es asentimiento? ¿Una lamentación? ¿Es ambas cosas? En todo caso, no una negativa. Pablo se angustia.

–¿En qué piensas?

–En «el señorito Pablo». Yo estaba despierta por la noche en mi colchón, oyendo roncar a la hermana de Roque. Mis labios decían bajito «Señorito Pablo». Sus guantes amarillos, su capa azul con vuelta grana, sus botines, su bigote... ¡Era tan presumido!

–¿Presumido yo? –se asombraba Pablo.

–Repetía en la oscuridad «señorito Pablo», como cuando se reza. Y cuando usted volvió de Santander...

–Yo también entonces, María... ¡Dios mío! ¿Cómo explicártelo?

–¡No, no me lo explique! ¡Sobre todo no lo explique...! –casi grita con angustia.

–Dime una sola cosa, quítame un peso del corazón o aplástame con él: ¿he llevado a tu vida más pesar que dulzura o menos?

–¿Cómo saberlo...? Hablemos de hoy.

¡Ay! ¿Cómo decir a ese hombre desolado cuántas veces ha sentido ella sus entrañas laceradas?

–Hoy... Vuelvo a preguntarte: ¿es demasiado tarde?

María sonríe con melancolía.

–Dicen que nunca es tarde.

¿Pasa un ángel? Es la camarera con su blusa también blanca. Pablo pide la cuenta y se marchan. La tarde, aún más dulce que la mañana. Se sientan en la Plaza de Oriente, en el recinto de evónimos en torno a la estatua del cabo Noval, sobre su pedestal con los nombres de ilustres damas promotoras, empezando por la Reina Doña Victoria Eugenia.

–¿Recordabas la casa, cuando volviste aquel día de mi gripe? ¿Cómo la encontraste?

«Funeraria, museal –piensa María–. Demasiado llena de trastos.»

–Bueno, diferente. Durante la guerra había menos muebles; estaban escondidos en el cuarto tapiado.

–Tú salvaste la casa.

–Fue Gervasia. Yo le di la idea de tapiar la puerta, pero ella tenía la fuerza.

–¡Qué navarra más templada! –corrobora Pablo, recordando que era la única persona capaz de imponerse a su madre.

–Además, claro, en guerra estaba más llena de gente, con aquellos evacuados. La Severina, el Melguiches, los críos... Y los artilleros. Uno era alcarreño y a veces nos traía miel. ¡Nos la bebíamos! Era un jaleo constante aquella casa.

–Sí, ahora está muerta. La torre en ruinas. Ceguera y vejez.

La mano femenina oprime dulcemente.

–Yo tampoco soy joven.

–Eso es lo más hermoso que me has dicho nunca, María.

Una de las niñas que saltan a la comba mira de soslayo las dos manos enlazadas.

–Dime una cosa. No me importa, pero dímela. Aquel Julián: ya sabes, el capitán de Cuenca, al que luego sacaste de la cárcel gracias a la marquesa, ¿te quería?

–¿Qué más da?

Se siente malévola con esa respuesta, pero la ilusiona dejarle clavados esos celos. ¡Si Pablo conociera la verdadera historia! El modesto relojero de la vieja Cuenca, la ciudad alta, enamorado desde muchachos de la señorita que vivía en Madrid y pasaba los veranos en la casa solariega de al lado, con su jardín colgante sobre la hoz del Júcar. Refugiada ella en Cuenca durante toda la guerra, el capitán enamorado en silencio había luchado para evitarle persecuciones y la protegía desde lejos. Volcaba su desesperanza en la guitarra, contaba sus amores a María, que a su vez, le confiaba sus ilusiones para cuando Pablo regresara de Santander al final de la guerra. «Dichosa tú, que puedes tener esperanzas», suspiraba Julián.

Pero la madre se encargó de segarlas en flor. Por eso doña Clotilde, desde su retrato miraba inquieta a María cuando ésta volvió a entrar en la casa días atrás. ¿Cómo? ¿Reaparecía en su casa la del quiosco de periódicos? ¿La muchacha sin padre?

Cantan las niñas en sus juegos por la plaza. Suena rítmicamente contra el suelo su cuerda de saltar. «¡Y pensar que yo misma salvé ese maldito retrato!», se dice María. Imposible vivir a su sombra. Pero ¿qué está diciendo Pablo?

–...lo que pase con mi vida. Si me abren lo ojos de nuevo, será una vida distinta. ¡Un gran cambio, María, un gran cambio! ¡Nada del pasado! ¡Hasta de casa quisiera cambiar, para sentirme otro!

El corazón de María se alegra como un pájaro. Sabe que no dejará Pablo su casa de siempre, pero por lo visto desea salir de ella, dejarla atrás, cerrada, cáscara de la vieja vida estéril. Y recuerda que desde sus propias ventanas, en la calle del Reloj, está viendo iniciar unas obras en los altos de la casa de al lado. Las inmensas alas de una ilusión dorada cambian el color, la fragancia, la sonoridad del aire sobre toda la plaza de Oriente.

PAPELES DE MIGUEL
La playa y el morabito

7 de agosto de 1976

Estalló el grito, su llamada de socorro. Corrí desolado. Caído en la arena, sobre la hamaca de lona plegable. No tendía sus manitas para ser levantado: estaban clavadas al suelo. Comprendí: ¡qué vuelco mi corazón! Se había cogido los dedos entre los palos de la silla, cerrada bruscamente por estar mal montada. Por fortuna los largueros no ajustaban mucho, y las manitas ¡eran tan pequeñas! Angustiado, abrí suavemente la tijera de palo y liberé sus deditos. Sangraban, magullados. Derramaba en silencio gruesas lágrimas de adulto. «¿Puedes moverlos? ¡Mueve los dedos, Miguelito!» Los movió todos, desprendiéndose gotas de sangre. Suspiré aliviado. Le cogí en brazos y corrí al merendero de la playa. Pedí aguardiente en dos vasos grandes: del más fuerte. Lo bebían los pescadores al volver de la mar en la ámanecida. Le hice meter los dedos; no se me ocurría otra cosa. La sangre formaba hilitos rojos en el líquido, como esas flores japonesas de virutas enrolladas, montadas en almejas vacías, que se abren al echarlas al agua. «¿Duele, hijo?» Tuvo un gesto de dolor. Clavó en mí unos ojos aterrados por una idea espantosa: «Papá, papá, ¿podré tocar el piano?» Su primera reacción; su único temor.

Tenía... sí, cinco años. Estábamos en Blanes, después de mi divorcio. ¿Te imaginas a Miguelito, Nerissa, con esa única angustia de futuro gran pianista? ¡Si le hubieses conocido! Me hubieras querido más. Te habrías enamorado de Miguelito más que de mí. Apenas tenía un año –¿o no lo tenía?– cuando atendía más a los sonidos que a los colores. La vecina le trajo un sonajero de plata reluciente, pero siguió aferrado al suyo de plástico, descolorido ya. Prefería el sonido, más opaco, casi a madera, del viejo. Lo agitaba con un ritmo *staccato* de maraca. Pues ¿y más tarde, cuando logró hacer sonar un silbato? ¡Qué júbilo! No se le caía de la boca; hube de atárselo a una cinta para colgarlo del cuello y se olvidó del chupete. Todavía en París, su abuela materna le regaló un pianillo y así empezó. ¡Pobre señora, qué disgusto se llevó con la historia de su hija! Más que yo, porque cuando se descubrió su lío ya había dado yo por arruinado nuestro matrimonio.

Entonces Blanes era todavía casi el de Joaquim Ruyra. No había un solo rascacielos y las casas paralelas a la curva del mar eran estilo del país, salvo un par de chalets a lo «moderno» de los años treinta, al final, junto al camino de San Francisco. Del paseo se accedía directamente a la playa, sin pretiles ni escalerillas. Una playa poco mayor que esta de Ras-el-Djeb, donde para acercarme más a ti he venido con Mahmud: pequeña, entre dos promontorios leonados o violáceos, según la luz, que acotan la media luna arenosa. Pero mientras en Blanes, abierto al sudeste, amanecía sobre el mar y anochecía tras las montañas, aquí camina el sol de un promontorio a otro. Nunca nos deslumbra cuando miramos al mar: el azul es nuestro norte. Aunque la mayor y mejor diferencia consiste en ser esto casi un desierto. Sólo unas cuantas familias argelinas ocupan los *cabanons* o viviendas de verano (un piso habitable con galería al mar y abajo, entre los pilotes, espacio para el coche y la barca) que pertenecieron a colonos franceses de Tlemecen o Ain-Témouchent. Vivimos prácticamente en la galería o en la misma arena; hasta duermo muchas noches en la playa, salvo si sopla fuerte el levante. El mar no está frío ni para mi viejo cuerpo. Las estrellas son chispas de diamante en el aire purísimo; ninguna luz de tierra las empalidece. Como en el desierto persa de Rumí. Contemplándolas, ¡cómo me acompañas! ¡Ay, Nerissa, nunca pudimos gozar juntos una noche de playa! A ti te llevaba Eduardo a Menorca, mientras yo consumía mi verano en la desesperación de aguardarte. Luis, en cambio, contemplaba junto a su tía Hélène estas constelaciones. ¡Qué envidia!

Estrellas: tus ojos mirándome: las chispitas doradas que salpican tus iris claros. Su sereno fulgor aclara mi desnudez interior. De madrugada la luna, afiladísimo creciente apareciendo a la segunda noche. ¡Cómo se la comprende como diosa para los hijos del desierto! No hiere los ojos, no endurece el mundo como el día, sino que lo baña de misterio iluminado. Y además ¡vive! Nace, crece, madura en la perfección del círculo y, desnudándose poco a poco, muere. Para reencarnarse en infinito cielo. ¡La luna! Reina de la magia mientras el sol, el pobre, sólo posee la fuerza.

El realismo de Petra se dio cuenta de todo. Hablaba del dueño del bar, pero me aludía a mí: «Cosas de los hombres. Cuando empiezan a sentir el pajarillo alicaído ¡hacen cada tontería...!» ¿Tontería? ¡No, no, locura, excesiva sed de amante!

Cuando me marche del barrio dejarle a Petra algo importante. El silloncito donde le gustaba sentarse. Porque del barrio ya también me he vaciado.

En cambio Luis se obstina en encontrar su personalidad. ¿Para qué una personalidad? Más madurez es no tenerla. Suprimida ella, se acabaron las dudas: siempre cumpliremos nuestro papel, hagamos lo que hagamos. Hacer equivaldría a ser. Para ser hay que dejar de ser.

Yo también estuve demasiado aferrado al dualismo: mi hábito profesional de la dialéctica. Pero Isolina ha roto el velo al revelarse luego innecesaria; al reducirse a deseo. Tú, en cambio, me llevas hacia la unidad porque ya no estás fuera de mí. Es la espina dorada en la honda coplilla de Machado que tantas veces te recordé: «¡Quién te pudiera tener en el corazón clavada!» Al cabo ya no se siente clavada. La fiera punta de flecha no está en mí, sino que es yo. Enamoradamente la envolví en mi carne, le di calor y cobijo, se hizo raíz de mi vida.

He sufrido, pero el suplicio es la gloria del mártir. Intuyéndolo sin saberlo fui incapaz de vengarme. No duele a la madre el niño que por dentro la patea. Nuestro Amor es nuestro hijo, lo engendramos Tú y yo, Nerissa. La espina dorada ha encarnado en mí. Ahora sé que empecé a vaciarme de todo lo demás cuando adviniste a mí y la dejaste clavada.

Empiezo a vivirlo: no hay dualismo Tú-Yo. Como Rumí y Shams, sólo somos flecha única aspirando a ser espina clavada en el Absoluto. A ser allí Nada disolviéndonos; a ser allí Todo expandiéndonos.

Esta playa propicia a la meditación. Además, ajeno estando en ella, único europeo en Ras-el-Djeb. Me miraban al principio con curiosidad y recelo, pese a mi amistad con Mahmud. A mí, en cambio, me sorprendían de sus vidas las cosas olvidadas por los libros. Un amanecer, desde la galería abierta, vi a las tres esposas de un rico propietario bañándose en la orilla. Con el agua por las rodillas se habían levantado la ropa hasta los hombros y se mojaban todo el cuerpo conservando el rostro tapado. Me extrañé ante Mahmud y me lo explicó: «La vergüenza está en la cara, no en el sexo.» En cambio las hijas del rico eran unas muchachitas con bikini.

Al fin noté que ya no recelaban de mí. Una frase que se le escapó a la vieja Aicha (¿qué parentesco tenía con los padres de Mahmud?) me reveló la razón: «Cuando tú estés con nosotros, los fieles...» Así, pensaban que Mahmud me estaba convirtiendo y ya me acogían en sus brazos. ¿Para qué desengañarles? Me veían leer libros árabes y me tenían por un doctor. Vino un amigo de Mahmud y tomó uno de mis libros. Me lo devolvió asombrado: «¿Qué es esto? ¿Qué árabe es éste?» Tuve que explicarle que era *farsi*, persa, escrito con caracteres árabes –claro, los del Corán– apenas modificados. Me miró con un gesto a la vez de respeto y de temor, ante el posible hereje chiíta.

Versos de Rumí: «Avanza por la senda del deseo / dejando atrás el légamo del mundo, / aguza tu visión con ojos limpios: / el Universo es Él, únicamente.» ¿Y no llega a lo mismo, con toda la ciencia física de un premio Nobel, Erwin Schrödinger? No son distintos el sujeto del objeto: la idea de que hay tantas individualidades diferentes como cuerpos humanos y de que cada una percibe su distinta visión del mundo, es un error. Sólo hay una Mente que mira a través de nosotros. Y no sólo de nosotros. Su Ojo es la pupila del león y el ocelo del insecto, la membrana del saurio y del pez, e incluso el tentáculo de la actinia, el pseudópodo de la ameba, los cabellos del viento y hasta la quieta violencia del basalto.

¿Y entonces, el odio? ¿Contra qué, si todo es Él?

¡Claro, el odio es inútil, un error, no tiene sentido! El odio que yo echaba de menos en la Novela IV, durante mi etapa de amargura por tu rechazo, Nerissa; aunque lo racionalizaba pensando que infundiría «garra» al relato. Odio, violencia, destrucción: lo exigía mi amargura. No se requerían en la Novela I, la erótica; pero eran indispensables en la II, la revolucionaria, y de ella procede la manifestación política que subsistió en el nivel IV. Aunque ya no estoy seguro de ninguna de ambas cosas: de que haya erotismo sin violencia y destrucción y, menos aún, de que yo expresara odio en la Novela II, ni tampoco en la IV. Se intentaba, sí; se justificaba la violencia, se cantaba su apología. Pero ¿estaba allí, vivida realmente, en carne y hueso?

A ti nunca, Nerissa; a ti no te odié nunca. Pero ¡a Eduardo! ¿Sabes que planeé su asesinato? Palabras, puro juego, dirás tú. ¿Y qué hay en la vida que no se quede al fin en juego y palabras? Salvo el silencio, claro, pero ¡es tan difícil! Y cuando el silencio llega a ser el Silencio, entonces estamos, aún en vivo, más allá de todo: hemos llegado a Todo.

Contra ese horizonte, ¡qué mezquindad el odio, qué insensatez! Me alegro de que Luis no odiase a la inglesa; ni Jimena a su padre. Y el odio de Paco, ¡qué demencia! ¡Si al final no hay víctimas! Sólo hay sufrimientos, dolor, mutilaciones y torturas. Pero no vidas absolutamente vencidas. Todas las vías son de salvación. La liebre se cumple en el pico del águila; el prisionero en el potro del verdugo. ¿Qué somos? Teselas de mosaico en sangre y hueso. Por eso el orgullo es una aberración engendrada por la ignorancia. Supone desconocer que «yo soy tú».

La playa en el crepúsculo, cuando el agua viraba a violeta. Sidi Abdullah, el padre de Mahmud, salmodiaba sus oraciones. Un pescador pasaba con los remos al hombro, dejando en la arena mojada la momentánea huella de sus pies descalzos. Mahmud y yo discutíamos nuestros apuntes del curso, mientras se atirantaba indecisa la mágica transición del crepúsculo. Las dos valvas del mar y del cielo se entreabrían en el horizonte, dejando entrar otro mundo, otro espíritu. Ante nuestros ojos se encarnaban los versos 566 y siguientes del *Mathnawi*, que describen la vida mística, el *Introrsum ascendere* de los místicos cristianos; el viaje exterior y el interior, «el cuerpo camina sobre el polvo; el espíritu, como Jesús, sobre la mar». Una mar como ésta, así de propicia.

Una de esas tardes me habló Mahmud del santón en el morabito, arriba, en la serranía. Tres días después, muy de mañana, un amigo de la familia que iba a Beni-Saf nos llevó en su coche hasta un recodo de la carretera al pie de las montañas. Al atardecer pasaría de regreso por aquel mismo lugar. Se alejó levantando el polvo de la descuidada carretera y nos adentramos barranco arriba, siguiendo el serpenteo de un arroyo seco. Pronto me sentí solo, aunque Mahmud caminara delante, flotante en su blanca chilaba.

Solo no, sino contigo, Nerissa. El mundo adquiría a mi alrededor creciente densidad. El recio viento era una salvaje y perfumada caricia en el rostro, como si me azotara con tus cabellos. Las piedras reflejaban el ardor del sol y a la vez lo retenían como nutriéndose de él. Las nubes eran sólida blancura en un azul etéreo. Matojos de esparto, de romero, tomillo, lentisco, y abrótano raspaban mi pantalón y mis zapatos, levantando susurros rítmicos y oleadas de perfume. Se me cruzaban mariposas amarillas y negras, zumbaban insectos, aserraban el aire las chicharras. Abajo, junto al muerto río de arena, desplegaban su verdor algunas adelfas de flores blancas o rojas. Mis pasos seguían monótonamente la blanca llama bajo el sol encarnada en Mahmud, que ya no era él sino Tú, faro de mi navegar, como aquella tarde única entre los olivares del Tajuña, ¿recuerdas? Un comienzo de cansancio me cargaba con un peso de sopor. El calor me empapaba como una lluvia. Caminaba hipnóticamente.

El barranco estrechándose al cabo de un par de horas; al final un rellano del pie de la montaña. A media falda, clareaba un aduar y más arriba todavía, el morabito, blanca cúpula entre verdores. Tentadora sombra un extendido algarrobo, pero Mahmud señaló más lejos hacia una higuera. Bajo sus ramas, junto a un pozo del que bebimos sacando el agua en una piel de cabra, descansamos un rato. La sombra era una isla de intenso verde, cargado de un perfume pegajoso, casi húmedo. El mismo aroma de nuestra higuera en el *Embankment*. Abajo, lejano, el mar: una lámina blanquecina, pulido espejo para Tu rostro. Un morillo descalzo, rapada la cabeza salvo su coleta, nos miraba de lejos sin valor para acercarse, protegiendo recelosamente unas cuantas cabras.

Era ya mediodía cuando llegamos al poblado, cercado de chumberas. Todo el mundo se asomó, y cambiamos palabras de cortesía. Un viejo que conocía al padre de Mahmud nos obligó a pasar al patio delantero de su casa. Sus mujeres nos trajeron agua, pan de cebada, chumbos, unas ciruelas y té con menta. Nos costó trabajo impedir que matara una gallina para asarla en el acto. Después encendió Mahmud un cigarrillo y el viejo sacó su pipa, de largo tubo y pequeña cazoleta de barro. Constantemente se asomaba gente para vernos sentados bajo el emparrado y era preciso repetir las cortesías. Mi árabe les hacía a veces reír, por sus diferencias con su dialecto bereber, pero les gustaba. El viejo nos habló del santón; llevaba años viviendo allá arriba, junto a la tumba de Sidi Buaflik, muerto mucho, mucho tiempo atrás y, según la leyenda, venido de Al-Andalus a Tlemecen. Mahmud le dijo que yo era de Al-Andalus y el viejo estrechó de nuevo mi mano besando luego sus propios dedos.

Al fin reanudamos la marcha y pronto llegamos al santuario. En un repliegue de la montaña se apiñaban espesos algarrobos y unos fresnos junto a una fuente. Alguien había plantado un cedro del Atlas y su porte aristocrático le convertía en el gran señor de aquella comunidad vegetal. Sólo un edificio: el encalado cubo de mampostería con su cúpula. La puerta estaba abierta. Desde ella invocamos a Allah. Nos respondió una voz vieja pero firme. Al entrar, por falta de ventanas, no percibí nada, salvo Tu presencia, más viva que en todo el camino. Al cabo distinguí, perpendicular a la pared de levante, el túmulo de Sidi Buaflik cubierto con una manta montañesa de colores. Encima colgaba del techo un estandarte verde con caligrafía en oro. En un rincón, sobre una colchoneta, un hombre sentado pasaba entre sus dedos las gruesas cuentas de un rosario de cedro. En un poyo de mampostería, junto a la puerta, un cántaro de agua y algunas vituallas seguramente aportadas por los campesinos y pastores de la comarca: dos hogazas, queso de cabra, una lata de té, un pilón de azúcar envuelto en su habitual papel azul, un plato de barro con tapa de fina cestería. Contra un ángulo, un cayado. De una alcándara, un pesado manto de lana.

No había más. Aun así, el hombre sentado con las piernas cruzadas me transmitió la sensación de que aun todo aquello sobraba. En el umbral de la puerta todavía prevalecían los olores calientes y salvajes del mundo, su rumoroso silencio campestre. Pero cuando entramos fue como si cayera a nuestras espaldas una cortina aislante. Dentro era la penumbra, el frescor húmedo, el silencio encerrado, la vida suspendida, la paz en el vacío. Me asaltó el recuerdo, no de Rumí sino del pasmoso Quevedo; ese grito suyo que repitió más de una vez: «¡Desnúdame de mí!»

Mahmud se acercó a la tumba del santo y se inclinó ante ella varias veces. Yo hice lo mismo. Después saludamos al viejo. Si Bekr nos contestó con firmeza, pero distante. No se le veían los ojos, bajo la capucha echada sobre el turbante; sólo la boca entre la barba blanca. Mi vista, acostumbrada ya a la penumbra, percibió entonces sobre la cabecera de la colchoneta un marco tosco sin cristal, encuadrando una litografía con la inscripción, en gran tamaño, «El Clemente y el Misericordioso». Cuando, a mi vez, saludé al eremita, alzó la cabeza. Dos centelleantes azabaches me investigaron, entre muchas arrugas y muy pobladas cejas. Pareció percibir por primera vez mi traje europeo. Aquella boca, entonces, preguntó a Mahmud si yo era de Egipto, por donde él había pasado cuando fue a la Meca. Mahmud volvió a declararme del Andalus y yo pronuncié algunas palabras. El viejo bajó la cabeza asintiendo varias veces y al fin me dijo:

–Hablas bien, pero con fantasía.

Creí cortés disculparme y lo hice, pero me atajó con un gesto de su mano:

–¿Qué importa? Vivirás hasta perderla.

No dijo más. No sabíamos qué decir. Señaló al poyo de los alimentos y, para no desairarle, nos llevamos a la boca trozos de pan de cebada, espantando para ello algunas moscas. De vez en cuando, el viejo hacía lo mismo con un abanico de palma. Había vuelto a repasar las gruesas cuentas de su rosario, olvidado de nosotros. Tras largo silencio de respeto Mahmud le pidió la *baraka*, la bendición. Nos inclinamos ante él y el viejo tocó una tras otra nuestras cabezas con su diestra sarmentosa. Yo sentí Tu mano suavísima. Depositamos sobre el poyo un billete de diez dinares, sin que él pareciera darse cuenta y, tras despedirnos e inclinarnos de nuevo ante la tumba, volvimos al sol, al viento, a los aromas, al mundo. Mi pecho se dilató de golpe hasta el azul más alto.

Descendimos la montaña rápidamente, sin detenernos más que un momento en el poblado para saludar al hospitalario viejo, que aún nos regaló unas granadas de color de cuero, con grietas por donde asomaban los rubíes de sus corazones. El sol ya se tendía, suavizando la violencia de la luz sobre el campo. El día se desleía en dulzura. El sendero del barranco nos impedía ir a la par y no hablábamos. Yo no olvidaba la frase del viejo. «Hasta perderla.» «Fantasía», en el Moghreb, significa además «correr la pólvora»; la salvaje galopada de un grupo de jinetes disparando al aire los fusiles. Su Palabra: aún viviré lo bastante para madurar. Yo sé que es Tu Palabra, Nerissa.

Un lagarto se asomó entre las peñas y, a su vez, me contempló a mí. ¿Cuánto tiempo permanecimos así los dos? De pronto unos gritos me arrebataron a mi quietud hipnótica. Era Mahmud, retrocediendo alarmado. «Creí que habrías rodado por el barranco.» Le expliqué lo ocurrido y le mostré al lagarto inmóvil; una joya en esmeralda viva. «Allah ha llenado el mundo de maravillas.» Cuando llegamos a la carretera, el sol estaba tocando los montes. No había llegado el coche y nos sentamos a esperar.

Sentía cansancio en mis viejos huesos, pero en mi pecho cabía el aliento del Universo, como si en el santuario me hubiese depurado. Eso: como si me hubiese lavado de todo, desprendido de ovas, de musgo, de líquenes. Odio, ¿para qué? Los lagartos no odian. Ni las adelfas, aunque su jugo sea venenoso. El tigre mata, pero sin odio. Tampoco las águilas ni los virus. Viven, sencillamente.

Lavado de todo, depurado... ¡Demasiado!, comprendí de pronto, lleno de alarma. Nerissa, oh Nerissa, ¿dónde te habías quedado? A la ida seguías conmigo a cada paso, gozaste con la sombra de la higuera, me acompañaste en el morabo, pero ¿y luego? Me habías abandonado junto a la carretera polvorienta, solitaria como si no condujese por ningún lado a ninguna parte. Tu ausencia era tangible.

Me invadió tal congoja, tal opresión cayó sobre mi pecho, que me levanté de un salto. Mahmud me miró con asombro, preguntándome si me pasaba algo. Nada; ¿qué decirle? Miré en todas direcciones, como si pudieras aparecer por el horizonte, donde el sol acababa de ocultarse. Mahmud debió pensar que yo temía verme obligado a pasar la noche allí, pero se reclinó tranquilamente en su fatalismo. Entre tanto, yo intentaba evocarte, tu rostro, Nerissa, tus palabras, tu silueta. En vano todo: no acudías. Yo sufría de amnesia espiritual; de absoluta sequedad.

Aparecieron los faros cuesta abajo y confié en que me sacudirían lo bastante para volver a tenerte. El aire ya era violeta, los campos casi grises. El amigo de Mahmud se excusó al abrirnos la portezuela; me pareció como si viniese algo ebrio. Mahmud me lo confirmaría desaprobadoramente al día siguiente; en la ciudad hay quienes beben a escondidas. En las curvas resultaba alarmante el rechinar de los neumáticos y la forzada inclinación del coche, pero el conductor se reía. A mí me daba igual. Me había quedado huérfano de Nerissa. Pero ¿es posible quedarme sin Ti sin quedarme sin mí, sin que yo muera?

A la noche era ya plenilunio. La caleta de Ras-el-Djeb formaba un cuenco de plata líquida. Mahmud se acostó pronto. Yo espantando al sueño, con los ojos secos, irritados como si hubiese llorado arena. Me vino a la mente otro verso de Rumí, comienzo de un *rubai*: «Esta noche es mi desolación.» Imposible sosegarme. Bajé a la playa y caminé hacia el promontorio de occidente. Desde allí la luna, sobre las rocas a oriente, rasgaba con luminosas pinceladas las oscuras aguas en éxtasis. En la orilla, junto a las peñas, se movían formas submarinas. Pasó cerca un bote con pescadores que me reconocieron y me gritaron un saludo. A la violenta luz de su *Petromax* de popa, para atraer la pesca, vi escapárseles una enorme raya deslizándose hacia mí. Sus alas ondulaban con la lenta sensualidad de una odalisca. Un ángel del abismo. Fue sólo un instante: el pez desapareció, el bote se alejó con su foco, las aguas volvieron a su oscura magia líquida. Se completó en mi memoria el *rubai* evocado: «...esta noche es la revelación. / En mi corazón no hay más misterio que mi amada. / Oh noche, no pases tan deprisa para no acabar conmigo». Y en el mismo instante emergió tu rostro, Nerissa, del abismo marino, de la negrura nocturna, del fondo de mí. Volviste a estar conmigo, existiendo a mi lado.

Me senté desfallecido sobre una roca y con los codos apoyados en mis rodillas, lloré sobre mis manos lágrimas de angustia y éxtasis, como las del niño perdido en el caos adulto de una muchedumbre frenética, cuando ve de pronto a su madre acudir a salvarle cogiéndole de la mano.

11. LA ENANA FELIZ
Nombre escrito con sangre

OCTUBRE, OCTUBRE
La enana feliz

Martes, 10 de abril de 1962

QUARTEL DE PALACIO

Tableteante moscardón en lo alto. Para el helicóptero la llamada *Glorieta de Carlos V*, antes de Atocha, aparece como un rectángulo orientado del Norte al Sur, donde las calles arrancan cuesta abajo hacia el Manzanares. El sol de la media tarde hace brillar el enorme techo metálico de la estación del Mediodía, de cuyo caparazón sale un trenecito de juguete soltando nubecillas de humo.

En la cáscara del moscardón el sargento sentado junto al piloto insiste en su micrófono: «*Plus Ultra* llamando a *Miraflores, Plus Ultra* llamando a *Miraflores.* Cambio.» En los auriculares una voz rayada por los ruidos. «Adelante, *Plus Ultra.*» «Casi nadie por el Paseo del Prado, pero cada vez vienen más grupos de los barrios bajos.

Cambio.» «Entendido, *Plus Ultra*. Vete a ver cómo anda la cosa por General Ricardo. Cambio.» «A la orden, *Miraflores*. Terminado.» Pero en los auriculares sigue oyendo instrucciones a los grupos de tierra: «Esperar a que penetren en la plaza, identificar a los cabecillas y detenerlos, preferir a los de barbas que son estudiantes, unos señoritos...» *Plus Ultra* pierde el contacto cuando sobrevuela el escuálido río, cuya cinta refleja el sol al ensancharse en el embalse de Praga. Hay también chispas de luz en los techos acristalados de la fábrica de cerveza.

Abajo, el aire de la Glorieta está electrizado; el olor de las acacias abrileñas ondula en un campo de fuerzas. Por Santa María de la Cabeza y los paseos de las Delicias y de Primo de Rivera suben parejas o grupitos de andar descuidado y mirada muy alerta; con ellos se cruzan gentes apresuradas o temerosas. Los grupitos cambian sonrisas de complicidad. De vez en cuanto circulan por la calzada coches para todo terreno de la Policía Armada. Hay otros aparcados en diversas esquinas de la Glorieta, y también autobuses grises. Junto al antiguo *Hotel Nacional* está situado un enorme vehículo, como un tanque, con su torreta giratoria de la que sale un tubo amenazador.

Los grupitos van desembocando en la plaza como primeras burbujas de vapor en una caldera. Allí tropiezan con la tapadera de los grises. «Circulen, venga, circulen.» «No se detengan.» Los grupitos siguen andando a lo largo de la fachada, bajo la mirada hosca de los guardias, y sonríen satisfechos ante la debilidad de la barrera gris. Dan la vuelta a la primera esquina que encuentran, rodean la manzana y vuelven a la plaza. A lo lejos, cerrando el paseo del Prado, vislumbran otra barrera gris. Cruzan la Glorieta rápidamente algunos turismos y, de tarde en tarde, un autobús municipal; pero sólo se oyen los silbatos de los guardias urbanos sobre el fondo de un extraño silencio. ¿Es que los automóviles han dejado de hacer ruido? No: ese silencio de la gran plaza está ya dentro de los oídos en tensión.

Aumentan las burbujas en el agua de la caldera. Predominan los obreros jóvenes, pero también hay viejos que se sienten así rejuvenecidos y estudiantes de la Universidad o de las Escuelas Especiales. Se ven muchachas alegres y resueltas –todas llevan pantalón y zapatos bajos– que mueven la cabeza para echar atrás los cabellos, como potrillos sacudiendo su crin. Lina, con la mirada brillante, camina junto a Guillermo. «Mira; Antolín –exclama éste de pronto, señalando a un muchacho con un casco de motorista, colgando de la cintura–. Ése sí que es un tío; ya verás.» Ellos, a su vez, son observados por Luis, inmóvil ante un quiosco de periódicos cuyo propietario sigue con inquietud los acontecimientos.

Junto a la monumental fuente de la Glorieta se pasea un capitán mirando a todas partes. Cerca, un sargento habla por radio. De repente, por las aceras al sur estallan rítmicas palmadas que alertan a los grises. La caldera ha entrado en ebullición. Al compás de las palmas salta un grito de esquina a esquina: «¡Li-ber-tad, libertad!» «¡Li-ber-tad, li-ber-tad!» Los grupos se han condensado en una masa que llena las aceras. ¿Han brotado repentinamente de la tierra esas mil o mil quinientas personas? Allí están, lanzando su grito rítmico, frente a la fila de grises con sus caras sombrías bajo los cascos de uniforme.

El corresponsal extranjero apostado en la bajada a la estación empieza a concebir su artículo, para hablar de la manifestación *typical Spanish*, prohibida por la dictadura: «Nadie imagine una columna de gente avanzando por las calles con sus banderas y pancartas...» Justo en ese instante surge una bandera roja junto a la esquina de Méndez Álvaro y flamea en la brisa primaveral. Chillan silbatos y arrecian los gritos y las palmas. Un pelotón de guardias corre hacia la bandera y deja un hueco por el que una cuña de gente invade la Glorieta. Hacia ella acuden guardias que han bajado de los autobuses; al mismo tiempo que otros grupos presionan por la cuesta de Claudio Moyano y el paseo de la Infanta Isabel. El gran reloj de la estación contempla la escena con su ojo atónito.

La cuña penetrante se ensancha y alcanza la fuente central de la Glorieta pero ha perdido densidad. Un megáfono chilla órdenes. La tapadera gris, reforzada, logra cerrar el boquete y entonces la segunda barrera, que cierra por el paseo del Prado el acceso al carcelario edificio de los Sindicatos del Gobierno, carga sobre los manifestantes. La situación degenera en un caos de movimientos. Todo son carreras, gritos, porras alzadas que caen sobre una espalda o un cráneo, forcejeos, algún casco rodando por el suelo, ladrillos y piedras por el aire, grupos de tres o cuatro guardias apaleando a un caído o arrastrando a un detenido. Guillermo corre sin dejar de gritar y sin alejarse de Lina. Ambos contemplan, a lo lejos, el casco de Antolín que, como un jugador de rugby, burla constantemente a sus perseguidores. Un guardia se acerca a Guillermo por detrás para golpearle, pero un viejo obrero le pone la zancadilla y hace rodar al gris por el suelo: «Escapa –grita el hombre a los jóvenes–, no hagas el héroe; esto se ha rematao.» Los tres se escurren hacia la entrada de la calle de Atocha, menos guarnecida.

Ciertamente, vista desde el helicóptero la plaza resulta cada vez más gris. Alguien ha caído en el estanque de la gran fuente. Por las alturas de Claudio Moyano aparecen grises a caballo, que algunos estudiantes y obreros intentan vanamente detener cortando la calle con bancos públicos. Antolín, rodeado, cae al suelo bajo las porras. En medio de la vorágine, una muchacha, sentada en el pretil de la fuente, se restaña la sangre de una rozadura en la sien. El clamor de «¡Libertad!», se oye menos; ahora predominan los gritos y los insultos. Por algunas ventanas asoman cabezas cautelosas. Los pocos manifestantes que habían logrado infiltrarse Prado arriba se ven acorralados y saltan las verjas del Jardín Botánico, entre cuyos árboles se pierden. En la plaza vacía hay bancos tumbados, bufandas, ladrillos, piedras, palos y un anorak oscuro. Un muchacho se retuerce de dolor en el suelo, con las manos en la entrepierna, contemplado burlonamente por varios grises. En la esquina de Delicias, donde sigue haciendo frente un grupo más tenaz, el diplodocus motorizado les riega con agua teñida de anilina, disparada a presión por el tubo de la torreta. A los estudiantes no les sorprende esta novedad, ensayada ya en los campos de la Universidad, pero la amenaza de identificación hace huir a todos paseo abajo.

Cerca de Legazpi los fugitivos se creen a salvo, pero allí les esperan nuevas patrullas apostadas previamente junto a los mataderos y el mercado. Piden los documentos de identidad y detienen a los de ropas teñidas por la anilina o a los que consideran sospechosos. Huyen a toda prisa de las calles incluso los transeúntes ajenos a la manifestación y los guardias empiezan a meterse en los portales y en los bares buscando nuevas presas. En *El Capote*, esquina a la calle del Molino, frente a la fábrica de cervezas de *La Cruz Blanca*, está Paco junto al mostrador con Ignacio, hablando hace rato de sus asuntos. De pronto entran dos fugitivos, jadeantes y desconcertados.

Ignacio ve por los cristales a un gris que se aproxima y advierte a los recién llegados:

–Venid conmigo. Os sacaré al patio por la ventana del retrete y saldréis por el portal.

–¿A ti qué más te da? –pregunta Paco inútilmente a Ignacio, que ya ha desaparecido por el pasillo–. ¡Que no se hubieran metido en líos!

La puerta se abre de golpe y entra un gris. Gran silencio. Demasiado sospechoso para el guardia. Se dirige a Paco porque todas las demás miradas le esquivan, mientras que esos ojos en la cara cetrina se clavan en él.

–¡Tú! ¿Dónde estabas hace un rato?

–Aquí –responde Paco sin levantar la voz, pero con tal fiereza escondida que el guardia se inmuta y le deja en paz. Entonces, disgustado de sí mismo, busca otra víctima y la encuentra en un viejo con manchas de cal en el traje. Le interpela:

–Tú sí que andarías por ahí, ¿verdad?

–No señor.

–¡Cuentista! He visto correr ese traje manchado.

–Le digo a usted que no

–¿Me estás llamando embustero, gallito...? ¡Toma, para que aprendas!

La manaza del guardia cae violenta sobre la mejilla del viejo, que se tambalea pero consigue sostenerse contra el mostrador. La mejilla golpeada enrojece. El hombre no dice nada mientras dos únicas lágrimas brotan de sus ojos.

Paco descubre, asombrado, que esos ojos son exactamente los de su abuelo. El mismo color, las mismas arruguillas en torno, la misma asimetría, por el izquierdo un poco más cerrado. No se lanza contra el guardia porque el propio descubrimiento le paraliza.

La puerta se abre de golpe. Otro gris.

–¡Telesforo! ¡Corre, que vamos a Cuatro Caminos!

–Espera, que estoy domando a este gallo viejo. A ver si...

–¡Déjalo: es urgente! ¡Ya tenemos detenidos de sobra!

Salen los guardias. Todos siguen inmóviles, menos Paco que se precipita hasta la puerta. Los guardias corren a un autobús ya medio lleno, en cuyo costado se ve pintado en negro el número catorce y debajo dos palabras: «Cuarta compañía.» «Telesforo. Cuarta compañía. Catorce.» Tres datos grabándose en la memoria de Paco, que vuelve al interior. Sí, los mismos ojos del abuelo. Sólo que su viejo hubiera tirado de aquella faca para hundirla en el corazón gris. No importa, alguien lo hará por él, sonríe Paco. Es obligación de hombre. Y dará gusto hacerlo. Está harto de verlos chulear por Legazpi.

Sonríe y recuerda una historia de Doñana. Aquel señorito jerezano, de cacería unos días con sus amigos, le pegó una patada en el culo a un zagalillo que se equivocó al servirle. Ese mismo señorito, estando al día siguiente de puesto tirando a patos, recibió en la cabeza un cantazo lanzado con honda. El grueso sombrero redujo a una descalabradura la herida que hubiera sido mortal. Se atribuyó el hecho a un furtivo, de los que eran apaleados cuando les sorprendían en el coto, en aras de la ley y el orden, antes de entregarlos a la Guardia Civil.

También Baldomero, el sereno de la plaza de Oriente, está en *El Capote* pensando en otra cosa. También, como Paco, se desentendió de la manifestación y marchó en dirección opuesta para dar un paseíto tras el almuerzo. Se ha levantado a mediodía, ha comido bien, ha disfrutado de la tarde y se ha metido en la taberna a tomarse un vaso antes de echar para arriba, hacia su trabajo. Hubiera preferido unos culines de sidra en un chigre de verdad, con suelo de tierra, pero la vida nunca es perfecta. Por lo demás, Baldomero se siente feliz. La escena del gris golpeando al viejo ha resbalado sobre su dicha. No le ha infundido miedo; no le ha impedido ni siquiera inventar uno de esos versos que ahora brotan en su cabeza, para asombro de sí mismo: «Guadalupe, eres mi amor / y te doy mi corazón.» Suena bonito.

En efecto, como ha adivinado ya la dueña de la casa donde duerme, ese hombre tímido y engañado, que hubo de dejar el pueblo por los devaneos de la mala hembra con la que se le ocurrió casarse, ha encontrado por fin el amor, y ahora vive envuelto de cariño. Una mujer le adora y le encuentra perfecto, en vez de aquella que le ofendía comparando sarcásticamente su anatomía viril con la de sus amantes. Ahora, poquísimas veces se dará un ejemplo más palmario de seres complementarios, hallando cada uno a su media naranja. Porque Guadalupe, a no ser por su encuentro con Baldomero, difícilmente hubiera podido nunca gozar de hombre.

La razón es tan cruel como sencilla: a pesar de sus treinta y dos años, su estatura no sobrepasa mucho un metro. Guadalupe es una enana; aunque enana hipofisaria, no acondroplásica. Es decir, una enana perfectamente proporcionada. Una miniatura de mujer, una muñeca viviente, de graciosa cara chatilla, pero una enana. Al principio no se advertía y los primeros recuerdos de Lupe fueron felices, envuelta en la alegría de sus padres, al fin con descendencia cuando ya no lo esperaban. Por eso mismo sufrió mucho más en su descenso cruel hacia la soledad. Primero fue la preocupación de los padres, las visitas a médicos, los ensayos de remedios vulgares, las novenas y promesas de la madre. Luego el disimulo y la fingida despreocupación, pero vistiéndola de niña casi hasta los veinte años, cuando ya su cara de mujer lo hizo imposible. Más tarde, la ocultación: sacarla a misa temprano, esquivar a las gentes. Al principio de esta última fase, Guadalupe se resistía al encierro, pero al cabo la vencieron las miradas de los transeúntes, los cuchicheos, las cabezas vueltas y, a veces, el eco de los comentarios: «¡Pobrecilla! ¡Pues es mona de cara!» Solamente los niños fueron siempre cariñosos al llamarla, sin mala intención, la «enanita».

Guadalupe se encerró en su concha. Se dedicó a leer, aunque el veto paterno acotara demasiado su curiosidad. Llegaron a estorbarle sus padres, con su cariño convencional fingiendo que «aquello» no tenía importancia. Le irritaban, sobre todo, las alusiones frecuentes de la madre a la «otra vida, donde recibimos el premio o el castigo». ¿La otra? ¿Por qué no ésta? Sin culparles, comprendiendo que eran así, sintió alivio cuando, en poco más de un año, murieron ambos. Entonces empezó a pasear por las noches hacia las dos, cuando la gente había salido ya de cines y teatros. Donata, la vieja criada, pretendía acompañarla, por miedo a los maleantes y sinvergüenzas. Quizá Donata era la única que veía la situación como mujer y acaso inconscientemente buscaba Guadalupe lo que temía la criada. En todo caso, también la vieja murió y Lupe pudo organizarse a su gusto, con el servicio de una asistenta y con las necesidades cubiertas por las rentas de unos valores. A la lectura y la radio se añadió la televisión. Y, sobre todo, las salidas nocturnas.

Le ocurrieron muchas cosas, pero en general no desagradables. Más de una vez, una pareja de guardias la tomó por una niña perdida o escapada y su confusión posterior la divirtió. En raras ocasiones sufrió bromas soeces pero aprendió a conocer de lejos a los noctámbulos y, curiosamente, esos percances reforzaron el valor de su libertad. Charlaba con todos los serenos de la zona y adquirió un amigo, al que encontró más de una vez: don Pablo. La primera noche que dieron una vuelta juntos la convidó en la chocolatería del pasaje de San Ginés, que no cerraba nunca. Se encontraron más veces, pero el buen señor envejecía y limitó sus salidas.

Pasó el tiempo y se acomodó a esa vida, sin esperar más, hasta su reciente y novelesco encuentro con un sereno nuevo. Baldomero lo recuerda ahora, sentado frente a su vaso en *El Capote*, tras el incidente del guardia. Llevaba pocas semanas sustituyendo a su tío Antón, enfermo ya de la dolencia que le llevó a la tumba, y había entrado en la plaza de Oriente. Acababan de dar las cuatro en el reloj de Santiago. Le gustaba el rincón del cabo Noval y la noche de febrero era una de esas que prematuramente anuncian la primavera, a pesar de la escarcha. Había un anticipado aroma vegetal en el aire, y un como intento de la tierra por despedir de sus entrañas un primer vaho cálido. Entonces vio algo que al principio le pareció ilusión: una niña en la plaza. Y notó algo más extraño aún: que jugaba tranquilamente con los salvajes gatos callejeros. Y algo casi imposible: tenía en sus brazos precisamente a la misteriosa gata negra, la que no comía, la que mandaba en todos y se escabullía siempre mágicamente.

Baldomero se acercó a la niña y, como solía ocurrir, se desconcertó al comprender su error. Pero en vez de disculparse, aquel hombre también estafado por la vida se identificó con ella y pasó a hablar sin dificultad de la gata, que les miraba desde el suelo.

–¿Cómo lo ha hecho usted, señorita? ¡Si ese animal es muy reacio! ¡No se deja coger nunca!

Guadalupe percibió el tono humano y se sintió llena de alegría, de ganas de correr.

–¿Que no? ¡Ahora verá!

La gata se alejaba, Lupe quiso alcanzarla, se precipitó, pisó en falso en el bordillo de la acera y se le dobló el pie cruelmente. Le fue imposible levantarse y se sentó allí mismo. Baldomero acudió en el acto, preguntó, se afanó. Estaba tan apurado que la mujer se echó a reír.

–Ahora ya no me duele casi nada. Al caerme sí, como una puñalada, pero ahora no.

–¿Puede mover el pie?

La enana hizo girar su piececito en miniatura.

–Sí, pero me duele.

–¿Me deja tocar?

Había tal respeto y timidez en su voz que Lupe volvió a reír. Los dedos tantearon hábilmente.

–Cuidé ganado en mi tierra –explicó el hombre– y se rompían muchas patas, con perdón –su voz traicionaba su rubor, ¡qué delicia!– pero el tobillo no está roto; solamente dislocado. Voy a buscar un taxi, señorita. Espere aquí.

–Vivo ahí mismo, en San Quintín. Ya llegaré.

El hombre vaciló. Pero tomó una decisión.

–Déjeme llevarla, entonces.

Y así fue como Guadalupe se sintió por primera vez

acunada en los brazos de un hombre. El tobillo le daba dolorosos latidos, pero ella bendecía la caída. Aquellos brazos fuertes, aquella respiración oliendo a tabaco, aquel pecho viril, la embriagaban con la fuerza de un licor desconocido. Sin soltarla abrió el portal, entró, encendió y subió la escalera tras indicarle ella el segundo piso. Moviéndose dentro del nido humano en que se hallaba, Lupita buscó el llavín en su bolso y el hombre abrió. Guiado por ella encendió las luces, la llevó a la salita de estar y la dejó sentada en el viejo canapé isabelino, bajo el retrato de la abuela por un discípulo de Madrazo. Lupita llevaba su zapatito de niña en la mano. Estiró la pierna y vio que el tobillo empezaba a hincharse. Enfrente, el sereno se quitó la gorra, pidió otra vez permiso, se arrodilló y tomó el pie en sus manos, tanteando unos momentos. De improviso agarró fuerte el pie, mientras sujetaba arriba con la otra mano, dio un brusco tirón y soltó. Se oyó un chasquido. Lupita soltó un grito y se le saltaron las lágrimas: Iba a protestar, pero sintió que le dolía menos. Se lo dijo al hombre.

–Entonces acerté. Encajáronse las tabas. Perdóneme. Si la aviso le hubiera dolido más con el susto.

Lupita señaló el aparador y dijo al hombre cómo podía servirse una copa de coñac. Él aceptó y, ante la pregunta de ella, contestó:

–Me llamo Baldomero, para servirla... Ahora se le puede poner un alivio, si quiere. ¿Llamo a la criada? Hace falta vinagre.

–Estoy sola. –Y sonrió feliz.

Baldomero sintió un vuelco en su pecho. Siguiendo instrucciones fue a la cocina, vertió un poco de vinagre en una fuente con agua, volvió con ella y unas servilletas y se arrodilló otra vez, perplejo.

–Hay que sacar la media –explicó.

–Bueno –aceptó Lupita sin cambiar la sonrisa ni hacer un gesto. El corazón le latía más fuerte que a Baldomero.

¡Por primera vez en su vida se sentía coqueta, casi perversa! Era como en las películas.

Baldomero enrojeció, pero levantó la falda, más, más arriba, porque la media de mujer le estaba muy larga. ¡La Virgen, qué piernita de ángel! La carne blanca como la lana de cordera, la piel de misma seda, y arriba, aquel vértice vislumbrado un instante, con una sombra oscura tras la telita blanca... Femenina y pequeñita. ¡Exactamente lo que él necesitaba! A su medida. Pensándolo y pensándolo, Baldomero sudaba mientras cambiaba las compresas de vinagre que, al aliviarla, libraban del dolor físico a la exaltación psicológica de Lupita.

Desde aquel instante todo quedó decidido, aunque aún tardara unos días en realizarse. Fue natural que él la llevase a su cuarto y la dejara vestida en la cama, que se ofreciera a avisar a la portera en cuanto abriesen para que subiera a ayudarla, que pidiera permiso para volver a preguntar por ella.

–Pero ven por la noche; después de cerrar el portal. Siempre estoy despierta.

Fue natural que volviese, que hablasen, que ella procurase encontrarle por su ronda la primera noche que salió a la calle, que él la acompañara a su casa ya como amigo, que la sentara en la mesa del comedor –tan exacta de altura como si el ebanista hubiera previsto los hechos–, que ella desde la encendida inocencia de su nuevo paraíso, le besara en la mejilla riendo por una broma del hombre, y que éste le besara en la boca, con la lengua, y fue natural que Lupe lo encontrase natural. Fue natural que la desnudara de obstáculos, que la tendiera sobre aquella mesa, con las piernecitas colgando por el borde y que el amor le hiciese daño antes de elevarla a un éxtasis que ella misma impulsó enlazando cándidamente sus tobillos tras la cintura del amante.

Lupe hubo de consolar a Baldomero arrepentido, besándole, abrazándole, pidiéndole nuevas visitas, hasta que ambos acabaron riéndose de felicidad por el encuentro aquél, por el amor éste, por el amor duradero, diciéndose ternezas, que Lupita encontraba adorables en los astúricos diminutivos del hombre. ¡Tan impensable el hecho y, sin embargo, tan predestinados uno a otro que, por ambas razones, se sentían inocentes! Tenía que ser: ninguno lo había provocado.

En esa erótica inocencia está soñando ahora Baldomero, ajeno a cuanto ocurre en *El Capote*. Paladea por anticipado la noche: él sube al piso, y la llama «muñeca», y juegan por la casa, y se beben un par de copitas, y ella le tira de los bigotes, y él levanta en el aire el admirable cuerpecito, de niña y de hembra, y ella se mueve desnuda sobre la mesa, y mutuamente se gozan, cada uno en el paraíso con su media naranja. Exactamente, la otra mitad; la que encaja tan justa como deleitosamente.

Luis

¿Qué estoy haciendo aquí, me digo (y en ese mismo instante se me abren los ojos) bajo el helicóptero, junto al inquieto quiosquero que encierra sus periódicos y revistas? ¿Qué me une a todo esto?, ¡qué tres semanas de vorágine!, una paja en el viento, desde que me quedé solo de nuevo, desde que se me hundió mi mundo, desde Ágata imposible, ¡qué desgarradura, verla de lejos aquella tarde!, fue una ilusión, ¿acaso no volví aquí para morir?, ahora sin ancla en la tormenta, buscando playas, calmas, asideros, ¿qué me importa esa bandera roja?, la mía si acaso negra, ¿cómo llegué a interesarme en esto?, perdí la brújula, ¡tres semanas sin rumbo!

En el primer momento me salvó Émile, después de la noche en blanco, desterrado de Ágata, pensando si debía marcharme de la casa, llegó la mañana con sus urgencias, acompañarle de ventanilla en ventanilla, consuelo de pensar en sus problemas, comprender su desesperación, sus ráfagas de violencia, su idea de unirse en Francia a los terroristas de la OAS, también el refugio en la nostalgia, del tiempo en que eran jóvenes las melenas de la Greco, nuevas canciones de Brassens, le recordé que éstas estuvieron prohibidas en España. Émile se asombró, «¿también Brassens?», «por inmorales», se echó a reír, lo comprendió, «Brassens se mete con todos ellos, el cura y el policía, el militar y el burgués», se entristeció después, «lo mío es peor, me prohíben mi patria, mi paisaje, en cambio tú has vuelto a encontrarla», sí, él mitigó mi primera desolación, en aquellos dos días no viví con Luis sino son Émile, la bomba caída desde Argel, desde el pasado, Émile como una cometa de catástrofes, pasando fugazmente por Madrid, destruyendo mis dioses y el de Ágata, pero ahora eso qué importa si acabo de perderla.

Y qué es Madrid sin Ágata, qué es el mundo, sólo el moridero adonde vine, y entonces otro golpe de timón, otra ráfaga salvándome de Luis, lo importante no vivirme, llevándome a otra isla, me instalé en ella en el acto, el almacén de abajo, la idea de Guillermo para aprovechar la caverna, proyectándolo desde Nochevieja, clases para obreros del barrio, enseñar a las chicas secretariado, decidí dar francés a las muchachas, Shannon también clases de inglés, el irlandés viajero del alto Tajo, me añadí unas clases de matemáticas para los aprendices, embrutecerme de trabajo para no pensar, empezaron a venir, uno de una calderería a orillas del Manzanares, me asombró al decirme que allí se construyó el transbordador del Niágara, proyecto de Torres Quevedo, quieren aprender más para marcharse a Alemania, «arrancar de una vez», como el personaje de *La Camisa*, la comedia de Lauro Olmo estrenada el otro día, prohibida por la censura tras la primera representación, tantas protestas que vuelven a autorizarla, se les resquebraja la represión, no pueden petrificar la vida, sus y a ellos, las huelgas de Asturias, empezaron en la mina *La Nicolasa*, los estudiantes en huelga contra los privilegios del Opus en Navarra, los de la Facultad de Económicas, todavía en la vieja Universidad de San Bernardo, fuimos a apoyarles, los grises rodeando el edificio, encerrados en el Paraninfo, todo eso me salvaba, lo importante salirme de Luis, no asomarme a su interior desolación.

Ignorarme, gracias a ellos no pensaba en mí, alinearme con los amigos de Guillermo, atacar de frente a los que me destruyeron, a los que nos explotan el sudor y nos envenenan de tabús, volver a las raíces elementales, a las cosas que se tocan, nada de manotear contra fantasmas, salir de las cavernas psicológicas, pan pan y vino vino, hombro con hombro, ¡qué conmovedores esos muchachos!, también desamparados, apenas leen y escriben, ¡cuánta ventaja les llevan ya los niños ricos!, siempre estarán por encima y de eso se trata, éstos se enfrentan con el libro y el papel como contra una barrera, embisten como carneros a golpes de testuz, casi una lucha física, atónitos ante sus descubrimientos.

Ágata hubiera podido darles química, pero me destrozaría su presencia, mi preocupación de estos días, evitar sus horas, no cruzarme en la escalera, sólo desde mi balcón la he visto, ¡qué llanto sin lágrimas!, yo Tántalo de esa mujer, su andar elástico, los pies tan conocidos por mis manos, su pelo ha ido creciendo, desde noviembre, ondulando a cada pisada, ¡Ágata!, ¿por qué forzaste las cosas?, ¿qué necesidad tenías de destruirme?, ¿no era mejor tenerme como estábamos?, hice bien, ¿hice bien?, sucedió porque sí, estaría escrito, no pensé nada, mejor no pensar nada.

Me he concentrado en esos muchachos,

me han enseñado el lenguaje que necesitan, explico para ellos mucho mejor, con palabras como cosas, ¡qué verdaderos!, ese Chamorro, el apodo, se llama Silverio López Morales, me disculpo y se ríe, «llámame Chamorro», «los señoritos tienen apellidos y nosotros el mote, lo que nos dicen», le pregunto por su vida, «nada que contar, la de tóos, mi abuelo yuntero en Cáceres, somos de junto a Trujillo, hasta el treinta y seis dice mi madre que teníamos un pasar», con la guerra sacaron los amos leyes nuevas, les subieron las rentas, hubieron de vender las mulas y aperos, se quedaron en jornaleros, Chamorro de niño ya cuidaba unos cerdos, el amo decidió no cultivar, menos molestias para él, dejó la tierra sólo para guarros, ganaba menos pero ¡tiene tanto!, aunque la tierra produzca la mitad a él le da igual, así ni se ocupa, se vinieron los Chamorros a Madrid, el padre murió, ahora la madre asiste a las casas, «¡qué casas!, como en el cine, el agua sale ya caliente del grifo, hay de *tóo*, como en el arca de Noé, que decía el cura», porque había que ir al catecismo, claro, y yo mientras tanto olvidado de Luis, de su angustia, convertido en compañero de Chamorro, de sus agravios y sus odios.

La misma historia todos, la injusticia, pero qué diferentes, la de Jesús Tejón, le ha reclutado Guillermo en la granja de IDEA, le ha metido de botones en la oficina, asombrosa facilidad para el dibujo, aunque manos de obrero su osamenta es agilísima, le obsesiona pintar, tanta ansia que no presume, al contrario, se burla de sí mismo, de sus «monos», tiene miedo de engañarse, de fracasar, eso me lo hizo simpático, miedo a fracasar precisamente por el ansia de triunfar, como yo, Marga no lo comprendió, allí empezó todo, al verme interesado ha acabado enseñándome sus cosas, copias de ilustraciones de revistas, error imitativo, de pronto un dibujo *suyo*, espontáneo, un descamisado cayendo contra una tapia ante un pelotón, en primer término las espaldas y los fusiles, sombría masa de tricornio y capotes, al fondo el fusilado solo, dueño de la inmensa pared blanca, señor de la única luz, con los brazos abiertos como alas, a volar más que a caer, «¿de dónde has sacado eso?», «de ningún sitio, es mi padre, lo cogieron con los maquis, en la sierra de Cuenca, en el cuarenta y siete», me conmueve, un día le llevaré al Prado, que vea a su compadre Goya, no ha estado nunca en un museo.

Le reclutó Guillermo, la palabra es correcta, había algo más que las clases, me di cuenta al poco tiempo, reuniones clandestinas, una multicopista escondida entre la chatarra y los géneros de Mateo, si éste lo supiera se pondría furioso, pero sólo piensa en el alquiler obtenido, una organización clandestina, Guillermo y Lina andaban en eso, las clases son de verdad, pero además tapadera, se reproducen octavillas, vienen obreros más viejos como si fueran alumnos, después se quedan un rato, a veces hasta muy tarde, Guillermo no me ha dicho nada, pero sabe que lo sé, los alumnos lo ignoran, ¿alguno quizá sospecha?, la otra noche cuando vino el guardia Tejón cogió unos papeles y los escondió en su carpeta, seguro que eran octavillas, estábamos dando clase, llegó uno de uniforme a la portería, me avisó la Lorenza, preguntaba por el Centro *Estudio Nocturno*, en ese momento llegaba don Pablo, es formalmente nuestro Director a causa de su título, era un inspector municipal porque hemos pedido licencia de apertura, «quiero ver el local», le hice pasar al almacén. Se quedó estupefacto, me preguntó molesto si le tomábamos el pelo, intervino don Pablo, el guardia le atajó las cortesías y repitió la pregunta, «no nos burlamos», respondió sereno don Pablo, «esto es todo lo que tenemos ahora», el otro se irritó, «¿qué se han creído, es que no han leído los reglamentos?, hay requisitos para un centro de enseñanza, esto es un camaranchón, una cuadra, no tiene ni servicios propios», el hombre se excitaba cada vez más, don Pablo trató de apaciguarle, «hay servicios en la portería, bastante lo sentimos nosotros, no es un centro lucrativo, no cobramos nada, el local también es gratis, una obra de caridad, de eso se trata, por unos cuantos de buena voluntad».

El inspector se moderó, pero en cambio se volvió receloso, «¿y por qué no se ofrecen a otros centros benéficos, ya establecidos con todos los requisitos?, sin ir más lejos en este mismo barrio, unas clases nocturnas montadas por el Movimiento, la Falange», nos defendimos como pudimos, los alumnos habían ido llegando y nos escuchaban desde sus mesas, temí que el inspector notase la hostilidad de las miradas, acabó efectivamente mostrándose incómodo, al cabo don Pablo consiguió un aplazamiento, pienso que por cansancio, el inspector nos concedió seis meses para poner el local en regla o buscar otro en lugar de esta cuadra, «esta cuadra», repitió al marcharse, mirándonos a todos con desdén.

Así he vivido estas semanas, metido a hombre de acción, lo contrario de Luis, alejarme de él a toda costa, era exaltante mientras lo creí, hasta hoy, «¿qué hago yo aquí?», el quiosquero escamado por mi inmovilidad, piensa si yo seré uno de ésos, si atraeré hacia su negocio el rayo destructor de los guardias, me mira como los transeúntes, apresurados, los que no quieren meterse en líos, la gente se distancia de los manifestantes, mira con revelo a sus liberadores, no quiere remover el estiércol de su pocilga, la paja y la bazofia que les echa el sistema, su vino y su fútbol, su mujer en la cama y su auto en la calle, ¿qué hace aquí Luis Madero?, por un momento intento seguir creyéndomelo, autosugestionarme como en Argel, todo antes que ser Luis, seguir sintiéndome camarada, me sujeto la etiqueta vacilante, me reprocho mi inhibición, otra impotencia más, el hombre debe responder como el toro acude al trapo rojo, el hombre sí pero yo soy Luis, allí está el enemigo (pero ¿por qué lo es?), los grises agresivos frente a los atacantes, seguramente también indoctrinados, hay que pegar duro a esos señoritos de mierda, los dos bandos enfrentados, como dos gallos, sudores opuestos, adrenalinas en la sangre, yo cada vez más ajeno, mi indiferencia próxima a la náusea, ante los unos y los otros, ¿qué tengo yo que ver con esa ritual lucha callejera?, empiezo a alejarme paseo abajo, en ese instante suenan las palmas, el grito va quedando atrás, «¡Li-ber-tad, li-ber-tad!», ¿de qué me sirve a mí la libertad?

Corren, corro, se refugian, me refugio, la calle cortada en gris por los dos lados, nosotros como liebres sin aliento, acosados por los podencos grises de los señoritos, ni aún ahora puedo sentirme unido a los míos, a los que he creído mis raíces, ni aun cuando mi sangre late como la suya, acelerada por el miedo y la carrera, ni aun ahora me enfrento al enemigo con ellos, me deprime ser así, comprendo que soy ajeno a todos, indiferente a sus ideologías, me alegro: todas falsas, grises y rojas, dos caras de la misma moneda, para comprar el orden, el progreso ¡como si el hombre hubiera progresado nada desde Osiris! ¡como si hubiera servido para algo su Cristo o su Lenin!

«Metedlos ahí hasta que yo vuelva», dice el policía, se va con el sargento, los cuatro guardias nos empujan hacia el patinillo de una casa, paredes encañonadas hacia lo alto, olor a sumidero, cuerdas con ropa tendida, dos ventanas entreabiertas con medrosa curiosidad, una radio clamando *Las bodas de Luis Alonso*, de pronto se corta la música y una voz asegura que debemos el programa a la cortesía del mejor detergente, «No lo dude, señora, se hará usted compradora», junto a mi espalda baja por la pared una gruesa tubería de gres, de vez en cuando gorgotea en ella el agua de retretes y fregaderos, se respira humedad y guiso barato, uno de los guardias advierte entonces mi edad, veo chispear su mirada, me agarrota el miedo, me siento ciervo apuntado por el fusil, viene y me apostrofa: «¿Conque tú eres otro cabrón empujando a éstos, no? ¡Otro agitador!»

¡Qué rostro brutal! mi corazón revienta desprecio, ni siquiera odio, rezuma desprecio verde todo mi cuerpo, náusea ante esos esclavos, ignorantes del orden, borregos pastoreados con el cuento de la patria, los valores sacrosantos, miro aquel bulto gris con apariencia humana, ¡cómo asoma el desdén a mis ojos!, ¡qué agresivamente!, tan insultante que el bulto palidece, se siente desnudado, sin sus insignias grotescas, para salvar su propia estimación sólo halla su mecánica respuesta, levanta la mano y me la aplasta en la mejilla, mi cabeza contra la tubería de gres, vacilo un momento, tras el chasquido estalla fuego bajo mi piel, oigo cerrarse una ventana, el guardia escupe otro insulto, en mi mejilla el ardor crece, por dentro de la boca me mana un hilillo cálido y espeso, se hincha mi labio inferior aplastado contra los dientes, trago de vez en cuanto mi propia sangre, procurando que el objeto gris no lo note, no darle esa satisfacción, el sabor me recuerda las torturas infantiles del dentista, pero ahora se aviva mi desprecio, me lleno de superioridad, la vivo como una borrachera, porque yo sé y ellos no, ninguno, yo sé que el mundo es una trampa, los ideales una farsa, todos son espejismos, la opresión y la revolución juegos de principiantes, callejones sin salida, saber eso me agiganta, por eso el bulto gris se rinde a mi mirada, ha de volverme la espalda como si quisiera hablar con los suyos, incluso simula que les habla, pero es reconocer mi victoria, mi superioridad, mi potencia.

¡Qué fuerza inmensa la mía!, ¡qué gratitud por lo gris que me la revela a su pesar!, ganas de abrazar al guardia, sólo me retiene la sorpresa, ansia de darle las gracias, de besar la mano que me ha devuelto el ser, una mano con huellas de azada, joven, grande y pesada, con cerduno vello rubio, hubiera podido ser de un cura, tiene más eficacia sacramental que la de un obispo, me confiere la gracia de iluminarme sobre mi impotencia, me revela que no es permanente, sólo cuando intento el error, ser otro, pero no mientas sea fiel a Luis Madero, esa mano me otorga la confirmación, me enseña la primera ley de la vida: ser lo que se es, tigre o árbol, liquen o granito, víctima o verdugo, héroe o cobarde, yo soy Luis Madero, el-que-es-ajeno-a-ellos, yo Luis I *El Humillado*, el de la bofetada a pie firme, contra la canal de los retretes, el de la sangre en la boca, las uñas negras en la mano confirmadora me producen satisfacción adicional, la guinda sobre el helado, celebro la porra pendiente de su cinturón, como otro miembro elefantiásico, pienso cómo caería sobre mí si yo le diese al guardia una patada, ahí donde pende su pequeñez viril, puedo conseguirlo si quiero, que responda a mi estímulo, ¿me derribaría para pegarme mejor en el suelo o me golpearía hasta que yo mismo cayese?, ¡qué gozo tales pensamientos! ésa es mi superioridad sobre los manifestantes, los pobres muchachos ahora preocupados, ellos ignoran lo que yo conozco por fiel a Luis Madero, su mundo convencional se lo oculta, que el oprimido es superior, que siempre triunfan las víctimas, que la destrucción es más verdadera.

Ya nada me atosiga, de nuevo el juego nos arrastra, nos sacan del patinillo, nos empujan hacia el camión, nos vemos conducidos a la Puerta del Sol, recuerdo a los escapados de la Francia ocupada, pasaron por aquellos sótanos, me lo contaron tantas veces que casi los reconocí, los compartimientos cerrados con rejas, las bombillas amarillentas siempre encendidas, el olor a colillas enfriadas, a orines y a sudor cuartelero, a restos de gamella con rancho fermentado, a retrete de bar miserable, las voces pidiendo ir al servicio, discutiendo con el viejo guardia sobre unos reglamentos grotescos, ¡qué solera de mugre sedimentada por los posos de cada día!, el formulismo de la declaración, la pobre luz del flexible sobre los papeles, la rutina del interrogatorio, la advertencia de que me ande con cuidado, acaban de dejarme regresar a España, por lo visto hay que hacer méritos para vivir en la propia tierra, acaba diciendo a los guardias: «éste también a la calle», añade al verme inmóvil: «pero bueno, ¿qué quieres todavía?», pronuncio muy sereno, muy seguro, «denunciar al guardia que me pegó sin motivo», su impulso iracundo me llena de gozo, voluptuoso, se contiene, «venga, fuera; no digas tonterías, aquí los cojones se dejan a la puerta», pretendo pincharle más, preguntarle «¿usted ya los ha dejado?», me empujan antes, tienen mucho trabajo, muchos infelices, me sacan escalera arriba, el patio todavía no es «fuera», huele demasiado a gasolina y humedad, pero en la calle de Correos, en la Puerta del Sol desierta, cuando renazco en la noche... ¡qué delicia, qué embriaguez vital, delicada, violentísima, refinada y total!

El cielo negro y traslúcido a la vez, claridad de luna invisible, o presagio auroral, el aire no sopla, sólo se mueve lentamente, ondula como tules danzarines, en cámara lenta, tremolan perfumes de primavera, acacias florecidas, ¡ay mis acacias de entonces! ahora me habéis devuelto a mi ser, a cuando Antonio Hervás, la acacia en la plazuela del Biombo, la ciudad se lava a pesar de los hombres, los faroles relucen en las baldosas, en los bordes pulidos de las viejas aceras, infunden poesía al pavimento, dulcemente borbotea la boca de riego mal cerrada, un corazón sangrante y melancólico, la magia de la noche entregándose a mi encuentro, dándome la bienvenida, recibiéndome como al hijo pródigo, así avanzo por la calle desierta, más fuerte mi pisada que nunca, hacia el Real, el que fue mi gran antro iluminado, avanzo entre las sombras antiguas, las damas perversas y las coristas fáciles, los conspiradores y los alabarderos, la Partida de la Porra y la Hermandad de la Buena Muerte, los senadores vitalicios y los descuideros, el músico del armonio y Madame Pimentón, los gatos del cabo Noval y los serenos... Ávido bebo esas sombras, me acompañan esas vidas, aspiro la noche electrizada, fresca a la vez y ardiente, domino el aire como un búho, vienen a mi encuentro, la prostituta y el conde, el organillero y el sabio, todos mis compañeros, sabiendo que todo es farsa, que los valores son de cartón piedra, trapos rojos para el toro estúpido, y es también otra farsa combatirlos, la vida se encoge de hombros, la única verdad es negarlos, entonces ¿qué sentido mi imbécil resistencia a Ágata?, ¿qué importan las medias?, «la castración fue hace tiempo», ¿quién ha proferido esas cinco palabras?, claro que yo, pero ¿desde qué abismo?, ¿la causa de eso: el ciprés de la Encarnación?, ¿asociado a castraciones?, ¡los chinescos, el quiosco!, ¿aflora a mi memoria el recuerdo anterior?, ¿estaré a punto de saber?, ¿qué pasado amanece?, en todo caso asumirlo, hacerlo carne mía, madurar con él, dejar caminos falsos, no sirvo para Margas, tampoco para revoluciones callejeras, intentos desdeñables, reconstruirme, hacerme lo que fui, lo que soy, bajaré a mis abismos, ahora mismo lo juro ante el ciprés guardián de mi secreto, arrancárselo, y entretanto marcharme, entregarme al azar mientras maduro, destruido y reconstruido, Luis al fin para quien sea y lo que sea.

¡Decisión absoluta: el gran triunfo mío y de la noche!, al fin acercarme a los búhos, Luis Madero *El Proscrito*, mi labio hinchado me confirma a mí, paso mi lengua una y otra vez sobre la cicatriz interior, voluptuosamente, ahí mi marca, una gata salvaje hace lo mismo, parece que me copia, ¿acaso me estimula?, la dejo atrás, calle de San Quintín, ¿esa luz en un piso?, ¿qué fiesta ilumina?, al frente el infinito de la noche, el farallón enhiesto de Palacio, cortándola de negro, otros pasos escucho,

¡tan pesados!, no el vuelo de los míos, la pareja de guardias, arrastrando sus botas, sus cadenas, pasando ya a mi lado, me detengo, un impulso de Luis que yo obedezco, se paran a su vez, les miro fijamente, hablo con voz segura, a pesar del tumulto de mi sangre, «sigan, sigan, sólo quería ver si son de los que pegan», prosigo sin mirarles, sin duda desconcertados, ¿tiene previsto eso el reglamento?, no concibe civiles superiores, aún me vuelvo de lejos, para aclarar las cosas, confirmar mi victoria, «no estoy borracho», grito (mi embriaguez no es estarlo), «soy Luis Madero West», y lo repito, «Luis Madero West, Madero West...», mi identidad, mi incertidumbre, hacerme exactamente lo que soy, alerta aquí en mi centro, solitario en la noche, altamente de pie, mientras los otros roncan como muertos y se creen estar diciendo algo.

Ágata

«Vil estafa.» ¡Ese titular del artículo! Clavado bajo el cráneo, instalado en mis nervios. El texto entero, frases como puñaladas. «Lucrarse con los muertos.» «Traicionando a los héroes.» «Esa Asociación de Ayuda a Ex-Combatientes es una estafa.» «No se deje engañar por Fernando Quillán.» ¡Mentira! Pero es verdad. Me aplasta el pecho, me mata. Tendría que llorar. ¿Más todavía? Ya no puedo. Dos veces en pocos días. Engañada por dos traidores. Primero, Luis, quitándose la careta. Toda su entrega, una trampa. ¿Esclavo? Otra técnica distinta, nada más. Mi alma en un hilo. Como el vidrio estirado, como el tubo que cortamos en el soplete. Se reblandece, se funde, tiramos de cada lado. Va adelgazándose como melaza o jarabe. Hilo de araña movido por la brisa. ¿Cuándo se romperá?

Se ha roto. Esta muerte, mil veces peor. Lo otro podía sobrevivirse. ¿Qué se ha creído? Duele y nada más, porque ha quemado la esperanza. Pero ahora mi vida es ceniza. Luis me engañó unos meses; padre, treinta años. Mi dios venido abajo. ¿Por qué, por qué, por qué? Imposible. Sin embargo, ese artículo lo explica todo. Su silencio, su abandono. ¡Dios! ¿También mentira?

Hilo de araña. Pero no soy araña; no cazo a nadie. Soy murciélago, ajolote, hembra de simio, de hombre. Ni siquiera he aprendido a tender la tela. Cuando echo el anzuelo saco algo tan mezquino como Gloria o Luis. No soy jinete como Gerta. Ni montura como Lina. ¡Ser algo! Cualquier cosa menos la soledad, esta carcoma. Antes aún les tenía a ellos dos, mis mentiras. Ser como todas. Otra vez sola no. O romperme de una vez. Sería lo mejor.

¿Por qué me enteraría? ¿Quién me mandaba preguntar a ese Émile? ¿Por qué le indicarían abajo que Luis podía estar aquí? Le abrí creyendo que era él; hice pasar al desconocido tomando su llegada por un buen presagio. Había que hablar de algo; se marchaba ya para Francia. «¿Ah, viene usted de Argel?» ¡Maldita mi boca que lo dijo! La ilusión de saber algo. «¿Ha oído hablar de un español, Fernando Quillán?» ¡Que si había oído! Me miró con asombro. «¿Le conoce usted, es pariente suyo?» ¿Qué me hizo callar, para rematarme a mí misma? Mi destino. Negué a mi padre y se me desplomó encima. «Precisamente se ocupan de él en una de esas revistas que traía para Luis.» Su voz era neutral, simplemente cortés. Dejó los papeles ahí encima, como una tarjeta de visita y eran una saeta envenenada. Se fue. Así de sencillo.

Ser como ellas. Y aún menos: como cualquiera. Una borrega más. Tener llenos el vientre y el sexo; vacía la cabeza. En fin, vivir en paz. Surgieron a miles el otro domingo, cuando sonaron las trompetas oficiales y los micrófonos de las consignas. Le llamaban el Día de la Victoria. ¿Qué Victoria, contra quién, para qué? Nadie reflexionaba. Borregos, rebaños. Lo mismo abren la boca ante las ubres de la Úrsula Andress que aguzan los oídos respondiendo al clarín. ¡Los soldados, pasan los soldados! La gente siguiéndoles, como tras el flautista de Hamelin. Papás con su niño sobre los hombros. Mirad bien, hijos; aprended a matar el día de mañana. Las venerandas tradiciones. ¡Qué importa que, en realidad, crean menos en Dios que en la policía! Suena el chin-chín; arrastra al rebaño.

¿Pero qué quería Luis? ¿Por qué se declaró esclavo? Al final ha resultado mentira. Sin embargo, lo justificaba, cuando días después le pregunté. Me habló de *La isla de los esclavos*, de Marivaux. Me contó la sumisión de Hércules, nada menos, bajo el yugo de Onfalia. El vencedor de la hidra hilando con la rueca y sirviendo como mujer. Destino, sin embargo, noble, me aseguró. Aquella cita de Sófocles: no hay ofensa en venderse como esclavo a una mujer cuando así lo decretan los dioses. Entonces, ¿por qué? ¿De qué se extrañaba? Pude haber sido más dura con él. Pude haber esgrimido el látigo que la noche de Gloria sentí en mi mano. ¿Qué le pasó? Luis ni coge ni deja de coger.

Mi vida escindida. Antes y después de esa noche. Gloria dejándome y hasta el mismo Luis. Insoportable. Pero ¡ese Émile, mi verdugo! Sus revistas, mi tortura. Padre, peor que muerto. Ágata, peor que viva. Desollada. Los nervios a flor. ¡Qué noche! ¿Cuántas horas-luz para aceptar el hecho? Y cuando lo acepté, mis pasos de plomo hacia la gumía. Mi andar fantasmal hasta descolgarla de la pared. Mi violencia al estrellarla contra el suelo. Un golpe como para atravesar los pisos, hundirla en los abismos. Pero ahí quedó, intacta, sarcástica. Sólo la piedra verde del pomo se había desprendido. Esmeralda tan falsa como él: culo de botella.

«Con un hombre no, Ágata, ése es nuestro error», dijo. ¡Pero si hacerle hombre es precisamente lo que estoy intentando, a fuerza de provocaciones! ¡Si él mismo lo desea así: me lo ha dado a entender de cien maneras! Apenas la víspera había hablado de las grandes iniciadoras. La conmovedora frase de Lycenia, ignorada de todos los que citan a Daphnis y Cloe. La mujer madura que ofrece a Daphnis una fruta y un jarro de miel y le inicia en el amor. Lo único que le pide: recuerda siempre, Daphnis, a la que te hizo hombre antes que Cloe.

Borregas del rebaño. No me burlo; las envidio. No están solas. Todas tienen su cuarto de hora, dicen: alguien las caza entonces. ¿De qué está hecho ese cuarto de hora? ¿Desesperación, ilusiones, curiosidad, descarga hormonal? De soledad. Para salvarse de ella se acepta todo, y a mis años aún más. No hay quién la resista. Los voluntarios para experimentarla, en cámaras oscuras e insonoras, pierden pronto su discernimiento. La orientación, la conciencia de sí mismos. Se desintegran. Enloquecen.

¿También mentira sus besos paternales? ¡Tanta seguridad como me daban! Oír sus pasos en la escalera de Pamplona, mi cuarto de juegos tabique por medio del rellano; ¡qué acelerón la sangre! Mentira el combate con el rifeño, claro. ¿También sus vuelos? No, era aviador y bueno: también se dijo en periódicos. ¿Se puede ser héroe y cobarde? Preguntas, preguntas. Mazazos en mi cerebro. ¿Para qué? No se recompone la vida. ¡Pero no quiero sufrir! ¡No quiero sufrir!

¿Lo sabe Luis? Aunque no se lo haya dicho mi verdugo, ¿cómo duerme ahí debajo y no le despierta mi insomnio? Soledad al cuadrado. Tan aguda anteayer –¿o ayer?– que maquinalmente cogí el teléfono para preguntar la hora. Igual podía haber llamado a la policía, a los bomberos. ¡Consuelo de la voz humana; aunque sea indiferente! «Veintidós horas, doce minutos, veinte segundos.» La dejé correr como el agua serenante de una fuente, pero se paraba a las dos o tres veces. Me situaba en el río del cosmos. Volví a marcar, y a marcar, y a marcar. Como el niño que, en la visita, se aburre y pregunta insistente: «Mamá, ¿cuándo nos vamos? ¿Cuándo nos vamos?»

Risible sucedáneo ese teléfono. ¡La palabra de Luis! ¡Cuántos horizontes, ideas, perspectivas! ¡Qué profundidades a veces! Su obsesiva insistencia en la reencarnación. Ciertamente, ¿por qué no? Últimamente pensaba en Venecia. ¿Qué he sido allí? se preguntaba. Discípula de Vivaldi, escolar, monja en uno de aquellos conventos que visitaban a diario los libertinos aristócratas. Otras veces se imagina espía de la República, asesino a sueldo. ¿Por qué esas encarnaciones sombrías? ¿Por qué a veces femeninas? «Tú hubieras sido Vivaldi, Ágata, y yo tu discípula.» ¡Qué extrañas ideas! Me apena verle tantear a ciegas en esa obsesión; no descansará hasta que no se centre en alguna vida determinada. Parece su última esperanza: se aferra a la reencarnación como a un clavo ardiendo.

¿Por qué se es héroe y se es cobarde? ¿Tendrá razón ese experimentador behaviorista? El otro día, en el *Scientific American* recién llegado al laboratorio. La hipótesis de que los hombres con cromosomas anormales XYY muestran tendencias criminales. Se han conseguido peces luchadores del Siam con cromosoma YY en vez de los normales XY: unos «supermachos». Se atiborra de hormonas sexuales femeninas a machos corrientes hasta que se tornan morfológicamente casi hembras, capaces de aparearse con los otros. Así es como alguna descendencia resulta YY. Y ciertamente, según ese Hamilton, parecen más agresivos. Pero, entonces, somos tan inocentes de cometer un crimen como de tener los ojos azules. Ni más ni menos.

Ahí su forma curva y plateada.

Sarcástica, burlándose de mí. Sólo la esmeralda se había desprendido de su engarce en el pomo. Como vuelva Luis, le exigiré la rendición sin condiciones. Lo primero, tragarse ese vidrio verde entero, como los ladrones. El sudor del héroe, la piedra empuñada por el héroe. Entrando por su boca, paseando su cuerpo, saliendo por el culo, rebautizada. Digna de él. Y si no vuelve me iré de aquí. ¿Cómo continuar?

¿Qué ha sido Luis? ¿Qué es? O acaso el problema es éste: ¿qué soy yo? Luis ni coge ni deja de coger, pero yo aquella noche me reprimí ante el látigo que enardecía mi mano. ¿Hubiera cambiado mi vida si lo hubiese usado? Recuerdo de pronto una mujer capaz de hacerlo. La cantante Bárbara, en *L'Ecluse* con aquella canción, *«Est-ce la main de Dieu, est-ce la main du diable.»* Su nariz aguileña, su traje negro, sus manos como garras sobre el piano; sobre todo su voz. Se preguntaba cantando de dónde venía aquel don: ¿de Dios o del diablo? Le daba igual; terminaba agradeciéndolo a la vida: *Merci et chapeau bas.* Quisiera estar segura de que mi don es ser Ágata.

¿Un consuelo posible? Al perder a padre me conmueve mi madre, la recobro. No la comprendí nunca, me deslumbró su marido. ¡Cómo debió sufrir! ¿Es posible enamorarse de un hombre así? ¡Pues claro: si yo estaba fascinada! Me esfuerzo ahora en imaginar su pobre vida. Siempre esperando en la casa; siempre sabiendo que el hombre la engañaba. Percibiendo incluso que su hija prefería al padre. ¿Se puede vivir así? Sin embargo, ahora estoy segura de que murió solamente de no tenerle cerca. Pregunta increíble: ¿acaso mi madre fue feliz? No, es imposible.

Pero ya no le tengo. No tengo nada. Hasta la religión he probado. Doña Emilia me dio la idea. «Mi único consuelo es la iglesia, hija, para allá voy.» ¿Por qué no? Recuerdo el deliquio de mi primera comunión. Claro que entonces Sor Natalia estaba en la capilla. ¡Adoración de su perfil, de sus manos! Un prodigio hasta el lunarcito en la barbilla, con su pelito. Se lo cortaba: me confesó ese pecado de vanidad. No se atrevía a arrancarlo.

Encuentros. También cruzándome con Paco. Pero ése no habla. Mira, dispara su mirada desnudándome de arriba abajo. Odioso y fascinante. No me gusta, pero tampoco tienen por qué gustar los imanes. Imán natural, no electromagnético. ¿Sabe lo de Luis? Aunque lo supiera, ¿qué le importaría? Yo sé lo que piensa Paco. No me diría lo del otro; lo de comerme. Es un pirata: se apoderaría. Otro monstruito. ¿Por qué digo eso? ¡Si todos son así y todas ceden y hasta son felices! Sí, mi madre fue feliz. Entonces, ¿por qué no?

La iglesia, ¡qué fracaso! ¿Cómo podía quitarme la soledad lo que ocurría en el templo, si eran cosas de otro mundo? Otro planeta, incomunicado. ¡Cuántas viejas! También dos muchachas feas. Y aquella otra monilla que miraba mucho, con resultados, al único joven en el templo. ¿Se habrían citado? En otros tiempo era el mejor sitio. Pero para ese hombre también era otro planeta. Levantó escéptico el velo morado, de Cuaresma, que cubría la estatura en el pedestal junto a él. Acaso por si había debajo algo que valiese la pena. ¡Qué gesto negativo, al dejarlo caer!

Si vuelve, rendido sin condiciones. Ser como él me deseaba o, al menos, como decía desearme. Aquella noche, bajo la luna en la Plaza de Oriente. No es la casta Diana de los románticos, dijo; Artemis era diosa de la fecundidad y señora de las fieras. Él me buscaba así. Si vuelve, me encontrará. No Diana, sino Judith, como en la estampa del colegio: con el alfanje en una mano y la cabeza ensangrentada en otra. Salomé, con una gumía de verdad.

Al retorno, dando un rodeo

para airearme, la placa en la fachada de Santa Clara. El pistoletazo de Larra. ¿Se mató de verdad por amor? Seguro que por soledad; por amor no se mata nadie. La fidelidad es mentira. No es virtud positiva, sino carencia. Comodidad, rutina. Se vio solo en la nada con una pistola, y decidió dejarle el vacío a la pistola.

Definitivamente, otro planeta. La calificación moral de las películas, anunciada en la puerta, ¿y a mí qué? Los avisos de las congregaciones, ¡qué nombres tan barrocos! Mirando bien, la mayoría de los fieles tan indiferentes como yo. El viejo, más confortable aquí que en su casa. La beata de medalla con cinta blanca y morada, sintiéndose importante por un rato en la mesa petitoria. La indiferencia de los monaguillos, trasteando los objetos sagrados como juguetes. Hasta el cura, ¡qué aire de funcionario aburrido!

El caso es aborregar. Con los clarines o con el rito. Con los micrófonos o la literatura oficial. ¡Qué tinglados se arman para eso! Sería más barato disolver tranquilizantes en los depósitos de agua municipales. Cloropromazina para la ansiedad, y resuelto. ¿No lo hacen ya con los soldados en algunos países? Un poco de bromuro en el agua y menos tentaciones sexuales.

¿Qué soy? Ni lo sé ni me importa. Hacer, es lo que interesa. Como en el análisis: ensayar reactivos. Lo que gusta sólo se sabe probándolo. Hasta Luis, hasta mi padre contra mí. Pero la vida no se acaba. Y mi vida es nueva, ha empezado con Ágata. Quizá ésta es la prueba para la piedra dura.

Luis diciendo que sufrir es bueno, su idea del mal redentor. Los santos ofreciendo sus padecimientos al Señor. Dios mandando a su hijo a morir para arreglar las cosas. ¡Qué barbaridad, qué desatino!

¡Abajo el dolor! ¿Y dicen que al principio fue el Verbo? Nada menos vivo que la palabra de aquel predicador. Su ejemplo del venerable anacoreta revolcándose desnudo sobre zarzas, para «mortificar el aguijón de la carne», allá por el siglo IV. ¿Dónde encontrar zarzas en Madrid para una urgencia semejante? Elevado luego al solio episcopal contra su deseo, empezó a limpiar su ciudad de arrianistas y demás herejes. Hoy los herejes dependen de la Dirección de Seguridad y además no sale ninguno nuevo: hay herejes cuando hay violenta fe, como entonces. Pura voz libresca. Sólo porque el predicador tosió alguna vez cabía pensar que aquel funcionario era de carne y hueso, tenía quizá varices y prefería el tabaco negro. Pero le sobraban las zarzas.

Quizá también a mí. ¿Será también cuestión de cromosomas? Los hombres tienen XY; nosotras XX. Nuestro sexo es más definido; el de ellos más ambiguo, entonces. No ando muy segura en biología pero ¿seré yo otra XY, o XXY, o YX? ¿O me habrá contaminado, simplemente, el contacto permanente de la mentira, empapándome hasta tornarme simulacro?

Pues, ¿y el confesor? ¿Cómo se me ocurriría? Desesperada, claro; probarlo todo. Hablaba otro idioma. Le fastidió lo de mi noche con Gloria; aquí no deben contarle eso. Lo explicó en términos de tentaciones del demonio. Un químico recurriendo al flogisto para explicar el estado semisólido. Desconoce el bromuro, por lo visto.

Bueno, pues ya estoy de vuelta. Por lo menos he eliminado una vía inútil: la religión. Seguir ensayando con otros reactivos. Ágata, piedra de toque. A ver qué pasa. Se acabaron las palabras, empiezan los hechos. Responder a mi nuevo nombre.

Por poco recaigo a la salida. La sorpresa me hizo esperar un milagro: ¡la mismísima Madre Resurrección subiendo los escalones de Santiago! La acompañaba otra monja joven. ¡Qué emoción al verla! Ella, en cambio, tan fría como siempre. Acortó mis evocaciones. ¿O las abrevié yo, impaciente por lo único que me importaba? Sor Natalia. Me temblaba la voz ante la idea de que también pudiera estar en Madrid. Se replegó más aún; sus palabras se hicieron más vagas. Disparé la pregunta: ¿había muerto?

Tienen razón los de abajo, los del almacén. ¿La religión? Para ellos, espina irritativa y no consuelo. Mitos en decadencia, sostenidos por una clase burguesa también ya entrada en putrefacción. Hay tensiones. Según Tere, la manifestación de hoy ha sido gorda. Lo sabe todo, incluso antes que la radio.

«Para nosotras sí», sentenció lúgubremente la voz bajo la toca. «Sor Natalia no perseveró. El Señor no la mantuvo en su gracia y no renovó los votos.» ¡Como yo, entonces; como yo! ¡Encontrarla, encontrarla! Pregunté ávidamente. ¡Un hilo que me condujese a ella! La Madre Resurrección se encerró en su concha, arrepentida de haber revelado tal caso de infidelidad al Esposo divino. Se metió en la iglesia de prisa, acompañada de la otra monja. ¡Tú también, Sor Natalia! Expulsada del paraíso. ¿Dónde estás? ¿Abandonas a tu Águeda, como todos? «¡Niñita mía!», decías. ¿No me ves llorar? ¿Fue entonces cuando abandoné la lucha, tiré la esponja, me decidí borrega?

«Pues ya ve usted, más de trescientos años y su cuerpo todavía fresco, talmente carne viva.» Las palabras de la mujer me encadenaron al atrio. «Sí señora, sangre en sus venas y despide olor a manzanas.» Hablaban de la Beata María Ana de Jesús. Me forzó a oírlas doña Emilia, que entraba a la novena y me las presentó. Han abierto el ataúd varias veces desde su muerte y siempre la encuentran igual. La carne blanda. Tuvo un novio capitán y le dejó para entrar en el convento. El novio enloqueció. La señora se las sabía todas. Suspiró y dijo algo que me obligó a aguantar la risa:

«Es sólo Beata porque falta dinero para los gastos de canonización.» ¡Conque de eso depende pasar al santoral! ¡Cómo lo comentaría Luis!

Quizá es mejor este fallo de todo lo de siempre. Me da más libertad. Me obliga a nuevos caminos. Mi madre fue feliz, ¿qué me cuesta intentarlo? ¿Por qué no probar el sexo de ellos, si todo lo demás ha fracasado? Jinete o montura, ¿qué importa? Sor Natalia lo aceptó: su mano necesitaba a alguien para la caricia. Entonces, ¿por qué no yo? Saltar la barrera del monstruito. Ser como los ajolotes o los murciélagos. Borrega en el rebaño.

Todo antes que los mazos en mi cráneo. La biografía oculta de padre. Esa tía con la que se casó, o se lió. ¡Mientras yo le añoraba! Esa Asociación fantasma para quedarse con el dinero. Esas delaciones de los moros de la Kasbah que acudían al burdel de su nueva querida. ¿Cómo puedo pronunciar todo esto refiriéndome a padre? No lo digo yo, lo claman los mazos. He vuelto a colgar la gumía; es decorativa.

Nunca me hubiera rendido la violencia: sólo la soledad me descompone. Pero no tolero el engaño ni la estafa. Soy Ágata en medio de los borregos. Ensayaré el reactivo, usaré a don Rafael en el tubo de ensayo. Una tarde de estas vacaciones: Semana Santa, muerte y resurrección. En su coche del *christmas*, supongo. Y si quiere cenaremos. Por mí que no quede. De todos modos no podrán esquilarme más de lo que estoy. ¡Abajo Luis, abajo padre, abajo yo, *abasso tutto*, como en aquella pancarta en Florencia! Por cierto, el cura confesor ceceaba como don Rafael. Serán de pueblos cercanos. Después del ensayo volveré al cura para disculparme y darle la razón, si es verdad que lo que necesitaba esta solterona histérica era un raspado por un tipo con bigotito. Claro que no se lo diré así: explicaré que al fin me ha sido concedida la gracia. Suena psicológico. Decididamente, don Rafael me ha cazado. ¿En mi cuarto de hora? ¡No! En mi siglo de soledad.

PAPELES DE MIGUEL
Nombre escrito con sangre

Agosto de 1976

¡Aquel alarido en la noche! De pronto, en mitad de mi insomnio, a la hora del más relativo silencio ciudadano –ese ruidoso silencio– estalló la sirena. Creí que era una ambulancia y esperé oírla pasar. Pero la sirena continuaba, se mantenía. ¡Aquel alarido! ¿Alarma de una tienda o sucursal bancaria? ¿Protección de coche para evitar el robo? La sirena persistía. Pasaban los minutos. Pero no me llenaba de angustia, sino de indignación.

Un hombre es golpeado en la calle y apenas produce un grito inadvertido. Una mujer es explotada, un niño tirita en un portal, gentes innumerables viven sus tragedias y nadie clama. La sirena era la voz de la propiedad amenazada, lo más respetable y sagrado de todo. Al cabo de un gran rato, se extinguió. Habían llegado los guardias. La propiedad estaba salvada. Al menos consiguió hacer silencioso el silencio.

Desde el regreso de Argelia no he vuelto a anotar nada. ¿Para qué? En el muro blanco sobran las palabras. Las palabras. Si no es importante, da igual lo que signifiquen. Y si lo es, significan tantas cosas que no significan nada. Me voy librando de ellas. Libertad: ¿de quién, para qué? Aquella novela en la que pensé algún tiempo y abandoné después: *El esclavo del templo.* Transcurría en la Creta minoica y el esclavo era el único hombre libre en todo Knossos. Como el ermitaño, como el anacoreta colgado de un risco sobre el mar en el monte Athos. La libertad está dentro. Como todas las palabras que se pronuncian con mayúscula.

El eclipse de Nerissa y su resurrección en la roca de Ras-el-Djeb, aquella noche, me asustó. Su emergencia del mar: inolvidable. Tierra a la vista del náufrago en la balsa; oasis verdadero ante la caravana. El segundo eclipse me asustó menos. Nerissa se va y viene. ¿Quiere prepararme para algo? ¿Quiere dejarme solo? ¿Quiero quedarme solo yo? ¿Cambia de lugar o encarnadura? En su *Mathnawi* canta Rumí:

«¿Dónde está el amado; dónde "nosotros" y "yo"...?
Cuando el hombre y la mujer se hacen uno,
[Tú eres ese Uno;
Cuando cada unidad se disipa, tú eres la Unidad.»

Los eclipses de Nerissa, ¿son una manera de enseñarme el camino, de ser mi Jádir? Porque en esas desapariciones en que no puedo «ver» físicamente la onda de su pelo, la doble flor de sus ojos, es cuando me habita más viva su presencia. Y cuando vuelvo a «verla» con mis ojos, recuerdo la palabra de Ibn Arabí: «Gozan la más perfecta visión de Dios aquellos que le contemplan en una mujer.» Curioso: también el padre de Mahmud daba esa interpretación de la belleza femenina.

En mi insomnio de anoche pensaba en esos eclipses. Cuando sobrevienen pierdo la memoria hasta de sus trajes y sus zapatos. El último de aquel verano en Londres, la falda plisada blanca y el verde jersey exquisito. ¡Estoy tan acostumbrado a verla físicamente! En mis últimas tentativas telefónicas para recuperarla me repitió que estaba fea. Quería disuadirme, desanimarme, consolarme. Pero no se borra lo que está grabado a fuego, lo que ha tomado posesión de su reino para la eternidad. ¿Entonces, los eclipses?

En esos insomnios, continuando el vaciado de mis aposentos, se ha empezado a transparentar en el blanco muro la explicación, como cuando en un palimpsesto aparece el texto antiguo. El primer asomo me ha dado escalofríos. ¿Tan adelante estoy ya? Nerissa se eclipsa no porque se aleje de mí, sino porque me penetra y se identifica conmigo como en los cantos de Rumí. Cuando me decía estar fea yo contemplaba un dulce rostro emanando encanto. Ahora es ya más que un rostro. Es La Belleza y La Belleza no tiene forma; como tampoco la tienen, en su manifestación más alta, allí donde dejan de ser palabras, la Vida y la Justicia, la Serenidad y el Éxtasis.

¿O se deben estos eclipses, Nerissa, a que no sé todavía acogerte en mí? Para el enamorado lo difícil no es darse, sino aceptar al que, a su vez, viene a entregarse. Darse es lo más fácil, aunque lo duden los egoístas, porque fluye naturalmente del amar. Todavía pienso a veces qué fue lo que te di para que así vinieras a mí, lo cual es como dudar de tu amor que, como dice Rumí, «ni pide pruebas a Dios ni mendiga ante ninguna puerta provecho alguno». Para el entregado amante no siempre es fácil ver en el amado también otro amante que de igual modo y sin demandas se entrega; en su encuentro hay más el choque de dos ofrendas que la simultaneidad de dos acogidas. Para que el amor dualista fuese perfecto deberían ser andróginos los dos amantes; como los caracoles que actúan a la vez como macho y hembra cada uno y que mis maestros orientales admiran con frecuencia. Cómo nuestra cultura competitiva, que incluso el consumir lo vive como adquisición agresiva, nos ha deformado hasta impedirnos manifestar el amor en la acogida de quien se nos rinde. Y cuando más amante, más difícil nos resulta retener el ímpetu en una boca entreabierta esperando la miel de la amada. ¿Recuerdas, Nerissa, la única vez que te vi llorar? En aquel banco bajo la luna. Fui culpable sin serlo; porque no era culpa mía no saber recibir la Gracia. Pero voy aprendiendo; la espero siempre de Ti, de otro modo que antes, con los brazos abiertos de Halladj.

Mi cuerpo aún demasiado cargado de memorias. La nueva Beatriz que es Nerissa me ordena seguirla hacia el Paraíso; se aleja hasta perdérseme de vista y retorna para que yo la acompañe. Pero aún no estoy del todo vacío. Me duele demasiado derramar mis recuerdos. ¡Aguarda, déjame vivirlos un poco más! No estoy maduro.

¡Mis recuerdos! Nos separábamos en la esquina de Jorge Juan y Claudio Coello al salir de *Nüremberg* y te alejabas hacia tu casa. Yo me quedaba en la esquina contemplándote, fascinado por tu pelo oscilando a cada paso como alas de un pájaro de oro; prendidos mis ojos en la leve oscilación de tus tobillos. Te debía mirar casi extático y luego, cuando dabas la vuelta a la esquina, sorprendía yo las miradas burlonas y los cuchicheos de las niñas del Instituto *Beatriz Galindo* entre la sorna de las mayores y, espero, su admiración o envidia, porque mi amor debía ser muy evidente. ¿Recuerdas cómo recorríamos una geografía del mundo? ¿Por qué las cafeterías y los bares cultivarán tanto la toponimia? *Hamburgo* tiene cinco escalones desde la calle y era una delicia esperarte para ver cómo los bajabas, con aquel abrigo deportivo. *Nüremberg* nos ofrecía una semioscuridad intimista.

Dakota: sus grandes cristaleras lo convertían en acuario para los transeúntes, con sus clientes dentro como peces. *Casa Lucero* era un grato contraste popular... ¡Mis recuerdos!

No, no estoy maduro. No soy capaz todavía de arrancarme esa carne de memorias sin cuyo soporte se derrumbarían mis huesos y se harían cenizas. ¿O acaso no? ¿O acaso tus eclipses acabarán salvándome y será no tanto que penetres en mí cuanto que yo consiga hacerme Tú? Pero por el momento... El paseo por Londres, el primer paseo solos, libre y alegremente en una gran ciudad. Los grandes espejos de *Burton*, mirando a la calle, nos permitieron vernos del brazo por primera vez. Nos quedamos asombrados: ¿Te acuerdas? Así se quedaría el hombre del Renacimiento cuando el progreso de la industria vidriera le permitió verse de cuerpo entero. Así empezó, dicen, el arte del autorretrato y el genio de Rembrandt. ¿Cuánto rato estuvimos parados ante aquella pareja feliz, de estatura acoplada, de cuerpos paralelos y juntos, sonrientes y serenos como en las estatuas egipcias?

También mis recuerdos solo. Pero ¿acaso se está solo? La soledad, ¿existe? Todo se lleva dentro. Al menos mientras la soledad no se convierta en La Soledad y se una en el mismo centro a aquellas otras palabras con mayúscula –todas fundiéndose en Una– y estar solo resulte vivir una compañía innumerable. Aquella primera etapa desde que Nerissa me dejó solo yo le mandaba mis flores como a un santuario sin imágenes, una gruta consagrada a la madre Tierra en el monte Ida. Yo no era digno de verla, pero enviaba mi ofrenda. ¿Por qué preferías no verme? No lo comprendía. Descubro hoy que llegué a irritarme después de dolerme; casi empecé a culparte de que la vida fuese así. ¿Había reencarnado Hannah para condenarme a Tántalo? ¿Para entreabrirme la puerta del Paraíso y cerrarla después contra mis ojos? Pienso ahora que preferías verme como yo te veo en tus eclipses: sin verte. ¿Es que te vas haciendo yo o me voy haciendo Tú? ¿Es que nos vamos haciendo Él?

Me crece una resistencia hacia el dualismo, que fue antaño la base de mis análisis. Superar la dialéctica. Sustituir el progreso de la síntesis (tras la contradicción) por el ascenso en la escala de los seres, mediante identificación con el superior. La dialéctica pertenece al nivel en que todavía se admite el principio de contradicción. Ahora vivo entre verdades paradójicas, donde es cierto que A puede ser B y no ser B, donde yo puedo estar aquí y, al mismo tiempo, rigurosamente, no estar aquí.

Ras-el-Djeb me hizo ver esas verdades, antes de asimilármelas. A mediodía por su intensidad. Entre luna y sol –ocaso y amanecer– por su suavidad. En plena noche por su profundidad. Cuando el sol cegaba, la arena ardía y el mar era más azul y espumoso, ¿dónde estaba yo? Mi dorso tendido junto a la casa, mis ojos cerrados; pero yo –yo– ¿dónde? El calor disolvía las dimensiones del espacio; el rumor instantáneo y eterno de las rompientes confundía y deshacía el tic-tac del tiempo. El aire fresco y salado acariciaba la piel desnuda, se la iba llevando como el agua arrastra la piedra en el brocal de la fuente, me desollaba sin dolor, me disolvía voluptuosamente, me transportaba, ¿a dónde? Yo estaba allí y no estaba allí.

En el amanecer, en el ocaso, ¿a qué hora pertenecía el momento indeciso, a qué lugar el escenario, cortado por sombras largas y dudosas? Una rosa y un óboe de terciopelo era el amanecer, una violeta y una flauta melancólica era la tarde: sólo el color y la música los diferenciaban. Pero, sobre todo, la noche: las capas de sucesivos infinitos constituyendo el cielo estrellado, llegando hasta nosotros, atravesando nuestro planeta, repitiéndose desde el nadir hasta el cenit. En ese océano innumerable, ¿dónde se está?

La dialéctica, el dualismo... Hablar de Dos resulta grotesco ante ese Océano. Sólo quedan lo Múltiple y lo Uno. ¡Ah, se replica, pero entonces ya son dos! Vamos, no caeré en esa trampa de escolásticos. Él es todo y no lo es porque lo trasciende. Como decía Servet contestando a Calvino, «El diablo es Dios.» Y le quemaron vivo. Como materia y antimateria: si se encuentran, el choque produce la Nada. Es decir, el Todo. Para que haya un universo y mientras lo haya han de superarse Todo y Nada. Como Bien y Mal: no hay Bien ni Mal. Los eclipses de Nerissa me salvan del dualismo. Lo cultivé mucho en el campo de las verdades históricas y perdí tiempo en temas tan sórdidos como el capitalismo y el socialismo: ambos obsesionados por producir toda esa basura que nos impide encontrarnos dentro de nosotros o dejarnos vivir sobre el mundo.

Vuelvo a mis recuerdos. Quizá no sean realmente falta de madurez, sino el venablo en el costado del Emperador Juliano, el último gran monarca romano. Así mis memorias me hieren pero me dan vida, me permiten sostenerme durante la Liquidación. Cuando acabe con ellas, habré llegado. Liquidación que se acelera: hoy lo he percibido. ¡Qué mundo más extraño al salir de mi celda! De repente mi barrio es ajeno. Me sobran las calles, los rótulos de las tiendas, los transeúntes que conozco de vista, el mismo guardia urbano, el saludo del carnicero en su puerta, la voz de la señora Aurora al darme el periódico, incluso la señora Petra. La coexistencia en el espacio con la Maga de Balj me exaspera. Al imponerme su presencia se empeñan en anclarme aquí. «Nos perteneces», gritan o murmuran. ¡Cómo se equivocan! A estas alturas de la vida, de la peregrinación, ya no se pertenece a nada ni a nadie.

Hay que soltar amarras, reanudar el viaje, flotar a la deriva. Vivir es cruzar puertas y dejarlas atrás. Algunas he traspasado, reveladas en mi arqueología. En la Novela I, la puerta decisiva era la gran cama renacentista, digna de *Lozanas Andaluzas* o de *Bellas Imperios*. Sus cuatro paños de cortina para acendrar a los amantes ofrecían a Luis cuatro accesos distintos al cuerpo de Ágata: escorzo a lo Mantegna con los pies en primer plano, o desde un costado el entero desnudo o bien la primicia suntuosa de la cabellera: Sólo que Ágata, oyéndole llegar, cambiaba de postura y multiplicaba las sorpresas. La Novela II giraba sobre el portalón de la Bastilla burguesa, derrumbándose para dejar sitio al arco triunfal de la Revolución. En la Novela III, la puerta decisiva era la reencarnación; en la IV, la caverna marcada por Jano, en la bisagra de Nochevieja y Año Nuevo, sustituida luego por el estrecho agujero revelado a los amantes por la diosa Bast, el día de su reencuentro. Y, en todas subsistía siempre la puertecita secreta, la del pasillo de casa de Luis, que desde el vivir cotidiano comunicaba de golpe con, a la vez, el antro sombrío y el esplendor luminoso de la Ópera.

Pero ya no es hora de arqueologías. «Mírate bien adentro, Miguel, y responde: ¿de aquellas cuatro ciudades enterradas en ti, qué queda?» «Nada.» «Mírate mejor: ¿qué queda?» «Todo.» «¿Cómo puede ser eso?» «Tan Todo que no existen fragmentos.» Ahora es el tiempo de soltar amarras. La hoja de otoño amarillea poco a poco sin notar cómo se secan, quiebran y mueren las fibrillas de su pedúnculo, una tras otra, hasta que de pronto un día se desprende y cae en brazos del viento. Es preciso vivirlo, beber esa ruptura; nadie se acerca a Él por azar, sino por empeñosa voluntad. Quiero vivir mi acabamiento como se vive a sí misma la bujía encendida, remontándose en su llama hacia lo alto. ¡Y cómo se van disolviendo mis raíces, haciéndose tierra! No es que me sobra el barrio, es que le sobro yo. Esta etapa ha concluido.

En el piso ya me queda poco. Pero he de tirar el barrio también por la ventana. Los brahamanes tienen razón: ha llegado ya el momento de la etapa final. *Vanaprastha*; retirarse al bosque. ¿Dónde? Ha de ser a solas pero no demasiado; el hombre moderno necesita más cosas que el padre del yermo. No quisiera mucha floresta, más bien la austeridad castellana. Un arroyo invisible entre los juncos. Algún chopo, para que los pájaros aniden. Cerros poco levantados, lo bastante para formar una oquedad. No, la cueva es demasiado. Una choza junto a una ermita o una casilla abandonada. Algo de manos de hombre y, no muy lejos, un olvidado pueblo donde abastecerme. Muchos sitios así vienen a mi memoria: podría ser la Alcarria Alta o tierras de Ágreda. ¿Acaso mejor cerca del mar? El océano transparentando el Océano. Una vieja atalaya contra los piratas, una abandonada casilla de carabinero o quizá la soledad compartida con un torrero de faro...

En todo caso, lejos de todo. Para vivir tus eclipses tendido en el potro; atirantado entre la carne del recuerdo y el ansia del vuelo. Sufrir Nerissa presente y Nerissa ausente; dejarla que me empape como una salmuera. Esperar, hoja de otoño, la madurez de la muerte. Muriendo antes de Morir.

Pero aún no ha llegado esa hora en que las aguas subirán hacia arriba. Recordé el versículo de Llull en Aranjuez, ante las *Castañuelas* en el Jardín del Rey, donde el artificio de la piedra labrada simula que el agua cayendo trepa por la pendiente: «¿Cuándo cesarán las tinieblas en el mundo...? Y el agua, que tiene por costumbre discurrir hacia abajo, ¿cuándo llegará la hora en que, por su naturaleza, suba hacia arriba?» Hasta entonces sufro en tus eclipses, desiertos tendidos para mi peregrinación a Ti. En mis momentos de exaltación soy, si acaso, un ayudado por Ti, pero todavía no soy (ese «todavía» es mi esperanza) un arrebatado por ti, en ese rapto divino que es la tercera y más alta unión de Amor en Ibn Arabí.

Quien me consuela con su *Elogio de la Tristeza*, que copio del libro de Asín para asimilármelo: «Es la tristeza el manto de honor con que se visten los que a Dios (Nerissa) tratan con respetuosa cortesía –comienza–. ¡Oh, triste, bendito seas una y otra vez! ¡Por Dios juro que tú eres el hombre feliz, el verdadero poseedor de la intuición real!» Mientras se abate sobre mí la sequedad copio esas palabras en esta *charida*, cuadernito del novicio para la introspección de su caverna interior. El texto es del *Mawaqui (Descenso de los astros y ascensiones de los místicos)*, donde se recomienda, en todo un capítulo, la confiada obediencia al Maestro. Porque, repiten todos los sufíes, como los místicos cristianos o hindúes, «Quien no tiene maestro espiritual tiene a Satanás por maestro».

Y ¿quién mi Maestro sino Tú? El Almendro Ardiente me condujo a Lulio, y éste a Ibn Arabí, de la mano de Asín Palacios, luego a los grandes sufíes. Pero sólo son libros, palabras definitivas, aunque cada lectura me ilumine de nuevo modo. Sólo Tú mi Maestro vivo, mi Jádir guía, para aprender de ti el Amor que concilia los contrarios. Ya ves, mi cerebro sabe que ese Amor es lo Imposible; conoce que tu ausencia forma parte de ese amor; ha leído incluso que esa ausencia no existe... pero mi corazón no lo sabe y sangra, porque no soy perfecto. Consigo ser *morid*, el que te quiere, pero aún no estoy abierto de par en par a ser *morad*, el querido por ti, pues no he llegado a vaciarme del todo, a anonadarme, a convertirme en la Nada donde pueda entrar su Todo. Soy tu *Fidèle d'amour*, como explica Corbin comentando también a Ibn Arabí; soy el vasallo de mi Dama de amor. Es sólo el principio, lo sé, y entre tanto no se puede arder en más desesperada esperanza, no se puede llegar a más que yo.

Y mi congoja se resuelve en invocarte, en practicar el *Dzikr* con tu nombre. «Nerissa, Nerissa, Nerissa...», repito sin descanso en letanía que me calma. Tu nombre está en mis venas; cuando Zuleija desesperada se abrió la muñeca, la sangre en el suelo escribía gota a gota el nombre de su amante. Cuando Rabí'a de Balj, la primera poetisa islámica de Irán, agonizaba en su cárcel, recién cortadas sus manos por amor, trazó con su sangre su último verso. Cuando a Halladj le amputaron las manos en el suplicio, la hemorragia de sus muñecas escribía en la arena de la plaza: «Allah, Allah.» Si yo también me desangrara formaría tu nombre con mi sangre, como la forman mis labios ahora en los umbrales de la tribulación: «Nerissa, Nerissa, Nerissa...»

12. NUESTROS DIOSES LOS BÚHOS
La torre de las termitas

OCTUBRE, OCTUBRE
Nuestros dioses los búhos

Lunes, 23 de abril de 1962

LUIS

Plan, rataplán, plan, plan, rataplán, plan, plan, rataplán, rataplán, me llenan el oído los tambores, sus destemplados parches, a igual ritmo el arrastre de pisadas, y de pronto el clarín, pero siempre el rataplán, plan, rataplán, y el silencio sagrado de toda una multitud, los alientos en vilo, la gente atónita esperando, lo imaginaba puesto que no veía, yo en la caverna en marcha, bajo el paso procesional, un recinto cercado de paño, escondiendo veinte hombres apretados (veintiuno: yo era el polizón), aplastados bajo el peso del techo, la raspada madera con sus vigas, las *trabajaderas*, el jadeo de veinte galeotes, como en un barco al remo, su sudor concentrado, y el rataplán imponiendo su ley, y de repente el grito de la saeta, allá afuera, en otro mundo, y el paso deteniendo sus patas en el suelo, la *plantá*, veinte suspiros de alivio, el descanso difícil con la espalda doblada, aprovechar para arreglarse la *morcilla* de tela protectora, para cambiar de puesto, afuera la saeta subiendo y bajando en rizos de voz, en espirales de infinito, el cosmos pendiente del afilado canto, y el gemido final y el martillazo de aviso, reanudar la marcha, levantar el paso con crujir de tablas, con quebranto de huesos, y yo dentro, y pies arrastrándose, ¿cuántas horas?, ¿dos o mil?, yo algo bebido y el tiempo no se mide, la esfera del reloj carece de saetas; las saetas por el aire de Sevilla, ¡qué ingenuo juego de palabras! *saetas* y saetas.

Estoy algo bebido, con la mente confusa, pero también me siento desdoblado, hay otro Luis en otro plano lúcido, con ojos diamantinos observándome, calando hasta mis tuétanos, lo sabe todo, yo me dejo caer en el sofá, pero él sigue alerta, en pie, yo su discípulo, me confío, sabe lo que hace, desde que entré en la primera caverna, la del colmado, dicen *colmao*, luego el antro peregrinante, la caverna bajo el paso de la Virgen, ¿cómo llegué allí?, ni ese Luis diamantino lo sospechaba, el destino, caí en sus manos tras el rechazo de Ágata, ahí empezó todo pero no esto, ¿se menea la lámpara del techo?, estoy algo borracho pero consciente, mi memoria confusa pero recuerdos clarísimos, con un cincel en piedra, pues ya no son recuerdos sino carne, conocimiento propio, el nuevo Luis que nace, el rataplán los clava en mi cabeza, mi voluntad los repite, crean mi nuevo yo, el Luis clarividente, que por fin ya se acepta como es, lo que soy, y sólo poco más de un giro de la Tierra desde que crucé Despeñaperros, de la España herreriana a la morisca, otra puertecita inesperada en el corredor oscuro de mi vida.

Pero la verdadera puertecita después, la del pasillo infantil en mi casa, anoche, con tres escalones descendentes como la caverna de Nochevieja, pasando a la trastienda del colmado, allá donde la ciudad se asoma al río, un cuartito interior desnudo y sórdido (pero era la caverna consagrada), bombilla de rojizo filamento (pero antorcha iniciática), tres mesas (altares ¿para una Trinidad?), «aquí pueden aguardar a don Melchor», dijo el tabernero, ¡y no le di importancia!, Guillermo y yo nos sentamos indiferentes, aspirando olores de urinario por una saetera al patio, aunque el vino era espléndido, claro ámbar fragante y un queso serrano prodigioso, yo pensando vagamente en los contactos políticos buscados por Guillermo, de paso se alejaba de Madrid durante las pesquisas tras la manifestación, me tenía todo sin cuidado, yo sólo deseo de escapar a mi vacío, desterrado de Ágata, desengañado del pueblo, desquiciado de mí, más a la deriva que nunca, ¡y me anunciaron al Maestro y no supe estremecerme ante su nombre!, en verdad soy de corcho.

Nada de corcho, un momento, ahora que la lámpara está quieta, es verdad que he tirado una copa al agitar la mano evocando al Maestro, pero el otro Luis lúcido me guía, estoy sereno, en cambio la gente cuando llegamos, ¡qué correteos por la calle perfumada de aire tibio!, a eso le llaman devoción de la Semana Santa, sí, sí, devoción a la vida, «¡a la bulla, a la bulla!» gritó aquella mocita cuando le preguntaron a dónde iba, todo abril en el aire, pensar en el Maestro, meditar en él, concentrarme, no olvidar ni un gesto, ni una palabra, todo es trascendental, fijar esa figura, ese modelo, si cierro los ojos le veo claramente en el fondo de mis párpados, asombroso: ¿pues no me recuerda a Gil Gámez?, no se parece en nada y sin embargo... no se parece en nada.

Don Melchor llegó pronto, ¡Don Melchor!, ¡cuánto he repetido ya ese conjuro!, un mantra, Donmelchor, donmelchor, su sombra tapó la entrada, su estatura le obligó a doblarse, dudó antes de inclinarse, al fin entró primero su sombrero redondo en una mano, luego la otra y el junquillo con puño de oro, después la sólida figura que se irguió en seguida, se aplomó frente a nosotros y nos miró en silencio, sus primeras palabras: «¡hombre, queso de La Zainilla!», cogió un pedazo y continuó, «no lo tiene más que este *Manué* y cuando él se muera dejarán de hacerlo, pero como yo me moriré antes me da igual», luego pensó en nosotros, «usté será Guillermo, ¿eh?», acertó tras de habernos medido a los dos con la mirada, «dispense que haya empezado por el queso», Guillermo me presentó, quiso entrar en materia y acabar pronto, tenía más citas aquella noche, pero Don Melchor imponía su ritmo, las palabras previas, las del tiempo y las agudezas, al parecer triviales pero imprescindibles para medirse con el interlocutor, al cabo abordaron sus cosas, aquel hombre me fascinaba, ¡qué gran señor raído, qué sabio encanallado, qué predicador cínico!, mil cosas cabía llamarle sin acercarse a su verdad, ojos de asceta y labios de sileno, boca golosa para morder amorosamente o para insultar, pero ahora desenredando análisis sociológicos, cuello aristocrático sobre torso campero, viejas manos solidísimas y delicadas, zarpas de terciopelo, dedos largos, hábiles y alerta, era zurdo (memoria de Ágata), cómo paladeaba el vino, aquello no era beber sino libar, cómo saboreaba la vida y llenaba de su gran hospitalidad aquel camaranchón, el Maestro.

Cuando me di cuenta sus palabras me habían envuelto, entre copita y copita, ¡qué filtro prodigioso, transformante!, ya estaba yo instalado en mi destino, interesado por las procesiones, don Melchor era el *cómite* del Mayor Dolor en *Carretería*, no lo entendí bien, capataz o director, dejé partir a Guillermo que no me necesitaba para sus contactos, «cansado ¿eh?», me dijo don Melchor, «pero de todo, claro que de todo», lanzó una bocanada gris contra el techo, fumaba constantemente cigarrillos de una petaca filipina, fina paja trenzada con figuras, «me la regaló un preso», negros emboquillados, «me los lían en casa», me ofreció, siguió hablando, «además, a usted le deja frío, ¿no?, eso de la política de su amigo; a mí también, ¿a qué meterle espuela al mundo?, todo vendrá por su paso, ya se hundirá esto, ya se hundirá todo, pero ¡la gente tiene tanta prisa!».

Comenzó así el *guru*, la iniciación, «¿entonces por qué informa usted a Guillermo?», «me abochorna esta dictadura; no por nada, sino por ramplona, mediocre, aborregada, por no tener ni estilo ni gracia, algo hay que hacer para no ser cómplice de todo», conocía la ciudad en todas sus capas, que Guillermo no se hiciera ilusiones, pocas perspectivas, la moral destruida, los viejos machacados o comprados, los jóvenes ¡qué saben de antes!, pero él sólo era *afisionao*, la única actitud posible, y así me llevó hasta su más honda sentencia de la noche, «lo único serio en esta vida es destruir, así se la domina, lo contrario es amancebarse con ella, pasar por su aro, ser su cómplice», aletearon búhos al oírle, llenaron sus alas aquel cuarto, se replegó, por eso podía paladear la vida con fruición.

Con esas palabras me dormiría, ¡qué sueño tengo!, pero el Luis diamantino me lo impide, recordar nuestro diálogo, Maestro iniciador, lo primero destruir las convenciones, la camisa de fuerza en que he vivido, que respeten ellas lo que soy, «no beba tan de prisa; la vida es a sorbitos como está bien», «deje usted que se posen las palabras», «me gusta dar clase en la Universidad, nunca de catedrático amancebado con lo oficial, más libre de ayudante, solamente las prácticas pero a veces me dejaba D. Isaac, yo siempre *afisionao*, a todo, me pirré por las mujeres toda mi vida, me siguen gustando pero a ellas ahora no, por eso me apetecen los mocitos, mi vocación tardía, con ellos además de gozar se puede ser amigo, con las mujeres nunca, y como alternamos se aprende mejor el arte de Ovidio, ¡qué sabios los griegos orientales!, los persas amigo Luis, no olvide usted a los persas, ¿que por qué se lo cuento?, ¡porque usted me comprende, se ve en el acto!, tanto monta monta tanto don Melchor igual que Plato, nosotros decimos Platón, ¡buena divisa me inventé para buena ganadería!»

Si, ya lo sé, no será eso exactamente, hablaba también de otras cosas, de cómo a los pasos de la procesión no se les pueden poner ruedas, «parecerían ministros en automóvil, no se podría darle su baile a la Virgen, han de llevarlos pies humanos, músculos angustiados, que se rindan veinte hombres en la caída ante la Verónica», me contó su reingreso en la Universidad, aceptó ser repuesto sólo para poder dar una única clase, volvieron a expedientarle para siempre, destruyó la filosofía del derecho con una sola explicación, sobre el absurdo de que la ignorancia de la ley no excusa su cumplimiento, esa monstruosidad, ahí se separan ya la ley y la justicia, se armó el gran escándalo, dijo muchas cosas, pero cuando le recuerdo cantando la destrucción («le hice a todo el tinglado un buen corte de mangas») el rataplán se ahonda, el clarín se refuerza, la puñalada de la saeta en la noche me recorre las venas como escalofrío, y toda mi embriaguez se me disipa, y me pongo a tu altura, Luis *El Lúcido*.

¿Recuerdas?, luego su gente, llenaron la caverna de humo y de espesor humano, algunos ya maduros con aire carcelario, otros adolescentes corrompidos y vírgenes a la vez, aprendiendo a curtirse, a encorambrarse, destinados a un vino purulento, Don Melchor rechazaba los jóvenes piadosos, allí parecía ya de noche cuando apenas la tarde iniciada, pero ¿qué importaba el tiempo?, no tenía sentido, era una hora cualquiera, para golpes de estado y agonías, hora de bombardeos o velatorios, de arrestos policíacos, de transbordo en aeropuerto desconocido, hora de clarividencia y de conjuros para aquella encrucijada de caminos, eché por el de la izquierda, me hice zurdo como Ágata, ¡Dios mío, Ágata!, pero a lo que estoy ahora, a recordar el fuego mientras arde, pensando en don Melchor y sus mozuelos, pues Platón monta tanto y es montado, todos aquellos cuerpos en mi torno, yo superviviente de fusilados en masa, recobrándome del desmayo, palpándome las heridas no mortales, irguiéndome entre cadáveres, entre la risa de Lázaro y el vómito, apoyándome en un vientre hinchado y un cráneo roto, emergiendo a un Luis que es lo que es y quiere serlo.

El Maestro me explicaba, eran los costaleros de su cofradía, los de Carretería, Cristo Faldero, es decir el Santísimo Cristo de la Salud y María Santísima de la Luz en el Misterio de sus tres Necesidades y Nuestra Señora del Mayor Dolor en su Soledad, a las cinco de las tarde saldrían de la Capilla, «la hora de los toros» pensé, lo sacaban de San Cristóbal para la procesión del alba, los costaleros se deshacían el hombro, a veces cofrades penitentes, con Don Melchor gente bronca del muelle o las tabernas, se ganan un dinero, pero van escaseando, vuelven los cofrades, don Melchor era el *cómite*, sí, corrupción de cómitre, dirigía a golpes del martillo en el paso a aquellos galeotes, no era fácil, podía atascarse en las revueltas de las callejuelas, había sitios muy difíciles en Sevilla, el arco del Olvido o la famosa reja saliente de la Costanilla de las Jaranas, y era dificilísimo ejecutar bien la «humillación», inclinar el paso tres veces ante la Dolorosa al encontrarse con ella, o sacar al *Baratillo* de su iglesia, don Melchor insustituible, lo explicaba todo antes de ir a la capilla, allí cerca, junto a la plaza de toros.

No, no estoy algo bebido, lo que estoy es seguro, certeza es lo que tengo, fuerza en mi certidumbre que parece embriaguez, se me sube a la cabeza lo que soy, lo que me he hecho tras la iniciación del Maestro, tras mis experimentos esta noche, mis asomadas a simas diferentes, ahora mido mi cobardía con Ágata, amagar y no dar constantemente, ella y yo temerosos, si me gusta la marcha recibirla, cogerla a manos llenas, atrevernos a ser lo que somos, nuestros dioses los búhos de la noche, dejarse de otras vías, me vendí como esclavo de mentirijillas (sólo porque era más tolerable que dimitir de macho), le conté mi falsa historia de marido encornado por Marga para no confesarle mi impotencia, la que me arrojó al río (porque el cornudo es más normal, la impotencia abunda pero no se menciona, por qué no), jugué con mi masoquismo cuando debí enarbolarlo como bandera, y no digo homosexualismo porque ya lo he aclarado esta noche, no lo deseo, pero sí complemento de Ágata, ¡cómo me atrajo el primer día su seguro paso!, y subrepticiamente el comadreo sobre su masculinidad lesbiana, como si ella viril me dispensara de mi papel de hombre, negándose ella a ser mujer bajo un macho, ¡qué sosiego para mis dudas de ser macho sobre ella!, ¿verdad que es la verdad, Luis diamantino?, será distinto reencarnándome, entonces estaré a su altura, pero aún no, es la verdad, la descubrí por la calle atestada, entre aquella cuadrilla patibularia, ángeles contaminados, la gente se apartaba a nuestro paso, nosotros diferentes, al margen de la ley y las buenas costumbres, verdugos y reos, eunucos y violadores, sacerdotes de la otra procesión, la subterránea, la invisible bajo la tarima del paso, y sin embargo la que mueve a las imágenes, nos temían y nos necesitaban, qué miradas del pueblo, qué carrera de baquetas, entre la gente honrada que fornica al ritmo establecido, que presta a usura y respeta la autoridad, qué dicha sentirme al fin hereje, destructor, nos cruzábamos con nazarenos de capirote, yo me sentía ostentando una coroza, camino de la hoguera, cuán cierto que el suplicio es como un trono, el empalamiento un ascenso a la gloria.

Estoy orgulloso, Luis, recuerda cómo me enfrenté al Cristo en su columna, cuando llegamos a la iglesia, las señoras preparando los pasos para la salida, bullicio de hermanos con varales y cirios, poniéndose los capirotes, ciñéndose las túnicas de cola en terciopelo azul para la Virgen, todos ellos gentes que viven a la luz, nosotros agitadores subterráneos del paso, recuerda cómo miré al pobre Cristo, yo también fui atado a una columna, era de mármol en Aranjuez, yo también he decidido coger la cruz que es mi triunfo, sólo que él es de palo con ojos de vidrio, triste y resignado para siempre según la gubia del imaginero, mientras yo soy de sangre enardecida, le hice visajes para mostrarle que mi cara se movía, la suya no, y no era el regio vino del *colmao*, era la embriaguez de mi reconstrucción, el hallazgo de mi norte, le miré de hito en hito, por encima de sus cirios pobres llamas, mi fuego es el auténtico, recuerda.

Y la entrada a la iglesia, la muchedumbre en la puerta, frotándose sus cuerpos y sus supersticiones, qué alboroto de manos y de sangre, revoleo de faldas, suspiros del sexo y del espíritu, castañuelas de tacones, palabras ardientes simulando oraciones, piropos como jaculatorias, miradas como estoques, calor y olor de cera, dentro nos acercamos a la Virgen, el capiller ordenaba los pliegues del manto, colocaba un pañolín de encaje en las manos de palo, recibimos las últimas instrucciones, «a ver cómo pasáis por la calle Toneleros; es donde nos esperan», ya estaban sacando el Cristo de rodillas como la cofradía del Baratillo, los hombres fueron desapareciendo bajo la Virgen, ella una pirámide hierática con su manto extendido, entre flores y velas y faroles, en la caverna subterránea los costaleros ya instalados, los más altos delante, los más bajos detrás, los *pateros* en los ángulos, el puesto más difícil, «esa esquina delantera estroza el espinazo», me instalé en medio de ellos, no hice caso a sus protestas, las cavernas mi patria, las del Real accesible por mi puertecita, el sotanillo desde donde coleccioné taconeos y pantorrillas, la camilla en casa de las Saralegui, por encima los pechos de Corita con la crucecita colgando entre ellos, los cartones de la lotería, el lunar con pelos de doña Fabiana, por debajo mi mano en el pecado, y la caverna de Mateo en Nochevieja, y otras, y ahora ésta, semoviente, navío subterrestre bajo la planta de una Virgen, plan, rataplán, plan, plan, plan, rataplán, plan, plan.

Los pies unánimes hiriendo el suelo, hasta el mío solidario, moldeado mi paso por los costaleros vecinos, aquel universo crujía, los maderos, los músculos, las respiraciones jadeantes, afuera un gran silencio, los hombres se doblaron al avanzar, casi se acuclillaron, pasábamos la puerta, de repente un clarín, tambores destemplados, un inmenso rugido, aplausos, «¡guapa, guapa!» chilló una voz histérica, se organizaban alrededor, imaginé civiles con el mauser a la funerala, el estandarte, el *simpecado* con la Inmaculada, la música, todos adaptándose a nosotros, éramos el centro, los verdaderos dioses, la Virgen no andaría sin nosotros, la procesión tampoco, creábamos desde la caverna, fuerzas moviendo el mundo, patibularios y ángeles rotos, sudor y esfuerzo, en medio mi vocación tardía, ya no negada sino asumida, mi nueva piel, junto a mí un costalero de excepción, don Melchor me lo había señalado en la taberna, «es un cura privado de licencias por su mala vida, pero afirma que puede consagrar, que la unción no se borra, que si pronuncia las palabras sacramentales Dios se joroba y baja, en cuerpo y sangre, ¿qué le parece esa bárbara fe?», cómo reía la vieja boca faunesca, ya habíamos sacado el paso, el martillo marcó una *plantá*, posaron los costaleros el mundo en tierra, cuando lleguen a la Campana aprovecharán para salir a «echar gasolina», beber un trago en cualquier bar.

También en la Campana salí yo, me emparejé con don Melchor, la calle era otro planeta, las gentes me eran extrañas, «todo está podrido» sentenció el Maestro, «yo también pero a sabiendas, como Salomón, por mi designio, con dignidad, cuando ya no pueda acabo con Melchor y echo el telón», «Salomón es un perro» recordé, ya no me inquieta el sueño, ya sabré su sentido cuando todo esté a punto, eso es lo esencial, echar el telón con dignidad, representar hasta entonces con dignidad, el decidido a destruirse es más fuerte que nadie, volvimos a la caverna, a la mesa camilla, al teatro Real, a mi planeta oscuro, al Luis que soy, al fin regresamos a la iglesia, devolvimos la virgen a sus propietarias, pagaban a los costaleros, alguno envidiaba a los de la Santa Cena, ponen en la mesa comida de verdad y luego ellos se la zampan, un joven se acercó al Maestro, «¿en su casa como otros años, don Melchor?», «eso mismo, Zorito, y que venga el Eva», «descuide, yo respondo, pero no *hase farta*, acude a usté con gusto», qué prodigio de gracia su sonrisa corrompida.

Y aquí estoy, casi como otros años, ¿no he sido siempre de este mundo aunque viniese negándome?, aquí en el corazón de las afueras, protegido por la cancela (otra puertecilla decisiva), el patio un estanque de luna transparente, sin un ciprés pero la luna de la Encarnación y los arcos moriscos tapando el chinesco de Aranjuez, ¿entonces un quiosco árabe?, ¿no fue en China?, concentro mis ojos en la lámpara del techo, quisiera hipnotizarme, así recordaría, estoy tocando la clave, acercándome al secreto de mi vida pasada, fui árabe, maduro poco a poco, al final lo sabré, recordaré.

Y esto no necesito recordarlo, este salón, mobiliario caótico, divanes, mesitas bajas, una cantarera, muchos cuadros, cerámicas, empañados espejos en anchísimos marcos, librerías, espléndido bargueño, aún resuena esa campanilla quieta, la agitó don Melchor, apareció una chiquilla y le besó, «avisa a tu madre», llegó la casera con vino y tapas, «siéntese a gusto, aquí espero a los bárbaros, como un senador romano, la camisa limpia y esperando a Atila, su amigo Guillermo confía en el pueblo, ¡ilusiones!, esto se hunde y al final los bárbaros, los chinos, los marcianos, cualquiera sabe, no fallarán y yo no tengo prisa, pero sí me importa recibirles con dignidad, ésa es la cuestión», su voz melancolía y desdén sentencioso.

El salón a la vista, y casi las sombras que lo poblaban hace un momento, hace un siglo, la cancela chirriando a cada instante, primero el gitano viejo, y el niño con *afisión*, y las dos mocitas, y más hombres, y la casera trayendo bateas y botellas, pelo muy liso, ojos codiciosos y ancha grupa madura, «he avisao a la Conchita pa el baile, don Melchó», el Maestro asiente indiferente, alguien pregunta por Carmela, «bajará si es su gusto, pero en ella no manda nadie y el año pasado no quiso» advierte el Maestro, de pronto brillan sus ojos, ha llegado Eva, el más angélico y más contaminado, sonrisa de cielo y marfil, pelo rizado, andares candongos, botinas, me lo presentan y no sé cómo llamarle, ¿Evaristo?, «¡osú qué feo!, no señor, que mi padre era pastor, vamos, cura inglés, me puso Evangelio, qué le va uno a *hasé*, cosas de la vida», alguien se asombra ante su ceñidísimo pantalón, «¡qué me vas tú a *desí*, si para sacar el billetero tengo que desabrocharme la portañuela!, pero así se llevan», y mira de reojo a don Melchor, le muestra el anca de tres cuartos, hasta que el Maestro le reclama.

Este salón otra caverna, traspasado de guitarras, de taconeos de Conchita, de voces cogiendo el tono, de aire adensándose, «hay que calentar motores» dice alguien, miradas emparejándose, deseos ondulando en el espacio como gasas, jaleadores estallando, palmas y copla, sentencias y recuerdos, un amago de bronca, un gallardo y un achantao, la chiquilla asomando a la puerta su carita de ojos enormes, don Melchor mirándose dignísimo en los ojos de Eva, en su sonrisa resplandeciente y cínica, su mano en la cintura del muchacho, y el nuevo Luis mirándome, tú el diamantino, espirando mis reacciones cuando se sienta junto a mí el del clavel en la oreja, me supone ese mozo los gustos de don Melchor, qué escurridas caderas, qué rostro de retrato florentino, mancebo de Pasolini, en verdad atractivo, Gabriel, le llaman *El Lele*, honradamente me interrogo, si me gustase me iría con él ahora mismo, pero el Luis diamantino mueve la cabeza, no es un veto sino que no es verdad, mi destrucción no es ésta, *El Lele* se retira, antes propone aquel jayán del fondo, su tío, «un macho *mu plantao* y bien *servío*», pero tampoco es eso, no me importa mirar de hito en hito al individuo, sostener su mirada como ante el Cristo, pero tampoco es eso, el Maestro se da cuenta, siempre gran señor atiende al huésped, «acuéstate con Conchita, sabe latín... y arameo», y dicho eso se retira con Eva, su brazo sobre el hombro del adolescente, Ganímedes bajo el ala de Zeus, nadie le da importancia, Conchita se acerca porque ha oído, me mira un momento y se encoge de hombros, a por otro, cante y remolino, humo y palmas, el jayán coge a la casera por la cintura y sale con ella, un corro discute si es más bonito el cuerpo del hombre que el de la mujer, uno empieza a desnudarse, una gitana también, «*por votación*, por *votasión*, esto es una *democrasia*», ya no me importa nada, no hay más que recordar, me instalo en la embriaguez que es de diamante, que es sabiduría...

¡Ah, sí, otra vez el patio!, pureza de la noche, dime luna tu secreto, el de mi vida anterior que tú alumbraste, junto a un ciprés en Arabia, en Granada, en Ispahan, las columnas del patio ondulan levemente como para contestar, o acaso yo vacilo, recuerdo al legendario *Viejo de la Montaña*, drogaba a los suyos con haschisch, la Secta de los Asesinos, pero yo drogado conmigo, con mi nuevo saber de mí, descubro una escalera, ¿subir al piso?, miro arriba: una sombra me detiene, una aparición, cara de porcelana lunar, ojos en dos abismos, no me atrevo, ambos nos miramos quietos, pero ella se me impone, al revés que ante el Cristo, algo me avisa de algo, un rosal a mi alcance, una rosa que arranco a cambio de mi sangre en una espina, la ofrendo desde abajo, cae en sus manos juntas, pero ella no se mueve y retrocedo, vuelvo a la caverna, a la fiesta degenerada, de pronto se me cae encima el sueño, la fatiga trenzada de emociones, recordar ya es difícil, pero ya irrevocable mi diamante, el nuevo eje secreto de mi vida, mi verdad la de siempre, la que negué hasta hoy pero ya acepto, abrazo, trago, bebo, me asimilo.

ÁGATA

Como en las películas. Como en las novelas. Sigue escrupulosamente el *Manual del perfecto seductor*. Un escritor ramplón hubiera imaginado así la escena culminante del melodrama. El conde libertino, para quien no hay secretos en el corazón femenino, y la pobre chica sometida a una escalada de sorpresas, de fascinaciones sensoriales.

Aquella risa de Maribel, tan contagiosa. ¡Qué sentido tan personal del ridículo! Le hacían reír los bigotes de las gambas. En el cine era temible, cuando soltaba la carcajada ante una escena romántica. Algunos alrededor se molestaban, pero muchos acababan riéndose con ella. Era un torrente: «¡Hija, lo siento, no lo puedo remediar!»

Pero yo no he venido en ese estado de ánimo, sino sintiéndome sacerdotisa de Isis, como diría Luis, o de Citere. Sometí a las abluciones mi desnudo, elegí el negro para mi ropa interior –¿no es preceptivo?–, conservé un exterior muy discreto, sin apenas perfume mi maquillaje. Me he vestido de niña cándida por fuera y de vampiresa por dentro. Conscientemente, sí, pero para el sacrificio. No para una sórdida pornografía. La prostituta sagrada. ¡Si me viese Luis!

Cuando se casó Luciana y vino al Colegio, a presumir de marido con dinero. Especulador de la vivienda o algo así. Su abrigo de astrakán: entonces era el uniforme de las señoras; todavía no se había generalizado el visón. Y resultó que el marido era tan gordo como ella, que había engordado aún más. Claro, una vez casada ya no le importaba la línea. ¡Cómo se echó a reír Maribel, en la sala de visitas! Tuvo que salir de allí.

Me imagino su esmero al afeitarse. Una obra de arte, el bigote exactamente recortado; vaya tiralíneas, una raya del tres. Las mejillas muy lisas, muy suaves para la prevista ración de besos. Pensando ya en el perfecto planeamiento: media luz, champán con alegre taponazo y «espuma loca».

Salí tras Maribel. «¿Qué pasa?» Se doblaba riéndose, en los arcos del patio, sin poder hablar. Al fin: «Pero ¿tú te imaginas? ¿Cómo lo harán?» Y venga a reírse. Intenté imaginármelo y me eché a reír. «¡Tropiezan las barrigas, figúrate! ¡Como dos trompos!» Y reía, reía. Se acercaron unas pequeñas que jugaban y rompieron a reír sin saber de qué.

Por supuesto, no me siento invitada como mujer, sino como arpa. Piano, quizá automóvil. Sí, el automóvil da una imagen más moderna. Yo voy de coche, a ser probada por el experto. Difícil arranque (en frío, claro, muy en frío), pero ya se calienta. Pisar el acelerador del placer, probar poquito a poquito la reprise, no forzarla demasiado en el rodaje, cuidado con los tirones en las cuestas. Al final se corona la cota; después ya baja sola. Lágrimas sin importancia, el escape normal. Luego el motor ya recuerda la pisada a fondo y deseará repetirla. Ya está a punto.

Resplandeciente al verme. Hasta ahora no había acabado de creérselo, seguro. Colonia «viril», claro. Y actitud caballerosa. Me conduce al coche: primera sorpresa de la escalada. No es el que lleva a la

Academia, sino un Dodge, de esos que los anuncios llaman «señorial». Me abre la puerta, cierra. Perfecto. Su desenvoltura conduciendo, pasando sin alarde a los demás coches Cuesta de las Perdices arriba. Viendo su seguridad sospecho que su último gesto al salir habrá sido comprobar que no olvida los anticonceptivos.

Aquel chiste que escandalizó a algunas. Lo contó Alberta, a su vuelta de la beca en Filadelfia. El joven que cita a una chica y la recoge en su coche. Para estar seguro del ligue aparca ante un *drugstore* y dice a la otra: «Espérame un momento. Se me ha olvidado coger anticonceptivos.» Si al regresar al coche sigue esperándole la chica, ya está todo claro.

Su falsa naturalidad, como los anuncios de los grandes almacenes. «Vamos a alejarnos un poco porque Madrid se pone muy *desaborío*. Estas fiestas religiosas son un atraso, ¿no cree? No se puede decir por ahí, pero usted es tan comprensiva... ¿Va cómoda? Siéntese a gusto, el coche es grande. Si saco adelante mi proyecto editorial lo cambiaré por un Mercedes, pero mientras tanto éste no está mal. Verá, tomaremos unas copitas en un sitio con ambiente.» ¡Qué exquisito cuidado en no llamarme «niña», ni «Aguedita»; en no mirarme a las rodillas! Verdaderamente, se lo está ganando con el sudor de su frente.

Un Mercedes, claro. No sospecha el Ashton Martin. Ni siquiera el Porsche. No ha llegado a eso. Quizá a Maribel le hubiera dado mucha risa un Mercedes. «Demasiado coche de papá, ¿no crees?»

Ambiente. Bar de carretera, bajísimo de luz, amparo de parejas haciendo manitas, complicidad general. Pero el primer tropiezo: mi ignorancia del baile. Falló la escalada. Con la sorpresa se le escapa un «¡Niña, pues hay que aprender!» ¿Por qué no? Tampoco es difícil, la música más bien para ir lentos y apretaditos (*chic-*

tu-chic, pronuncia él). ¡Qué regordeta su mano! Pero muy correcto. «¿Ve qué fácil? Cuente tres, ahora uno, ya está... ¡Ha nacido usted para el baile!» Una gimnasia. Su mano en mi espalda bajando un poquito. Uno, dos, tres. Qué más da.

«La mano que aprieta.» ¿De qué recuerdo eso? ¡Ah, una película de episodios!, eso que ahora llaman un serial. Después de la guerra, cuando no había películas nuevas. ¡Estaba tan cortada! Cada episodio acababa con la protagonista o el héroe a punto de morir terriblemente. Pero al día siguiente se salvaban de milagro y vuelta a empezar.

Uno, dos, tres. Lo malo es que toca el Uno: pisotón. Lo siento. «No diga eso: estoy en el séptimo cielo.» Uno, dos, tres. Uno. «Así, así, muy bien. ¡Qué intuición para el ritmo! ¡Qué elasticidad!» Se rozan nuestros muslos. Eso sí, elástica sobre todo. ¿Qué gusto le sacarán a esto? Acaba la música. Como el gong que salva al boxeador vacilante. Vuelta al rincón oscuro. Confidencias: continúa la escalada. «Pues yo he sido un bailón toda mi vida. La música, me emociona tanto... ¡Ay, Águeda, soy un sentimental! Ése es mi secreto, pero no lo utilice contra mí. Un sentimental, palabra. Ni ciencia, ni nada. ¡La mujer! ¡El amor! Pero el amor, de verdad. Lo demás...» Barre «lo demás» con un gesto elegante, de escéptico desdén. Un verdadero *blasé*.

Gerta se reía de los sentimentales. Tenía muy clasificados a los hombres: «Los que se te declaran platónicos, o son unos impotentes o unos sinvergüenzas de tomo y lomo. No me fío ni un pelo.» ¡Qué lenguaje más coloquial usaba! «Buenos esclavos, de todos modos.» Eso no me lo dijo hasta el final, cuando ya trataba de alistarme en su bando.

«¿Bailamos otra vez? ¿No? Como usted quiera. Hoy manda usted, Águeda. Bueno, hoy y siempre. Pero tiene que practicar. ¿Verdad que usted y yo vamos a practicar mucho?» Me palmotea la mano encima de la mesa. Pide un whisky, pero no así como así. Un *Vat 69*, precisamente. Casi estallo de risa, cuando se le ocurre pedir para mí un *Cointreau pilé*. «No lo ha probado antes, ¿verdad? Verá cómo le gusta.» ¡Si él supiera!

¿Buen esclavo? «Pídame lo que quiera. Soy su esclavo.» ¿Y si le mando que me lleve a casa en el acto y me deje en paz? Pero eso no es serio. Aquí se viene a la guerra, no a la paz. Se viene a ser acosada y derribada, como las vaquillas en la tienta. Después de todo, no me voy a morir por eso. Y ya es hora.

Otro poco de práctica, ¿por qué no? Incluso *cheek to cheek*, si quiere. Lo inicia prudentemente. Su mejilla lisa no me da frío ni calor. ¿Le hará efecto a las demás? ¿Al ajolote, a la murciélaga? ¿Se dirá murciélaga? Uno, dos, tres. Uno. Ya no se aparta. La música es clemente. No dura demasiado. ¿Para qué? Somos cuatro gatos y la gente prefiere hacer manitas. Don Rafael también, supongo. Es decir, Rafael. Así me ha pedido que le llame. ¿Por qué no, si le hace tan feliz?

Estuve a punto de preguntárselo de golpe, en mitad del baile. «¿Qué es el ajolote?» Pero no se hubiese callado, ¡qué va! Siempre doctoral, con suficiencia. «Un plato mexicano, naturalmente.» Y hasta me explicaría si era muy picante o no.

Todo tan delicado, una tarde entre amigos, no hay motivo de alarma. Ya me considera a punto para seguir la escalada, en ese restaurante de la carretera. Pasamos por delante de regreso. Frena. Se le ocurre de pronto, según dice, no había pensado en ello. Ahí se cena bien, ¿para qué ir hasta Madrid?: «ha venido aquí mucho?», le suelto haciéndome la inocente. Vacila un momento: «Bueno, me lo han recomendado los amigos.» Como no es tonto, vuelve el arma contra mí. No se desconcierta. Ataca en cuanto aparcamos bajo los farolitos de colores en el jardín. Qué crispante la grava. El guardacoches, qué ojeada, me desnuda con ella el sinvergüenza. Tiene gracia: es el primero que disfruta de todas las que vienen. Antes que los que pagan. Sí, contraataca cogiéndome del brazo: «Tiene razón, Águeda; a usted no la voy a engañar. Sí, he venido otras veces, pero eso es el pasado, se lo juro. Estoy deseando cambiar, que una mujer de verdad me transforme... ¡Ay, una mujer que yo me sé...!»

Otro ejemplar en la tipología de Gerta: el incomprendido. «La mayoría de los casados juerguistas pertenecen a esa categoría: su mujer no les comprende.» ¿No era en una comedia de Jardiel Poncela donde eso significa que su mujer les comprende pero que muy bien?

Dentro, ni un alma. Todas las mesas vacías. ¿Entonces, los coches aparcados fuera? A ver qué me dice ahora; a ver por dónde sale. Ya, que en Semana Santa la gente no quiere ser vista, ¡hay tanta hipocresía! Digo que esto es un panteón; deprime, tan vacío. «¿Entonces, subimos?», exclama refrenando el entusiasmo. El *maître*, que simula no conocerle, se aparta con discreción. Ahora el argumento supremo, el do de pecho, *oh casta diva*. «Pero Águeda, ¿no confía usted en mí? Entonces nos vamos, pero parece mentira. Yo soy un caballero.» No lo recita mal. Acepto, ¿no he venido a eso? Cuchichea con el *maître*. «No, hombre, de las completas», le oigo decir. Subo.

¿O bajo? me intriga tanto la duda que tropiezo en la escalera. Azorada la paloma, pensará Rafael: está en el bote. ¿Cómo avanzarán las terneras en el matadero? Sube detrás de mí relamiéndose, mirándome las piernas, las caderas. El culo, por qué no decirlo, si es mío. Bueno, casi suyo. Los camareros también contemplan, valorando la res. «Éste don Rafael, ¡vaya tío!»

También me lo miraba don Gaspar, durante las prácticas de analítica en el laboratorio. El culo. Por encima de las gafas, caídas sobre la nariz. «Agáchate un poco más, que se te ciña el traje, ¡se le van a saltar los ojos!», reía Maribel, que era mi pareja de mesa. Me hacía ponerme colorada y a don Gaspar también, por aquella risa estúpida, sin razón. ¡Pues si supiera el motivo! Tampoco a don Gaspar le debía comprender su mujer.

¿Cómo puede dar tanta escalera un solo piso? Arriba ya no es mi caballeresca escolta, sino mi matador. Va proclamándolo al mundo entero, al universo, al cosmos. ¡Pasen, señores, pasen! Por primera vez en esta plaza será practicado, si el tiempo no lo impide, la desfloración, el desvirguen, desdoncellamiento (¡quién fuera la Celestina para tener más palabras!) de la señorita Águeda Quillán. Esta difícil pieza, que se resistió mucho tiempo, ha sido lograda con gran éxito por el conocido aficionado don Rafael Duque, de Córdoba. Gran éxito.

En la televisión, ¿por qué no darlo? Con una voz en *off*. El valeroso espada brinda mentalmente al respetable en estos momentos, mientras lleva la res a su terreno. Inicia la faena con la selección del menú, dando unos langostinos superiores con vino de su marca. La becerra contempla recelosa el ruedo, cuatro paredes. Tropezó a la subida pero luego entra con buen pie. Tiene trapío, corta de pitones pero afilados, bien de remos, ancha de grupa: todo hace esperar que acabe pidiendo más varas. Luego el espada se pasa al *steak* pimienta de la casa y pide unas banderillas de champagne, pero francés. Ante esa demanda, el *maître* me mira con más respeto: me siento de categoría, de postín. La idea me produce náuseas. «Disculpe, voy un momento al tocador», le digo. Se levanta muy fino. En mi ausencia comentará con el *maître* las cosas de las mujeres. La emoción, los detallitos, el pipí. Está nerviosilla.

No es eso: quiero un gran espejo. Verle la cara a esa mujer. La miro largamente. ¿Quién es? ¿Qué hace ahí? Me pregunta si me pasa algo, la vieja del tocador. Turbia, de mirada babosa, seguro que anduvo en una casa de ésas. Rectifico en el acto: pobrecilla, se gana la vida. ¿Quién soy yo para juzgarla? ¡Habrá visto a tantas pasar por este aro! Pues ésa es la vida del ajolote, la murciélaga, la antropoide y nosotras. «Estoy un poco mareada», le contesto, y se pone cariñosa, comprensiva. Entonces resulta odiosa. Aconseja: «No beba usted mucho, señorita.» Se pasa mejor este trago, supongo, con media chispa que con una entera. La odio aún más porque lo ha captado todo. Todo: mi frialdad. Si sigo en otro planeta fallará el experimento. Debo ir «con ilusión», gozar de la vida, esas cosas. *Se pamer*, más bonito en francés. Agotarlos, como decía Gerta. Pero ¿quién pone ilusión en esa relojería preparada? «Hale, Ágata, Águeda, un esfuercito. ¡Por Dios, mujer, a lo que estamos! A lo mejor apetece la cosa. Anda, Ágata, Águeda, cierra el cerebro abre otros órganos. Los sexuales sí, llámalos por su nombre, no seas tonta. Éste tiene experiencia, a lo mejor acierta con la tecla y a vivir, que son tres días, como dice Tere.» ¡Ah, la propina a la vieja! Odiosa.

Otro escalón: el tuteo. «No me llame de usted, Águeda.» ¡A ver, con lo que está pasando entre nosotros! Ya está embalado: «No me llames de usted, déjame hablarte como te hablo a solas, que no paro, nena, las que me has hecho pasar, qué fatiguitas, penitas negras, mira, yo...» Habla como en las coplas. Lo dará su tierra. Ahora jura que nunca estuvo enamorado antes. Su mujer, un compromiso de familia. Ahora pregunta si tengo calor, si no me estorba esa chaquetita tan mona. Me la quita. ¿Pues no la besa antes de doblarla con cuidado? «Como los curas la estola –dice–, todo lo tuyo, sagrao para mí.»

¿Habrá sido monaguillo o estado en un

seminario? No me extrañaría. Ahora sirven el café y dice que no necesitamos nada más. Es decir, que aquí ya no entra nadie hasta la consumación de los tiempos. O de lo que sea. «Dejadme solo», dice el matador. La hora de la verdad. Al agua, Águeda.

Ahora me habla a la oreja, qué cosquillas. Eso sí, se quita las gafas. «No estés triste, mi amor (su amor soy yo); hoy es noche de alegría.» Lo que ha sufrido, por lo visto, pero ya se acabó. De lo contrario no estaría aquí con él una mocita tan formal. Ahora me pregunta que si quiero un poquirritín a mi Rafaelito. Ahora me dice que vaya piel la de mis brazos, y me los besa. Sube por ellos el bigote, cosquilleando como si fuera un bichito. Le clarea el pelo en la coronilla. Si se lo digo le hago polvo.

Por Dios, olvidarme de Maribel. Bigote-bicho, coronilla-cura: por mucho menos se hubiera ella retorcido de risa. Y no tengo derecho a reírme. No he venido engañada. Un poco de formalidad. ¡Pero es tan difícil aguantar la carcajada!

Ahí va, se desenfrena. Habla a tropezones. Esto debe de ser lo que llaman pasión. «No puedo más, mi vida, déjame en la boca, en esa boquita, no me huyas, nena mía, soy tu Rafael, loco por ti, esto es nuevo para mí, te lo juro, el verdadero amor, mmmmmmmmm.» Le va a dar algo, es un artista, tiene mérito. Yo creí que el beso del hombre sabía distinto. Bueno, más a tabaco negro, pero Gloria lo hacía mejor. Relamía por dentro como rebañando el cucurucho de un helado. Éste más bien empuja, hale, hale. Ahora unos mordisquitos: ¡no querrá que me coma el bigote, qué asco! Antes que eso le muerdo yo. Ahora me mira entusiasmado: deduce que voy calentándome. Bueno, algo me pasa. ¿Será ésta la sensación debida? ¡Vaya, no soy tan fría! Eso me anima un poco. Falta me hace. Me considera ya «en el bote». Esta prueba de confianza que le doy no la olvidará nunca. Responderá, me lo jura, es un caballero. Y, sobre todo, me quiere, me quiere, no puede más. Le creo. Lo de que no puede más. No hace falta que lo diga.

Suspira. Me pregunta por qué estamos tan lejos. El brazo del sillón estorba. ¿Cómo no habrá un diván? Esa falta ya me extrañaba a mí desde el principio. Me pide que me siente ahí, en las rodillitas del nene que me adora, porque soy su muñequita y me va a dormir en sus brazos y me va a llenar de mimos. «Tú me has matado a fatigas pero yo te voy a matar de gusto. Pídeme lo que quieras.» ¿Qué diría si le pidiese que se afeitara el bigote? Pero quiá, debe tener ahí su fuerza, como Sansón. Me levanto de mi silla. ¿Y si echo a correr? Se muere del ridículo. Se le acaba el cartel. Me siento encima. Pinchan las rodillas. Le aplasto las piernas. A lo mejor le aplasto todo. Allá él.

Gloria besaba mejor. He tenido miedo de que resultara igual que Gloria. Cuando subía la escalera. Aquella noche ella también me miraba subir. Y en el *O. K. Corral* también hacían manitas. Y tomé *Cointreau pilé*. ¿Sospecha éste lo de Gloria? ¿Y qué le importa? Estas piernas no son de mujer. Sobre todo, que esto sea distinto. Única oportunidad.

Esa mano en mi rodilla, en mí muslo por debajo de mi falda, sobre la carne más arriba de la media. Un bicho regordete, un sapito, qué grotesco. Le digo que me hace cosquillas, por no decir que me río de él, de su cara, de sus trucos. «Pues verás las que te voy a hacer.» Saca la mano, me desabrocha la blusa, ¿acaso van a interesarle mis pobres pechos? No atina a soltarme el sostén y le ayudo: ¿qué más da? Al fin posee el pezón, su objetivo. La verdad es que me gusta, pero también con Gloria. No sé, quizá ahora un poco más, no estoy segura.

¿Cómo voy a estarlo, si me siento ausente? Aquí

está mi piel, mi boca, mis muslos, mis pechos. Tengo pechos, sí; no están cortados. Por lo menos es un hallazgo. No para de moverse, me va a tirar al suelo. Y sigue la retahíla, entre besos a mis pechos: «Vamos, nena, no te inquietes, vamos a ser muy felices, para siempre, por éstas, con quién mejor que contigo, la más bonita, y qué Academia montaríamos, la mejor de Madrid, lo prometo, pero a qué esperar, somos libres, no me hagas sufrir, ven, te voy a hacer la mujer más dichosa del mundo.»

Va a la otra puerta quitándose la chaqueta; la abre y aparece la alcoba. ¡Claro, por eso no había diván! ¡Qué pantallitas más cursis! Me empuja. Se remueve detrás de mí. ¿Qué hace? Intento volverme pero no me deja. Echa mano a la cremallera de la falda. Se la aparto; por la fuerza, no. Me vuelvo. Quiero ver lo que hace. ¡Qué hábil, se ha quitado ya los pantalones! Le veo un segundo, porque se pega a mí, insiste con la falda, como lo impido trata de quitarme la blusa desabrochada. Y venga de hablar y de hablar, ¡cómo resopla! Sólo fue un segundo, pero vaya estampita. Un slip como braguitas de niño. Azul, ¡la Purísima! Abajo los calcetines cortitos. En medio las piernas cortitas. Cuánto vello en el muslo, las rodillas como nudos, las pantorrillitas muy blancas, de risa. De risa, de risa, de risa. Imposible.

Me echo para atrás, me sigue, me detengo junto a la cama. «Por favor, por favor, no seas mala, no te pongas así.» Soy el gato en lo alto del árbol al que se le habla para que baje. Soy el suicida en la cornisa del edificio y él es el persuasivo cura en la ventana. Habla el cura: «Resígnate, confórmate con este valle de lágrimas, resistirse es pecado, ésta es la ley de Dios, que creó dos sexos.» Habla y habla, de pronto viene corriendo, qué gracioso con sus pantorrillitas de nata y sus muslos de pelambre, parece un injerto por la rodilla. ¡Se postra a mis pies!

¡La carcajada! La culpa es suya, tan grotesco. Corro al lado opuesto de la cama. Se pone rojo, colérico y salta encima. Se hunde su pie en el colchón, rebota, parece un monito. Me muero de risa. Tarzanito de Córdoba, como el Gran Capitán, los conquistadores, no se me corta esta risa, es la de Maribel, ¡ay, que me da algo!

A él sí que le va a dar. Debe estar pálido, pero no le veo: se me saltan las lágrimas. Sólo le oigo: «Por favor, cálmate nena; Dios mío, se ha puesto histérica, ¡éstas tan tímidas!, cállate estúpida, a mí me tenía que pasar, y ya estaba en el bote, no vuelvo con formales, nada, le ha dado el histérico, ni me oye!» (¡Que te crees tú eso, cretino!) Él sí que ya no oye, sigue hablando: «Agua fría, pero quién la suelta, unas bofetadas, nena, perdona, pero es histérico, toma unos cachetitos.»

Cachetes a tu madre, ¡cabrón!, le suelto yo uno con la izquierda que me arde la mano. Casi se cae en la cama. ¡Qué histeria mi qué histeria! Si es que me muero de risa, ¿no lo ves? Que eres ridículo, repulsivo, con tus trucos, tu bigotín, tus manos como sapitos. ¿Subirte encima tú, enano de Velázquez, de barraca de feria? Le doy otro bofetón y se levanta iracundo. Viene contra mí, agresivo. Ignora que Gerta me enseñó la receta contra los gamberros del Soho. Le dejo acercarse. No puede fallarme el golpe: su slip marca el blanco. Y mis rodillas perfectas tienen fuerza.

Se revuelca en la cama lívido de dolor. ¿No quería revolcarse? Ambas manos contra sus cositas, todo encogido, parece sin brazos, pero gusano. Jadea, le cuesta respirar, me asusto un poco. ¡Ah, ya me insulta!, eso va mejor. Puta, bueno, pero no contigo. Me visto, me arreglo mientras tanto. «¿Aviso al salir para que te atiendan?» «No, no», suplica. Teme más por su vanidad que por nada. ¿Se me olvida algo? No. Un poco despeinada, pero puedo pasar.

Los camareros estupefactos; debo de

ser lo nunca visto. Acabo de escaparme de los plomos de Venecia, de Sing-Sing, de Alcatraz. De aquí ninguna sale entera, sin ser pasada por la piedra, como ellos dicen. Pues mira por dónde, Ágata sí. Ágata, Ágata. Ustedes lo pasen bien, tíos alcahuetes, muy señores míos.

No hay taxi. Echo a andar. Otro estupefacto, el guardacoches. «Por Dios, señorita, trece kilómetros. Aguarde y le pido uno por teléfono.» ¿Esperar yo, aquí, ni un instante más? ¡Apártese! ¡Uf! ¡Qué grandiosa, la noche indiferente! ¡Qué pureza sobre tanta porquería! Me alcanzan los faros de los coches, me pasan rápidamente con la rasgadura de sus ruedas, se alejan con sus dos lucecitas rojas. La noche es lo mío: ¡qué maravilla, qué libertad! Lo mío y lo de Luis. ¡Sus ritos, Dios mío, su amorosa delicadeza! Estas lágrimas, ¿de felicidad ante un mundo tan bello? ¡Qué pena que nosotros lo hagamos tan feo! Prefiero ser como soy, diferente, no servir para ese asco de gimnasia. Lo siento por ellas, aunque me quede sola. Mejor mi soledad que tales compañías. ¿Y cómo habrá podido sor Natalia? ¿O hay hombres diferentes? Estas lágrimas, ¿nostalgia de Luis, de sus manos en mi pelo? ¿Exigí demasiado! ¡Pero si él...!

Ese camión de reparto, a la puerta del otro restaurante. Va a arrancar. Se sube a la cabina un hombre viejo. Cincuentón por lo menos. «¿Quiere llevarme?» Me acepta y arrancamos. «Le pagaré lo que sea.» «No se preocupe por eso.» Ahora me da rabia recordarlo todo. ¡Qué vulgaridad, qué plan el mío más imbécil! ¿Cómo pude pensar que resultaría? Estaba loca. Lo de menos es la moral, pero esa zafiedad, esa ramplonería, ¡imposible! He sido estúpida, ¿qué me creía? Pensé que no me vería llevarme el pañuelo a los ojos, pero el hombre me dice que no llore. «No vale la pena. Yo no *sé ná*, ni soy quién, pero la vida es la vida, hija, y llorando no se arregla *ná*.» «La vida es la vida», repite; en eso se condensa toda su filosofía. Calla, es discreto. Temí que me importunara con un sermón. O peor, que me asediara. Me pregunta dónde vivo, cuando nos acercamos a Puerta de Hierro. Se lo digo. Qué casualidad, él tiene que pasar por Bailén, me dejará al ladito.

Seguro que es mentira. Da un rodeo para llevarme. Se lo digo y se encoge de hombros. Me dice que no cavile tanto, que me deje llevar. Su filosofía. Llegamos y frena. No quiere aceptar nada. De ninguna manera, le ofendería. No sé qué hacer. Sonríe: tiene dientes muy blancos para su edad. «Váyase a su casa y duérmase: eso es lo que tiene que hacer.» Le pregunto su nombre. «Gracias, señor Fermín, le recordaré a usted.» «A su edad se olvida pronto.» «A usted no.» Me da las gracias, gravemente, y nos estrechamos las manos. ¡Qué mano la suya tan distinta, qué mano de hombre cabal!

Camino hacia mi estudio. ¿Y ahora qué? Ya está claro: no sirvo, aunque me lo proponga. Muera el ajolote, ¿y ahora qué? Hace pocas semanas aún era Águeda, resignada a morirse solterona dando clases, cada vez menos rebelde. Pero después de Gloria, de Lina, de Luis, de todos; después de haber llegado a ser Ágata, ¿qué? ¿Qué es Ágata? ¿Quién es? ¿A dónde voy? ¿Acaso queda algún sitio?

Quartel de palacio

–¡No desconfíen porque vendo barato! Con mi dinero hago lo que me da la gana. ¡Esto es un peine, esto sí que es un peine! Mejor que el *Hércules*, el *Astra* y el *Minerva*. ¡Y a duro, nada más que a duro...! Pero, señora, no lo compre sin mirar, que yo no vengo aquí a engañarla. Fíjese; lo doblo y no se rompe. Mire: restriego las púas y no saltan. ¡Y cómo suenan! ¿A que eso mismo no lo podemos hacer con esa peina tan bonita que usted lleva? ¿Eh? Pues ahora sí que le dejo llevarse el peine: después de comprobada la calidad... ¡Saldos «Noblejas», para mozas y para viejas! No se peguen que ahora voy... ¿Esos cucharones? A dos duros y en la tienda valen veinte; digo cinco, ¡qué embustero soy! Y esos vasos de uisqui a tres pesetas. ¡A champán sabe el vino, en ese vaso tan fino...! No, si a mí tampoco me gusta el champán, pero como *finolis*... ¡Noblejas, siempre saldando y siempre regalando! A ver usté, señora...

Don Pablo escucha divertido al vendedor callejero instalado tras su tenderete. Ahora, con micrófono y altavoz de batería. Le aleja del pensamiento la penosa impresión de la visita a Ildefonso, que ha tenido una recaída. Empeñado en que cuando se vaya a morir le pongan el colchón en el rincón del almacén donde murió su hijo. «Mi última palabra será para ellos: ¡Cabrones!» «Vamos, Ildefonso, que no está usted para eso.» «Sí, sí; será pronto, se acaba el fuelle. En verano, con buen sol, para que los amigos, volviendo del Civil, se metan a beberse unos tintos con *limoná* a mi memoria... Lo más tarde, en el Octubre de la revolución.» Con Ildefonso y conmigo, piensa Pablo, se acabarán los últimos testigos de otra época en el barrio. Pero es mejor oír al charlatán:

–Higiene, que miro por la higiene, señora. Ahí, ese lavaverduras mejor que electrónico, que hay que ver la de gusanos que nos comemos con la lechuga. Y ese apuralimones perfeccionado, que lo usan hasta en los hospitales... Otro para usté, sí, señora... ¡El derroche de las fábricas de Eibar! ¡Plástico más barato que el americano, más fuerte que el americano, mejor inventado que el americano...! ¿Que en América lo hacen mejor? ¡Por favor, señora, lea usted los periódicos...! ¿Y este Niño Jesús, a peseta, con corona y todo? ¡Una criatura, una peseta! ¿Que el suyo tiene una mancha? Traiga, señora, se lo cambio, que el Niño Jesús no tenía mancha ninguna... ¡Je, tiene usté salero, abuela!, pero de eso sí que tenía el Niño Jesús. Digo yo: si no, no sería niño.

Pablo sigue su camino, evocando aquella otra época, aquellos años veinte en que fue feliz sin saberlo, en la capital provinciana, la ciudad todavía mesocrática, pero a la que ya se le había subido a la cabeza su neutralidad durante la guerra. Los príncipes y los espías en el Palace, los ballets rusos, las fortunas de la especulación y el contrabando de mulas. Ya muchos perdían el sentido de la posición social y creían que poniéndose de puntillas aumentaba su estatura, pero, todavía, ¡qué inocentes los escándalos, qué cándidos los pícaros, qué ingenuas las descocadas, qué barato el vicio, qué modesta la gallofa! Como si los malos jugasen a serlo y los buenos a vivir en el limbo. La felicidad inadvertida. Las comidillas del día: «¿Se ha enterado usted? Anoche en el *Pelikan Kursaal*...» «¡Qué barbaridad!» «Como le digo: ¡una bofetada!» Aspavientos de tragedia grotesca a lo Valle Inclán, en las clases altas; a lo Arniches, en los barrios bajos.

Ante la peletería de la Plaza recuerda una vez más a Vera, su amiguita de *Acuario*. Llevaba el zorro como nadie, y no era nada fácil. A veces dos, cruzados por delante; otras uno solo en torno al cuello o de un hombro a otro, por detrás... ¡Cómo se rieron una vez ante un artículo en *Blanco y Negro* que recomendaba sobre todos los zorros blancos para la hora del té, «la hora del vampirismo por excelencia»...! Sí, otra época, otro mundo.

Pero quedan personajes increíbles. Mientras se sienta a la mesa del café para escribir su crónica recuerda las ideas del marqués ése, transmitidas orgullosamente por don Ramiro. Para ambos, España es el colmo del bienestar. ¿Cómo puede decir nadie que en Andalucía se pasa hambre –argumenta el marqués– si allí todo el mundo canta y las casitas blancas están llenas de flores? Y el gazpacho es un plato exquisito; ¡cuántos países nos lo envidian! El problema no es el hambre, el problema que preocupa al marqués se lo ha explicado a Pablo don Ramiro. Resulta que la gente se marcha de los pueblos y con eso provoca difíciles situaciones. Por ejemplo, en las tierras conquenses del marqués ya no ha encontrado ese año quien siembre cereal. No, lo de menos es el cereal; el marqués no necesita el producto para vivir. Lo malo es que las perdices anidan entre las mieses y, claro, si no hay cereal no hay perdices en otoño, cuando el señor marqués va a cazar con sus amigos. Ése es el verdadero problema del campo español. Don Pablo le escuchaba atónito.

Rogelio le ha traído su cafetito de siempre y Pablo dispone sus cuartillas. La crónica está ya pergeñada; no hay más que ponerse a escribirla. Va a ocuparse del rincón de María, en torno a los famosos siete escalones de Nochevieja, y hay material abundante. El Senado, antiguo convento de Agustinos calzados, cuya elíptica sala de sesiones fue trazada por El Greco para iglesia. El actual cuartel de Sanidad Militar en la calle del Reloj –la de María–, que ocupa el solar del Ministerio de Marina, sucesor de la Biblioteca Nacional y antes palacio de Godoy, construido por Sabatini para el marqués de Grimaldi y ocupado por Murat durante la guerra de la Independencia. Y, sobre todo, en el número siete de esa calle tuvo su taller Francisco Bayeu, con cuya hermana Josefa casó Goya. Allí creó el genio los *Caprichos*, los defendió contra la Inquisición y soñó con la duquesa de Alba.

Embebido en su artículo, no ha visto pasar apresuradamente a Jimena, a cuyo lado va una gitanilla florista. Jimena llevaba días sin saber de Paco, y ni Mateo ni Tere podían darle razón. Mateo temía que se hubiese metido en algún lío: «Con ese genio que tiene y esa mano dura para el trato...» «Hombre, no será tanto», quiso tranquilizar Tere. Pero la gitanilla vino a buscar a Jimena y ésta se preparó para una mala noticia.

La muchacha se va explicando mientras caminan. *El Brijao* –ellos llaman así al Curro– no ha podido venir. Es que... bueno, se dio un golpe. «¡No se asuste usted, señorita! No es nada... No, ningún recado... No habla, ¿sabusté? Me manda mi padre, para que la señorita lo sepa. Está en nuestra casa, en el barrio de Altamira, entre buenos gitanos. Pero, ¡cuidao!, no se puede decir. Parece que su Paco anda huido, no lo sé. Vamos, como si...» Jimena entiende a medias ese mensaje de riesgo y de misterio. Sólo está claro que a Paco le ha pasado algo. ¿Se le puede ver?

Si quiere, sí. La gitana puede conducirla hasta la casa. Jimena mira en su monedero, pero la muchacha la ataja. No, nada de taxi. Han de ir como todo el mundo. Por lo visto allí un taxi llamaría la atención. Jimena se somete, pero le irrita la lentitud del metro. Transbordan en Sol, salen en Atocha y caminan hacia una parada de autobuses en el Paseo de María Cristina. Esperan en la cola. Un joven muy moreno se alinea también. Jimena cae en la cuenta de que es gitano, pero la muchacha no parece reconocerle. Sólo entonces se le ocurre a Jimena que se ha puesto en manos desconocidas, quizá peligrosas. ¿Y si es mentira todo lo referente a Paco? Para su ansia no hay miedo.

Suben al autobús y el mozo también, siempre a distancia. Conversan. La gitana se llama Ostelinda; María, para los *payos*. El nombre de la *Dai-timují*, la Madre Divina. Antes acampaban debajo del puente de Legazpi, pero les echó la autoridad, y vinieron unos señoritos a ofrecerles unas viviendas recién construidas más abajo, hacia Entrevías, camino del basurero grande. Al nuevo barrio le llamaron Altamira: Ostelinda no sabe por qué. Ellos preferían el puente por quedar más cerca del mercado; pero así son las cosas de la vida. Menos mal que por la misma zona viven otros gitanos, en La China y en La Celsa. Pero Altamira está peor situado. Las mujeres pierden más tiempo en subir a Madrid, para sus ocupaciones. Bueno, trabajar no; vender. Muchas cosas: flores, pañitos de labores, objetos y prendas de plástico. Los canastos son cosa de antes. Ahora ya tienen poca salida. Los hombres son chatarreros, y los chicos andan al *randipeo* por el mercado; vamos, a los que encuentran. «Mi gente es muy conocida –dice ufana–, más que los de la China. Nosotros somos Galayos; ellos son Platas», termina desdeñosa.

A través de su pena y de su angustia –un filtro espeso y acolchado– Jimena escucha palabras extrañas y contempla barrios desconocidos. Largas avenidas mal urbanizadas, casuchas pobres, chabolas, retazos de verde en un huerto polvoriento, solares con basuras. De pronto, calles estrechas, como si se hubiera entrado en un pueblo, casas bajas y tiendas de géneros baratos: comestibles, confecciones, muebles de pino. De nuevo una avenida a cuyo final, por fin, se detiene el autobús.

Cruzan un descampado. Ha cesado la llovizna. Avanzan una junto a otra, dejando en medio el sendero, donde el barro es más blando que entre la rala hierba. Jimena siente sus pies mojados. Observa que el gitano joven las sigue de lejos, pero sólo le inquieta el estado de Paco. Se dirigen hacia un grupo de casas bajas muy encaladas, con macetas de claveles y geranios colgando en algunas fachadas. Embocan una calle de tierra, en cuya primera esquina está caída la placa, colgada oblicuamente de un solo clavo: «Altamira Tres.» Varios niños de piernas desnudas y sandalias rotas escudriñan a Jimena. Unas mujeres se asoman a las puertas y dirigen cómplices gestos a la gitanilla.

Ostelinda se acerca a una puerta y la empuja. Penetran en una oscuridad con color a gente hacinada y sudorosa. Un rumor de voces envuelve a Jimena como el bordoneo de un enjambre, pero ella experimenta cierto desdoblamiento. Jimena de verdad es una pura aguja imantada, tensamente atraída hacia Paco. «¿Dónde está? ¿Dónde está?», pregunta constantemente, sin responder a nadie. Otra Jimena, envolviendo a la primera como un manto, percibe confusamente voces de hombre y de mujer, discusiones, explicaciones para prepararla. En vano, pues la Jimena profunda no se entera. Al cabo, una mano rugosa la coge por la muñeca y la aísla del enjambre. Una voz bronca, llena de autoridad, consigue penetrar hasta la Jimena obsesionada, que se encuentra en la puerta abierta a un patio con montones de chatarra. ¿Por qué le duele la muñeca? La aprieta un hombre viejo, de bigote blanco y sombrero echado hacia la nuca. Resalta la gruesa cadena de reloj en un chaleco estrambótico. La voz se impone a Jimena:

–¿Se entera usté? ¡Que no se pué decir a nadie porque le buscan los guardias! ¡Que nos pierde usté a *tós* por darle amparo! ¡Y a él más que a ninguno!

Jimena toca tierra.

–Pero ¿qué ha hecho?

–Lo que hacen los hombres –responde sentencioso.

Jimena tiene la extraña sensación de que ese viejo disfruta del instante. Promete callar y es llevada hasta una construcción al fondo del patio; una casilla para guardar aperos. Mientras avanza, el viejo le explica que si vinieran los guardias a registrar, desde allí mismo y por un agujero disimulado pasarían a Curro, *El Brijao*, a la casa de al lado, donde vive un primo segundo del viejo. «Un hombre muy cabal y muy fijo.»

Paco yace sobre un jergón de paja en el suelo, boca arriba, envuelto en una manta. Junto a su cabeza, un vaso lleno de agua sobre un plato. Jimena cae de rodillas, estallando en lágrimas que le impiden ver. El hombre coloca tras ella una sillita de enea y guiando su hombro la hace sentarse. Explica que Curro no habla. Le encontraron sin sentido unos de Altamira, en el descampado junto a la parada del autobús, y lo llevaron a la casa. Tiene un golpe en la cabeza.

–Pero se pondrá bien. Le ha visto el *Sosimbres* y le ha echao un *jumaso* la *Rují*. Y a más tiene mucha encarnadura ese hombre tuyo. Esos golpes, o matan o sanan.

–¿Y un médico? ¿Y llevárselo a una clínica?

El viejo gitano la mira como a quien ha perdido la razón.

–Eso lo último, mujer. Déjalo estar y que la sangre haga su camino. No le pasa nada. Al principio no abría los ojos y, ya ves, ayer los abrió una vez como mirando. Por eso te hemos avisao... ¡No le muevas! –concluye, al ver que Jimena busca la mano de Paco.

Mano angustiadora, a la vez sudorosa y fría. No logra encontrarle el pulso y la congoja hiela su frente. Pero el pecho de Paco sigue moviéndose. Jimena quiere creer que de su mano a la del hombre se trasfundirá la vida. Con esa esperanza mira a su alrededor: los rugosos ladrillos desnudos de las cuatro paredes, los clavos salientes de donde cuelgan rollos de pleita o herramientas oxidadas, la yacija de paja, la raída manta, el viejo cabezal sin funda –a rayas azules y blancas– donde reposa la nuca de Paco.

–¿Ves? ¿No te lo decía? –exclama el viejo.

El herido ha abierto los ojos. Mira a lo alto. Después los vuelve hacia Jimena. Mueve los labios. Jimena se inclina hacia esa boca, recibe un débil soplo en su oído. ¿Ha dicho «páguela»? Ahora se le entiende algo mejor.

–Pámela... ¿por qué no?

Jimena mira al viejo, pero sólo ve en ese rostro cetrino el orgullo de haber acertado.

–¿Lo ve usté? Ha roto a hablar... Ya os dije que había que traer a su *chaví* –añade dirigiéndose a un torso de gitana vieja asomado a la puerta y que Jimena no había visto hasta entonces.

–¡Qué blanca eres! –musita la voz yacente.

¿Quién es blanca? ¿Quién es Pámela? ¿Un nombre inglés? Jimena siempre lo había leído en las novelas como palabra llana: Pamela. La alegría de oírle hablar se ensombrece de amargura. Pero ¡que viva, que viva!: eso es lo que importa. Y como agradecido, como si la hubiera oído, pronuncia:

–Paloma... Jimena...

¡Cómo se dilata el pecho femenino! Quiere creer que le han infundido vida, sus dedos en la mano viril, a esa muñeca sin pulso. Paco la mira. No es seguro que la reconozca. Al menos, pronunció su nombre. Ahora los ojos vuelven a mirar hacia lo alto. Vagamente, sin enfocar bien.

–De la cuarta, de la cuarta... Telesforo... Ya está.

–Suéltele la mano –sentencia el viejo–. Le hace hablar mucho.

Jimena no comprende, pero obedece. También parecen haber oído los ojos de Paco, que se cierran. Vuelve el silencio al cuartucho, sin más luz que la de la puerta, medio tapada por la gitana; sin más rumor que la respiración catarrosa del viejo; sin más movimiento que los pechos alentado. La gitana se retira abriendo un poco más la puertecilla antes de volverla a cerrar. Un golpe de luz alcanza entonces el lado izquierdo de la cabeza yacente. Jimena sofoca una exclamación de horror.

–La oreja, la oreja.

–Sí, la porra le dio ladeá y le dañó... Pero esa rajilla cierra; no es ná. He visto más sangres que ésa.

Jimena, sin embargo, desfallece ante el cuajarón reseco y la inflamación. Se retuerce las manos desesperada. Le estremece ese hombre inmóvil y vulnerable; ese herido abandonado en el suelo, sin médicos, ni aparatos, ni medicinas. ¿Cómo es posible salvarse de ese modo, casi a la intemperie? Por otra parte, ¿cómo pedir más a esa gente? ¿Qué puede hacer ella? De pronto, recuerda esa palabra que le había chocado.

–¿La porra?

–Bueno –admite el viejo, arrepentido de que se la

haya escapado–. Se lo diré todo. Han matao a un gris detrás del mercado, hace cuatro noches. De una puñalada; le partieron el corazón. Dicen que llegó a sacar la porra, intentó defenderse. Claro que nosotros no sabemos nada, y Curro apareció en el descampao, que queda lejos. El golpe en la oreja, vaya usté a saber. ¡Igual pudo haberse caído del autobús! –concluye con ojillos cómplices.

Jimena vuelve a sentirse como desdoblada. Esas palabras no le importan. «¿Qué hacer, qué hacer?», es lo único que se oye a sí misma la verdadera Jimena, mientras la otra escucha palabras ajenas. ¿Qué hacer? Por de pronto, estar allí. Afortunadamente encargó a Magdalena que llamase al teléfono de Tere para anunciar su almuerzo fuera de casa, con unas compañeras. Podrá quedarse hasta media tarde sin llamar la atención. Pero eso no ayuda en nada a Paco. Tirado ahí, como un animal en el campo... ¿Qué hacer por él? Tendría que estar en un hospital, con sábanas blancas, con enfermeras de cofias verdes poniéndole inyecciones, con médicos estudiando síntomas, adoptando medidas, llevándole a la salud... Jimena mira en torno: el contraste la aplasta. ¿Qué hacer? No se le ocurre nada. ¡Qué tristeza, su inutilidad! Tampoco pueden hacer más estos amigos. ¿Qué hacer?

–Ustedes tendrán gastos –se le ocurre de súbito–. Lo que haga falta, yo...

–Niña, sin faltar –ataja el viejo–. Curro respondió por mi nieta y ahora responderemos acá. Para nosotros, un Galayo más.

Jimena se atreve a tocar esa mano, ahora tibia. Por un instante, siente el pulso. Acaba doliéndole la espalda de estar doblada sobre Paco, desde la sillita, pero no se atreve a moverse. Ese pulso, que se va y vuelve... Se da cuenta de que el viejo salió también. ¿Cuánto tiempo ha pasado? Paco mueve de nuevo los labios, sin abrir los ojos:

–Ahora, ahora... Vas a gozar.

¿Es ella? Es la Pámela? ¿Es otra? Jimena no ignora

que Paco tiene encuentros con mujeres, de vez en cuando. Sufre por ello, pero lo acepta. Por lo visto, es así como es. ¡Que se cure, que salga adelante! ¡Si ella pudiese darle la vida, la suya propia! Pero no se le ocurre nada. Esperar, solamente. ¿Es eso, una mujer, algo esperando siempre?

Chirría la puertecita y se asoma la florista. Trae un canastillo con una fiambrera y una botellita con vino.

–¡No, no! –rechaza con espanto Jimena. ¿Cómo pretenden que coma? ¡Monstruoso!

–Es muy tarde, señorita. No la hemos llamao a almorzar, pero manda el abuelo que tome usté algo.

Jimena se fuerza a comprender que no debe rechazarlo.

–No tenemos ná mejor –se excusa la gitanilla.

Jimena lo agradece y vuelve a quedarse sola, mirando ese canastillo. El «¿qué hacer?» vuelve a su mente, pero ahora como una duda minúscula: no puede comer, pero no es posible dejar de comer. Una tortilla, tres manojos de boquerones fritos, un panecillo, el vino. ¿Qué hacer? No tiene hambre ni sed.

El pecho de Paco se ha hinchado más que antes y de su boca ha brotado un suspiro. Abre los ojos y ella se siente reconocida por su mirada lúcida:

–¿Jimena...? ¿Qué pasa...? ¿Cómo has venido?

Jimena pone el dedo sobre los labios que sonríen, mientras dos lagrimones de alegría crecen en sus ojos. Las dos perlas resbalan y caen sobre la manta raída que se las bebe.

PAPELES DE MIGUEL
La torre de las termitas

11 de septiembre de 1976

¡Mi juventud en esa persiana enrollable, de listoncitos verdes, que levanto y bajo tirando de una cuerda, montándola sobre la barandilla del balcón para que me quite el sol pero no la luz! ¡Hace tanto años! Calle de la Victoria, encima de las taquillas de los toros. Sábados vísperas de corrida: bordoneo de palabras y gritos en la calle; corros de compradores y revendedores. Con la persiana un botijo al fresco, un olor de albahaca, un canto de grillo en su jaulita, aserrando el calor de la noche madrileña. Enfrente, la casa baja que da al pasaje con sus buhardillas a la altura de mi balcón. Dos hermanas asomando en ellas sus caras pícaras, sus gestos provocativos y, a veces, hasta con semidesnudos voluntarios. Vicente Ardura consiguió a la más rubia: ¡cómo presumía! Ernesto, nuestro estudiante de cuarto de medicina, tuvo pronto que practicarle lavados con permanganato. El cuarto de Vicente era un espectáculo poco antes de cenar: allí acudíamos todos los de la pensión, divirtiéndonos con la seriedad exagerada del facultativo y los visajes del paciente.

Otro mundo, recordado para mejor olvidarlo. Adiós también a las memorias de esa época, más resistentes porque pertenecen a mi edad más inconsciente. Se desprenden ahora solas, como hojas de otoño. Me voy desnudando como los árboles; transformando la frondosa opulencia en la austera geometría del ramaje.

¡Qué diferente esta pensión de la de entonces! ¡Qué distinta además de mi proyectado retiro! Esta selva en que me refugio: *Vanaprastha*, sí, pero nada de llanura castellana. Ni atalaya frente al mar, ni soledad de faro. Esta casa de doña Eugenia; este balcón a la parte de atrás, sobre el patio donde almacena sus rollos de cable la fábrica de conductores «*Thor*». ¿Por qué aquí? ¿Y por qué no? Fue anzuelo el nombre de la calle: Bolívar. El Libertador, mi Libertador. Fue pescador el hombre del Rastro que acudió a mi anuncio liquidatorio; el señor Ramón. Un hombre también de persiana verde. ¡Qué lenguaje el suyo, tan plástico y expresivo! Su bigote de sainete, su gorra ladeada, su cigarrillo pegado al labio. Se llevó lo que quedaba. Y vive en esta calle de Bolívar. ¿No era un signo, casi un mandato? Por cierto, en casi un mes ya no le he vuelto a ver. ¿No es extraño? No, es natural. El *Ángel Púrpura* de Sohravardi; otra Jádir de paso, como el que guió también a Ibn Arabí. Y atrás quedó para siempre el barrio de tía Magda, el barrio luego de Isolina. ¡Atrás, atrás!

Esta zona de Legazpi. El matadero y el almacén de frutas. Mugir de reses; olor animal estabulado, llegando hasta aquí según el aire. El pobre Manzanares enriquecido en su cárcel: desde que lo represaron, aguas abajo del Puente de la Princesa, es un poético espejo, captor de nubes y cielo en medio del tráfago industrial. Espejo: metáfora favorita de Rumí. «Cuando te mires al espejo y no veas nada, habrás llegado a ti.»

Dueños de este espacio: los camiones. Enormes, poderosos, avasalladores. Invasores de las calzadas, de los solares, de los aparcamientos, de las puertas de los almacenes. Y sus hombres: jóvenes musculosos llenos de jactancia; hombres maduros cargados de trucos y experiencia. Muchos, un aire de familia con aquel mozo que vi en Doñana hace años. Congéneres suyos. Le llamé Curro; ¡tantos se llaman así por esa tierra! Le vi en el exterior del palacio, junto a la jaula donde incesantemente iba y venía, iba y venía, el meloncillo cautivo. «Curro» estaba sentado en lo alto de la cerca, tallando un palo con una navaja campera, tarareando una coplilla. Pronuncié «buenos días» y gruñó algo. El meloncillo, yendo y viniendo, me miraba con ojos verde oro de felino; pero eran ya ojos tristes, sabios, convencidos de que no podía hacer nada, salvo ir y venir en su jaula sin saber por qué. «¿Dónde se han llevado el mundo –parecía preguntarse–; mi mundo con presas en la noche y hembras en el día?»

El mozo sentado en la cerca como los vaqueros que en el cine contemplan la monta de un bronco. Impasible y alerta. Yo miraba al meloncillo sabiendo que el joven me miraba. De pronto me volví a él y sólo percibí sus dientes. Como si me estuviera mirando con los dientes: incisivos blanquísimos y fuertes. Contrajo los risorios queriendo ofrecerme una sonrisa, pero el resultado fue enseñarme unos caninos lobunos. Imponía. Recordé aquel jornalero de quien cuenta Madariaga que, encontrándose en una plaza de pueblo en espera de trabajo, fue abordado por el aperador de un cortijo para que vendiera su voto a las derechas y entonces replicó despreciativo ante los cinco duros (las relucientes y sólidas monedas de entonces): «En mi hambre mando yo.»

Yo deseaba comunicar con el mozo, pero a su edad

no sabía si tratarle como a un chico, por su juventud, o como a un hombre, por sus dientes y su mirada. Al fin me arranqué: «Oiga...» «Mande usté», contestó en el acto saltando al suelo y quedando frente a mí. Le pregunté el nombre del animal enjaulado por hablar de algo, pues el «mande usté» había sido dejado caer como una barrera.

Hice averiguaciones acerca de aquel muchacho, al que no volví a hablar, ni casi a ver, durante mis tres días de estancia. «¡Ah, sí, *El Terne*! –me aclaró el guarda mayor–. Está aquí por su abuelo, que fue guarda. No hablará usted mucho con él, no. Pero sabe de campo; se crió en el monte... Veremos... Si lo doman en el cuartel, cuando haga la mili, podrá ser guarda.» Me callé, pensando que ni lo dominarían en el cuartel ni querría nunca ser guarda.

Hay un eco de esa elementalidad en este mundo, que exploré antes de adoptarlo para mí. ¿Fue esa fuerza, esa autenticidad popular lo que me ha retenido? No lo sé. No es bello ni sosegado. No es desierto, ni siquiera tranquilo. Sin embargo, logro cierta soledad, aunque no sirva para ser la última. Ramón Llull lo sabía: «Deseó el amigo la soledad, y fue a vivir solo para tener la compañía de su Amado, con el cual está solo entre la gente.» Habito una isla humilde, rozada todavía de espumas ajenas. Aún no soy digno del yermo, donde el solitario se yergue sin ayudas frente a Él. Por ahora, anegarse anónimo en el océano humano, en el seno de la muchedumbre que, sin embargo, me deja solo.

Esta pensión se anunciaba también con un rótulo luminoso facilitado por *Coca-Cola.* Como la de Luis, en la Novela IV. Mejor dicho, en las cuatro novelas, como si fuera el único retorno posible de Luis a sus fuentes. Ya no soy arqueólogo de mí mismo, porque no hay distanciamiento entre novelas y autor. No son ellas mero producto, no son el objeto y yo el suyo. Las novelas me creaban tanto a mí como yo las creaba a ellas; de otro modo no hubieran podido ser reveladoras, como lo han sido estos meses. En todo caso, por el rótulo anclé en la *Pensión Eugenia*. Eugenia, la palentina grandota, morena que fue guapa y ahora aplastada por el cansancio de vivir. Sus dos hijas la explotan; sólo vienen a sacarle dinero. Y ella nos lo saca, bastante razonablemente, a los dos camioneros, que aparecen y desaparecen; al jubilado de los antiguos ferrocarriles del Oeste («a mí, lo de la Renfe, no me hizo tilín nunca, don Miguel»), y a las dos primas mecanógrafas en la *Alcoholera Española*, ahí al lado. Sin contarme a mí, don Miguel, don Miguel: ¡me suena tan extraño! ¿Sobrevive don Miguel?

Mi cubil encalado; mi celda conventual. La del padre Miranda, con su cama de hierro, su pupitre, su reclinatorio, su gran Sagrado Corazón. Fue admitido a ella por primera vez un lejano mayo, en el mes de las Flores a María. El padre Miranda esperaba quizá que Miguelito, aquel niño estudioso, se inclinase poco a poco hacia el ingreso en la Orden. Y le prestaba libros: vidas de niños santos y mártires en tierras lejanas: Corea, Líbano (los maronitas), Japón. La Compañía muy vinculada a Japón, desde que a San Francisco Javier se le cayó al mar un crucifijo en una tempestad y se lo devolvió a la playa un cangrejo. ¿O no era así la historia? ¡Aquellos libritos de la Editorial Herder! Y el rosario todas las noches, antes de bajar a la cena.

Mis libros espirituales: No son los del padre Miranda, aunque están emparentados. La oda de Rumí, en el *Mathnawi*, la de la comunión de los santos: «Oh, tú, que has visto el orto de la Luna desde mi seno y a quien he iluminado con mi Luz. Soy tu Dios, yo estaba enfermo y no acudiste.» ¿No es lo mismo en San Mateo XXV, 43?: «Estuve enfermo, y en la cárcel, y no me visitasteis.» Pero prefiero a los míos. Anoche, la *Mugatt'at* de Hallaj: «Te he escrito, sin escribirte, a Ti; porque he escrito a mi

Espíritu, sin trazar una sola letra... y toda la carta sin letras hace llegar de vuelta, sin ninguna misiva, la respuesta.» Leo y releo esa veintena de volúmenes. Todo lo que queda, con unas cuantas casetes musicales y el aparato para oírlas.

Hallaj, el supremo mártir, tan claro y tan oscuro. Blasfemador y santo. ¡Ah, mis cartas sin respuesta a Nerissa, después de perderla! Cuando mi vivir era pura memoria del Amigo; porque en Llull, «los ojos decían que es mejor ver al Amado que recordarlo, y la memoria repuso que por el recuerdo sube el agua a los ojos y el corazón se inflama de amor». Te escribía a ti, Nerissa, sin saber qué palabras mías te llegaban, porque una cosa se escribe y otra se lee: ¡Pobreza de los mensajes humanos! La última carta no fue la última, y así quedó mejor. Cuando la escribí proyectaba otra, pero entonces sobrevino el Almendro en Llamas. Dejaste de recibirlas, como si yo hubiese muerto. Cuando, en realidad, revivía.

Sólo que revivir no es vivir otra vez, sino volverse a vivir. Me revivo en mis novelas; no analizo. Aquel viejo profesor que se encerraba en un pequeño cuarto sin ventanas, se fumaba un puro y después seguía tendido respirando el aire cargado de humo, volviéndoselo a fumar. ¿Era don Laureano Canseco? Así respiré de nuevo mi vida. Te escribía cartas, Nerissa; las escribía a Él. Es una misma cosa. Por eso me guías y me acompañas, Beatriz del paraíso del silencio. Por eso tus eclipses, a veces Beatriz se adelanta y me deja atrás; al cabo me espera y la alcanzo. ¿Eso fue tu dejarme solo? Hiciste bien. Así nos reuniremos más lejos, cada vez más lejos, más allá de todo, después del después. En el «Oriente» que no está en los mapas: la morada de los orientales de Sohravardi, la gente del *Ishraq*.

Más allá de todo: de la amargura, de la resignación, de la desesperanza, de la felicidad que no ha podido ser y agarrota el corazón con su ausencia y desata las lágrimas con la idea de la hermosura que pudo haberse vivido. Más allá del amor y del odio. «Di, loco, ¿en qué sientes mayor voluntad: en amar o en odiar? –Respondió que en amar, ya que odiaba a fin de poder amar.» Con ese ánimo escribí la Novela IV. Tal como cantaba el loco Llull: Ramón lo Foll, el loco.

En mi pequeña estantería los sufíes resplandecen mejor. Se me saltan a las manos, salvados de toda la ganga que eran los otros libros, escorias de ciencia y técnica. En las desnudas paredes del cuarto repercute mejor la música. El desfallecimiento del Quinteto de Schubert. O, más desnudas todavía: los silencios de su Sonata Póstuma. ¡Cómo los destacaba Miguelito! Cada silencio era un diamante negro, resplandeciendo sobre el verde terciopelo de las notas. ¡Cómo levantó en el aire al público santanderino de la Plaza Porticada con aquella sonata! Su juego pianístico era inexplicable: no había mecanismos. Lograba golpes de ritmo sin romper la melodía. Allí le escuchó Martínez Valdés, de allí salió la beca para un año en Viena, estudiando composición con Werner. Y allí, en Viena, el golpe de suerte: el encuentro con el viejo Karel Jacik, que había sido discípulo de Godowsky. La mejor herencia pianística centroeuropea.

¡Al fin desvelada otra señal del destino! Aclarado por qué me guió aquí el señor Ramón: la *Ciudad Sanitaria Primero de Octubre* quedaba más a mano. El autobús a la vuelta de la esquina. Naturalmente no fue causalidad que el médico me mandase ir allí cuando aumentó mi fatiga respiratoria. Abren a las ocho. ¡Delicioso aire matinal! Primer día; aquel viejo toledano, entrando en todas partes sin quitarse la gorra negra. Sus irresistibles ganas de contar a todo el mundo su historia. Presumiendo de saber mucho de la vida porque es viejo. Lográndolo todo, afirma, a fuerza de amigos. El doctor Castén, sin ir más lejos, su paisano, diciéndole: «Yo te opero gratis si encuentras una cama.» La encontró, ¡no la había de encontrar!

Curioso mundo, la Ciudad Sanitaria. Altísimo termitero lleno de galerías. Dos clases de hormigas: las permanentes y las que entran y salen; a veces muertas. El termitero, como la estatua ardiente del dios Baal, devora por una parte y se deshace por otra de sus víctimas. Pero no son víctimas: la relación entre ambas hormigas resulta un juego. Los pacientes se sientan, son de pronto absorbidos por una puerta, emergen al rato con cara extraña, se intercambian cuitas o esperanzas y sobre todo se sientan, se sientan. Mientras espero, recuerdo: hoy tres años justos del Presidente Allende avanzando hacia sus asesinos. Las termitas permanentes van y vienen, diferenciadas por la protección verde o blanca de sus batas, sobrenadando gracias a sus zuecos de trabajo, coturnos de actores trágicos. Unos y otros se entrecruzan, se tocan pero no conviven. Dos mundos interpenetrados. Paralelamente a los corredores públicos están los caminos secretos desde donde emergen los médicos o las enfermeras, desde donde se gobiernan los aparatos y los fármacos. Como los corredores para la servidumbre que, en el palacio imperial de Schönbrun, permiten desde la oscuridad alimentar las enormes estufas de porcelana en el gran salón donde canta la diva. Sólo que aquí la red secreta es más poderosa que la pública; aunque los médicos, más que salvadores, sean en el fondo oficiantes del secreto, iniciadores en el misterio, preparadores para la muerte. ¡El misterio! Absoluta Claridad Que Ciega. Absoluta Ceguera Que Ilumina.

El médico se ha interesado por mí más que por mi caso. Es curioso que yo sienta mi pulmón mientras el riesgo está en el corazón; el tuyo, Nerissa. Ciertamente es curioso todo. Me trata indefiniblemente: mezcla de ternura y rutina. «Estoy yo más preocupado que usted mismo», me ha dicho. No sabe que yo vivo ya en otro espacio, que he logrado morir antes de morir. Conmigo no necesita asombrarse de cómo se engañan los pobres humanos para no advertir que se acaban.

Lo malo es que me canso. Los paseos se reducen casi a los alrededores. ¡Qué curioso ese triángulo acotado por la calle Guillermo de Osma contra el vértice del Paseo de las Delicias y la Chopera! Siete calles y una glorieta. Cuatro nombres de santos, dos de desconocidos y luego dos placas inesperadas: la calle de «Voluntarios Macabeles» (¡qué tribu sería ésa!) y la de «Alejandro Saint-Aubin», el interesante personaje de principios de siglo, artista y pariente de Canalejas.

Sentado en la plaza mientras el crepúsculo empieza a mostrarse otoñal, me baño en elementalidad humana. Estamos apretados en los veladores (nadie usa ahora esa palabra, sino mesa), la acera es estrecha para los transeúntes, pero un espacio vacío me envuelve, una flotación me levanta. Los pobres comercios florecen en la calle: puestos de pipas, vendedor de revistas viejas, de pósters, mujer con flores artificiales. Echo de menos los globos y también los molinillos de viento, cuadrados de papel incididos por las diagonales casi hasta el centro y clavadas luego las puntas en un palo con un alfiler para que puedan girar. Curioso, cómo hace falta la atadura para el vuelo. Oigo vagamente los tranvías. Es decir, los autobuses. ¿O son los tranvías? Para mí lo son porque estoy y no estoy. De repente, un roce en mi pierna: ¡Bast! Maúlla mirándome y se aleja.

Pasa el autobús de la Ciudad Sanitaria. La aventura de anteayer. El hombre que subió en él casi al mismo tiempo que yo, en la parada del sanatorio. Estuvimos sentados enfrente durante el trayecto. ¿Por qué me interesaba si no tenía nada de particular? Cincuenta años, pelo escaso, traje modesto, sin corbata, manos de trabajo manual. Me interesó su cara de campesino castellano, un poco alargada y con ojos profundamente tranquilos. No debiera decir «profundamente tranquilos». No debiera decir «profundamente» porque la profundidad no se advertía. Eran sólo tranquilos, aplomados. La hondura hube de adivinarla. Y entonces la aventura: salir al mismo tiempo hasta casi tropezarnos en la puerta. Sonrisas de excusa mutua. Caminar paralelamente por la acera. Ya mi sonrisa interior porque doblamos la misma esquina. El colmo: juntos ante el mismo portal. Por si fuera poco, en el ascensor, al mismo piso. La risa ya: «¿Vive usted en la pensión?» «No, soy el primo de Eugenia. Vivo en la Ciudad Sanitaria, de donde usted viene. Soy allí portero y me dan casa en todo lo alto, en el último piso de la torre.»

Me traen la consumición. ¿No será más bien la consumación? Para la gente se trata de consumir; ignoran que vivir es consumar: llevar a cabo totalmente una cosa. Consumir es lo contrario: destruir, aniquilar, afligir, derrocar. Este aire contaminado de barrio industrial (pese al polvo, al ruido de pisadas, de rodaje, de motores) me envuelve convertido en un cristal diamantino. Su agitación está parada y yo, quieto, vuelo como la luz. Tanto que se nubla todo. Es otro vuelo, como a veces. ¡Sorpresa! En ese momento pasa el señor Ramón. No lo invento: me reconoce y me saluda al pasar. Ha hecho un gesto con la mano. Si no me sintiera tan cansado, iría a darle las gracias por haberme acercado al Final. Hacia el *Primero de Octubre*, hacia Nerissa, hacia Él.

13. AMANECER VIRIL DE LA ODALISCA

Ascensión a mendigo

OCTUBRE, OCTUBRE
Amanecer viril de la odalisca

Jueves, 10 de mayo de 1962

Luis

Jazmines incansables, cirios de perfume ardiendo en amor para este patio, tres paredes, cuatro columnas, cancela, círculo de macetas en flor, jazminero, inolvidable todo aunque no pertenezca a mi vida sino a otra fuera del tiempo, quince días desdoblado de mí, viéndome desde fuera y a la vez (¿cómo es posible?), viviéndome desaforadamente, desollado por dentro, este patio, esta mecedora, este botijo de La Rambla, «búcaro» le llama ella, de arcilla nívea, siempre rezumante y fresco, estos días tan ajenos y tan míos, ahora el destino los concluye, todo volcán descansa, toda lava se apaga, marcharme antes de que se trivialice, ella empieza a cansarse, y Ágata me espera aunque lo ignore, de lo contrario nada se explicaría, pero antes de partir ver a Carmela, decirle adiós, los jazmines evocan el nardo, y pienso en su cuerpo enardecido por el deseo, eso es Carmela para el sentido que olfatea: suave sudor y nardo, mezcla voluptuosa.

¡Ay!, la vi desde este patio la primera noche, sólo un rostro de porcelana lunar en lo alto de la escalera, unas manos recibiendo mi rosa, ya en mi piel ni rastro de la espina, otras huellas invisibles me han quedado, imborrables en mi carne, al día siguiente volví a encontrarla, al despertar en el diván del salón, ella contemplándome burlona, de pie a mi lado, la miré a mi vez de arriba abajo, «¿qué? ¿me has visto ya bien, mi alma?, ¡vaya sueñecito!», la reconocí en el acto, ya no abismos sus ojos sino dos iris verdes, pregunté la hora, ¿las ocho de la tarde?, ¿era posible?, en mi vida había dormido tanto, me esforcé en despejarme y ella contemplándome, delgada, traje verde muy liso ceñido hasta la cadera, allí arrancando unos pliegues, ¡las ocho de la tarde!, ¿qué habría hecho Guillermo?, alcancé un teléfono, pedí permiso a la mujer, «usted lo tiene», estoy viendo su mirada, burlona e intrigada, Guillermo había dejado el hotel a mediodía, su único recado para mí que se volvía a Madrid en el tren de las nueve, imposible alcanzarle, sus piernas también delgadas, sin medias, zapatos negros de tacón, volví a sus pequeños pechos arrogantes, su pelo con moño como el de Ágata pero fieramente negro, a un lado una peinetilla verde, un jazmín prendido en ella, brazos desnudos finos y carnales, apenas maquillaje, sin esmalte las uñas, ¡las ocho de la noche!, ¿qué hacer?, estábamos solos en el vasto salón, ¿dónde las figuras de la juerga?, ¿las furias y los débiles?, pregunté por don Melchor, gesto de hombros en Carmela, ¡qué expresivos siempre!, habla con ellos, «con el Eva en su cuarto, a mediodía me pidieron jamón y vino, ahí dentro siguen», entonces fue cuando llamé por teléfono al hotel, no antes, «¿te ha dao la espantá el tal Guillermo?», «un amigo, no vaya usted a pensar», «¡huy, de usted, qué fino! y no me figuro nada, además ya te vi anoche, ni con el Lele ni con su papaíto, mal rayo les parta, ni con la Conchita que tiene mucho gancho», «¡pero si tú no estabas!», «¡vaya que si estaba!: ahí», señaló a lo alto su barbilla, un lucernario cerca del techo, «me divertía mirándoles a todos ustedes, por eso me asomé a la escalera cuando te vi salir, me hacías cavilar, ¿qué pájaro será ése?..., ¿qué hacer, dices?, ¡no te preocupes, hombre!, pues comer: ven», y la cocina, un naranjo metiéndose por la ventana con su azahar, filtrando el sol declinante, el perfume serrano del jamón de Aracena, el pan de hogaza, el café, me sentí reconfortado, «¿a que ya no tienes tanta prisa?, anda vamos a sentarnos un ratito en el patio, ya se ha refrescado, dame conversación, una mijita, esta noche no tengo el cuerpo para salir», y se sentó en esta mecedora, aquí donde ahora la espero.

¿Qué pájaro eres, Luis?, ¿quién soy yo?, me lo ha preguntado muchas veces, me lo ha explicado otras, más lo he pensado yo, en cualquier caso diferente, cambiado tras estos días de ejercicios espirituales en un harem, encerrado como una odalisca, extrañamente sultán al mismo tiempo, esperándola siempre, ese oficio tan femenino de esperar, sin saber de qué humor regresaría, a veces avanzada la noche y ya dormido despertándome el taxi, sus cambios de marcha para dar la vuelta, la giratoria ráfaga de los faros, escuchar entonces su pisada por la escalera, pesada las noches de mal vino, ligera cuando había enganchado a uno generoso, ¿quién soy?, sigo desconociéndome pero cada vez más cerca del quiosco, no chinesco sino árabe, aún no atisbo dónde viví antes, pero me he sentido odalisca en este harem, mundo como la Alhambra, Torre de la Cautiva entre la del Cadí y la de las Infantas, con su ajimez sobre el foso exterior, la sensación de encierro, de esperar, de ser poseído aunque poseedor, mejor poseyente, ¿habré sido mujer en mi otra vida?, he obrado como ellas, forzando a Carmela a que me forzara, para hacerla responsable como ellas hacen al hombre, aquel carnaval en Tánger, de pareja infantil con Losette, yo de sultán y ella de sultana, «¡pero soy yo quien lleva pantalones!» argumentó cuando disputamos sobre no sé qué, «tú llevas faldas», mi túnica oriental, ese traje invierte el nuestro en relación al sexo, ¡cuántas cosas a flote en el removido pozo de mi memoria!, mi fetichismo por la ropa de tía Hélène, huroneando en su armario a escondidas, le robé un liguero, mi «cilicio», miedo a que me lo descubrieran bajo mis primeros pantalones largos, se mezclaba con los temores religiosos, todavía me dejaba culpable la masturbación, además era un círculo mágico en torno a mi cuerpo, me protegía ¿contra qué?, ¿quizá contra el sexo?, ahora lo veo como un cinturón de castidad, ni yo mismo lo sabía, pero es que ahora soy otro, estos días no han transcurrido en vano, acercándome a Ágata por los más impensados caminos, ¡cuánta más imaginación tiene la vida que los planes!

Días dorados y días con nubarrones, el día en que lloró, su dolor para cuando sea vieja, cuando muera don Melchor, se echará al río, y de pronto sus cambios rápidos, su gesto de cabeza sacudiendo atrás su pelo, su «¡venga nene, a lo que estamos, a darme gusto!» o el tranquilo «tengo que lavarme la cabeza», ya te lo contaré, Ágata, se la he lavado yo, sí, no me avergüenza, al contrario, era servirte por delegación, hasta te confesaré que su pelo es su mayor riqueza, todo Baudelaire insuficiente para tanto ébano compacto, desflecándose entre mis dedos, resbalando como un líquido, ¡negra bandera de seda, cómo la tremola ella!, con esa mata se acaricia los hombros, pone marco a su cara, cosquillea sus pechos, ¿qué importa?, tú eres incomparable, y debemos estar agradecidos a Carmela, puente hacia ti como el que pasaste vendados los ojos, para llegar al chinesco de Aranjuez, ¿recuerdas?, también yo a ciegas, todavía a tientas pero avanzando, no podrás ofenderte cuando te lo cuente, Carmela ha sido muchas cosas estos días pero nunca tú, ¿creerás que también he afeitado sus piernas?, no tiene tu piel tan suave, hemos sido lo más variado, habrás de comprenderlo, a veces compañeras de burdel, haciéndonos confidencias lo mismo, a ratos como niños, ¡hasta me he aburrido jugando al parchís que a ella le encanta!, hay que ser inocente para la pasión, porque también hemos sido amantes, ya te lo contaré, por eso puente.

Puente hacia ti y hacia el pasado, pero incompleto aún, ¿habré sido mujer?, como cuando me puse sus medias, curioseando en su cuarto las encontré, de red con costura, hasta la cintura, se me vinieron a las manos, inapelablemente, enviadas por ti y las acepté, fue a la mañana siguiente, «ahora ya puedo ponérmelas» pensé mientras empezaba a calzarme el pie derecho, la retícula se iba deslizando sobre mi pierna, me senté en la cama, ramalazo de orgullo por aquella proeza, posible tras la explosión de la víspera, la noche bajo Carmela y con Carmela, ¡cómo recuerdo ahora mis gestos en este pozo de jazmines!, hube de bajar de nuevo la media para poder enfilar el otro pie, al fin alcanzaron mi cintura, «¡Ágata, ya soy tuyo!», ser de Carmela era ser de Ágata, cazado en aquella red, tuyo ese medio cuerpo, el que se me resiste, tuyo mi sexo cautivo, me contemplé en la luna del armario, ¡qué asombro mis piernas bonitas!, al moverme cada malla acariciaba la piel, recordé centauros, faunos, sirenas, todos los seres híbridos de los mitos, excitación voluptuosa, imaginé una malla sobre todo el cuerpo, hacer el amor con sólo el sexo libre, volví a tenderme en la cama, ¡cómo destacaban los rombos negros sobre la piel!, manchas de pantera, acaricié mis piernas como si fuesen ajenas.

Podía permitírmelo, mi primera

mañana viril en tanto tiempo, tras la noche decisiva y consumada, me había despertado descubriendo mi cuerpo desnudo sobre la cama, el aire caldeándose poco a poco sobre mi piel, la madera de la persiana oliendo a campo al herirla el sol, como la caseta de la playa de Tánger, la luz llevándose las brasas de mi noche, mis ojos viendo mi sexo que había sido penetrante, a Carmela se lo debemos, la tuve intrigada, «con que ni el Lele ni su papaíto ni la Conchi, ¡bien cabreada contigo se marchó!, la enganchó luego un pelmazo, no me acostaba yo con ése ni por una promesa a la Macarena, pero ¿de qué carne entonces estás tú hecho?», aún me suenan esas palabras dichas aquí, como si este patio las conservara, yo dándole conversación y de pronto esa andanada, no me dejaba marchar, «¿te vas a ir?, ¿entonces a qué viniste?, ¿a dejarme con la comezón?, que parece que te han contao el flaco de Carmela, ¡la curiosidad, hijo!, no paro hasta saber, y luego que no eres feo, ¿no comprendes que me está entrando un caprichillo por ti?», debí mirarla atónito, «¿tanto te asombra?, no te arremontes mucho que no es un querer, ya te lo digo, puritita curiosidad, un capricho», noches después seguía intrigada, pero de otro modo, «¿qué eres tú?, ¡mira que yo he visto cosas y no te calo!, me he acostado con curas y con mujeres y hasta en cama redonda con machos y maricas, pero tú eres otra cosa, igual hablamos de trapos que follamos, igual quieres marcha que me das gusto, igual eres de bueno como el agua del búcaro en la calor o resultas más esaborío que un candil sin mecha, ¿quién eres tú?», «¿acaso lo sé yo, Carmela?» (pero lo voy sabiendo).

Como en un harem, este ala de la casa como un serrallo, al principio me pregunté si habría sido un convento, luego supe que la casa de niñas de más postín en Sevilla, abajo la orgía y el lujo, aquí las celdas de las profesas, como un harem, el pasillo estrecho, la fila de puertas a varias habitaciones casi vacías, en alguna trastos como en desván, me di una ducha rodeado de azulejos antiguos, grifería de latón, volví a la alcoba, la puse un poco en orden, ¡qué pereza vestirme!, curiosidad por husmear la ignorada vida de Carmela, armario con pocos vestidos, uno rojo de volantes con lunares blancos, batitas de percal, ropa interior provocativa, un traje de hombre a su medida, de chaquetilla, supuse que para un número de baile, una Virgen del Rocío en la pared, la Blanca Paloma, ¿por qué recordé al instante al Paco de Jimena e inventé que Carmela pudiera ser su hermana?, ¡qué sofoco de gusto haberme acostado con esa «hermana»!, odioso ese mozo tan seguro, seguí con el inventario, enternecedoras chucherías en la cómoda, chismes de tocador, joyerito granadino de incrustaciones con unas alhajitas, debajo unos billetes, no estaba bien tanta pesquisa, una gran caja de lata (*Galletas Romeu. Camprodón*, ¿por qué se recuerdan tales cosas?) con viejas fotografías, Carmela niñita junto a una vieja ante una pobre puerta, Carmela joven con un crío en brazos, Carmela de volantes en un tablao... y al fondo del cajón un osito de felpa, tuerto de un ojo de botón de bota, y unos usados zapatitos de niño, cerré sin tocarlos, pobre mujer, en el cajón de encima encontré las medias de red, llegaron a ceñirme como tú deseabas, Ágata.

Cierro los ojos, me invaden los jazmines, encienden otra vez aquella noche, *prima noctis*, ejerció en mí la pernada, yo tratando de marcharme, se impacientaba, «¿qué necesitas que te digan?», golpeaba el suelo con la punta del zapato, el leve ruidito se unió al de un moscardón zumbando entre las columnas, su voz fue impersonal, «¿es que no te gusto?», el «¡sí!» me salió del ansia, yo también curioso, pero trágicamente, de mí mismo, «¡por fin!», si ella hubiera podido saber lo de Marga, aunque de alguna manera lo intuía, «¿mucho mucho?» (claro que lo sabía, tenía que saberlo), «pero no te arrancas, ¡nene, no me tientes!, ¡eso es lo que me provoca: los toritos reservones!, a mí no me dejas en el albis, y a ti te sacudo yo y das lo que sea, bellotas o moscatel, pero te vacío, te vuelvo por el forro, ¡tú no conoces a Carmela!, puedo escalabrarte de un cantazo, de niña guardé cabras en mi pueblo, las guiaba tirándoles chinas, a veces hasta por debajo de la pierna, así, mira, *osú*, con este vestido no puedo», hablaba para meterme en vereda, llevarme a su terreno, «qué bien se está aquí ¿verdad?, con la mareílla del río», recuerdo su silencio entonces, como éste de ahora, el aire invitando a nuestra piel a abrirse como una flor, a que flotáramos en él como medusas, serenidad perfecta si mi corazón no estuviese al galope, pajarito en la mano de un niño, la mano de Carmela, ¿qué iba a hacer de mí?, «anda, dime cositas, hazme la rueda como a las mocitas formales», sabía sosegar al pajarito asustado y excitado a la vez, la charla una lumbre tranquila, sólo sus ojos escrutadores, pero ya la noche los había hecho abismos, los jazmines envolviéndonos, empezaron a encenderse las estrellas, me pidió un cigarrillo, «¿no? ¿ni fumar siquiera?, anda, en el vasar de la cocina hay siempre, traémelos, y los mixtos»..., «qué buenísimo eres», me premió a mi regreso, «¿tú qué sabes?» pregunté mientras le daba lumbre, la luciérnaga roja iluminó su cara, la boca un gesto vicioso en torno al tubito blanco, volvió a contestarme sólo con los hombros, dio unas chupadas pensativa, su voz se desgarró de pronto, «para que lo sepas de una vez: soy tormentosa. Tormentosa, ¿entiendes malage?, y ya está bien de palique, vámonos», me estremecí bajo su latigazo, me sentí desafiante: «¿y si yo soy impotente, precisamente porque me gustas?», soltó la carcajada, «¿impotente conmigo?, ¿con lo corrida que soy yo? Vamos, tira esto en aquel tiesto vacío, ¿conmigo?, vamos a verlo» y aplastó el cigarrillo en la palma de mi mano, dejé caer la colilla, la recogí y obedecí su orden, me escocía la quemadura como una espuela clavada.

Me esperaba en el segundo escalón, ese mismo, me recuerdo acercándome, mis ojos a la altura de su pecho, su olor de mujer venciendo a los aromas nocturnos, su voz susurrante perforando mis oídos, «con que te gusta la marcha, pues te la voy a dar, arrea», empezó a subir, de pronto un relámpago en mi pensamiento, las escaleras eran hacia arriba, la nueva caverna estaba en lo alto, como la tuya, Ágata, tu estudio, qué impulso me dio la idea, la seguí hipnotizado por la tabla lisa de sus riñones, entre las caderas que zarandeaban los pliegues de la falda, pasé junto al rosal de la víspera, llegamos a lo alto, hacia una puerta, hablaba mientras tanto, «cuando don Melchor heredó esta casa echó a todas menos a mí, su último capricho en mujer, ahora le da por lo otro y a mí me da por los tíos malage como tú, me deja vivir aquí con tal de que no traiga a nadie, no me falta de nada, vete a saber, a lo mejor aún le dice algo mi persona», un ruido de pasos nos detuvo, presenciamos desde arriba la despedida del Eva besando a un don Melchor en pijama, el joven se marchó, el Maestro miró hacia nuestra torre, «no nos ve, no lleva las gafas», susurró Carmela, pegando a mi cuerpo la firmeza rotunda del suyo, don Melchor bajó la cabeza pensativo, cruzó el patio hasta el jazminero, aspiró profundamente, arrancó una de aquellas estrellitas sensuales, se la puso en la oreja, se irguió poderoso como cuando entró en aquella taberna con un junquillo en la mano, parece que han pasado años, Carmela sofocó la risa, «¡digo, mira el viejo gallo cómo se compone la dignidá!», y con dignidad volvió a entrar don Melchor en la casa.

La nueva caverna, la de lo alto como la tuya, la que me esperaba con la cama y las medias, con la pantallita rosa en la cabecera y las sombras enormes…, ¡no la olvidaré nunca!, entré de la mano de Carmela, «mira que me empeño en lo más raro, mira que darme por ti, *esaborío*, y a ti ¿por qué te da, nene?, por *ná*, ya lo veo, pues o te da esta noche por mí o te doy yo más que a una estera, ¡pero achúchame, hombre!», en mis brazos su talle duro y flexible, comprendí entonces la palabra «juncal», acercó su boca, creció su olor, me penetró su lengua, pero nada, se soltó, sus ojos insultantes, sentí amagar la bofetada pero sólo me cayó encima el desprecio: «Te habrás derrengao del esfuerzo, ¿no?, pero ¿eso es besar, maldita sea?, ¡te voy a tener que matar!, ¿no eres hombre o qué?»

Su mano buscó la respuesta en mi entrepierna, me sentí animal en feria sobado por el tratante, «habrás estao alguna vez con mujeres, digo», asentí en silencio, ¿cómo iba a comprender ella que yo sólo era hombre cuando no me importaban?, ¿qué cuando amé, como a Marga, me fue imposible?, ¿que por eso tiemblo ante ti, Ágata?, por mi expresión intuyó algo, de sus ojos desapareció el desprecio, se volvieron profundos y pensativos, océanos color esperanza.

«¡Qué cabreada me tenía yo que poner, pero no lo estoy!, no sé qué me das, condenao, no sé si es capricho o amor propio, de mi cama no se escapa nadie así, ¡serías el primero!... ¿de veras no te camelo, no te encandilo?», «quien te entienda que te compre», suspiró y siguió hurgando, «¿qué te gusta de mí?», «todo», contesté, «¡qué pelo prodigioso!», se me acercó sonriendo, gachona, «anda, suéltamelo, te lo presto», obedecí, aroma intoxicante del oleaje negro, dejé el jazmín de la peinetilla sobre la cómoda, junto a la estampa de la Virgen, «tíralo, hay muchos abajo», «¿me dejas guardarlo?», supliqué, «no seas lila, si tanto te gusta, a comértelo ahora mismo», en el acto la flor sobre mi lengua, su pulpa amarga entre mis dientes, su perfume garganta abajo, ella sonreía diciéndose: «Mira tú, Carmela, si todavía va a tener corasón el nene.»

Me quitó la chaqueta, sus manos me apretaron la cintura, me habló reconcentradamente, «ahora un beso, ¡pero de verdad, maldita sea!, si es como el de antes te esbarato a zapatazos», me miró la boca, me adivinó el encogimiento íntimo, vio que el caballo tampoco daría el salto, se encorajinó, zarandeó, «¡ladrón, si no besarás mientras no tengas los labios inflaos de sangre! Arrima los morros, gilí, que te va a despabilar la hija de mi madre».

La mano pequeña y fina resultó araña de acero, me apretó los labios, me clavó las uñas, pellizcó, restregó brutalmente sobre mis propios dientes, quise retirar mi cabeza, me sujetó por la nunca con la otra mano, queriendo escurrirme hacia abajo quedé sentado en la silla, recuerdo del dentista de mi infancia, cuando al fin me soltó me ardían los labios, sangraban por algún sitio, Carmela jadeaba, decía cosas ininteligibles, revolvía el pelo y le fustigaban la cara los mechones, sus pechos menudos subían y bajaban, quise levantarme hacia ellos, ¡empezaba a excitarme!, ¡un milagro, Ágata!, pero no me dejó, se alzó la falda sobre las caderas y se sentó a horcajadas en mis rodillas, me enlazó, su boca se aplastó contra la mía, su boca.

Cuántos labios, cuántos dientes, cuánta lengua, me traspasaban, se me clavaban, me absorbían, me invadían, me llenaban y vaciaban al mismo tiempo, respiré de otra manera, o dejé de respirar, me concentré en el beso, allí la vida, contraataqué, lo notó y su boca se hizo más devorante, me enardecí, mis manos buscaron sus muslos, qué firmes y suaves, comprimían mis piernas juntas como un jinete, era suyo y eso me dio seguridad, me puso la sangre al galope, «así, nene, así», su ritmo me impedía asombrarme, sus palabras obscenas alentaban al jaco, las oía a través de mi paladar, entre los mordiscos a mis orejas, besé sus ojos, el pelo que se interponía entre nosotros, el cuello, el hombro, avanzó más sobre mí, tanto que la silla se volvió hacia atrás, rodamos al suelo.

¡Qué risa desde el pozo de sus entrañas rojas!, alborotó el cuarto, lo llenó de pájaros, de aletazos, desde el suelo vi transformado el mundo, la cama como un techo, la ventana una claraboya al cielo, el armario un pavoroso acantilado, el mundo que ven los perros, los niños, los ratones, yo, «levanta, mi alma», ordenó, «antes que se te apaguen esas brasillas», y me clavó el zapato en las costillas, ¡qué esbeltísima pierna hacia arriba!, me dio otro puntapié, ¡bendita espuela!, eficaz, deliciosa, me alborotó, besé furiosamente su zapato, el otro pie me pegó, más, más fuerte, me fustigó hacia el obstáculo, mi inhibición de siempre, pero entonces la salté, no es tan alta, yo en forma, enardecido, «¡que te voy a matar!» –jadeaba furiosa–, ¡tú no conoces a Carmela!», liberó su pie dejándome el zapato entre las manos, retrocedió hacia la cama, la seguí a cuatro patas, de rodillas, alzándome, recibiendo sus golpes y sus gritos, «¡que ya estuve presa y no me importa volver!, ¡te mato, arrastrao!, ¡hoy me llenas de gusto o te vacío a golpes!, ¡ponte en cueros ya, so ladrón!»

Sus manos a la espalda bajando su cremallera, el vestido cayendo, lo demás a zarpazos, nunca vi mujer así, evocaba las chiquillas de Ouargla o de Touggourt en los burdeles de Argel, así las tuve pero sin verlas, me cegaba mi barrera, impotente si las hubiera visto, y tampoco eran así, les faltaban espuelas, espolones, qué galla la Carmela, la miré mientras bañaba mi desnudo el aire de la ventana, marismas, toros mugientes, caballos galopando, sangre, búhos, se retorcía y me esperaba, se acariciaba los pechos ella sola, ¡qué negro remolino el pubis!, «ya no te quiero», dijo, «pasmao, desaborío, sangre fría, no me sirves *pa ná*», me fascinaba su cuerpo, aquella tercera axila como un faro negro, aquel tercer ojo del sexo, me deslumbraba la mata de noche de su carne, sin enterarme entré en ella, hecho roca, con sus pechos debajo, su letanía crecía y agonizaba, «para *ná*, ladrón, ay, para *ná*», sabiendo que ya no era cierto lo repetía, créeme Ágata, notando entre sus piernas que no era cierto, se reía, cantaba su triunfo, ya el cuarto daba vueltas, en torno a mi eje, la ola nos levantaba, nos alzó hasta las nubes, prenuncio de la muerte, al fin nos arrojó a la playa, exhaustos, sudor y babas me envolvían, viscosidades como a un recién nacido, como si acabara de emerger de su gruta velluda, de la caverna, miré a la madre que me había engendrado hombre, me sonrió, «*osú*, hijo, y cuántas fatiguitas me has *costao*».

Sus convulsiones de parto, así nací, conmovido y humilde me incorporé, me incliné sobre ella, besé su vientre, aún húmedo, rezumaba sudor de nardo, como el búcaro, busqué su pecho con sed de niño, mi hora de ternura agradecida, de pedirle perdón por mis torpezas, «vale la pena», dijo soñadora, «¡eres tan diferente!, me ha sabido a nuevo, ¡anda ya, trabajoso!», reía, le agradecí sus espuelas, sus fatigas, le expliqué cómo soy, no entendía, pero sabía, los ha conocido de todas clases, algunos que pedían correazos, hebillas, hasta sangre, «tú no eres eso; tú, del sentimiento», diagnóstico infalible, «como los niñatos del Rocío, del internado de frailes, no veas, las mejores familias, algún domingo por la tarde venían los mayores, cuando aquí había niñas, alguno como tú, les hablan tanto de la Virgen que miran no sé cómo a las mujeres».

Recordé en el acto, así fue, aquella capilla, ¿siete u ocho años?, aquellos ejercicios impuestos por mi tía, arrodillado, adorando a la Inmaculada, voto de castidad, lo pronuncié, «¿lo ves? –exclamó Carmela–, ¡qué barbaridad!, pobrecito mío, a lo mejor te regañan en casa a la vuelta si se enteran de que has andao con mujeres malas como yo», rechacé el adjetivo, «no te hagas ilusiones, soy puta vieja, la verdad es ésa, doce años en casas y ahora a lo que sale».

«Conmigo no lo has

sido» repliqué, lo admitió y me dio las gracias, pero pronto me puso en mi sitio: «un capricho, entérate, una curiosidad, un acaloro, no eres más para mí, no te hagas ilusiones porque amargan», calló pensativa, se incorporó de pronto, «digo, ¿pues no siento frío?», arregló la sábana para taparnos, «la marea del río es mala de madrugada», pero ¿por qué ese rubor en sus mejillas?, las sábanas hicieron más entrañable nuestra intimidad, casi doméstica.

«Carmela», llamé, «nene», «¿te vas a dormir?», pregunté, «¿qué quieres?, su voz en guardia, «hablarte nada más, amor, hablarte», «ay, sí», se acurrucó, «me vuelven loca las palabritas dulces, ¡y abajo no te salía ni una! pero apaga la luz», la luna había salido tarde, en menguante, pero ya vertía una palidez irreal, flotaba como un tul sobre las cosas, la cama un esquife en el inmóvil lago dentro de una caverna, ¡siempre la caverna!, su infalible carne una roca junto a la mía, mi ancla en ella, mis palabras en sus oídos, las respuestas oráculo de la niña-madre, mitad sabiduría mitad pueril asombro, risas, maravilladas contorsiones, al fin el sueño, en tus brazos, Ágata, créeme.

Aquella primera noche, y la noche en que llegó enferma, todo lo vomitó, «el tío malage con su manía de beber mezclas, ¡americano tenía que ser!», hasta el alba cuidándola, y aquella otra mañana cuando apareció Juanita por la escalera, la niña de la guardiana, no se asustó nada, «¿quién eres tú?», estuvimos charlando los dos, acabamos jugando, luego hablé con la madre, la Salvadora, también encontrándolo todo tan natural, «¡huy, a don Melchor no le importa nada!», esa guardiana vive de café solo, no sé cuántas tazas al día, con pan migado, pero he bajado muy poco a la casa grande, siempre arriba en el harem, arreglándonos comiditas entre Carmela y yo, me asombro ahora de que casi no he comido, he vivido del aire, aquí al lado, al aire libre, a base de pescaíto frito, la única vez que me consintió pagar, todo el tiempo me ha mantenido ella, yo su odalisca, zángano de la reina, la acompañé porque había tenido una tarde triste, enamorada siempre de don Melchor, ¡qué descubrimiento!, sacudiéndose la pena con sus hombros, como para quitársela del pecho, ese gesto tan suyo, expresando «así es la vida», «ya ves tú, dice siempre que no me apure, que él me guarda para su traca final, para su despedida», «¿qué significa eso?», «¡y yo qué sé!, ni don Melchor tampoco; claro, lo ha tenío *to*: cada cual es como es y en el vivir todo vale», en el vivir todo vale Ágata, apréndetelo, me lo dijo el oráculo, ¡me enseñó tantas cosas!

¿Y aquella tarde en que me contó su historia?, «qué quieres saber?, ¿el cuento para los señorones colgajosos o el de los nenes románticos?, ¿que mi padre era juez o coronel y que me desgració un mal mozo?, eso no es *pa* ti, yo soy de Almonte, ni lo habrás oído nombrar, junto al Rosío», le dije que ya sabía y me dio un beso, «murió mi madre, me guardó una tía», «como a mí» interrumpí besándola, «¿ves tú?, ¡si somos dos hermanillos!, pues guardé cabrillas y me sacaron para niñera de una familia muy cristiana de aquí, uno de los hijos mayores acabó en mi cama, con mi gusto, no me forzó nadie, era guapo y me decía cariños, yo siempre me he enamorado por las orejas, me pirran las palabras, ¡ladrón, qué trabajo me costó sacártelas a ti!, sí, luego me las has dicho bien bonitas, y ahora también», continuó la historia de siempre, «¡pero chiquillo, qué hambre tengo!», se levantó, «no vas a salir así», «pues claro», corrió a la puerta y yo a la ventana, qué gracia de bailarina por la escalerilla, sí, ha bailado en tablaos, ahora aún hace a veces números por las *boîtes*, se ayuda con eso, cruzó el patio agilísima, su desnudo paganizaba los árboles y las flores, la esperé embelesado, regresó apretando algo contra los pechos, subió volando, «sabía que me mirabas, chivato, y estoy engordando», también la besé porque está engordando, dejó su botín en la mesilla, se limpió en el bidet un pie y luego el otro, antes de sacarlo me lanzó unas gotas frías, ¡qué risa!, volvió a la cama y nos sentamos, ¡qué jamón!, lo partimos con una navaja campera que sacó del cajón de la mesilla, «me gusta tenerla a mano, esto está muy apartao», sacó vino también del armario, «no soy borracha, no creas», nos saciamos, entraba ya la luz dorada que precede al sol, ¡qué bienestar al comer!, en chino se expresa la felicidad con los caracteres «estómago» y «repleto», se rió, «qué cosas tan raras sabes, y luego tan infeliz», nos tumbamos, la abracé, se resistió jugando, le recordé que éramos hermanitos, «¡ya, ya!, hermanillos de cama», replicó riéndose, empezó a vestirse, medias, un serio traje negro, «pero ¿a dónde vas?», «a misa, yo no falto, no soy perro judío como tú», resultó ser domingo, «a mí no se me olvida, me lo recuerda el publiquito de la noche del sábado por esas calles», salió al fin cerrando con llave, ¿por rutina o a propósito?, ¿parte de su juego?, al menos parte del mío, esclavo cautivo, en su harem.

¡En el harem!, ésa fue la revelación, Ágata, un maremoto en mi pozo, otro paso más a mi otra vida, Carmela cree en ella, convencida, «pero mujer no has sido, no te pega, eres más hombre de lo que parece, pero de otra manera, así como si no pero sí», no se explica mejor, siempre ambiguos los oráculos, sé que estoy más cerca pero todavía no acierto, seguro que otra vida, pero ¿cuál?, tengo un ciprés y un quiosco, sé que no es en China ni en Venecia, seguro el mundo islámico, odalisca pero no, te he escrito una larga carta Ágata, para que lo supieras en seguida, mi renacimiento, y el siguiente contigo, pero desconfío de las palabras, la he roto, te lo contaré todo, lo curioso es que Carmela piensa que en otra vida ella ha podido ser hombre, encontré aquel traje en su armario, me acababa de quitar las medias de red, las contemplé en mi mano luego, colgaban como un gallardete, bandera de mi destrucción, estandarte de mis búhos, prenda de obediencia a mi Ágata, estaba viendo aquel traje cuando ella volvió, «¿cotilleando, eh?, nada de beso, no te lo mereces», en el fondo del armario otra estampa de la Blanca Paloma, superpuse a ella la Virgen de la Caridad del Cobre, la imagen cubana de la tía Chelo, su fetiche, Carmela sonreía, volvía de buen humor, «¿quieres verme con eso?», se llevó el traje y reapareció vestida con él, corbatín sobre la camisa escarolada, sombrero redondo con el barboquejo de seda bien ajustado, triunfaba de mi admiración, ¡ella ignoraba ser tú, Ágata mosquetero!, taconeó, esbozó unas posturas de baile, «¡ahora soy tu hombre, ya ves tú!», «y yo soy la mocita deseando que me quite la honra un guapo mozo como tú», se rió al oírme pero luego se quedó pensativa ante el espejo, suspiró, «a lo mejor de hombre le volvía yo a gustar a don Melchor, ¡qué cosas tiene la vida!», se empezó a desnudar, sin el pantalón sus muslos aún más nerviosos, de potro fino emergiendo de la camisa masculina, ¡ay Ágata los espléndidos tuyos, modelados por tu pantalón de punto!, ¡qué poderosos para montarme como éstos!, ¿será posible contigo?, después de todo Carmela no es de Ouargla, aunque no sea mi diosa, no un amor como tú, pero una hermandad, un cariño, ¿habré descubierto el resorte, puertecilla secreta a la potencia?, indudable, Carmela me fascina como Marga y sin embargo he sido su jinete: puente hacia ti.

¡Eso es lo que me saca de aquí: el ansia de alcanzarte!, a tu fuego voy, a quemarme como sea, arder de un modo u otro pero en ti, ahora estoy seguro de tener un camino, cuestión de buscarlo, no es que todo se acabe, que Carmela se canse (llega un taxi, me alegro de verla, se lo merece), no es que aquí no haga ya nada, es el ansia de verte tras estos días ajenos, extraterrestres, iré a ti, no tengo planes, ya veremos, me mudaré a cualquier pensión, inventando algo para no disgustar a doña Emilia, diré que sigo viajando para IDEA, me retiraré a reflexionar, prepararme para ti, no es que todo se acabe sino que todo empieza. ¡Dios te lo pague Carmela!, «dame un beso» (seguro nos encontraremos en la próxima vida).

Ágata

Aún me dura la conmoción. No lo comprendí; ahora lo veo como una hoguera en un monte. Cuyas brasas en este pecho mío. No supe interpretar el andar de Mateo, esta tarde, mientras yo hablaba con Tere en el portal. Acababa de pasar Jimena desolada, descompuesta, sin saludarnos. Como si fuese a apagar un fuego, comentó Tere. Y apareció Mateo. ¡Ahora resulta clarísimo! No lo comprendí a pesar de que a Tere se le mudó la voz al ver bajar a su marido por la escalera. Ni aunque él la mirase de aquel modo, haciéndola enrojecer. ¡Soy tonta; no aprenderé nunca!

Ahora descubro también por qué no he visto nada durante el crucero. Nada de eso que narran las novelas. Para mí ha sido un simple viaje: mar y cielo, tierras diferentes, monumentos antiguos. Ahora lo sé: mientras yo dormía, parejas y parejas se acoplaban en los camarotes, reforzaban el balanceo del barco, aceleraban su trepidación. No lo veía porque no quería ver. O porque no sé. Aquel tipo a la salida del canal del puerto acomodándose a mi lado en la baranda. Rozábamos los grandes silos, a la sombra de Montjuich. No iniciaba una conversación inocente; ahora lo comprendo. Estaba largando el anzuelo para todo el viaje. Pero yo, demasiado obsesionada huyendo de don Rafael. De todos.

Para Tere fue repentino, como agua y sulfúrico. ¿Es así para el ajolote hembra? ¿Para Lina? A ésta le pregunté: «¿No reconoces lo fácil que para ti es vivir? ¿Cómo lo consigues?» «Me doy cuenta, sí. Casi toco mi felicidad, sobre todo por dentro. Pero no tiene ciencia: es así.»

Huyendo también de la casa, del recuerdo de Luis. Aún no me explico nada. ¿Era mentira aquella simbiosis entre nosotros? ¿He traspasado el límite y me ha castigado Némesis, como diría él? No podía quedarme aquí después, aquellos días. Don Rafael se tragó mis vacaciones. Salir, el máximo cambio: un crucero cortito por el Tirreno. Una de las ventajas del episodio con don Rafael: no me niega nada. Achantado. Miedo de que yo hable, de que me marche. Pero, claro, me iré a fin de curso. Ahora no, por los chicos.

«Hoy no como en casa», dijo Mateo. «¿A dónde vas?» «A ti no te importa.» ¡Y pese a los signos yo no percibía el otro diálogo! Las miradas, las manos, el oscilar de un pie a otro –ahora lo recuerdo– eran el verdadero, secreto mensaje. Tere gritó indignada (jubilosa en el fondo): «¡Y te pasarás la tarde bebiendo, charrán!» «*Pué* que sí», fue la chulesca respuesta, alejándose ya el hombre hacia Ramales. Tere, mirándome, con teatral desesperación: «¡Malditos hombres! ¡El mejor, *pa* ahorcarlo!» Como cuando se enfada con sus hijos, claro. Tan ufana.

Sólo supe ver marinas y piedras. ¡Qué pureza, el dórico de Agrigento, el templo de la Concordia! ¡Qué fuerza, qué lección de seguridad! Pero también la daba el viejo con el burro, vendiéndonos trozos de azufre nativo a cincuenta liras. Casi como si nos hiciera una merced: así de indiferente y altivo. Luego el museo: lástima que la belleza acabe en esos cementerios. ¡Cuánto más hermosas las ruinas, volada la techumbre, solitaria cada columna en su alineación, desnuda a contraluz, poderosa y ya sin otro objeto que ser ella misma!

Como Lina. ¡Ah, pero no es así; no siempre! ¡Yo me esfuerzo para arrancar al mundo una migaja, pero me es negada! Luis, volviéndome la espalda; don Rafael, peor: ofreciendo basura. «Por eso, porque te esfuerzas –contestó Lina–. No te atormentan tus problemas, sino que los engendra tu atormentarte. Como el aprendiz de nadador: se hunde porque se desvive por flotar. La vida te sostiene, no la combatas. No manotees y confíate a su mano. Déjate llevar.»

«¿Qué ocurre, Tere?», le pregunté, porque ella me seguía mirando. Quizá también porque, pese a mi ceguera, como en el crucero, algo había yo percibido. «Lo de siempre. Le veo venir desde hace unos días. Lo huelo, ¿sabe usted?, y cuando se pone así...» De repente calló. Adivino ahora su repentino pensamiento: la señorita Ágata no debe oír estas cosas.

¡Pero si yo no quiero oponerme a la vida, Lina! Yo lo que quiero es no sufrir, y sufro. Manoteo sólo para salir de la trampa. Aunque, según ella, yo me monto la trampa. Cuando le conté la espantada de Luis, su reacción (todavía la rumio): «¿No le habrás provocado tú misma para que huya? ¿No le habrás forzado por miedo a interesarte demasiado? ¿No tendrás miedo de enamorarte?» ¡Y eso que no le conté a Lina el motivo concreto de la fuga! ¡Enamorarme! Si yo conociera cómo es eso, sabría si ya lo estoy. Pero ignoro lo que estoy.

Se calló Tere porque no debo saber. Y empezó a quitarle importancia. «Nada, que a los hombres les gusta presumir de vez en cuando. La verdad es que del mío no me puedo quejar.» Para cortar del todo, se acercó a la portería y llamó. «Señora Lorenza, ¿puede usted guardarme los chicos esta tarde, cuando suelten a Mateín de la escuela?» «Con alma y vida, mujer.»

Percibí otro tono en la voz de Tere; capté una socarronería cómplice en la de Lorenza. Pero aún no comprendí lo que eso significaba. Hasta ahora.

Lina es así; pero eso no me sirve. Creí que me olvidaría de todo en el crucero, donde no vi nada. Ni siquiera el azul de la gruta de Capri; no hubo suerte. Ya el mar agitado lo hacía difícil; incómodo transbordo de la gran chalupa de nuestro barco a los esquifes capaces de meterse en la gruta. Angosta entrada, con su bajo techo, obligándonos a doblarnos sobre el banco del bote. Para nada. Dentro la calma, claro, pero sin azul. «Hace falta que el sol de fuera atraviese las aguas; ¡ah, cuando hay sol!» El caso es que no vimos la maravilla: como los que en Viena sólo contemplan un Danubio sucio y gris. No fueron las nubes; fue la maldición sobre Ágata. Sobre Águeda.

La receta de Lina, intransferible. El reportero pregunta ayer en el periódico al centenario de la aldea: «¿Cómo ha llegado a los cien años?» «Ya ve usté; como todo el mundo. Comiendo, fumando, bebiendo, casándome cuatro veces y teniendo trece hijos vivos, más seis que se malograron... Eso sí, siempre fui muy devoto de San Roque.» La receta: para llegar a centenario sólo es preciso vivir cien años.

¿Y por qué había de ser yo, mi miedo, quien forzase las cosas hasta la ruptura? ¿Por qué no hubo de ser Luis quien se asustó? Cuando escapo de don Rafael, la culpa es mía; si huyen de mí, la culpa es mía. ¿Cómo admitir semejante cosa? ¡Qué diferente un caso y otro! ¡Tanto como los pantis del esclavo y los calzoncillos del don Juan de pacotilla! Desprecié al tenorio barato; no a Luis.

Empecé a comprender cuando me alertaron los pasos en la escalera. Primero los de Tere, más ligeros; detrás las botas de Mateo, golpeando descompasadamente. Pero aun entonces pensé tan sólo que, en efecto, había bebido. Aunque su voz me chocó: «Anda, sube *p'arriba*, holgazana; no me pongas más *quemao* de lo que estoy». Y la respuesta de otra Tere: «Pues, hijo, si tan quemado estás, llama a los bomberos». «Espera que lleguemos y no te atreverás a contestarme, respondona, que no respetas *ná*.» «Estás tú ahora muy respetable, con tantas copas dentro.» Y, de repente, se cortó: «Chiss.» Estaban en el rellano. Tere se acercó a mi puerta. Me sobresalté, pero no llamó. Sólo escuchaba. Quedé inmóvil, retuve hasta el aliento. ¿Por qué? Aún no lo sabía; fue instintivo. «No está; la he visto salir antes», dijo al fin Tere. «¿Y qué importa que esté o no?» «Calla, bestia; respeta un poco, que es una señorita.» «Pues ya es hora de que no lo sea –soltó Mateo con una risotada–, ¡si me la dejaran a mí...!»

Dejarse llevar, la vida sostiene... ¿Y si la vida empieza por desterrar al padre, dejarnos sin madre, entregarnos a la tiranía de unas botas, enviar un monstruito a violarnos, ofrecernos el primer cariño en manos prohibidas, y así todo? ¿Y si sólo nos otorga orfandad, colegios carcelarios, trabajo, vivir desterrada, caprichos de Gerta o de Gloria, asedios de tenorios baratos y al final, cuando aparece un Luis, nada? ¡Nada!

Navegando a ciegas. Como en el estrecho de Messina, bajo el nocturno cielo tempestuoso. Luces a un lado y a otro, en la distancia, pero también acantilados, escollos. Peligrosos; por lo menos, hubo de guiarnos un remolcador. ¿No son Scila y Caribdis? El caso es que allá delante navegaba, con sus luces roja y verde, marcándonos el camino. Sometiéndonos a una lenta media marcha. Latían las máquinas despacio, como un corazón cansado. Vibraban todas las planchas. Luis empezaba a ser mi remolcador. ¿Y ahora?

¡La vida! ¿Qué me ha dado para que yo me fíe? Me ha hecho hembra, pero me ha negado los pechos que lo prueban. Sobre todo con esta moda de trajes y cabellos unívocos: sólo los pechos nos distinguen. Aunque... Ese anuncio de un específico, en el laboratorio, con el hermoso dibujo de Sebastián del Piombo: una «Santa Ágata». Sin pechos apenas. No cortados, no, sino pequeños. En cuerpo bien femenino, nada adolescente. Caderas, poderosos muslos. Cortó los pechos el Medievo; los restauró abundantes el Barroco. ¿Soy una Ágata de Renacimiento? ¿Podré renacer?

Incluso Nápoles me recordaba a Luis. ¿Cómo olvidar? En el museo, la Artemisa con varias filas de pechos. ¿Me esperaba? Luis me había hablado de ella. Artemisa, la casta, ¿Por qué preferí el museo a Pompeya? Después me alegré cuando escuché en cubierta los comentarios de aquellas cursis sobre los frescos eróticos. ¡Qué vulgaridad, qué risitas mezquinas! Don Rafael hubiera congeniado con aquel grupo. En su salsa; las hubiese deslumbrado.

Tere tenía razón; yo había salido. Pero se me quitaron de pronto las ganas de callejear y había vuelto. El destino quería imponerme su lección. Como insistió el Mateo, mientras la llave de Tere rozaba el ojo de la cerradura: «¿Señorita? Peor para ella. Tiene bajo las faldas lo mismo que tú... ¡Pero abre de una vez, leche!» «¡No atino!», repuso Tere muerta de risa. «¡Ya te atinaré yo!»

¡Si una fuese ajolote! Pero he sido entrenada para no serlo, aunque lo sea. *Similia mulieribus*, sí, pero sólo *similia*, padre Sahagún. Me falta la conformidad, la educación en el matar recibiendo. A mí me coge el toro, me aterra el toro. Tendría que aprender.

Trepidó la casa como vibraba el barco. Como se estremecía en aquellas noches de travesía, baterías de sexo los camarotes. ¿Un patadón de Mateo? Los tabiques se hicieron más permeables que nunca; por ósmosis entraron en mi estudio dos animales enormes y calientes, persiguiéndose retozones. Su aliento cargaba el aire. Ruidos al otro lado. Una silla volcada, el vozarrón, la risa femenina... ¿Qué era aquello?

Encantador crucero, torturante. No me ha hecho olvidar nada y aquí varada otra vez. El fallo con Gloria, con Luis, con don Rafael, ¿eran preparatorios para esta lección de hoy?

La ventanita de mi baño frente a la ventana interior de ellos. Me pegué al cristal, el ojo contra un desconchón de la pintura blanca, que lo hace opaco. Hipnotizada, de pie sobre el borde de la ducha, apretados los puños contra mis sienes. Imposible soportarlo; imposible retirarme. ¡Ese choque del sexo para el niño que sorprende sin querer una cópula! Igual yo, aunque tuviese idea, pero no así, no así...

También hablaban aquellas cursis de la villa de los misterios, en Pompeya. De la mujer flagelada, en una iniciación. Con risitas ridículas. Nos rodeaba el mar inmenso y poderoso; el cielo impasible y dulce de la tarde. Aquellos insectos-mujeres cuchicheando, soltando la salivilla de sus monerías. Retuve la palabra: flagelación. Pero aquello un rito; esto, no.

Ramalazos, fragmentos, centelleos. No siempre estaban en mi campo visual. Aparecían y desaparecían. Un animal blanco y otro moreno y velludo persiguiéndose. La zarpa de Mateo sobre un pecho –¡Tere no tiene pechos!–, la grupa masculina un instante. El sexo viril según los vasos griegos, como un cuerno. Visión interrumpida, pero implacables ruidos, permanentes, sin perdonarme ni uno. Chascar de bofetadas y cachetes, manotazos, tropezones en los muebles, risotadas. De pronto, el restallar de la correa. ¡Increíble, la correa! El grito: «¡Con la hebilla no; no, con la hebilla no!» Y el cuero golpeando de plano. «¡Ahí no!» El cuero restallando sobre la carne. Chillidos como risas, angustias como goces.

Todo ha cesado ya, pero no en mí. Percibo la gumía, en esa pared. Dejó de ser sagrada, pero permanece. ¿Por qué? Un fulgor en mi mente: si yo soy Tere apuñalo a Mateo. La reflexión se impone luego: no es verdad. ¿O sí? No lo sé. Navego de noche, por mi estrecho de Messina, sin ninguna luz de guía, y las de los dos lados me desorientan. Dudo de nuevo. La gumía no es sagrada, pero su acero es mortal.

¡Tere no duda; qué va! Sus protestas excitantes, sus gemidos provocativos. Enardecer al macho. ¡Qué fuerza la palabra humana, qué flexible y rica la voz! Y el cuerpo... ¡Cómo iba yo a pensar que el patán de Mateo era ese vello hirsuto, esos pectorales, el sexo faunesco! Perseguía esa violencia a las carnes tan blancas, se enlazaron al fin, los muslos de Tere hacia lo alto, la bestia de dos espaldas... Miré y miré, me penetraron las obscenidades y los jadeos. Un momento cerré los párpados como si quisiera hundir los ojos en las órbitas, reventarlos por osar ver aquello, pero seguí mirado.

Provocar... ¿Provoqué yo a Luis para que huyera? ¿Deseo provocarle como Tere? Quizás eso me falta: que me fuercen. Es lo único aún no vivido. Pero habría de ser ocasión excepcional. La suerte de verme en una guerra, en manos de un psicópata, en un accidente: para no verlo llegar, no enterarme hasta haber pasado todo. ¿Intentarlo con Luis, que destroce mi máscara, la coraza de la *Pucelle*?

Tardaron en concederse una tregua. Flotó un silencio. ¿Y ahora, me preguntaba yo? Curioso: Tere había vencido. Su obsesión por la limpieza arrastraba al marido, no tan aseado, hasta la ducha. Adiviné oyéndoles. Mateo sometido bajo el chorro, quejándose porque ella le restregaba como a un niño... ¡El macho vencido! Sumiso, obediente... Sabor a sangre en mi boca: ¡me había mordido los nudillos! En mis palmas, rojas marcas de mis uñas clavadas... Temblaban mis piernas.

Tere decía: «¡Cerdo, charrán! ¿De qué presumes ahora?» Una risa ronca, evocando la reciente violencia. La voz de Mateo volvió a animarse. Resurgieron bárbaros arrullos, excitadas obscenidades...

En la cómoda el pañuelo con que até las manos de Luis en el templete de Aranjuez. Fue Cristo en la columna, ¿Llegará a atar mis manos? No lo imagino, pero, ¿por qué no? ¡Pero si a Luis le he perdido! ¿Por eso lo hice, por miedo a este miedo? ¿Entregarme a él con las manos sujetas por ese mismo pañuelo? ¿Flagelarle o que me viole sin que yo me entere antes?

Volvieron a empezar, pero ya una violencia amortiguada. Suspiros con sordina. Gemidos aterciopelados. Tanto que aún los tengo en los oídos porque no percibí su fin y acaso continúan todavía. O me los invento. O se han instalado en mí. ¿Qué es qué? Porque Tere triunfó. Lo decía Gerta: el amor es el triunfo de la hembra. Contra la mujer se estrella, consume, agota, desmorona el hombre. ¡Oh, Luis, Luis!

¡Qué susto, en la ventana, ese gato repentino! Tan negro, tan fosforescente su piel. Su mirada me taladra. Espléndido, sin embargo. Magnetismo felino. Debe llegar por el tejado. ¿De dónde? No es de la casa. De pronto la absurda idea: Luis velludo. Viene a violarme. Pero ya ha desaparecido.

Quartel de palacio

¿Cómo pueden verlo desde tan alto? ¿Cómo saben los pájaros que los sacos de ese camión contienen pienso? Apenas ha aparecido en la plaza dejando un reguerillo de granos cuando ya se abate una bandada para picotear.

Don Pablo contempla la escena desde su velador en *La Ópera*. El descenso de las aves era explicable cuando acudían a los cañamones del viejo, porque era siempre a la misma hora. ¿Cómo se le ocurre pensar tal cosa si aquel viejo no ha vuelto a su banco junto a la estatua desde hace muchos años? Quizás desde la guerra. Don Pablo ha retrocedido sin darse cuenta hacia su juventud. Más bien hacia su infancia, porque ahora asocia al viejo de los cañamones con la guerra de Marruecos, la del moro. Y aún retrocede más: se ve a sí mismo con botitas. ¡Qué lata, los botones!

Sonríe. Cierto, se ha vuelto niño; un niño feliz. ¿Feliz? ¡Si está asediado de problemas! Urgen decisiones. ¿Dejará su casa para vivir más cerca de María? ¿Debe operarse antes de ese matrimonio que habrá de asegurar la vejez de su amor cuando él haya muerto? Porque ya se atreve a decir «mi amor» –con un sentido novísimo– y a pensar sereno en su propia muerte, dulce fin en los brazos de ella. ¿Y si la operación no impide que siga perdiendo vista? Sería abrumar a María con el lastre de un ciego: razón poderosa para no casarse, limitándose a dejarle su herencia. Si sobrevive, ¿podrá hacer algo para ayudarla?, pues sus rentas cada vez representan menos por la inflación. ¿Ayudarla en el quiosco? ¿Por qué no? Se sentiría orgulloso con ello, pero no aportaría más dinero. ¿Vender libros viejos y papeles, aunque sea instalándose en un portal? ¿Alquilar novelas? Tiene que hablar con Ildefonso, para saber cómo se organizó el viejo al empezar con su tenducho. También ha de ir a la Organización Nacional de Ciegos, a ver si pueden sugerirle algo.

Antes bastaba un solo problema para desconcertarle y ahora se enfrenta tranquilo con muchas decisiones pendientes. Vive sosegado, en paz consigo. Goza de la vida como quizás nunca: en profundidad. Asombroso cuando, por su decadencia fisiológica, debería encontrarse con menos capacidad sensorial para disfrutarla. Resulta que, gracias a las cataratas, «ve» mejor. La vida, que «debería» escapársele, resbalando sobre él, se deja sumisa absorber por el oído torpe, las manos temblonas, la vista nublada, el olfato y el paladar cansados, la virilidad intermitente.

Asombroso, sí. Analizándolo, concluye don Pablo que los verdaderos valores eternos, para el hombre, son estos pequeños sabores cotidianos de la vida. Eternos por repetición, no por grandilocuente permanencia. Las ambiciones solemnes son así los enemigos del vivir. Los ideales retóricos y las grandes esperanzas asesinan la paz interior. Especialmente los proyectos, los planes para el futuro. Mientras atendemos a ellos la vida se nos escapa. «¡Cómo de entre mis manos te resbalas...!», lloraba Quevedo.

En cambio, es olvidando el futuro cuando la vida nos prodiga sus mimos. Amar y abrir los brazos al mundo. Su amor es el océano inmutable, con el oleaje de los pequeños placeres que paladea sabiamente Pablo. El rincón más resguardado del café, la caricia del solecito matinal, el gesto del niño o del perrillo juguetón, la palabra amable del guardacoches del Real, el acierto en la croniquilla para el periódico... Se acoraza sosegadamente contra las pequeñas contrariedades –achaques de salud, errores, mal tiempo, impertinencia de alguien– y no las tiene graves porque de antemano ha renunciado. Se reconcilia así con la vida –después del primer choque, al pensar que la había dejado pasar sin María– y hasta con la muerte: después de todo, ya tiene muy vista la función de «el Gran Teatro del Mundo». Sólo desea acertar en sus decisiones concernientes a María y, si fuera posible, gozar con ella también un poco. ¡Si fuera posible, Señor!... Cuidado; nada de proyectos, dejemos llegar las cosas mansamente.

Dejemos llegar la última etapa. Ha pasado por cuatro, definidas por el nombre que le dio María. En la primera le llamaba «señorito»; era entonces como los demás. Después fue el «señorito Pablo», único (¡ay, no supo él ver hasta qué punto!, pero ya esta idea no le desata lágrimas). Se equivocó, tomó el camino falso, y pasó a ser «don Pablo» durante muchos años. Ahora, desde hace pocos meses, ha logrado al fin ser solamente «Pablo». Y aún aspira a tener un nombre que sólo ella utilice, ser exclusivamente para María cuando le llame como nadie: «Saulo.» Ocurrirá cuando vivan juntos, si logra esa meta. Pero aleja el proyecto porque antes es menester decidirse sobre la operación. Precisamente se dirige a casa de María para discutir el tema.

¡Cuánto ha tardado en entrar en esa casa!, piensa por el camino. Sonríe al recordar otros tiempos, cuando se consideraba «novio formal» sólo al que al fin «entraba en casa». ¡Qué sorpresa la pequeña buhardilla! No por la limpieza y el orden, muy previsibles, pero sí por el delicado gusto en la sencillez, y hasta por la calidad de algunos objetos. El piano, por ejemplo, un Bechstein de primera; lo mejor en verticales antiguos. Y hasta partituras. «¿Qué es esto, chica? ¡No me digas que tocas!» «No, pero me lo regaló la marquesa...» Más tarde, unas palabras involuntarias le hicieron adivinar que el piano está ahí por él, por la ilusión –contra toda esperanza– de que a él le gustaría un día. Contra toda esperanza, pero al fin... Y otros aciertos: algún cuadrito, un par de porcelanas. Siempre la marquesa. Don Pablo descubre que entre ambas mujeres, social y culturalmente tan distantes, se entabló un profundo entendimiento, una verdadera comunicación. Otra dimensión ignorada de María, piensa mientras admira un delicioso apunte de Rosales: los tejados de Roma desde las alturas de la escalera de la Plaza de España. Además, ¡una antigua butaca que le va! Es la de María, pero la mujer le instala en ella y acerca para sí una baja sillita de enea. «En ésta se sentaba mi madre: así es cómo lo recuerdo.» «Tu madre no bordaba, María.» «No, pero se sentaba ahí y estaba callada, mirando muy lejos... Alguna vez me asusté; hube de gritarle: ¡Madre, madre!»

¿Acabará tocando en ese Bechstein? Es curioso, le ha dado reparo sentarse a él; apenas ha ensayado el sonido de pie, con unos acordes. Don Pablo sonríe: ayer ha hecho un descubrimiento, uno de esos pequeños placeres eternos de ahora. En el segundo de los *Tres divertimientos sobre autores olvidados*, de Montsalvatge, ha reconocido aquella cómica habanera que oyó canturrear a Eugenio D'Ors en la vieja tertulia del café *Kutz*, en la Gran Vía, allá por los años cuarenta:

«Ay, negrito Epaminondas,
cuán hondas
que son
las palpi-palpitaciones
de mi co-
razón.»

Su mente divaga. ¿Por qué recuerda ahora al músico Saco del Valle, don Arturo, que fue maestro de la Real Capilla hasta el fin de la monarquía y murió en 1932? Dirigió también el Real y la Orquesta Clásica. ¿Escribiría alguna habanera o la dirigiría y por eso acude a su memoria? A la Infanta Isabel le encantaban las habaneras; le recordaban el mundo ultramarino, tan romántico. Por cierto, la Real Capilla estaba en Leganitos; allí vivió Scarlatti. Después la adaptaron para Hotel de Ventas, lleno de muebles y objetos en subasta. Ha hablado de eso con Luis, cuyo padre fue amigo del maestro Emilo Vega, el director de la Banda de Alabarderos a principios de siglo. Luis... ¡qué raro ha vuelto de Sevilla! ¿Vive en Noblejas o no vive? ¿Viaja tanto como dice? ¿Y su empleo, entonces?... Sí, la mente divaga. ¿Por qué ahora evoca a su buen amigo y excelente músico Antonio José? ¡Ah, sí, lo citaba alguien en un periódico el otro día! Pero ¿y qué tiene que ver?... Sus *Tres danzas burgalesas* eran estupendas. Recuerda los ecos casi chopinianos de una de ellas. A Antonio esa asociación con Chopin no le hubiera gustado; él se sentía «moderno»... ¡Laberintos secretos de la mente, catacumbas con asociaciones de ideas!... No divagar: concentrarse y tomar decisiones.

De eso habla con María. Pero antes la última luz del día le ha permitido volver a mirar por esa decisiva ventana interior. ¿Llegará a ser puerta de su paraíso? La ventana da sobre una terraza de otra casa medianera, con entrada por Fomento junto al convento de las Reparadoras, y esa terraza corresponde a otra buhardilla. La primera vez que estuvo en casa de María preguntó en el acto quién vivía allí: le importaba quien pudiera ser el vecino de María porque de la terraza a la ventana sólo hay un desnivel de un par de metros, salvable con sólo una corta escalera de mano. «Nadie», repuso María tan misteriosamente que, ante la intrigada cara de don Pablo, se decidió a dar explicaciones. Esa buhardilla se había quedado desalquilada no hacía mucho y el propietario la puso en venta. La noticia excitó a don Pablo desaforadamente, inspirándole el capricho de vivir allí. ¿Por qué? María trata de mostrarle lo absurdo de la idea. ¿Cómo dejar su casa de Vergara? Pero don Pablo se obstina y María termina por reírse a carcajadas. Explica, para no atormentar al hombre: la buhardilla no está ya en venta porque la ha comprado ella. Don Pablo se asombra de nuevo. María prosigue: siempre quiso disfrutar de una azotea, tenía en el banco dinero que le dejó la marquesa, no lo había tocado nunca y cada vez valía menos. Hizo una locura y se decidió. «¿Cuándo?», pregunta don Pablo. María enrojece un poco al responder que en marzo. Don Pablo calcula que por entonces la invitó a aquella decisiva comida, pero no lo dice. Y ahora lo primero que hace siempre al llegar es mirar su terraza. Instalarán una escalera cómoda y rebajarán el alféizar de la ventana para utilizarla como puerta. Así vivirán juntos y a la vez separados, en viviendas comunicantes. No dejará su casa, no; pero tendrá este paraíso. A su lado, la voz de María describiendo el futuro jardín de macetas en un gorjeo embriagante.

Luego discuten el grave problema: la operación e, implícitamente, el matrimonio, del que habían evitado hablar hasta entonces, por una mezcla de pudor y de superstición, como si la alusión pudiera malograrlo. Pero don Pablo hoy lo ha planteado sin rodeos y María no lo ha negado; se ha limitado a bajar la mirada. Entonces, la operación...

El médico se lo ha explicado detalladamente, y Pablo la resume para María. La operación no tiene importancia. Apenas estará tres o cuatro días hospitalizado, con ambos ojos tapados aunque sólo le van a operar ahora el derecho; quizás al año siguiente el izquierdo, no cuajado todavía. Luego seguirá en su casa con algunas precauciones hasta que le pongan unas gruesas gafas provisionales, en espera de las definitivas. Pablo y María debaten la cuestión. María entre tanto le prepara un té sin dejar de conversar porque la cocinita está prácticamente allí mismo. El té es el que le gusta, María lo compra para él. ¡Qué sensación de bienestar! En un rincón hay una estufa, una vieja chubeski, de la que se percibe en el techo el tapado agujero para el tubo del humo. Ahora no hace falta: María ha instalado una resistencia eléctrica, más cómoda, pero respetando la nota estética del antiguo artefacto, que sosiega como si asegurase la permanencia de un hogar.

Lo que más les decide es que el médico prefiere operar pronto, antes de que se eche encima el verano; de lo contrario aconseja esperar al otoño. Y Pablo no quiere perder tiempo; no puede perderlo. ¡Demasiado se le ha escapado ya; años y años! Eso les decide. Quedan otros detalles, porque la convalecencia la pasará Pablo en *su* buhardilla, para que María esté a su lado, y ha de traerse algunas cosas e instalar ciertas comodidades. Mencionan lo que necesitará y lo que puede gustarle tener. Se le ocurre aludir a un retrato de su madre y se le escapa un «mamá se alegraría de lo nuestro». Deplora no haberse reprimido, al observar el profundo silencio en que ha caído María y la desaparición de su sonrisa. Suspira, aunque ella no dice nada. ¿Cómo va a expresar María lo que piensa de la maldita vieja, la absorbente madre, la destructora de su propio hijo, la que le asesinó la felicidad?

Se hace tarde y Pablo deja la casa. Besa a María en la mejilla como siempre, pero además, por primera vez, en los labios, muy suavemente. Y sale a la calle con inesperados pensamientos. Esta tarde, no sabe por qué, durante ese afilado silencio tras la alusión a la madre, Pablo ha imaginado el cuerpo de María, la ha desnudado mentalmente. Pues también los ángeles tienen cuerpo. Ella conserva unos pies pequeños; sin duda perfectos, exquisitos, puesto que, sujeta al quiosco, nunca ha andado mucho. Pero esa vida sedentaria no ha creado un tipo de odalisca encerrada en el harem, sino el de una virgen gótica según los cánones trovadorescos: menuda, delicada, muy ligero vientre juvenil, pechos pequeños, separados y agudos. «Las teticas agudicas quieren romper el brial...», ¿de qué romance es eso? Pechos vírgenes y dulces, de Memling o de Van Eyck. Y luego su cabellera... ¡Deliciosa María! Don Pablo piensa que aún podrá ser nupcial su tálamo y evoca la vejez del rey David, entibiada en el lecho por un cuerpo adolescente. ¡María es tan joven para él!

Un brote de tristeza: lo que ella ha perdido, mientras él arrastraba el sexo por la calle del Desengaño o de San Marcos o Barbieri, después por los hotelitos de Alcántara y Montesa. Cierto, existieron, Mercedes y Vera y otras amigas sentimentales, pero... ¿Podrá perdonarle María?

Absurda pregunta: le ha perdonado ya. El que no se perdona es él. ¡Esa feminidad prisionera, secándose bajo un cristal!... En cambio, esta muchacha sí que ha sabido hacer las cosas, piensa al ver a Jimena, viniendo hacia él tan deprisa que ha de apartarse para no chocar. Don Pablo, sin embargo, no ha sido reconocido por la muchacha. No se asombra: ¡camina ella siempre tan segura hacia su meta! No se le escapará el amor, no; ni aún siquiera se le retrasará. Ha descubierto a tiempo a su hombre y ya ha adoptado la decisión debida. Bien es verdad, lamenta don Pablo, que estos tiempos son más fáciles. ¡Dios la bendiga!

Pero Jimena no va en busca de su amor. Al contrario, viene de perderlo y por eso no ha reconocido al viejo: el puño de hierro que oprime su corazón no le permite percibir nada sino dolor. Sus sensaciones más recientes son las de un enorme almacén, todo hierros y cemento, vidrieras en lo alto con algunas cristaleras rotas y olor a grasa y pinturas, donde evolucionan camiones llenando el aire de estruendo y en cuyos rincones se amontonan bultos de mercancías. En ese recinto Jimena acaba de pasar minutos, horas o años desgarradores y estériles. Ha preguntado aquí y allá, ha tratado de averiguar el paradero de Paco. Sólo ha sacado en limpio que salió para Cádiz con una carga. Jimena había corrido hacia el garaje con la esperanza de encontrarle todavía y reanudar el hilo roto de sus vidas. Ahora camina hacia su casa porque no puede concebir otro destino, pero, al mismo tiempo, retrasa su arribada al escenario de su derrota.

Sus pensamientos son una vorágine, su corazón un galope sin ritmo. En el torbellino giran y giran los recuerdos decisivos, se repiten los hechos de estos últimos días, desgarrando su sensibilidad. Jimena volvió a la casa de los gitanos, donde retuvieron a Paco hasta pasadas las fechas del uno y dos de mayo, en las que se temían incidentes y pesquisas policiacas. Todavía en el refugio de Altamira fue dulce la vida, sobre todo a medida que Paco se iba reponiendo. Estar a su lado durante largos silencios, alcanzarle un vaso, secarle el sudor o acomodar su cabeza sobre la almohada... ¡Qué placer profundo y sereno como la frescura de un pozo! Jimena sentía que la mera presencia de su cuerpo joven y sano a la cabecera de la yacija y la fuerza rítmica de su corazón difundían por el aire una dinámica vital que de algún modo el herido absorbía. Como si así se fuera dando su propia sangre en una transfusión espiritual.

Pesa el recuerdo de la noche en que por fin creyeron posible transportarle en un taxi hasta el almacén de Mateo. La del cinco de mayo: nunca olvidará Jimena aquel cielo estrellado, aquel aire con aromas vegetales. Entraron por la calle del Factor, por donde cargaban la furgoneta, aprovechando la ausencia de Mateo para buscar chatarra por tierras de Cuenca. Don Ramiro también estaba toda la noche fuera de casa porque era su turno en la Adoración Nocturna de la Parroquia. ¿Oyó doña Emilia los furtivos pasos de Jimena escapando de casa para esperar el taxi? Ahora sabe Jimena que sí y el silencio de su madre después, con su carga de comprensión y confianza, es una de las raras dulzuras dejadas por estos días patéticos. Esperó al taxi, que dejaron a la vuelta de la esquina, y ayudó a Paco a caminar hasta la puerta del almacén que ella misma había dejado abierta subrepticiamente. Le ayudó también a tumbarse en su lecho habitual y se sintió conmovida hasta las lágrimas cuando besó su mano y después sus labios. No era el primer beso, pero sí uno muy diferente porque les unía en la noche, en la clandestinidad, en la aventura. Creyó entonces que ese beso ponía un sello irrevocable al destino común de ambos. Paco venía débil todavía y pronto se quedó pesadamente dormido. Jimena reprodujo así aquel silencioso acompañamiento en el refugio de Altamira. Pero ahora era como en casa de Paco, en su ambiente cotidiano, y así el hecho tenía más valor. Amaneciendo, antes de que se levantara nadie en la casa y regresara su padre, Jimena tornó a su piso y se acostó. Estaba rendida, pero no pudo cerrar los ojos: una exaltación profunda le excitaba haciéndola para toda la vida compañera del héroe.

Después, dos días cada vez más luminosos. Simular que acudía a la tienda, retroceder por la puerta trasera para acompañar a Paco, traerle a hurtadillas agua y comida, encontrar emoción y grandeza hasta en vaciarle sus orinales, hacer frente al descubrimiento de todo por Lorenza, que comprendió en el acto y se transformó en generosa cómplice, facilitándoles la ocultación desde entonces: ésas han sido las actividades de Jimena, desarrolladas siempre como en una nube de felicidad al sentirse indispensable y salvadora. Tomando posesión de su hombre, modelándole a su imagen y a la vez moldeándose ella contra él. Además, en esos días va venciendo Paco su flaqueza y vuelve a ser el mozo decidido, risueño y seguro. Los besos se multiplican, los abrazos se hacen más osados. Jimena ha sentido enardecerse sus pechos bajo el vestido acariciado, ha percibido contra su vientre la presionante potencia viril que la mano de Paco acudía a liberar: se ha asustado entonces, ha huido. Pero sabe que cederá y hasta secretamente acumula valor para dar ese paso. Comprende que Paco necesita mujer –ya se lo ha dicho él bien claramente– y ella es la mujer de ese hombre.

De golpe, la fatídica noche del día ocho. Paco ya está bien y ha salido a la calle; Mateo va a llegar al día siguiente; Jimena espera a que el silencio cuaje en su casa para bajar sigilosamente. Sabe que esta vez no va a cuidar a un enfermo, sino a ser definitivamente de Paco. Años de costumbre y de sentimientos filiales se resisten en vano al proyecto: vence la fuerza que arrastra a Jimena.

Entonces el fantasma, atajándola por el pasillo. Sería cómico si no fuera trágico evocar a don Ramiro, cuyo prurito tradicionalista le hace dormir todavía con camisón. El padre, encendiendo la luz de pronto, extiende la mano teatralmente y lanza unas palabras sonoras que hubieran provocado la risa o el desdén de Jimena en cualquier otra ocasión. La escena es el recuerdo más desesperante para Jimena. Por su injusta crueldad, por su absurda negación de la vida, porque la sacrifica a unos dioses de escayola. Conducida a la sala, quizás para tomar allí por testigo al blasón familiar, las palabras más huecas rebotan contra las paredes: pureza, sacrosanto, honra, canas paternas, limpieza de sangre y demás tópicos son los argumentos fantasmas que llueven sobre ella. Poco a poco Jimena cuenta lo ocurrido sin poder evitarlo. Cada precisión, para ella justificativa, es para el padre una agravante. «¡Entre gitanos! ¡Mi hija entre gitanos!», y un gesto de abatida desesperación abruma a la figura fantasmal. Aparece la madre llorosa y entonces el hidalgo calderoniano se vuelve hacia ella para hacerla culpable. La voz, con el refuerzo de la siempre sumisa esposa, lanza palabras estereotipadas que, sin embargo, son emoción. «Tu hija entre gitanos, Emilia. Y ahora, Jimena, tú a quien no sé si llamar hija mía... ¿cuántas veces?...» Una postura dramática y el fantasma murmura para sí mismo: «No oso pronunciarlo.» Jimena quisiera apartar de un manotazo a su padre y correr escaleras abajo, pero la madre llora y largos años la amarran.

Al fin don Ramiro lanza el do de pecho. «Contéstame, hija mía, y júrame la verdad: ¿has perdido la honra?» Jimena le mira atónita y suelta la carcajada: «¡Ojalá!», repite entre sus risas. La madre aspaventea y se subleva, acude hacia ella: «¿Te has vuelto loca, hija mía?» El padre representa el papel de la calma en la tormenta: «No sabe lo que dice, Emilia; es nervioso», y acude también a calmar a Jimena. Las risotadas cesan, pero entre los brazos de la madre que llora, Jimena se siente definitivamente incapaz de ser heroína. Sollozos agotados la conmueven, por su estéril lucha contra la barrera familiar, por su fracaso. ¡Cuánta pena de sí misma! Ya el mundo de don Ramiro ha restablecido su poder. Ya vuelven todos a los gestos consagrados: el padre con palabras aquietadoras, la madre a la cocina para preparar la tisana con agua de azahar establecida para estos casos. Jimena piensa en Paco, esperando abajo, pero está demasiado aplastada por los acontecimientos. Los padres la arrastran hacia su cama como una víctima hacia el cadalso y allí bebe el cáliz de la tisana y el único azahar consumado aquella noche.

Lo demás no quiere recordarlo. La noche en blanco, las repetidas tentaciones de levantarse y atropellarlo todo menos su propia vida (pero reprimidas antes de nacer), el encuentro con Paco al día siguiente. Paco no se pone calderoniano, sino sarcástico. Pocas palabras pero mortales: «¡Si no fuera tu padre!»... «¿Y tú no tienes sangre?»..., y la más dura: «Está bien; ya sé que no me quieres. La única vez que he hecho el tonto con una mujer: debí llevarte a la cama antes.» Jimena se subleva, pero ¿cómo convencerle? «Querer» significa cosas distintas para cada uno. Jimena aprende (sin saberlo aún) que cada ser humano solamente sabe querer a su manera. Pero aún confía en reanudar, reconstruir. A cualquier costa: está desesperada. Aunque el padre ha dicho claramente que nunca autorizará esa boda con un plebeyo, Jimena asegura a Paco que acabará viviendo con él. Paco asiente a todo, pero su conformidad es aparente. En efecto, aquella misma mañana Lorenza advierte a Jimena que Paco ha hecho un hatillo con sus cosas, y ha salido para encargarse de un camión. En ese instante quizás hubiera llegado Jimena a tiempo. Ahora ella no quiere pensarlo; fue entonces, todavía temprano, cuando tenía que haber ido a la estación de camiones. No lo hizo, se dice a sí misma, por creer que Paco aún volvería a mediodía para despedirse de Mateo. Entonces se ofrecería a marcharse con él. «Lo haré, lo haré si no le convenzo.» Así lo perdió todo. Al no regresar Paco, ella ha ido al garaje, pero demasiado tarde. ¿Y ahora? Va hacia su casa. ¿Suya? Nunca volverá a ser su casa.

De repente, en la calle hostil, entre la gente indiferente, un puerto de refugio, un pecho comprensivo. Jimena se precipita hacia doña Flora, la besa patéticamente, empieza a hablar. La señora se hace cargo y entra con ella en un bar donde encuentran un rincón. Juntas en el diván, Jimena llora sus cuitas, alivia su desesperación. ¡Paco se ha ido, la ha dejado! «¿Usted cree que volverá?»

Doña Flora coge una mano de la muchacha, la acaricia, pronuncia mentiras consoladoras. Pues lo extraño para ella es que eso no haya ocurrido antes. ¡Con lo hombre que es Paco! Debía de estar deslumbrado por la señorita... De pronto, tras la sorpresa, en Flora emerge una esperanza, crece una certeza. ¿No será lo prometido por esas semanas misteriosas, de inesperada renovación de su vida? Así, mientras escucha a la pobre paloma de alas tronchadas siente erizarse su propio plumaje de águila, porque un sol se despierta en sus entrañas.

PAPELES DE MIGUEL
Ascensión a mendigo

15 de octubre de 1976

Aquel cordón de mi bata gris. Miguelito con anginas, en el diván del comedor donde yo le instalaba cuando empezaba su convalecencia. Yo desanudaba el cíngulo y lo enrollaba hasta que cupiese todo en el hueco de mi mano. Lo cogía de manera que una borla quedase retenida entre dos dedos. Lo lanzaba hacia Miguelito y la otra borla llegaba casi hasta su cara, sin tocarle. ¡Qué catarata de risas líquidas, transparentes, fresquísimas! Como en la mejor sorpresa de circo. Se podía repetir el truco: siempre reía igual. Aliviaba mi congoja por su enfermedad. ¡Algo tan inocente! Precisamente por eso. Era un don de la gracia.

Al recordar, he pensado Pedrito, en vez de Miguelito. ¡Cómo se anudan las cosas, cómo voy de mano en mano! Dejarse llevar; el río sabe más. De Ramón el ropavejero a la calle Bolívar; de la señora Eugenia a su primo Pedro;

de Pedro al *Colegio Lulio*; del colegio a los hijos de Pedro: Lucía y Pedrito. No es preciso ensayar; seguro que Pedrito reiría lo mismo si yo conservara un cordón de bata para repetir la hazaña.

Admirable colegio. «Necesitan gente para dar clases –me dijo Pedro–, no tienen dinero.» Sugestiva idea. Padres de una barriada en cooperativa, para sostener el Colegio. Un licenciado en filosofía es el Director; fui a verle. ¡Prepara una tesis sobre Wittgenstein! Ahí, en Villaverde. ¡Heroísmo! ¡Qué serios todos, qué responsables!... El grupo de maestras, renunciando a puestos mejores en escuelas nacionales para aplicar aquí sus ideas, su pedagogía... Admirables. ¡Qué autenticidad frente a la simulación universitaria! Me ofrecí a ayudarles y me aceptaron en el acto. Mi sorpresa: ¿por qué se llama *Colegio Raimundo Lulio*? Catalina, la secretaria, es mallorquina, sí. Pero ¿por qué?, insistí. Se echó a reír: «No se crea, lo siento, no he leído nada de Lulio.» Reía; viven alegres. Me reí yo también: ¡me hubiese gustado conversar con ella sobre el Iluminado! Tiene una ligera asimetría en la boca y su sonrisa se desvía un poco hacia la izquierda. Le confiere un encanto inefable. Esa desviación es la hoja seca sobre el impecable jardín de arena en el templo de Kyoto. La imperfección que insufla vida a lo perfecto.

Es como Nerissa, pero Nerissa no sonreía así. No importa. Lucía también se parece a Nerissa: ¡qué diez años tan pulcros, tan serios y conscientes, y ya tan femeninos! Tiene ojos negros; no los de Nerissa, pero todas me la recuerdan. Antes la evocaba inequívocamente, en detallada imagen, como una neta incisión en cristal. Y estaba claro qué objetos o paisajes eran los suyos y cuáles no. Ahora es distinto. Nerissa está en todo; todo se refiere a ella. ¿Acaso se disuelve en el mundo? O, al contrario, ¿me difundo yo en todo y soy el universo recordándola?

Serafina también me la recuerda. ¡Qué sorpresa, la madre de esos niños! Han salido más bien al padre; son espigados, morenos, con aire de campesino ascético. La madre es más baja y rellenita, sonrosada y blanca, de pelo castaño muy claro, ojos azules y cautivadores, labios generosos y risueños. ¡Tan distinta de Nerissa y, sin embargo...! Lleva con frecuencia sus zapatillas caseras, como otras muchas madres; salvo las más jóvenes, que suelen usar botas. Me recordó las sandalias en que por primera vez descubrí el pie de Nerissa. Nos conocíamos todavía desde hacía poco y nos volvimos a encontrar, inesperadamente, en aquella playa tinerfeña de negras arenas, *Las Américas*, a donde yo había ido en una de mis escapadas impulsivas, sin saber que ella estaba. Me la encontré en el vestíbulo del hotel, con su marido. Allí descubrí sus pies y sus piernas desnudas, hasta el borde de una falda amarilla. Cambiamos comentarios triviales; ella se ruborizó ligeramente. Después lo reconoció: «Porque en aquel instante, al encontrarnos de pronto, se me ocurrió que empezaba a quererte.» ¡Empezaba, y yo la adoraba ya! Desde el primer momento en el ascensor. Desde antes de reencarnarse, cuando ella era Hannah. Desde más atrás incluso. «Antes de que la saeta abandone el arco, ya está emprendiendo el vuelo en la tensión de la cuerda.» El Amor en mí ya esperaba a Nerissa.

Una arteria late a veces en mi sien cuando reclino la cabeza para dormir. No siempre. Me gusta buscarla; es mi reloj interior. El peregrino incansable que, incluso cuando duermo, camina hacia su meta. Mi corazón, alzándome poco a poco hasta Él, acercándome a Él. El tiempo agotándose en el reloj de arena de mi vida. ¡El tiempo! Antes me afligía su rapidez, en contraste con los larguísimos veranos infantiles. Nos resultaba nueva la ciudad cuando los niños volvíamos de las vacaciones. Con los años las estaciones se tornaron fugaces. «¿Otra vez verano? –me decía asombrado–. Y ¿qué he hecho este año?»

Ahora sé que el tiempo no es para hacer, sino para contemplar, y en cuanto al asombro... Es el de la sabiduría, el asombro de Pablo, ya en su celda abuhardillada, en su éxtasis supremo. A mí también me asombraba todo: la boca de Catalina, cómo se escapa el agua por una cañería rota, cómo esa muchachita logra hacer compatibles sus gafas redondas y su corrector de dientes con sus pechos excesivos para una adolescente. Me asombro como Pablo.

Miguelito me devolvía mis vacaciones infantiles al revivirlas con él. Era como rumiarlas; el retorno del tiempo. ¡Sí, la reencarnación de los instantes! ¿Por qué sólo han de reencarnarse los seres y no las cosas? Sin duda, su clemente misericordia es capaz de conceder a un paisaje el volver a ser y no sólo el seguir siendo. Después de todo, a cada instante, como proclamó Ibn Arabí, *lam yakun thumma kana*: «Dejamos de ser y somos de nuevo.» Nos anula y recrea el Absoluto para igualar el Todo y la Nada. No lo percibimos y creemos en la continuidad, lo mismo que en el cine la serie de imágenes sucesivas produce la ilusión, pero, en verdad, el mundo está siempre en estado naciente.

Cruzábamos la bahía hasta Pedreña, en la ancha barca con excursionistas y campesinos, donde cargaban las vacías cántaras de la leche traída en la mañana a la ciudad. Detrás, por encima de la estela, chispeaba el sol en los innumerables miradores del muelle, moradas patricias del Paseo de Pereda. Tocábamos tierra en el pequeño embarcadero y empezábamos a remontar una cuestecita, entre las desperdigadas casas del pueblo. Miguelito corriendo delante de mí, un gozquecillo persiguiendo inútilmente mariposas. Al fin la iglesia de Pedreña; gris en lo alto de una colina (al fondo, Peña Cabarga) que no prometía ninguna sorpresa. ¡Sin embargo, la ocultaba! Al darle la vuelta un gran espejo de agua; el río Cubas retrasando su muerte en el mar, dilatado como un lago. «Peribonka», dije un día, recordando la novela canadiense *Marie*

Chapdelaine. A Miguelito le gustó la palabra. Siempre, al llegar allí, la repetía: «Peribonka, Peribonka.» Con la repetición perdían esas sílabas su significado; se convertían en un mantra. Miguelito se colgaba casi de mi mano... No, no podía ser así. Estábamos en Santander porque él daba un concierto: el de Schumann. Tenía que ser... sí, en 1963, antes de su año en París. Y, sin embargo, yo peregrinaba a Peribonka con Miguelito, y Miguelito se colgaba de mi mano. Recuerdo muy bien que hasta abarcaba con sus piernecitas mi pantorrilla. Así, fue, pero ¿cuándo cada cosa?

A Pedrito también se le dan muy bien las matemáticas, según dice Antonia, su profesora. Para Miguelito eran como un juego; hubiera podido estudiar Exactas. «Todo es un juego, papá –me dijo un día–. Pero prefiero jugar con Scarlatti.» ¿Qué relación –pensé– entre las matemáticas y Scarlatti? «El secreto del estilo, papá. Recuérdalo: Chopin preparaba sus conciertos repitiendo música de Bach.» Otro día completo el tema: «Por eso me gusta Magritte.» Tenía pósters de Magritte, libros con reproducciones. ¡El secreto del estilo! ¡Qué relámpago de intuición! El estilo de Scarlatti es único: bastan unos compases para identificarlo. Miguelito poseía el oído absoluto; situaba en la gama una nota aislada con toda exactitud. Como Igor Markevitch y como ahora dicen que Pierre Boulez.

¿Qué diría Pedrito ante Magritte? Si hubiera conservado mis libros haría el experimento. Tengo que hacerlo un día; es fácil. Pero ya conozco el resultado: le encantará. No es tan distinto de los dibujos coloreados de estos niños en los murales del colegio. ¡Este colegio libre, admirable, ejemplar! Aprender aquí también es un juego, Miguelito. ¡Qué alegría los colores de esos dibujos en los pobres pasillos con desconchones de humedad! ¡Qué jubilosa pajarera este semisótano habitado por la dedicación y el aprendizaje de la vida, no sólo de la letra!

¡Qué hallazgo, la vieja capa de mi abuelo! Uno de los pocos residuos de la antigua vida. Me la traje como símbolo, como algo con varios usos y de pronto he descubierto que es mi abrigo natural para ahora. Por debajo da la sensación de no llevar nada; no ciñe, casi hasta proporciona cierta ilusión de desnudez, de libertad. Comprendo mejor a mis maestros con túnicas, chilabas o kandoras. Además, el estilo al llevarla: como el mantón de manila o las pieles. Afortunadamente mi abuelo era provinciano; ésta no es la capa corta del señorito jactancioso sino que llega casi hasta los pies. De romero o peregrino. No es para el Corregidor de *El sombrero de tres picos.*

¡Félix! Félix *El Loco*, muerto por no haber logrado estrenar la obra de Falla. La Karsavina vio a Félix bailando flamenco en el *Savoy* de Londres. Félix cantó, bailó; se olvidó de todo ante la estrella rusa del ballet de Diaghilev, hasta que los camareros del hotel apagaron las luces. Pero Félix estaba en otro planeta y siguió bailando en la oscuridad. Así pasó Félix a intervenir en la creación del ballet. Ayudó en la coreografía a Massine y hasta Falla le tomó unos ritmos de farruca. Pero no la bailó Félix. No podía bailarla: el «molinero» era Massine. Le arrebató el destino *su* danza y Félix se volvió loco: al no ver su nombre en los carteles salió del teatro, entró en la iglesia de *St. Martin in the Fields* y rompió a danzar la farruca hasta caer exhausto. Internado en el manicomio de Epsom, allí murió casi un cuarto de siglo después.

¡Embriaguez de la danza! ¡El giro cósmico de los planetas y de los hombres! Lo cantaba Rumí. Copio del *Ruba'iyât*. «Álzate, sol, los átomos danzan; las almas en éxtasis danzan. Cada átomo, feliz o miserable, está enamorado de ese sol que es el Único.» Música de *ney*, rito de los derviches. Su manto negro, que dejan caer al suelo antes de formar el círculo cuyo centro es el jeque, el Maestro. Emergen renacidos, vestidos de blanco. Sus giros primero lentos, sus brazos como dos alas, el derecho con la palma al cielo para recibir la gracia, el izquierdo vuelto a la tierra para difundirla. Cada uno un planeta, eje de un mundo. La flauta –el *ney*– y los tambores. La flauta: sólo sabe llorar desde que la cortaron en el cañaveral. Hombres transformados en giros vertiginosos, en arenas de remolino, en átomos enamorados. Yo bajo mi capa negra, mi corazón danza fijo enamorado de Nerissa: Él.

Pedrito había venido con su padre a ver a tía Eugenia. Se aburría y me lo llevé a la calle. El vendedor de juguetes; el capricho del niño por el reloj; su desconsuelo al ver que no andaba. «¿Que no anda este Longines de cinco pesetas?», dijo el vendedor. «Pues cómo todos, dándole vueltas aquí, mientras se les da cuerda mueve las saetas. No querrás uno perpetuo por un duro.»

El problema del tiempo, preocupando ya al niño. ¿O sólo la ostentación del reloj, la aproximación al adulto? En el colegio nos presentaban el hallazgo de un reloj en un desierto como prueba para la existencia de Dios. Dios el Gran Relojero. Yo reloj, mi latido en la almohada. Nerissa dándome cuerda, cuando cese me paro.

¿Cómo será después?, me preguntaba yo antes. Pero ahora lo sé. Cerraré mis ojos sin cerrarlos; dejaré simplemente de mirar este mundo y aparecerás Tú, llamada por el último temblor de mis labios, los últimos impulsos de mis neuronas. Me tomarás de la mano (un modo de decirlo) y avanzaremos envueltos en nuestras capas blancas (un modo de verlo) hacia Él. A medida que avancemos nos iremos deshaciendo, haciéndonos. Cuando nos demos cuenta ya no seremos ni Tú ni Yo.

Antes me dolía deshacernos; ahora me conforta, me confirma. Mi único miedo: no vivir bastante para dar suficiente testimonio de mi Amor.

Desinterés creciente. Todo gesto es un trabajo. Penoso afeitarme cada mañana. Pensé dejarme la barba, como mis maestros, pero me sentía disfrazado. Mejor afeitarse, hacerse la cara cada día, quitarse algo más. Convertir el afeitado casi en un rito adivinatorio: cuando resulta fácil, cuando el apurado es perfecto es señal de un progreso. Como si me hubiese desgastado un poco mejor.

Aquella flor de estaño en el pecho de Nerissa. Se la traje de Zürich y ella le puso un cordón de cuero. Estaño también en el pecho de Serafina esta gran tarde de hoy. Lucía y Pedrito esperaban en vano a la madre, a la salida del colegio. Pasaba el tiempo. Los ojos de Lucía se iban ahondando en la inquietud. Serafina no faltaba nunca a recogerlos. No quise irme mientras esperasen. Lucía quiso marcharse sola con su hermano; reprimía el llanto de su angustia. Al fin me puse la capa, cogí al niño de la mano y me llevé a los dos hacia la parada del autobús.

La gran tarde en que ha florecido para mí un honor resplandeciente. Llegamos a la Ciudad Sanitaria cuando Serafina salía desolada a buscar a sus hijos. Una avería de agua en su vivienda, en lo más alto de la torre, le había impedido llegar a tiempo. Su pecho palpitaba violentamente, columpiando la flor de estaño. Yo la miraba tan hipnotizado que Serafina se ruborizó mientras me daba las gracias por haberle llevado a sus hijos. Pero reía mientras Lucía al fin dejaba escapar unas lágrimas de alivio.

¡Oh, la gran tarde! Aclarado todo, me despedí y se adentraron en la colmena de la Ciudad Sanitaria, con su altísima torre en medio del llano. Me alejé de la puerta entre los accesos para automóviles y peatones y, cerca de la parada del autobús, me senté sobre un bordillo envuelto en mi capa. Sin darme cuenta, mi mano derecha quedó fuera, sobre mi rodilla, mientras yo me abstraía frente al crepúsculo invernal. El páramo absorbía en su creciente fosquedad las casuchas y las naves industriales. Todo se fundía en el seno de la noche como todo se funde en Él, también oscuro.

¡Oh, mi consagración! En el cuenco de mi mano sentí un peso leve, frío, repentino. Una moneda, recién depositada. Me quedé mirando: aquel señor del sombrero me había dado una limosna. Lágrimas de júbilo en mi corazón glorificado. Al fin adelanto en la desnudez. Ya he alcanzado la dignidad de mendigo. Soy Su pordiosero, Tu pordiosero. Al pie del Muro blanco, en el quicio de Tu puerta. ¡Oh, recogedme ya!

14. EL EUNUCO DE SOLIMÁN EL GRANDE

Presencia de Nerissa

OCTUBRE, OCTUBRE
El eunuco de Solimán el Grande

Jueves, 21 de junio de 1962

LUIS

¿Gritos, aullidos?, ¿qué me ha despertado?, ¿una pesadilla?, difícil salir del sueño, estaba en lo más hondo, ¿Carmela?, ¡no, ya volví, estoy en Noblejas!, me incorporo de un salto, ¡en Noblejas y en Stambul, en mi presente y en mi pasado!, me despejo por completo, prefiero no encender, contemplar sólo sombras al clamor de la calle, en esas dimensiones misteriosas evoco mejor la revelación, me reinstalo en Stambul, ¿lograré recordar más?, ¡Stambul!

¡Y anoche, hace sólo doce horas, todavía yo ignorante!, errabundo, fugitivo de la pensión, proyectando volver de una vez con doña Emilia, afrontar a Ágata, romper como fuera, imposible seguir así, refugiándome en cualquier cine, cuanto más vacío mejor, hueco el local y la película, transcurría en Japón, estúpido argumento de norteamericanos listos y espías chinos idiotas, llegué a la mitad después de cenar algo en un bar, me daba igual, el caso era cargarme de sueño, poder luego descansar en la habitación extraña, el cine *Madrid* desierto, pero lo recordaré toda mi vida, la triste luz amarilla del entreacto, «¿me marcho o no me marcho?», una mujer de edad avanzó por el pasillo, se sentó en la misma fila a una butaca de mí, al salir la molestaría, por eso me quedé, pobre señora venida a menos, cansado pelo blanco, gafas baratas, a ella se la debo, la revelación, me sorprendió el apagón para empezar de nuevo, primero un documental sobre Stambul, me dispuse a soportar esas imágenes, una panorámica del Bósforo, el Cuerno de Oro, naturalmente, pero ya me intrigó, no supe aún por qué, pero ya me incliné fascinado hacia delante, luego comprendí que me sobraban las chimeneas de los barcos, que faltaban los mástiles y velas, en cambio el balcón de los emperadores bizantinos me sosegó, lo acepté como conocido, pero irrumpió Topkapi, el serrallo otomano, un *travelling* por su primer patio, ¡aquello, aquello!, tambor mi corazón, ¡esas dos torres, esas dos torres!, ¡si no estaban terminadas!, «¿y yo cómo lo sé?, ¿por qué pienso eso?, ¡reconocer la puerta de *Orta-kapi* sin haberla visto nunca!», increíble y sin embargo un sudor frío, un vértigo en mi cráneo, esperaba algo así, meses ya de presagios, la revelación me paralizó, quisiera dudar, necesitaba otra prueba, «si gira la cámara a la derecha se verán las cocinas con sus cúpulas», ¡pensando antes de que apareciesen!, ¡las anunciaron después!, ¡y yo lo sabía, yo lo sabía, yo lo sabía!, repentino sudor, ansiedad, me agité en la butaca, quería ver y no ver, descubrir e ignorar, ¿qué será de mí?, ya no cabía dudar, no necesitaba oír, recordé todo lo que aparecía, la *Puerta de la Felicidad*, entramos en el harem, catarata de evidencias, aquellas puertecillas, aquellos corredores, el salón del Diván, ¡la ventana enrejada, la del Gran Señor, el Padisha!, se me escapó en alta voz, alguien me chistó, la señora de al lado, «cállese», «era su ventana, para oír directamente, llegaba a ella por una escalerilla», la señora se enfadó, «¡déjanos oír a los que no hemos estado allí!», «¡pero si yo tampoco!, es decir sí, ¡eso es lo impresionante!» me incliné hacia la señora, casi lo grité en su cara, «he estado en otra vida, ¿comprende?», la señora me rehuyó, se echó atrás, insistí, «usted no lo entiende pero es verdad, por eso lo recuerdo, lo viví antes de nacer ahora», la señora se espantó y huyó pasillo arriba, no señora, no estoy loco, mi corazón al galope, volví a mirar la pantalla, el quiosco de Mustafá Pashá, rodeado de cipreses, ¡quiosco!, claro, comprendí de golpe Aranjuez, mi emoción en los chinescos, pero no me estremeció China sino la palabra «quiosco», resuelto el enigma, viví en Stambul mi pasada existencia, abundan los cipreses, los de la Encarnación, asomándome a mi otra vida en casa de Carmela, sus habitacioncitas al pasillo estrecho, el jardín visto por la odalisca, igual era el harem, el que veía en el cine, la pantalla provocando recuerdos, visiones y palabras, de pronto una cuajó en mis labios, sin yo buscarla, *Hurrem*, ¿qué significaba?, lo ignoro pero repetí, más fuerte que yo, *Hurrem, Hurrem*, me asustaba, alguien se acercó por el pasillo, la linterna del acomodador me alumbró, estarme quieto pero imposible, ¡qué tortura aguantar mi frenesí!, no podía irme, había de apurarlo todo, pero ya la pantalla abandonaba Topkapi, ya era Santa Sofía, la mezquita de Achmet, no me interesaba, me temblaban las manos, insoportable, me fatigaba respirar, me levanté y me marché, el acomodador intrigadísimo cuando crucé el vestíbulo.

Plaza del Carmen, la noche calurosa, ¿en qué planeta?, bajé por Tetuán, ¿a dónde iba?, Topkapi, Topkapi, he vivido allí, ¿cómo se vuelve?,

¿por qué he de volver?, ¿qué hacer?, vorágine interior, me dejaba llevar por mis pasos, necesitaba saber más, ¿dónde buscarlo?, no estaré tranquilo, ¡qué desesperación!, al menos algo cierto, un ancla en aquel tiempo, desde hoy será más fácil, iré descubriendo aquella tierra, me encontré en la calle de San Quintín, en la esquina donde reté a los guardias, aquella noche de la manifestación tras la bofetada que me arañó la boca, ¿qué me trajo a ese sitio?, ¿habré sido golpeado en Topkapi?, ¿fui una odalisca según pensé al ponerme las medias de Carmela?, ¿por eso me compré en Sevilla unos pantis que guardo en mi maleta?, ofrenda a Ágata pero quizás memoria, atormentadora incertidumbre, y la noche cerrado misterio, los faroles no lo disipaban, imposible volver a la pensión, habitación odiosa, me refugié en mi nido, volví a mi cuarto en Noblejas, entré sigiloso para no despertar a nadie, no aguantaría una conversación con don Ramiro, me reinstalé con mis libros y recuerdos, les pedí ayuda, me acurruqué en la cama, de pronto advertí que en posición fetal, ¿se evoca así mejor?, ¿o era porque renacía, me reencarnaba?, daba vueltas a las imágenes de la pantalla, pero no avanzaba nada, ¿qué mujer fui o qué vida tuve?, preguntármelo, preguntármelo, obsesivamente, al fin un pesado sueño de cansancio.

Otra vez los aullidos, gemir de un alma en pena, ¿el harem?, ¿torturas?, es en la calle, parece un animal desesperado, eso, maullidos, un gato, ¿en un tejado?, taladra mis oídos, insoportable, poner remedio, está amaneciendo, un gato negro, de un negro fosforescente, inmóvil, en el árbol de enfrente, en la más alta rama curvada con su peso, no se atreve a avanzar ni a retroceder, la rama a punto de quebrarse, ¡sorpresa!, desde la ventana de arriba una escoba tendida. ¡Ágata!, ¿lo dije en alto?, responde «¡Luis!, está asustado, el animalito, se va a estrellar», ¡qué gozo escuchar su voz!, «¿no puedes alargar más la escoba para que salte a ella?», «imposible», cierto, estirados al máximo sus brazos, sus adorables brazos, mi corazón conmovido, ¡ay Ágata, mi Ágata!, «voy a bajar», le grito, este reencuentro imprevisto un ancla en mi vorágine, esperanza de que el caos siga ordenándose, salgo al pasillo, en pijama ¡qué importa!, me ataja en camisón, un don Quijote en la venta, sin barba, «ah, es usted», me excuso, «no es culpa suya, me hacen velar mis tribulaciones», le noto conversador pero le esquivo, al bajar recuerdo una escalera de mano en el almacén de Mateo, sigue allí, la saco a la calle desierta, el día abriéndose inmenso como una pálida flor, sus pétalos de oro y rosa, el exquisito aire perfumado por el jardinillo de Bailén, todo me conforta, el gato destaca contra una luna llena inverosímil, reina todavía del cielo apenas blanquecino, una estampa japonesa de gato fantasma, encarnación de un alma, pero la rama cruje, rápido, aplico la escala al tronco, luego trepo desde su último peldaño, «¡cuidado Luis!», ¡esa ansiedad, qué delicia!, bendito sea ese gato, Ágata preocupada por mí, voy acercándome al animal, Ágata vuelve a asustarse, ¡ojalá inquieta por mí eternamente!, avanzo un poco más, estiro el brazo, y entonces limpiamente, sin miedo alguno, como por tierra firme, con burlona jactancia, salta el gato a la alcoba y alcanza la ventana, pisa el hombro de Ágata, desaparece dentro, ¿por qué no lo hizo antes?, ¡tan sencillo!

Nosotros mirándonos, atónitos, atónitos, Ágata deliciosa en su bata, el pelo sobre sus hombros, ahora el gato era yo en la rama frágil, ¡qué situación ridícula!, nos reímos los dos, ¡nos reímos!, interpreto sus ojos risueños, «¿puedo subir?, ¡tengo tanto que decirte!», «y yo», responde muy bajito, pero resuena en el silencio, la magna flor del mundo expectante, sus palabras la colman, bajo fácilmente, devuelvo la escalera al almacén, subo al piso de dos en dos... pero me detengo en mi descansillo, una inspiración, eso, entregarme a ella sin palabras, entro en mi cuarto, saco las medias de la maleta, me las pongo, el pantalón por encima, me dejo la chaqueta del pijama, sólo entonces subo, no llamo, claro que la puerta abierta, Ágata en pie, junto a la ventana, flamante a contraluz en su bata amarilla, el negrísimo gato tan tranquilo sobre el diván, Ágata comenta «¿te has puesto un pantalón sobre el pijama?, ¡cuánto cumplido!», pero risueña, ambos callados, luego, cierro la puerta despacito detrás de mí, Ágata espléndida, la bata dibuja su pecho, ¡oh, sus brazos desnudos!, «¿qué tenías que decirme?», «tú también» contesto, «sí, yo también», eso me basta, ya puedo empezar yo, «anoche, Ágata, anoche, ya sé dónde fue mi vida, la otra, la de antes», calla, parece burlona pero continúo, «en Stambul, Topkapi, el harem del sultán», rompo a hablar, toda mi exaltación desbordándose, le transmito la revelación, el velo rasgado, pero se apaga el brillo de sus ojos, percibo un desencanto, ¡si ese milagro me transforma!, de repente comprendo, espera de mí otra cosa, sonrío al ofrendársela, llevo despacio las manos a mi cinturón, suelto la hebilla mirándola, expectación en sus ojos, caen mis pantalones, aparecen mis piernas en pantis negros, los que ella quiso ponerme, pero éstos son los míos, ya me he sometido, espero inmóvil, «quítate la chaqueta» susurra su deseo, obedezco a esa voz reconcentrada de la Ágata más honda, que contempla mi pecho ya desnudo.

¡Qué premio, el deslumbramiento de sus ojos! Su sonrisa triunfa y me acaricia, sus manos tendidas, «¡Oh, Luis!» dice simplemente, me lleva al diván, el gato lo abandona, se mete debajo, nos sentamos y le olvido, reanudo mi relato, ahora sí quiere oírme, Ágata me escucha ávida, mi descubrimiento, el escenario de mi encarnación pasada, seguro aunque aún la ignoro, pero lo sabré, Ágata presiona mi rodilla con su mano, ¿confirma mi creencia o toma posesión?, en la ventana crece la luz poco a poco, vuelve el estudio a ser el nuestro, me invade una paz doméstica, me calma mi relato, desahogarme en Ágata, ser escogido por ella, ¡el mundo es ya perfecto!, sólo faltan detalles, los cimientos son firmes.

Al fin callo, Ágata mira mis piernas, ahora también aceptando, viviendo conmigo esos recuerdos de tan lejos, interesada por aquel otro Luis, odalisca o quien fuera, «quiero té», ¡qué tono tan sencillo y cotidiano, qué orden tan imperiosa!, me levanto, gozo de los cacharros familiares, de nuestros gustos habituales, vuelvo con la bandeja, una sola taza como entonces, su mirada me aprueba, lo dejo sobre el taburete, de pronto recordamos, ¿y el gato?, «era gata, estoy segura», me inclino a mirar bajo el diván, ha desaparecido, imposible, no la vimos salir, ¡qué misterio!, separamos el diván de la pared, ¡asombro: un agujero en el muro!, lo examino, estaba de antiguo, tapado sólo por el empapelado, la gata ha podido pasar fácilmente ¿para qué ese agujero?, a ras de suelo no era un tubo de estufa, ¡una gatera!, ¡entonces hay una puerta!, se precipitan los descubrimientos, palpamos: una puerta, salgo al pasillo buscando a qué corresponde, nada en el muro hasta la escalera, da a la parte por donde baja más el tejado, ¡claro, un desván ignorado!, ¡desde anoche es posible todo!, a tientas determinamos el contorno de la puerta, es muy baja, con un cuchillo cortamos cuidadosamente el papel, una simple tabla sujeta con un clavo, cede enseguida chirriando las bisagras, al empujar aparece un oscuro antro, Ágata trae su linterna, lanza la luz entre esas sombras, a tiempo justo para ver la gata desaparecer por un respiradero al tejado, nos detenemos en el umbral, ¡otra revelación tras la de anoche!, ¿cuántos velos van a rasgarse hoy?

Cavilamos ante la caverna súbita, agiganta el estudio, lo llena de resonancias como un pozo, nos miramos, vuelve Ágata a lanzar la luz de su mano, faro por el océano de tinieblas, confusos bultos por el suelo, vaho a clausura, aire polvoriento y caldeado, así descubriría Carnarvon la tumba de Tutankhamen, así las pirámides, ¡Dios mío, mi sueño!, mi primer sueño del retorno, «Salomón es un perro», aquella voz, pero el nombre era inseguro, ¡ahora se identifica de golpe!, la revelación de anoche lo explica, no fue Salomón sino Solimán, Süleyman, es lo mismo, *El Magnífico*, el descubrimiento me paraliza, siento un escalofrío, Ágata lo interpreta mal, «¿tienes miedo?», se lo explico, ¡ya tengo tiempo y lugar!, ¡sé cuándo y dónde he vivido!, ¿o existió otro Solimán?, pero no, seguro que el Magnífico, el Gran Señor de la Sublime Puerta, seguro porque lo siento, a medida que hablo para Ágata su sombra se agiganta en ese antro, una barba poderosa, una figura heroica, omnipotente amparo, cedro confortador de fresca sombra, me siento ya su siervo, ¿su sierva, fui suya?, ¡qué fuerte vino llena mi corazón!, pero entonces, ¿por qué era un perro?, ¿por qué el insulto?, aún ignoro detalles, ¡ah, pero ya eché el ancla, las coordenadas básicas, mi historia y geografía!, espléndido Stambul de Solimán, en aquel torbellino fui otro átomo, ¿cuál, quién?

Todo eso en un instante, detenido ante ese espacio impresionante y pequeño, apenas metro y medio de altura, balbuciendo unas palabras para Ágata, procurando calmar mi escalofrío, ella menos afectada, avanza con la linterna, Ágata la más fuerte, dentro ese aire encerrado, ¿de qué tiempo?, de repente resuenan campanadas, vibran más en este antro, hoy es fiesta, ahora me acuerdo, campanas simbólicas para el paso decisivo, ceremonia iniciática, ¡por eso la gata!, la diosa Bast que ha venido a guiarnos, a revelarnos esta segunda caverna, destinada a nosotros, la linterna iluminando objetos, el mayor un sarcófago parece, mezclo la cámara pirámide con la gruta sagrada de la Gran Madre, ¡qué confusión la mía!, pero floto como en un mosto nuevo, júbilo efervescente, seguro hemos pasado ya lo peor, inventariamos los descubrimientos, objetos rurales, como en desván de pueblo, resquebrajados arneses de cuero, quizás de una calesa, una ligera silla de montar, unos rollos de cuerda, un quinqué de petróleo, parece intacto, deliciosa tulipa rosa en torno al tubo, «ahora están muy de moda» observa Ágata, y al final el sarcófago, un baúl mundo, forrado de vaqueta, redondos clavos dorados, en la bombeada tapa unas iniciales con clavitos más pequeños, A y M, «mi nombre» exclama Ágata, «mi apellido» replico, del todo inverosímil pero es cierto, escrito con clavos, lo abrimos, unos retales dentro, unas tiras de encaje de bolillos, viejos periódicos, unas cajas vacías: de medicinas, de bombones, otra con postales escritas, revolvemos, algo en el fondo, Ágata lo descubre primero pero no lo coge, toma posesión enfocando la linterna, estamos inclinados sobre el baúl, nuestras cabezas muy cerca, el bajo techo no permite erguirse, su voz se adensa –lo siento en su garganta– cuando ordena, «dámela, con cuidado», su timbre se ahonda, lo comprendo al ver el objeto, una fusta, elegantísima, plata en la empuñadura, estilizadamente se adelgaza hasta la plana y ensanchada lengua, fina, flexible, ¡qué asombro: como nueva, no resecada!, ¿la ha conservado estar en el baúl?, «¡cógela por el centro!», advierte Ágata al tenderse mi mano, quiere decir que no la empuñe, cierto que no soy digno, con precaución la tomo y la levanto, como un cetro sagrado se la ofrezco, la reciben sus dedos tanteando, ajustándose al puño, afirmándose en torno, adhiriéndose al cuero, transmitiéndole su fuerza, la sangre de Ágata prolongada en ese junco, no veo moverse la mano pero esa lengua vibra en el aire, así la de una víbora, ese cetro se encabrita, en Ágata una sonrisa indescriptible, da un quiebro la linterna, me enfoca, me deslumbra, desde detrás me mira Ágata, me traspasan sus ojos, hasta a ciegas lo noto, y entonces la caricia en mi mejilla, ¿la suavidad de un pétalo?, ¡ah, no, con duro canto!, ¡la lengua de la fusta!, me encojo interiormente, ¿cuándo me herirá el golpe?, ceremonia iniciática, pero el pétalo resbala hasta mi barbilla, desciende por mi cuello como un hilo de agua, una vez más mi corazón galopa, ¡deliciosa crueldad!, toda mi piel estremecida, locura refinada, el pétalo se aleja, se acerca en cambio la voz de terciopelo, un ardor susurrante, «¡oh, Luis, es fabuloso!», la luz ya no me ciega, su rostro se reconstruye en el halo de mi deslumbramiento, otro San Bernardo de Ribalta, repitiendo en triunfo, «¡fabuloso!, ¿quién podía esperarlo?», es cierto ¡qué regalo de la vida!, nada menos que un templo, además es caverna en lo más alto, madre tierra entre nubes, cripta de resurrección, un nido, ¡nuestro nido!, había de ser así: un abismo, aquí naceremos, renaceremos, niños perdidos hasta descubrirlo, ya lo hemos encontrado, gracias a la felina diosa egipcia, apareció en el árbol para guiarnos.

Hablo así para Ágata, su luz sigue explorando, vigas a la vista, en una un grueso clavo, enorme, de crucifixión, también alguno en la pared del corredor, ni rastros de una puerta, la nuestra es la única comunicación, la taparían cuando arreglaron este piso, prescindieron de esta parte por no gastar en elevar el techo, volvemos al estudio, empezaba a faltarme el aire como a un submarinista, imposible permanecer mucho a esas profundidades, ya hemos sacado las ánforas, los tesoros hundidos, ya están en nuestras manos, ya podremos vivirlos, acordamos callar, esa caverna es nuestra, un santuario, cierro la puerta despacio, apenas se nota, pondremos además una tela por encima, adornando la pared, nadie se dará cuenta, nuestro secreto, guardaremos ahí las tinieblas fecundas, un mundo para búhos poderosos, tomamos decisiones aunque más bien yo solo, Ágata pensativa, se limita a sentir, reconcentrada en sí, viviendo sus entrañas, ¿también reencarnación?, sólo en cierto sentido (lo adivino), no ha soltado la fusta, sus ojos son ahora piedra dura, aunque su boca se hace voluptuosa, ¿por qué «aunque»?, precisamente por eso, ¡ah, también ella madura!, está ascendiendo a Ágata, cuajando en Ágata, diosa como nunca.

Sobre el taburete la bandeja olvidada, la fusta señala el té, comprendo que estará frío, «voy a hacerte otra taza», «prefiero acostarme, no hemos dormido nada», cierto y hoy no hay prisa, contempla mis piernas negras, se me habían olvidado los pantis, me hace recordar mi estado, «bébete el té y baja las persianas, también las de mi alcoba», qué delicia volver a donde ella duerme, «enciende las luces», la cama abierta, olorosa a su cuerpo todavía, se sienta en ella, espero cerca, la lengua de cuero acaricia mi muslo enfundado, vuelve el escalofrío, «¿lo ves?, te los pusiste, tú solo, por ti mismo», «cierto, quería decirte...», «yo también –me ataja– pero ya no hace falta», e insiste «¿verdad que no hace falta?», lo confirmo en silencio, la fusta señala sus pies con zapatillas, pongo en el suelo una rodilla, la descalzo, ¡esos pies exquisitos!, retorno a tiempo atrás, cuando éramos felices, retorno a ya donde siempre, lo garantiza el nuevo santuario, nuestro nido, cimientos de los tiempos venideros, hacernos como somos, dioses invisibles guiándonos hacia nosotros mismos, la gata Bast, me posee la adoración, permanezco arrodillado, «¿a qué esperas?», sarcasmo en su voz cautivadora, «¿a que me quite la bata?, no me importa, un esclavo no es un hombre, y a ti te compré», mientras habla se yergue, suelta su cinturón, se quita la bata haciendo ondular su cuerpo, queda un camisón transparente, y debajo la sombra sólo de otra prenda, una púrpura en cada agresiva cima, ¿y llamaba pequeños a sus pechos?, ¡admirables, exactos!, los «montones de trigo» de Neruda, vuelve a sentarse, «¿cómo te atreves a mirarme así?», ¿por qué me quedo atónito si tiene razón?, «¡baja los ojos!, extiende la mano», así era en el colegio, renazco en el nuevo nido, cae la fusta en mi palma, descarga la violencia de su brazo, ¡cómo muerde esa lengua, cómo corta!, he sofocado un grito, «la otra» ordena, la tiendo mientras abro y cierro la mano dolorida, cae otra vez la fusta, mis dos palmas ardiendo, un corrosivo ácido, un clavo las traspasa, crucificado, «ya no te necesito», humilde le deseo buenas noches, ocultándole al hablar mi felicidad, el mundo se reconstruye, me dirijo a mis pantalones en el suelo, desde su cama su voz me ataja, «no te vayas, ¿quién te ha dado permiso?, acuéstate en el diván, así te llamaré cuando despierte», obedezco su orden: soy el perro yacente de los sepulcros medievales, a los pies de mi dueña.

¡Cuánto hemos progresado en esta noche!, el velo de Maya desgarrado, revelada mi patria de otro tiempo, Ágata en mi poder aunque lo ignore, trabajando en mi consolidación, cuánto hemos avanzado, guiados por Bast hasta la cripta, la caverna en lo alto, templo de nuestros ritos venideros, el caos al fin un cosmos, definitivamente, esa seguridad como una madre, calma mi vorágine pasada, me acuna en nuestro nido, me va llevando a un sueño en el seno del orden, de las profundidades creadoras, aquí en este diván, donde descubrí sus pies con mi caricia, donde ahora veo mis piernas extendidas, oscuras convergencias a mi vientre, hacia un vértice liso, emasculado, no le causó violencia el quitarse la bata, hubiera sido igual el desnudarse, me estoy viendo sin sexo, ¿ocurrió eso con Marga?, ¿qué pantis invisibles han pesado en mi vida?, ¿por qué nací pasivo o me crearon?, pero no con Carmela, claro: porque me forzaba, por tanto fui mujer en el serrallo, allí no había otra cosa pues Sultán imposible, renací aquí con sexo, pero aún no habré llegado a acostumbrarme, genitales pasivos, emergen con la violencia, entonces como si también me los hubieran arrancado con violencia, ¡qué relámpago me deslumbra: eso, arrancados! ¡otro desgarrón del velo! otra revelación, otro galope en mi pecho, necesario para comprenderme, claro que en el harem había otras cosas, ni mujeres ni hombres, los eunucos, ¡los eunucos!, nunca he ignorado que existían, pero mi memoria bloqueada precisamente por ser verdad, así se explica todo, eso fui, no hay duda, eunuco de Solimán el Grande, lo vivo, lo revivo, me lo grita mi sangre, hasta oigo correr ahora el agua de aquellas fuentes, ¡tan cierto es ese rayo en mi pasado!, eunuco fui de Solimán el Grande.

Ágata

Del abismo a la cumbre. Del tormento al trono. De golpe, cambio inesperado, esta mañana. ¡Increíble, oír su voz, verle en la calle! Debía estar ridículo en el árbol, pero yo conmovida, lágrimas de alegría. ¡Rueda de la Fortuna! Anoche, todavía, ahogándome asomada a esa ventana. ¡Y era la puerta de mi resurrección! Clamando por su retorno: que hiciese de mí lo que quisiera. Ahora le tengo ahí, a mis pies, a la puerta de esa cámara secreta. El templo, le llama él. ¿Por qué no su prisión? ¡No se me volverá a escapar! Anoche dispuesta a todo. Aceptando que me violase con tal de que rompiera mi corteza. Mi coraza de *Pucelle*. Que alguien al fin libase mi secreta miel. Cualquier oso hormiguero, la miel de que estoy llena y que me ahoga. Pero eso era anoche, pertenece al pasado. El presente en este baño tibio: ¡el más delicioso de mi vida!

Incluso mientras le esperaba tras haberse bajado del árbol. ¡Angustiosa impaciencia! «¿Qué hace ahí abajo, por qué tarda?», me decía yo. La gata en el diván, indiferente. Pues era gata. Tumbada, enarcó el rabo y mostró entre su pelaje los dos orificios. Purpúreos entre su negrura absoluta. Carne viva escondida en la noche. Como si alardeara. ¿Y por qué no? Próximos, como un ocho horizontal: símbolo de infinito. Sexo infinito. La fuerza de la hembra: ¡ella me la ha traído! Sí, es Bast, no lo dudo. Una diosa era precisa. Se relamía en el diván. Ahora, en este baño triunfal me relamo yo comprobando, entre mis piernas, que también poseo ese infinito.

¡Qué semanas! ¿Cómo pudo creerse Lina que me divertiría con ellos en la verbena de San Antonio? No hacía más que preguntarles. «Pero, ¿viaja Luis o no viaja? ¿Es que ahora IDEA le manda fuera constantemente? ¿Y por qué le dejó Guillermo en Sevilla?» ¡Lina sí que se divertía! «Pero, Ágata, ¿no decías que no te importaba?» Y, luego, esa verbena. ¡Qué pueblerina! Polvo, estrépito, gente grosera...

Ha vuelto, ¡y con esa revelación ante Topkapi! ¿Será cierta su reencarnación? El principio de la conservación de la materia, sí, pero... En todo caso, Luis bien convencido. Y si es cierto lo del cine, anticipándose él al comentario... Aunque, ¿lo será? Ése es el problema: ¿Tenía ya información sobre el harem o no? ¿Se engaña inconscientemente? Pero ¿cómo puedo dudar tras haber vivido yo misma el milagro de Bast? Traerme a Luis entregándoseme, revelar esa puerta secreta en mi casa, otorgándome un templo donde reinar... Después de eso, todo es creíble. Si una diosa encarna en una gata, ¿por qué no una odalisca en un hombre?

¿Cómo no iba a importarme Luis? Si aquella noche en vez de don Rafael me hubiese acompañado él... ¡Cuántas veces lo he pensado! Sólo él ha entrevisto el sendero secreto por mi laberinto. El único viable para despertar a la Pobre Durmiente. Sólo sus manos no me repelían sobre mis rodillas deseantes. Las de Gloria, untuosas. Las de Gerta, aquella vez, esquinadas. Tan sólo Sor Natalia, pero hace tanto tiempo... Perfectas, él lo decía. Es cierto, son bonitas, emergiendo de este agua tibia que me envuelve. Aunque realmente me estoy bañando en... en, ¡voluptuosidad!

¡Ágata, has logrado pensarlo! ¡Y expresarlo! ¡Y sentirlo de veras, por dentro!

Luis no subía y yo angustiada. La gata, tranquila, relamiéndose perezosa. Sus ojos de distinto color: uno verde esmeralda, el otro agua marina. ¿O era la incidencia de la luz? Me miraban burlones. «Relámete tú también», parecían decir. ¡Eso estoy haciendo ahora! Me descubro el cuerpo, me acaricio. Lo mejor, estos muslos. ¿Cómo diría él? Rotundos. Ahora exigirle adjetivos, precisiones. ¡Cómo espiaba mis pechos al quitarme la bata! La verdad es que lo hice bien. Ágata, me tienes muy satisfecha.

Ahora ya tengo a mi oso hormiguero. Al ver aparecer sus piernas en los pantis, se alborotó la sangre en mi cabeza. ¿Qué más podía decirme? El mensaje más claro. Entregándose así; mejor que como lo pretendí. No está mal de piernas, para ser hombre. Y sobre todo, encerrado, prisionero de cintura para abajo. Inofensivo el sexo; como si yo lo tuviera en el puño. Como un halcón cautivo. Cegado por la caperuza que le impongo. Y sólo yo puedo librarle, dejarle volar, hincar el pico y las garras. Sería preciso estar seguros de que no había nada de Topkapi. A lo mejor, hace años, leyó algún libro con fotografías. O quizás otra película. Puede haberla olvidado. ¡Ha leído tanto! Así se explicaría todo. Pero él lo cree; sin resquicio de duda. Lo cuenta convencido. Y convincente. Además, habría que explicarse por qué olvidó precisamente esa información anterior. Y, sobre todo, por qué tanta fe. La fe se tiene siempre porque se necesita. ¿Por qué en Luis, para qué? ¿Para reencarnar de nuevo?

¡Pensar que he dormido casi dos años en ese diván, creyéndome respaldada por una pared segura! Y, nada, el muro era una tabla. Respuesta de Luis: «Esa cripta es más segura todavía que una pared. Nos ampara. Es nuestro templo, nuestro nido.» No te fíes, Luis; quizás una *oubliette*, mazmorra medieval. ¡O cámara de los suplicios! El agua parece haberse enfriado de súbito cuando lo he pensado.

Nunca pensé que un simple baño pudiera resultar afrodisíaco. ¿O lo son mis pensamientos? ¿Nacida en mí la idea al pensar en los del harem? Más bien en el bullicio de mi sangre. Quizá la foliculina. ¿En qué día del ciclo estoy? El ajolote hembra, la murciélago, todas nosotras elaborando foliculina con consecuencias para la literatura. Celos, perder la cabeza. Crímenes pasionales, crónicas de tribunales. Furias en el pecho, yo misma estas semanas pasadas. La hormona de la primera mitad del ciclo, excitando el deseo. Aunque también, si el nivel se rebasa, helándonos de frigidez. Ardiente y frígida, ¡qué infierno!

Otra cosa agradable: poco vello en su pecho, casi nada. Un auténtico paje. Sin embargo, maduro, con experiencia, capaz de explorar mi difícil laberinto. Justo lo que necesito. Lo que quiero. Ahora podría tenerle aquí, enjabonándome. ¿Por qué no? Cuidado, Ágata, no te precipites. Se asusta fácilmente. ¡Esos pantis! No sabe él qué grilletes se ha impuesto. El sexo represado. Los genitales. Vistos y no vistos. Están y no están. Con bozal, con mordaza. Para cuando yo quiera. Si quiero. ¿Por qué no he de querer?

Necesita esa fe. Necesitamos todos alguna. Cuando yo creía en padre estaba menos sola. Nunca tanto como estas semanas, desde la llegada del argelino y, después, la huida de Luis hasta hoy. Padre era mi cimiento, mi tierra firme. De acero, como la gumía. ¿Qué otra cosa me habían dejado? Pero Luis, ¿por qué necesita creer en la reencarnación? No ha querido confesármelo. Al fin, con esa mirada que ahonda: «Cada vida un escalón. Conociendo el anterior me prepararé el próximo.» Se quedó pensativo, añadiendo luego: «Y antes de Stambul había otras vidas sin duda... Pero con ésa me conformo ahora.»

No tenía apenas idea de la foliculina, hasta ese artículo que hube de traducir el otro día. ¡Qué monstruosa educación nos dan! Y la llaman «humanística» para ensalzarla. ¡Antihumana; eso es! Abrumándonos con lo que escribió Dante, dónde nació Carlos V, la batalla de Lepanto, el silogismo... Pero de este universo interior que fabrica foliculina y con ella nos enardece o nos congela, a su capricho, de eso nada. ¡Qué ciegos son los sabios! ¡Qué barbarie!

Llegué a desesperarme, entre su tardanza y la indiferencia de la gata. ¿Le había traído hasta esta calle sólo para burlarse de mí, para que desapareciese una vez más? Tuve tentaciones de bajar a buscarle. ¡Pobrecillo, es bueno! ¿Cómo iba yo a pensar que estaba preparándose para mí, aprisionándose el cuerpo inferior para mí? Es bueno: su compasión por el animalito, asustado en su rama. ¡Asustado; bien nos engañó la diosa! Yo pensando mal y él preparándose abajo, entregándose ya mientras se vestía. Cayó su pantalón y emergió sin sexo. Sirena de negra cola. Negra, como esa caverna.

Menos batalla de Lepanto y más evitar el dolor. Menos metafísica y más atender al humano que sufre. Ese sí era un sabio, el que descubrió la foliculina. Dosificarla y se calma a la exasperada. Ya no maquina el asesinato, ya no acaricia el suicidio. ¡Abajo las elucubraciones por el ideal! Se trata de vivir aquí y ahora. Dentro de esta piel que disfruta con el agua. Aquí están el dolor y el gozo: ésa es la verdad. Delicia de recorrer con mis manos mis confines, mis fronteras con el mundo. Y acariciar mis puertas y mis portillos.

La caverna, ¡obra de magia! Creación de esos dioses que Luis anda siempre invocando. Su frescura cuando abrimos la puerta. La deliciosa penumbra, con la luz del día entrando por el respiradero que usó la gata. ¡Por cierto, yo también gata, más una *A* delante! Un desván como en las casas viejas. Los atalajes del pueblo, de cuando se tenía una tartana. Para ir a la estación a coger el tren. Para salir de merienda al soto. Y el baúl de los recuerdos. Me voy a divertir con esas revistas, esas postales de desconocidos. «Mary Pepa, Nicolás, Francisco, Merceditas.» «Tu hijo que te quiere; a mi idolatrada Gabriela.» Nos vamos a divertir, es nuestro nido. Él lo pone bajo tierra, yo en lo alto. No hubiese salido de allí en toda la noche.

Antes aún que por la diosa, volvió atraído por mí. Cosquillas me da pensarlo. Pero ¡cómo ha cambiado en Sevilla! Ese vocabulario nuevo. Sus palabras: «Pasé muchas fatigas». «Fatigas», «penas», «nena». ¿Qué es eso? No me ha contestado; se echó a reír. ¿Quién te ha enseñado esas cosas? No se lo perdono. Me ha robado esos días. Tiene que limitarse a ser como yo quiera. He de enseñarle todo yo. ¡Cierto, ésa es mi fe, ya la tengo! ¿Con quién habrá andado? Ay, ¿quién sería ella? ¡Y en tan pocos días!

El baúl de los recuerdos. Él halló su reino y yo el mío. Prueba de que la gata es Bast. Diosa, necesariamente, para acertar así. Él su templo y yo mi cetro. Su caverna; mi fusta. ¡Esa fusta! No es falsa, como la gumía. La conquisté en un combate. El que empecé antes de Semana Santa. Pareció que vencía él, pero fue una huida. Ahora el cetro es mío, lo empuño yo, le domino con él. La fusta. Me tenía miedo. ¡Tonto! ¿No ves que soy tu amparo? ¿Con quién mejor que conmigo? ¿En otras manos, brazos, todo? ¿Quién empuña el látigo sino el fuerte? La lucha es el más violento abrazo. Como Hércules y Anteo. ¿Recuerdas? Me lo explicaste una vez. En Aranjuez, contemplando el grupo que corona la gran fuente, a la entrada del Jardín de la Isla. Tú lo dijiste, Anteo. Tú, hijo de la Tierra. De la caverna.

Esos días de Sevilla, robados. Pienso en otra boca, otro cuerpo. ¡Prohibido! ¡Yo te compré, te me vendiste! No se puede una fiar ni de estos corderos. Ahora yace ahí fuera. ¿Duerme? No lo creo. ¿Habrá oído correr el agua? Quiero que me imagine desnuda, aquí en el baño. Borrar otras imágenes. Esta vez me lo apropio definitivamente. Comerá de mi mano, gozará de mí... ¡Qué cosas pienso! ¡Así es cómo huye! No, no: gozaré yo del esclavo. Eso es, para eso está.

Jamás volveré a mi último pasado. Soledad; de eso creía yo que estaba hecho el cuarto de hora de la mujer. Eso quise que me curase don Rafael. ¡Si sería tonta! Retórica metafísica. De hormonas está hecho ese momento. El nivel de luteína. Nos ocultan los secretos de la vida. O peor, los deforman, disfrazan. Nos desvían. Lina se reía, cuando lo comentamos. Esos «misterios» les dan el poder. Obligan a la gente a la resignación, a apelar a la Iglesia, a la mansedumbre. El truco del «valle de lágrimas» y después de la muerte el paraíso. Cuando se cura la tuberculosis deja de ser castigo de Dios. Cuando sanas a la histérica ya no es una posesa. Pero ellos cultivan los íncubos y los súcubos, para que sea todopoderosa en la tierra el agua bendita. Antes los hijos los mandaba Dios. Ahora ya se sabe muy bien cómo no vienen. Así están de testarudos los obispos con la sacrosanta familia.

Se agarra a la reencarnación porque es su esperanza. La escalera. Superar el peldaño anterior. ¿Superar Stambul? ¿O Marga, esa Marga tantas veces aludida sin aclararme nada? ¿Qué fue? Supongo que un fracaso. Debió dejarle cuando más loco estaba por ella. ¿Acaso supo dominarle? ¿Le tendría también durmiendo así, en su puerta? ¿Le encerraría? ¡Fantástica idea: le tuvo en un harem! ¿Mezcla la historia de Marga con la de Topkapi; confunde ambas quizás? ¡Qué sugestivo, un hombre odalisca! Deben de haber existido, no se inventa nada. Mejor muchos: un harem de odaliscos. ¡Quién fuera entonces sultana! ¡Disponer de ellos a capricho!

Los obispos y sus aliados. Furiosos. Ese

acto de Garabitas, el otro día. Lo llamaban de afirmación y era de miedo; tiene razón Guillermo. Lo de Munich: cómo les ha irritado esa reunión. Aún deseosos de venganza, a estas alturas. A ese pobre detenido que se ha tirado por la ventana durante los interrogatorios. Capaces de fusilarle porque hace un cuarto de siglo hizo lo que hicieron tantos, unos y otros, si es que lo hizo. Al cabo de los años han perdido su guerra.

¡Qué cosas me ha dicho, en su exaltación por contarme lo de Stambul! «Ser lo que se es, hacernos lo que somos.» «Nuestro sol es la noche.» Su cara de iluminado. Su fe le infunde fuerza. ¿Quizás la abraza para eso? Le ha hecho un hombre nuevo. Que, afortunadamente, se somete a los pantis; se me somete. Al cabo de semanas, he ganado mi guerra. Pero transfigurado. ¿La revelación de anoche en el cine? ¿Solamente eso? ¿No le habrá transformado también Sevilla? ¡De ningún modo! Arrasaré el recuerdo de Sevilla. Que piense en Stambul. ¡Odalisco mío! Claro que mío. Bien lo sabe. ¡Qué cosas me ha dicho! «¿Comprendes, Ágata?: nuestro sol es la noche.» «Nuestra salvación el cataclismo.» «¿No lo ves? Nuestro nido es una cripta.» «Escalaremos la montaña invertida. Nos elevaremos hasta el fondo. Volaremos al abismo. Nos hundiremos hasta el cielo.»

Y yo, hasta hace nada, con casi treinta años, viviendo como una imbécil victoriana. En la cabeza solamente mi oficio, mis fórmulas, mis técnicas –para hacer cosas–, y esas pomposas fábulas que llaman cultura. Todo de piel para afuera. Dentro, en cambio, apenas unos reflejos condicionados, engañabobos. Tiene razón Guillermo: ¡abajo el latín; ya no lo usa ni la Iglesia! Mi vida soy yo, ahora, envuelta en ese baño tibio.

Las proclamaba con autoridad. Esas frases eran órdenes, además de promesas. Su exaltación: tan firme. Sometido, pero lleno de fuerza. Sentado en el diván junto a mí, contemplaba yo sus piernas inmóviles, músculos y sangre modelados en negro. Oía su voz susurrante, pero imperiosa. No hay que fiarse. La misma sensación que ante el frasco de nitroglicerina, en el laboratorio. La primera vez que me lo enseñó don Gaspar. Tras el vidrio, el incoloro líquido siruposo. Como jarabe, pero ¡qué densidad tan visible! ¡Cuánta fuerza reprimida! «Para volar el edificio», me dijo. Para volar. Al abismo.

Voy a dedicarme más a la biología. ¡Me gustaría conocer a Jean Rostand; qué artículo tan bueno! Parece mentira que su padre fuera el cursi del *Cyrano*. Claro, la reacción del hijo. La biología revolucionando las instituciones. La familia de hoy, concebida para una especie con dos sexos en número prácticamente igual, con fertilización interna y una gestación de nueve meses. Todo eso se viene abajo con la inseminación artificial o cuando se transplante el huevo fertilizado o el embrión reciente de una mujer a otra. ¿Quién será entonces la madre? Se acabó «la voz de la sangre», esa invención de los melodramas. Se acabaron los árboles genealógicos, la limpieza de sangre. ¡Qué estúpidos orgullos, olvidando las infidelidades! ¡Pobres machos pavoneándose del hijo ajeno, que por eso mismo fue más audaz y más listo que ellos, por la mezcla!

Así le quiero: explosivo en mi poder. Si no tuviera su fuerza no me interesaría sometido. Porque lo estará. En su caverna, bajo mi cetro. Se olvidará de Margas y Sevillas. Mi fusta. «Estamos descubriendo la cámara de una pirámide –decía–. No es un baúl, es el féretro real.» Cierto, pero de una reina. Y junto a su momia –recuerdos, envoltura de encaje– el cetro. Mi fusta.

Y si en un huevo se sustituye el núcleo por otro del padre y éste fecunda además el huevo, el ser nacido será genéticamente el padre y la madre. Incluso posibilidad de autoadulterio: una mujer teniendo un hijo de ella sola, si además suministra un núcleo adicional. ¡Gracias, Rostand el Destructor! Abajo las leyes, la familia, el manto divino, la pareja sagrada. ¡Si ahora mismo ya está carcomida y polvorienta la moral! La matraca que me han dado tantas veces. «¡Soltera, con lo que usted vale! Hay que tener hijos.» Para la patria, claro. Y, por supuesto, el juez y el cura fisgando la cosa. ¡Ah, y el recaudador de contribuciones, no olvidemos eso! «Lo principal», repite siempre Guillermo.

Si aquella noche de Gloria hubiese yo tenido una fusta... Pero traté de adaptarme a ella. «Deja que te enseñe, verás.» Se empeñó en iniciarme. «Pero, mujer, ¡no te resistas!» ¡Qué iba a enseñar ella; ése fue el error! ¡Si era de cera; un bulto de carne! Suculento, de acuerdo, pero un bulto. ¡Tonta! Estuvo ciega. Así falló todo. No gocé. ¿Qué hubiera ocurrido si yo me impongo? ¿Me hubiera gustado? ¡Cómo celebro ahora aquel error! Gloria era de cera. Prefiero mi sirena de negra cola, mi sirena sin cola. Pero frasco de nitroglicerina.

¡Qué amanecer! Hoy Corpus, hoy cuerpo. ¡Y hace sólo un rato no existía la cripta ni la fusta! Y antes aún yo me torturaba por su tardanza en subir, deliberando sin vestirme con algo o quedarme en bata. Durante esa espera ni soñaba en quitármela. Después me fue fácil delante de él, y además a contraluz, ante mi cama. Claro, imposible volver a dormirme. Relamerme a solas. Gozar de este renacimiento. Otra reencarnación; la mía. Ahora sí que en Ágata, Ágata de verdad. Relamerme como Bast. ¿Me dio su Topkapi la idea de prepararme un baño? ¿Me sentí sultana? Lo necesitaba, prolongado, sin prisas, caliente. Hasta pensé en llamar al esclavo para atenderme. Pero no precipitarme, ir sobre seguro. Ya sabemos lo que queremos y no habrá error. Me relamo como Bast y pienso, con ella, en mi fuerza, en mi infinito. Aquí, comprobado por mis dedos bajo el agua: entre mis muslos.

Flora acaba dándose cuenta de que estaba soñando, pero ya empieza a despertarse. Lo prefiere: no le gustan los sueños que acaban en sobresalto. Ahora bien, ¿cuál era el sueño? Antes de abrir los ojos, consciente ya, se esfuerza en recordarlo.

Gustavo, sí. Y el huevo. Pero ¿antes? Zapatos, unos zapatos. Un par; menos mal. Rojos, encendidamente rojos (Flora siempre sueña con colores; no es gris, como casi todo el mundo). Colocados en la acera, a la puerta del *Instituto Técnico Santa Teresa*; ése de la calle de Fomento. Sin embargo, Flora podía verlos desde el balcón de su casa. Los contemplaba tranquilamente, sin preocupación, vagamente curiosa acerca de su posible propietario, pues eran zapatos de hombre. De pronto, los zapatos se convertían en alas doradas de un pájaro azul, fantástico, de cola múltiple y complicada: es de las visiones más claras en el recuerdo del sueño. El pájaro había entrado en la alcoba de Flora, que ahora estaba sentada en la cama, con el camisón que le regaló Gustavo cuando empezaron a conocerse; aquel salmón un poco atrevido (para entonces, sonríe Flora tras sus párpados cerrados) que la favorecía tanto. El pájaro trae un huevo en sus patas, ¿o lo ha puesto él? No, es macho (¿y cómo se sabe?; pero es así). En todo caso, el huevo está ahora en el regazo de Flora. El pájaro ha desaparecido, dejando un fuerte olor como de campo en época de siega, mezcla de paja y cuadra. Flora no lo recuerda, pero sí una visión de pueblo en verano, que ella traduce en ese olor. Súbitamente cambia el escenario; no es su cama ni el pueblo, sino un hotel antiguo, como aquel de París, en su primer viaje, pero el huevo sigue en su regazo, ha crecido mucho, alcanza el tamaño de un niñito. Flora, sentada en la cama, lo acuna en sus brazos, lo acerca a su pecho, con la sensación confusa de que no es eso. ¡Gustavo, entonces! Sentado en la butaquita del rincón, fumando como siempre, sonriente, satisfecho de lo que ve. Flora acaricia el huevo. De súbito, junto a la cama, un hombre –¿quién?–, da unas palmaditas a Flora en la espalda y le dice unas palabras. Una cosa así como «tú llegarás, muchacha; te lo digo yo»; algo así y una frase más: «soy perro viejo en este oficio», ¡eso! Flora lo recuerda perfectamente ahora.

El sueño se desdibuja después. Cree haber mirado a Gustavo, como consultándole, sin obtener palabra, sólo la misma sonrisa complacida. El huevo... no sabe lo que ocurre con él. Sin embargo, todavía un color en su regazo, una específica sensación en sus pechos del huevo apretado contra ellos. Era como un bebé... Flora sonríe ante la posible interpretación literal. Pero ¿cuál es el mensaje?... ¡Ahora identifica al desconocido! Esas palabras se las dijo, cuando ella empezaba, su primer empresario serio, después del periodista que la lanzó y gozó sus primicias. Don Felipe Fernández, que llevaba algún cabaret (como el *Ciro's*) y teatros de cercanías, donde se hacían *bolos* y hasta cortas temporadas: el de El Pardo y el *Principal*, de Guadalajara, por ejemplo. Flora tuvo un papelito en *Santa Isabel de Ceres* (entonces en pleno éxito de escándalo) y, sobre todo, numeritos musicales en El Pardo, tras la inevitable proyección del episodio de una película por jornadas, como *Fantomas*, *Judex*, *El teléfono fatal* o títulos semejantes. ¡El bueno de don Felipe! Decía lo mismo a todas, pero a una principiante le animaban mucho esas palabras. Después siguieron siendo buenos amigos, cuando ella pasó a ser Flora Maipú. En la guerra dejó de saber de él.

El pájaro, el huevo, los zapatos... ¿qué quieren decirle? Flora se siente tentada de echar mano a las cartas, pero no se deben prodigar las consultas (se trivializan) y en la última ocasión el Tarot reveló presagios todavía en potencia. Por eso Flora prefiere esperar: ya se declarará este sueño, si es un mensaje. Por lo menos, ha visto a Gustavo y estaba contento. Lo del *Instituto Santa Teresa* es más fácil de comprender: ayer se encontró Flora en la herboristería con la que fue portera del centro hasta su jubilación y estuvieron charlando un rato de cuando el local, en el nueve de la calle, fue la famosa «Checa» de Fomento, donde torturaron a tantos durante la guerra civil. Curioso; la dirigía un poeta o, al menos, mandaba allí mucho. Después del treinta y nueve se convirtió en *Instituto Laboral Femenino* y luego en *Escuela de Prácticas de Tiro* por algún tiempo y, finalmente, en *Instituto Técnico*. Evocarla en el sueño es comprensible, porque Flora siempre guardó muy penosa impresión de aquel lugar, donde entró un par de veces para salvar al hijo de la marquesa, sumando a la influencia de Ildefonso en el partido el peso que ella podía tener como viuda de un militar sancionado por la Dictadura y, sobre todo, con su talento para manejar hombres. Pero aquéllos le repelían; no eran luchadores, sino sádicos. Sí, el *Instituto* es comprensible, pero ¿lo demás?... El pájaro, el huevo, la sensación tibia de su cuerpo al despertar. Flora suspira; pierde clarividencia. ¡No tanta, puesto que ha soñado! «Entre tanto –se dice, levantándose–, piensa en lo práctico, Flora: ¿qué vas a comer hoy?» Porque, curiosamente, el sueño le ha producido apetito.

En cambio, la curiosa pareja que, a mediodía, ocupa la mesa redonda del rincón, en la taberna de *La Cruzada*, parece desganada. Pequeños, inermes, se han refugiado en ese ángulo, como para resguardar sus espaldas frente a peligros. Lo único grande en ellos, las orejas casi transparentes del hombre. Pantalones negros y medias también negras, como los zapatos de ambos. Caras pálidas, cabellos claros, mal recogidos los de la mujer, cuyos ojos, en cambio, muy pintados.

Pablo, que almuerza allí con María, se corrige a sí mismo esta última impresión. ¿No será más bien que esos ojos están fatigados, hundidos en un cerco violáceo? No lo distingue del todo. En todo caso, ráfagas llorosas de la voz femenina. El muchacho parece consolarla, quiere incitarla a comer.

–Bueno, comeré, pero luego me lo cuentas.

–¿El qué?... ¡Si ya te lo he contado!

–Ya sabes que no; no te hagas el tonto.

–Bueno, come y te lo cuento.

–Pero, ¡la verdad!, ¿eh?

No tiene ella exceso de mimo; más bien habla con energía. Pero esa pareja –piensa Pablo– está ahora enclaustrada en su propia isla. Kennedy y Khruschev, el hambre y los suburbios, la astronáutica y la energía nuclear, la santidad y el asesinato, no tiene ninguna importancia frente a ese contemplarse y a esa explicación pendiente... Viven muy lejos de esta tasca, de la calle y del barrio. Viven en las nubes. Cuando ella se levanta y cruza hacia el fondo, seguramente a lavarse sus lágrimas, él la acompaña. Al regreso él descansa su brazo sobre el hombro femenino.

Se sientan. Ella, por fin, no se ha comido las albóndigas. Las había pedido –confiesa ahora a su compañero– en vez de las migas (el rico plato de la casa que Pablo está saboreando) por fastidiar. Pero ahora eso ya no importa: al muchacho le hace feliz la confesión.

Pablo y María se distraen con las peripecias de la pareja, pero están deseando marcharse porque hoy celebran un estreno importante: la escala de madera para bajar desde la ventana de María hasta la terraza que habitará Pablo. Ayer tarde acabaron de instalarla. Y solemnizan también una decisión: antes de fin de mes operan a Pablo. El doctor Bremón opina que el momento es adecuado. Pablo, por su parte, prefiere cuanto antes: ansía saber cómo va a quedar por lo menos un ojo, mientras madura la catarata del otro, y poder planear de una vez su vida con María. Ayer se ha decidido en la consulta y ya lo han discutido esta mañana. María se ha quedado un poco inquieta, pero no lo ha dejado traslucir, aunque desde la noticia no piensa en otra cosa. «No es miedo –se dice–, no puede serlo. Es que resultaría demasiado hermoso para ser cierto.» Sí, en el fondo tiene tal experiencia de frustraciones en sus acercamientos a Pablo –con el que, sin embargo, ha transcurrido su vida– que no concibe esa unión final. No es miedo; es como si secretamente prefiriese la ceguera de Pablo que se lo entregaría a ella, sólo para ella, definitivamente. ¡Qué barbaridad! Pero lo piensa.

Caminan por la calle de Arrieta, María conduciendo en realidad al hombre, aunque parezca colgada de un brazo protector y caballeresco.

–¡Caramba! Paso por aquí casi a diario sin haberme dado cuenta nunca de que esa casa es gris. ¿Ves lo que te digo siempre? Ahora, con cataratas, me fijo en lo que no había notado nunca.

María contempla esa fachada, reluciente de blanco, y responde:

–Cierto; yo tampoco me había fijado. La habrán pintado hace poco.

–¿Verdad? Aunque me da igual ver mejor o peor. Tú eres mis ojos. Más aún: tú eres mi luz y por eso veo. Los ojos en sí son ciegos, si falta la luz.

Al salir a la plaza de Oriente ven de espaldas a don Ramiro, camino probablemente de su casa, algo más inclinado que de costumbre, con los brazos colgando desalentados. Pablo comenta el disgusto que se ha llevado con la hija, con la que proyectan irse un mes a Benidorm para hacerla olvidar esos amores.

–No sé por qué –replica María–. ¿Qué tiene contra Paco? Ese muchacho vale mucho. ¡Si vieras cómo ha progresado en la lectura! Es fuerte, tiene voluntad, llegará alto. ¡Y el viejo estúpido, pensando en blasones y en estirpes!

Pablo da la razón a María, pero procura desviar la conversación porque la nota identificándose con Paco cuando ella misma fue rechazada por la madre de Pablo después de la guerra. María insiste:

–Lo absurdo es que Jimena se haya rendido tan fácilmente. ¿Por qué no seguir adelante? Todavía en otras épocas... –añade, dándose cuenta de que puede herir a Pablo.

Llegan en silencio a la plaza de la Marina Española y, ante los decisivos siete escalones donde tropezó en la Nochevieja, vuelve Pablo a pensar que aquella caída le puso en su camino de Damasco. Gracias a ella ahora su costado es rozado a veces por el de María. Se complace en esa inicial intimidad con el cuerpo femenino, aunque a la vez trate de rechazar tal pensamiento. Es prematuro, ha de esperar a la operación, si acaba satisfactoriamente. Mientras tanto, refrena su ternura. ¿Piensa ella en él como hombre? A veces la nota como ausente; otras percibe en María fugaces asomos de coquetería. Al sentarse hoy a la mesa, ha elogiado Pablo la blusa femenina. «Yo era majilla, no creas», ha contestado. Naturalmente, Pablo ha replicado que lo sigue siendo y que siempre tiene buen gusto para vestirse. Rosas en las mejillas de María.

Ya están otra vez en la casa. Va resultando familiar para Pablo, pero todavía le sorprende el piano Bechstein, el Rosales, las porcelanas... Primores azorinianos. Un mundo muy concreto envuelto en un aura intemporal.

No acuden aún hacia la ventana, María decide brindar antes con una copita de oporto. Un truco para hacer descansar a Pablo de los cinco pisos, sin que se dé cuenta. El oporto: otra pequeña manía heredada por Pablo de su madre y adoptada ahora por María. Una de sus travesuras de niño consistía en penetrar sin ser visto en el comedor y beber a morro un sorbito de la botella guardada en el aparador. Al empinar el codo sus ojos infantiles contemplaban el enorme filtro de porcelana, por el que rigurosamente pasaba toda el agua bebida en la casa. Recuerda muy bien que los repuestos filtrantes de cerámica sólo se vendían en una tienda de la calle de Esparteros. Aún existe, pero ya no hay tales filtros.

La cómoda de María, regalo de la marquesa, refleja tenuemente la luz en su caoba. Así eran los muebles de su propia infancia, en el piso de la calle de Vergara, pero ahora muestran superficies apagadas, casi muertas. Por eso esta cómoda le parece a Pablo mucho más suya, más verdadera. Sin duda, el amor infunde vida también a las maderas. A éstas se las nota tiernamente repasadas con un paño untuoso de cera, para cicatrizarles las heridas del tiempo. Y no sólo la cómoda, sino todos los objetos parecen vivos. Ese florerito, por ejemplo, con sus dos claveles recién cortados.

–¡Si son de ayer! –corrige risueña–. Me los regaló Rodolfo, el de *El Jacinto de Oro.* Ya sabes, en la Plaza de la Ópera. Pero con una aspirina en el agua se conservan la mar de bien.

«La mar de bien»; modismo de otros tiempos. Detalles como esta frase contribuyendo a calmar a Pablo, cuando sufre viendo en María una edad tan inferior a la suya. El lenguaje común les aproxima en el tiempo. En fin, ahí están los claveles, instalados en este mundo definitivo, como si hubiesen arraigado en la porcelana, a salvo de terremotos y de bombas atómicas, como todo este refugio invulnerable. Flotan ingrávidos y felices en el aire, aletean de tanta vida, insensibles a su peso, puras vibraciones de luz roja.

Seguiría contemplando esos claveles, pero ya María le acucia. ¡Mágica ventana! Al haber rebajado su alféizar, por ella y por la escala se accede fácilmente a la terraza. Escalerilla de un avión que les deja en la tierra prometida. Abajo les abruma el sol de junio. Avanzan y abren la puerta de la aún vacía buhardilla para Pablo. Su celda cartuja en el monasterio del éxtasis. Planean su acondicionamiento. María dispone, pues conoció muy bien la casa de Pablo. «Tu sillón aquí, la mesita para tus papeles al lado, la lámpara de pie con ese enchufe...»

–Pocas cosas, pocas cosas –se limita a repetir Pablo–. Que nada me distraiga de ti ni me retenga aquí. Estaré siempre en la terraza o en tu casa. Acabarás hartándote del viejo.

María rechaza indignada esa vejez. Es muy sincera, aunque no deje de percibir la curvada espalda del hombre antes alto, las arrugas del rostro, la opacidad de la mirada y el temblor de las manos. Le prohíbe considerarse viejo mientras vuelven a la terraza, donde ella ha instalado dos sillones de mimbre, con alegres almohadones de cretona.

¡Y plantas! A ambos lados de la escalera, al pie del muro encalado e incluso algunas colgando de aros de hierro clavados en él, forman un pequeño jardín. A Pablo le llaman la atención las rosadas flores de las macetas más altas.

–¿Son geranios? Los veo muy pálidos.

–Ves muy bien: son gitanillas. He de regarlas con una lata en el extremo de una caña, como los sacristanes apagando las velas más altas.

María se conforma ahora con las plantas. Tuvo pájaros y hasta un perro, *Chito*, pero los animales estaban demasiado tiempo solos. *Chito* era un setter color de fuego que la acompañaba al quiosco; Pablo lo recuerda. Pero cuando murió le dio a María tanta pena que decidió no reemplazarlo por otro.

La zona de sombra donde están sentados se alarga poco a poco. Las horas se deslizan mansamente como agua entre junqueras. De las macetas llega un olor vegetal. Los rumores de la calle, mitigados por la pared, imitan a un surtidor. El monasterio del éxtasis: Pablo goza de hondísima beatitud. Saborea ese silencio que da relieve a las palabras escasas y preciosas, como gemas bien montadas. Suena una esquila en el inmediato convento de las Reparadoras, en la calle de Torija.

Se empequeñece a gusto, a la sombra de María. Ahora él reemplaza a *Chito*. ¿La acompañará también al quiosco? Ya lo ha pensado otras veces. Se ufana puerilmente de que el perro no pudiera vender periódicos mientras él sí. Desea ser quiosquero como los niños aspiran a ser toreros o porteros de fútbol (eso era en sus tiempos: ahora admirarán a los cosmonautas). ¡Qué bien, dentro de la garita, centinela de noticias, avizorando transeúntes por entre las revistas colgadas, al calor del brasero eléctrico mientras afuera llueve y la gente se arma un lío con el papel, el monedero y el paraguas! ¡Le rejuvenecerá el viejo y querido olor a tinta, como cuando empezó de meritorio en *La Libertad*! Le entusiasma la idea: así se convertiría de verdad, en el *Escriba Sentado*, su admirado personaje del Louvre. El universo reducido a la plaza, la gran charanga de la vida girando alrededor del quiosco y el escriba en su concha, como el apuntador repartiendo su papel a cada personaje para que decida sus compras según los anuncios, y sepa lo que ha de pensar ese día leyendo el editorial, y copie modas o peinados... En fin, para que se hagan la ilusión de una vida propia mientras no hacen sino representar.

–¡Qué cosas se te ocurren! –comenta María al oírle–. ¿Qué iba a decir la gente? ¡Nada menos que don Pablo Abarca vendiendo periódicos! ¿Cómo íbamos a explicárselo?

–Sería muy fácil: diríamos a todos que lo hacía por amor. ¡El quiosquero enamorado! Suena bien. Título de novela. Mejor; de ópera del XVIII. Pero no, es mejor guardar el secreto para nosotros solos.

Asoma otro silencio con raíces en sus corazones. Crece, se infla como un globo, se atiranta su piel muy sensitiva, escapa hacia lo alto, se pierde púrpura en el azul dorado.

En cambio, descienden los recuerdos. ¡Qué lluvia mansa y refrescante! Había tardes así en la *Resi*, la Residencia de Estudiantes, la de verdad, la de Federico, la de Alberto Giménez Freud, la que visitó Einstein y habitó Moreno Villa. Tanto la frecuentó Pablo que venía a ser un residente más. ¡Aquellas noches que iban en grupo a buscar a García Lorca en el café de Alcalá, 102, en la misma casa del poeta, para parodiar inauguraciones de monumentos! Recuerda a Pepe Caballero; también a Neruda, que vivía en la Casa de las Flores. La broma de Neruda: haber plantado en la puerta de su piso un abigarrado Sagrado Corazón con el *Reinaré en España*. Se agrupaban al pie de la estatua de Bravo Murillo en la Glorieta de Bilbao, de la Pardo Bazán o del Marqués de Salamanca, y cada cual pronunciaba el discurso de rigor. Uno hacía de alcalde, otro de gobernador, otro era el nieto del personaje dando las gracias... Se les unían noctámbulos y hasta el sereno se acercaba a veces, bajo el aroma de las acacias en flor.

–¿De qué te ríes?

–De la letra que escribió Lorca para *La Marsellesa*, tomando el pelo a los señores de la Institución. Primero aludía al entendimiento, la voluntad, Kant, Hegel, Krause y otros filósofos. Al final el estribillo:

«Y por eso Giner
en la Institución
prohíbe fumar
sin autorización
en su despacho-habitación.»

María añade sus risas al rumor del surtidor, al aroma de geranios, a la paz del silencio, a la beatitud de este milagroso Generalife.

–¿No echarás de menos tu casa? –pregunta María tras una larga pausa.

«¿Por dónde habrán rodado sus pensamientos hasta llegar a eso!», piensa Pablo sintiendo una espina en la inmensa rosa del crepúsculo.

–Aquí y contigo me sobra todo. Tienes razón, soy un egoísta y un meticuloso maniático. Sé que lo estás pensando, pues conoces mis costumbres: la marca exclusiva del oporto y del té, el tocadiscos, la cama grande, el baño muy caliente... Pero aquí seré un monje en la contemplación de ti.

María responde con un gesto de los suyos, que disipa expresivamente las fantasías y reinstaura la sólida realidad de un hogar sencillo y apacible. Pablo comprende y su sonrisa sella el pacto del sosiego, pero al punto se desmorona en melancolía.

–¡Qué tristeza, María; la vida que hemos perdido!

–No la hemos perdido: está aquí –responde María, logrando que su voz suene tranquila. ¡Gracias a que las cataratas le impiden a Pablo ver sus lágrimas! Porque ciertamente la han perdido: se ha derramado día a día en un constante suplicio de Tántalo sólo soportable por su misma continuidad. ¿Cómo le fue posible no gritar alguna vez, cuando él se acercaba al quiosco tan tranquilo? Pero es mejor no pensarlo. Después de todo aquí están juntos al fin, en esta terraza ya en sombra. Y como dijo alguien, todo está bien si acaba bien; hasta el final nadie es dichoso.

Pero Pablo ha seguido pensando y se acusa en voz baja:

–Por mi culpa.

–Todos somos culpables –excusa María en el acto. Pero sumergiéndose en su propio fondo, allí donde se esconde la más radical esperanza, la que ya es desesperada, declara impetuosa:

–No, no. Culpables, ¿por qué? ¡Todos somos inocentes!

PAPELES DE MIGUEL
Presencia de Nerissa

Diciembre de 1976

¡Arriba, arriba, arriba! Mi costumbre de los corredores horizontales me había hecho olvidar la torre de la termitera. Pero Pedro me metió en un cangilón de noria lleno de gente y empezamos a subir. En cada parada entraban y salían, hasta que sólo fuimos tres. En el piso doce se quedó el muchacho con muletas y pierna escayolada. Fue como largar lastre: el ascensor arrancó de un salto. ¿Cuántos pisos más? Arriba: al revés que el ascensor de San Fernando, carro del cielo para el advenimiento de Nerissa.

Nos dejó en un rellano final. Pedro giró hacia una puerta a la izquierda. Me atrajo la acristalada de enfrente. Como un imán. *Imâm*, el guía. La traspasé y dejé atrás la tierra. ¡De repente en el aire, en el techo del mundo! Rodeado de cielo en el crepúsculo haciéndose noche. Viento glacial apenas doblé la esquina del club central en la vasta terraza. Porque Pedro vive en un *penthouse*, como los millonarios neoyorquinos.

De golpe, también, tu silueta. Esperada desde que entré en el aire de las alturas. Sentada en el ángulo del pretil, insensible al vértigo. Aguardándome: ¡qué vuelco mi corazón, *iceberg* de fuego! Como ahora mismo, evocándolo, derritiéndose en llamas.

No habías vuelto a mí desde el verano. Reconocí tu rostro sin verlo; tu silueta inconfundible en el filo del abismo. No: a la orilla del vuelo.

Avancé y se esfumó tu presencia. Pero el pretil aún tibio, en medio del frío. Me has guiado hasta ahí, querías mostrarme algo, abrirme los ojos. En esa esquina, afilada proa de navío. Flotando sobre el páramo. Siempre te gustó descubrirme cosas. «Mira, Miguel, ¡qué bonito es Londres!»; tu voz maravillada llevándome a contemplar otro milagro de la vida.

Milagro era todo a tu lado. Poniente madrileño desde Rosales, correrías de perro, viejo escaparate de chamarilero. No lo señalabas: te detenías, expectante. «Como un perro de muestra», reía yo. «Quiero serlo para ti. Que veas el mundo por mis ojos; que no tengas otro, ni otra vida.» ¡Ay, tus palabras inolvidables! Era en nuestros tiempos felices.

A mi espalda nubes bajas, anaranjadas por el fulgor de la ciudad. A mis pies, hacia el sur, el páramo-mar salpicado de luces. Barquitas. ¿Qué pescaban? Mentiras iluminadas, cogidas en la red del televisor. Pero yo busco verdades oscuras y lancé mi sedal a plomo, donde no se veía. Mejor: la vista impide la visión. Ciego descubriré lo que tú querías mostrarme.

Por de pronto, me has llevado a lo alto. A la soledad del viento. Sus alas sobre mi cara se llevaban la carne de mis mejillas, querían desnudar mi calavera.

–Don Miguel, ¿qué hace ahí? ¡Se va a resfriar! ¿No quiere ver nuestra casa?

Serafina. Cálida y asustada. Me llevó adentro.

Entonces advertí la otra puertecita en el rellano. Más pequeña, frente a la de su vivienda. Pregunté.

–Nada. Un cuartito vacío.

La altura y el vacío. ¡Plenitud!

Hasta ayer no había venido a verme tu presencia. Desde el verano. ¿Te habrá traído mi práctica del *dzikr*? La invocación constante de tu nombre y tus cualidades, para sosegarme. Alquimia interior: el espíritu enturbiado es plomo; al toque de tu nombre –piedra filosofal– el alma «se serena y viste de hermosura y luz no usada».

Te venía invocando desde el verano. ¿Has acudido porque soy ahora mendigo, desde aquel día en que me consagraron pobre? No hay *dzikr* sin *faqr*, invocación sin pobreza, enseñan los maestros. Y aquel desconocido, dejando su moneda en mi manto, me declaró *bhikku*, monje mendicante. Bien puedo serlo, según el budismo. Tengo la edad, carezco de deudas y de enfermedad nefanda. No observo del todo las doscientas veintisiete reglas canónicas, pero sí las cuatro principales. Mis bienes se reducen a casi los nueve permitidos. ¡Cuánto he repetido tu nombre! Como pasar las cuentas de un rosario de sándalo. Misterios gozosos: recuerdo de nuestras horas en compañía.

De *dakhara*, invocar o recordar, se derivan a la vez *Madhkur*, el Invocado; *Dhakir*, el Invocador, y *Dzikr*, la Invocación. Así, en esas tres letras, el Único es a un mismo tiempo quien llama, quien acude y la llamada misma.

¡Tu nombre, Nerissa! Para mi éxtasis. Y para que, como promete Ghazali, el Invocador «se eleve al fin desde el pensamiento del Encuentro hasta el Encuentro mismo».

Primero me asomo a la terraza: siempre. Sólo después llamo a la puerta de ese hogar.

Porque lo es. Verdadero hogar. La pensión Eugenia se me hace inhabitable. Y las calles de Legazpi, los olores del matadero, el ruido de los camiones, el bullicio de la gente. En cambio, esa casita como una cabaña alpina, retirada del mundo.

Mientras Pedro recogía mi capa y Pedrito me tiraba de la chaqueta hacia el brasero, Lucía tomó mi ofrenda de chocolatinas y me miró intensamente. ¿Adivina, esa niña? Asombro en sus ojos límpidos. ¿Recelosos? Como si yo fuera otro. Quizás tenga razón.

Esa lámpara, un permanente círculo mágico de paz. Protector contra todo. Y el guardián, Pedro. Su aplomo interior, su identidad campesina: fuerza que acompaña. Seguridad de pilastra.

Cesó el ruido en la cocina. Vino con nosotros.

–Déme esa chaqueta, que ese botón se le va a caer... ¡Qué hombres!... ¡Niños, quietas las manos, que si picáis ahora nos dejáis sin cena!

Caridad de sus manos, volando con el dedal y la aguja. Al final bajó la cabeza para cortar el hilo con los dientes: ofreció la delicada nuca como una víctima entregándose. Puso en mis manos su obra y salió hacia la cocina, para vigilar a Pedrito.

Desde ahora, en mi pecho, esa condecoración que me impuso. Caballero de la Orden Serafina del Botón Gris.

Al fin todos en torno a la camilla. ¡Asombroso! La caverna debajo era un templo; las brasas ardían en un altar. Aventados los tobillos de tía Magda. Y, sin embargo, emanación femenina de esa mujer... ¿Es la vestal su hija? ¿O está mi corazón definitivamente purificado?

La lámpara unge las frentes con una paz tangible.

Cada vez me cuesta más trabajo volver al mundo de los ruidos, la avidez, la ciega torpeza. Cada vez pertenezco más a ese amparo en la altura.

Imprevisible ofrenda esperándome: dátiles frescos. Del huerto de sus padres. Serafina es de tierras de Gabriel Miró. Me los dio a probar. Con leche, como en el desierto, para la hospitalidad bajo las tiendas nómadas.

–Guardaremos para Nochebuena. Comeremos como los pastores de Belén.

Pero a mí los dátiles me llevan a la sura XIX del Corán, donde son alimento de la Virgen María. Y, sobre todo, a las imágenes poéticas de Rumí, a las fábulas místicas de Fahrid ud-Din Attar. Manjar de los camelleros de Omar Jayam en el provisional caravanserrallo de este mundo.

Tiernos y dulces; frescura de miel. Sólida dulzura derritiéndose. Se comprende que basten para sustentar la vida. Los ofrecía Majnun al polo femenino: Leyla, la noche. La Única, manifestación de la divina esencia. Leyla, meta de la vía mística. Luis conocía el poema; pero sólo encontraba en él un *amour de loing*, el amor udrita. Mero juego de trovadores. Ni vislumbraba siquiera el Absoluto.

¡Cuánto se tarda en madurar! ¿He madurado? ¿Por eso apareces y reapareces en el pretil, después de tantos meses?

Ese cuarto: ¡por fin! Celda, ermita, desván de los recuerdos, caverna de los sueños. Pedrito me lo ha dado.

Pregunté por el niño, al llegar a la casa.

–Ahí enfrente está –sonrió Serafina–. Prepara algo a escondidas. ¡A lo mejor no le deja a usted entrar!

Crucé el rellano del ascensor y llamé a la puerta. Me di a conocer.

–¿Está usted solo? Entonces sí.

El niño abrió la puerta lo justo para dejar entrar. Cerró con mucho misterio.

–Para el Belén –dijo.

Extendido en el suelo, un trozo de ancho papel continuo. Alrededor, botes con colores y pinceles. ¡Para eso me los hizo comprar el otro día! El fondo del nacimiento que quieren instalar. Montes, sol y luna a la vez, árboles, fauna fantástica, senderos, ríos, puentes. Alegría sin trabas del rojo y el azul, oros y verdes. Viva imaginación creadora de los niños que nuestra rutinaria escuela consigue asfixiar.

Admiré el panel rincón por rincón, como los cuadros del Bosco. En primer plano –pero todo es primer plano– unas mozas con cántaros en cola ante una fuente. De una boca brota una burbuja con la inscripción: «¡No arrempujar!» Se ha inspirado en la fuente de la plazuela frente al colegio, donde acuden las mujeres para llevar agua a sus casas sin grifo.

–¿Le gusta de verdad? –palmoteó jubiloso–. Pues vamos a casa... ¡Venga! ¿Qué está haciendo?

Percibió mi intensa contemplación de las paredes encaladas, el suelo de baldosa roja, el ventanito alto, las dimensiones justas, el silencio preciso. Me vio cautivado.

–Oiga, ¿por qué no vive con nosotros?

Me arrastró hacia la casa. Insistió, con la testarudez de los niños.

–¡Ande, véngase!... Le cobraríamos poco.

–¿Cuánto? –Era mejor echarlo a broma. No me atreví a más. Y, sin embargo, ¿no era ésa tu voluntad desde el primer día?

–Pues... cuatro duros... ¿Es mucho?

–¿Al mes?

–¡Ahí va, qué abusón! ¡Al día!... Me está engañando. Y ni me hace caso. Pero yo se lo diré a padre.

Estoy seguro de que Serafina nos oía perfectamente desde la cocina. Estoy seguro de que también ella contenía la respiración.

Prefirió no asomarse. Hágase tu voluntad.

Plenilunio, pero las nubes ocultándolo. Hubiera debido resplandecer para Serafina. ¿Por qué pensé «Serafina», si se trataba de Hannah; quiero decir, de Nerissa? Una y trina, como la propia conjunción sufí: *Madhkur-Dhakir-Dzikr*. Como el hindú *Sat-Chit-Ananda*, Objeto-Sujeto-Unión. Como la Trinidad explicada por San Agustín: Ser-Vida-Sabiduría. Todos los caminos conducen al centro. El mío, ahora, a mi Trinidad final.

El sueño de Dostoievsky joven, recogido por Mircea Eliade. Una luna radiante que, de pronto se enciende en tres (la hostia en manos del celebrante). Sobre cada uno de estos fragmentos lunares escribe Dostoievsky: «Yo también.» Para Jung, la luna de ese sueño, principio femenino, revela que la trinidad no es un modo exclusivamente «masculino», como pretende el cristianismo. Jung olvida que la luna no tiene por qué ser femenina, pero acierta. Si Dios no trascendiera el sexo –dualidad al fin–, habría de ser andrógino. Cierto: ¿por qué el Único y no la Única? ¿Él y no Ella? Allah, Ellah... La letra *L*. ¡Qué poder tiene! El padre José de Sigüenza y sus comentarios sobre el *aleph*. La Kabbala.

Ya no vivo sin la altura y el viento. Sin ese pretil frecuentado por ti, ahí donde me esperas. Los vencejos necesitan dejarse caer para empezar a volar. Los milanos se descolgaban en el aire, a nuestros pies, desde el tajo de Ronda –¡aquella tarde!–, para luego remontarse hasta el sol. ¡Ese pretil para volar, para vivir, para morir!

Sí, para morir en ti, que es vivir. En las alturas el error es imposible: el de la reencarnación ambicionada por Luis. La mísera esperanza de volver a amarse en la tierra. Yo también la soñé en otro tiempo, cuando las barreras eran sólo Eduardo y mi vejez. Tú, nueva Hannah, eras la prueba de la reencarnación, y yo ponía mi meta en reencontrarte, libre tú, para ofrecerte aquí abajo mi nueva juventud y quemarla en ti. Sin percibir que la nueva carne también se marchitaría, que el mundo consumiría la verdad de la llama. ¡Qué error!

Ahí, en lo alto, el viento disipa todas las ilusiones con que nos aferramos al vivir en el tiempo. No quiero morir para reencarnarme, sino para nacer en la eternidad. En la noche que es luz, en el absoluto donde todo se funde, donde la destrucción es creación. He tropezado antes en aquella pobre reencarnación humana, en la carne de Isolina, pero ahora soy una granada madura desgarrándose. Tú lo has hecho: gracias por haberme llevado a la cima y al viento; por esperarme al borde del vacío, para nuestro vuelo final, nuestra unidad.

El panel de Pedrito en la pared. Delante, el portal. Justo las cinco figuras; no tienen para más. Humildemente serenas. Ni amontonadas ni distantes. Percibí la mano de Pedro en esa disposición. Responde a todos sus gestos.

Un portal, claro. Para nacer. Para morir. Para renacer. «Venga a casa sin falta –dijo Pedro anteayer–. No va a pasar usted la Nochebuena solo.» En los quicios se sientan los mendigos, en los escalones de los atrios. Tienden su mano como flor abierta, esperando el insecto fecundante de la caridad. Del amor.

Pusieron la mesa mientras yo conversaba con Pedrito. Lucía se dio cuenta de que mi pensamiento estaba en otra cosa. Lúcida mujercita. Cada vez más intrigada –¿inquieta?– ante el visitante transformado. Nos sentamos y Serafina apareció en la puerta con la sopera. ¿Llevaba ya ese vestido amarillo? Quizá bajo el delantal, que se había quitado. No: los ojos sorprendidos de Pedro también la admiraban. El amarillo de Nerissa aquella mañana. Me raptó en su coche por los olivares de Aljarafe; había ido con el marido a la feria de Sevilla.

Una copita de anís de hierbas para cada uno, menos yo. ¿Por qué tu inquietud, Lucía? ¿Qué temes? No ocurre nada. Si acaso aquello de «Buscaba el amigo a su Amado y encontró a un hombre que moría sin amor; y dijo que gran daño era para el hombre morir de cualquier muerte sin amor. Por eso dijo el amigo al hombre que moría: "Di, ¿por qué mueres sin amor?" Respondió: "Porque sin amor vivía."» Eso lo escribió Lulio, el de tu colegio. Es curioso: Lulio suena casi como Lucía.

¡Qué villancico desolador, si fuese cierto!: «La Nochebuena se viene / la Nochebuena se va / y nosotros nos iremos / y no volveremos más.» ¿Cómo son capaces de inculcar esa idea a los niños? Cantarlo precisamente ante un portal: un horizonte. Nos vamos, sí, pero volvemos. A cada instante. Hasta que nos vamos un poco más. Cierto, pero ¿quién se va? Solamente nuestras vestiduras de carne.

Pedro se dispuso a bajar con los niños a la Misa del Gallo. Se celebraba en la capilla, con cánticos de nacimiento. Simultáneamente, en otras celdillas de esta termitera, gemidos de agonía. ¿Es Babel esta gran torre o es el mundo?

Serafina se quedó un momento, a recoger un poco. Me esperé también para ayudarla. Dijo algo que no oí, por el ruido del agua en el fregadero. Pasé a la cocina llevando vajilla y restos de la mesa.

–A mí también me da igual la misa, pero Pedro no se la pierde. Ha ido toda la vida, y, claro, voy a bajar... Usted puede quedarse.

–La acompañaré.

–¿Cuándo va a tutearme? Usted es don Miguel, pero yo...

Era sincera. No obstante, si yo le descubriese que me sentía Caballero del Botón Gris, también lo entendería ella perfectamente.

–Y tú eres tú, Serafina. ¿Necesito decirte más?

No respondió. Ocultó las facciones bajando la cabeza y afanándose sobre sus cacharros. El Absoluto anda entre ellos, explicaba Teresa.

Salimos. Dejó abierto. «Nadie sube hasta aquí.» Nadie. Más alto que nada. El ascensor nos unió durante el descenso. Al final nos apretaba la gente, uno contra otro. Ella, en su traje amarillo de los olivares. Yo, viejo, en mi capa vieja.

–¿Qué tendrá la Nochebuena, don Miguel? ¿Por qué nos pone por dentro, no sé, un sentir…? Mi abuelo decía que, en su tiempo, los lobos de la sierra bajaban mansos esa noche. No mordían.

Ella también había notado la Presencia. Su sonrisa me miró. O mis ojos maduros son más penetrantes o el universo se vuelve más transparente. Las dos cosas.

Avanzamos por un ancho pasillo. Entre enfermos habitados por sus pesadumbres y familiares ambiguos. Falsas esperanzas para ojos desalentados. Ilusiones. Entramos en la capilla y observamos las ceremonias.

¿Hablaron entre sí? A la salida me dijo Pedro:

–Tiene razón el chico. ¿Qué hace usted tan solo? Arriba tiene unos amigos y una casa, si es gustoso. En el cuartito libre no le molestaremos.

Incliné la cabeza. Lo ha dispuesto el Guía, el Arcángel. *Jádir*, de Ibn Arabí; *Aql-es sorkh*, de Sohravardi; *Sraosha*, del Avesta; *madonna Intelligenza*, de Dante. La silueta que me esperaba arriba. A la orilla de la noche oscura. Al borde del Vacío; en la última puerta. Tú.

15. SE REJUVENECIERON LOS ESPEJOS

En estado muriente

OCTUBRE, OCTUBRE
Se rejuvenecieron los espejos

Viernes, 20 de julio de 1962

Luis

El suplicio de la gota de agua, pero también la monotonía del surtidor, la que hace olvidar, ese metrónomo encontrado en el Rastro, latido de mis tinieblas, triplicadas, afuera las nocturnas, dentro de ellas la oscuridad de nuestra cripta, luego la apretada venda sobre mis ojos, Ágata gusta de cegarme para estas esperas, añadirlo a la distensión de mi cuerpo en el potro, este largo banco rústico, mis manos atadas por debajo, mis pies en el suelo, cada tobillo sujeto a una pata, así mis piernas abiertas, mi sexo vulnerable, ¿sexo?, el del eunuco, anulado bajo los pantis, rojos hoy del color cruento, lisa entrepierna, sólo protuberancia, como la de Ágata, en su slip transparentado, casi más la suya, colina de tierna floresta, junto a mi cara mientras me ataba, voluptuosa cercanía, frágiles ligaduras todas, una sacudida las haría saltar, pero más que hierros, me sujeta mi voluntad, acepto esa postura insoportable, dureza de la madera, músculos a punto del calambre, todo mi cuerpo revelado en el dolor, ese ritmo en los oídos, lo mismo es imperioso que indiferente, tanto mide el tiempo como lo aleja, me ayuda a divagar, aquel cuento de Poe, el péndulo, tic-tac, tic-tac, tic-tac, ¿estará descendiendo lentamente un acero sobre mi pecho?, ¿yaceré acaso en el pozo de la Inquisición?, ¿vigilará ahí al lado un monje blanco y negro?, pero es Ágata mi celadora, su voluntad la que maquina, su capricho el péndulo, la próxima sorpresa en nuestro juego, ¿qué violencia me espera?, ¿qué prueba de su amor?, bien podría ella responder como el Amado de Lulio, cuando le preguntaron si alguna vez había sido compasivo: «Si no hubiese sentido piedad no hubiera enamorado a mi amigo ni le hubiera torturado con suspiros y llantos, trabajos y dolencias.»

Voluptuosos trabajos y dolencias desde aquella noche, reveladora de mi pasado en Topkapi, al alba descubrimos esta cripta, noche de nuestro reencuentro, avivado porque estamos solos, don Ramiro y su gente en Benidorm, Mateo con los suyos no sé dónde, el Paco ese ha desaparecido, apenas allá abajo la pobre Lorenza, Ildefonso enfermo, su vida apagándose, la nuestra ardiendo aquí arriba, nuestros juegos y mitos, ritos y fantasías, ¡qué teclado diverso y prodigioso!, tensiones exaltantes, insostenibles si no las interrumpiera el trabajo, nuestros paseos tranquilos por la ciudad caliente, empieza a estar solitaria, turistas dominan el barrio, autobuses en Oriente para visitas a Palacio, la tasca de *La Cruzada y Casa Eladio* casi para nosotros, el sol filtrado por las acacias, en nuestro banco unidas las manos antes de volver al templo, comentarios triviales, acariciar su brazo veraniego, simplemente dos amigos ante quien nos vea, cuando en realidad cómplices, bacanal de los ritos, viviendo nuestro secreto, el de esta cripta, cámara de un volcán, no importa que sólo digamos: «¿tomas café» y «prefiero algo fresco», por debajo corre nuestra sangre, su latido recuerdo del metrónomo, de mi galera el cómitre, tras de su frente germina el proyecto para la noche, en mi pecho ansiedad voluptuosa, ese pliegue burlón en sus labios, ¿qué maquina?, «vete preparando, Luis», y en mí el escalofrío delicioso.

Volví al cine con ella, aún duraba Topkapi, se acabaron mis dudas, fui eunuco de Solimán, mis tardes libres a la biblioteca, ¡qué hallazgo el libro de Penzer, su estudio sobre el Harem!, lo he devorado, un retorno al pasado, y las fotografías en otros libros, el viejo relato de Madame Aodouard, no reconozco en ellos algunos escenarios, claro, los posteriores a Solimán, pero sí las costumbres, el ambiente, las reglas casi monásticas del serrallo, sacerdotisas del placer, al principio seguía mi desconcierto, eunuco desde luego, pero ¿por qué «Solimán es un perro»?, así grité en mi sueño, a mi llegada, ¿qué me ocurrió en el harem?, voy subiéndolo, el retrato de Solimán disparó el estímulo, provocó el sueño de anoche completando la historia, muchas lagunas aún pero ya lo importante, en el sueño Solimán me hizo eunuco, operó su propia mano, es cierto que yo lo quise, pero yo era un niño ignorante, él en cambio había vivido el sexo.

Faltan detalles, quizás alguno añadido, pero fue justa mi emoción en el cine, corroborada por este sueño, además mi vida entera, mi biografía es la prueba, mi crisis de identidad con Marga, mi impotencia ante ella, estoy ascendiendo en la escala, de eunuco a tener sexo, fue un error creerme antes mujer, me engañó la voluptuosidad de los pantis ante Carmela, una desviación sugerida por Ágata, yo la aceptaba como castigo a mi crisis, o como solución, aceptaba ser doncella de Ágata, el delantal, su servicio, pero ahora veo claro, ya sé quién soy, ahora un murciélago, a un tiempo ratón y ave, de eunuco no se asciende al sexo, hace falta un escalón, así me he elevado a andrógino, con sexo y sin él, lo poseo pero reprimido, entre las piernas pero en el bozal del panti, imposición de Ágata, de mi voluntad, ahora soy más que eunuco, y más aún seré pronto, lo presiento, voy camino de hombre, esclavo de Ágata pero macho, evolución ascendente, los biólogos no siempre distinguen, llaman hermafroditas a los infusorios con su bisexualidad funcional, y también a las especies bisexuadas, con dobles genitales, como los caracoles, ¡envidiables caracoles!, comentado con Ágata, ¡qué inventora la vida!, ¡cuánta fantasía creadora!, aves e insectos mitad macho y mitad hembra, crustáceos que nacen con un sexo y cambian hacia otro, hidras que cambian periódicamente de sexo, como Tiresias el adivino, pasando de varón a hembra, y en todo embrión humano androginia inicial, sexo pero ¿cuál?, decidirá la vida, pero ya más que eunuco, ahora andrógino, sabiendo a dónde voy, viril mi próxima etapa, a no tardar, me encienden los estímulos, no fallarán como con Marga, ¡quiero tanto ser de Ágata!, para eso he de tenerla, hacerla mía, sólo así me daré completamente, decisión de mi sangre, voy sabiendo quién soy, ya estoy seguro.

Habiendo vivido el sexo me castró, abusó de mi inocencia, debió negarse, el Gran Señor engañando a un niño, condenándome por mi cariño, por eso la llamé «perro» en aquel sueño, me lo ha revelado este de anoche, me lo ha contado mi corazón, ha brotado la historia de los sótanos de mi memoria, de la otra memoria, la espuela fue el retrato, ¡qué sorpresa!, me encargaron en IDEA una gestión, fui al *Instituto de Estudios Políticos* en el antiguo Senado, me indicaron allí un rinconcito para esperar, sillón isabelino de damasco amarillo, enfrente ese retrato, al pronto sólo vi aquel gran turbante, pero ya mis latidos se avivaron, leí el rótulo, *Sultán Solimán Han Emperador de Turcos*, un rostro imperioso, ¿será parecido?, me quedé atónito, no oí que me llamaban, volví a detenerme ante el retrato a la salida, ese encuentro corrobora, cada detalle confirma, muchas veces estuve antes en el *Instituto* a esas gestiones, nunca me hicieron esperar ahí, todo va madurando, ya sé a dónde voy, hasta Ágata impresionada por la acumulación de signos, la marca del destino, bajamos paseando hacia Rosales, por Luisa Fernanda un airecillo en la piel, fachadas convergiendo hacia el infinito en azul, ¡qué perspectiva de horizonte, qué sugestión marina!, vi el mar, lo vi como veía a Ágata, palideciendo hacia el ocaso, y era mi mar antiguo, así bajaban hacia la playa los jardines en terrazas del harem, ya en Rosales se borró la impresión, nos sentamos, hablamos de otras cosas, pero me quedó dentro el mar con el retrato, su fruto el sueño de anoche, la revelación.

Se lo he narrado a Ágata, uno de nuestros juegos, yo su lector, ya fui su juglar, antes, ahora es un papel nuevo, soy Scheherazada, Ágata mi sultán en su trono, «cuéntamelo todo», lo de Marga por ejemplo, cómo la conocí ignorando que fuese hermana de Max, el extraño encuentro en París, su tienda de telas provenzales, su rostro felino, mujer pantera en el cine de anteguerra, cómo empezamos a vernos, la noche en que no pude poseerla, Max apareciendo de pronto, en casa de su hermana, odioso en su sarcasmo, escotillón de teatro, mi bochorno y mi fuga, el Sena, al contárselo a Ágata vi claro, la impresión en el río evocó el Bósforo, por eso reaccioné, recordé las *kadinés* arrojadas en un saco al mar, tragedias del harem, también ahora un relato lo primero al volver a casa, mi sueño ante Ágata en el diván, «estábamos el Gran Señor y yo, atardecer de estío, su quiosco favorito, rosales nuevos y cipreses antiguos, del tiempo bizantino, yo le preparaba el *narghilé*, me miraba con ternura desde sus almohadones, elogiaba mi belleza desnuda, me llamaba el muchachito más lindo del mundo, estaba satisfecho, poco antes acababa de poseerme, león rugiente sobre mí, unicornio impetuoso, mi sueño comenzaba así, todavía en mi carne el recuerdo de sus embestidas, de su explosión y retirada, mi felicidad era la suya, el Gran Señor lo era todo para mí, yo había sido su goce, al final cuando el grito cae en suspiro, ¡quedaba en mí su fuerza, su potencia y su vida!, su languidez dichosa era obra mía, la sonrisa involuntaria en su desmayo, míos habían sido los músculos viriles, aquel barbado pecho para la guerra, su sexo desfallecido tras el éxtasis, los muslos torres elásticas, aquella grandeza respiraba para mí, el imperio eterno, la perfección del cosmos, y hasta Allah, loado en la cúpula del quiosco, en la caligráfica cerámica, me miraba y yo a él, seguíamos poseyéndonos a través del aire, ¿cómo intuía yo esas cosas?, añado ahora la descripción pero no el sentimiento, vivísimo en el sueño, nos mirábamos sin respirar, rocas de carne, que nada se moviera en el entorno, mantener aquel éxtasis, al fin fue la tensión insoportable, le acerqué el *narghilé*, puse la boquilla entre sus labios, moví un dedo sobre la recia seda de su bigote, desperté sus dientes, crudelísimos y tiernos, recibí la mirada de reojo que se reavivaba, su brazo me retuvo por la cintura, volví a poner mi desnudez a su alcance, me presté a su caricia pensativa, saboreando el escalofrío provocado siempre por su mano, la impaciencia estremecida de mi amor, ¿merecía yo el deseo del Gran Señor?, ¿su mano nacida para el cetro y el alfanje?, dispensadora de vida y muerte, descendió por mi flanco, empezó a entretenerse con mi sexo...».

«¿Tu sexo?», interrumpió Ágata, hube de explicarle, ésa había sido la sorpresa del sueño, yo era un niño varón, supongo que apresado por piratas, vendido al Gran Señor, ignoro de dónde, quizás de alguna isla del Egeo, aquellos señoríos dependientes de Venecia, acabaré sabiéndolo, pero tenía mi sexo, estoy seguro, otro favorito del Gran Señor, amante suyo, continué la narración, repetí para mí aquel cuadro, consolidarlo en mi memoria de ahora, apoyarme sobre aquel escalón para ascender, «aquella mano acarició su juguete, miniatura del adulto poderío, rozó mi piel sin vello, mi infantil sexo, recuerdo que abarcó las esferillas arrugadas en una, enrolló su dedo al miembro, lo estiraba suavemente, lo soltaba y volvía a cogerlo, suspiré y disparé mi lengua dentro de su oreja, se extrañó, "es pronto para ti –me dijo– pero así irás sabiendo", le miré sin comprender, anubló sus ojos una tristeza y añadió "será una pena", como para compensarla puso su otro brazo en mi cintura, dejó caer la boquilla, sentí su bigote en mis labios, desató la sierpe de su lengua, se aceleró su respiración, me hizo darme la vuelta, ¡qué embriaguez, sentirme nuevamente deseado!, la mano seguía acariciando su juguete, noté entonces mi dureza entre sus dedos, me había ocurrido ya antes, pero ahora el placer de mis entrañas fue distinto, su mano provocó un ardor violento, nunca sentido, fuego hasta mi cabeza, tuve miedo, quise evadirme, pensé en la muerte, ¿por qué?, pero su brazo me retenía, no había percibido mi conmoción, su mano insistía mientras me cubría para gozarme otra vez, cerré los párpados, me poseía un torrente interior, explotó en mi sexo con espasmos, temblaron mis muslos y desfallecí, ¡qué rugido su cólera!, abrí espantado los ojos, contemplaba en sus dedos mi primera simiente adolescente, ¡qué expresión la suya!, quedé petrificado». Ahora mismo, pensándolo, amarrado a este banco por los lazos de Ágata, el panti se distiende prometedoramente, también me corrobora, sé bien a dónde avanzo, ¡qué expresión la de Ágata escuchándome!, interesadísima, convencida, volcada su atención en mi palabra, atada a mí por ligaduras mías, en su diván mi sultán, su cuerpo adorable, esa torre esperando el asalto, barbacanas sus muslos desnudos, cruzados frente a mí cerrando la poterna, el *baby-doll* amarillo, sus pechos los Dióscuros, Cástor y Pólux, la justa medida, ¿quién ante ellos no es dualista?, desmienten a Shankara, música de las esferas, tientos y diferencias de Cabezón o Vitoria, variaciones delicadas, por ejemplo ese lunar individualizando un muslo, ¡qué expresión la suya!, irritada también ante mi silencio admirándola, me ordenó continuar.

«Es que hubo también entonces una pausa, aunque la brisa meneara las rosas, aunque mi jadeo y su respiración se oyeran, todo lo borraba aquel silencio, aquél dentro de nosotros, mayor en mí, ¿qué iba a pasar, qué ocurriría?, todo era ya distinto, temí que por eso dejara de quererme, se había quedado inmóvil con la mano en el aire, me apresuré a limpiarla con mi camisola, besé luego sus dedos para borrar no sé qué, parecía que podíamos volver a jugar pero retiró la mano bruscamente, me quedé encogido, perro culpable y sucio, me sentí como si le hubiese escupido, sacrilegio, temí desmayarme, deseé la muerte venida de su alfanje yacente sobre las alfombras, me eché a llorar, pero el Gran Señor ya no iracundo sino triste, "me equivoqué: no era pronto para ti, ya lo has visto", murmuró, "yo no sé nada –gemí–, yo no sé nada", me arrastré hasta posar mis labios sobre sus pies, me alzó hasta él, vi que no iba a matarme, ni siquiera a pegarme, pero ya no jugaba, me tenía a distancia, mirándome como si yo fuese un extraño, me sobrecogió la idea, estalló mi angustia, "¿es que ya no me quieres, Gran Señor?", me dijo que sí, no le importaba mientras aún mi cuerpo fuera tan joven, pero se acabó estar cerca de él, ya no podía yo vivir en el harem, "¡pero eso es el destierro! ¿por qué?, me engañas, es que no me quieres", "ya eres un hombre, aunque seas un niño", "¡si en el harem hay hombres!", me miró asombrado y mencioné a ciertos negros de servicio, soltó la carcajada, "no son hombres, son eunucos, ¿comprendes?", mi rostro mostró que no, aunque en el acto empecé a interpretar cuchicheos interrumpidos al acercarme yo, me lo explicó de golpe agarrándome los genitales, "no tienen –dijo, mientras la otra mano amagaba un gesto seccionador– ¡fuera!, se corta, castrados", ¿y eso era todo?, me volvió la esperanza, entonces fue cuando le pedí me hiciese eunuco, se irritó, "¡no sabes lo que dices, necio!", me empeñé más, aunque doliera mucho, me explicó que eso era lo de menos, me así de sus ropas, gemí, supliqué, acabó mirándome con ternura, "¿tanto soy para ti, niñito?", me eché a llorar, pero lágrimas de felicidad porque acababa de acceder.»

«¿Tanto era para ti?», preguntó Ágata en un eco, y me hizo feliz percibir que había vivido mi relato, pero ¿cómo explicarle lo que era?, el Gran Señor de la Sublime Puerta, ante quien todos se posternaban, la belleza viril, la fuerza y la destreza, la saeta lanzada más lejos, la palabra de vida y muerte, eso era para mí, todo, ¡y se vaciaba en mí!, seguí narrando, al día siguiente pregunté a un eunuco, no recordaba si dolía, le castraron muy de niño, en cuanto a su vida ahora no le importaba mucho, a veces sí, pero se podía ser muy poderoso, quizás llegase a *Veznedar* o pesador de moneda, a *Peshkeshji-bashí* o «Guardián de los Presentes», pero esto no pertenece a mi sueño, lo he leído, esos nombres de oficiales del *Kislar Agha*, jefe de los eunucos negros, los del interior del harem, sin embargo lo importante es el final, seguro que me otorgó mi deseo, ¿fue Él con su propia mano quien manejó la pequeña cuchilla corva, como una media luna?, da igual, fue por su orden, por eso Solimán es un perro, lo grité aquella noche, «¡Solimán es un perro!». «¿No se lo habías pedido tú? –preguntó Ágata–, ¿dudas? tengo la prueba, ¡vi en sueños el quiosco!» –casi le grité–, «sin cúpula, con dos filas de ventanas, doce columnas de *vert-antique*, no está en las fotos modernas, en el libro de Penzer sólo aludido, y lo identifiqué después del sueño, un instinto me llevó al *Instituto* otra vez, pensé que donde el retrato habría más cosas, y en efecto en la antigua biblioteca del Senado, un grabado en el libro de A. I. Melling, el *Voyage pittoresque de Constantinople,* 1819, ahí está el *Quiosco de Mármol*, el primero construido cuando Solimán trasladó el serrallo a Topkapi, su retiro favorito, según Penzer se incendió hace ahora cien años, sólo existió en mi época, aquélla, y es verdad, es verdad, es verdad, lo vi en el sueño sin tener noticia antes, idéntico al grabado».

«Pero ¿por qué le llamas perro?, ¿acaso no fuiste feliz?, no sabes lo que quieres», reprochó Ágata, sarcástica pero ya admitiendo mi vida anterior, sabe que no miento, ¡ciertamente sé lo que quiero!, entonces y ahora, «fue a causa de Lerissa, la conocí después, llegó al harem en un lote de esclavas, ¡pobre tortolilla asustada!, Lerissa acurrucada en la celda donde encerraron a cuatro o cinco, sus ojos claros eran lo único vivo, días sin comer nada, risas de las compañeras, lágrimas constantes, me enternecía, ya para entonces Solimán se había cansado de mí, Roxelana le tenía embelesado, la pelirroja de las tierras rusas, *Hürrem*, el nombre que yo pronuncié aquí todavía sin explicármelo, me atrajo Lerissa, de mis manos tomó sus primeros alimentos, aquellos ojos, aquellos ojos, y luego su idioma, el de mi infancia, recobrado con ella, era de otra isla greco-veneciana, como yo, la hice revivir como a un pajarito, uno de esos que ahora son salvados de las mareas negras, perdida en aquel caos lleno de normas, una *cariyé* más entre cientos, víctimas de malignidades, de los eunucos negros y de las rivales, protegerla, pronto fuimos dos hermanos, huérfanos abandonados, yo también estaba solo, el Gran Señor se había buscado otros juguetes, por mi belleza aún me buscaba alguna *gozdé*, incluso una *ikbal* viciosa, admitida una vez al lecho de Solimán y caída en el olvido, pero yo las despreciaba, todavía ufano de mi sacrificio, aún no odiaba al déspota, hasta que llegaron los ojos de Lerissa, vivíamos ambos como en una isla, aunque en medio de mis obligaciones, cumplía mi servicio como autómata, hubieran empezado a murmurar de nosotros, la maledicencia en el harem es terrible, quizás nuestros nombres sonaron juntos en el corredor de los *djinns*, allí se urdían las conspiraciones, pero nos salvamos porque ella no podía callar, contaba su verdadera pena a todo el mundo, ésa fue la gran catástrofe para mí, me abrió los ojos, su pasión por un hombre, el mercader veneciano que iba a desposarla, esperándole estaba cuando llegaron los corsarios a la isla, eso la mataba, yo no podía ser nada, una ayuda fraterna, ni siquiera un rival del otro, sin ninguna esperanza jamás, por culpa de Solimán que me mutiló aun sabiendo de la vida y el amor, a causa de Solimán el Perro».

Los detalles no importaban, se acumulaban solos en mi mente mientras contaba lo esencial a Ágata, la llegada de Lerissa me hizo olvidarme de Solimán, junto a ella en su cuchitril, oscuro rincón, como aquí ahora, apagado el butano que compramos para sustituir al carburo, sin más bujías rituales en nuestro candelabro de siete brazos, en mi otra existencia vi las islas que nunca he visto, leonados promontorios sobre el mar azul, pinos verdes y paredes blanquísimas, capillas bizantinas diminutas, de pronto la humareda, las llamas, los piratas, la razzia, los gritos, vientres abiertos y hombres degollados, montón de carne joven llevado al navío, yo y Lerissa, ¿cómo me llamaba yo entonces?, imposible recordarlo pero ya lo sabré, tampoco el hombre de la isla, ¿Cícladas, Dodecaneso?, no sé por qué Lemnos o Naxos, mi padre pescador o cabrero, felicísimos juegos en la playa, hasta el centelleo feroz de los alfanjes, el acre olor a pólvora, los gritos espantosos de los turcos, la mano del pope cercenada para quitarle de golpe los anillos, el iconostasio profanado, unos bárbaros violando allí mismo a la novia de Keralios, ¿por qué se me ocurre «Keralios»?, me arrastra este pensamiento automático, este imaginar manantialesco, no sé de dónde, invención pero no mía, fue y pudo haber sido, después la última vista de la playa, el negro vientre cóncavo del barco, nosotros medio muertos y hacinados, esa agresión salvaje sobre el fondo divino de las islas, el azul de las ediciones de arte con el archipiélago donde nacimos todos, donde nació Lerissa.

Ágata me acuciaba, insistía con un fustazo en mi hombro, oscilaron al hacerlo sus pechos, «algo ocurrió para que Solimán fuese un perro», «¡claro, llegó el veneciano!», se disfrazó de mujer, sobornó a un criado del mercado de esclavos, logró entrar en el harem mezclado entre jóvenes aterradas, en los primeros días nadie las examinaba aún, cuestión de audiencia, estaba yo con Lerissa cuando apareció en el patio, vi los bellísimos ojos dilatados de gloria y de terror, consiguió no gritar, nadie más se dio cuenta, la falsa esclava se acercó a ella, comprendí que sobraba y me alejé, aquella noche fue horrible, horrible, aquel amor ajeno, aquella felicidad de morir y retornar, imposible para mí, entonces comprendí todo, la inmensidad de mi catástrofe, Solimán no debió acceder a mi ruego inocente, por supuesto fueron descubiertos, les llevaron abajo por orden del Sultán, no fue la *Validé* quien lo mandó, venganza personal de Solimán, jamás un hombre había logrado burlarle, entrar en el harem, recibieron palos en los pies varios alabarderos y eunucos, y hasta el *Bash-Kapi-Oghlan*, el Gran Guardapuertas, a punto estuvo el mismo *Kislar-Agha* de recibir el cordón negro que ordenaba suicidarse, a los amantes pude verles en la cripta, el veneciano agonizaba empalado, antes el Sultán había gozado de Lerissa ante sus ojos, ahora ella amarrada enfrente, presenciando el suplicio, el veneciano heroico, agitándose en el palo para acelerar su muerte, abreviar a Lerissa el sufrimiento, pero ya muy débil, además le habían cortado la lengua porque al principio, recién empalado, aún tenía palabras de consuelo para su amada, y los dos frente a frente, nadie pudo cortar sus miradas, sus ojos enamorados, yo los vi» así fue el sueño, entonces desperté.

Para Ágata como una novela, quiso saber el final, le ofrecí uno cualquiera, ¿qué importa después?, «me sorprendieron llevándole agua, por eso cuando Nardo expiró me encerraron con ella (se me vino a la mente que se llamaba Nardo, ¿acaso Leonardo?, así le decía Lerissa), pasamos unas horas juntos, hablando de él, vinieron a buscarnos, yo sustituí al gato en el castigo tradicional de la adúltera, me encerraron con ella en el saco arrojado al Bósforo, gracias a eso pude besarla antes de morir», así acabé la historia, ¿por qué no? como yo en el Sena, Sena o Bósforo da igual, lo importante es aquella noche horrible, cuando medí el abismo de la castración, cuando descubrí que amaba a Lerissa, que la amaba como un hombre, que hubiese muerto alegre tras una hora de ser su Nardo, ahora es cuando comprendo y esa verdad supera la androginia, ahora en este potro evoco a Marga, ¿por qué no la hice mía?, en verdad sólo vivimos a medias, el mito platónico de las unidades divididas, somos simples mitades, completarnos en la mujer y ella en nosotros, hasta entonces todo es simulacro, ¡qué exaltación me invade!, ¡cuánto ha hecho falta para llegar aquí!, Carmela en Sevilla, Bast y su caverna, este mes de secretos ritos, la fusta de Ágata, ¡al fin sale el sol!, aquí en mi triple tiniebla, la cópula es el único volcán, la reunión de los sexos, todo lo demás vale si eso se cumple, Stambul fue mi prehistoria, ahora empieza mi historia, si asciendo a hombre no necesitaré reencarnarme más, o sí pero repitiendo, ciclo idéntico, siempre contigo, tuyo, ¡Ágata, te deseo!, tú no oyes este grito, estás al otro lado de la puerta, maquinando el castigo que merezco, que necesito, pero en mí es alarido, seguridad, triunfo, en el potro amarrado te hago mía, inmóvil te conquisto y arrebato, el Sultán me quitó mi hombría, pero amando a Lerissa recuperé el sexo, he subido escalones, he superado etapas, y ahora aguardo seguro, estoy seguro, no te diré el secreto de Carmela, con el que me hizo hombre, pero te estoy haciendo descubrirlo, ya estamos a punto, lo empuñas en tu mano, ¡ese cetro, úsalo!

«Aún no veo tu odio a Solimán» dijo Ágata, fue así su comentario, tan ciega como siempre, en aquel momento yo también, es decir ya entreviendo, pero no deslumbrado como ahora, sólo un rato más tarde, aun así le expliqué, «¿no ves que amé a Lerissa?, ¿no ves que la torturó?, sobre todo, ¿no ves que me hizo eunuco, que me privó de amarla?» «¡Pero tú lo habías pedido!», cuando lo dijo ella yo sólo sospechaba esta verdad de fuego, aun así me irrité, «¿no comprendes que estaba enamorado?», clamé casi en un grito, «¿enamorado?», devolvió sarcástica, «¿puede amar un eunuco?», esas palabras desataron mi lengua, la increpé «tonta, claro que amaban, no perdían el deseo, al menos algunos de ellos, léete a Burton, a los hermanos Richards, a Tavernier, a Chardin, a todos los que han escrito de serrallos, léete a Montesquieu, buen conocedor de mujeres, ¿entiendes?», no, Ágata no entendía, ahora deslumbrado yo podría decirle más cosas, simplemente que recuerde, estos meses de mi entrega, mi devoción, mi venta como esclavo, ¿qué son sino amor?, más exquisito incluso, te daré mucho más que Gloria, cuando llegue el momento, todo lo que ella y más, deja que se abran tus ojos, hacia eso vamos implacablemente, no quiero seguir así, flotando indeciso, culminarán esos juegos de ahora, me muevo hacia tu sexo, te quiero desde el primer día, desde que te salvaste del atropello para acabar viniendo a mí, desde tus pasos seguros calle arriba, tus piernas desplazando el traje gris, tu pelo coronando tu figura, tu fuerza y tu dulzura, paloma vulnerable y despiadada.

Despiadada hacia ti y, por eso, hacia mí, bendita crueldad que nos acerca, aunque tengas los nervios a flor de piel, exasperados, también tendrás la aurora, como ésta mía bajo tres tinieblas, encendida en mi pecho, quemando mi entrepierna contra el panty, ¿no te llega los ecos de mi sangre?, ¿mis latidos moviendo el universo?, todo llegará, empezaré como Gloria y acabaré siendo tu Nardo, aunque me cueste el palo, quiero estar completo, ser contigo absoluto, llevarte a lo más alto, es decir lo más bajo, hasta el fondo reunidos, lo viviremos todo, ardo de certidumbre, me consumo de ansias, antes sólo entrevisto, cuando tú te irritaste por mis gritos, cuando diste la razón a Solimán, cuando te burlaste de mí, yo ya me rebelaba sin saberlo, ¿cómo se te ocurrió compararte a Solimán? entonces reí yo, «¿Solimán tú?, ¿sólo porque te sientas ahí, en ese trono?», «y porque tengo esto», la fusta cayó sobre mi mejilla pero ya no me vencía, continué desafiándola, «¿Solimán tú?, él se desnudaba conmigo en el quiosco, tú no te atreves a jugar como él jugaba, te escudas tras tus prendas de *strip-tease*», cruzó mi otra mejilla, se irguió pálida, iracunda, me derribó de un empujón, me dio un puntapié, me empujó a cuatro patas hacia la caverna, me amarró así en el potro, «¿te crees fuerte, eh?, verás si soy o no Solimán, si hago o no lo mismo que él», su voz era de juego y no lo era, se marchó cerrando la puerta, me dejó ciego en la tiniebla, era preciso para mi ulterior deslumbramiento, para entender hay que cerrar los ojos, mejor: tenerlos cegados, ahora entiendo al eunuco, a ti y a mí, verás cómo avanzamos.

¡Qué exaltación! la llave dando vueltas, sus pasos descalzos, un frío de acero en mi boca, sus manos quitándome la venda, la violencia del butano encendido, sus rodillas junto a mi cara, su cuerpo erguido hacia lo alto, la sombra de su sexo tan cercana, su cara asomando entre sus pechos, inclinada hacia mí, serenidad burlona, poderío, ¡exactamente tú, dispuesta tú, preparada tú aunque aún lo ignores!

«¿Conque quieres los juegos?», «quiero contigo todos», «pues los tendrás, seré tu

Solimán», su voz es restallante, «te costarán lo mismo: la castración, la muerte», nace mi escalofrío, el placer me recorre, acepto, «como los aztecas» digo, piensa un momento, recuerda en el acto, los jóvenes guerreros sacrificados al dios en el *teocalli*, llevados a la pirámide para arrancarles en vivo el corazón, pero antes todos los placeres, los goces más buscados de la vida, amando sin reservas, «te costará muy caro, ya lo sabes», ¡qué júbilo me invade!, al aceptar se entrega, y empieza ahora mismo, su mano levanta la gumía, baja hacia mi entrepierna, de un golpe seco ha rasgado los pantis, a la altura del pubis, sólo me roza en un ligero arañazo, emerge el vello solamente, lo coge con su mano, el mechón se lo lleva la gumía, lo muestra en sus dedos, lo mismo que el sultán con su cuchilla, pero no es Judith ni Salomé, sonríe al declararse: «¿Te crees fuerte, eh?, pues ya estás sin fuerza, Sansón, tu cabellera en mi mano, gozarás los juegos, pero te advierto el precio, al Bósforo dentro de un mes», corta mis ataduras, se retira, vuelve a girar la llave, amo esta oscuridad, la sima en el fuego nocturno del verano, bajo las tejas todavía calientes.

¿Así crees castrarme?, no me has quitado nada, al contrario las puertas se han abierto, se ha desgarrado el panty, al moverme mi sexo se libera, emerge rompiendo sus cadenas, ella ni lo sospecha, me sonrío al pensarlo, «tendrás todos los juegos», te has obligado, Ágata, todos, y luego lo que sea, la gumía si quieres, en el corazón, pero antes consumarme, consumirme en ti.

Ágata

Alea jacta est. La suerte está echada. ¡Tiene gracia, así lo diría él! O no lo hubiera dicho, pues quizás no desea decidirse de una vez. Prefiere seguir flotando en su tierra de nadie. Entre amistad y pasión. No hace crisis. Me da lo mismo, yo ya lo he decidido: la pasión. Hace un momento; antes de entrar a desatarle. Antes de usar la gumía. No soy de piedra y no puedo más. El único hombre que ha sabido llegar adentro de mí. Se acabó. Es decir, empieza. Estoy harta de esperar.

El único: ¡qué vida tan en alto! A él se la debo. Ayer en la piscina, conversando con Lina y Guillermo, que ya se atreve a salir a la calle. ¡Qué poca cosa, su revolución política! Después de Franco, ¿qué? No lo saben bien. Sólo palabras. Libertad, democracia... La verdad verdadera: ellos seguirán siendo como siempre. En cambio, yo ya no soy lo que era. ¡Ahora sí que soy Ágata! Mejor, una dura geoda tapizada de ágatas. Y dentro un corazón.

Nos despedimos con un pretexto. No interesaban. ¡Qué hermosa tarde luego, nosotros solos, en el parque de atracciones! Se divierte como un niño. Yo llevaba un Luisito al circo. ¡Aquella conversación con el león marino, bramando los dos igual! ¡Y el animal le contestaba! Ahora que pienso, también es como si él me llevase a mí al circo. Curioso: llevándome de la mano. ¿Y la amistad que trabó con el chimpancé? La gente alrededor se divertía. Imposible saber quién disfrutaba más, si el mono o él. ¡Luis, Luis! ¿Acaso eres feliz? ¿Te conformas con esto? Pues yo no.

La genética, ¡eso sí que es revolución! ¡Cuántas desgracias se aliviarán con la genoterapia! Los pobres subnormales, esas «taras por los pecados de los padres», según la antigua Iglesia, barridas por la ciencia. Esos «castigos de Dios»; ¡qué religión más salvaje! La genética revolucionando nuestras vidas. Estoy decidida; imposible otra cosa. Hasta aquí hemos llegado. Al menos, estamos ante la última puerta, como diría él. La última barrera. Adorable, su torso desnudo, tan suave, tan pulido.

Más atractivo que el de Gloria. Para pechos, ya están los míos. Los miro en el espejo y han crecido. Claro, mis ojos son otros. ¡Y cómo los espía Luis! Coqueteo, haciéndolos resaltar bajo el *baby-doll* amarillo. ¡Pensar que lo compré para Gloria! ¡Qué ocurrencia, la vida! Ahora miro de otro modo. Todo. Además de la genética, la educación, el aprendizaje. Su niñez junto a las faldas de su tía. Odiosa: ahora empiezo a comprenderle. Pero no me sorprende, recordando mi infancia. También cuestión de bioquímica. Ahora descubren las endomorfinas, sintetizadas en nuestro cerebro. ¿Se podrán tratar síntomas esquizofrénicos mediante diálisis?

El torso, sí. Pero falta el resto. Cuando abramos esa puerta. Los pantis. La que encierra ese bulto. Más grande que el mío, aunque Gloria celebraba mi «melena». La sirena conserva todavía sus escamas. Los pantis de color según el rito del día. Rojo de sacrificio; negro, servicio; morado, penitencia. Esta tensión no puede durar.

La historia de Lerissa es inventada, claro. La narra sin convicción. ¡Sería intolerable ese amor por ella; imposible soportarlo! Ni aun en otra vida. En cambio, su pasión por Solimán la vive a fondo. Es para él tan verdad como su infancia. Me asombré la primera vez ¡Poseído por el Sultán; pedirle su propia castración! Pero al contarlo, convence. ¿Será verdad? Para él, como si lo fuera. ¿Por qué? Un psicólogo saldría con lo del pecado, pagar culpa de masturbaciones infantiles... ¡Qué soy yo! Sin embargo, me describió el desaparecido *Quiosco de Mármol* antes de conocer el *Voyage pittoresque* de Melling. ¿Qué más prueba científica? Además, ¿cómo demostrar la falsedad de la reencarnación? No es una hipótesis contrastable, por ahora. La ciencia se resiste, pero ¿qué sabe ella de tantas cosas?

Comentando el artículo sobre endomorfinas con don Estanislao –¡qué viejo fascinante; tan de otro tiempo!–, sonrió y me buscó un libro en la biblioteca. *La inmortalidad y los orígenes del sexo*, de Nóvoa Santos, 1931. Explica la frecuente euforia, anterior a la muerte, por una «psicosis tóxica». Algo así como una impregnación del cerebro por venenos endógenos, parecidos a los estupefacientes. Una frase me ha impresionado: «Cerca ya de la muerte, pisa el hombre a veces el umbral del paraíso». Se lo conté a Luis. Le brillaron los ojos y sólo repitió: «¿Lo ves?, ¿lo ves?»

Esta tensión no puede durar. Se acabó. Ya hubiera estallado si no la aplacasen nuestras horas luminosas, como las llama él: «Machado decía lo consuetudinario.» La calle, nuestros paseos. Rosales. Los niños con bandejas de barquillos. ¡Con qué ternura les trata! Evoca los barquilleros de su infancia y me hace recordar a los de Pamplona. ¡Qué facilidad para hablar con la gente! En la tarde del 18 de julio, la mujer de las pipas y de los molinillos de papel. Gorda, gorda. De negro. Se acercó a comprarle algo que no comimos. Pretexto para alabarle los ojos. Y era verdad: debieron de ser magníficos. Aun ahora lo son. Natural de Trujillo, pero «ya ve usté, señorito, la vida...». Así va Luis dejando miguitas de felicidad. ¿Cómo puede ser él feliz? Me exaspera. Ya puede prepararse conmigo. ¿Qué es eso del amor a Lerissa? ¿Hasta eunuco se enamora? ¿Y aquí, qué? ¿Ahora, qué?

Porque algunos piensan, según Nóvoa, que la euforia es el sentimiento dominante al acercarse la muerte. La muerte natural en que se agota suavemente un viejo coincide con un sentimiento de placer. En cambio, a veces hay indiferencia de vivir y hasta un dolor morboso de vivir. Luis me ha rogado que pida ese libro y se lo traiga.

¡Qué silencio! No pasa un coche. De día, los turistas. Pero la noche es nuestra. La calle, los faroles. La casa vacía tiene resonancias, como si estuviera pensando y fuese a hablar pronto. Solamente los viejos, abajo. ¡Pobre Lorenza! Ildefonso va a durarle poco. Ya no se levanta. Su penoso resuello, al fondo de la portería, mientras hablábamos nosotras bajito. Quiere llevarse su cama al almacén, en cuanto lo deje Mateo. Echaré de menos a Tere, pero ahora prefiero su ausencia. Vivimos más libres. ¡Qué temple, esa Lorenza! Reseca, sólo hueso y nervio. «Soy mojama pura», dice. Traspasada de congoja, como una Dolorosa, y aún se ríe. Me hablaba de las antiguas verbenas de Santiago y se encendía la vida en sus ojos. En cambio, las horas oscuras... Mis nervios a flor de piel, en la cripta. Luis ni se da cuenta, claro. Ha creado un ambiente poderoso. ¿O son sus palabras, su imaginación para los juegos? Se trajo ese albañil de IDEA y puso una pequeña lucerna en el tejado. Cuando levantamos el cristal, entra la noche con su perfume de acacias. La naciente luna va paseando por el suelo un rectángulo de mercurio brillante. Ahí me siento adorada de pies a cabeza. El rito del perfume, el otro día. Revestirme de su ofrenda. La tensión estremece. Menos mal que la calle es un alivio. Entre el paseo y el rito, mi apartamento facilita el tránsito. Cámara de descompresión, para los submarinistas que nos sumergimos tan al fondo. Abisal. Chorro del agua. Cierro los ojos y como si viera yo también el *Quiosco*. O los baños del harem, con este húmedo calor sobre mi piel. La ducha es cosa de sociedad industrial, dice Luis. Agujas agresivas recibidas de pie. Espuelas, acicates. El baño es Oriente: relajación voluptuosa. Delicia del agua. No sé para qué seguimos poniendo un plato de leche en la cripta: se evapora. Bast no ha vuelto, no la bebe. ¿Qué habrá ocurrido? Desapareció aquella primera noche y hasta hoy. Cumplió su misión, por lo visto. Pero guardamos el rito. Al principio también le ofrendábamos comida: Lectisternio. Desapareció. Los ratones: dejaban cagadas. No me asustan: en eso no soy femenina. Quizás mi costumbre de cobayas. A Gloria le espantaban. ¿Volverá Bast algún día? Quizá sólo aparezca en momentos decisivos. Bien, pues ahora es uno.

Sí, pura novela lo de Lerissa. Necesito que lo sea. Se explica, claro: justificarse su odio a Solimán. Aunque sospecho algo más. La dichosa Marga. ¡Lo que me costó sacarle esa historia del cuerpo! Siempre pudibundo en cuanto a su impotencia entonces. Ahora, en cambio, parece jactarse: curioso. Aunque ¿me ha contado la historia completa? ¿Es verdad su versión? Ya me dio antes otra falsa. ¡Dichoso mitómano! Pero ahora le meteré en cintura. Al prisionero azteca le voy a apretar los tornillos. Hasta que explote. ¿Qué le pasó con Marga? ¿Por qué no pudo? ¿Era realmente Max hermano de Marga? ¿No sería su marido? Claro, el Nardo de Lerissa.

Lo más nuevo: mi seguridad. Pasó aquella angustia con Gloria. Superadas mis carreras con la lengua fuera. Calle de Vergara arriba, temiendo su escapada. Aquel estar pendiente de sus gustos. Ahora es un ciclo estable: tensión, serenidad; excitación, calma. Como las mareas. Vivo en paz y en violencia, pero a salvo. Y seguridad: la suya, sobre todo. Qué lógico edificio, sus recuerdos del serrallo. Qué fundamento en los ritos. Qué suavidad en sus atenciones. Yo, sacerdotisa; él, víctima propiciatoria. Pero más seguro que yo. Demasiado. Sacarle de ese terreno. Tendrá que seguirme.

Interesante don Estanislao. Bibliotecario del departamento. No le interesan nada ni la química, ni la farmacia, ni los negocios. Pero los libros sí, de lo que sean. Y la música. Tiene discos de conciertos con grandes orquestas sin la parte de violín, que interpreta él. Nadie lo sabe en la empresa; me lo ha dicho en secreto. Caballero exquisito. Echo de menos a los alumnos de la academia, pero estoy más libre como traductora, y me pagan más. También Luis ha progresado. En septiembre pasa a un banco, de jefe de publicaciones. ¡Hasta en esas cosas caminamos juntos! Con Marga nada. Ni con Lerissa. En cambio, con Carmela... ¡Por eso calla, el muy hipócrita! No hay quien le saque esa historia. Vaguedades, sonrisitas. Cuando le acoso, grandes jactancias en broma: que si le hizo esto, o lo otro, y tantas veces... ¡Pues claro que le hizo! ¡El amor, se acostaron juntos! Los hombres, repugnantes. Todos. No les da reparo nada. Una putilla de flamenco barato y ¡venga! ¡Pues si ella es gitana, yo francesa! Me sofoco sólo de pensarlo. No se lo perdono.

Hipócrita. ¿Quién lo diría, cuando practica los ritos por la mañana? Veneración, adoración, obediencia. Le oigo medio en sueños levantarse –«Maitines», dice–, y cuando salgo del baño, mi desayuno en la mesa. Café humeante, oloroso. Tostadas calentitas, impecables, ni flojas ni quemadas. No está presente; he de ir a sacarle de la cripta, su celda, su adoratorio. Me regala palabras como rosas. «Eres una diosa que se ignora.» «No envejecerás nunca.» Entona salmos a mi boca, mi oreja, mis cabellos, mi garganta. Besa mis rodillas. Me lo llevo a mi alcoba; para el rito de vestirme es mi doncella.

Con la Carmela esa sí que pudo. ¿Qué le daría, qué le haría? Ya no hay bebedizos. Trucos de fulana, claro. Pero ¿cuáles? ¿Caricias especiales? ¿Técnicas del oficio? Dicen que las andaluzas... Medio morenas, de harem... Pensarlo me quema la sangre. Es odioso. ¡Le abofetearía! Ella lo hizo, claro. Darle marcha. Pero entonces, ¿qué le pasa a mi fusta? Es mi cetro sí, pero había de ser mi varita mágica para soliviantarle. ¿Es que no sé pegar? ¡A ella sí que sabría darle, si me la pusieran delante! ¡Cicatrices en su cara, para que no nos volviera a robar un hombre a ninguna!

Al menos, le hago obedecer. Ha probado mi fusta en todas partes. Bueno, en casi todas. Poco, cada vez, como la espuela al caballo noble.

Justo un restallido. Rito impuesto por mí: mortificación, humillación. ¿Destrucción? Quizás la sueña. Pero mando yo. Le guío yo. Las riendas en mis manos. Mantenerle en tensión, como yo misma. Señalo con la fusta y no necesito hablar: viene el té, me envuelve la bata, me calza las zapatillas. O se sienta al pie del diván, mi trono de *Validé*, sultana. O se pone en pie. A cuatro patas. Tendido. Basta señalar con la fusta.

Impasible, eso es lo irritante. Al principio, ¡qué placer haber comprado un esclavo! Delicia aún más viva porque el esclavo era eunuco. ¿Quién poseía tal rareza? Pero ahora... ¿Qué interés en domar a un buey? Quiero un caballo encabritado y lo tendré. Aunque siga impasible; eso se acabó. Si no le hace saltar mi cuerpo saltará con la fusta. Veo muy bien que le fascina. La respeta como a una pantera. Y ya no me basta el esclavo pasivo. Ardo demasiado. Me estoy quemando.

¿Habré sido hombre en otra vida? Si es verdad la reencarnación, ¿ocurre apenas se muere? Le he preguntado a Luis si no recuerda otras existencias, entre el serrallo y ahora. Cuatro siglos. No le faltan respuestas, pero puras novelas. La del otro día, sugerida por aquella viola espléndida. «Fui alumna de Vivaldi. O quizá cortesana en aquella Venecia. Me veo bien con el tricornio pequeñito, el velo bajo la barbilla y el antifaz.» Ríe. También se imagina asesino. Acaso para explicarse su masoquismo como pago de su anterior violencia. Pero puras novelas. Inventadas por mi Scheherazade para su sultán. Por eso le he puesto un nuevo nombre: Scheheraz. O, como él prefiere, Shiraz.

Historias. Las de Miguel el Empalador, el voivoda rumano de la época de Solimán. Ya me las había contado. Obsesionado por el suplicio del palo. En la historia de Lerissa; Nardo empalado, ella atada enfrente, obligada a contemplarlo. Horrorosa obsesión. Pienso que a veces se cree homosexual. Su impresión ante la foto del chino empalado, a principios de siglo, ilustrando el libro de Georges Bataille. El mismo rostro que el San Bernardo de Ribalta en El Prado.

Me ha quemado, ese eunuco. ¡Y al principio me aseguraba no pretender nada! «Sólo una lámpara a tu cabecera; darte un poco de luz.» ¿Cómo amará un eunuco? Con Gloria yo no ardía. Luis pensaría que me reí de su amor por Lerissa. Pero ningún amor suyo me hacía gracia, ni inventado ni cierto. Acabo por creerlo, me hace daño. Además, el libro de Penzer es categórico. Aunque no fuesen «espadones», de los que conservan el miembro, los eunucos no perdían el deseo. A menudo sufrían como monjes. Algunos se casaron. La mujer de uno confió a Richard Burton sus actos amorosos. El inglés los alude púdicamente en francés: *plaisirs de la petite oie, tête-bêche, feuille-de-rose*... Supongo que dependerá de la edad en que los emascularon. Y quizá de cómo.

¡Buenas historias habrá de inventar Shiraz, si quiere durar hasta el fin del plazo! Mientras tanto los días apacibles. Me espera a mi salida del trabajo. ¡Qué anfitrión es, aunque sea en un restaurante barato! Pago siempre yo, con ostentación. Soy quien le lleva a comer. El camarero ya se ha acostumbrado; se dirige a mí.

La sultana francesa, ¡qué vida de aventura! ¿Cómo no ha inspirado alguna novela? Nacer en Martinica, prima de la emperatriz Josefina, y acabar de esposa de Abdulhamid I y madre de Mahmud II. Una tempestad desvió el barco en que iba a Francia y la apresaron los corsarios berberiscos. Adoptó el nombre persa de Nakshedil: «Bordada sobre el corazón.» Y antes de que reinara su hijo aún ocuparon el trono dos sultanes. Uno acabó asesinado y el otro ejecutado. Para colmo de peripecias: Bonaparte estuvo a punto de ir en comisión de servicio a Stambul. Si no le dan entonces el mando para la campaña de Italia hubiese cambiado quizás el curso de la historia.

¡Qué silencio! Como en la piscina de *El Lago*, a mediodía. El zumbido del calor, nada más. Y el chorro renovador del agua. Como en su *Quiosco*. Tendidos juntos a la sombra después de comer una paella. Sus largas piernas. Mirar con disimulo su cuerpo, cuando tiene sus ojos cerrados. ¡Qué nervioso y delicado, qué imán de la caricia! Pero ¡qué más quisiera él! ¿Contempla Luis el mío cuando yo no miro? En todo caso, se sabe que está ahí, al lado, latiendo su sangre. Solos en lo alto de una cumbre. Hasta que alguien da un grito o pasan dos hablando y volvemos al llano. ¡Qué hermosa tarde!

Comprendo a los japoneses. El honorable baño: *O-furo*. Luego llamaré a Shiraz, el eunuco de Solimán. ¡Qué mundo, el harem! Trajes de la Sultana *Validé*, señora del serrallo, y de las *Kadinés*. Curiosa miniatura de un parto reproducida en el libro. El niño asomando la cabeza entre las piernas de la odalisca sentada y casi vestida. Todo pasaba entre ellas. Los asesinatos y los nacimientos. El médico las atendía oyendo a las pacientes. Un velo y una fila de eunucos negros se interponía. Sólo podía el médico pedirles que mostraran la mano por el cortinaje. Ellas se llamaban Mihrimah, Zeynep, Kösem, Turhan y Hürrem, claro. La famosa Roxelana.

Luis enternece y provoca. ¡Que despierte el tigre! La fusta está en mi mano. Ahora empezamos. Van a ser nada, los pasados juegos. Quitarle los pantis sin quitárselos. A ver qué hace de la libertad. Se siente más seguro. La lógica implacable de su reencarnación, ¡cómo convence! Pidiendo guerra, como con Carmela. Lo conseguiré yo también, pero ¡es tan complicado! ¿Por qué tan sencillo para las Linas? Porque no pretenden tanto. Y consiguen menos, claro. Yo lo quiero todo. Por cierto, tendré que proporcionarme la nueva píldora. Esa chica boticaria que se dedica a representante y va por el laboratorio.

Su inventiva. La campanilla a mi alcance, para llamarle. Mi respuesta, los pequeños címbalos indios, en sus tobillos, para que no pueda moverse sin ser oído. El gran abanico oriental para mi reposo por la tarde. Nuestra ceremonia del té, que no es la japonesa.

Acariciada por el agua del baño, repienso nuestra vida. Educarle, si hace falta. ¿Educación o cromosomas? La vieja polémica. ¡Cómo me encantó descubrir que los grandes pechos femeninos se debían a veces a la anormalidad XXX en los cromosomas sexuales! Superhembras, pero estériles. ¡Si resultase que Gloria era masculina! En cuanto a Luis, no tiene ciertamente el XYY de la agresividad. Ya puede conformarse con su XY. Y gracias que no cruzó del todo la segunda letra hacia un XX femenino. ¿O acaso se ha quedado en el XXY? Sería para matarle.

No; se siente seguro. Sobre todo en la cripta, donde vale todo. Mando yo, pero es su reino. El metrónomo: su rigor. Me acucia, me repite cómo pasa el tiempo. Sólo ahí dentro ha podido Luis atreverse a desafiarme. ¿Quién me inspiró de golpe la respuesta? ¿Acaso Bast? «Tendrás lo que quieras, pero luego el sacrificio. Eso, como un prisionero azteca. Ya verás si soy Solimán o no.» Seré el Sultán, ya puede prepararse la víctima. «¿Estás dispuesto? Un mes para ti y, el próximo plenilunio, el sacrificio.» Apenas lo dije, me pareció largo el plazo. ¡Cómo me escuchaba; qué avidez en sus ojos! Como si en vez de amenazas le ofreciese una esperanza.

¡Qué inspiración tuve, para darle el golpe definitivo! Cuando salí, dejándole atado en el potro, aún no lo había pensado. Fue la vista de la gumía. De algo había de servir mi única herencia paterna. La falsa gumía contra el falso sexo. ¿Qué sintió, vendados todavía sus ojos, cuando puse la hoja de plano sobre sus labios? ¡Qué ojos, cuando le quité la venda! Pero no pestañeó, ni aun viendo bajar el acero sobre su vientre. «Con esto, como te hizo Solimán. ¿O prefieres otro método? Los conozco.» «Sea tu voluntad», murmuró. Si de verdad le castrase no habría más Carmelas.

Se derriten mis entrañas, al recordarlo. ¿Me atreveré a llamarle para que me seque después del baño? La primera vez que me vería desnuda. ¡Pues me verá; no faltaba más! ¿No quiere todos los juegos? Y me tocará. ¡Claro que sí! Debió suceder hace tiempo. Pasará lo que yo quiera. Nada en un mes, como Solimán. Ahora va a quemarse él. Hasta la próxima luna.

La punta del acero se clavó en el panty. Lo rasgó. Yo contemplaba sus ojos impasibles. Quizás por eso llegué a arañarle un poco. Emergió su vello por la hendidura. Agarré un mechón y lo corté con la gumía. Como Dalila a Sansón. Pero no se trata de quitarle la fuerza. Al contrario. Ahora se estará descorriendo más el punto. Surgirá su sexo, libre. Eso es lo que quiero. Se erguirá como una serpiente al salir de su huevo... Sólo de pensar que vendrá a secarme... Sólo de imaginar los días que hoy empiezan... Y las noches, las noches... ¿Es mi mano izquierda la que me acaricia bajo el agua o es ya la suya? Me siento eunuco en el quiosco: los dedos de Solimán excitan mi sexo... ¡Pero yo soy Solimán!... Y soy también... el niño... que descubre el goce... ahora...

Quartel de palacio

Mientras el sol declina, abandonando a Madrid en el anochecer de julio, doña Flora está tendida en su cama, inmóvil, impasible al tiempo. Le da igual que se derrame, se estanque en los relojes o se acabe para ella de repente.

Sus últimas horas –¿o siglos?–, ciclón inesperado, la aíslan con muros de recuerdos, maravillosos mosaicos. «Y fue verdad; todavía huele a él», se dice mientras sonríe a su gozo interior. «¡Qué hombres!» «¡Y qué hombre va a ser éste en cuanto la vida le enseñe!», añade, tiñendo de melancolía esa sonrisa, porque ella no entrará ya en el juego. Pero ha sido bastante; no cabía pedir más. «Gracias, don Gil o como te llamen donde sea», concluye moviendo los labios como en un rezo.

Continúa inmóvil. Tiene hambre y sed, pero no la tiene. Está cansada, pero animosa. Se mira el cuerpo desnudo: en escorzo los pechos sobresalen menos que la cadera opulenta. Ríe sin ruido. «¡Virgen de la Paloma, cuántos años llevaba sin sentirme así!» Se puso el camisón para ir hasta la puerta a despedirle; porque ya su desnudo no gana cuando anda, pero al volver a la alcoba se lo quitó para recordar mejor. Volviendo por el corredor lloraba, pero ya se ha calmado. «No seas tonta; ya sabías que acabaría. Disfruta: tuviste tu gran verbena, traca final, castillo de fuegos artificiales, cielo con cohetes de colores, estrellas como flores descolgándose, ascuas sobre la noche.» Como aquel carnaval en Niza; algo así dijo frente al mar de la fiesta *Alfonsito XIV*, todo poético entre la multitud mientras por detrás le tocaba el culo. «¡Qué tío sinvergüenza! Pero con la sal por arrobas. Y en la cama, estupendo. ¡Cómo se parecía a Alfonso XIII! Por eso el mote. Decían que era hijo suyo... No me había vuelto a acordar de él hasta anoche. O esta mañana, cuando sea, da igual... ¡Ay!, ¿por qué no habré muerto apenas cerré mi puerta?»

Sí, reflexiona amarga. Decirle adiós, oírle rectificar: «Hasta pronto», recibir su beso, ¡ese beso! (se pasa la lengua por los labios para regustar la huella, pero están resecos), cerrar la puerta tras él, verle aún por la mirilla, dejar de oír sus pasos por la escalera abajo, y morir. En aquel instante, cuando se dejó caer de espaldas contra la puerta. Como el urogallo: la mejor muerte posible, repetía Gustavo. (¡Pobre, de qué manera tan distinta acabó él!) Cesar de vivir –muy distinto de morirse– en un relámpago, sin saberlo, cuando la vida llena más el cuerpo, cuando toda la sangre se agolpa en el sexo para saltar sobre la hembra. Allí en la puerta tenía que haberse muerto. Y, si no, preparar unos polvitos blancos en el último vino. Pero ya no quedan: se los bebió todos el notario. El señor notario, el del Ilustre Colegio de Madrid. Ríe, ahora sonoramente. Esa idea siempre la regocija. Suspira. Pensar en otras cosas; no en la muerte. Ya vendrá sin llamarla.

Pensar en el encuentro, por ejemplo. Revivirlo todo, desde el principio. ¿Cómo fue? Calor en la plazuela. Va ella hacia el herbolario. Casi se tropiezan en la esquina: ¡avanza él tan decidido! Bien plantado siempre. Les inmuta la sorpresa. Aunque en el fondo...

–¡Hola, Paco! ¡Qué casualidad!

Responde ya con aplomo. ¡Qué dientes poderosos!

–Casualidad ninguna, doña Flora. Di esta vuelta pensando en usted: para qué voy a decirle otra cosa.

Súbita inquietud en la mujer, al ocurrírsele que él pretendiera sus buenos oficios de intermediaria con Jimena.

–¿Y eso?

–Por si a lo mejor me la encontraba... –Y añade, súbito–. Se me ha metido en la cabeza convidarla a cenar, cuando usted guste. Hoy mismo, si quiere... En fin, si no le da reparo.

Paz en el corazón, ¡Y cuánto arranque! Certidumbre de Flora. ¡Ese Gil Gámez!

–¿Por qué me iba a importar? Pero, así de pronto...

–¿Tanto hay que pensarlo?

–Ya sabes... Las mujeres no podemos decir que sí a la primera.

–Pero me va usted a dar el sí a la segunda, ¿verdad?

Discreteo. Risas cortas. Frases breves. Las palabras, triviales; la intención, cargada. La acompaña a comprar una tisana. Herminia, la herbolaria, mira y remira al hombre. «¿Su sobrino, Florita?» «Un amigo.» ¡Chúpate ésa, vieja beata! Y un remusguillo de gusto por todo el cuerpo. Retornan al fuego del verano. Encendido está el mundo.

–Niño, parece que estamos pelando la pava.

–¡Digo! ¿Por qué no?

–Vamos, formalidad. ¿Con una mujer que puede ser tu madre?

–¡Si no hay nada más grande que una madre!

Andaluz en la reja, derramando palabritas. Ella dentro, clara contra el fondo oscuro. El hombre clava la frente en los hierros, queriendo forzarlos para entrar. Que espera; todo hay que ganárselo. Entretanto caminaba lentamente por la sombra. Doña Flora quiere asegurarse, dejar las cosas claras.

–Y en la cena, ¿me pedirás que intervenga?

–¿Cómo dice?

–Estoy enterada, Paco. Pero esas peleas de novios pueden arreglarse. Si quieres, le digo a Jimena...

Paco ataja muy serio.

–Eso acabó.

–Hombre, todo tiene arreglo en este mundo.

–Eso no. A ella le gusta más su padre. Su «papá», su gente, su casa, con ese Luis tan señorito, su modo y manera. ¡Ni hablar! Para una mujer no tiene que haber más que su hombre. Y no hablemos más. Demasiado tiempo he perdido con ella.

Desaparece la reja, se acaba el discreteo. Han llegado al portal de Flora y, frente a frente, el hombre se planta.

–¿Por qué me ha dicho eso? Ni lo pensaba yo. Vine porque he hecho el primer trabajo por mi cuenta. Quería celebrarlo. Sí, señora, con usté. Con nadie mejor. No se me ha ido de la cabeza la Nochevieja. Pero si no valgo para compañía, dígamelo y en paz.

También de frente le contesta Flora:

–Tú vales para eso y para más. Y yo voy contigo encantada. Pero ¿cómo iba a pensar que yo...?

–¿Usted? ¿No hay un espejo en su casa? ¿No la miran por la calle?...

El *frisson*. «Ya está, ya se te han erizado los pelitos de la nuca», decía Gustavo, jocundo. Y era verdad. Como ahora. Ese *clic* en algún sitio del cuerpo. Esa puesta en marcha, el pie a fondo, adelante.

–¿Me estás haciendo el amor?

–¿Aquí en el portal? Bueno, si es su gusto... Con usted, donde sea.

Se cruzan dos floretes intencionados. Risa.

–Hacer el amor, en mis tiempos, era otra cosa. Decirse palabritas, empezar a interesar...

–No sabía. Yo hablaba como ahora.

–Bueno; no vamos a seguir aquí de pie y es temprano para cenar. Sube a tomar una copa.

«¡Si hubiese ascensor! Empezaríamos ya a estar solos y cerca. Concentrados en esa caja. Cada cuerpo junto al otro. ¡Que él no me oiga jadear! Dicen que es difícil descender bien en la vida. No, lo difícil es subir las escaleras sin cansarse, como cuando vivía en mi buhardilla. Y meter la llave sin temblor de la mano. ¿Le llevo a la salita y me arreglo un momento? Debe brillarme la cara: ¡Esta calor! También el sofoco.»

En el pasillo, unas manos la ciñen. Gira y le contempla de frente, ligeramente burlona.

–¿Ésta es tu manera?

Se inmuta Paco y rechaza sus tácticas habituales de caza, pero las manos siguen en el talle. Un nudo en su garganta. ¿Y si...?

–¡No me achique, señora! ¡Ya sé que es mucha mujer! ¡Demasiado lo sé! ¡Por eso, por eso!

En la jaula del pecho un galope arrebatado. ¡Pobrecillo!

–No me llames señora, Paco.

–No me llame usted Paco. Curro es mi nombre, sólo

que aquí en Madrid no lo gastan. Pero para usted, mi nombre de verdad.

Las manos de la mujer ciñen ásperas mejillas y la boca de Flora tranquiliza y enardece al muchacho, mientras las otras manos atraen sus caderas hacia el vientre viril.

–Ven, potrillo. No te llevas jaca nueva, pero sí bien corrida.

(¡Cómo rieron camino de la alcoba fin de siglo que luego escuchó su jadear entre el antiguo lino y los encajes! Se rejuvenecieron los espejos, recobraron gozosos los muelles de la cama el ritmo casi olvidado. Faroleó el aire, antes de cargarse del olor que duraría un día entero, el que Flora descubrió al despertarse. Fue un embalse roto, un torbellino de sangre, una ametralladora de relámpagos. Inmejorable, si hubiera sido más lento, suspiró Flora, contemplando después la expresión joven y ufana. Como un tigre. Descansaron.)

–¿Quién te enseñó?

–Una inglesa –revela, tras alguna duda–. Allá abajo en el Palacio; en Doñana... Pero, ¡ná!... ¡Osú!

El gesto, el resoplido. Ufana risa de Flora.

–Estoy un poco gorda, ¿no?

–Una tórtola llenita. Saben mejor.

–Y ya no soy de mármol.

–Ni las peras maduras.

–¡Si me hubieras conocido! Yo era fina como una acacia. Me hicieron magnolia.

La mujer le estruja y le besa en la oreja.

–¿No querías cenar?

–¡Por éstas! A eso venía... ¿Cómo iba a pensar en la gloria, de golpe?

–¡Pues si llegas a pensar, no pasamos de la escalera!

Relámpago blanco de los dientes en la cara juvenil.

–Tenemos que vestirnos, entonces.

Los ojos se ensombrecen. ¿Dejar ese nido de la cama, ese cuerpo de sultana madre?

–¿No puedo yo bajar a por algo... y vuelvo?

Flora mira risueña el antiguo despertador, en su caja de latón y cristal.

–Pues deprisa, que cierran.

Mientras Curro se viste, ella se pone una bata y escribe con un lapicerito de oro («de aquel carnet de baile», recuerda) levantando a veces la mano mientras hace memoria mirando hacia arriba. «Una garza bebiendo», piensa Curro. Ella le entrega la nota y le acompaña a la puerta mientras le explica:

–Tráete todo eso. De *Ultramarinos Pereda*, a la vuelta de la esquina. Dile que estamos aquí unos amigos y te dará el champán ya frío.

Cuando regresa Curro, cargado con dos grandes bolsas, se queda estupefacto. Le abre una doña Flora vestida de largo, con un traje palo de rosa muy descotado y sin mangas. Los guantes blancos de cabritilla rebasan el codo y sobre su peinado alto, ¡un elegante sombrero!

–¿Te has quedado sin habla?... Es que ahora mando yo. Te he preparado la *tournée des Grands Ducs*.

–¿Y eso qué es?

–Que vas a follar como un gran señor.

Risotada viril, mientras intenta abrazarla.

–¡Es usté lo más grande!

–Estáte quieto... Quítame antes el sombrero... ¡No tires! ¿No ves las agujas? Esa... y esa otra... Ahora... ¿Verdad que es muy gracioso?

–Talmente un nido de focha cornuda. Lo mismito de grandes son; tapados también con hierbas y plumas.

–Ahora los guantes –ordena riéndose–. Suavemente... ¡No olvides besarme en el codo! ¡Por dentro, hombre, en el pliegue!

–¿Sigo besando?

–¡Basta, basta!... quédate ahora en la sala. Voy a montar los platos de fiambre. No necesitamos nada caliente, ¿verdad?

–Yo ya lo estoy.

Curro ha estado en la sala otras veces, pero no la reconoce. La refulgente araña de La Granja multiplicada en los espejos. Las piezas de cristal en la mesa y las de plata en la vitrina despiden luz en centelleos y superficies. Los colores de las tapicerías se han avivado. La pulida caoba solemniza un poco tanto júbilo. La alfombra adensa el silencio. El retrato del húsar sitúa ese recinto en el tiempo y sonríe como si hubiera venido a acompañarles.

–¿Su marido?

–Al final, sí, mientras tanto, mi amante, y muchos años. Mi hombre... Ven a ayudarme... Oye, ¿y esas botellas de manzanilla?

–Idea mía.

–No sobrarán.

Curro sigue desconcertado. Había proyectado volver a meterse en la cama para comer los fiambres y esos botes y frascos que ella ha encargado. Quisiera evitar ceremonias, pero esa «señora» inesperada le intimida. No es la ondulante madurez con la que bailó en Nochevieja, ni la hembra deleitosa de hace unos momentos. En la mesa le embaraza el esfuerzo para imitar los buenos modales, aunque lo consigue sin dificultad.

–¿No estás a gusto, verdad? Hazlo por mí. Quiero enseñarte la buena vida, la mesa y la cama, para que me recuerdes cuando seas un señor, con dinero y poderoso. Ahora hacemos como si lo fueras, y yo la entretenida de un viejo, engañándole con mi capricho. Me tienes loca, nene, y ¡me da un gusto ponerle los cuernos contigo al que paga! Pero no hagamos demasiado ruido, porque vive en el piso de abajo, ¿sabes?

Curro la mira extrañado. Flora bebe una copa y ríe.

–Es decir, ya no vive. ¿Sabes por qué? Porque yo le maté. No, no estoy loca. Le preparé aquel coñac y le vi retorcerse en el suelo, delante de mí, hasta estirar la pata como un perro... ¿Te ríes, te diviertes? No me crees, claro... Luego te lo contaré... ¡Qué rico este *paté*! Me sienta fatal, pero esta noche es esta noche... ¿O es de día?... Hablemos de otra cosa, ¿cómo se llamaba tu inglesa?

–Ersebé. Así mismo. La llamaban *Misis Jucham*, o algo así, escrito muy enrevesado. Como a una gata: *misis*. Pero su nombre era Ersebé. *Jucham* era el del marido.

–¿Estaba él allí?

–Un año entero llevaba en el Coto. ¡Lo que sabía de pájaros y bichos! Más que mi abuelo y que el señor Jacinto, el Guarda Mayor, dos buenos conocedores. De pájaros, mayormente, lo sabía todo. Cómo vivían, dónde estaban cada hora los de cada clase, dónde ponían los huevos, dónde dormían, cuándo se apareaban... Los patos llegaban de allá lejos cuando él anunciaba, como si le hubiesen avisado por telegrama... Todo... En cambio, de hombres no sabía *na*. De mujeres, menos; y de la suya menos que *na*. Cuando ella me buscaba, me daba pena de él, tan bueno. Todo el coraje que hubiera debido tener lo ahogaba en vino. Pero ella me acorralaba, me metía en su cuarto. Una sanguijuela chupona, como las que a veces cogían los perros marismeños y teníamos que cortarlas con la navaja para arrancárselas.

–¿Qué edad tenías?

–Quince.

–¿Y ella?

–No sé... Como treinta, lo menos.

Flora imagina muy bien a esa mujer sola en un fin del mundo, rodeada de hombres y prácticamente sin marido. Comprende su avidez por esta carne nueva, su ilusión por iniciar al adolescente, su retozo con el cervatillo joven. También Flora ha sido más de una vez sacerdotisa para virginidades masculinas. Pero no llega a representarse la intensidad de aquellas semanas en la enorme casa, centro del horizonte marismeño, cercada de noche por las alimañas y las aves nocturnas. No reconstruye del todo el morboso placer de la extranjera, deseada allí por machos cumplidos y rechazándolos para ser ella la cazadora de la presa tierna.

–Era rubia, muy blanca, con venillas azules por todo el cuerpo. Demasiado delgada; pechines como limones chicos, y no le servían para nada. Pero para mí, ¡a ver!, una mujer de lujo... Sólo que a veces me daba no sé qué; era rara..., no sé qué le pasaba. Todo el día acostada, como un pájaro con las alas rotas. Una vez le pregunté si no tenía miedo de quedarse preñada y se echó a reír. «¡Ojalá!», y de golpe se puso a llorar. En la cama parecía una sabandija, no paraba, mucho ardor, pero luego nada: jadeaba un poco, entreabría la boca, cerraba los párpados y le daba como un calambre, así como nervioso... Un día me arañó, furiosa. «¿Por qué no podré, por qué no podré?», gritó. Tuve que sujetarla y, le gustó la marcha, que la pegara. Me lo pidió otras veces, pero a mí no me resultaba eso. Daba asco cuando se ponía así.

Flora las ha conocido iguales.

–¿Dices que se llamaba Bethsabé?

–No. Ersebé o así. Era de por ahí, de Hungría. También daba pena, la verdad. Se había escapado de allí jugándose la vida, me lo contó. El marido se lo aguantaba todo. A veces, yendo yo con él por los corrales de pinar, me miraba con ojos de estar enterado, pero ni la mataba ni la echaba a la calle. Aunque tenía coraje. Una vez le hizo cara a un lobo que acudía a por una garza herida, con una estaca en la mano nada más, hasta que acudió un guarda... Era raro. Hasta creo que me quería. Tenía la mirada triste. Un desgraciado. Y ella también...

Se queda pensativo, con el tenedor y el bocado en alto, y concluye:

–Hay mucho desgraciado en el mundo, ¿verdad? Gente así, como medio viva, nada más.

–Tú no –ríe Flora.

–¿Yo? ¡Qué va! –explota con la boca llena. Y cuando acaba–: Ya verá ahora si estoy vivo o no.

Tras la cena se sienten alegres y un poco achispados. Curro se sorprende por el cigarrillo con larga boquilla en los labios de Flora, que le hace encendérselo con la llama de la bujía. Sonríe ante la mano impaciente.

–Vente al sofá, conmigo.

Las cabezas juntas. El perfume de Flora le envuelve.

–Cíñeme la cintura, cógeme la mano... –ríe ante la expresión de Curro, comprende su tortura–. ¡En cuanto acabe el cigarrillo, palabra! No puedo dejarlo porque me quedan pocos.

Al cabo, aplasta la lumbre última contra el cenicero. Tiende la mano para que la ayude a levantarse.

–Y ahora, ya te lo dije: como un señor... Vamos... ¡corriendo no!

Juguetones por el pasillo, persiguiéndose. ¿Peleándose en broma? Flora no está segura. Le ordena desnudarla y no resulta fácil, sobre todo al llegar al corsé. Curro ríe y se exaspera. ¡Qué ganas de complicar las cosas! Flora se divierte. Cuando anuncia que le va a bañar, Curro estalla: «¡Eso sí que no! A lo que estamos!» Flora cede: «¡La próxima vez!» Pero ¿habrá próxima vez?, piensa ahora, en el recordar dolorido por la melancolía.

Sonríe evocando los detalles. No ahorró ni un escalón en su pedagogía:

–Quiero descubrírtelo todo... ¿Ves cómo te gusta?... Que me recuerdes siempre... Que pienses: Florita lo hacía mejor... Sí, sí, porque te lo habrán hecho ya, pero no así... Lo tendrás todo en la vida; te lo digo yo, que he sido vidente y un poco bruja... Pero ninguna como yo, ¿te enteras?, ¿te enteras?

–¡Ay! ¡Sin morder!

–Una vez, para que no te olvides. Porque quiero que te acuerdes, que me recuerdes siempre.

Su cabeza inclinada y afanosa sobre el vientre de Curro le permite disimular dos furtivas lágrimas. Su voz estrangulada resulta explicable, aun para un Curro menos absorto en el placer del cuerpo. Que, al fin, queda libre para el galope. Entonces, sorprendido, se da cuenta de sus progresos. Ya no vive sólo la furia; también la sabiduría. Contempla a Flora mientras la posee; ella existe para él.

Arriban al sueño entrelazados y después, ¡oh, después! El lecho como una nube; los cuerpos, grávidos y flotantes a la vez. Sed en las bocas húmedas; mordisquear sin hambre, por juego, de un plato dejado al alcance. ¿Qué hora es? Pero ¿aún existen horas? En el mundo sólo hay manos, muslos en roce, suave piel de mujer, modelado muscular de hombre.

–En mi tiempo atraían las caderas; ahora no se las nombra. Ni al talle. Éramos como guitarras; hablaban de nosotras haciendo *eses* en el aire con las dos manos. Así. Tampoco se dice ya «pantorrilla», y era lo que nos miraban al subir la tranvía. Pues, ¿y la nuca? ¡Las locuras que se decían de la nuca!... ¡Cómo cambia el mundo!

Besos como gorriones: posados en el alero, o descendiendo para picotear sobre el cuerpo ajeno, el que hace unos instantes era también el propio. Palabras intercambiadas como naipes entre amigos. Un juego. Placer. Gozarse.

–Pues claro que sí. Te casarás bien y serás rico. Estoy segura. Me dan pálpitos y acierto. Mira, yo sabía que vendrías. Te esperaba... ¿sabes? Mi primer mote fue *La Pálpito*, porque me daba el corazón que algo iba a pasar, y pasaba. Cuando murió mi madre, tenía yo trece años, lo supe días antes... ¡La quería yo más! A mi padre no; nada. Ella se llamaba Angustias, era de las Alpujarras. No sé qué le daría el charrán de mi padre, un achulado de aquí. Decía que era albañil, pero nunca se subía a un andamio. Vivíamos del taller de plancha de mi madre. Le planchábamos a la Infanta Isabel, que gastaba ropa interior de hilo muy gordo. Por Navidades nos traía ella misma el aguinaldo, un kilo de turrón y un duro. ¡No se arruinaba, no! Pero era muy campechana. Mi madre quería tenerme en el taller, pero a los once yo ya tenía voz y salero, dispensa que presuma: ya quería cantar. Y mi padre, ¡a ver!, vio el filón y me llevó enseguida a un empresario. Me pusieron en la Academia de baile de *Chuchito*, en la calle del Olivar. Me vendió, como aquel que dice. Pero me hizo un favor.

–*La Pálpito*... A mí me llaman en mi tierra *El Brijao*. Desde mi bisabuelo, que le llevaron con grilletes al penal de Ceuta por haber matao a uno de una puñalada. Porque en caló *Brijao* quiere decir «Encadenado»... ¿Y su segundo mote?

–Flora Maipú. Cantaba tangos. En el *Ideal Rosales* y en otros salones de entonces... ¿No recuerdas mis tangos de Nochevieja?

–¡Digo! Allí me enganchó usté por la faja. Fue usté la emperadora. Me ponía *encelao* de mirarla, y no me atrevía ni a pensar lo de hoy... ¡quién me iba a decir!

–¿Por qué no? Bien por derecho venías esta tarde o ayer, o cuando fuera. Y estoy segura de que en tus trajines con Mateo, en cuanto ves una, aquí la pillo y aquí la mato. ¿A que sí?

–No compare, no compare. ¡Usté... es usté! Lo mejor del mundo.

–¿Yo? He matado como tu bisabuelo... Sí, ya te lo dije antes, pero no me creíste.

–Ahora la creo. ¡Como mi abuelo *El Brijao*! ¡Vaya hembra! –Los ojos del muchacho resplandecen de furia enamorada–. ¡Si hay que matarlos a todos!

–¿A quiénes?

–A los señoritos, a los ricos. Todos igual. Como en el Palacio. Venían los de Jerez, con sus coches, sus putas, sus avíos... Tenían de todo: anteojos para apuntar, secretarios para cargarles la escopeta, frascos de whisky, cigarros, jamón. Pasaban por encima de todos, como una piara de cochinos jabalines por un sembrado llevándose por delante hasta la hija o la hermana de un guarda, si se terciaba... Y los del sombrero con la insignia doblándose delante de ellos: «sí, señorito; lo que mande el señorito; conforme, señorito»... ¡Los amos del mundo! ¿Por qué, de qué? ¡Cabrones!

Un absceso de odio ha reventado. Flora deja supurar en silencio esa herida. Vieja, enconada, profunda. El pecho del hombre se levanta y baja; un músculo de su costado se estremece como el de un caballo mientras él continúa, mirando al techo. Flora ni le toca. Todavía no.

–¿De qué? Al remate, la misma sangre que nosotros... Peor: de aguachirle. Así era la Ersebé: para vivir tenía menester de la mía, como las brujas chupan la de los niños... Pasado el principio, ya no sentía gusto; conque empezó a inventar cosas, la indina. Al final, por detrás, justo debajo del rabo, como a una borrega, porque le hacía daño y así sentía ella algo... Había que matarlos a todos. No dejar ni semilla. O mejor, ponerlos a trabajar en el campo: que supieran lo que es eso...

Flora, sin rebullir, aguarda. La voz sigue, pero ya sin ira; descriptiva.

–Como esta otra, la señorita del pan *pringao* sin valor para nada, sin sangre para ser de un hombre... Estuve ciego; debí tirármela en cuanto picó... Pero claro, parecía otra cosa... Ahora me alegro; así se aprende: a no respetar nada... Luego me dijeron en el garaje que había acudido a buscarme, ¡a buenas horas!...

Curro ríe. Sanamente, observa Flora. La historia pasó. No es hombre de nostalgias, sino de acción.

Pasó: la mano de Curro vuelve a ser audaz en busca de ese cuerpo inmediato.

–¡Qué burro soy! ¡Mira que pensar en otra cosa teniéndola a mi vera!

La mano audaz, posesoria, exigente... Pero ahora no. Esa herida ya ha supurado, pero le conviene el sueño, bálsamo del olvido.

–Nene, que yo no tengo tus arrestos... Estoy cansada.

–¿Cansada usté?

Pero le nota ufano, gallo con la cresta en alto, condescendiente. El argumento le calma: ha triunfado.

–Así, tranquilito, como los niños buenos... Ahora apago la luz y ¡ya verás qué rico sabe cuando despertemos!

Se duerme en el acto, mientras Flora piensa en él. Esa pobre chica de Jimena le hubiera frenado en la vida, hubiera castrado a ese vencedor nato. Flora se duerme feliz, pero antes... ¿O fue después, amaneciendo? ¿Durmieron poco o mucho? ¿Fue otro día? El vino y la violencia confunden los sucesos, pero ahora, a solas, Flora recuerda otro episodio sin palabras; sólo exclamaciones, desafíos, desplantes, insultos, obscenidades. Dos cuerpos enlazándose, persiguiéndose por toda la casa, gozándose al final sobre la alfombra... Como sobre una playa o en un bosque. Sin cortinajes ni muebles, sedas ni espejos. Flora volvió a ser Maipú y después Florita; cambió de piel como una culebra, pero al revés en el tiempo. Fue espléndido; como arrancarse el corsé de señora de todos estos años y respirar hondo. Mujer y nada más, y nada menos. Curro lo vivió igual, caballo feliz sin atalajes. Fueron carne animal, sangre desatada, torrentes de la vida. Lo que les va, en el fondo –repiensa Flora–, porque son tal para cual: pueblo. Elementales, de carne y hueso, sangre brava y caliente. Curro no se ha dejado poner el collar al cuello; nadie le limará los dientes. ¡Y qué dentelladas atiza, qué puñal clava!

¡Libre, libre en ese amar fue Flora! Antes o después, ¿qué importa? Fue verdad. Vivo al evocarlo ahora, cuando recuerda también –¡tan diferente!– el despertar prometido. Primero él; cuando ella abre perezosa los ojos se encuentran los oscuros del muchacho, profundo sobre la sonrisa blanca, y se encienden en Flora rubores olvidados. ¡Mostrarse a él desnuda, en su ya casi vencida madurez! Atribulada, se sube la sábana hasta los pechos.

–¡No me mires, no me mires!

¿Dónde ocurre algo así!... ¡Noé, borracho y desnudo, contemplado por sus hijos! Vieja y desnuda, a la vista del suyo. Casi con lágrimas:

–¡No me mires, Currillo!

¿Es capaz él de comprender? Sin duda, porque los ojos negros se aplacan y las dos manos recias toman las mejillas femeninas (el mismo gesto que ella cuando le sosegó, recién llegados a la casa) y la boca viril se posa suavemente en la barbilla. Estremecida le abraza muy fuerte, los ojos en el hombro musculoso. Quietos así un instante, un instante, el hombre comprendiendo, hasta que ella supera su vergüenza. Lo nota en que las manos ya no irradian ternura sino fuerza y han descendido a su cintura, y procuran doblarla hacia atrás, y un sexo enardecido presiona su muslo... ¿Es ella entonces deseable? ¿Así, a la luz del día, sin encajes piadosos? ¿Codiciable su desnudo fatigado?... «¡Oh niño mío bendito, mi alegría!, ven y descansa sobre mí, seré tu mejor cuna...» Y en cuna convierte el receptivo ángulo de sus muslos, cuna de su regazo, cuna donde el hombre vuelve a nacer... Algunos parecen recordar que allí empezaron y como si quisieran volver al seno tibio se aniñan en esa cuna, buscan con la boca el pecho, como niños menesterosos, y al no encontrar la leche del amor la requieren de la boca, y después del aire, que les falta en el jadeo... «¡Qué gustoso deleite! y él me escucha, oye en mi respiración acezante la nanita nana que le estoy cantando, se adapta a ella, la acepta, la asimila, pasa el tiempo, oh niño mío...» Así piensa Flora antes de dejar de pensar, para sólo vivirse como amoroso ritmo, porque no piensa el mar cuando va y viene sobre la arena, viene y va, se aleja y vuelve... Para notar, al cabo, que el ritmo se aviva, que la nana es un trote, un galope (recuerdo infantil, niño ajeno en su rodilla –no propio, como éste–, balancearle, cantarle: «al trote-te, al trote-te, al galope ¡y al galope!»), un galope, sí, y ahora el rey lleva las riendas, montándola como un Dios bajado a la Tierra, y ella se hace violencia sometida, se alza y le transporta, le siente hervir, colmarse de poder, romper los diques y derramar su mosto que la colma. «¡Niño mío!»

Luego un cielo azulísimo, decorado de blancuras como querubines. Castas abluciones en el cuarto de baño, porque ahora lava a su niño y él juega también; un café bien cargado y saboreado; dudas sobre si desayunarse, pero mejor irse a comer dada la hora. Porque existe la hora, la luz lo está gritando, haciendo transparentes las persianas; no saben cuál es, pero existe. El café lo han preparado juntos en la cocina, tras una risueña disputa sobre quién sirve a quién; ella se ha puesto una bata y Curro el pantalón, ¡qué espléndido torso desnudo, qué tibia estatua! Siguen charlando en la cocina, como rehuyendo ahora el comedor para ricos; se miran con la mesa de pino por en medio.

–¡Qué dientes tiene usté!

–Como los tuyos: somos tal para cual... ¿Por qué no me tuteas? ¡Te lo he dicho cien veces! ¿Es que no me quieres? –Entre tanto, la mano con la sortija antigua oprime la recia garra.

–A veces no me sale. ¡Más que quiero a mi madre y tampoco! –De pronto, descubriéndolo–. Usté me la recuerda.

Flora no pregunta a quién. Se limita, humilde a inclinar interiormente su frente ante la anunciación.

–Me la recuerda. Como si estuviese aquí ahora con ella. ¡Y no se parecen en nada!

Risas celebrando esos jubilosos imposibles de la vida.

–¿Tu padre murió?

¡El padre de Curro! Uno de los anarquistas que, en 1936, se escondieron en *El Villo*, un islote alargado en la canal navegable del Guadalquivir, cerca de Coria del Río, agazapados entre los *birimbes*, los mimbres. Tenían algunos fusiles. De noche salían a tierra, con el agua al pecho y cogían alguna borrega, o algún pastor se la daba. También les dejaba algo, clandestinamente, la barca que llevaba el «costo» de víveres a los trabajadores de río abajo. La guardia civil, desde barcas, roció con ametralladoras las mimbreras, porque no se atrevía a desembarcar, pero ellos habían cavado unas trincheras. Al remate, llegado el invierno, hubieron de escapar una noche, procurando llegar a Portugal. Pocos lo lograron; el padre de Curro fue uno de los fusilados. Entonces la madre se refugió con el niño en el chozo del abuelo, guardamonte en Doñana, a la parte de *Bellota Gorda*, cerca de La Algaida.

Sobre la mesa de pino vuelan esas palabras, esos recuerdos. «Mejor que ser vendida por el propio padre», piensa Flora. Se encoge de hombros, como él. Lo pasado, pasado. Así es la vida. A lo que estamos. A recoger, a fregar, a secar la vajilla. Ahora no les importa volver entre los damascos y las porcelanas: no les contaminarán, son demasiado ajenos. Curro picotea sobras de fiambre. «Aguarda un poco, hombre.» «Tengo un hambre de lobo.» «En media hora estaremos comiendo, y verás qué bien: migas en *La Cruzada*. ¿O vamos a *Casa Ciriaco*?» Mientras desempeñan su trajín, se intercambian pedazos de sus vidas.

–Allí sí que daba gusto, en el chozo. Mi abuelo sabía del Coto como el inglés. De otra manera, más práctico. Hacía trampas para conejos; conocía todas las hierbas que se comen. Y las que curan. Y las que matan y envenenan las aguas. Allí, no llegó nunca el médico; tampoco hubiera ido, claro, de no ser para asistir a morir. El abuelo me traía gazapillos y pájaros. Recuerdo el primero que tuve vivo en la mano. Los golpes de su corazón me dieron miedo: abrí la mano y voló... ¡Teníamos una burra más bonita! Parió un burrillo como un príncipe. En el verano, iba yo casi en cueros, con una camisilla nada más. Me revolcaba así con los cabritos del corral; tenían más fuerza que yo. Pero les cogía de los cuernecillos y les tumbaba, como hacen los portugueses con los toros...

–En Sevilla he cantado yo la machicha. ¡Tuve un éxito haciendo el molinete! Iba contratada para tangos, pero no querían saber nada de eso. Sus tangos eran otros, los flamencos. «El molinete, el molinete» gritaban. Y yo me solté el pelo. Escucha: «Guiado por la fama de la machicha, don Procopio una noche, se fue al Olimpia...» Y venga a corear el estribillo: «El buen señor, es un conquistador...» Género chico, de López Silva y Sinesio Delgado, *Las aventuras de don Procopio en París.* Se estrenó en el *Kursaal Central*, que fue luego el *Chantecler* de la Chelito y ahora es el *Teatro Madrid*, porque el cine era un frontón antes de la guerra... ¡Fíjate si era música ya vieja!

Silencio a veces, como cuando Curro compara ese vientre redondo con la delgada Erszebeth, cuyo hueso sacro resaltaba a ambos costados, hostigando a Curro con el vaivén como dos espuelas. Al mismo tiempo, Flora está pensando en el padre fusilado: «¿Es ésa la raíz del odio, el fondo de la herida? Pero no arrancársela del todo: es su fuerza.»

–La comida era siempre de gusto. Pan con aceite y sal. Ajo blanco, espárragos trigueros, gazpacho o el salmorejo, que es su pasta. Caza, claro. Frutas de allá: azofaifas, higos zahoríes en septiembre, moraga, que es una ensalada de pimientos asados y aliñados.

–¡Calla, que me está entrando hambre a mí también!

–La primera vez que vi el mar fue en la playa de Matalascañas. Me llevó mi madre a ver a una prima suya. Estaba casada con un caballero y yo salí una vez a pescar con él.

–¿Un caballero pescador?

–Los que pescan caballas: por eso les dicen así. Otros van a los atunes de las almadrabas, otros a la sardina... Según.

A vestirse, a salir. De pronto, en el vestíbulo, al encender la luz, Paco parándose en seco ante la vitrina:

–¡Esa faca! ¡La de mi abuelo!... ¿A que tiene en la hoja un año grabao y unos dibujos alrededor como nubes? 1858, seguro. La cachicuerna de mi abuelo... ¡Sáquela de ahí, déjemela ver!

Atónito ante el milagro. Flora abre la vitrina y, también impresionada por el destino del regalo de Gil Gámez, se la entrega a Paco.

–Tuya es.

–No, no... Oiga, ¿de veras?... ¿De dónde la tiene?

–Me la regaló un amigo. Pero antes que suya, era tuya.

Paco siente los ojos húmedos. Ahora sí. Todo un cataclismo en el pecho. Y a la vez un poder. Como si acabara de nacerle en el corazón una torre inexpugnable, en lo alto de un risco: la fuerza de su vida. Abraza a Flora y la besa.

–¡Hasta esto me tenía usté que dar hoy! ¡Todo!

Flora no puede contestar, anudada su garganta. «Ya está. Terminó mi papel. Como si la faca cortase el cordón... ¡No, todavía falta algo!» Lleva a Paco hasta el escritorio isabelino de Gustavo y, en un momento, le enseña cómo abrir el doble fondo secreto, le descubre allí sus joyas: una pequeña fortuna.

–¿Y esto por qué?

–Porque nadie lo sabe. Son tuyas. Cuando llegue mi hora...

–¡Venga ya! No diga eso.

Se miran conmovidos después de guardarlas. Lo mejor es echarse a la calle. Por la escalera tararea Flora el alegre pasacalle de *El Conde de Luxemburgo:* «Bohemios amantes del arte inmortal, vamos corriendo tras un ideal.» Al salir se cogen del brazo.

–Ahora yo, ¡a presumir de real hembra!

Esas palabras, para guardarlas siempre, giran durante

esta evocación vespertina en la memoria de Flora. «¡Ay!, ¿qué significa "siempre"? ¿Algún año? Mi pálpito es que no. Más bien algunos meses, algunos días, horas. Tampoco importa mucho. El adiós ha sido espléndido: un sol rojo en un cielo incendiado, la tarde que declina, intensamente al principio, sosegándose después. Su violencia, ¡qué sana! La faca, su juguete, el de ese niño. Ahora se va a jugar con otro: el camión. Toda la noche en carretera. ¿No estará muy cansado? ¿No le pasará algo? Tengo miedo por él. Como por los furtivos. Quizás como por todos. Se teme por ellos, los pobrecitos hombres, pero han de jugar con sus cosas, las que les destrozan a veces, pero les dan la ilusión del poder. ¡El poder! ¡Qué locos! Curro también; hoy en él han vuelto todos. Menos el primero y Gustavo. Éste, siempre único. Aquél, distinto porque yo fui entonces la que no volví a ser nunca. Tres hombres, sí, en la vida de cada mujer: el primero, el de verdad y el último. Los demás, distracciones. Para algunas se funden los tres; no las envidio. Mejor helado de tres gustos. Curro, Curro...»

«No hace una hora que aún estabas aquí refugiado en tu siesta. De costado, una estatua. Sin la fuerza de las pupilas ni el rayo de los dientes, más niño que nunca, a pesar de tus músculos y el vello en el pecho, en el vientre. Dormido en la postura de los niños buenos, guardados por cuatro angelitos en las cuatro esquinas de su cama. ¡Te protejan ahora, por la carretera!»

«¡Curro, Curro mío!» ¿Volverás, volveremos? No tengo miedo, pero sí la tristeza de no haberte dicho todo lo que hubiera llegado a decirte; de no haberte dado más gusto en las entrañas, más impulso en los hombros para que llegues lejos, como tú quieres. Desaparece un mundo cuando se muere alguien; el mundo que una misma se había hecho, alrededor, para protegerse del frío más allá, como en un nido. Se muere una y un vendaval dispersa lo que ha sido. Me recordarás siempre, ya lo sé; pero no he tenido tiempo de darte más. Es demasiado tarde. Hubiese querido hacerlo tan totalmente como te has dado a mí. Porque al fin he tenido un hijo: tan mío que hasta he sido suya. Nana, nanita, nana: era perfecto. Y ahora, ¡estoy tan, tan, tan cansada! Esta fatiga, mi viejo corazón... Mas todo se ha cumplido: a reposar.»

PAPELES DE MIGUEL
En estado muriente

Enero de 1977

Las máquinas caminan en la noche, Nerissa. Suben y bajan seres humanos por la torre, mina de dolores y ansiedad. Trepidan como en el corazón de un barco. Para mi verdadero viaje final. No perturban el silencio, como no estorba el susurro del aire en el ramaje del bosque. El silencio más alto se siente por encima de los ruidos.

No se me reveló el primer día la ordenación sagrada de este universo. Centrando el mundo, la torrecilla donde vivimos; yo en mi celda recién dada de cal. En torno, la terraza, claustro para circunvalar esa Kaaba. El pretil, su frontera con el vacío. Abajo, en otro mundo, coches como insectos, huyendo por la carretera o inmóviles alrededor de la torre: caparazones usados por cangrejos ermitaños que han traído a la termitera sus vulnerables cuerpos. Círculos exteriores: cercanías habitadas; lejanías de sierra o páramo. Riguroso mandala, Borobudur encauzando mis pasos. Pero, todavía, ¿cuál norte en esta rosa de los vientos? ¿Cuál rumbo este navío, quieto y móvil centro de fuerzas? ¿Cuál de sus cuatro esquinas es la proa, la puerta del mandala?

Entretanto soy rueda de oración a Ti en mis circunvalaciones cotidianas. Dentro del pretil, el suelo; más allá, el vuelo. Un día caerá la frontera y seguiré caminando en el aire. Pero no debo volver a decírselo a Serafina. Ni aun disfrazado de broma. Se le abre una herida.

Y sin embargo, ¿verdad que así volaré, cuando Tú quieras?

¿Viste, Nerissa, cómo se lo puso al cuello? Con reverencia. El collar afghano, su regalo de Reyes. Plata y cordones rojos con gruesas bolas de ámbar. Negado a Isolina por el destino. Ahora en su sitio: sobre el pecho de Magda, los pechos de Hannah, sobre ti en Serafina. Consagrada sacerdotisa; encarnando toda nuestra historia.

Música para Lucía; hice bien en traerme el magnetofón. Pinturas para Pedrito; le disuadieron de jugar con la nieve en la terraza. Así pude luego yo gozarla intacta. Desde el pretil, sólo blancura y silencio bajo una vasta bóveda gris como en la Suleimanyé.

Pero su máximo regalo: el gozo de compartir un secreto conmigo. Comprar juntos, a escondidas, las botas que su marido ha estrenado hoy; suela de goma para las frías losas de la portería. Nuestro secreto: lo veo brillar en su corazón, engastado como una piedra preciosa. Serafina es transparente para mí.

Mi regalo: un jersey de su propia mano. «¿Cuándo has tenido tiempo?» «Lo empecé antes de Navidades» (ruborizándose). Todo estaba ya entonces decretado.

El niño me llama *tito* Miguel, a la andaluza, como al hermano de su padre. En cambio, Lucía, «Don Miguel». Ese «Don», esos ojos escrutadores. Inquietos, inquietantes...

Me he probado el jersey. Al Caballero de la Orden del Botón, su cota de malla. Tiene el color de tus ojos, ¡pero no su luz!

A veces siento claramente el Universo en parada absoluta. ¿Acaso le sorprendo entre *kabd* y *bast*? ¡Si es imperceptible para nuestros ojos!

Ese periódico subido por Pedro. En otro tiempo hubiese yo archivado esa noticia: la Tierra gira más deprisa en otoño. Recién descubierto. ¡Octubre, octubre: tu dinamismo! Pues octubre, como siempre, es dos: afuera y adentro. Espirales contrarias girando hacia su identificación final. En el límite, como en matemáticas.

El mundo un momento quieto recobra su latido. «Cada instante ve renacer el mundo aunque lo ignoremos –leo en Rumí–. La vida fluye siempre renovándose, aunque se nos aparezca como continuidad.»

¿O soy yo el que queda estático, aguardándote para renacer en Ti? Porque éste es el centro de nuestra cita. He llegado a mi Meca; a Balj.

Entre soledad y soledad, el nido; Pedro lo perfecciona cada día. Sube materiales y objetos desechados en las profundidades. ¡Cómo lo aprovecha todo! Una estantería, un enchufe, pasta para tapar rendijas... Serafina lo tapiza de plumas: suavidades de cortinas y lámparas, colores y luz. ¡Qué memorias, Nerissa, ante la mesa camilla! Otro paso hacia mí, hacia Ti.

Y las plantas de Serafina, su vida silenciosa. «Niños, no alborotéis tanto junto a esa maceta, que se mustia.» ¿De dónde esa intuición o sabiduría? Nadie le habrá explicado las experiencias sobre las reacciones emotivas de las plantas. Algunas agonizando con sobresaltos, como ciertos enfermos.

¿Dónde lo leí? Se desvanece mi memoria; así se completa mi desnudamiento, se desmorona el ego. Aunque algunos jaramagos tenaces en mis muros. A «plantas» asocio *Miosotis*: invierno en Santander.

Hostal Miosotis, segunda playa del Sardinero. Donde daban la vuelta los tranvías; gimiente rechinar en la curva. ¡Aquel sol entre nubes dramáticas, más allá del mirador, sobre un mar salvaje arañando Cabo Mayor con sus zarpazos de espuma! Las mejores habitaciones del Hostal de veraneantes para Miguelito y para mí. Su primer concierto en la ciudad. El éxito le arrastró a su Destino: fue contratado para el verano siguiente. Le llamaron para embarcarle en aquel avión, rumbo a los abismos marinos.

¡Por fin orientada mi rosa de los vientos! Asomándome al vacío, por encima de los pájaros como en Ronda o en Arcos, se me cayeron las llaves. Atraídas por el Imán, agujas de mi definitiva brújula. Ahora lo veo: no las conservé por mera inercia, sino para esta orientación. Inútiles sin sus puertas: sólo me queda la última y tú guardas la llave.

Ese Imán señala esta proa: el ángulo sur. El norte estaba desde luego descartado; sólo llevaba a los cantiles madrileños de hormigón. Pero pudo tener sentido el rumbo hacia el ocaso o hacia la luz de Oriente, la *Ishraq* de Sohravardi.

¿Por qué el sur?, dudé un instante contemplando allá abajo los dos Villaverdes, con sus talleres identificados por Pedro: Renfe, Marconi, Boetticher. Con sus urbanizaciones: Ciudad de los Ángeles, Colonia Euskalduna, San Nicolás. Más lejos, peor aún: cuarteles, Getafe... ¡y hasta el mal llamado Cerro de los Ángeles!

Encontré la Verdad más allá; alzando la mirada. Invisible hacia el sur, Aranjuez y mis jardines originarios. Más lejos todavía, Argel con Miguelito, Ras-el-Djeb con

Mahmud y el morabito de Si Bekr. La idea me arrebató; casi salté. ¡La Tierra Prometida atisbada desde esta cima!

Mi proa. Rumbo al sur me llevan las máquinas de este barco, los latidos de mi corazón.

Sólo se alcanza este aire vivo tras superar la termitera. Dolor: condición de la libertad. Pero las antiguas enfermedades se desvanecían al aire, en los templos de Esculapio, o llevaban a la tierra. Ahora tecnificadas. Aplastadas por los techos bajos de pasillos y salitas; trituradas en los quirófanos mecanizados; deshumanizadas en los reconocimientos en serie: cuerpos en cadena para diagnósticos y operaciones.

Degradado el dolor al racionalizarlo. Reducido a niveles cerebrales: mesoencéfalo, rinoencéfalo, tálamo, córtex. Afrontado con analgesia. ¿Acaso el dolor sólo existe para ser anulado químicamente?

¿Qué nivel mío padeció cuando el teléfono me asestó tus palabras despidiéndome? En mi espalda, bajo mi cintura, colmillos de tigre gigantesco; pero me dolía todo, me dolía yo. Me vivía yo en el dolor; aun ignorando entonces que era la condición para reencontrarnos.

Vuelvo a este aire con más ávidos pulmones siempre que bajo a la torre de sacerdotes funcionarios mezclando cuerpos y burocracia. Los inmóviles en sus camas se quejan, se preguntan si fueron culpables o bisbisean oraciones. Quieren creer en algo más que laboratorios y radiografías. Los familiares pasan el tiempo entre el «Dios mío, que se cure» y el «¿a quién dejará la tienda?»

¿Sospecha alguien, por ahí abajo, que el dolor es también vivir? Como el placer, aunque los declarase opuestos Bentham. Así acabó él, embalsamado en su urna universitaria de Londres, entre los pies su cráneo, sobre los hombros una cabeza de cera con el sombrero puesto.

En estado naciente, dicen los químicos de ciertas reacciones. «En estado muriente» vivo yo: de ahí mi lucidez.

Esa proa ya irrefutable. También en Túnez se asomaba Ibn Arabí a una borda de navío cuando por segunda vez se le apareció su Jádir caminando sobre las aguas. La primera vez se le había mostrado en Sevilla; la última fue en Bakka. Tres veces yo también: Magda, Hannah y Tú, dejándome y reapareciendo.

¿Lo transferí a la Novela IV, creyendo usar sólo palabras vengativas? Las apariciones a Luis: Marga, Carmela, Bast para entregarle a Ágata. ¿Misterio del Tres? Allí surgió, porque Carmela no aparecía en las novelas anteriores. ¿O acaso sí? Olvidadas ya. ¿Por qué las dejé abandonadas y sólo me traje aquí *Octubre, Octubre*?

Mi desasimiento, simétrico a la desintegración de Luis y Ágata. Los tres «caemos en el vacío del cielo», como escribió Bataille, tan leído por Luis. *Lachez tout!:* otro gran grito de Bataille. También yo, soltando todo el lastre.

Luis y Ágata, jactanciosos en su descendimiento. Pero descendimiento es la segunda *Pietà* de Miguel Ángel, la de Florencia. Hannah y yo las descubrimos por su orden, subiendo hacia Val d'Aosta, desde la primera que talló el coloso, en San Pedro de Roma, pasando por el descendimiento de Florencia hasta la *Pietà Rondonini*, en Milán. También en eso fue nuestra peregrinación un ascenso a la cumbre.

Pedrito riendo cuando imito con la boca un trombón, moviendo sobre mi hombro un cayado de su padre como si fuese las varas. Me canso pronto; me falta aliento como a los músicos viejos.

Le corregí porque me llamó «Don» Miguel. ¿Inspirado por su hermana? «Es verdad, tito... Oye, y ¿de quién eres hermano, de padre o de madre?» «De tu padre –saltó Serafina–. ¿No ves que tito Miguel es alto como él?»

Los ojos de Lucía no seguían la broma. Eran los del Ángel de la Balanza, mirando fijamente a su madre. Ignorando, saben más que si supieran. ¡Insondable inocencia donde aún no han inculcado lo prohibido, pero donde ya alborea la mujer! La propia niña ignora si la mueve amor a su padre o celos de su madre.

Hube de refugiarme en toda mi vejez para afrontar con serenidad aquellos ojos. Serían reveladores si yo no supiera ya la verdad. Serafina, turbada, se había puesto a evocar su pueblo. Bandas de música, hogueras de San Juan. Su lenguaje popular tan expresivo como el muy culto de Gabriel Miró. ¿Lo dará aquella tierra? Trabajó en juguetes, en Ibi; ponía pelucas de muñeca.

El cochino que criaban en su corral. En sus labios se transfigura. «Piel muy blanca, pelillo rubio, orejas de rosa como transparentes... ¡Me enamoraba de él!» Describía carnaciones de Rubens, formas del Bosco. La mandaban a casa de su abuela hasta terminar la matanza. Cuando volvía encontraba un cerdo pequeñito y la convencían de que era el mismo. ¡Reencarnación para niños! Serafina le llenaba de besos.

Esa mujer en un pasillo, esperando con su hijo enfermito sobre el regazo (impresionantes párpados, cerrados y translúcidos) me evocó de nuevo las *Pietàs* de Miguel Ángel y, por contraste (no, por trasplante), el Ribalta del Prado, tan admirado por Luis. En éste es Cristo el que sostiene, San Bernardo quien desfallece. Sin duda, el pintor copió a un hombre en brazos de mujer; sólo así cabe en el santo el langoroso cuello, la sensual expresión dolorida, el abandono del gesto... Un hombre ya declinante en una mujer con brío. Así puso en el rostro de Cristo una satisfecha conmiseración: es el instante de empezar a separarse los cuerpos tras el desfallecimiento en el éxtasis. El hombre se detiene a la altura del pecho femenino, más niño que nunca, con su clavo de dolor en la sonrisa del deleite...

Comprendo a Luis, identificándose con el santo. Comprendo a Llull: «Di, ¿por qué me tortura con amor quien me ha tomado para ser sirviente suyo? –Si no soportases trabajos por amor, ¿con qué amarías a tu Amado?» Mis fatigas de amor escribiendo *Octubre, Octubre.* Ignorando que la separación era el rodeo para llegar a Ti.

Mis gafas rotas; enfado de Serafina. «No se le puede dejar a usted solo; siempre asomado a ese rincón... ¡Es como un niño!» La interrumpí de pronto: «¿Cuándo me vas a tutear de una vez, Seraphita?» Calló, asombrada. Me salió sin pensar. ¿Vago recuerdo del Balzac swedenborgiano? No, eso se me ocurre ahora. Mucho más sencillo: angelidad de Serafina.

Me olvidé la cartilla del seguro en la *Pensión Eugenia.* Siguió la regañina: «Usted no; irá Pedro a buscarla para hacerle otras gafas.» ¿Por qué olvidé ese documento y me traje, en cambio, la Novela IV?

Infancia: gran tazón de café con leche migado. Revivida en la guerra: los pasiegos migaban borona en sus cuencos de leche, con ligero sabor tostado porque echaban en la cántara guijos de río calentados en el hogar.

Revivida de nuevo en el desayuno con los niños. ¿Cuándo apaciguarás tu mirarme, Lucía? ¡Si sólo pienso en Ella; en su tardanza! Concédeme tus ojos sin recelo. No robo nada; solamente mendigo. Las risas de tu hermano, la serenidad de tu padre, el amor materno y filial de tu madre. Y tu mirada.

A cambio te ofrezco el triple diamante de un deseo.

¡Ojalá en tu vejez conozcas las desgarraduras del amor imposible! ¡Ojalá en tu vejez ardas sin llama, te desangres sin herida, te remontes sin alas!

Solamente mendigo, como enseña Ibn Arabí aquí, en *La Profesión de Fe*: «Acércate como mendigo y pide la copa de la unión final para el amante abrasado por la separación.»

Agonizo en el deseo de la unión, pero me resucita el seguir deseando. ¿Dejaré de verte cuando esté en Ti? ¿Cómo entonces vivir sin tu presencia?

En el *Mantic Uttair* el largo peregrinar de los treinta pájaros en busca de Simorgh, el ave fabulosa. Al encontrarle por fin se ven reflejados en él: Simorgh es los treinta pájaros. «Aniquilaos en mí, gloriosa y deliciosamente –les dice–, a fin de volver a encontraros vosotros mismos en mí», termina Attar. Biunidad de Ibn Arabí.

En lo alto la luna. Exactamente sobre la proa. Yo absorto, recordando. Cuando la adoramos juntos en Londres, ante una *Regent Street* partida en plata y sombra. Cuando caía, exactamente a plomo, sobre la escalerilla del metro *Alfonso XIII* al salir de la cinemateca. Me esperaba, también rigurosamente enfilada, a mi salida en *Argüelles*: como en las grandes construcciones del observatorio de Jaipur.

Estaba yo absorto ante el astro doble como un hacha cretense. Dios viril en Egipto, en Sumer, en la India. Había transfigurado la llanura en una irrealidad llena de fuerza; su luz en el resplandor de un horno de hielo cuyo frío enardecía mi sangre. Sentí moverse la proa; onduló abajo la llanura como un mar tranquilo... Recordé a Ibn Arabí en Túnez... Oí una música silenciosa flotando en aquel aire de Anunciación. Sobrecogido y ansioso retrocedí hasta apoyar mi espalda en la Kaaba: entonces te vi aparecer... El aire adensándose poco a poco sobre la proa... Tu figura... No hay palabras...

Tu presencia inefable.

16. LA DIMINUTA BRÚJULA EN SU NORTE

¿Dónde se posará el gigante albatros?

OCTUBRE, OCTUBRE
La diminuta brújula en su norte

Martes, 14 de agosto de 1962

ÁGATA-LUIS

–¿Soy bueno o soy el monstruito? –le pregunto a Ágata.

–Eres el monstruito, pero eres bueno –le contesto a Luis. Y añado:

–Pero eres malo: me has hecho sangre.

Y para convencerle de que es malo, beso su oreja. ¡Siglos hacía que lo deseaba! No lo he sabido hasta esta noche. Sonrío... Quizás en otras vidas ya me atrajo esa oreja. Ahora lo creo todo. Vuelvo a sonreír. Hociqueo tras el lóbulo con mis morritos. Siento su olor. Su pelo me hace cosquillas. Sonrío por dentro. ¿Qué está diciendo Luis? Resbala sobre mí. El mundo entero es sonreíble. ¡Cómo pesa mi cuerpo sobre la cama!

–¿Hubieras preferido no sangrar? ¿No gozar? –le pregunto cuando su cabeza deja mi oreja y descansa en la almohada.

No me contesta y no insisto. Ágata se ha dormido, su aliento va y viene sobre mi piel, una marea de la que soy la playa, pleamar llenándome, ¡su cuerpo en mis brazos!, también me dormiría yo, el bienestar me acuna, la plenitud, pero ese prodigio increíble: su cuerpo en mis brazos, hago inventario de todos nuestros encuentros simultáneos, aquí y ahora, desde su respiración en mi cuello hasta sus pies contra mis tobillos, sucesivamente sitúo mi mente en cada plano de contacto, mi corazón en cada piel compartida, en cada zona visitada por ella, en mi clavícula su barbilla, en mi torso la tibia y redonda elasticidad de un pecho (oculta y replegada –ahora– la prominencia de su cúspide), en mi huesuda cadera cede su terso vientre, más abajo ya no es seda el crespo terciopelo de su pubis, a su vez mi sexo yace bajo su muslo, que ella adentra entre los míos para abrirme vulnerablemente, ¡siempre imperiosa, posesoria hasta en el sueño!, la otra rodilla se acerca a la mía, mi corazón recorre todos esos puntos, saborea la presión y la tibieza, el latido y el roce, la leve transpiración del agitado placer reciente, integra sensaciones como el rayo de televisión en la pantalla, convierte los puntos en imagen, reconstruye a Ágata gloriosa, dormida entre mis brazos, ¡qué milagro!

¡Ésa pues fue mi muerte!, transcurrió esta pasada luna imaginándola, ¡qué tensión indescriptible!, la anunció aquella noche, cuando me consagró preso azteca, lo confirmó tantas veces, «¿no me crees capaz?, tu vida como precio, no me importan las consecuencias», «¿qué harás después de mi muerte?», «veremos, quizá seguirte», hablaba alucinada, fría, un dominio absoluto, no era rito ni juego, estremecía, y de placer también, Ágata mi conquista, arrastrada a mi mundo, aceptando mis planteamientos, ¡al abismo, volamos al abismo!, la verdad en el pozo, siempre en el fondo, la verdadera verdad en lo más hondo, me dejaba en la cripta meditándolo, sobre el potro, ¡qué noches distendidas!, la sombra de Sade en la Bastilla, qué poco se recuerda, una obra escrita en la cárcel, veintiocho años entre muros, sin víctimas el imaginante torturador, escribiendo a su mujer: «Matadme o tomadme como soy porque no cambiaré», yo ratón en mi celda, gozador en la calle, un Madrid rutilante, cada instante un tesoro cuando ya no hay futuro, «¿qué pensará un condenado a la horca quince días antes?», se interrogaba Samuel Johnson, no me lo he planteado, vivir en la incertidumbre exasperada, ¿osará matarme; será capaz?, y además, ¿de qué manera?, siempre hace falta gestos en esa decisión, una pequeña violencia, saltar sobre la barandilla del balcón, apretar el gatillo, tirarse bajo unas ruedas, esforzarse en no nadar, aspirar las primeras bocanadas de gas, preparar el nudo de la cuerda, ¡cuántas horas he cavilado en la cripta!, no se atreverá porque esta sociedad estúpida la frena, ¡el respeto de los cobardes a la vida!, a eso que llaman vida, bien se reía Nietzsche bajo la fusta de Lou, ni aunque yo la autorizase, no la indultarían, ¿por qué se va tolerando el suicidio y no el homicidio demandado?, como en el *seppuku* japonés, el amigo decapitador, Ágata insistiendo en su designio, discutíamos los procedimientos, el rito de mi consumación, ¿mi descendimiento?, «lo más sencillo: de hambre ahí en la cripta, dejarte bien amarrado y marcharme», qué pena no morir con ella, como aquella película impresionante, *Scarface*, Paul Muni y su hermana Ann Dvorak encerrándose tras las ventanas blindadas, esperando el asalto para morir juntos, pero no es Ágata la víctima, sino la diosa, los ojos de Ann Dvorak, su silueta y su encanto...

La condena sobre mi cabeza, pero antes los goces del prisionero, los juegos, esperándola encerrado en este harem, tres recintos como en Topkapi, he consagrado este espacio de los ritos, la cripta es la mezquita, el estudio es el segundo patio, incluso con el tajo del verdugo, «la piedra de la advertencia» (la gumía colgada en el muro norte) su dormitorio, el serrallo con el baño, esa puerta decisiva como en Stambul, *Bab-i-Sa'adet*, Puerta de la Felicidad, esperándola en nuestro Topkapi como la esperaba Gloria, yo reencarnado en Gloria, ella me lo impuso y ¡qué gozo el mío!, la mejor vía de acercamiento, la mina penetrando bajo la fortaleza, el cazador bajo el plumaje de avestruz, me dio el jersey de cachemira que había dejado Gloria, una talla grande, «cuando vuelva me esperarás llevándolo», mi librea de servidor(a), pequeña tortura con este calor, el jersey y los pantis, blancos en signo de flaqueza, color de duelo en China, pasividad y muerte, no se esperaba la sorpresa, cuando abrí miró mi pecho estupefacta, dos prominencias gemelas, llevaba debajo el sostén de Ágata, aquel alambrado que me había concedido, aquel recuerdo, al principio le dio risa, después cólera, me mandó a la cripta inmediatamente, «espera en la oscuridad, ¿quién te has creído que eres?, estás por debajo de Gloria», no alegué mi androginia, no me hubiera justificado, me costó tres fustazos en cada mano, mi erección fue súbita, como con Carmela, ¡qué esperanza grandiosa!, afortunadamente no se veía, aún no había aceptado Ágata verme así, fue al principio de esta luna de agosto.

Entre el sexto y la muerte todo el tiempo, sintiéndome más cerca de ambas metas, si es que no son la misma, Eros y Tánatos, a veces fundidos, como en la piscina, tendido a su lado, copiábamos funerarias estatuas de amantes desdichados, se me ocurrió volar hacia la calle, ¿y si me ordena tirarme desde la ventana?, camino inverso del que corrió Bast, yo contra el asfalto, concebí la idea cuando se levantó para subir al trampolín, su silueta perfecta en lo más alto, su bello lanzamiento, ¿será así mi muerte?, me pareció tan verosímil, tan sencillo, que no se lo dije, no sé por qué, casi era natural, los hombres-pájaros también aztecas, preferí pensar en Eros, Ágata ya toleraba mis resortes, no le importaba verme desnudo, provocaba mi potencia con la fusta, pericia de su mano zurda, para nada, claro, «te lo advertí, seré Solimán, tú nunca gozaste a Solimán, tampoco a mí, ¡da gracias a que yo no te posea!, podría con el mango de la fusta», se había acostumbrado, con Solimán yo jugaba, lo concedió, ¡oh, el primer desnudo entero!, quité su última prenda de rodillas, un slip como tela de araña, y una araña velluda aguardándome, inmóvil sobre su vientre oloroso, aguardando mi beso, ella de pie y eso fue todo aquella vez, mi lengua en su floresta, yo mosca devorable pero devoradora, no fue más, sólo después de la droga seguí adelante, no del todo.

Si estuvieses despierta pondría el magnetofón que tú escondías, sospecho que luego lo oías a solas, empezó recogiendo mis palabras, las primeras que hallé para tu sexo, ¿recuerdas?, para ponerle nombres bajé a los fondos marinos, penetré en las junglas tropicales, busqué misterios flexuosos, colores comparables, interior de moluscos, actinias palpitantes, anémonas glotonas y musgosas, tu vello como algas en tu baño, también los vegetales, bejucos y manglares, *dionaea muscípula*, orquídea sobre todo, posada sobre un musgo que imite –torpemente– esa viva espesura de tu pubis, y tu flor a su amparo, cerrada de día y abierta de noche, al revés que la *mimosa púdica*, ¿*Catleya*?, cuatro pétalos desiguales por pares, un estilo delicado y sensible, ¿*Chrysonia*?, ¿*Otublia*?, inventé para ti nombres de orquídeas, es decir para él o para ella, a la vez volcán y flor, *Glosofila*, *Flosinia*, *Humectia saborosa*, *Secrettia purpurea*, pero no era bastante, las orquídeas no huelen, inventar una gran gama, un arco iris olfativo, cambiante por momentos, faltaban los sonidos pero tú eres toda música, en cambio los sabores, no te lo dije pero mordí una orquídea, rumié sus pétalos, no hay ni comparación.

Todos los juegos menos el supremo, ¡cuando ya empezaba a sentirme capaz, seguro!, negándote burlona ante mi obvio deseo, «el pacto es el pacto, sólo prometí ser Solimán», burlona, implacable, riéndote de mi tensión, hasta el día que me trajo calma, gran innovación lúcida, las drogas, otro placer azteca del condenado, el hongo *teonanacatl* o «carne de Dios», el *peyotl* o mensajero divino, la *ololiuqui* o «serpiente verde», ya la conocía Hernández en 1651, se ha documentado, con la droga más próximos a Dios, como los hindúes bebiendo el «soma» o *Amanita muscaria*, yo más próximo a Ágata, fue decisivo, rompió la primera barrera, la de su cuerpo, las drogas hoy corrientes, hasta con las anfetaminas del seguro oficial, haschish cultivado en casa, ya no son solamente los hombres singulares, Coleridge, Quincey, Gautier, Baudelaire, Huxley, Cocteau, Junger, hasta los animales se drogan, en Sudáfrica los elefantes embriagados con la baya *Madula*, los gatos con el olor a éter de la hierba nevadilla, para nosotros fue LSD-25, la química por supuesto, pero como *mescalina* o *peyotl*, mucho más potente, una gota en un terroncito de azúcar, indescriptible, un «viaje», primero el caleidoscopio vertiginoso, inaudita fugacidad de formas encabalgándose, visiones simultáneas, ráfagas de imágenes y colores, mil fuegos artificiales estallando a la vez en estrellas, líneas, relámpagos, planos, torbellinos, objetos poco a poco, cuchillos rasgadores pero nada inquietantes, bolas en avalancha, redes superpuestas, carreras de bolígrafos, indescriptible, más tarde fueron las arquitecturas, descompuestas, en ruinas de ruinas de ruinas desmoronándose ante los ojos, recomponiéndose luego, derritiéndose como relojes de Dalí a toda velocidad mientras cambian de color, tornándose árboles o animales fantásticos como en los cuadros de Magritte, El Bosco, Arcimboldo, Goya negro, Ensor, todos juntos a la vez indescriptible, y la salida luego, la nueva luz de la cabaña en el bosque, allí Ágata lejanísima, la mano que tiendo a ella se me va hacia otra galaxia, mi brazo alargadísimo, kilométrico, su sonrisa dilatada en beatitud tridimensional, descubrimiento del rayo de sol por el tragaluz, reencuentro con la cripta aunque todavía los muros alabeándose, el suelo y el techo con inclinaciones contrarias, pero la cripta, ¡qué seguridad!, qué lágrimas de alivio, durante las fantasmagorías he vuelto a ser niño, mi cuerpo empequeñecido, como en los brazos de Fiammetta, como cuando mi madre me rechazaba, cuando tía Chelo me castigaba, y volver ante Ágata, retornar a su sonrisa, ¡tendiéndome los brazos!, ¿qué había ocurrido durante el «viaje»?, sin hablar la abrazo, me amparo en su pecho, me coge la mano, me lleva hacia la alcoba, por primera vez fue aquella la puerta de la felicidad, limitada todavía pero primer acceso a su sexo, ¿empezó así mi potencia?, ¿fue la fusta o ambas cosas?

Dejó abrirse su puerta secreta, nadie podía imaginarla cuando ella estaba de pie, sus espléndidos muslos ocultándola, qué complicado paisaje entre ellos, separó la columnata, mostró su vértice negligentemente, las flores son admiradas pero no se exhiben, no me lo enseñaba sino lo dejaba respirar, no era un vértice sino un abanico, múltiple y delicado, el vello en torno disipándose gradualmente, una grana abriéndose, pero no los rubíes de sus granos angulosos, sino el terciopelo húmedo de sus alas y pétalos, desde el rosa hasta el malva, moreno y siena tostado, prodigiosos matices, tientos y diferencias, variaciones, difuminos, los grandes pétalos que ni estorban ni resisten, la seda de los muslos en mis mejillas, anfractuosidades y barrancos diminutos, para no perderse en esa geología, volcán reblandecido, rosa oscura, la diminuta brújula en su norte, imantada e imantadora, centro del campo de fuerzas, llena de vida propia, emergiendo o disimulándose como antena de caracol, sifón de lamelibranquio, con la caricia la puerta se animaba, se convirtió en anémona, blanda dilatación, ritmo ondulante, primero lenta vida respiratoria, después palpitaciones cardíacas, vibraba su base, afloraba su norte, se ofrecía, aquel ritmo, aquel ritmo, ascendiendo al espasmo, mientras me llegaban palabras dichosas, sílabas estimulantes y entrecortadas, nada nos importaba, salvo el instante mismo, ¿LSD todavía?, yo entretanto sujeto, ceñido por sus muslos, cervatillo abrazado por dos anacondas, muriendo dulcemente de sorpresa, niño al pecho materno, así desde mi cintura, más abajo era hombre hecho y derecho, más cerca con la droga de la meta.

Duerme Ágata, duerme, ¿cuáles serán tus sueños?, yo prefiero el recuerdo, repetidos recuerdos, ya no hizo falta droga, jugué con el Sultán como él quería, volví a besar la fuente de la vida, a veces su mirada comprensiva, como prometedora, mas siempre recordando nuestro pacto, se acababa la luna, pero no anticipaba sus designios, la espada sobre mi cabeza, ¿qué hará de mí?, no va a matarme pero ojalá lo hiciera, no puedo nada más porque ahora puedo, esto acabará ardiendo, estallando, ojalá, no quiero vivir a menos voltaje, no puedo sufrir más ni quiero gozar menos, ojalá me quitara la vida en uno de esos momentos, yo urogallo en celo, cohete en lo más alto estallando en estrellas, rojas, azules, malvas, ojalá lo hiciese, deseándolo en momentos, cuando sentí la gumía junto a mi cuello, luego su frío en mis genitales, recordé en Stambul el quiosco de la circuncisión, *Śunnet Köchku*, no terminó el gesto, la superstición turca de no acabar nunca las cosas del todo, una teja por poner, una palabra por escribir, así queda tarea (queda vida), se marchó dejándome sobre el potro, no era el acero mi destino, cayó mi mirada sobre la cuerda, ¡la horca!, la viga ya dispuesta en la caverna, justo sobre mi cabeza, sugestivo por la leyenda, la mandrágora, el mito de la Kabala, Jehová no sólo expulsó a Adán del Paraíso, sino que le negó a Eva, como se me negaba Ágata, soñando con ella Adán derramó su simiente, dio origen en la tierra a esa planta con forma humana, la mandrágora, pero también se la cree fruto del patíbulo, del espasmo final del ahorcado, científicamente demostrado, parece que es reflejo medular por la ruptura a nivel cervical, erección casi siempre, ¡oh muerte exasperada!, digna de Ágata y mía, casi me ilusiona, quizá un ensayo antes del final, Ágata me dejaría colgar unos instantes, justo para el goce, cortaría pronto la cuerda con la gumía, ¿dónde he leído que algunos cultivan ese capricho?, ¿en qué burdeles famosos prestaban tal servicio?, Eros y Tánatos, ¡qué fantasía excitante! ¿o acaso sólo al final me dejará colgando, al concluir la luna, definitivamente?, Eros y Tánatos, así días y días, sobre todo tras la droga, del potro a su alcoba, en su baño flotaba su vello, filamentos de anémona, al ponerse de pie jovial barbita, ¡el placer de secarla!, rito de hora de vísperas, así día tras día, el seguro placer, la oscura incertidumbre, al fin hasta esta noche, acabo de vivirla, ya no recuerdo yo, sino mi cuerpo, ¡cómo se me dilatan las costillas!, cuidado, la despierto, duerme, mi niña, duerme.

Esta noche, luna cumplida, entrando por el tragaluz como un prisma de plata transparente, Ágata solemne, vestida de pies a cabeza, su abrigo negro con ribete de piel, su pelo ya largo recogido detrás, estirado y severo, ni sombra de cosméticos, «¿sabes qué día es?, el plazo se ha cumplido», me estremecí, ¿qué hacer?, ¿y ahora?, me hizo pasar el estudio, en la mesita baja una copa, así de sencillo, «será muy rápido, no sufrirás nada», su rostro impasible, su voz más grave que nunca, la miré intensamente, «no tengas miedo, te dormirás antes, ¿vacilarás ahora?, ¿qué te importa lo que sea?, pero si quieres saberlo, morfina, veinte gotas, triple dosis de la tolerada, es lo acordado, ¿no?, y te lo hago muy fácil», me parecía increíble, pero comprendí que había de ocurrir, la miré intensamente, no pestañeó, la miré acongojado, debió ver el movimiento de la nuez en mi cuello, hubo un velo de compasión en sus ojos, habló: «¿crees que esto puede durar? ¿no comprendes que hemos llegado al máximo?», eso me convenció, ¡era tan cierto!, yo me lo venía repitiendo todo el tiempo, Eros no daba más de sí, Tánatos prevalecía, así tenía que ser, me dirigí al cajón de mis papeles, saqué la carta al juez que tenía escrita, así vio que yo también lo había tomado en serio, sólo entonces se inmutó, tembló su mano pero no dijo nada, estaba sentada y me arrodillé, besé sus rodillas, me desnudé, «como los hijos del mar» cantó Machado, me tendí en el diván junto a ella, «para que no tengas que cargar conmigo», recuerdo bien no haber tenido miedo, no me importaba nada, ella sabría lo que prefería, ¿y no había vuelto yo a esto?, ¿no me había arrojado al Sena?, ¿no estaba mi vida ya entonces consumada?, todo lo demás había sido regalo, a Ágata debido, tanto espléndido juego, ella con derecho de vida y muerte, alcé la copa hacia Nefertiti, continuaba impasible, ¿quizá no tanto?, ¿qué importaba ya?, bebí de un trago, sabor a medicina solamente, después nada, unos instantes de infinita libertad: todo estaba hecho, podía descansar, pensé en mi reencarnación, unos instantes nada más, muy pronto empezó a cercarme otra prisión, cárcel dentro de mí, sensibilidad embotada, mi cuerpo disolviéndose, miré ávidamente a Ágata hasta dejar de verla, ¡qué bruma progresiva!, fue desenfocándose, perdí el conocimiento...

¡Hasta que volvió al foco!, cerquísima, su voz en mis oídos, Ágata, Ágata, Ágata, recuperé mi cuerpo, mucho más que mi cuerpo, doble carne la mía, al cabo me di cuenta, la de Ágata contra mi piel, tendida a mi lado, abrazándome loca, también desnuda bajo el abrigo abierto, ¿qué decía?, «despierta, Luis, despierta, vuelve, mi amor, mi vida», ¿era eso el paraíso?, algo aún más verdadero, el abrazo de Ágata, su voz enajenada, su cuerpo queriendo penetrar en el mío, la abracé a mi vez, débil aún, poderoso ya, juntamos nuestras bocas y se apagó su voz, empezaron a hablar otros sentidos, sentí otra vez su sexo, pero ahora yo a su altura, incluso sobre ella, la cuna de los muslos meciendo mi cintura, qué galope, galope, galopasmo, pasmo, espasmo, derramamiento, retirada, exaltación y paz, qué Ágata dichosa entre mis brazos, ¡qué ojos de oblación enamorada!, cuando volvió del todo quiso explicarme, ¿qué me importaba ya? yo la besaba, muerto y gloriosamente renacido, héroe de Goethe: de su *Stirb und werde*, morir para devenir, siglos antes de lo esperado, el andrógino reencarnado en hombre, nacido en la cuna de aquellos muslos, ahora están contra mi cuerpo, en aquel remolino de vida, ¡cuidado, que duerme!, debo estarme quieto, pero es que este júbilo, ¡me pondría a danzar!

¿Se ha dormido? Estará pensativo. Cavilando siempre. Dándole vueltas a todo. Ya, ¿para qué? Vivir. Y mucho más ahora. Vivirme como estoy. Desnuda en sus brazos. ¿Quién lo hubiera imaginado? Yo, claro, pero no tan pronto. ¡Qué vuelco, de mi angustia al amor! Un iceberg basculando. Yo misma fui el precio. Para rescatarle de la muerte. Así fue.

«¿Usted a qué juega?» Me dejó asombrada don Estanislao con la preguntita. «Usted necesita verse por dentro. Recurra al psicoscopio: LSD. Así sabrá quién es.» Hablamos. ¡Qué bien me comprendía, aun callando yo mucho! Ese hombre da la sensación de llevar sobre sí un gran secreto. ¿Una pena, un fracaso de amor? Amor, amor, sin él no hubiese pensado en la droga.

¡Qué angustia! Espantosos momentos. ¿Me había pasado de la dosis? ¿Estaba equivocado el recetario sobre el thipental? Elegí ese barbitúrico por su acción rápida. ¡Pero Luis no volvía en sí! El recuerdo del que murió por sugestión me heló el corazón. ¿Qué hacer? ¿Llamar una ambulancia? ¡Qué congoja! Le apreté contra mí, contra mis pechos, contra mi carne. «Despierta, niño, amor, era otro juego, ¡por Dios...!» ¡Quién sabe lo que dije! Torrente de palabras, súplicas, llamadas, gemidos.

Lágrimas. Pensándolo ahora aún me hielo. Incluso así, con su cuerpo tibio junto al mío. Su sexo en reposo contra mi muslo.

Mejor que Gloria. Lo contrario. La verdad en vez del simulacro. ¡Y qué fácil!, Lina, Gerta, todas, ¡qué fácil! ¡Y qué poderoso! Todavía mi centro encendido entre mis piernas, irradiando sensaciones. Foco magnético. Al revés que Danae: ella recibió la lluvia de oro; yo emito radiaciones. Un mito: ya hablo como él. Un fuego interior encendido por frotación. Al mismo tiempo, ¡qué placidez, qué fecundo sopor! Soy tierra tras la lluvia. Esponjosa, viva, plástica, dichosa. Nuestro olor llena el cuarto. Mis sentidos también lo colman. No quepo en mis paredes. ¡Qué ganas de gritar!

Sexo de Luis, dormido contra mí. O quizá caviloso: como él. Lo liberé yo hace una luna. Cuando rasgué sus pantis con la gumía. ¡Ahora caigo: entrábamos en Leo! Así ha crecido un león. Hice mal en dudar: es claramente XY. Masculino. Pero ¡qué curioso!, los hombres esa combinación cromosómica mixta; nosotras no. ¡Como si, en el fondo, fueran bisexuales! Hasta lo más normales. Bisexuales.

Don Estanislao me había contado aquella historia. El médico que utilizó a un voluntario para un supuesto experimento: desangrarle y luego resucitarle con un líquido sustituto de la sangre. De hecho, un simulacro, para demostrar a los estudiantes la fuerza de la sugestión. El enfermo en un baño tibio, creyendo que le abren las venas de las muñecas y viendo cómo poco a poco se enrojece el agua (de una ampolla colorante vertida a su espalda). El médico anunciando síntomas que se van observando en el enfermo: debilidad de pulso, palidez, arritmias, etc. Hasta anunciar la muerte. Cuando quieren levantarle, el sujeto ha muerto efectivamente. Con toda su sangre dentro. ¡Horrorosa idea pensar que Luis hubiese muerto igual! ¡Creyendo haber sido realmente envenenado...! Ahora es más intensa la delicia de estar vivos los dos.

Su cuerpo tan, tan distinto al mío. Tener muy visto su desnudo no lo revelaba como ese contacto pleno. Anguloso y, sin embargo, flexible contra mí. Los hoyuelos en sus riñones, la dura contracción de sus nalgas en los vaivenes. Al principio, claro; luego, no me di cuenta. ¿Cómo he llegado a hacer lo que siempre me fuera imposible? Mi angustia tras darle el veneno, cierto, pero todo preparado por la droga. Aquel domingo del LSD tomé mis decisiones. La falsa morfina que en realidad sería un narcótico. Hasta entonces no sabía qué hacer cuando acabase la luna del prisionero azteca. Por suerte, de la droga salí reconocida. Emergí diferente: ha sido mi reencarnación. Yo también como Luis. Como acero tras el temple. Ágata, pero de verdad. No sólo bautizada.

Recuerdo de don Pablo. ¿Por contraste con mi plenitud vital? ¡Morirse así, el pobre, en una operación sin riesgo, unas sencillas cataratas! ¿Qué anestésico usaron? ¿Acaso ignoraban lo de su corazón? Esos accidentes de uno por mil... ¡Qué bueno era, qué cariñoso! ¡Cuando al fin había encontrado su puerto final, su varadero...! Luis intenta consolarse con la reencarnación: Pablo volverá a ser joven con una nueva María. Pero esta María no vivirá lo que yo esta tarde.

¿Por qué sólo ahora se difunden estas drogas blandas? ¡Si la *mescalina* ya fue aislada en 1896 y el LSD en 1943! Hasta el bendito padre Sahagún, el fraile del ajolote, conoció en el siglo XVII el uso alucinógeno del *peyotl*. ¿Es que hasta ahora no hemos sido tantos los angustiados? Con el ácido he renacido, sí. ¡Esos descubrimientos! Y lo de menos las visiones fantásticas, escaleras infinitas, estirándose como las de los bomberos. Bolas multicolores, como grandes pechos imbricándose, precipitándose, acoplándose. Tampoco lo más importante esas agudas sensaciones. Voluptuosidad visceral, frenética sed que cesa repentinamente y reaparece. Lo otro, lo otro: yo niña, y por dentro.

¿Se hubiese dejado envenenar Luis? ¡Moría por mí, por mi simple capricho! ¡Qué entrega! Todavía dilata mi pecho la emoción. Pobrecillo: es buenísimo. Un hombre único y yo esa suerte. Ahora le serviré yo a él. Seré su paje. Estaré bonita, con pantis y *baby-doll*. ¿O pantalón flotante, su odalisca? Aunque no. Mejor seguir como hasta ahora. Hasta que consolidemos nuestras conductas. Nos acostumbremos a nuestros nuevos cuerpos. Como hasta ahora, pero con ternura. ¡Le voy a querer más que antes! Porque siempre le quise, a mi manera.

También Ildefonso ha empeorado. Aunque asombrosamente haya sobrevivido a don Pablo. ¿Qué va a ser de María? La víctima de todo; la que me da más pena. Siempre pagamos nosotras. ¡Qué soledad ahora! En el entierro estaba impasible, según Luis. Somos más fuertes que los hombres. Pero se derrumbó su final feliz. ¡Y la vejez en el quiosco...!

Mira que si me encontrase con don Rafael. Así, al azar, yendo del brazo con Luis. Se lo presentaría: «Luis Madero. Vivimos juntos, ¿sabe usted?» Se quedaría lívido. ¡Si me viese ahora! ¡Qué estúpida fui, intentándolo con él! Me abochorna pensarlo. Claro que no lo intenté realmente. ¡Qué desesperada estaba! ¡Claro, ya quería a Luis! Me gustaría soltárselo en la cara: «Vivimos juntos. Nos acostamos juntos, Luis y yo, para que se entere.» Y decírselo también a Gloria, claro. ¡Cantarlo al mundo entero! Sobre todo a ellos. ¿Soy rencorosa? ¡Que traguen!

Vivo con él, sí. Nadamos juntos. Él nadando sobre mí, rítmicamente. Vigoroso nadador. Metrónomo, metómono, metómelo, melómano... ¡Deliciosa confusión! Ya juego con palabras como él. Pero yo era su soporte, su navío. Sacándolo de las aguas. Salvándole del Sena, del Bósforo. Eso: donde le habían hecho arrojarse las otras. ¿Se tiró también al Guadalquivir? ¡Esa Carmela...! No importa: yo salvándole.

Tratando a una araña con *mescalina* teje sus telas con una nueva estructura. Más fantástica, menos geométrica. Así yo ahora, el tapiz de mi vida. Lo de hoy fue posible por la droga. Por el psicoscopio. ¡Cómo se retorna a la niñez! En todo: en el cuerpo pequeño, en los recuerdos. Hace creer en la reencarnación. Sobre todo: reorienta la vida. Le ofrece otra perspectiva. Cambia la base de partida: la infancia. ¡Esos recuerdos que no lo eran, pero estaban allí!

A don Rafael no se le encuentra, pero a Lina y Guillermo, sí. Andan siempre por la piscina. Por cierto, Luis mira mucho a las chicas en bañador. Eso se va a acabar. Al menos delante de mí. Guillermo y Lina, ¡qué grises! Sólo saben hablar de su dichosa revolución. ¡Al lado de esto...! Otra muestra de la seguridad de Luis, su desdén por el tema. «¿Qué destruyeron Robespierre ni Lenin? Nada. Ahí sigue todo. Sustituyen una cárcel por otra y se creen que han hecho algo. ¡Hay que destruir en profundidad!» ¿Pensaba Luis en su «muerte», a la que yo le había condenado?

Floté, con la droga. Espirales de música rizándose en espirales. Pero lo decisivo: esos recuerdos... ¡Los recuerdos! El monstruito era el grandullón del curso y el más tonto. Se abalanzó sobre mí porque le incitaron los otros. No sabía lo que hacía, no hubiera pasado nada. Como una pelea de chicos. ¡Y me marcó toda la vida...! Y lo otro, lo más grave y por eso más olvidado aún. Cuando sorprendí a padre acosando a Maximina, aquella criada de siempre. No llegué a ver lo que hacían (estoy viéndoles –ahora– recomponerse la ropa), pero me marcó a fuego. Por dentro, sin yo saberlo. ¡Emerger de esa infancia –los lloros de mi madre– frente a un Luis adorable, adorante, al pasarse el efecto de la droga!

Me lo ha explicado luego don Estanislao. (Ha vivido la droga, seguro. ¿La vive aún?) Por ese retorno a la infancia es por lo que usan el LSD-25 los psiquiatras. Nos vuelve a nuestro cuerpo de los cinco años, reviviéndose aquellas experiencias actuales. El rechazo del niño, como a Luis. El falso cariño del padre, como a mí. Nuestra patética soledad. Entonces el médico, a la salida, del trance, consigue hacer ver al paciente que sus sentimientos antisociales son justos, naturales, lícitos.

¿Sintió Luis la euforia ante la muerte, como dice Nóvoa Santos? ¡Qué va: eso será tan sólo al irse extinguiendo! Si brillaban sus ojos era porque así culminaba su entrega. ¡Bonito mío, cariño! ¡Si yo te quiero vivo! ¡Vivito y coleando! Con tu XY, con todo lo que tienes. ¡Has dicho cosas tan bonitas de mi sexo! Lo que daría, en este sopor, por escucharlas en el magnetófono. Pero te despertaría. ¡Ojalá pudiera yo cantar el tuyo! Ese periscopio, ese espolón de navío, y de gallo. Sonda de oro negro. Daga que se desangra al darse. Víbora que resucita. Se despertaba con la fusta y sufría, en el aire, desdeñado. ¡Qué aberración la mía! Hoy no ha hecho falta la fusta. ¡Qué fácil!

Compadezco ahora a Gerta, a Gloria, hasta a esa Lina siempre a vueltas con su revolución. Incluso a Carmela. Sí, porque le tengo yo; es mío. Su cuerpo junto a mí. ¡Maldita Carmela! Todas superadas. Como el monstruito. Salir de la droga con esos recuerdos y verse en la caverna, protegida. Frente a él, adulto, fuerte. Por eso me abracé a Luis, cogí su mano, me llevó hacia la alcoba, me dejé conducir. Él sabía lo que hacía cuando me acostó en la cama. Cuando me besó y me dio el placer que nunca me dio Gloria.

Ideas, razonamientos... ¡fantasmagorías! Escriben lo que imaginan y luego se aceptan sus escritos como verdaderos. «Lo asegura Plinio el Viejo.» «Está en un manuscrito del siglo IX.» La mala fama del lobo y luego resulta que es modelo de padres y esposos. La dulcísima paloma, agresiva contra su pareja. El colibrí, esa flor voladora, arrancando la lengua a sus rivales: así no pueden libar y mueren de hambre. Escriben que esto es bueno y aquello malo. Gustos prohibidos, aromas proscritos, aunque sean el fruto de la vida. Las glándulas bajo la cola del cocodrilo, exhalando en el celo la atracción olorosa para la hembra. El llamado «sudor de sangre» del hipopótamo, un afrodisíaco para su pareja. ¿Podrá explicar eso el capricho de la señorona por su chófer? Vedándonos el sudor del sexo quienes ignoran cómo se goza. ¡E imponen sus tabúes!

He abusado de la fusta. De Luis, entregándose. Anteayer también, en la Casa de Campo. Celebrábamos su santo. Con burla, porque el Luis obispo de Tolosa no es su San Luis rey de Francia. Me senté bajo una encina, pero a él le puse en aspa a pleno sol. Como San Andrés. Como en las películas torturan los beduinos a un prisionero. Prohibido moverse. «Estás amarrado a cuatro estacas. ¡Abre los ojos al sol! Hasta que te quedes ciego. Loco de sed. Bajarán los buitres sobre ti. Así.» Me arrodillé, me incliné sobre su cabeza. Le mordí un labio hasta hacerle sangre. «¿Te ha gustado mi beso?» Le enseñé su sangre en mi pañuelo. «Mira: tu violación.» Ahora le he devuelto la sangre que le hice derramar anteayer; estamos en paz.

Pobre Gloria. Su vello púbico era un bigotazo vertical, vientre arriba. Y yo sin darme cuenta de que eso es un carácter secundario masculino. Encontrármela, mejor que a don Rafael: no me limitaría a decirle que vivimos juntos. La invitaría aquí, la sentaría en esta cámara de descompresión y me pondría a nadar con Luis encima. Que aprendiese. Habría que amarrarla quizá, para que no se fuera. O no, cualquiera sabe. Era tan especial...

Cuando me di cuenta ya lo estábamos haciendo. No sé cómo, pero ya me poseía el deseo. ¡Estaba tan contenta de que él hubiese resucitado! ¿Esbocé algún movimiento inicial de rechazo? Sólo serviría, si lo hice, para facilitar la penetración. La natación, la vorágine, el salto con ski. Más repentino aún, más explosivo. Como la mujer disparada en el circo por un cañón. La sacudida dolorosa y la caída dulcísima en nieve de plumón impalpable. Seguir hundiéndose en él lentamente. Lenta, despaciosamente, toda esponjosa yo, toda encendida y a la vez ausente. Ascua líquida. Ardorosa y relajada.

¡Qué locura se le ocurrió con la horca! ¡Y le hacía ilusión! Sufrir la sacudida y que yo cortase la cuerda. Si me fallaba el tiempo, ¡qué horror! Mi única solución tirarme por la ventana. ¡Que no se le ocurra volver a pensar en esas cosas! ¿Tan desesperado le tenía yo? ¡Pobrecillo! Sirviéndome, esperándome en casa. Pero para mi goce, al revés que Gloria. Frente a ella me avergonzaba de mis pechos. En cambio, ¡qué ufana estoy ahora de mi cuerpo! Es buenísimo. No ha sido el Empalador. Al contrario, pirulí de La Habana, como en la infancia. Y yo golosa, ávida pasado el primer momento. Mi juguete. Mi amor.

Anteayer, Vísperas. Hoy, Completas. Y, además, estamos en Virgo. Cómico, pero es la vida: sus caprichos. Luis bajo el signo de Leo. ¿Habrá gozado él como con otras? He de sonsacarle sobre la Carmela ésa. Se mueve, me mira. ¿Despierto? Pues ahora mismo:

–¿Engañándome ya?

–¿Por qué?

–Fingiendo dormir. ¿En qué pensabas?

La encuentro adorable, ha cambiado su cara, ¡y el cabello largo, ondulado sobre su cuello!, su inocente impudor, no tanto: ese rubor súbito, porque me extasío en la fresa delicada de su pecho.

Me admira. Me sofoca la satisfacción. Pero que conteste:

–No te calles: ¿qué pensabas?

–Nada.

–¿Nada? ¿Tú? ¡Imposible!

–¡Uf!

Resopla de satisfacción. Foca feliz jugando en el agua.

Pero no entre témpanos. Yo no lo soy. Me acurruco más contra él, para probárselo.

–¿Y tú, en qué pensabas?

–Te vas a reír: una idea más bien tuya. Que soy Danae, pero al revés. Irradio, en vez de recibir. Aunque reciba.

–Hay una Danae de Klimt preciosa.

–¡Olvídate de pintores! ¡Pintemos nosotros!

¡Cómo me estrecha entre sus brazos! ¡Qué largo y profundo el beso! Hay que cerrar los ojos para vivirlo. Luego, su mano en mi cabellera. Enamorado peine.

–Eres otra... Yo también soy otro.

–Hemos renacido.

–¡Y yo que no pensaba gozarte hasta mi próxima reencarnación! No ha hecho falta. He reencarnado en esta vida.

–Has sido perfecto. Ya somos insectos perfectos. Fuimos larvas. Crisálidas: ¡qué penoso!

–No hablemos de eso. Hemos roto la cáscara.

–La camisa de fuerza.

–He renacido en vida. ¿Qué me hiciste beber?

Le explico el juego. Narcótico en vez de veneno. Darle el susto. ¡Pero me lo llevé yo! Me castiga con otro beso, que resbala de mi boca a mi cuello.

—Fue de verdad veneno –sentencia luego Luis–. Morí y renací.

–Yo también. Pero yo renací antes. Volviéndome primero niña. Aquel domingo. Con la droga.

Comentamos aquello. ¡Descubrimos haber tenido la misma experiencia! Dos nuevos niñitos. ¡Qué ternura! Todo más fácil.

–Ya no necesitó más reencarnaciones. Después de ti, morir del todo... Pero Solimán fue verdad, ya verás cómo sigo averiguando, recordando...

–¡Ni lo pienses! No te dejaré. Tú no vuelves a encontrarte con Lerissa. Ni hablar. ¡Vaya con el eunuco enamorado!

¡Qué gesto delicioso el de su fingida cólera, se ha incorporado sobre el codo, le tiembla adorablemente un pecho!

¡Qué dichoso se ríe al contestarme!

–Mujer, por eso mismo: no hice nada.

–Tampoco antes conmigo. Y mira ahora... ¡Ah, todavía quedan cuentas por saldar! ¿De Carmela, qué?

–¡Bah! ¡Carmela!

–No la desdeñes ahora. Tuvo importancia, ¿verdad?

La adoro por esa integridad, por su expresión grave, por su justicia dentro de su inquietud. ¡Qué alegría, está celosa!

–Es verdad, tuvo importancia, pero sólo mensajera, simple nuncio de ti, mi Ágata, mi evangelio y mi verdad, mi buena nueva.

Sonríe en su boca la justicia satisfecha, se nubla en sus ojos el mirar enamorado.

–Dime la verdad. ¿He sido torpe? ¿Gozaste con ella más que conmigo?

Si intenta engañarme lo notaré. Infaliblemente. ¡Dios mío, que me quiera a mí! ¡Aunque ella fuese tan experta!

–¡Muchísimo más!

–¡Ni en broma! Mira que te muerdo. Te lo arranco de un mordisco.

¡Su apasionada cólera! ¡Qué felicidad!

–Amor mío, ¿cómo puedes preguntarlo?

Me dice la verdad. Su voz emocionada. Sinceridad de fondo. Vuelvo a caer sobre la almohada. Eso, eso, tu mano en mis pechos. ¡Quiérelos tú ahora! ¡Les he amado yo tan poco!

–Dime, ¿era guapa?

–No, guapa no.

Pero era interesante como ser humano, vulnerable y alegre, sabia y equivocada, ansiosa de vivir y ya desengañada... ¡Pobre Carmela!

No me lo ha dicho todo. He de sonsacarle.

–¡Entonces? ¡Una vulgaridad? ¿Y tú logrando acostarte con ella...? No te creo. Vamos por partes. Quiero una descripción objetiva.

¿Cómo decirle a Ágata que con las vulgaridades casi siempre me fue posible? ¿Cómo hablarle de Fátima en Argel, de sus manos teñidas de henné? Pero ésa es otra historia. ¡Tan pasada...!

–Era risueña, sí. Fina cintura. Pero las piernas demasiado delgadas... Pezones muy oscuros. Sombríos. Vampirescos.

He querido que fuese una broma, pero Ágata estalla:

–¡Calla, no me cuentes esas cosas! ¿No te da vergüenza presumir así?

Luis me mira extrañado. Me reprocha con los ojos mi exabrupto. Tiene razón, pero ¿qué le voy a hacer? Quiero que me lo cuente y no quiero escucharlo. Es natural, claro, pero él no lo comprende. Se calla. No puede ser. He de seguir escarbando, aunque me haga daño.

–Con que delgadas, ¿eh? ¿Más que mis muslos?

–Oh, tus muslos...

Su voz de adoración lo borra todo. Su mano descendiendo hacia mi vértice. Y su mirada, su mirada. ¿Será así la mía, hará mi cara igualmente hermosa? Me conmuevo. Soy tonta, pero me rindo:

–¿He sido muy mala?

Sigue la adoración y la caricia.

–Has sido mi diosa, perfecta. Me has traído hasta aquí.

–No. Tú me has traído a mí.

–Tú me has guiado a mí.

Reímos.

Reímos.

Su risa sofocada, teñida ya de incipiente deseo, sus muslos se separan un poquito.

Su risa enronquecida. Llevo mi mano a su sexo. ¡Le he maltratado tanto! Ahora, mimarle.

–Luis, oye...

–Sigue llamándome Shiraz. Quiero un nombre exclusivo para ti.

Se me ocurre una respuesta, pero me olvido ante la transformación en mi mano. De la holoturia al unicornio. ¡Cómo ha crecido el mango de mi fusta! Soy yo quien le hace madurar. Me maravilla esa consistencia elástica. Ese paloderrosa como una liana. ¿No es eso vivir?: resistir cediendo, conceder conquistando.

–No sé si es posible llamarte Shiraz...

Me mira interrogador. ¡Qué guapo es! ¡Qué viril delicadeza en sus rasgos!

–Shiraz no poseyó nunca a Solimán. En cambio, tú te saliste con la tuya... Consigues lo que quieres.

Le ha costado añadir esa palabras. ¡Los dioses la bendigan!

–No, no he poseído a mi dueña. Me he entregado a mi reina como nunca en mi vida.

–Pues vuelve a entregarte...

Y añade muy bajito, estremeciendo mi oreja con su aliento, antes de oprimirla entre sus dientes crueles y exquisitos.

–...Ahora.

Quartel de palacio

Él mar. Es necesario el mar.

Aunque sea un mar prisionero entre dos enfrentadas y altísimas murallas de hormigón con aberturas. Un telón azul al fondo del gran cañón urbanístico, donde, cada mañana, relumbra el sol centelleando sobre las olas.

Azul y oro para don Ramiro y doña Emilia, prisioneros –como el mismo mar entre los muros– en su jaula del balcón del cuarto de estar, el único a la calle. En el anuncio y el plano se le llamaba «terraza». Justo para dos sillas de tubo y rejilla de plástico en varios colores a cada lado de una mesita. Cuando les acompaña la niña, ella ha de sentarse en otro sillón dentro del cuarto, con sólo las piernas en la terraza. Pero en general prefieren bajar al paseo marítimo porque en esta calle abundan las discotecas y, por tanto, los ruidos. Además, desde la terraza, el mar nocturno casi no se ve. Solamente una noche la orientación de la luna mostró entre los acantilados de hormigón el sendero de plata rielando en el mar.

De pronto, a media mañana, gritos de Jimena desde la calle. La ven junto a un seiscientos aparcado en doble fila. ¿Con quiénes habla? ¡Mateo y Tere! Don Ramiro no celebra la llegada, pero se dispone a cumplir con los deberes de hospitalidad. Emilia y él se adecentan para bajar, pues nunca incurren en los excesos veraniegos de libertinaje indumentario.

Mateo, colorado y rozagante, más de la satisfacción que del sol. Tere igualmente ufana, pero siempre respetuosa ante don Ramiro. Los niños, como gotas de azogue, saltando por todas partes, entrando y saliendo en el coche, chillando para enseñar sus flotadores, sus cubos, sus gafas de zambullirse, con respiradero y todo.

Mateo quisiera llevarles fuera de la zona urbana, pero en el coche no caben cinco mayores y dos niños, además de los numerosos bultos, así es que van todos a la playa, tras encontrar un hueco para aparcar.

Charloteo bajo el sol. Chapuzones de los viajeros y de Jimena. El matrimonio viejo se queda bajo el quitasol. Don Ramiro se pasma contemplando a hurtadillas a la moza tumbada cerca. ¡Qué desvergüenza en la ostentación de los nalgatorios! La mitad de cada uno queda fuera del triángulo posterior de tela, que, al hundirse ligeramente, subraya la contextura elástica de la carne. Don Ramiro paladea ese vocablo: «Elástica.» Prolonga voluptuosamente la sílaba «lás». Tiene que mirar a su mujer para entender lo que le dice y poder fingir que sigue la conversación. ¡Pobre Emilia! ¡Rica en valores eternos, pero...! Siempre fue bastante lisa y ahora... Como una tabla. Sobre todo por detrás.

A los niños no hay quien les saque del agua. Los padres, tornando al quitasol, les miran con aprensión. No acaban de familiarizarse con las olas. «Parece tan tranquilo el mar, pero... Es mucha agua, don Ramiro; mucha agua», comenta Mateo. Ven a Jimena hablando con un muchacho. Don Ramiro da a entender que lo del mozo aquel, ese empleado de Mateo, concluyó. «Ya no está conmigo», aclara Mateo, como si fuera culpa suya. Jimena se acerca; es hora de vestirse. Tere se sorprende: la muchacha tiene una expresión indiferente y patética. A Tere le recuerda algunas actitudes de la María del quiosco. «Se deja achantar», piensa, mientras inconscientemente se alinea junto a su Mateo, batallador como un toro, que en ese momento exclama: «¡Esto es vida! ¡Así estamos tan morenos!» «Como decíamos durante la Cruzada –evoca don Ramiro–: si esto es guerra venga balas.»

Comen al final de la playa, bajo los cañizos de un chiringuito. Sobre la grasa del pescado frito en los morros, los chiquillos pasean la armónica roja de la sandía. Paga Mateo, tras larga discusión. Don Ramiro cede al fin, si le permiten abonar las dos botellas de Jumilla que han consumido. Despedida y despegue del seiscientos, como un avión a plena carga.

Al atardecer, por la carretera, el cochecito persevera en la marcha, adelantado de vez en cuando por coches más veloces. Los niños empiezan a adormilarse. La mano de Mateo oprime el muslo de Tere. Contornean una curva de arena solitaria. «¡Vaya sitio para bañarnos en pelotas!», exclama Mateo. «Tú siempre pensando en lo mismo», ríe Tere. «Pues si no es aquí, ¡verás de que lleguemos a Valencia!» Se miran cómplices risueños. La mujer siente como un latir en su bajo vientre.

La víspera de ese mismo día, en el Quartel de Palacio, Curro ha vuelto a la plaza de Santa Catalina. Flora ya casi se había resignado a no verle, en cuanto pasaron dos semanas: más tiempo del necesario para ir y volver con camión a lo más lejos de España y mucho más del que sabe puede estar Curro sin mujer. Pero su resignación no le impidió hacer lo que decidió en el preciso momento en que una corazonada le impulsó a enseñarle el escondite secreto de sus alhajas. De modo que en cuanto pudo fue a un notario y legó todos sus bienes a Francisco Cáceres Hontoria. Si vuelve Curro, se lo contará y le dará una llave de la casa. Si no vuelve, ya le buscarán cuando llegue el momento; por si acaso, ha comunicado su testamento a María y a la Lorenza.

Transcurrió una semana más, melancólicamente para Flora. ¿Qué pasará con sus plantas? Nunca las ha cuidado con más ternura, acariciándolas, hablándoles, casi pidiéndoles perdón. Porque, de todos modos, morirán. Aunque Curro se haga cargo pronto de la casa, no se dedicará a ellas lo mismo. Ni tampoco las conquistas que se traiga; bueno, ahora no dicen «conquista». «Ligues» o como sea. De todos modos, ya es hora de que ese escenario, esa isla de hace un siglo, se disuelva. ¡Lo mejor sería prenderle fuego, como la pira de una viuda hindú!, sonríe Flora. Ardería hasta el fantasma de don Alipio. Pero eso ya no se estila.

De todos modos, ni cuando su resignación fue más honda llegó a ser completa. Y, en efecto, Curro ha vuelto y retornan juntos a su gran verbena de la vida, con tiovivo, columpio, tiro al blanco, golosinas relamidas, choques de autos eléctricos, toboganes, montañas rusas... Más de una vez, Flora llora de alegría porque no hay palabras para su segunda resurrección.

Y entonces... Están almorzando –más bien desayunándose– cuando Curro pide a Flora que le eche las cartas. *La Pálpito* siente una punzada premonitoria y se resiste, precisamente porque sabe que Curro cree en eso. El muchacho porfía; sabe que ella tiene mano y visión. ¿Por qué tanta insistencia? Al fin consigue Flora la respuesta: una gitana le ha echado la buenaventura a Curro y le ha dicho «cosas malas», que él no quiere precisar.

Flora se ríe de las gitanas y sus embelecos. Pese al pálpito que no cesa, logra la risa más auténtica de todas las fingidas en su vida. Pero ante la preocupación de Curro prefiere no negarse y, serenamente, concienzudamente, despliega sobre la mesa de siempre las coloreadas cartulinas del tarot. Al final Flora sonríe y explica a Curro el oráculo. Nunca falta, ni ahora, alguna pequeña sombra, pero el horizonte no puede ser más prometedor. Curro hará fortuna rápidamente y nada le amenaza en muchos años. Brindan alegres y vuelven a su gran verbena.

Cuando Curro ya no puede estar más tiempo, pues sale con Ignacio en un viaje nocturno, baja la escalera en una nube de exaltación. ¡Qué mujer! En la calle se la ve ya mayor, pero en la cama se transforma. Había en Doñana un vago borrachín, el *Rumblao* le decían, que en cuanto se trataba de cazar era otro hombre. Madrugador, cuidadoso, sabedor de los bichos, con más olfato que un perro y una puntería certerísima. Flora igual: hasta le cambia el cuerpo. Los pechos resultan duros, la piel de seda, la cintura de serpiente y las manos..., las manos tienen magia, imán, provocación; manos de saludadora erótica. Y manda con las rodillas y hasta con los pies acaricia. ¡Y la boca; la lengua y la boca!

Pero, en la casa, Flora ha quedado anonadada, aunque haya logrado fingir hasta el último instante. Porque en la gran verbena había también un túnel de la muerte. Las cartas han sido fatídicas; inequívocamente condenatorias. Nunca ha sufrido tanto Flora con sus auténticos poderes de vidente: nunca se le ha revelado tan cierta una catástrofe. Porque es verdad que Curro se hará rico; pero también que cuando ya sea águila, navío a toda vela, torre de bronce y mármol, el rayo, la tempestad o el terremoto le abatirán de golpe. Su muerte violenta está escrita. Muchas mujeres le llorarán, sin duda, pero ni entre todas podrán resucitarle en plena juventud; sacarle de esa tumba que le espera ya abierta.

Flora quisiera luchar. Se sirve una copita de *Parfait Amour*, se fuma un Muratti. Es curioso, el último de la caja. No le importa; eso significa que está al llegar Gil Gámez: nunca falla. Se reanima: ¿se habrá equivocado? Y de nuevo, tras concentrarse obstinadamente despliega las cartas sobre el tapete.

Con nimias variantes, la muerte sigue presente. Flora no sabe apartar la vista de las cartulinas desplegadas en su orden; no se da cuenta de la violencia con que aferra las que quedan en su mano. De pronto, un clic imperceptible se dispara dentro de su pecho. Y un sudor frío y un dolor en el brazo... Flora comprende y aspira instintivamente hondo. Se deja caer hacia atrás en su sillón. Podría haber soportado las horas de fogoso amor o las de catástrofe, pero no las dos cosas juntas. No las dos cosas.

Casi mejor. No duele apenas. Menos que un ligero reúma. Es hasta sencillo. En ese instante percibe a su lado a Gil Gámez. ¿Qué le explica de la puerta del piso abierta? ¿Por qué le pregunta si le pasa algo? ¡Ni que ese hombre fuera tonto! ¿No lo está viendo? Flora intenta levantar la mano; después sonríe –¡qué trabajo cuesta!– y replica, burlona:

PAPELES DE MIGUEL

¿Dónde se posará el gigante albatros?

Febrero-marzo de 1977

¡Amanezco ante Ti! Eres esa prodigiosa luz del alba: quisiera detenerla en su color. El ventanillo derrama plata invernal con un asomo ya de rosa. ¿Detenerla? ¡No! ¡Crece, cólmame, ven!

«Ventanuco», en Santander con Miguelito. El último verano. Sigue habiendo veranos, pero fue el último. «Miguelico» me llama Seraphita cuando no estoy delante. Anoche la oí clandestinamente. Ni Pedro ni ella me sabían al pie de su ventana. Le robé el tesoro de ese diminutivo. Con él acunaron a Miguel Hernández; entonces empezó a rimar sus nanas.

Súbito chaparrón de agosto. Contrariados, nos refugiamos bajo la marquesina de un cine. ¡Adiós nuestro paseo en bote por el *Serpentine* de Hyde Park! Rodeados de gente, olía a cuerpo humano en el calor húmedo. Abrieron las puertas en un final de sesión y sopló deliciosamente el aire refrigerado. Nos miramos y entramos. ¿Qué importaba la película? Luego resultó antigua y conmovedora. No recuerdo detalles.

Recuerda, Miguel: *Viaje de ida*, de Tay Garnett. Con Kay Francis, William Powell, Frank McHugh, Aline McMahon. Una historia muy propia de ti ahora. ¿Has olvidado el final? Dos copas rompiéndose solas sobre el mostrador de un bar porque los enamorados ya muertos han acudido invisiblemente a su cita... Deberías recordar con más amor aquella tarde. Me besaste: ¿no te acuerdas Miguel?

Sí, es verdad. En el entreacto escuchamos tu *Danza Eslava* de Dvorak... ¡Claro que recuerdo! Todo, pero ya no en la memoria; no con palabras ya.

¿La has iluminado Tú o he conquistado a Lucía con la música? ¿Gratitud por habérsela descubierto o acaso piensa ingenuamente que quien ama ese lenguaje no puede hacer daño? Extasiada con la sonata de Mozart; el *minuetto* preferido por Miguelito cuya audición me arrancó de la amnesia tras su muerte. ¿Quién ha traído esa grabación? Habré sido yo. ¿Están los niños de vacaciones? Tía Magda hacía labor junto a nosotros. Cose para enfermeras y refuerza el sueldo de Pedro.

Pedrito se cansó y quiso jugar a tres en raya. Cuando ganaba palmoteaba. Yo perdía, no pensaba en el juego. De pronto gritó: «¡Trampa! ¡No caben más que tres!»

Miré. Yo había colocado un botón fuera del cuadro, prolongando la diagonal. Me había salido al infinito. «¿Y por qué no?» No cedió; era romper las reglas. ¿Qué reglas? ¿Por qué razón someternos? ¡Fuera del mundo, traspasemos su orilla! Contigo en el *Mundus originalis*, entre el Hombre y el Absoluto; Reglas: necesarias para la razón. Pero «todo aquel versado en el misterio interior –leo en Rumí– sabe que la inteligencia es del Diablo, mientras que el amor es de Adán... Si no fuese por el amor, ¿cómo podría existir nada?»

A veces me sugieres el descenso a la termitera. Volver como espectador al mundo dejado atrás. Pasadas las horas de consulta son míos los vacíos corredores. Me di una vuelta por Traumatología. Espejos triples para mecanoterapia. Impulsado a desnudarme, curiosidad por mi cuerpo. Risible y conmovedor, el pobre. Rodillas protuberantes, carnes fláccidas, frágil prominencia del esternón, venas abultadas... Destartalada carroza, agrietada corambre. Las manchas seniles de las manos corriendo brazos arriba y hasta en el pecho, entre el vello ceniciento. No era el rosado cerdito de Rubens, en el alicantino corral de Hannah. «Y no hallé cosa en que poner los ojos... que no fuese recuerdo de la muerte.»

Entonces, ¿a qué esperamos?

Porque ese cuerpo todavía tiene vida: a pesar de la calefacción tenía frío desnudo. Me vestí y volví a los corredores, fantasma de esta fortaleza llena de vencidos. Me apena la pobre Muerte, obligada a recoger a tantos que se le resisten. *Os vencidos da vida*: Anteiro de Quental y sus amigos. ¡Larga agonía de Anteiro en el suicidio!

¡Qué palabras tan vanas en las salas de espera! Hoy discutían dos viejos sobre unas elecciones; al parecer en España. ¿Cómo pueden interesarse, estando aquí?

No me regañaba, pero estaba triste. Leí en su pensamiento, bajo su frente preocupada: «No ha cenado... ¡unas natillas tan ricas...! ¡Y esa querencia con el pretil! Cualquier día se cae como a un pozo... Aunque a lo mejor vuela, como él mismo anuncia; ¡pesa tan poco!»

La luna la estilizaba. Como aquella vez, en Issogne. Junto al caz del molino descollaban unos lirios, invisibles de tan blancos en el océano de vaporosa plata. Saltó una rana y rompió el espejo del agua; ondularon resonancias y círculos de sombra.

De pronto recordé el apunte garrapateado sobre un papel en mi celda y le dije que Pedro habría de acompañarme al banco para que pudiera disponer de mi cuenta. Mañana mismo.

«Ya fueron los dos hace un mes... No piense en esas cosas y sea bueno», respondió, transida de tristeza.

«Soy bueno; ya no me subo al pretil, solamente me asomo.» Y, para que me perdonase, le conté lo que sólo había contado antes a Ti: la muerte de Miguelito, entre hierros y llamaradas.

Lágrimas furtivas. ¿Comprendió que le dejaba esa herencia?

Mis poquísimos libros, infinita compañía. Tomo de Ibn Arabí: «Mi corazón abierto a todas las formas. Es un prado para las gacelas, un claustro para monjes de Cristo, un templo para ídolos, la Kaaba del peregrino, las tablas de la Torah y el Libro del Corán. Mi religión es la del amor, hacia esa meta caminan mis caravanas.» Nuestra religión.

Hacia ella mis pasos, circunvalando esta Kaaba. Hace un momento sentí una brisa marina. Se me apareció aquel crucero hacia Stambul, preparatorio de Ti. Escala en Venecia, amaneciendo al entrar en puerto. Gaviotas cerniéndose sobre nosotros. Yo el único pasajero sobre cubierta; los demás durmiendo la fiesta de la víspera. La ciudad emergiendo como una joya. A babor casi rozamos la isla de San Giorgio, cuando los remolcadores nos tomaron y nos dieron la vuelta delante de la Aduana. Iban apareciendo el campanile, el Molo, el Palacio ducal, la Piazetta entera.

El zafiro de la noche viraba hacia amatista, topacio,

diamante, granate, rubí. Nos atracaron en el muelle de los *Schiavoni* y echaron amarras frente al *Ospedale della Pietà*, donde reinó Vivaldi sobre su orquesta de muchachas. ¿Cuántas secretamente enamoradas del pelirrojo abate?

Dando así la vuelta a la Kaaba en la Meca encontró Ibn Arabí la compañera decisiva y, cogidos de las manos, entraron en el templo... Yo también camino con mi mano en la tuya. Nadie se da cuenta de que ya has venido. ¡Dulcísimo secreto!

Abajo nunca es de noche ni de día; siempre neón. Junto a las puertas en el laberinto sobresalen rótulos colocados perpendicularmente a la pared. «Nefrología», «Cardiología», «Reumatología»... Como los *aboyeurs* en Montmartre, metiendo turistas en el cabaret: «Entre usted a ver su muerte.»

Te encontré en el Depósito, contemplando la mesa con mi cadáver bajo una sábana. «Me quiso mucho –te oí pensar–. ¿Por qué no quise que fuera posible?» Luego suspiraste. «No ha cambiado nada; apenas más delgado.» Me sentí de pronto en el mismo lugar que Tú, contemplando mi forma yacente. Confundidos ambos como las dos imágenes de un telémetro al ajustarlo. Uno de nosotros recordó que el verdadero título del *Libro de los Muertos* egipcio es *Salida hacia la Luz del Día*. ¿Verdad que, como ahora, también estarás conmigo cuando Azrael, el Ángel de la Muerte, despliegue sus cuatro mil alas para conducirme hasta el paso final del puente Chinvat?

No lo dudo, pues ya estás aquí. ¿Qué falta todavía? Te siento a mi lado cuando invoco tu nombre, una vez y otra, practicando el *dzikr*. Vuelto a mi celda releí a Rumí: «A la luna y el sol, ¿en qué les daña el ocaso? Nos parece un ocaso lo que en verdad es aurora.» Y musité la oración de Maragall: *«¡Sia'm la mort una major naixença!»*

Diminuto insecto trepando por el pretil. ¿De dónde salía? ¿Del suelo, allá abajo, escalando una pared miles de veces más alta que él? ¿Volando hasta esta cima? ¿De qué hibernación, de qué larva? ¿Es venido ya su tiempo o morirá por impaciente, con las últimas heladas?

No; ha venido de tu mano. Tú eres esta primavera anticipada, esta blandura nueva del aire. Puse mi dedo en su camino y trepó. Opaca esmeralda; seis patitas imperceptibles, antenas agilísimas. Dio la vuelta al dedo y se sostuvo debajo, encontrando asidero en las rugosidades de mi piel. De pronto echó a volar.

Maravilla de maravillas y todo maravilla. Asombrosa la nube que crece y se desfleca. Asombroso eso que llamo «yo». Esta fortaleza de barro, «un tiempo fuerte, ya desmoronada». Tan pronto impaciente como en calma.

Me creen solo en la terraza cuando Tú me estás mostrando la impávida serenidad de las estrellas, en esas alturas abismales. Serenidad hecha fuego: remolinos de energía, vorágines de incandescencia, masas inimaginables ardiendo a trillones de grados en convulsiones caóticas. Latidos colosales de la materia, en sístoles y diástoles del cosmos, componiendo ante nosotros esa serena faz de la noche estrellada. Yo también tranquilo y convulso, frío y abrasado, tocando ya el Absoluto en tu mano, pero aún en esta orilla. ¿A qué esperamos?

¿Dónde canta ese grillo? ¿Has traído ya el verano? ¿Son los vencejos esos puntos girando ahí abajo en veloces planeos cortados por trémulos aletazos? El grillo, ¿en otra galaxia, en la ventanita? ¿O en mis dos oídos y a la vez en mi pecho, rayo reiterado, tu latido? Vertiendo en gotas rítmicas el grito de la vida, feliz por tu presencia, anunciando el colmo de los tiempos.

Me obligó a sentarme la fatiga; cada día más frecuente. En la proa del navío ya tocaba el sol, mientras el páramo todavía en sombra. Inesperadamente, en medio de la lluvia, sus rayos tocaron igual el escaparate del anticuario de Marylebone donde me compraste una piedra de río con un búho pintado sobre ella. ¿Recuerdas?

Recuerdo, Miguel. En aquella esquina me besabas al despedirnos, tus brazos en mi espalda, estrechándome contra ti. Yo de puntillas dándote mi boca, breva de miel. Mi cabeza en tu hombro. Yo repetía anegada de dulzura: «Amor, amor, amor...»

Era tu *dzikr*. Ahora el mío es «Nerissa, Nerissa, Nerissa...», ya lo oyes. Interminablemente, hasta llenarme de ti. Siglos atrás el mantra del teléfono, ¿recuerdas? Ahora, directamente, Tú.

Este calor, a veces, en mi corazón: te siento en él... Dulce torbellino, tempestad sosegada, tiniebla luminosa. Pasé por estos sotos, ¿dejé huella? La del ave en el aire. Tanta esperanza y tanta tribulación..., ¿a esto conducía? Fugaces lirios de espuma sobre la faz del Océano inmutable.

Inmensa, mi morada ya vacía. Alcazaba del Atlas. Patios como pozos rodeados de laberintos. Otro Knossos. Sucesiones de aposentos, estrechos corredores, diferencias de nivel salvadas con escaloncitos. Más bien masa excavada que muros planeados previamente.

En mi vacío las galerías se ensanchan, los techos se dilatan, se curvan, se abren. No llenaré nunca este palacio y, sin embargo, ya está lleno. De Ti.

Los niños en el colegio; Pedro abajo. Yo, sorprendido: ¿tan tarde era? Seraphita sonreía. Contenta por creerse conmigo a solas. Lo advertí en el color del aire, tornándose delicadamente malva. No podía ella sentirte ni yo revelarle tu presencia. Un momento convivimos en silencio, entre escasas palabras.

De pronto se marchó a buscar a los niños. ¿Ya era medio día? No me deja a mí: dice que estoy débil, pero le teme al cruce de la carretera; piensa que no estoy nunca en lo que hago. Tiene razón; estoy en Ti.

No estoy tampoco en el tiempo; pasa sin darme cuenta. ¿Qué importa? Ni este tiempo ni otro. No quiero el retorno que deseaba Luis Madero. Como yo mismo lo quise en otra época cuando, desesperado, quería reencarnar contigo. Escucha a Rumí: «El tiempo y la duración son apariencias debidas a la velocidad de la acción divina. Así el rápido giro de una antorcha simula una continua línea de fuego.»

En la llama quiero existir; no en la fingida línea.

Su primera mirada esta mañana me lo ha dicho: «Sé que nos oías anoche, cuando me hice amar por mi hombre.»

Empezó ayer, con el perfume que le regalé por ser su cumpleaños. Sus escrúpulos para estrenarlo: «Nunca he llevado...» «No me corresponde...» Su secreto deseo: guardarlo para siempre. Al fin ruborizada: «Lo estreno si se pone usted un poquito.» Intuyó el simbolismo de esa doble unción, unión.

¿Por qué no? Pero no fue la amorosa Magdalena ungiendo los sagrados pies, sino la de Bethania aromando a su hermano Lázaro yacente, antes de su resurrección. Al abrir el pomo su nariz aleteó con ingenua voluptuosidad; su carne se abrió como una mimosa, púdicamente sensual. Se puso en las orejas; le sugerí las sienes. Luego la unción de mis manos. Vaciló y, como desafiante, puso un toque en su escote.

Quedó súbitamente seria. Sumisa, como la María de Fra Angélico rindiendo el cuello aceptante ante el Ángel. Y fue en verdad Anunciación, cumpliéndose en la noche.

¿Quiso Pedro celebrar el cumpleaños, fue sensible al perfume? En todo caso, yo les oí, sentado al pie de su ventana. Cerrada, pero ¡los vidrios tan delgados! O mis sentidos tan sutiles.

Gemidos y jadeos. La madura fuerza de Pedro sobre ella. El ritmo se hizo fogoso. No me sorprendí de no sorprenderme; comprendí que así estaba dispuesto. No se me ocurrió alejarme discretamente: al contrario. Mi sitio era ése; ella lo necesitaba.

Esta mañana su mirada, tras el antifaz de su silencio, me lo ha confirmado. «Sé que nos oías anoche, cuando me hice amar por mi hombre. Le abrí mis entrañas para que enterrara su simiente. La tuya, porque pensaba en ti y estabas a mi lado. Tendré un hijo y será como tú. Tengo tan lleno de ti mi pensamiento que necesariamente le daré tu forma. Ese fruto será nuestra flor.»

Como la doble valva convierte en perla el granito de arena. Era yo el anunciado por el Ángel; se abrió la madreperla para mí. Tendremos un hijo.

«Nunca hablaremos de ello –pensé ante su mirada–, pero sé que le pondréis mi nombre. Porque me hallaste en Pedro: yo estuve en ti. Ese hijo de vuestra carne, de nuestro espíritu, será tu consuelo.»

Bajó los párpados después de mirarme. Me incliné sobre la mesa en que se apoyaba y puse mis labios en el dorso de su mano, todavía perfumada. Sólo un instante, brevedad de un suspiro.

Sorprendí tu sonrisa, a nuestro lado.

Ya no tengo nada que decirte. Me limito a esperar, repitiendo tu nombre en el *dzikr*. Comprendiendo al Amante perfecto: Halladj en el patíbulo gritando: «Cuando la Verdad entra en un corazón lo vacía de todo lo que no es ella; mata en él todo lo demás.» Las manos cortadas, atado a una cruz. Pasaban los creyentes en la mera letra del Libro y le apostrofaban: «¡Eh, Halladj!, ¿qué es la mística?» «Estáis viendo aquí su resplandor más pobre.» Prolongaron toda la noche su suplicio para permitirle perfeccionar su Amor.

Y aunque quisiera, ¿qué podría decirte? ¿Cómo expresar el amor a última hora de la vida, cuando la carne desprendida no es ya la tierra firme donde pueda arraigar el árbol encendido? ¿Dónde se posará el gigante albatros, señor del Océano? Sin embargo, mis venas no tendrán sangre, ni humores mis glándulas, ni piedra mis huesos, pero los aletazos del albatros me llenan de latidos el corazón. ¿Cómo es posible?

Tú eres la explicación. Ese Amor no muere con mi carne; sobrevive en nosotros. Todo se disgrega en mí menos mi Amor; así me transfiguro en pura y solamente Amor. Mi meta –Tú– soy yo, repitiendo tu nombre.

Espejos paralelos: tu imagen mirándome con mi propia mirada; yo viéndote con la tuya. Al Absoluto me asomo así, pues la Mujer es su más alta imagen: creadora pasividad divina.

Bi-unidad de los espejos. Perdiéndome yo en Ti, como Tú en mí. Fue preciso perderte para acabar de hacerme yo, porque, como en el verso de Sadi, que tanto me ha consolado luego:

> «Tu amor me denegaste,
> pero me diste tal Visión de Ti
> que mi secreto Yo nació a la Vida.»

nerissa, Nerissa, nErissa, neRissa, nerIssa, neriSsa, nerisSa, nerissA, NErissa, nERissa, neRIssa, nerISsa, neriSSa, nerisSA, NERissa, nERIssa, neRISsa, nerISSa, neriSSA, NERIssa, nERISsa, neRISSa, nerISSA, NERISsa, nERISSa, neRISSA; NERISSa, nERISSA; NERISSA.

17. MÁS ALLÁ DEL MÁS ALLÁ
La última Pietà

OCTUBRE, OCTUBRE
Más allá del más allá

Domingo, 9 septiembre de 1962

ÁGATA-LUIS

Los primeros en barruntar el rayo fueron los insectos, las hormigas en el solar de San Francisco, desviándose de su fila, desperdigándose vacilantes, visiblemente nerviosas, dudando ante su agujero, me detengo y se lo hago ver a Ágata, «algo va a pasar» le digo, poco después los chillidos en el aire, la exasperación de los vencejos, interpreto entonces el pesado calor de estos últimos días, pronostico la tormenta, aunque el cielo está raso.

«Tus fantasías de siempre», replico a Luis. Pero cuando llegamos al *Bar Marcelo* asoman ya los nubarrones. Súbitos remolinos arrastran polvo y papeles hacia la calle de Bailén. Pese a todo, nos sentamos en un velador con vistas a la vaguada. El camarero, mientras pedimos unas cervezas, levanta la mirada.

Tiene cara de labrador, ya cuenta con la tormenta, no lo dice para que nos quedemos, otras parejas se están levantando, el toldo no servirá de nada, excitante olor a ozono, ¡cómo le favorece a Ágata esta luz!, la mujer más bonita del mundo, ¡qué expresión tan manida!, ¿cómo decir lo que siento?, no me mira, sino a lo lejos, esas nubes arremolinadas, dramáticas, fondo de Gólgota, el sol declinante cubierto por las masas oscuras, «¿tienes miedo?», pregunto a Ágata, es curioso que yo no lo sepa, la primera tormenta de este verano, compartirla con ella.

No le contesto, pero es verdad que me afectan. No es miedo exactamente. Me impresionan, eso es. ¿Por qué tiene tan poca prisa? Si espera verme inquieta va listo. Al fin propone irnos. Simulo vacilar. Pero no le engaño, claro. Echamos a andar. Ya todo el cielo cubierto. ¡Qué extraña luz, a veces gris a veces dorada! No favorece a la cara.

Pasada la Almudena, en mitad de la plaza, violencia del primer relámpago, colosal trallazo en lo alto, árbol rameado de fuego, trueno impresionante, largo, amenazador. Ágata se agarra a mi brazo, delicia de delicias, caen las primeras gotas, pesadas levantando polvo, echamos a correr, chaparrón, nos refugiamos bajo los arcos, jadeamos por la carrera, plaza de la Armería, mamás y niños medrosos, aún hay quien se encomienda a Santa Bárbara, unas viejas hablan de alguien, «ha ido a San Nicolás, ha hecho una promesa», la lluvia cae violenta, hace frío, ha oscurecido a media tarde, redoblan truenos.

Me gustaría abrazarle muy fuerte. La gente me reprime. Soy tonta: más allá una pareja se morrea. ¡Son nuestros besos tan distintos! Sonrío al pensarlo. Me siento orgullosa. Luis aprieta mis dedos, entrelazados con los suyos. Cuando me mira así me conmueve. ¡Cuánta pasión pone! ¡Qué hombre he descubierto! Más bien lo he producido. Como en laboratorio. Destilación repetida. Alquimia prodigiosa. Por eso es tan mío. ¡Qué trueno más horrible! ¡Y parecía que escampaba!

La plaza llena de pequeños lagos, diminutos riachuelos, toda una geografía, ¡su cuerpo sí que es mapa inagotable!, los Picos Gemelos, el Valle Profundo, cómo le encantan a Ágata esos clásicos apelativos del erotismo chino, le he traído unas novelas descubiertas en la biblioteca del *Instituto*, sección de Antropología, una mina, ¿quién las habrá solicitado?, ¿sabe inglés la bibliotecaria?, la *Chin P'ing Mei*, la *Yu Pu Tuan*, le descubren un mundo, ¡te adoro, Ágata!, por madura y por inocente, por verdugo y por víctima, por ser gemela mía, ¿ha cesado la lluvia?, hace frío, ¡qué olor a tierra mojada!, ¡qué fuerza estimulante!, me miro en sus ojos mientras le pregunto: «¿Recuerdas el chinesco de Aranjuez?»

Yo estaba pensando en él. Aquel olor...! Mantillo fermentando. Fecundidad secreta. Para Luis fue importante; primeras sospechas de su pasado en el harem. Para mí fue amarrarle a la columna. Cristo antes de los azotes. ¡Y su mano bajo mi pie! Aquel escalofrío se repite en mi médula. ¿O es la tarde enfriada? Han pasado años. Somos otros. Hemos de volver. Peregrinando.

Nos hemos quedado solos, la gente aprovechó la escampadura para huir a sus casas, columnata en la perspectiva sólo para nosotros, el hermoso vacío de la plaza, la sobrenatural lividez de las piedras de Palacio, al fondo la arcada destacando sobre su horizonte dramático, «¿vamos a verlo?», propongo, en el mismo instante vuelven a caer gotas, Ágata me mira asombrada, ¡pero ese horizonte es un imán!, allí mi primera tarde del retorno, con el pobre don Pablo, los primeros brazos hospitalarios en mi antiguo mundo, cuando yo no esperaba ninguno, ¡cómo sospechar los de Ágata, mi resurrección!

–Si quieres, ve tú –le digo a Luis. Y como arrecia la

lluvia, insisto–. Anda, ve. ¿No lo querías? ¡Pues ahora te lo mando!

Leo en sus ojos que es una orden, no vacilo, avanzo bajo el agua, ¡qué me importa mi camisa, el pantalón, nada!, basta que ella lo quiera, atravieso la plaza hacia los arcos, fantástica decoración, otro relámpago más allá.

¡Qué trueno! Pero corro no sólo por el susto. Es que me llama esa figura conmovedora. Ese Luis tranquilo y empapado. Una verdadera ducha. ¡Y fui a la peluquería el miércoles pasado! Le grito. Se detiene. Le alcanzo. Nos fundimos en un abrazo.

Antiguamente había plazas de toros cuadradas, en la misma Plaza Mayor se corrían cañas, ¿no es la de Ronda octogonal?, ahora esta plaza se ha vuelto coso, para Ágata y yo, ¿quién torero y quién toro?, yo clavo el estoque, pero mata ella, manda ella, diosa como en Creta, me abraza en la cima del mundo, ¡estamos locos!

–Estamos locos –le digo muy bajito, apretándole contra mi pecho, mis pechos.

Empapados al llegar a casa, jadeamos por la escalera, goteamos como dos perrillos callejeros, por fin estamos dentro, me arrodillo para abrazarla como siempre, «déjame: luego, luego», corre hacia el baño, la sigo, pero yo he mantenido el gesto, vivir los ritos consagrando este espacio, este Topkapi, nuestro verdadero mundo, sacralizado, esa puerta nos encierra en nosotros, lo pienso mientras me desnudo yo también, Ágata tendiéndome el toallón, placer de secarla, modelar su cuerpo, escultor de su carne, me seco luego yo, dos vasos de anís con agua, la he aficionado a las palomitas, se está aclarando el cielo, un último sol toca los vasos, hace gemas los ópalos, es el fin del verano, melancolía, Ágata la disipa con sólo verla, sentada en su trono con las piernas cruzadas, mi Sultana.

–Ahí –le ordeno, señalando la alfombrilla–. Se acabó el paseo aburguesado.

–Hoy no lo ha sido –contesto mientras obedezco. Y,

recordando su frase final en la plaza–. ¿Sabes que existe la locura de dos?, la *folie à deux* la llaman, la de dos personas muy compenetradas, imaginan las mismas fantasías.

Pienso al escucharle cuáles van a ser las de hoy. Nunca le faltan ideas. Ayer fue Topkapi al pie de la letra. Sus personajes. Luis fue mi *Silihdar*, el portador del sable de Osmán. Acompaña al sultán inmediatamente tras él. Sólo que Luis portaba la fusta. Convertida en mero símbolo, como el sable otomano. ¿Para qué la quiero? Ya, hasta he triunfado sobre Carmela. Me lo ha contado todo. ¡Pobre Carmela! ¡Qué triste vida! Después de portasable Luis se convierte en odalisca, favorita de la noche. Le admito en mi lecho; yo, Solimán. Ha de entrar por los pies de la cama, conforme a la etiqueta del harem. Le excita ese papel, todavía. En Sevilla se sentía homosexual. No le cuesta trabajo hablarme de eso. Ni a mí contarle lo de Gloria o de Gerta. Ya no le importa porque ahora se conoce mejor. «Era inmadurez, no era homosexualidad.» ¡Y yo soy quien le ha hecho progresar! El hombre Luis es mío, ¡qué triunfo! Más que madre. Pero guarda un componente femenino. ¡Cómo leía esa *Oda Marítima* de Pesoa! Impresionante; todo Luis en pocos versos. El poeta dirigiéndose a unos piratas lanzados al pillaje y a la matanza. Sintiéndose mujer ante esa violencia, ofrendándoles su feminidad. Queriendo ser su hembra y también todas sus víctimas, y hasta ser un Dios de un culto invertido. Aquel verso: «¡Que mi imaginación sea el cuerpo de las mujeres violadas!» Luis leyendo estremecido. Luis, mi hombre ahora, porque ya no le importa confesarlo. Ya lo ha dejado atrás.

Le empiezo a leer otro fragmento chino, le gusta más que la erótica victoriana, también amplio surtido en el Instituto, abro el *Chin P'ing Mei* por una de las aventuras del *Estudiante de Media Noche*, preludia con su Dama el Juego del Viento y de la Ola, o del Dragón y el

Jade, al cabo el Cetro de Jade se acerca a la Gruta de Coral, presenta sus respetos a la Perla Roja, se introduce en la primera Sala de Exámenes, Ágata regocijada al oír la enumeración de las ocho distintas profundidades de la Gruta, desde la Cuerda del Laúd hasta el Polo Norte, su risa se hace profunda, reconozco ese timbre de violoncello, cuando el arco ataca con fuerza, un cierto desgarro, me va a exigir su goce, ojalá no tarde, me siento oso hormiguero, me hace callar, prefiere los relatos de Shiraz, le cuento la ceremonia china, en el Palacio Prohibido, la admisión de una recién llegada, le habían enseñado a *Presentar el Fruto*, de rodillas sobre una mesa de laca negra, de espaldas a una ventana al norte, la luz matizaba la desnuda piel en contraste con la madera brillante, al escuchar la orden del Gran Eunuco doblaba la cintura poco a poco, delicada figura de viejo marfil suavemente dorado, su frente al fin tocaba la mesa, total prosternación, la postura separaba ligeramente los muslos juntos, asomaba el Fruto, delicado melocotón, la muchacha se quedaba inmóvil, el Emperador comentaba la promesa insinuada, su modo de emerger, la penumbra del vello apenas visible, a otra orden la muchacha completaba lentamente la voltereta, ayudándola el Gran Eunuco, al dejarse caer sobre la espalda abría las piernas, el fruto dehiscente revelado, los muslos separándose del todo, el Fruto abierto como una granada, el Hijo del Cielo contemplándolo, pasando un dedo sabio por la ofrenda, sonriendo, luego en el registro de concubinas se anotaba el nivel alcanzado por aquel Fruto en la Escala de la Perfección. ¡Qué cosas lee, qué cuentos inventa! Como insectos trepan cosquillas por mis muslos. Libélulas surcan mi mente. Imágenes ante mis ojos. ¡Déjate de palabras, niño mío! «Acaríciame, Shiraz.» Sus manos provocan chispas. ¿La tormenta?: mi piel está electrizada. Hace unas semanas me hubiese desahogado con la fusta. Me sigue sorprendiendo la independencia de su sexo. El mío es adentro, es yo misma; en cambio, el suyo parece ajeno. Tiene vida propia, como pez adherido al casco del buque humano. Independiente: Luis sin ningún poder sobre él. Antes me irritaba la caprichosa conducta del animalito. Respondía a estímulos distintos que Luis. ¡Su empeño en no gozar sin previo sufrimiento del gran mamífero al que se adhiere! Una sanguijuela: necesita chupar sangre del amo para erguirse y vivir. Ahora no me importa su independencia de Luis, porque depende de mí. No le obedece a él, pero a mí sí. Seguro dominio mío. Sin necesidad de fusta; sin aparatos. Como una diosa: milagro. De larva lo convierto en lanza; transformo el gusano en taladro. Alquimia: el barro en acero. Mi imperio, mi poderío, el que Luis no tiene. Su sexo, así, más mío que suyo. Obedece a mi mano, a mi roce, a mi boca. Hasta a mi mera desnudez responde. Ya está surgiendo en el Luis que me acaricia. Luis domado. ¿No quería, en otros tiempos, ser perrillo a los pies de su dama en una estatua sepulcral? «¡Échate ahí, quieto!» Se tiende el can de lengua larga. A los pies de su ama. Me arrodillo y juego. Mis pechos le rozan; pasan y repasan. Olas sobre playa. Mi carne, el grito de Lázaro: «¡Levántate y anda!» Me envuelve ya el olor faunesco de nuestra excitación. Ozono de atmósfera enardecida. El buque humano un submarino: periscopio. Psicoscopio expectante. Cuando él me explora, tímido al principio. No irrumpe, no derriba las puertas. Separa mis cortinas a un lado y a otro, se instala cuidadoso, espera mi arrancada para el trote. Hoy me siento violenta. «No te muevas; estás amarrado.» «Ya lo sé –admite–, me hacen daño las cuerdas.» Sonrío: siempre dócil a mi capricho. Una rodilla mía a cada flanco suyo. Muslo de jinete. Me dejo caer despacio sobre el borrén de la silla, alto como cruz de montura targuí. ¡Sabroso descenso! Le comprendo ansioso de empalamiento: su componente femenino. ¡Qué sabía Gerta de esto! El periscopio en mis profundidades. Echo atrás mi cabeza, cierro los ojos, me sumerjo ahora yo, en mi propia carne. Fluctúa el universo. Arreo a mi camello, se menea la silla. Ondulo sobre ella: la nave del desierto. Ardiente por el sol. Aguijoneo sus lomos. Tío Conrado en la mehalla sahariana. Mi corcel dobla sus rodillas, mis nalgas asentadas en sus muslos. Trota, trota. ¡Más, más! Mi torso horizontal para el galope. ¿Qué viento arrebata mi cabellera y ciega mis ojos? Muerdo algo: mi pelo. Voces desconocidas, jadear de posesos, dulces gemidos de tortura. Víctima y verdugo cada uno. Frenesí de tormenta. Tempestuosa yo, relámpagos por toda mi piel. ¡Qué violencia exquisita, suavidad afilada, sofocación obsesa, éxtasis en un centro de vorágine! Chocan en mi vientre rayo y pararrayos. Estrellas de cohete en lo más alto. Se desborda la nube, cascada, catarata, dique volado, anegamiento, nada. El maremoto me deja tendida, náufraga, en la playa.

Y yo su pedestal, levantándola al cielo, ¡nuestro cielo!, oscuro y en lo hondo, su pelo envolviéndola como el Cristo de Velázquez, su garganta imperiosa y obscena, las puntas de sus pechos en mi torso, la explosión, su peso toda entera, todo su cuerpo sobre mí, la pausa en que se calman los resuellos, y después el triunfo, esa mirada satisfecha, la del otro(a), vuelta hacia adentro, olvidada de la otra(o), porque nuestro(a) jinete (corcel) se ha metido tan dentro que es uno mismo, esa mirada preguntándose casi en desvarío, «¿Quién es ése(a)?, ¿quién soy yo?, ¿poseído(a)?», esa mirada atónita, más allá del allá, a la que hoy ha seguido otro apetito, al cabo del rato, volvió comiendo una fruta, delicia ver su mordisco, ha decidido que salgamos tarde a cenar, ha oscurecido ya, se nota el final del verano, tendremos que mejorar la calefacción aquí, algo eléctrico, pero no pensar a plazo tan lejano, yo también como algo, ya no ponemos platito a Bast, ni siquiera de agua, ¡bendita guía que nos trajo aquí!, todavía me parece increíble...

–¿En qué piensas?

–En nosotros, en esto... Y en Bast, ¿qué sería de ella?

–No la necesitamos, Shiraz.

Tiene razón Ágata, siempre tiene razón, nos retenían barreras voluntarias, velos disfrazados de necesidad, rodeos inmaduros, de niños, claro, lo que éramos, me interrumpe Ágata:

–Estoy pensando en Flora. ¡Qué inesperado!

Me quedo mirándola extrañado, se asombra a su vez:

–Te lo dije, ¿no?, que me encontré a María, me contó que...

Me acuerdo de golpe, cierto, ¡tan imprevisto!, pero todo me resbala fuera de aquí, la muerte repentina de Flora, pero ¿por qué imprevisto?, no es que yo sea insensible, toda muerte es lamentable, pero quizá le ha llegado a tiempo, Ágata me está mirando, necesito decírselo.

–No puede dolerme, no puedo y lo quisiera, fue importante para mí, lazo con mi infancia, llegué a tenerle cariño, ¿qué me pasa?, ¿por qué esta indiferencia?

Le miro y sentencio, antes de dar otro bocado y pedirle que me vuelva a llenar el vaso: «Te pasa que eres feliz, Shiraz... Lo eres, ¿verdad?»

Lo soy, indescriptiblemente, por eso callo, le lleno el vaso, ¡qué exquisitas ondas su garganta al beber!, acompaño ese vino por dentro, bajo sus pechos desnudos, sabe que soy feliz, inefablemente, habría de cantarlo el sol en lo más alto, estarse cada día en la cima del año, de la vida, mi madurez, de octubre, las frutas rezumantes, ¿qué importa Bast ni el templo?, tampoco drogas, ¿para qué?, nos abrieron las puertas, entramos en Topkapi, me acepto como soy, la vida como viene, obedecerla inventándola, Flora lo sabía desde niña, sigo pensando en alta voz, porque Ágata me exige mis pensamientos: «Flora lo sabía, pero esta sociedad nos lo oculta, con su afán lucrativo, nos vendemos por treinta dineros, nosotros nos hemos liberado, como se libera uno del Karma, por eso no pienso en Flora, vivo en otro planeta, en la galaxia Ágata, no sé quién decía...»

–Come y calla –le ordeno–. Te pierdes en palabras.

Callamos.

Callamos.

Lo más bello, este pozo profundo del silencio, esta serenidad tras el amor, viviéndose en sí misma, Ágata sabe gozarla sin palabras, yo necesito decírmelo, aspiro a otra madurez más densa, cristalizada en silencio, serenidad del árbol pero el árbol repite sus primaveras, así resulta fácil, ¡gocemos de la muestra!, ¡oh Khayam, Khayam!

No puede dejar de cavilar. Aunque sonría beatífico está dándole vueltas a todo. Inventando símbolos. ¡Cielo mío: es así! No puede sufrir por Flora. Yo tampoco y ¿qué importa? No resucitaría por eso. También se está muriendo abajo Ildefonso. ¡Cuántas muertes de pronto! No me asusta, me siento invulnerable...

–¿Te conté que me encontré a Lina? Han detenido a Guillermo.

–Pobrecilla. Estará desolada. Aunque... más bien ufana. Sintiéndose importante. Se sentirá eso que llaman ahora «realizada».

–No deberíamos reírnos, Ágata –digo sonriendo.

–No deberíamos reírnos, Luis –repito, sonriendo. Y, de pronto, recuerdo–. ¿Sabes que Paco hereda? A Flora: se lo ha dejado todo. El piso y lo que hay dentro. Todo.

Me quedo boquiabierto, ¿por qué legárselo a Paco?, indignante, ahora sí que siento algo, rabia, coraje, ¿por qué a ese aprendiz de gángster?, no es que yo quiera nada, aunque había cosas mías, por lo menos recuerdos de Fiammetta, pero no es por eso, es que ese bruto no sabrá apreciar tanto tesoro, la decoración del novecientos, el escenario del húsar y la corista, lo venderá todo en el Rastro, ¡si es indigno hasta de entrar ahí!, ¿cómo ha podido Florita?, chocheaba ya, claro, ¿qué pudo haber de común entre ella y ése?, ¡si apenas le había tratado!,

¿de qué sonríe Ágata?, ¿por qué de esa manera?, me lo explica:

–Se me ha ocurrido una idea. ¿Recuerdas el disfraz de mosquetero? me gustaría volver a ponérmelo... Allí a solas contigo; hacer el amor. ¿Me entiendes? En casa de Flora. ¡Un nido único!

Su mirada chispea, comprendo, voluptuosa idea, ya sé por dónde va, ahora nos lo decimos todo, le conté mi amor por Antonio Hervás, le excita ser mi varón amante, me hará ponerme un traje de Flora, sugestiva idea, ¡una locura!, ¿cómo vamos a entrar?, ha trazado el plan en un instante, María tiene una llave, Paco no está en Madrid, será fantástico, antes de que ese palurdo destroce el escenario, engañándole, disfrutarlo nosotros, será un eco de entonces, seguro que Gustavo sonreirá en su retrato, el espíritu de Flora nos acompañará, Ágata ríe oyéndome, me ha convencido, se apoya de rodillas sobre las manos, avanza hacia mí su rostro, me dejó caer sobre la cama, soltando la carcajada, cierro los ojos, ¡oh, Ágata, Ágata!, diosa en mis manos, déjame cogerte, abro los ojos porque mis brazos se cierran en vacío, se ha puesto de pie, gozo la estatua, poderío de sus muslos, centinelas de su arcano, tenazas de mis sienes, bielas de sus galopadas, como antes, esa espalda descendiendo hasta la cintura, deteniéndose como sorprendida en los hoyuelos renales, hinchándose en la gloria de las nalgas, rotundas y elásticas, tantas veces almohadas mías en el reposo jadeante, como no me levanto a cogerla se vuelve, los pechos que ninguna postura deforman, que sólo se inclinan cuando yace de costado, que se arrellanan agudos boca arriba, que penden sobre mis labios cuando yazgo bajo su deseo, cuya dulce fresa es transformada por la pasión en pico audaz de paloma, y los pies mis viejos amigos, y los hombros donde confluyen curvas perfectas, sabios alabeos, me levanto hacia ella, mis manos se posan en la piel exquisita, mi voz canta sus glorias...

–¡Cállate! Ya no soy joven –interrumpo a Luis. (¡Para que continúe: cómo me gusta oírle!)

Insisto en esas curvas, paso de unas a otras, con los más dulces cambios de rasante, la más delicada resistencia carnal, firmeza viva, su sonrisa provoca, sus ojos imperiosos, me empuja con su cuerpo, retrocedo, caigo en la cama...

Le hago caer sentado mientras me quedo en pie. Le empujo suavemente un hombro y cae sobre su espalda. Otra vez ese curioso animalillo, tendido en su bajo vientre. Un parásito; sin locomoción ni nutrición propias. De funciones simplísimas. Sólo vive el reposo o el ataque. Su extraña agresividad descargada en entregarse y vaciarse. Agonizar dentro de mí, quedar exhausto. ¡Tan sensitivo, sin embargo! Basta mi mirada para enardecerle. Luis inmóvil; sólo con vida el parásito. Irguiéndose, ya no es sanguijuela. ¿Adivina que yo pensaba en él? Obelisco. La lanza y el grial. Santo Grial mi cáliz. Me inclino lentamente. me tiendo a su lado. No hay espada ninguna entre Tristán e Iseo.

Debe de ser muy tarde, «tarde» no tiene sentido, ¿con relación a qué?, se han evaporado todos los relojes, sólo existen para el otro Luis, mi hermano siamés, el que va a la oficina, discute cubiertas, papel, diseños, tiradas, composiciones, galeradas, pruebas, mientras yo pegado a él vivo en el seno de Ágata, el seno de Abraham, yo el justo, mi hermano consulta al consejero delegado, cursa instrucciones, asiste a reuniones interdepartamentales, cumple con implecable normalidad, y hasta tiene éxitos, ¡qué risa, éxitos, qué palabra tan hueca!, nadie se da cuenta de su carga invisible, su hermano siamés, yo, pegado a él, casi metido en él, respirando sólo Ágata, grandes sorbos de Ágata, bocados de Ágata, ardiendo en Ágata, sintiéndome humo y piedra en ella, pero claro que es tarde, la luna es un ocaso, gracias a eso entra aquí de pleno, dulce luna de otoño, bañando de plata su cuerpo, ¡qué prodigio dormida!, es verdad que no es joven, afortunadamente, su esbeltez ya es madura, su poderío es de miel, imperio de esa diosa sobre sí, triunfante y a la vez tan cándida, vulnerable, duerme como una niña, las posturas del sueño revelan nuestro carácter, ella se despliega inocente sobre el lecho, los labios entreabiertos, una colegiala, me derrito, soy una delicuescencia, me disuelvo en el mundo pensando en ella, me instalo en sus cabellos, en su oreja...

–Cavila, cavila –le digo suavemente sin abrir los ojos–. ¿No piensas dormir?

–Prefiero mirarte, Ágata.

–¡Qué aburrido! –pero abro los ojos. También quiero mirarle yo a él. Me da envidia de que disfrute y yo no–. Por fin no hemos cenado. Trae algo de la nevera.

Delicia de servirla, irme a la cocina, preparar cualquier cosa, ¿qué importa lo que sea?, mañana tendrá sueño mi hermano siamés, al coger la bandeja veo el delantal tras de la puerta, me lo pongo como en aquellos tiempos, jugar a ser su doncella, se echa a reír al verme

–Oh, no Shiraz, estás ridículo! –me ha salido del alma, en el acto me asombro, lo comento con él, mientras dispone la cena –¿o es el desayuno?– sobre la mesita, y se sienta a mi lado, continúo–. ¿Te das cuenta de cómo hemos cambiado? Ya no necesitamos disfraces ni decorados. Dame un beso.

La beso, pero no ahondo, no es el momento, ahora es tiempo de hablar, y ¡qué gozo con ella la palabra!, aclara mi confusión, todas las madejas mentales se me desenredan, los pensamientos no son laberintos, se tornan luminosas avenidas, o callecitas tiernas, cotidianas, con casas familiares... «No necesitamos nada –le digo–, lo tenemos todo aquí, en este Topkapi, nuestra torre y convento, somos los ermitaños de Nuestra Señora del Amor Hermoso, ¿qué más quieres?»

–¿Cómo ha llegado a ser? ¡Estábamos tan perdidos...! Y ahora sobran los juegos.

–No, no sobran, pero dejaron de sustituir a la verdad. Ahora sus complementos, adornos del amor, no falseamiento.

Porque se trata de vivir, este instante con sus líneas precisas, la luna como claridad única, haciendo fantasmales los objetos, el plato y el vaso de leche reflejando la luz, los pedazos sombríos de pan o de fiambre, un destello lineal sobre el cuchillo y el tenedor, una difusa capa clara sobre nuestros desnudos y las sábanas, pero ahora se trata de vivir, por eso concluyo: «Hemos madurado, y basta.»

–Lo que más me asombra es tu cambio. No necesitas la fusta.

–Como Sacher-Masoch.

–¿Sí? Yo creí que al contrario. Que la necesitaba.

–Al principio sí, con la «Venus de las pieles», incluso también con la nueva Wanda que la sucedió, Aurora Rumelin... Pero no suele contarse el final: cuando hubo realizado ya sus fantasías sexuales éstas dejaron de excitarle, Aurora perdió su dominio, Masoch se divorció de ella y se retiró a un pueblecito rhenano, se casó con otra que le dio tres hijos, terminó su vida consagrado a la enseñanza de los campesinos y a escribir libros morales, sus niños le adoraban.

Escuchándole, me encanta ese inverosímil final edificante de la leyenda. Como en los libros ingenuos.

–Cuando Kraft-Ebbing utilizó el apellido de Masoch para dar nombre a esa desviación sexual, el escritor se indignó mucho afirmando que nunca había sido un neurótico y que todo fue consecuencia de su fogosa sangre eslava... ¿Sabes cuáles fueron sus últimas palabras en el lecho de muerte?: «Amadme mucho.»

Es verdad, nos hemos librado de los fantasmas. Somos como somos y así está bien. La plena aceptación es la plena libertad. Las moléculas, por eso, totalmente libres. No desean otra cosa que acatar lo que llamamos leyes físicas. Es decir, ser según su esencia. Sonrío: ésa es una idea propia de Luis. También él se ha contagiado de mis ideas. Ahora está hablando de inhibiciones. Pasadas, claro. Ahora somos más puros. Yo más completa. Este cuarto es natural, no me oprime como antes. Lavado de fantasmas. Huele a hombre y a amores. Dice Luis que el harem parecía más bien un convento de monjas. Con un Jesús de carne, claro. Al que apenas veían, como al otro. Al que alguna debía un éxtasis. Aquí nuestros amores tapizan las paredes. Amores de verdad. Las monjas, en cambio, enamoradas de un padre remoto. ¡Qué retorcimiento! Tiene razón Luis en lo que dice ahora: que me he liberado de mi padre. ¿Hemos pensado y hablado paralelamente? Cierto: rebasé esa servidumbre. Y ahora hasta le quiero más. Me lo hace ver como víctima. ¡Claro que fue desgraciado! ¡Pobre padre! Viviste como te fue posible. Como todos. Como yo, si no hubiera tenido esta suerte de ahora...

–Como yo he superado mi miedo a ser homosexual –continúo, enlazando con su salvación respecto de su padre–, no porque piense no serlo, sino al contrario, creo que lo soy, tengo un componente homosexual, estuve enamorado de Antonio y de Max, éste me fascinaba y no sólo por su personalidad, su vida secreta, también por su físico, me hubiera gustado besarle, amarle en todos los sentidos, lo digo por primera vez en mi vida... ¡Qué descubrimiento! ¡Oh, Ágata, qué triunfo hablarnos así, llegar al fondo de lo que somos, comunicar tan totalmente con otro ser humano!, ¿hay nada más grande en la vida?, me identifico contigo, eres yo, te hablo como a yo, ¡más que a yo, porque te digo lo que no me dije nunca!, es sólo contigo como me hago yo, como me encuentro a mí, en ti, ¡oh Ágata, amor, amor, amor!, comunicación, victoria sobre la soledad, ¡amor!

Cuando retira su boca de mis labios se lo digo:

–Total, Shiraz, que has realizado tu sueño. Como tus

admirados caracoles. Eres bisexual. ¡Qué suerte tienes! Te envidio.

Sus palabras me traspasan, me transforman todo, ¡apenas había yo alcanzado mi fondo cuando aparece otro debajo!, doble fondo como en las cajas chinas, porque ésa es la verdad, ella lo ha revelado tan sencillamente, ¡yo tenía que saberlo y no lo sabía!, es la única explicación, lo único que acopla todo y yo no lo había encontrado, soy bisexual, ¡claro!, la abrazo, me estrecho contra ella, se me saltan las lágrimas que resbalan sobre mi piel, su piel, ella también me abraza, comprende que algo decisivo me ocurre, lo comparte conmigo sin saberlo, su cuerpo se penetra del mío, lo siento en cómo se me adentra el suyo, sollozo de júbilo, no puedo hablar, se limita a abrazarme, en abrazo sin límites, entrega total, al fin puedo explicarle, me ha revelado ante mí mismo, bisexual, claro, así habré de vivirme, a su vez ella se extraña, reímos, ahora en la oscuridad, la luna se ha desplazado, en esa sombra surgió mi luz, yo me creía homosexual, inmaduro aún, superado al fin con Ágata, pero siempre fui lo otro, por eso la Saralegui y Antonio, tante Hélène y Max, enamorado de ellas y ellos, ahora Ágata y... ¿quién?

–Nadie –le atajo categórica–. Nadie. Se acabó. Ágata y nadie más. Si necesitas un hombre, lo seré yo. Hay medios, como tú sabes. Gerta los tenía; de distintos tamaños. Yo soy todo. ¡Ni se te ocurra otra cosa! ¡Te mato! –Y añado, sincera–. Te envidio, Luis. Lo has aceptado tan hondamente...

–Lo ignoraba a fuerza de ser verdad. Pero ¿por qué me envidias? ¿Y sor Natalia? ¿Y Gloria?

–Nunca gocé con Gloria –le digo–. Pero ¿ahora? No; tampoco gozaría: y ya imposible.

Afuera amanece mientras en nuestros ojos oscurece, el sueño apacible tras alcanzar la meta, hemos llegado a nosotros, nos hemos reconciliado con nosotros, y con Max y Marga, con Gloria y Gerta, bisexual, ¡qué horizonte!, pero sobre todo en paz con nosotros, nosotros, noso...

Sábado, 29 de septiembre de 1962

¿Cómo ha podido ser, cómo, cómo?, el mundo desplomado, todavía no lo creo, pero aún el dardo clavado en mí, como si lo tuviera y Ágata no ha dicho ni una palabra, ¡ni una!, esa mirada suya ¿qué significaba?, ¿qué ha tenido que hacer, cómo ha sido posible?, ¡qué horror!, ¿horror?, más confusión que nunca, debí preverlo saber que este antro mágico por fuerza era una trampa, cómo ha sido posible, ¿qué le hice a Flora? si yo era su niñito querido, el hijo de Fiammetta, ¿fue porque profanamos su lecho?, ¡el lecho de la muy zorra, de qué iba a escandalizarse!, ¡maldita, maldita!, no haber venido nunca, echar atrás el reloj, si esto es recinto mágico que retroceda el tiempo, al menos pararlo, porque tengo que salir de aquí, volver con ella, pero ¿como?, ¿qué estará haciendo ahora?, ¡a lo mejor con él!, ¡no, no, no es posible!, volver, ¿cómo, a qué?, parar el reloj, ¿qué hago?, eso es lo espantoso, ignorar lo que hay que hacer, ¿matarse?, ¿matar?, ¿huir...?, ¿acaso reírse?, ¡trágicamente!, o nada, nada quizá, como siempre, nada, pero entonces ¿cómo volver a ella? y ¿cómo quedarme solo?, ese canalla, todo iba tan bien, sin problemas, el mundo en sus cimientos, nosotros asentados en nosotros, ¡qué días apacibles!, ¡qué divino septiembre!, ahora otro terremoto, el de París fue nada al lado de éste, el domingo hizo un año, ¿y de nuevo empezar?, mejor desaparecer de una vez, todo tan bien, Dios mío, sí, a Ti te nombro, todo tan bien, y ahora yo aquí llorando, ¿cuánto tiempo que no sentía mis lágrimas?, en este cuarto de azulejos y encajes, fríos y grotesco, todo se ríe de mí, los peines, las cajitas y los untes y los postizos de Flora, riéndose a carcajadas,

¿por qué, por qué vinimos?, la caverna de la bruja, los poderes maléficos, ¿qué hacer?, no es miedo de ir a despertar a Paco de su borrachera, sacarle a patadas de la cama, matarnos, morir yo seguramente, no es miedo, sino, sino que ya es tarde, pasó el momento en que era natural, haber reaccionado a tiempo, pero si nunca supe hacer eso, Dios mío, Tú lo sabes, eso: reaccionar a tiempo, él se dio cuenta muy bien, su mirada esperaba mi salto, mi violencia, pasó el momento y ahora es absurdo, en frío es inverosímil, ¿por qué no reaccionó tampoco mi hermano siamés?, el otro yo, un tercero, ¿cuántos somos?, me voy a volver loco, ¡quiá, ni eso!, tragedia grotesca, ni tampoco eso, sencillamente ha sido lo que es, no se quedó en palabras, la verdad es verdad, se ha hecho verdad, ¿quizá por eso no reaccioné?, ¿o acaso porque yo también lo quise?, contra mi voluntad, claro, horrible idea que sin embargo me consolaría, ojalá fuera la explicación, pero arregla tanto las cosas que no puedo creerla, lo ocurrido es lo otro: ese dardo que aún siento físicamente, no me acostumbro, aunque tampoco dejo de acostumbrarme, ¡tan hermoso septiembre, qué final!, mágicamente solos en toda la casa vacía, Lorenza en el pueblo tras la muerte de Ildefonso, solos con nuestra verdad, condensándola, instalándola en nuestra médula, haciéndonos auténticos, y ahora el escotillón, de repente, en un instante, el monstruo emergiendo, la caída ¿en dónde?, replantearlo todo, ¿hacer, qué?, se me acaba el tiempo, ¿cómo, cómo volver con ella?, no dijo una palabra, su mirada como un muro, no pude comprenderla, ¿qué pensará de mí?, eso es lo espantoso, y ahora se hundió mi hombría, la recuperada, la que me tenía ufano, ¿cómo volver con ella?, imposible, no soy digno, desgraciadamente las mujeres no tienen navajas en el cuarto de baño, ni hojitas de afeitar para abrirse las venas, acabaré saliendo de aquí, no debimos venir, ¡pero tan sugestivo!, ¡tenía Ágata tanta ilusión!, y yo también: no debo echarle la culpa a ella, parecía una travesura inocente, venir por la noche cuando ya no está la portera, el sereno lo encontró natural, nos reconoció, unas palabras de recuerdo a doña Flora, «era mucha mujer», debí reconocer el mal agüero en esa frase del hombre de la noche, debí percibir lo alevoso de los chasquidos en la vieja escalera, debí huir arrastrando a Ágata antes de cruzar la puerta fatídica, recuerdo haberme sentido intimidado en la oscuridad, pero al encender pareció huir el misterio, el mundo mil novecientos con aire candoroso, nos divertimos recorriendo la casa, ¡qué cuarto trastero!, ¡qué sombreros con plumas!, y la idea del disfraz, ella vestida de hombre para hacer de mujer, yo de mujer para hacer de hombre, el doble travestismo, invertidos invertidos, ¡y acabar el juego en lágrimas!, ¡acabar empalado!, parece que toda la vida lo presentí, hoy San Miguel, Miguel Vlad el Empalador, pero arrancando lágrimas solamente, es decir, no, prefiero no pensarlo, hacíamos el amor como todo el mundo, y de repente el rayo, Solimán sobre mí, pero de verdad, ¡y ahora!, ¡cómo volveré a Ágata?, ya estaba yo en Ágata y el rayo a mis espaldas, el palo reencarnado, ¡ah, sí, claro que reaccioné!, quise volverme, fue todo instantáneo, la manotada como la del guardia, en mi hombro desnudo, retorné a aquella tarde, no sé cómo fue, y la voz sarcástica, ofensiva, convencida de mi sumisión, «quieto, tranquilo», como si montase a una yegua, ¡como si todo estuviera dispuesto, decidido!, eso es, ¡como si no hubiera reacción posible!, por la voz le reconocí, era más odioso todavía, ¿más odioso?, antes de hacer nada –¡y pasa el tiempo!– he de serme sincero, pues claro que odioso, sí, odioso, y ahora salir de aquí, con una decisión tomada, ¡como si toda reacción prohibida!, el destino: eso es, sufrirlo, soportarlo, Ágata no hizo nada, como si lo diera por inevitable, como si lo comprendiera, ni una voz, los ojos muy abiertos, la boca en un grito estrangulado, mi mente quedó vacía, sólo pensé «Max», ¿por qué?, un nada de segundo, como una explosión: recordar a Max, nada más en mi mente, sin otra idea, sin voluntad, el destino, acatar, seguir, no hay reacción posible, Ágata lo mismo, quiero creer que le pasaba igual, mirándome con aquellos ojos, no eran de espanto, no, ni quiero pensar de qué eran, mirándome a mí, mirándole a él por encima de mi hombro, y las palabrotas del rayo, del palo, ¡si no hubiera sido Paco!, Dios mío, ¿por qué hubo de ser Paco?, estaba fuera, y además apareció en el escotillón, obra de Flora, no dijo una palabra antes, no gritó, ¡no supe ni que entraba en el cuarto hasta que empezó a violarme!, de eso sí que estoy seguro, fue todo mágico, fatal, no había nada que hacer, ha sido irremediable, someterse al destino, someternos, Ágata y yo, también ella, sus ojos acabaron extasiados, con un gozo satánico, ¡no, pobrecilla, satánico no!, probablemente burlón, riéndose de mí, ¿cómo volver con ella?, no me sometí yo, mi mente estaba ausente, fue mi cuerpo, se creció como un toro picado, eso es lo que no puedo olvidar, lo que más me duele, multiplicó sus fuerzas, mi placer como nunca, estallido increíble, máximo de mi vida, ¿cómo fue posible?, ¿quién soy?, ¡y yo creía conocerme!, ¡creciéndome al castigo!, esclavo, pero no así, no de ese chulillo, ¡ha sido su venganza!, ¿lo planeó?, no es posible, pero ¿por qué entró con sigilo?, ¿por qué logró sorprenderme?, ha sido una venganza, violar a todos los señoritos de su tierra, a todos los que antes le humillaron, ¿pero en mí, en mí?, es lo más odioso de todo, y el final, al desprenderse, esos pasos atrás, yo caído sobre Ágata, lágrimas en mis ojos, sus palabras finales, «y ahora si quieres nos matamos», «¿mataros?», repitió Ágata y su acento de asombro casi divertido me paralizó, como si pensara echarse a reír, entonces fue cuando no hice nada, cuando no reaccioné, entonces le noté tambaleante, ¡estaba medio borracho!, la voz aguardentosa, entonces aquella mirada insoportable, entonces añadió antes de salir «en la otra cama estoy, vuelve a por más», y su risa villana, y sus patadones por el pasillo, ¿cómo no sonaron al venir?, ¿qué magia la de Flora?, ¿y qué más da?, a lo hecho pecho, ¡pecho: resulta sarcástico!, tengo que salir, hacer algo, pero ya es tarde para todo, volver con Ágata, pero no puedo volver, y aquí nada para irme a través de los muros, mis restos en ese suelo para siempre, antiguos baldosines, encanto de la loza anacrónica, voy a volverme loco, ¿qué ruido es ése?, van a romper los cristales de la puerta, ¡un momento que abro!, si es él nos matamos, ¡ahora sí que nos matamos!, la condenada cerradura vieja, con esta botella le abro la cabeza, !ahora, sí, tarde, pero al fin mi coraje!, ¡en mis músculos!, ¡pedazo de cabrón...! ¡Ágata!

¿Conviene ir a buscarle? ¡Pobrecillo mío! ¿Cómo va a soportarlo? Debí comprenderlo en el acto, pero fue instantáneo. ¿Cómo va a encajarlo, pobre amor mío? ¡No he sabido estar a su lado! ¡No estoy a su altura! Si es capaz de asumir esto... Lo hará. Queda el otro, pero me preocupa menos. Lo importante es mi Luis pór dentro. ¡Mi Luis! No le merezco. Yo pude evitarlo. Pude, lo sé muy bien. ¿Por qué no quise? No supe. Vi a Paco en la puerta y no dije nada. Cierto que empezaba a gozar, pero no me disculpo. No le di el grito de alarma. Luis se hubiera vuelto a tiempo. Nos hubiera defendido. Pero callé. Y el otro canalla no dijo nada. Cuando se quitó el cinturón pensé que iba a empezar a correazos. Era comprensible. Pero entonces vi cambiar su cara y comprendí. Me quedé congelada mientras mi cuerpo seguía moviéndose. Mientras Luis lo ignoraba todo. Adiviné a tiempo su designio ¡y me callé! Ahora imagino que se le ocurrió al resbalársele un poco el pantalón: Se lo quitó de un gesto, como si fuera un bañador elástico. ¡Y estaba ya excitado! De vernos, claro. Encima, Luis con el traje de Flora. Le encendió la sangre. Fue instantáneo, pero pude haber gritado. ¿Por qué no lo hice? ¿De quién quise vengarme? ¿De Luis el monstruito, de padre, de tío Conrado? ¿A quién quise gozar, a todos a la vez? ¡Qué siniestros abismos los nuestros! ¡No creí ser tan retorcida! Ahora sufre por mi culpa, se tortura ahí en el baño. He de correr a su lado, ¿pero qué decirle? Pobrecito mío, ¿y si huye como cuando Gloria? Por mi culpa. Aunque tampoco hizo nada. Le paralizó la manotada. ¿Por qué? ¡Debió haberle hecho saltar! Paco parecía saberlo. Su genio paraliza. No quiero recordarlo. Luis alzó la cabeza y cerró los ojos. Sus facciones las de un caballo herido, encabritado. Sólo apoyó las manos a cada lado de mi cuello. Puso los brazos tensos y paralizó el torso. Pero su pelvis seguía su vaivén obsesionado. ¿O era el otro? ¿O era, además, el otro, también en mí? ¿Lo quise yo? ¿Qué quiso hacer mi cuerpo? La cara de Luis fue la de San Bernardo. No, no: la del chino empalado en la fotografía que no he visto nunca. Asomaba por detrás la otra, la maligna: la del diablo. ¡Qué tontería! No sé lo que me digo. Todo ha dado la vuelta. ¿Habrá que empezar otra vez? ¿Empezar a qué? ¡No tendré fuerzas! ¡Iba todo tan bien! Nuestra doble vida era una delicia. Novios formales en la calle y amores desaforados en Topkapi. ¡Qué bien lo ha entendido Tere: por primera vez me he compenetrado con otra mujer! ¡Qué lista es, le bastaba media palabra! ¡Y tan contenta por mi nueva vida! Éramos felices. La idea de bisexualidad había acabado de asentarle, como dice él. Le confirmé que hormonalmente es así: el ser humano es bisexual. Y ahora, esa bestia... Una fiera salvaje. Medio borracho, con otros camioneros, supongo. ¿Aguardiente, o whisky en la cabina? Pienso en detalles tontos. Para no pensar en mi pobre Luis. ¿Qué le digo ahora? ¿Cómo podrá perdonarme? Sabe que pude evitarlo. ¿Cómo convencerle de que le quiero? ¡Le quiero y más y más! ¡Más aún después de esto! Por más igual a mí. No podrá comprenderlo. Huirá como cuando Gloria. Esta vez para siempre. La congoja no me deja ni llorar. Me duele el pecho. No se oye ni un ruido. ¡Vivía tan contento! Hasta Hélène olvidada, la dichosa tía-madre-complejo. La pulpo hembra que le paralizó. Se había curado de ella con la visita a casa de la prima. ¡Mira que aparecer aquí Losette viviendo en Madrid! La visita desmitificó el pasado. ¿Qué importa ahora todo eso? Lo pienso por no pensar en lo que importa. Urgente hacer algo. Convencerle. Por de pronto correr a su lado. ¿Me mirará a la cara? Si me acepta me conformo. Lo demás pasará. ¿Por qué no se oye un ruido? Ni agua corriendo; nada, ¡Luis, Luis! ¡Te quiero más ahora! Estás más cerca de mí, ¿sabes? De nosotras, siempre potencialmente violables. Tu violación te hermana conmigo. Somos más compañeros. Ahora comprenderás mi monstruito. Mi terror. Vamos a estar más juntos que nunca. Contéstame: ¿no me oyes? Perdóname. ¡Te estoy pidiendo perdón, te digo que te quiero! De rodillas aquí en la puerta. No grito por el otro, pero tienes que oírme... ¡Luis, Luis! ¿Qué estás haciendo? ¡Abre, abre, abre, abre! ¡Romperé los cristales con mis puños...! ¡Ah!, ¿qué hacías?, ¿y esa botella en la mano? ¡Luis, Luis mío...!

No, no tengo frío, no me importa la noche, déjate de gabardina, da igual haberla olvidado, ya volveré a por ella y a por él, ¡qué hijoputa!, no, ya sé que no volveré, ya sé que no haré nada, Ágata, nunca haré nada, no sirvo para nada, no vuelvas a decirme eso, ¿cómo vas a ser tú la culpable?, es natural que te quedaras de piedra, pero yo no hice nada, cuando él empezó no supe reaccionar, y aquí me tienes, ¿cómo vas a querer a un marica?, sí ésa es la palabra, no digas que no lo soy porque me he dejado, ésa es la palabra, quisiera gritarla, no la eludamos, los hechos son los hechos, ya te dije que incluso este bar estaría cerrado, sólo hay mesones para turistas, pero no quiero ver a nadie, contigo si me toleras, si no te doy asco, perdona, no volveré a decirlo, piensa como quieras, ¡qué buena eres!, ¡te adoro más que nunca, pero no te merezco!, me callaré, pero déjame desahogarme, si no hablo contigo, ¿con quién entonces?, quedémonos en la noche, lo tapa todo, sí, es verdad, estábamos muy contentos, creíamos que el sexo era sólo placer, mero goce erótico, juegos y palabras, literatura, simulacros, pequeños fustazos de broma, pero es oscuro y sangriento Ágata, lo fue siempre, lleno de tabúes y crímenes, de actos nefandos, indescifrable como máscara siniestra, en todas las mitologías, plagado de impurezas y purificaciones, de sangre y magia, de horrores violentos, incestos, Edipos arrancándose los ojos, sacrilegios, empalamientos como el mío, sí, te escucho, comprendo lo que dices, pero no me consuela, los hechos son los hechos y tengo que afrontarlos, ya no es cuestión de sexo, sino de coraje, ¿por qué aguanté la manotada?, un empellón y doblé el lomo, ahí empezó todo, no puedes comprenderlo, sería preciso explicarte lo que pasó el día de la manifestación, largo e incomprensible, o mejor tendría que empezar antes, con Fiammetta, con tía Chelo, sí, ya sé que lo sabes, pero una cosa es saber y otra comprender en vivo, es cuestión de hombría, ¡qué tiene que ver lo de bisexual y las hormonas!, no digas tonterías, perdóname, demasiado buena eres al aguantarme, ¿por qué venimos por aquí?, en esta acera me crucé con los guardias aquella noche, la de la manifestación, cuando me dejaron libre, fue otro paso hacia esta otra noche, es verdad, también la Nochevieja, estos cipreses junto al convento, ¡qué luna!, ¿recuerdas?, ¡te repito que no tengo frío!, prefiero esta oscuridad, me va mejor, debí reaccionar y no lo hice, ése es el hecho, tienes que saberlo todo, me quedé vacío, de pensamientos, de voluntad, eso: sumiso, pero ¿sabes lo único que cruzó por mi mente?, ¡Max!, me acordé de Max, me estalló dentro su nombre, ¡Max!, ¿me identifiqué con él?, ¿o identifiqué a ese cabrón con Max?, mi respuesta es lo segundo, por eso pasó lo que pasó, sí, sí, tú lo sabes tuviste que notarlo, ¡no me lo has dicho porque eres demasiado buena!, serás mala si tú lo dices, entonces habrás callado porque me quieres, pero hay que pronunciarlo, hay que crearlo en el aire con la palabra, ese hecho, nefando, pero hay que decirlo: ¡que gocé como nunca!, ¿comprendes lo que eso significa?, tuviste que notarlo, ¿qué dices: tú también...?, ¡tú también!, no, no fue por eso, ¿cómo vas tú a querer vengarte de nadie?, fue por reacción natural, mi placer provocó el tuyo, no Ágata no, no me convences, mi cuerpo se alegró, ¿comprendes?, y eso es lo odioso, porque era él y le odio, ¡siempre he odiado a ese hombre!, ¡siempre!, con su aspecto lobuno, ese salvaje sin civilizar, trepando e imponiéndose en la vida, haciendo sufrir a la pobre Jimena, ¡esa sonrisa siempre sarcástica!, ¡que haya sido él, tanto como le odio...! ¿qué?, ¿qué dices?, ¿que si estoy seguro de odiarle? pero entonces, entonces..., ¿quieres decir...?, ¿qué crees?, ¿qué debo creer?

Interprétame bien, Luis. No es eso, no. ¡Dios mío, por qué lo habré dicho! ¿Ves cómo no te sirvo? ¡Pero he de ayudarte, hoy es decisivo! No es que le quieras, ¿cómo se te ocurre pensarlo? Sí, ya ves que no me muerdo la lengua. Es que siempre se desea lo que no se tiene. La fuerza animal. El sexo sin palabras, ¿comprendes? Sin problemas. Escúchame. Sentémonos aquí. ¿Qué dices? No, no es Bast. Es un gato negro entre todos los demás. Seamos realistas. No nos ocultemos nada, pero tampoco inventemos. Cierto, has gozado más –sí, lo reconozco, me di cuenta–, pero por lo que eres. Lo hemos estado repitiendo estos días, habíamos llegado a esa conclusión. Bisexual. ¿De qué te extrañas ahora? Bisexualidad congénita. Hemos gozado porque somos así. Por eso estoy aquí contigo. ¡Y porque te quiero, te quiero! Pero déjame seguir. ¿De qué te sorprendes, por qué rechazas tu goce? ¡Si eso te estabilizaba, te asentaba! Si ya estabas conforme con la idea. ¿Vas a salirme ahora con frases calderonianas? ¿Vas a decirme que has perdido la honra? ¿Vas a resultar con los prejuicios de todos? Así; más vale que rías. ¿Con amargura?, bueno pero ríete. No, no me admires. Yo también gocé como nunca. Y además me dijo Tere que Gil Gámez se va a Pekín. En *Air France*, como lo oyes. ¿Que qué tiene que ver eso? ¡Para que rías, tonto mío, para que rías! Sí, es cosa de risa. Por lo menos, no es drama. ¿No decías que hechos? Pues empecemos por el primero: somos lo que somos. Ni más ni menos. ¡Sólo que a ti te importan tanto las palabras! Siempre. Se ve que eres de letras. Así, ríete. Si trabajaras alguna vez en un laboratorio sería otra cosa. Ahí no valen mistificaciones: cuando no has trabajado bien, no sale. Si se te escapó el ion en la marcha analítica, al final no lo encuentras. Somos lo que somos: ése es el hecho. ¿De qué te asombras? Y se trata de vivirnos como somos, ¿no lo has dicho cien veces? ¡No te dejes apresar por convenciones! En Topkapi no rigen. Eso, sonríe. Ya sé que no son mis palabras lo que te hace sonreír, sino mi mano en la tuya. ¡Eso, cógeme la cintura! ¡Claro que me gusta, claro que lo deseo! Hoy es mi hora de prueba, más que las pasadas noches de sexo. Ahora he de corregir lo que hice mal, lo que te he hecho sufrir. Tengo que hacérmelo perdonar –sí, calla, perdonar, sello tus labios con mi dedo– y la única manera es ésta: mostrarte que te quiero. Demostrártelo como en un laboratorio. Hasta que acabes tragándote la evidencia. Como un ácido que te queme y te marque: mi amor. Oye, amor mío, has de ser como eres, pero para mí. Vuelve a mí, siempre. Haz de mí lo que quieras, menos dejarme. Además no podrías, tonto. Somos hermanos: hoy hemos quedado hermanados. Y estamos solos. Habrá gente en el mundo como nosotros, ya lo sé, pero cada uno o cada pareja solos. Como estuve sola en Semana Santa, bandido, cuando tú me dejaste. Bueno, no me lo repitas más: le odias, ya lo sé. Entonces, ¿lo que sientes es que haya sido precisamente él? pues no te preocupes, te haré gozar yo mejor que él. ¿Te acuerdas que te lo advertí? Así serás feliz con tu Solimán. Estoy dispuesta a todo con tal de que sea conmigo. Y te pondré un espejo delante para que veas tu cara de San Bernardo en éxtasis. ¡Oh, sí! ¿La mía, qué? ¡A mucha honra, no lo niego, no tengo prejuicios! Dilo: ¿que soy una zorra, una puta? Pero vivir contigo. Te compraré un olisbos de caoba. ¿No lo llamaban así los griegos? Seré tu amante macho. No hay derecho a que tú puedas ser lesbiana y yo me quede en bisexual teórica. Seré tu amante: palabra. Bueno, tu bujarrón, como tú quieras. Bien, como quiera Quevedo. Pero ¡sonríe, niño mío, amor mío! ¡Levanta la cabeza, orgullo mío!

Ahora comprendo que hasta ahora no supe quererla de verdad que sólo esta noche he empezado, lo otro eran emociones, fantasías, idealizaciones, no lo sé, pero mi entrega de ahora para su entrega, este encuentro absoluto, sentirla en todo mi ser, en cada célula, transmutarme en ella, ¿cómo querer a otro si es uno mismo?, imposible explicarlo, sólo con gestos, viviendo ese amor, ciñendo su cintura, cogiéndola por los hombros frente a frente, toda la plaza de la Armería para nosotros, los hechos, la realidad, ¡a la mierda las palabras!, ha estado heroica, sublime, grandiosa, no empecemos: sencilla y femenina, enamorada, Ágata, Ágata, Ágata, Ágata, no empecemos, los hechos, el claror de esas piedras en medio de la oscuridad. Palacio y la Almudena ¿cuál más blanco?, ¿les sale su luz de adentro, como a mi Ágata?, el trono y el altar de don Ramiro, otro tal viviendo de palabras, peor que yo, frescura de la noche, no es un búho, amor mío, es una lechuza, ¡qué nítida su doble y dulce flauta!, sí, la sabiduría, mis búhos fueron antes: la violencia, ¡hace ya tantos años!, ¡qué lúcido me siento!, déjame que te hable, no palabras en el aire, sino como piedras, sólo para decir los hechos, tienes razón, la verdad es bisexual, hasta esta noche no he aprendido a quererte, las hormonas son la verdad, pero nos da miedo a los pobres hombres, a las pobres mujeres, siglos y siglos dándonos miedo, la cultura se apresura a enmascararlo, se habla de amistad para no mentar el amor homosexual, y se quedan los sentimientos en la superficie, la amistad es un simulacro, no hay más amor sino el que ahora te tengo, ¿cómo sacrificarse por un hombre sin amarle?, como los samurais, sólo así morir por otro, aunque no sea físicamente amante, ahora que siento pasión por primera vez en mi vida, ahora que he roto la cárcel de las palabras, ahora lo sé, ¡qué lucidez!, sí que la he roto, para siempre, te lo voy a demostrar, no me asusta decirte nada, ni me asusta decirte que Paco me fascina, como con vértigo, es verdad, pero tienes razón, se desea lo otro, me sentí identificado, hecho cuerpo también suyo, torso yo de centauro, caballo él, eso me enardeció, puede que a ti también, ¿verdad que sí?, ¡hablemos desnudos, estaremos más cerca!, te diste como nunca, te poseíamos dos, ¿o él?, te creo, te creo, me sentí águila, sin embargo humillado, ¡qué abismos más complejos!, ¡quién fuera como él!, y, sin embargo, por nada del mundo aceptaría yo serlo, me fascina, pero lo rechazo, su vuelo fácil le roba mis placeres, difíciles y obscenos, ¡jamás podrá amar como yo!, como yo desde hoy, mi nuevo (indescriptible) amor por ti, te besa para decírtelo mejor, me besas para expresar que lo comprendes, ¿que tú me engañarás con otras o con otros?, lo dices para que sonría, pero no hace falta, en esa cima de nuestro amor ya no hay engaño, te irías, pero no me engañarías, nos sería imposible, hoy nos hemos puesto a salvo de la mentira, Paco nos ha desenmascarado el uno ante el otro, ¡ni sospecha el favor que nos ha hecho!, no estoy racionalizando lo ocurrido, no es que eluda la cuestión, tampoco tengo miedo de decirte que aún me quedan prejuicios, que me siento humillado, sucio y condenable, que no todo es hermoso en esta noche, que me desprecio por no haber reaccionado, sí, me desprecio, ¡oh, no puedes imaginarte cómo!, no he estado a la altura de un hombre, me desprecio infinitamente, sin embargo orgulloso, no tengo razón para estarlo, pero ¿qué es la razón?, ¿para qué sirve?, otra palabra vana, estoy orgulloso y ¿sabes de qué?, claro que lo sabes, de ser al fin capaz de amar, capaz de amarte, vivir esa realidad nueva, cuando me descubrí bisexual creí que había ya tocado fondo, que había conseguido volar hasta lo más hondo de la verdad, pero había doble fondo, como al llegar a este pretil que nos detiene bajo los arcos, parecía acabarse aquí la ciudad, y mira esos millones de luces a lo lejos, ahí se continúa infinitamente, la lechuza lo sabe, escucha su único mensaje, envidio a esos hermanos nuestros que tienen la suerte de no hablar, que solamente cantan, no quiero ya más que dos palabras, *«just life»*, el intraducible final estampado por Katherine Mansfield, ¿sabes que me enamoré de esa escritora?, ella decía: «he de escribir con toda mi fuerza precisamente en los pasajes delicados», me enamoré, pero no tengas celos, ¡me he «enamorado» tantas veces, de tantos y de tantas!, yo llamaba a eso «amor» y me lo creía, ¡y hubiera sido capaz de todo por alguno y alguna, pero no era amor!, ¡cómo resulta posible sacrificarse a sensiblerías!, es difícil explicarlo, «amaba» sin comprometerme, tenía un «amor» como se tiene un perro preferido, para acariciarlo porque es agradable, porque necesitamos creer que amamos, al fin esta noche he roto el falso fondo, he encontrado el tesoro, mi amor a ti, indestructible, más, inconmensurable, a prueba de todo, ¿cuál es, química mía, vuestra sustancia más corrosiva?, ¿nada es inatacable?, ¿según las condiciones?, mi amor sí, el de ahora, invulnerable en cualquier condición, ¡si no ha sido destruido esta noche, si no me he destruido, ya no me asusta nada!, ¿ahora eres tú quien se siente pequeña, escasa, pobre?, ¡pero si yo me desprecio, ya te lo he dicho!, y, sin embargo, a salvo de todo, no, no es exaltación febril, estoy prodigiosamente lúcido, en este sitio donde llegué a puerto el primer día de mi regreso, dentro de tres días hará exactamente un año, de octubre a octubre, ¡qué distintos octubres!, hoy San Miguel, ¡pobre don Pablo!, emprendí el viaje creyendo regresar a mis fuentes, o a morir, me creí terminado, y resulta que empiezo, en el umbral de los cuarenta años me enamoro, empiezo a vivir, sin reencarnación ni nada –aunque fui eunuco en Stambul, ¿eh?, no te rías–, nazco originariamente, de la nada, más niño que nunca, como tú quieras: más sabio, tienes razón, más hombre, lo admito: no es la mera virilidad, más seguro porque me confieso despreciable, aunque no es eso, bueno, empiezo a vivir, como el universo, mira sobre el teatro Real: ya clarea un poco, el mundo nace de nuevo cada día, y vuelve a cargar con el mismo fardo de humanidad en marcha, de humanidad palabrera, pero también viviente, dolorida y magullada por los hechos, heroica y triunfante sobre los dedos, así vuelvo a nacer, y cargo con mi pasado, pero nazco doble, no, nada de hermanos siameses, eso eran palabras, doble porque nazco contigo, bésame..., tienes razón: siameses por la boca, y por el cuerpo todo y por el alma, vamos amor mío, vamos a nacer en nuestro Topkapi, en nuestra ermita del Amor Hermoso, ahora sí tengo frío, un poco, es que he nacido, que estoy vivo, ¿lloro?, como el recién nacido, primer dolor de vivir, la felicidad que es eso, fíjate cómo van naciendo otras gentes, ésa que ha doblado la esquina, ¿una niñita?, no te enfades, Ágata, pero acabo de enamorarme también de esa pobre enana, entrañablemente, nuestra primera compañera en el mundo antes vacío, ¿por qué la llamo pobre?, es lástima casi tener que meterse en casa, poco a poco veríamos ir emergiendo a todos, la dependienta de la panadería, la peluquerita de *Rosy*, el niño de los ultramarinos con su cesta, la criadita que espera aburrida a que acabe de decidirse al pie del árbol el perro lobo de su señorito, el taxista que limpia su coche, la vieja montando el puesto de churros, el teniente coronel ayudante recién nombrado con sus cordones todavía relucientes, los niños esperando ya el autobús del colegio y los tres soldados de la escolta camino del cuartel, me gustaría ir viéndolos salir a todos, a mis desgraciados y felices hermanos, a mis humillados y gloriosos compañeros, todos esos moribundos vivientes, pero me corre prisa subir contigo a nuestro refugio, ver cómo resplandece Topkapi ante mis ojos *verdaderamente* enamorados, tenderme a tu lado y ser de piedra, en una lápida definitiva y eterna, porque ahora para amarte, no necesito demostrártelo ni demostrármelo, no he de probarme nada, ¿comprendes?, es así, somos mía y tuyo, y va a ser ahora mismo, arder contigo, el volcán despertándose, el fuego en el abismo, nuestro cielo.

PAPELES DE MIGUEL
La última Pietà

Fines de junio de 1977

Para Seraphita:

¡Liberarte del llanto!: de tu pena por mí, la mía por ti. Último afán de mi encendida espera. Arquero soy de mí; soy mi saeta a punto de volar, mi propio blanco. Pero quiero librarte de tu miedo ante la soledad. Pues no logra engañarme tu sonrisa: te has vuelto transparente para mí.

¡Es tan sencillo! Mira: no habrá soledad. Hay siempre compañía. Del dolor, al principio, hasta hacérsenos carne. Después, la del recuerdo. Descubrirás al fin que siempre estuve en ti; también contigo. Aquí, circunvalando esta Kaaba o en el pretil del Ángel. Como seguiré estando en los jardines de Aranjuez o en aquel henil de Issogne. Y en el húmedo aire del *Embankment* o al pie del ascensor: Advenimiento.

Pero ya se estremece la saeta. Se prodigan los signos: esta pluma olvidada viniéndose a mi mano, tirando de las últimas palabras,

esta torre poniéndose a flotar, a navegar ingrávida, para otro viaje a Balj, ahora por la ruta verdadera,

aquel lento danzar de las estrellas, en la noche sin luna, girando con la música del *ney*: Nerissa me llamaba desde el pretil vacío,

y el viejo amigo por los corredores de este hormiguero: pude escabullirme. Pero me vio (¡su cara de sorpresa!) y empezará a buscarme hasta encontrar mi rastro, llevado de su erróneo cariño.

Llegará tarde, pues será el día treinta. El mismo día que morí en Nerissa. No llaméis al doctor porque es el Ala que me rozó tres veces (gris y verde y dorada), el Ala de Azrael: Nerissa será el Ángel en el puente Chinvat. ¡Si pudiera librarte!: mi último deseo. Late en vez de mi sangre ya impasible. En vano me rodean el tiempo y el vivir: mera vorágine en torno al centro en calma del ciclón. No hay sombras ya en el blanco de mis muros, ni lámpara en mi techo, pues ¡qué pronto me llenará la Luz!

Me sobra ya mi cuerpo como un vestido viejo. Piadosamente habrás de recogerlo. Como recogerás estas palabras y esos otros papeles donde escribí tu historia, que vives sin saberla, heredada de mí.

Nos unió ese pasado, Seraphita, desde el momento de reconocernos. Tú esperabas el estremecimiento que sólo comunica el traspasado por todas las saetas. Yo te llevé de Magda su perfume (mi despertar), de Hannah las hogueras (mi exaltación), la boca de Nerissa (mi éxtasis en la cúspide del beso). Y recibí de ti lo que aún podía ser gozo de mi cuerpo fatigado: tu lámpara y su llama sosegada, tus brazos acunando la fiebre de mi espera.

Seraphita, mi amparo, mi *Pietà*: ese inefable y dolorido gesto de amor que obsesionaba a Miguel Ángel. Aún seguía imponiéndolo a la piedra sólo seis días antes de su muerte. Ella sostiene al Hombre. En pie, porque la muerte no es ocaso: es un Ascendimiento.

Pensando ahora en tu pena me hago *Pietà* de ti para elevarte. Recuerda que estaré siempre a tu lado. Y en su seno florece tu consuelo.

Ya mueren las palabras. Silencio: es nuestra cita. ¿Papel?: blanco fulgor del Almendro encendido. ¿Seres, cosas?: tan sólo pinceladas sobre el cristal girante de la Lámpara. ¡Transparencia del mundo ante mis ojos! Nada tiene volumen, sólo sombras animadas por gracia de la Luz: mis diosas, tu dolor, mi larga espera... ¡Traspasar ese vidrio y existirme en la Llama!

Tus pasos ya, ese roce... En el pretil, frontera del vacío... Empieza a vislumbrarse tu figura... Este Soplo, este Aroma, esta Presencia... Cerca de mí, más cerca, ya en mi sangre... ¡Llenarán mis vacíos aposentos!

Ya pronto seré Tú y Nerissa yo. Los dos seremos uno: Eternidad.

ÍNDICE

ESTE LIBRO HA SIDO IMPRESO
EN LOS TALLERES DE
NOVOPRINT, S. A.
ENERGIA, 53.
SANT ANDREU DE LA BARCA (BARCELONA)